C. Faulhaber 12

ANTOLOGÍA DE LA LITERATURA HISPÁNICA MEDIEVAL

BIBLIOTECA ROMÁNICA HISPÁNICA

Fundada por DÁMASO ALONSO

VI. ANTOLOGÍA HISPÁNICA, 38

DENNIS P. SENIFF

ANTOLOGÍA
DE LA
LITERATURA HISPÁNICA
MEDIEVAL

GREDOS

EDITORIAL GREDOS, S. A.

Sánchez Pacheco, 81, Madrid.

Maqueta de la colección y diseño de cubierta: Manuel Janeiro.

Diane M. Wright, colaboradora del Prof. Seniff, ha supervisado la corrección de pruebas.

Depósito Legal: M. 28462-1992.

ISBN 84-249-1499-6.

Impreso en España. Printed in Spain.

Gráficas Cóndor, S. A., Sánchez Pacheco, 81, Madrid, 1992. — 6473.

A mis alumnos.
A mi familia.

PREFACIO

Objetivo de esta *Antología de la literatura hispánica medieval* es brindar al estudiante e investigador un muestrario de textos antiguos catalán-valencianos, gallego-portugueses y castellanos en sus varias etapas lingüísticas. Entre ellos se incluyen ejemplos y excerptos de las *jarchas* mozárabes; las *cantigas de amigo* lusitanas; la poesía lírica de Gonzalo de Berceo, Juan Ruiz, el Marqués de Santillana y de Ausiàs March; la novela caballeresca catalana *Tirant lo Blanc;* y de la prosa de autores tan bien conocidos como Alfonso X el Sabio, Juan Manuel y Fernando de Rojas (dialogada) y tan poco alabados como Bernardo de Gordonio, «F. A. D. C.» y Juan Fernández de Heredia. En la medida de lo posible, he empleado las ediciones más completas y/o recientes para proveer las lecturas; la época actual es en verdad impresionante por la cantidad y calidad de su investigación filológica (estimulada en gran medida por el ordenador), y con gran frecuencia aparecen nuevas ediciones de obras poco conocidas. Para los autores y textos que no se han podido incluir aquí, recomiendo las antologías siguientes: M. Alvar, ed., *Textos hispánicos dialectales: Antología histórica* (Madrid, 1960); D. J. Gifford y F. W. Hodcroft, ed., *Textos lingüísticos del Medioevo español* (2.ª ed.; Oxford, 1962); H. Godinho, ed., *Prosa medieval portuguesa* (Lisboa, 1986); F. González Ollé, ed., *Lengua y literatura españolas: Textos y glosario* (Barcelona, 1980); J. Leite de Vasconcelos, ed., *Textos arcaicos*, 3.ª ed. (Lisboa, 1922); R. Menéndez Pidal, ed., *Crestomatía del español medieval* (2 vols.; 2.ª ed. corr. y aum. de R. Lapesa y M.ª S. de Andrés, Madrid, 1971-76); J. J. Nunes, *Crestomatia arcaica*, 7.ª ed. (Lisboa, 1970); y P. Russell-Gebbett, *Medieval Catalan Linguistic Texts* (Oxford, 1965).

Textos. Los casi 150 textos de la *Antología* proceden de varias fuentes: las ediciones más fiables (a menudo las más recientes) y, en algunos casos, los manuscritos originales (e.g., para el *Fuero de Zorita de los Canes*, E.3) o sus tempranas impresiones (p. ej., para el *Lilio de medicina*, I.15). En cada entrada se documentan las fechas de la obra y de su autor (si es posible); la fuente manuscrita o impresa, fecha y biblioteca (u otro paradero) actual; y la edición, códice o impreso que se emplea.

No he intentado normalizar la ortografía o puntuación de los textos; sin embargo, proveo acentuación para distinguir entre las formas *a/á* ('a'/'tiene', 'hace'), *al/ál* ('al'/'lo otro'), *del/dél* ('del'/'de él'), *do/dó* ('doy'/'donde'), *e/é* ('y'/'tengo'), *esto/estó* ('esto'/'estoy'), *nos/nós* ('nos'/'nosotros'), *o/ó* ('o'/'donde'), *so/só* ('debajo [de]', 'su[yo]'/'soy'), *y/ý* ('y'/'allí') y *vos/vós* ('os'/'Vd.', 'vosotros'). Para la poesía y el teatro, respeto la numeración de estrofas y versos de las ediciones que se emplean; y para la prosa, la paginación (o foliación) original de ellas. La organización de los textos es alfanumérica (e.g., B.4, *Poema [Cantar] de mio Cid)* según estas diez categorías:

A. Poesía lírica mozárabe, gallego-portuguesa e hispánica tradicional: siglos xi-¿xv?
B. Poesía épica y sus prosificaciones: siglos xii-xiv.
C. Teatro litúrgico castellano (¿?): siglo xii.
CH. Teatro (glosa) litúrgico catalán: siglo xiii.
D. Poesía lírica y narrativa: siglo xiii.
E. Prosa: siglos xii-xiii.
F. Poesía lírico-doctrinal y épica: siglo xiv.
G. El Romancero y la poesía amatoria cancioneril: siglos xiv-xv.
H. Poesía lírico-doctrinal y de la representación: disputas, debates y teatro, siglos xiv-xv.
I. Prosa: siglos xiv-xv.

Cuando cito un texto en el «Ensayo bibliográfico» siguiente, incluyo normalmente su referencia alfanumérica correspondiente, señalada entre paréntesis; asimismo, su edición o manuscrito se indica en la «Selección bibliográfica» inmediata por medio de asterisco (*).

Ensayo bibliográfico de la literatura hispánica medieval / Selección bibliográfica. Se trata de un breve resumen de los aspectos literarios más salientes de los textos representados en la *Antología* y de la importancia de los momentos históricos en los que fueron producidos. Hay una correlación con la «Selección bibliográfica» que acompaña, ya que el lector puede consultar los estudios más relevantes y recientes (en la mayoría de los casos) para una determinada obra: se dan el nombre del investigador y el número de la ficha de su estudio entre corchetes cuadrados, [ ]. Dado su carácter selectivo, es fundamentalmente una «bibliografía de bibliografías» y, con algunas importantes excepciones, una recopilación de estudios publicados entre 1980 y 1990 (incluso reimpresiones). Para documentación más exhaustiva de la literatura hispánica medieval, el lector debe consultar las bibliografías periódicas de *La Corónica* [25, *infra*], la *Revista de filología española* [46], *MLA International Bibliography* [53] y *The Year's Work in Modern Language Studies* [54]. También son indispensables las bibliografías de J. Simón Díaz [50, 52] y del nuevo *Boletín Bibliográfico de la Asociación Hispánica de Literatura Medieval* [24], a cargo de V. Beltrán; y las que aparecen en las historias literarias y manuales de A. Deyermond [34 (61), 62], J. M. Díez Borque [64] y F. Pedraza Jiménez/M. Rodríguez Cáceres [47].

Cada división mayor (rúbrica) del «Ensayo» lleva también el rango de números entre corchetes cuadrados que se remite a su sección correspondiente de la «Bibliografía». Además de contener documentación para las áreas A.-I. *supra*, la división inicial de aquélla, «Obras generales», enfoca los campos siguientes de investigación: actas de congresos [1-2]; antologías y colecciones [3-21]; bibliografías, catálogos y manuales [22-56]; historias de literatura [57-74]; diccionarios y enciclopedias [75-85]; estudios [86-197]; oralidad y escritura [198-231]; e informática y literatura medieval [232-237]. Quisiera subrayar en especial la importancia de las últimas dos secciones, ya que representan campos muy fértiles para la investigación literaria y lingüística en sí, y para la creación efectiva de ediciones críticas, concordancias, etc.

Glosario selecto. Este léxico nutrido se encuentra al final del Tomo II de la *Antología*, y explica brevemente los términos de mayor dificultad para el lector moderno. Ya que es imposible entrar en el campo de etimologías en el «Glosario» por razones de espacio, remito a los varios diccionarios de la sección 75-85 y a los que se citan al principio del léxico.

* * *

Quisiera expresar mi sincero agradecimiento a los colaboradores siguientes en esta empresa antológica: a las varias editoriales que se nombran a lo largo del texto por los permisos de reimpresión que han otorgado; a Diane M. Wright por su ayuda en la elaboración del «Glosario selecto»; al College of Arts and Letters of Michigan State University (East Lansing, MI, EEUU) por una beca que ha facilitado la preparación del manuscrito; a los profesores S. G. Armistead, B. Bussell Thompson, S. Dworkin, E. M. Gerli, A. Gómez Moreno, I. J. Katz, J. E. Keller, M. Kerkhof, M.ª J. Lacarra Ducay, M.ª Montoya Ramírez, D. Severin, J. Snow y J. Walsh por los valiosos comentarios y fotocopias que, con característica generosidad, me han proporcionado; y a D. Valentín García Yebra y Pilar García Mouton, de la Editorial Gredos, por el constante consejo que me han ofrecido durante el curso de este proyecto. Por último, agradezco a mi familia su paciencia y buen humor ante las horas que esta tarea les ha robado. *Vita et ars sine amore nihil sunt*.

East Lansing, Michigan

31 de diciembre de 1989.

ENSAYO BIBLIOGRÁFICO DE LA LITERATURA HISPÁNICA MEDIEVAL

A) POESÍA LÍRICA MOZÁRABE, GALLEGO-PORTUGUESA E HISPÁNICA TRADICIONAL (SIGLOS XI-¿XV?) [238-61]

«MUWAŠŠAḤAS» ÁRABES Y HEBREAS CÓN SUS «ḤARĞAS» (1-3)

La belleza lírica peninsular quizás se revele mejor en la *muwaššaḥa* escrita en letra hebrea o árabe clásica, generalmente poesía panegírica métricamente rígida y pulida, y seguida de la *ḥarğa* (o *jarcha*), versos populares y espontáneos en romance, aunque puede haber patrones cultos para ellos en la poesía latina (bibliografía, R. Hitchcock [251-52]; y *vid.* G. Hernández [250]). A menudo se trata de un tema común en la pareja *muwaššaḥa-ḥarğa*: la largueza o avaricia de un potentado oriental hacia el poeta de la *muwaššaḥa*, quien arguye sutilmente en la *ḥarğa* su dependencia económica por medio de las quejas y peticiones de una joven desamparada o ansiosa por su situación amorosa. El patrono «escucha» en silencio, convertido .ora en la madre de la doncella (A.1 «¿Madre, dime, qué haré?»), ora en un «médico amoroso» (A.2 «¿cuándo mi señor.../querrá.../darme su medicina?»), ora en un amante agresivo (A.3 «No me toques,.../ El corpiño (es) frágil. A todo/...me rehuso»). La expresión de las emociones femeninas: he aquí el nexo entre la poesía amorosa paneuropea y la peninsular (*vid.* en especial V. Beltrán, trad. y ed. [5]).

«CANTIGAS DE AMIGO» GALLEGO-PORTUGUESAS (4-7)

Esta tensión amorosa se expresa también en las varias categorías de las *cantigas de amigo* gallego-portuguesas, en las cuales habla la voz femenina (bibliografía: S. Pellegrini/G. Marroni, actualizada por D. Viera [256]). Muchas de ellas emplean las mismas formas métricas que la poesía de los trovadores provenzales; sin embargo, se destaca su estructura paralelística muy elaborada y acomodada por una asonancia

alternante con el recurso estilístico del *leixa-pren* 'deja y toma', lo cual asegura una
fina continuidad rítmica y de contenido en la poesía de Meendinho (A.4 «Sedia-m'eu
na ermida de San Simion»); del rey Dionís (1261-1325), quien rompe inesperadamente
el *leixa-pren* para contestar la pregunta de una desconsolada doncella sobre su amante
ausente (A.5 «—Ai flores, ai flores do verde pĩo»); de Torneol, con su *alborada*
(o reunión amorosa al amanecer) que describe la pérdida de la felicidad de su protagonista por medio de la transformación de los símbolos poéticos, e.g., las fuentes que
se secan (A.6 «Levad', amigo, que dormide-las manhãas frias»); o de Pero Meogo,
cuyo diálogo entre madre —ahora dotada de voz— e hija, repleto de una rica simbo-
logía vital (ciervo-amante/agua-lugar de encuentro —si no la sexualidad misma—;
E. Morales Blouin [254]), recuerda el monólogo desesperado de las doncellas de las
ḫarǧas (A.7 «—Digades, filha, mia filha velida»).

VILLANCICOS, CANTARES, CANCIONES Y ENDECHAS (8-21)

El fenómeno de la lírica popular española en sus varios modales, ya épicos, ya
amorosos, lo han estudiado numerosos críticos (v.gr., M. Alvar, ed. [240], E. Asensio
[243], M. Frenk [247-48], R. Menéndez Pidal [253], F. Rico [257] y A. Sánchez Romeralo [259]), cuyas investigaciones subrayan la vitalidad y urgencia del lirismo de este
corpus literario —igual que en el Romancero (G.1-17 *infra*)— siglos después de su
composición. Estas poesías comenzaron a recogerse en el siglo XIII en crónicas como
las alfonsinas (*vid.* E.16), tradición que fue continuada en los siglos XV y XVI en
los cancioneros y las primeras obras impresas del Renacimiento. Entre ellas se encuentran los *villancicos épicos* (A.8 «En Canatanazor»), *cantares paralelísticos* (A.9 «Cantan de Roldán»), *canciones de alborada, alba* y *de primavera* (v.gr., A.11 «Ya cantan
los gallos»); *villancicos amorosos* en que hablan una doncella o un hombre (e.g.,
A.13 «Si te vas a bañar, Juanica» y A.16 «Tres morillas me enamoran/en Jaén:/Axa
y Fátima y Marién»); sin olvidar las fatídicas *endechas sefardíes* (A.21 «Pariome mi
madre/en una noche oscura,/ponime por nombre/niñá y sin fortuna»).

B) POESÍA ÉPICA (SIGLOS XII-XIV) [262-307]

La epopeya medieval brinda lo esencial al lector moderno de aquella vida tan
remota: las tensiones políticas y personales de una sociedad en transición, dramas
que determinan el azar de enteras culturas de la Península (bibliografía: *Olifant* [275]
y *Bulletin bibliographique de la Société Rencesvals* [265]). Con la secreta seguridad
del triunfo del cristianismo sobre el enemigo oriental se estimula el cultivo de este
género, obras que probablemente fueron compuestas oralmente en sus versiones pri-

mitivas (hay que reparar en su lenguaje formular y en el uso de epítetos, e.g., se refiere a menudo al Cid como «el que en buena ora nació») y que, en algunos casos, fueron refundidas posteriormente por manos eclesiásticas o notariales para fines propagandísticos, como el *Poema de Fernán González* y el *Poema de mio Cid* (B.2, B.4). Se subraya en estas y otras epopeyas la importancia de los valores nacionales —rey, patria y familia—. *Roncesvalles* (B.1), con cien versos, ha captado la gran tribulación del emperador Carlomagno al encontrar muertos a su sobrino, Roldán, y otros de los Doce Pares después de una emboscada en el famoso puerto entre Francia y España. Aquí se enfoca el *topos* del «mundo arriba abajo»: la muerte del joven caballero mientras sigue viviendo el regidor viejo (véase los lamentos de Carlomagno y del Duque de Aymón, vv. 77 y 88).

De la *Gesta* (o *Cantar*) *de los Siete Infantes de Lara* (F.7) parece que había dos versiones, hoy perdidas: la de c. 1000, y una refundición de ésta de hacia 1320, «huella épica» de 560 versos reconstruida por Menéndez Pidal con la ayuda del texto en prosa de la *Crónica de 1344* [728] y de la *Interpolación de la Tercera Crónica General* [279]. Se trata de la riña familiar entre los Infantes y sus tíos Doña Lambra y Ruy Velázquez. Mediante una carta de la muerte, éstos traicionan a los Infantes, que mueren a manos de los de Almanzor. El guerrero moro se apiada del padre de los difuntos, ahora su cautivo, enviándole a su hermana para que le dé «solaz» (o sea, confort sexual). El producto de estos amores es Mudarra, que toma venganza contra los alevosos parientes de los Infantes. No hay otro episodio más famoso de la literatura medieval que el de la contemplación por el padre, Gonzalo Gustioz, de las ocho cabezas de los Infantes y su ayo, Muño Salido (vv. 48-171); ni tan asqueroso como el del cumplimiento del sueño de doña Sancha, madre de los Infantes, cuando intenta beber la sangre del herido Ruy Velázquez (500-10).

El primer conde de Castilla se retrata en el *Poema de Fernán González* (B.2), figura histórica (m. 970) conocida tanto por su proeza militar contra leoneses y moros («dizien le por sus lides 'el vueitre carniçero'» [174d]) como por su piedad (fundación del monasterio de San Pedro de Arlanza [248]). Obra maestra de la *cuaderna vía* (véase *infra*, D.6-10), el *Poema*, aunque aboga por una Castilla independiente de León, no carece de temas («Venta del azor y el caballo» [569-74]) y personajes («El mal arcipreste» [639-52]) folklóricos populares (B. West [284]). Al mismo tiempo, se destaca el heroísmo de la infanta Sancha, tan valiente como el conde, al salvar a éste de la cárcel, llevándole «ella un poco a cuestas...» [643d]. Se sabe muy poco de la fuente perdida del *Poema*, generalmente denominado el *Cantar de Fernán González*, del cual hay rasgos en las crónicas y romances del siglo XIV.

El cantar de Sancho II y el cerco de Zamora (B.3; *vid.* M. Vaquero/S. Armistead [286]) enfoca la disputa dinástica (siglo XI) entre Sancho II, codicioso de los territorios de sus hermanos Alfonso (Castilla) y García (Galicia), y de su hermana Urraca (Zamora). Sancho, rey de Castilla y León, pone sitio a Zamora y es asesinado por Vellido Dolfos, animado éste por la promesa de los favores sexuales de Urraca (v. 39; cf.

G.5). Es inolvidable el reto de Diego Ordóñez contra los de Zamora: «al muerto como al vivo/...las aguas...los rios,/...el pan et ...el vino» (69-72). Quizás terminase el *Cantar* con el episodio de la *Jura de Santa Gadea* en que Alfonso afirma tres veces a petición de Ruy Díaz de Vivar, el Cid, antiguo vasallo de Sancho, que no había participado en su muerte, concatenación, por lo tanto, entre aquella épica y el *Poema de mio Cid* (B.4; *vid.* J. Horrent [293]).

Analizar el *Poema* (o *Cantar*) *de mio Cid*, epopeya castellana por excelencia, en pocas palabras sólo es posible en términos de la constancia y grandeza del Campeador a lo largo de la obra en su ejecución de una legítima fuerza militar (para su día), lealtad a su rey (ahora Alfonso VI), devoción a su familia y la afirmación del derecho formal sobre la venganza primitiva (bibliografía: A. Deyermond [290], F. López Estrada [294] y M. Sánchez Mariana [300]). Obra nada estática en sus tres *cantares*, se nos transmite la sensación de gran movimiento en los tres momentos dramáticos —el destierro del Cid, la afrenta de Corpes en que los Infantes de Carrión maltratan a sus hijas, Elvira y Sol, y el ajuiciamiento de este crimen en las Cortes de Toledo— mientras que se aproxima a su final: la apoteosis de la honra pública (perdón del rey y triunfo formal sobre sus enemigos en la corte y en el campo de batalla) y privada (nuevos matrimonios para las hijas) de la familia cidiana. El poeta, sea juglar, sea clérigo entrenado en derecho (R. Menéndez Pidal [216], C. Smith [302]), conocía a fondo la sicología humana y —quizás más importante— los gustos de su auditorio: el Cid llora (v. 1); trata tanto con reyes como con «una niña de nuef años» (40); participa en el engaño de los prestamistas, Raquel y Vidas (96-173); dota el monasterio de San Esteban de Gormaz (300-305); y es, al fin y al cabo, benévolo con sus alevosos yernos, Fernando y Diego (no tanto su *mesnada* en el campo de batalla), después del ultraje sádico del robledo de Corpes. Gigante de la literatura española medieval (la *Crónica del Cid*, por ejemplo, constituye gran parte de la segunda mitad de la *Coronica de Espanna* [E.16]), la sombra del Campeador se extiende desde el siglo XIII hasta hoy a la poesía, la prosa, el teatro y aun al cine.

A finales del siglo XIV se componen las *Mocedades de Rodrigo* (F.8; *vid.* A. Deyermond [305]): la épica medieval ya está en un período de decadencia, destacándose más la juventud del héroe y la intriga político-amorosa que el verismo y los valores nacionales del *Poema (Cantar) de mio Cid*. Irónicamente, es esta versión tardía de la vida del Campeador la que inspira el *Romancero del Cid* (véase G.4) de siglos posteriores. Obra propagandística para la diócesis de Palencia, el poema subraya la ilustre genealogía del Cid (vv. 204-60) antes de hablar de sus «mocedades». Una guerra entre Vivar y Gormaz provoca la muerte del conde don Gómez, padre de Jimena, quien pide al rey don Fernando que le dé a Rodrigo por esposo (374-76). Esto lo acepta Rodrigo, pero no hay consumación hasta que gana cinco batallas campales. Luego, el rey de Francia, el emperador del Sacro Imperio Romano y el papa piden que Castilla sea tributaria, ultraje que será vengado por Rodrigo en el campo. Felizmente, las paces se hacen a tiempo y se evita este conflicto (1145-71).

C) TEATRO LITÚRGICO CASTELLANO (¿?): (SIGLO XII)
CH) TEATRO (GLOSA) LITÚRGICO CATALÁN: (SIGLO XIII) [308-19]

Abunda en estos siglos sobre todo en Cataluña un floreciente drama litúrgico en latín y, posteriormente, en romance. La *Epístola farcida de Sant Esteve* (CH.1, de mediados del siglo XIII), glosa catalana en verso sobre la vida y el martirio de San Esteban que se encuentran en los *Hechos de los Apóstoles* VI, 8-l0 y VII, 54-59, está escrita en estrofas de cuatro octosílabos monorrimos con un verso inicial en latín, y es «teatre» para su editor, J. Romeu Figueras [313, II, pp. 5-l0]; *vid.*, sin embargo, M. de Riquer [70, I, p. 201, n. 4]. Todo lo contrario en el resto de España (H. López Morales [311-12], R. Surtz [314]): los escasos textos de Castilla se limitan a ejemplos latinos como el *Quem quaeritis?* (o *Visitatio sepulchri*) de Pascua incluido en un breviario (siglo XI) del monasterio benedictino de Santo Domingo de Silos, o el breve *Ordo sibillarum* existente en un manuscrito (siglos XIV o XV) de la catedral de Córdoba. Para la zona gallego-portuguesa y la aragonesa, hay otros ejemplos del *Quem quaeritis?* y del navideño *Officium pastorum*. Las huellas del teatro vernáculo castellano entre los siglos XII y XV son más escasas aún: se censuraron muy temprano el drama clásico romano y los pasatiempos populares, encontrándose interdicciones contra las «representaciones» y los «juegos de escarnio» en las *Siete Partidas* (1256-65) de Alfonso X, especialmente *Partida* I.vi.35, «un calco bastante fiel de un decreto de Inocencio III y de una glosa sobre dicho decreto» (R. Surtz [314, p. 10]; pero *vid.* M. Trapero [315]).

Gran excepción al «vacío vernáculo» castellano antes del siglo XV es el *Auto de los Reyes Magos* (C.1), compuesto hacia 1150. Inspirado en *San Mateo* 2, 1-12, el texto existente del *Auto* (147 versos) subraya la alta tensión dramático-teológica descrita por el choque entre el mundo de Herodes y su equipo de sabios y rabinos (trastornado) y el de los tres Magos (al final sereno, lleno de expectativas) después de anunciarse el nacimiento del Mesías. El conflicto teológico que caracteriza la obra —el *Auto* es único en enfocar la riña (que también cierra la pieza) entre los rabinos sobre las profecías de Jeremías (136-47)— quizás tenga importancia para su estado lingüístico y lugar de composición. Por ejemplo, muchas palabras que deben rimar en castellano no riman (e.g., *uinet/tine* [19-20]), pero sí lo hacen en el dialecto francés, gascón, lo cual sugiere la posible autoría de un sacerdote francés ubicado en Toledo (R. Lapesa [317]). Asimismo, «el *Auto* opone los Magos gentiles y al final creyentes a los judíos ciegos. Desde luego, tal actitud polémica cobra un significado especial en el... Toledo del siglo XII en que convivían cristianos, judíos y musulmanes» (R. Surtz [319, p. 17]).

D) POESÍA LÍRICA Y NARRATIVA (SIGLO XIII) [320-84]

La tradición del debate (1-2)

Este *corpus* de poesía, ya establecido en la literatura europea para el siglo ix, refleja la gran corriente escolástica de la *disputatio* dialéctica, o, *sic et non*, vehículo docente predilecto del *studium generale* (basado en los *trivium et quadrivium* de las siete artes liberales) de las escuelas conventuales/monásticas y, en España a partir del siglo xii, de las universidades (A. Deyermond [321], H. Rashdall [172]). Entre los temas de este género se encuentran, del siglo xiii, lo sensual-mundano/espiritual (hombre-mujer/agua-vino [D.1]) y lo social (concubinas de un caballero y de un clérigo [D.2]); del siglo xiv (y antes) lo teológico (cuerpo y alma [H.4]); y del siglo xv lo filosófico (Fortuna y el filósofo [H.5]), lo erótico (el Amor y un viejo [H.6]) y lo escatológico/providencial (la Muerte y la sociedad [H.7]).

La brillante *Razón de amor* con los *Denuestos del agua y el vino* (D.1) plantea un enigma bipartido si no se analizan sus dos momentos dramáticos en términos del análisis silogístico que predominaba durante el día: los dos movimientos de la obra —el encuentro, ya casto, ya sensual, de los amantes en la primera parte y la riña entre el agua y el vino en la segunda— sí se reconcilian en un *sic et non* poético que es a la vez teórico y práctico. Esta *disputatio amoris* en una vena dulcemente sentimental no desdeña los conceptos trovadorescos del *fin'amor*: la cortesía, los regalos del amor («Estas luuas y es' capiello,/est' oral y est' aniello» [118-19]) y la desesperación del amante al ser abandonado. Pero es el *Denuesto* agresivo siguiente entre los dos líquidos el que nos devuelve bruscamente al mundo material del huerto casi somnífero de la *Razón*. Igual que el amor, el vino tiene plenos poderes para hacer «al ciego ueyer/ y al coxo corer» (246-47), y la embriaguez infundida por los dos elementos puede convertirse rápidamente en desengaño y dolor.

Más a tono con el *Denuesto* por su brusquedad es *Elena y María* (D.2), obra que tipifica la realidad socio-económica del Medievo con sus tres estamentos: *oradores* (sacerdotes), *defensores* (caballeros) y *labradores* (campesinos). Para Elena, no hay duda en cuanto a la superioridad de la vida caballeresca activa sobre la religiosa contemplativa («quel mio defende tierras/e sufre batallas e guerras, / ca el tuyo janta e jaz/e sienpre esta en paz» [25-28]). María, sin embargo, parece ganar terreno al recordarle a Elena que jamás ha padecido hambre —quizás como ella y su escudero— y que los sacerdotes en este momento no corren el riesgo de perder a sus concubinas por la sencilla razón de que «Non [lo] farien otro abbad,/senon el que touiese castidat» (261-62) —es decir, nadie—. Parece que al poeta de la obra le importaba poco la reforma eclesiástica cluniacense del siglo xi, ya que en conclusión las muchachas deciden resolver su debate ante el rey de los pájaros, Oriol, cuya «corte es de muy grand alegria» (293), en lugar de ahondarse en otras profundidades teológico-estamentales.

HAGIOGRAFÍA Y LLANTO POR LA PÉRDIDA DE JERUSALÉN (3-5)

Nada más interesante para el auditorio medieval, tanto culto como popular, con la posible excepción de los relatos épicos, que el tema de las vidas de los santos, incluso la del mismo Jesucristo en su juventud (véase D.4). En estas obras, siempre se trata del perfeccionamiento espiritual del beato y de la imposición de su voluntad para suprimir las pasiones físicas y alcanzar un estado penitencial digno de su aceptación por la Divinidad.

El máximo contraste entre el valor efímero de la belleza de la carne y el valor eterno del alma purgada quizás se dibuje mejor en la *Vida de Santa María Egipçiaca* (D.3), compuesta en pareados de versos cortos y adaptada de una fuente francesa. Es un verdadero *vade mecum* para pecadores que ilustra —y, parece, intenta resolver— el dilema de la mujer dentro de las normas de la ética judeo-cristiana: siempre considerada pecaminosa por naturaleza, puede conseguir la salvación por su abnegación de la carne y por su resolución espiritual. María, joven y lasciva, jamás «membraua de morjr» (94), dándose a todo tipo de vicio, primero en Alejandría —a menudo en un contexto de lirismo y belleza («vna auezilla tenje en mano,/...Marja la tenje a grant honor/ por que cada dia canta d'amor» [143, 145-46])— y luego durante su viaje a Jerusalén, cuando seduce a todos los pasajeros peregrinos de su barco. Rechazada por ángeles guerreros a las puertas de la ciudad, María se retira al desierto y vive de hierbas y semillas durante dieciocho años (774-75). Su compañero, el monje Gozimás, la entierra con la ayuda de un león (1326-1414), subrayando al final el recurrente tema de la importancia de la penitencia y la mortificación de la carne.

La hagiografía cristológica de los evangelios apócrifos se relata en la *Infancia y muerte de Jesús* o *Libre dels Tres Reys d'Orient* (D.4), tradición que ha caído en el olvido para los creyentes modernos: la huida de la Sagrada Familia a Egipto (81-95); su asalto por ladrones y la acogida por «el bueno» de ellos en su casa (96-145); y el milagro obrado por «la Gloriosa» al usar el agua del baño del Niño Jesús para sanar a un niño leproso, Dimas (147-95). Cumpliendo otro destino de criminalidad a pesar de su propia «bondad», Dimas muere al lado derecho de Cristo, pero por su contrición le acompañará al Paraíso; todo lo contrario para Gestas, el mal ladrón, quien por su desconfianza espiritual «fue en infierno miso» (239).

La persecución musulmana de los defensores de Jerusalén y la profanación del Santo Sepulcro en 1244, documentadas en el poema *¡Ay Iherusalem!* (D.5), debió de horrorizar a Europa como para que se considerara mártires a nivel casi bíblico a los que fallecieron allí: «Veen los cristianos a sus fijos asar,/veen a sus mujeres vivas destetar;/vanse por los campos,/cortos pies e manos, / en Iherusalem» (96-100). La verdad es que España en el siglo XIII no podía contribuir mucho materialmente a las Cruzadas de Tierra Santa (iniciadas en 1096) debido a su propia Reconquista, realizada principalmente por Fernando III el Santo con su unificación de Castilla y León (1230) y con las conquistas de Córdoba (1236), Murcia (1243), Sevilla (1248) y Cádiz (1250).

«CUADERNA VÍA»: HAGIOGRAFÍA Y ÉPICA LITERARIA (6-10)

Con la regularidad métrica de la *cuaderna vía*, o sea estrofas de cuatro versos alejandrinos, de catorce sílabas, con cesura y rima consonante AAAA, BBBB, etc. (p.ej. D.7, los *Milagros de Nuestra Señora* berceanos; *vid.* F. Rico [326], N. Salvador Miguel [327-28]), no sólo la materia hagiográfica y la épica literaria (ya clásica, ya de aventuras casi caballerescas) del siglo XIII sino también mucha poesía lírica y de índole cuasi-épica del siglo XIV (e.g., F.2 y F.3) encuentran un vehículo que deja lucir a los artistas que saben manipularlo. Tal es el caso de Gonzalo de Berceo (m. c. 1265, bibliografía J. Saugnieux/A. Varaschin [353]), afiliado como clérigo secular (posiblemente notario del abad) en el monasterio benedictino de San Millán de la Cogolla, compositor de tres grupos de poemas: hagiográficos (v.gr., la *Vida de San Millán*), los que se dedican a la Virgen (e.g., D.7-8, los *Milagros de Nuestra Señora*, el *Duelo de la Virgen*) y dos doctrinales (v.gr., el *Sacrificio de la Misa*). En la *Vida de San Millán* (D.6), se enfoca la progresión pastor-sacerdote-caballero de la carrera de San Millán, obra que no carece de ciertos elementos formularios que se encuentran en la poesía épica, e.g., los epítetos («El bon Campeador», 123a). En *Millán*, los sucesos de dimensiones legendarias habrían sido inmediatamente inteligibles por su sencillez artística aun a un auditorio poco letrado. Se ve que la derrota del diablo en la montaña por el joven pastor Millán, aunque grandiosamente «siempre será contada» (122d), depende sobre todo de su habilidad en la táctica de la lucha libre campesina: «[quiso el diablo] abraçarse con elli, pararli çancajada,/mas no li valió todo una nuez foradada» (118cd), siendo esta última expresión de pequeño valor típica del colorido lenguaje berceano.

Los *Milagros de Nuestra Señora*, colección castellana «compañera» por excelencia de las *Cantigas de Santa Maria* gallego-portuguesas del mismo siglo (D.11), describen una tipología bíblica Pecado-Caída-Redención por la gracia mariana (E. Gerli [ed., 346, p. 47; 349]). En la *Introducción*, plenamente alegórica, se describe a la Virgen como un *hortus conclusus*, o prado florido y verde, que ofrece no sólo paz y sosiego a «tot romeo cansado» (19b) sino protección a los devotos de Ella y castigo para sus enemigos, conceptos que se desarrollan más ampliamente en los concretos milagros, e.g., *La casulla de San Ildefonso* (1), *El sacristán fornicario* (2), *El clérigo y la flor (3), El ladrón devoto* (6) y *La abadesa preñada* (21). No hay mejor ejemplo de la ternura de la Gloriosa hacia los suyos que el del último texto, cuando la abadesa errante da a luz y se le lleva al niño a un ermitaño para su protección: «Al sabor del solaz de la Virgo preçiosa/non sintiendo la madre de dolor nulla cosa,/nació la creatura cosiella muy fermosa,/mandóla a dos ángeles prender la Glorïosa» (533). La fuente latina para los *Milagros* es una colección en prosa de unos veintiocho cuentos, por lo visto muy parecida al texto del ms. Thott 128 de la Bibl. Real-Copenhagen (muchos de ellos aparecen en los *Miracula Beate Marie Virginis* editados por E. Gerli [346, pp. 221-62]).

De forma métrica diferente de la cuaderna vía normalmente empleada por Berceo es el *Duelo de la Virgen* (D.8), poema sumamente conmovedor e inolvidable por su humanización del diálogo entre la Virgen y Cristo mientras está en la cruz: «'Fijo, non me olbides e liévame contigo,/ ...qe esta petición non caya en oblido'./...Recudió el Sennor, dixo palabras tales:/ 'Madre, mucho me duelo de los tus grandes males[;]/ ...bien te lo dixi, mas haslo oblidado,/por qé fúi del Padre del cielo envïado,/por recibir martirio, seer crucifigado...'» (79a, 80d, 81ab, 82a-c). La *controvadura* de escarnio, *¡Eya velar!*, cantada al sepulcro de Jesús por «trufanes» (178-90), es lo suficiente enojosa a Dios que les ciega; a lo mejor esta canción se inspiró en la lírica popular y en la liturgia (G. Orduna [351]).

Aunque atribuido a Berceo por un editor reciente (D. Nelson, D.9 [359]; bibliografía, F. Marcos Marín, ed. [357]), el *Libro de Alexandre* por su tema (el héroe clásico Alejandro Magno) y estilo (cae entre la épica literaria y los libros de caballerías de siglos posteriores) difiere mucho de la obra conocida del poeta riojano. Se trata de un texto esmeradamente elaborado a base de la *Alexandreis* latina de Gautier de Châtillon (que procede por su parte de la tradición de Quinto Curcio), el *Roman d'Alexandre* francés y de otras fuentes. Nunca destinado a «mamar *lech* de mugier rafez» (7c), Alejandro se prepara para la grandeza mediante sus estudios con el filósofo Aristóteles, pero parece olvidar a la larga la máxima más importante que le enseña: «Si quisieres por fuerça tod el mundo vencer,/non te prenda cobdicia de condesar aver...» (62ab). Esta conquista no se limita a la tierra (invasión de Asia, 245-47), sino que se extiende a las profundidades del océano (en una expedición submarina, 2305-33) y a los cielos (en otra aérea, 2496-507). Todo esto frente a la rencura del Criador, quien promete que de «Este lunático que non cata mesura / yo-l tornaré el gozo todo en amargura» (2329cd); el héroe sufre, por lo tanto, una alevosa muerte por veneno (2645-48). Pero hay que admirar la personalidad de Alejandro y las susodichas innovaciones tecnológicas de la obra, que tampoco carece de momentos líricos, como en el acuerdo entre el rey y «[Th]alestris» (o Calectrix), reina de las amazonas, para empreñarla (1863 y sigs.; sólo le es aceptable a ella una criatura hembra), con su lenguaje metafórico, procedente de la caza, para captar la sensualidad de esta actividad tan vital: «Dio salto en la selva, corrió bien el venado;/recabdó la reina rica ment su mandado» (1888bc).

Distinto es el carácter moral de otro héroe de la cuaderna vía, Apolonio, del *Libro de Apolonio* (D.10; bibliografía, C. Monedero, ed. [365]), cuyas virtudes y constancia doméstica (según el poeta) están a la par con su estatura como rey: «El rey Apolonio, de Tiro natural,/que por las aventuras visco grant temporal,/cómo perdió la fija y la mujer capdal,/cómo las cobró amas, ca les fue muy leyal» (2). A pesar de su deuda servil a los libros de aventuras griegos (huida de Apolonio, perseguido por el rey de Antioquía al resolver el enigma de su incesto; su encuentro y separación de la princesa Luciana; la venta de su hija Tarsiana; y la reunión final de la familia), el *Apolonio* castellano es un éxito literario. Procede de una fuente latina, la *Historia Apollonii regis Tyri* [cf. 880], texto sumamente mejorado en manos del poeta-refundidor español: la leyenda original encuentra nueva vida en esta versión por la elaboración de varios motivos folklóricos (e.g., el voto de Apolonio de no cortar «los cabellos, ni las uñas» [346c] —con «fiera barba» después de diez años [469c]— hasta darle buen casamiento a su hija) y la inclusión de más colorido local (notable-mente cuando Tarsiana se hace juglaresa para salvar su virginidad [426-33]). Igual que en el libro de aventuras posterior, *El cavallero Zifar* (I.30), el *Apolonio*, desarro-llado en un contexto de amor, música y melancolía (M.ª Lacarra Ducay [364]), tiene un desenlace apropiadamente feliz que resulta de la virtud y confianza en Dios del héroe y de su familia (A. Deyermond [321, p. 129]).

POESÍA SACRA Y PROFANA GALLEGO-PORTUGUESA: ALFONSO X EL SABIO (11-12)

Además de los susodichos *Milagros de Nuestra Señora* de Berceo (y no hay que olvidar la obra en prosa latina de Gil de Zamora), la otra colección poética más notable de milagros marianos del siglo XIII es producto del *scriptorium* regio de Alfon-so X, terminado probablemente en 1281. Se trata de las *Cantigas de Santa Maria*, una obra de 427 poesías escritas en gallego-portugués y existente en cuatro manuscri-tos, el más opulento de los cuales es el Escorial ms. T.I.1 [368]; todos los códices están organizados en décadas de diez *cantigas*, o sea nueve *miragres* seguidos de un *loor* a la Virgen (bibliografía: I. Katz [373], C. Scarborough [379], J. Snow [380-82]). Por sus miniaturas (hay casi 1200 en el T.I.1.), notación musical y versos líricos (mu-chos de los cuales se han grabado últimamente; véase R. Tinnell [383]), las *Cantigas* constituyen un verdadero archivo visual de la vida cotidiana (vestidura, arquitectura, etc., de su época; *vid.* J. Guerrero Lovillo [372] y J. Keller/R. Kinkade [376]). Son un tesoro de temas y motivos folklóricos tanto «nacionales» como «internacionales» en su poesía y prosa (hay unas veinticuatro narraciones prosificadas que acompañan las *Cantigas* 2-25, escritas al pie de los folios del ms. T.I.1); véase W. Mettmann [378] y D. Wright [384]. Entre los textos pueden destacarse: el *Prólogo*, una especie de miniarte poética *a lo divino* sobre las dificultades del *trobar*; *Como Santa Maria guardou ao fillo do judeu que non ardesse, que seu padre deitara no forno* (4); *Como Santa Maria livrou a abadessa prenne, que adormecera ant' o seu altar chorando* (7; cf. *Milagros*, D.7, XXI); y el *Loor de Santa Maria, com' é fremosa e boã e á gran poder* (10).

De carácter distinto de las *Cantigas* marianas son las *De mal dizer*, también atribuidas al Rey Sabio. Se trata de una ética de insultos zahirientes y caricaturas verbales, frecuentemente articulados en términos pornográficos, de nobles sacrificiales y sus damas, o de profesionales de alta dignidad. Tal es el caso del «Daian de Cález» (= Cádiz; D.12), que con sus libros de arte mágica puede seducir aun a la esposa del diablo. Por lo tanto, la «magia y [la] lujuria se fundirían en este caso como cifra de las dos grandes tentaciones que en los respectivos planos del intelecto y de la carne acechaban al clérigo arquetípico de la época» (F. Márquez Villanueva [377, p. 331]).

E) PROSA: (SIGLOS XII-XIII) [385-506]

Al hablar de los albores de la prosa peninsular, hay que pensar siempre en la doble corriente de la evolución de las letras hispano-latinas junto con las vernáculas (F. Rico [399]), fenómeno que perdura hasta el siglo XVII. El prestigio internacional ya lo habían ganado las *Etymologiae* de san Isidoro de Sevilla (m. 636) en la temprana Edad Media, por ejemplo, debido a su empleo del latín; todo lo contrario ocurre con las lenguas romances peninsulares, cuyas primeras huellas sólo aparecen en las glosas de siglos posteriores (M. Díaz y Díaz [390]). Lucen en España, sin embargo, las traducciones del árabe y del hebreo, primero en la floreciente cultura de Al-Andalus, y luego en Toledo, 1126-52, bajo el patrocinio del arzobispo Raimundo. Para la traducción de los idiomas orientales al latín, era típico el empleo de un borrador intermedio en castellano. Pero al imponerse la hegemonía lingüística del «castellano drecho» durante el reinado de Alfonso X, los traductores del *scriptorium* regio frecuentemente abandonaban la meta latina original en beneficio de su idioma nativo en la preparación de los documentos oficiales —crónicas, obras legislativas y científicas, etc. (G. Menéndez Pidal [443])—, aunque paralelamente perduraría la producción toledana, v.gr., de libros en latín hasta el siglo XV. Y hay que subrayar la importancia del pensamiento semítico peninsular de estos siglos (e.g., de Averroes y de Maimónides), sobre todo su escolasticismo, para los escritos de autores tan diversos como santo Tomás de Aquino (en latín [italiano, m. 1274]) y Ramón Llull (en latín y en el vernáculo [mallorquín, m. c. 1316]) (*vid.* D. Seniff [183], M. Cruz Hernández [111], M. Johnston [136]).

CRÓNICAS Y FUEROS (1-3)

Es en el dialecto navarro-aragonés donde se encuentran las narraciones más antiguas en prosa castellana: las *Corónicas navarras* (E.1) datan de 1186, siendo ampliadas entre 1196 y 1213. Aparecen al final de un códice jurídico, el *Fuero general de Navarra* (E.2). Se trata en las *Corónicas* de una fusión de la verdad y de la ficción, hecho tan común en la historiografía medieval, sea en el relato de un monarca nacional («Est rey don Romiro fo padre del rey don Sancho de Aragón: fo muy bono et muyt leal»), en el comentario sobre un emperador internacional («Era DCCC.LXXX.VI aynos [= 848 d. C.] morio Carle Magne») o en la mención de una lucha entre el rey Artús y Mordred («Era D.LXXX. aynos [= 542 d. C.] fizo la bataylla al rey Artuyss con Modret Equibleno»).

Notable en el *Prólogo* del *Fuero general* es el procedimiento articulado para elegir a reyes —concretamente, a Pelayo— después de la invasión musulmana y la importancia del papel de jurisconsultos romanos, lombardos y franceses en la preparación de los primeros fueros escritos en la zona cristiana norteña. No carece tampoco el *Fuero* de divertidas anécdotas que se incorporan como ley formal, característica tan típica de la corriente popular subyacente en tales colecciones, como la apuesta entre dos vecinos sobre la caída de un palomar (Libro II, título i, cap. 7, *De iuyzio de alcalde sobre paramientos et convenienzas*). Tal mezcla de justicia formal y popular —violenta en extremo a veces en su ejecución— parece haber gobernado también la compilación de otro texto jurídico, el *Fuero de Zorita de los Canes* de 1218 (E.3), cuyos siguientes títulos y contenido hablan a las claras: *De aquel que su muger fallare en adulterio* («Et tod aquel que a su muger fallare faziendo adulterio...non peche calonna ninguna...si el fodedor con ella matare o escapare ferido»), *De aquel que muger por los cabellos tomare* y *De aquel que a muger tetas cortare* (que «peche .cc. marauedis et salga enemigo»).

LA GEOGRAFÍA Y LA BIBLIA (4-5)

La visión geográfica medieval fue deformada en gran medida por los científicos e historiadores latinos al interpretar los textos de exploración que habían recibido de los griegos. Una de las primeras obras en castellano sobre el tema, pero reajustada a la visión bíblica del mundo, es la *Semejança del mundo* (E.4; 1222 *a quo*), una traducción del *Mapa mundi*, parte de las *Etymologiae* de san Isidoro, y de la *Imago mundi* de Honorio Incluso (fl. 1100). Además de sus descripciones físicas de la Tierra (analogía con el huevo —los dos tienen casco, albura y yema [*Prólogo*]), de los otros planetas (que incluye el Sol), y de aquella «duçe armonia [cap. 386]» que corresponde a los siete cielos (el concepto es pitagórico), la *Semejança* muestra interés por los lapidarios y bestiarios que tienen orígenes orientales (no hay más que pensar en *Las mil y una noches* con sus piedras mágicas y monstruos fabulosos). Poco acertada es la visión que ofrece la *Semejança* de los habitantes de la India, p. ej., en *De los omes que an cabeças como perros, De los que non an mas de vn ojo [o pie]* y *De los que non an cabeças* (caps. 16-18).

Sin embargo, tales distorsiones no disminuyen «el ordenamiento e el plazer de Dios» del mundo que se revela en la *Semejança* (*De los elementos* [cap. 1]), a tono con la concepción medieval de su organización divina. En la Península, el ambiente producido por las circunstancias de la Reconquista amplifica esta creencia, quizás, produciendo un fervor que se manifiesta en traducciones de la Biblia al castellano en las primeras décadas del siglo XIII, si no de porciones de ella ya en el XII, actividad en que participan a menudo equipos de judíos versados en el Antiguo Testamento. Y ello a pesar de la emisión de decretos en contra (i.e., los del Concilio de Tarragona en 1233), motivados por miedo a las herejías e —irónicamente— frente al fomento en el Concilio de Letrán (1215) del vernáculo sobre el latín para muchos documentos oficiales (D. Lomax [398]). Producto de esta actividad es la *Biblia romanceada* con su *Libro de Job* (E.5), en dialecto riojano, conservada en el ms. I.I.8 del Escorial.

LITERATURA GNÓMICA (O DE LA SABIDURÍA) (6-10)

Las primeras colecciones de *sententiae*, o dichos de los hombres famosos, se remontan al período clásico latino y los *Factorum et dictorum* de Valerio Máximo, pero en la Península en el siglo XIII normalmente derivan directa o indirectamente del árabe. Se trata, en efecto, del triunfo de la *auctoritas* oral en un contexto escrito, desarrollado ora con un mínimo de acción (e.g., el *Libro de los buenos proverbios* [E.10]), ora con una narración estimulante que depende de una progresión catequística (*Historia de la donzella Teodor* [E.8]). El *Libro de los doze sabios* (E.6), con su conjunto de opiniones sobre un determinado concepto, e.g., la lealtad, ofrece al rey-destinatario (y a un público más general) la oportunidad de síntesis (cap. I), si no la de desmentir (y reírse de) muchas tradiciones populares («Non creas en fechizeros,...nin de estornudos, ...nin dudes de andar en miércoles» [cap. LII]). A veces el aspecto biográfico de una narración aporta más interés que los dichos en sí, como en el relato de Sócrates (*Bocados de oro*, E.7): este «aborrescedor del mundo» —casado con la mujer más necia de su tierra para poder sufrir esta cualidad humana en general— despreció la palabra escrita a favor de la oral en la emisión de su sapiencia para grabarla «'en las almas bivas, e non en los pellejos muertos'» (*De los fechos de Socrates*).

De gran popularidad durante siglos en sus varias versiones ha sido la *Historia de la donzella Teodor*, procedente de un cuento de *Las mil y una noches*, tanto por su hilo narrativo —las aventuras de la niña-sabia Teodor, quien preserva su virginidad y el honor de su empobrecido amo mediante una serie de preguntas y respuestas ante un rey y sus sabios— como por su espontaneidad lingüística (e.g., la enumeración de sus muchos saberes [*Titulo segundo*, p. 109]) y comentarios refrescantes sobre la sexualidad y la mujer en general («déuese detardar con ella, ...haziéndole de las tetas...e a vezes ponerle la mano en el papagayo» [*El rey llama a sus sabios*]). Típicos vehículos lingüísticos de la obra que se ven en la sección *Preguntas que fizo Abrahan el trobador a la donzella* incluyen el catecismo («E preguntóle mas que qual era la deuda que nunca se pagaua. Respondió la donzella que era la locura») y la *acumulatio* de símiles («El hombre es brauo como leon, ...nescio como asno, ...fornicador como chinche, falso como sierpe» [*Titulo [.vii.]*. p. 130]).

Gran acogida tuvieron también los libros de consejos —todos espúreos— del Seudo-Aristóteles a Alejandro Magno, procedentes del árabe en su versión oriental, la *Poridat de las poridades* (E.9), y del latín por medio del aragonés en la occidental, el *Secreto secretorum*. Carente del esmero narrativo que corresponde al *Libro de Alexandre* (D.9), la *Poridat* logra aportar varias observaciones útiles sobre la mesura personal que debe poseer el monarca para tener éxito: «Et non fable mucho ny a uozes...et que non ria mucho» (*Tractado segundo*). Este «espejo de príncipes» (aunque esta modalidad es más europea que oriental) también refleja interés en la ciencia de la fisonomía («El que á uientre grant es loco et torpe et couarde» [*De las fechuras de los omnes*]) y en los lapidarios.

ÉPOCA DE ALFONSO X EL SABIO: 1250-1284 (11-21)

Colecciones de «exempla» (11-12)

Las primeras obras de la época alfonsina (bibliografía: D. Eisenberg [439], *Noticiero alfonsí* [446]), en su mayoría traducciones de índole oriental, pertenecen *grosso modo* al dominio folklórico internacional. Se trata de compendios de *exempla*, cuentos de sabiduría ilustrativa originalmente derivados de una antigua tradición oral que emplean animales (fábulas) o la experiencia real o ficticia del propio narrador (muchas veces en forma de anécdotas graciosas o misóginas); y luego, con referencia a la cultura cristiana occidental, relatos sacados más a menudo de fuentes escritas (i.e., la *Biblia*, la mitología y la historia), las cuales podían mantener aún una esencia oral mediante su difusión por predicadores desde el púlpito o, en el caso de autores más laicos, por la alocución en voz alta a sus auditorios públicos y privados. En España, es Pedro Alfonso (n. h. 1062) quien compila la *Disciplina clericalis* en latín [385], obra muy popular de treinta y cuatro ejemplos orientales que fue empleada para la enseñanza de la clerecía. Persiste la compilación de tales colecciones durante el siglo XIV (véase el *Libro de buen amor* y el *Conde Lucanor*, F.3 e I.5) y los primeros años del siglo XV (v.gr., el *Libro de los exenplos por a.b.c.* [h. 1400-21], I.19), gozando algunas de mayor popularidad aún en las últimas décadas de éste con la aparición de la imprenta (e.g., las *Fábulas* de Esopo o *Ysopete ystoriado* [Zaragoza, 1489], I.20).

En el *Libro de los engaños e los asayamientos de las mugeres* (E.11), traducido en 1253 por mandato de Fadrique, hermano de Alfonso X, se recogen varios *enxenplos* misóginos en una novela-marco, o sea, una historia principal interrumpida periódicamente por la inserción de relatos de personajes del propio marco. En este caso son los sabios del rey Alcos que quieren evitar la muerte de su hijo, el príncipe, acusado por su lasciva madrastra rechazada y que está impedido de hablar —y defenderse— por siete días. La «batalla de los *exempla*» resultante entre los privados incluye el inolvidable *Del omne, e de la muger, e del papagayo*..., retrato perfecto de la diversión (el marido engañado por la mujer adúltera) y del *castigo* medieval, o advertencia moral (carácter pecaminoso de la hembra en general), en que el fiel loro-espía, falseados su vigilancia y testimonio por la engañosa mujer de su amo, pierde la vida a manos de él. *Calila e Dimna* (E.12; bibliografía, I. Montiel [423]) es otra colección cuya meta edificante trasciende sus aspectos humorísticos: procede del *Panchatantra*, obra sánscrita de Bidpai de c. 200 a. C., por medio de traducciones persas y árabes, siendo vertida al castellano en 1251 o 1261 a instancias de Alfonso. El título deriva de los nombres de dos chacales que hablan en los capítulos III y IV; hay varios otros dialogantes a lo largo de la obra, cuya exposición de fábulas y apólogos pretende aumentar el saber filosófico-religioso del oyente para llevarle a la «anchura sin fin en la casa de Dios», concepto clave del escolasticismo árabe que se articula en la *Introducción de Ibn Al-Muqāffa* con reiteración en la historia del médico Berzebuey (J. Cacho Blecua/M.ª Lacarra Ducay, eds. [420, pp. 90, 121]). Por su ingeniosidad y diversión se destacan los ejemplos de *El ladrón y el rayo de luna* y *El amante que cayó en manos del marido*; por sus normas sexual-culturales, *El labrador y sus dos mujeres;* y por su belleza lírica, *La rata transformada en niña* (M.ª Lacarra Ducay [422]).

Tratado cinegético: El «Libro de Moamín» (13)

Otra herencia oriental para la época alfonsina es la literatura cinegética, o de la caza. Famoso durante sus días de príncipe, c. 1250, era el *Libro de las animalias que caçan* (E.13), o *Libro de Moamín*, halconero y astrónomo de Bagdad que muere en 859 u 860 d. C.; parece muy posible que Alfonso lo mandara traducir al castellano. La caza (léase «halconería» en el siglo XIII) era un muy importante pasatiempo para los reyes (véase las *Siete Partidas*, II.v.20, sobre el alivio que puede producir), y se considera en *Animalias* como «una manera de apoderamiento», de gobierno del individuo (fol. 3r). Los tipos de raptor que cazan y los métodos de cazar con ellos se describen en el *Tractado* (o *Liber) I, tituli ii* y *xi*. Los *Libros IV-V* analizan las bestias que cazan con sus dientes (perros, etc.) y son fuentes para otro texto venatorio del siglo XIV, el *Libro de la montería* (I.13).

Alfonso X (1252-1284): Derecho (14-15b, 20)

De las obras producidas durante el reinado alfonsí (*vid.* L. Kasten/J. Nitti, ed. general [441]), quizás el que ha tenido más impacto para las generaciones posteriores es su *corpus* jurídico (bibliografía, J. Craddock [460]): se han incorporado elementos de las *Siete Partidas* (15a-b), por ejemplo, en las leyes del estado de Luisiana, EE.UU. Fue la meta del Rey Sabio establecer un código uniforme para su reino, ya que muchos pueblos tenían sus propios fueros, e.g., Zorita de los Canes (E.3); sin embargo, de las cuatro compilaciones legales realizadas durante su reinado, sólo vio promulgado el *Fuero real* (las *Partidas* no se promulgan hasta 1348).

Parece que el joven monarca se dio cuenta de la necesidad de tal consolidación muy temprano, ya que en su nombre otorgan las Cortes de Sevilla (octubre de 1252) al Consejo de Burgos un *Ordenamiento* tan minucioso (E.14) que contiene leyes como *De quanto ualan los Çapatos* (X), *Que non tomen los hueuos a los açores* (XXI, so pena de la muerte si es la segunda ofensa) y *Que non pongan fuego alos montes* (XXX; obsérvese el valor ecológico de este y otros estatutos semejantes). Muy pronto comienza la redacción de las *Partidas* (1256-65), siendo el curioso *Setenario* (E.20) la última e inconclusa versión de la *Primera Partida* (J. Craddock [461]): además de sus aspectos legales, se trata de un manual para sacerdotes y de temas docentes (e.g., el *trivium* y el *quadrivium*) y mágicos (p.ej., los siete nombres de Dios descritos en la *Ley I* y la organización general de la obra a base del número siete).

Se amplifica el aspecto eclesiástico del enciclopédico *Setenario* en la *Primera Partida* (E.15a), obra no carente de dulzura poética a veces en su rigurosa prosa por el empleo del símil, como en *Del derecho del padronazgo [de la Iglesia]*: «assí cuemo el padre ama a su fijo que engendró e guarda quanto puede que biua e dure en buen estado...el que faze la eglesia déuela amar e onrrar cuemo cosa que él fizo a seruicio de Dios» *(Título XV, ley 1.ª)*. En *Partidas II-VII* se tratan las materias siguientes: 2.ª, los deberes y derechos de los emperadores, reyes y otros grandes señores (se incluyen aquí leyes sobre la enseñanza, o estudio general, y salarios de los maestros [II.xxxi.1-4]); 3.ª, «Fabla de la justicia...por palabra de juicio et por obra de fecho»; 4.ª, «Fabla de los desposorios et de los casamientos» (también de la esclavitud: *Cómo judio nin moro non puede haber cristiano por siervo* [IV.xxi.8]); 5.ª, «Fabla de los emprestidos...et de todos los otros pleytos et posturas que facen los homes entre sí»; 6.ª, «Fabla de los testamentos et de las herencias»; 7.ª, Trata «de las acusaciones que se facen sobre los malos fechos, et de los denunciamientos...» (se destacan en esta *Partida* las relaciones entre cristianos y judíos: véase en especial VII.xxiv.2-4). Las fuentes de las *Partidas* incluyen legislación española previa (v.gr., el *Fuero juzgo*), el Derecho romano de Justiniano glosado por los juristas italianos, la *Biblia*, el *Decretum* de Graciano, las *Decretales* (colecciones de leyes canónicas) y algunos *exempla* y *sententiae*.

Historia (16-17b)

Igual que con la promulgación de las *Partidas*, Alfonso no vio durante su vida la terminación de la empresa histórica llevada a cabo por su equipo de recopiladores y escribas en los *scriptoria* de Sevilla y otros sitios. Se creía necesario escribir dos relatos, uno sobre España y otro sobre el resto del mundo, desembocando en la *Estoria de Espanna* (c. 1270) y la *Coronica de Espanna* (¿c. 1289-siglo XIV?) para el primero (E.16, aunque tiene gran envergadura el título colectivo *Primera Crónica General de España* asignado por Menéndez Pidal en 1906), que termina con los milagros atribuidos a San Fernando (padre del Rey Sabio); y en la *General Estoria* para el segundo, que termina con los padres de la Virgen María. Parece que gran parte de la *Coronica de Espanna* (sobre todo en cuanto a los acontecimientos —a menudo deformados— de la vida del Cid) pudo haberse completado bajo el patrocinio de Sancho IV (1282-95), hijo de Alfonso, si no en el siglo XIV (*vid.* D. Catalán [469, pp. 17-94, 95-204]).

Notable en la *Estoria/Coronica* (E.16) es el empleo de las leyendas épicas perdidas, como *La condesa traidora* (cap. 764), algunas de las cuales —bastante extensas— se han podido reconstruir a base de su prosa rimada, e.g., *Los Siete Infantes de Lara* (F.7). Otras fuentes incluyen varias obras latinas clásicas y medievales, entre ellas los *Césares* de Suetonio (a través del *Speculum historiale* de Vicente de Beauvais), las *Heroidas* de Ovidio y el *Chronicon mundi* de Lucas de Tuy; la *Biblia*; y algunas fuentes árabes y bizantinas (véase D. Catalán [470], C. Dubler [472], J. Gómez Pérez [475] y D. Pattison [481]). Ya que el equipo alfonsí se encontraba en un ambiente todavía esencialmente oral, no es sorprendente que emplease textos de carácter oral, ya directamente (e.g., las susodichas leyendas o fuentes que contenían fórmulas juglarescas [F. Gómez Redondo, 476]), ya indirectamente (v.gr., el trístico monorrimo «en Cannatannaçor / Almançor/perdio ell atamor», cap. 755, que deriva de la crónica de Lucas de Tuy [cfr. 261]), por su espontaneidad e impacto. A veces la exposición textual se basa en una exposición epistolar —la cual sostiene la impresión o ficción de la comunicación escrita—, como en la *Carta que envió la reina Dido a Eneas*, llena de pasión y emoción, traducida del *Heroidas* 7 para su inclusión en el cap. 59 (O. Impey [478]). En la *Estoria/Coronica* se ofrecen los relatos de Rodrigo, el último rey visigodo, y su pasión por la hija (aunque «algunos dizen que fue la muger») del conde Julián, con la subsecuente entrega de España a los moros (caps. 553-54, 557); y, tras un salto de siglos, de la derrota del general moro Almanzor (cap. 755) y de las hazañas del Cid *post mortem* (*vid.* cap. 961, *Del miraclo que Dios mostro por el cuerpo del Çid [contra un judío] et de commo fue soterrado*).

Dos aspectos —entre muchos— de la *General Estoria* se destacan: su preocupación por el saber en sí, que a veces asume un carácter lingüístico-filológico (e.g., «planeta tanto quier dezir como estrella andadora...de *planos* que dize el griego» [*Parte I, Génesis, Lib. III, xv*]), y el empleo alternante de las fuentes bíblicas y paganas, vistas como verdaderas —aunque no siempre éstas—, y contemporáneas (p. ej., la historia de Thola, sexto juez de Israel, frente al caso de la lasciva Pasife y su toro, que «caualgo [la vaca de tablas, hecha por Dédalo], de guisa que alcanço a la reyna [escondida adentro] e enprennola» [*Parte II, Jueces, CCCXXVI, CCCXXIX-XXXI*]). Por lo visto, tanto este relato como otros de la alta cultura griega (e.g., las amazonas, Edipo y Yocasta [*CIV-V, CCXL*]) tenían sus atractivos temáticos y narrativos para el equipo alfonsí. Otros textos «históricos» son, de hecho, traducciones que proceden directamente de la *Biblia* latina vulgata (a pesar de las interdicciones, mencionadas ante riormente, contra tales versiones al vernáculo), notablemente el *Cantar de los Cantares* en los primeros siete capítulos de la *Parte III* (aunque ésta y las *Partes IV-V* no son de la cámara regia alfonsina). Se ha propuesto la fecha de 1270-71 para el comienzo de la redacción de la *General Estoria* y la de 1280-84 para la composición de las *Partes V-VI* (F. Rico [482, pp. 41-43]).

Entre otras fuentes se deben mencionar la *Historia scholastica* de Pedro Coméstor, las *Antigüedades judaicas* de Flavio Josefo, los *Cánones crónicos* de Eusebio de Cesarea, las obras de Plinio, una versión francesa en prosa del *Roman de Thèbes* y las *Metamorfosis* de Ovidio (véase D. Eisenberg [473], L. Kiddle [480], A. Solalinde [484]).

Ciencia. Otras obras (18-21)

Gran parte de la contribución literaria del equipo alfonsí reside en sus traducciones del árabe y del hebreo de varias obras científicas y de pasatiempo para el monarca y la nobleza (bibliografía, A. Cárdenas [492]); ya se ha comentado la importancia del tratado de halconería, el *Libro de Moamín* (E.13), en el contexto de éstas. En cuanto a la ciencia árabe, G. Menéndez Pidal [443] ha estudiado detenidamente cómo trabajó este grupo en su temprana producción de las versiones latinas con el empleo de borradores castellanos intermedios, práctica que fue abandonada finalmente casi por completo al tomarse la decisión de usar el español como base lingüística para los textos. Con respecto a la astronomía pura en el sentido moderno, se destacan las *Tablas alfonsíes* (traducidas y amplificadas entre 1262 y 1272), procedentes de la obra de al-Zarkali de Córdoba (fl. siglo XI) y hechas famosas en Occidente por medio del texto español cuando las tradujo al francés, c. 1320, el astrónomo parisiense Jean de Murs o Jean de Lignères (E. Poullé, ed. [489, p. 3]); y los *Libros del saber de astronomía* (o astrología), que ofrecen una síntesis de las doctrinas de Tolomeo.

Para la astrología judiciaria, o importancia de las estrellas en la vida del hombre —una verdadera ciencia para los medievales—, son notables el *Libro de las cruzes* (1259) y el *Lapidario* (1279). Quizás el primer tratado de su índole, el *Libro de las cruzes* (E.18) será una traducción de la obra del astrólogo árabe Abu Said Ubaidalla (m. 1058), imprescindible (se creía) para adivinar el resultado de asuntos como los siguientes: cuándo uno será rico —o pobre—; cuándo será la muerte de alguien; y quiénes son sus enemigos y amigos. Pero hay aquí un elemento de la intervención divina: a pesar de sus numerosas interpretaciones de signos celestiales, el narrador nos recuerda al final casi del capítulo que «non erraras con Dyos» (*passim; vid.* J. Samsó [498]). El *Lapidario* (E.19), por su parte, tiene muchos atractivos para el lector moderno: con su mezcla de superstición y ciencia, puede considerarse como texto medieval «arquetípico» por excelencia. La obra se conserva en el Escorial ms. h.I.15 y tiene cincuenta preciosas miniaturas de animales y otras figuras que representan las divisiones del zodíaco (A. Domínguez Rodríguez [495], M. Amasuno [490]); asimismo, empareja las cualidades de las piedras con los fenómenos astrológicos, tratando temas como el cáncer, las alucinaciones, los desmayos, el sueño (también examinado en el *Setenario, E.20*), la preñez, el aborto y la anticoncepción. Inolvidable es el relato de las mujeres de la Isla de Uauac: «nascen ...en los arboles, unas fructas en figuras de mugieres, et cuelgan por los cabellos, et mientre estan en los arboles uerdes, son uiuas, et nunqua ál fazen si non dezir 'uacuat', et de que son maduras caen se et mueren» (*De la piedra que fuye del uino*). Y no debe olvidarse el *Picatrix* (1256), obra de magia astrológica influida por el hermetismo, religión críptica con orígenes en el Egipto helenístico (H. y R. Kahane/A. Pietrangeli [497]).

Obras de divertimiento en la tradición árabe clásica de la misma índole que el susodicho *Libro de Moamín* (E.13) son los *Libros de acedrex, dados e tablas* (E.21). El Escorial ms. T.I.6 contiene 150 hermosas miniaturas en las que se representan todas las jugadas descritas; para el *Acedrex*, v.gr., dice que «El primero iuego es: dar la xaque del cauallo blanco en la tercera casa del alffil prieto...», instrucciones que se pueden seguir aun hoy (*vid.* J. Trend [499], P. García Morencos [496]). Y cabe mencionar aquí de nuevo el curioso *Setenario* (E.20), ahora no como obra jurídica, sino como obra *sui generis* que tiene interés en la numerología (en especial el valor mágico del número siete, que está al fondo de la organización del universo) y en la sabiduría enciclopédica del mundo tangible, o sea, en la manifestación física del orden místico divino, e.g., fenómenos como el sueño, la luna y el sol (leyes XVI, XXVI).

ÉPOCA DE SANCHO IV: 1284-1295 (22-23)

La disputa entre Alfonso X y su hijo Sancho, conocido como «el Bravo», desembocó en la usurpación del trono por éste, ya que había quedado desheredado por el Rey Sabio poco antes de su muerte en 1284. Se discute todavía si Sancho concluyó las tareas históricas y legislativas que comenzó su padre (*vid.*, p.ej., D. Catalán [469, pp. 17 y sigs.]). Aunque no se le puede atribuir a aquél con completa certeza la autoría del *Castigos e documentos para bien vivir* (E.22), este «espejo de príncipes», o sea, serie de exhortaciones de un padre dirigida a su hijo (y la ficción de que se trate del Rey Bravo y el futuro Fernando IV es muy conveniente aquí), puede ser una buena guía para conseguir la paz entre las generaciones —cosa muy limitada por lo visto en el caso de Alfonso X y Sancho—. Es notable el relato del rey Aduarte de Inglaterra, el cual recibe por su bondad con un leproso un rubí «mayor que vn hueuo de gallina» al sonarse la nariz (*Capítulo VII, De quand noble cosa es fazer limosna...*). Importante también es su consideración sistemática del papel de la mujer en la sociedad castellana (N. Dyer [502]).

R. P. Kinkade [501] ha designado a Sancho como el «puente literario» entre Alfonso y Juan Manuel (1282-1348), sobre todo en cuanto a su perspectiva escolástica y preocupaciones docentes. Éstas se manifiestan por lo menos nominalmente (el prólogo es del monarca) en el *Lucidario* español, procedente del *Elucidarium* (h. 1095)

de Honorio de Autun y existente en varias versiones. Estos *Lucidarios* son plantea-
mientos de un discípulo a su maestro sobre temas de teología y filosofía moral-natural,
como atestiguan los capítulos siguientes: *Por que rrazon la pulga e el piojo an muchos
pies, el caballo, el orifant* [sic] *non an mas de cada quatro* (lxii), *Por que non semeja
vn homne a otro* ([...]) y —dirigiéndose a la dialéctica en sí— *Como el discípulo
preguntaua al maestro si querría que le preguntase más* (xxxix). Como dice Kinkade,
«Mientras Alfonso pinta la policromática exterioridad de la historia humana, intenta
Sancho... describir la interioridad del hombre a partir de sus creencias y de su propia
composición química, i.e., su fe católica (*lex divina*) y los cuatro elementos con sus
correspondientes humores (*lex naturalis*)» [501, p. 1042].

F) POESÍA LÍRICO-DOCTRINAL Y ÉPICA (SIGLO XIV) [507-73, 279-80, 304-07]

«CUADERNA VÍA»: DECADENCIA E INNOVACIÓN EN EL «MESTER DE CLERECÍA» (1-6)

La relativa paz y estabilidad del reinado de Alfonso X es seguida por casi 120
años de turbulencia política en Castilla, o sea hasta el reinado de Juan II en 1406.
Después del desorden civil de los últimos años de la monarquía del Rey Sabio, el
país se enfrenta con las dificultades que acompañan la minoría de Fernando IV (1295)
y de Alfonso XI (1312). Los avances políticos y la breve estabilidad económica que
realiza la España cristiana bajo la benévola mano de hierro de este último, llamado
«el Rey justiciero», se desvanecen cuando muere inesperadamente de la peste durante
el sitio de Gibraltar en 1350. De no haber fallecido dicho rey, la Reconquista seguramente se habría llevado a cabo en poco tiempo. El reinado de su hijo, Pedro I «el
Cruel», es marcado a su final por la misma pestilencia que mató a su padre y por
una guerra civil con su medio hermano ilegítimo, Enrique de Trastámara (= Enrique
II de Castilla), que concluye en combate singular entre los dos en el campo de Montiel, con el triunfo de éste (1369; reina hasta 1379). En adelante, el reinado de Juan
I (1379-90) se distingue por mayor inestabilidad política, culminando en una guerra
con Portugal a partir de 1384, con su desastrosa batalla —para los castellanos—
de Aljubarrota (1385). El frágil equilibrio que se mantiene entre el trono y los nobles
durante los reinados de Pedro y Enrique se quiebra durante la campaña portuguesa
y empeora durante la larga minoría de Enrique III (reina entre 1390 y 1406), pero
lo establece de nuevo el pragmático co-regente de Castilla, Fernando de Antequera,
durante la igualmente larga minoría de Juan II en las primeras décadas del siglo XV.

El espíritu de esta época tan deprimente se revela bien en su poesía lírico-doctrinal,
notablemente en el *Libro de miseria de omne* (F.1), una adaptación del *De contemptu
mundi* de Inocencio III (m. 1216). Métricamente, la obra no refleja la rigidez de
las obras del siglo XIII: hay, por ejemplo, el uso en algunas estrofas (e.g. 13-14) de

dieciséis sílabas en lugar de las catorce tradicionales y el empleo de la rima asonante (*passim*). Temáticamente, el hombre no tiene derecho a ser presuntuoso, ya que su composición es de «polvo, lodo e çeniza [e] sperma de suzio estado» (13b). Cuando muere, «Será massa, la su carne, feda, suzia e podrida» (16b). Y aunque no ha visto nacer a ninguna criatura, el poeta tiene entendido que «si nasçe varón, dize: 'ah', si nasçe muger, dize 'eh'» (42b). Tanto los hombres como las mujeres presumen gloriarse, aquéllos «de forniçios pertratar» (393a) y éstas por «[mesarse] las sobreçejas, [e fazérselas] pintar» (395b), lo cual resulta en «el amor de Dios perder» (397d). Los nueve niveles del infierno, de fuegos y penas, proveen terribles visiones: en el octavo, por ejemplo, hay diablos, serpientes y dragones, con «flamas dando por las bocas» (482c).

Obra difícil de clasificar, entre manual para sacerdotes, repertorio musical de juglares y cancionero cortesano que anticipa los del siglo xv, el *Libro de buen amor* (F.2; bibliografía: A. Deyermond [524], J. Joset [530] y la electrónica de M. Vetterling [548]) es el compendio por excelencia de la poesía lírica religiosa y profana del Medievo español. El «rayo de luz» artístico de una época conocida más por su oscuridad que por su alegría, este *Libro del Arcipreste* (A. Zahareas, ed. [544]) se puede caracterizar por un fuerte espíritu de ambigüedad. De su autor, Juan Ruiz, sabemos muy poco: H. A. Kelly, por ejemplo, ha establecido la existencia de casi cincuenta arciprestes y otros funcionarios eclesiásticos llamados «Johannes Roderici» en los registros papales de 1380-82 [533 y *vid.* 531-32], lo cual subraya la gran dificultad de identificar a este poeta con certeza. Se complica el asunto al tener en cuenta las fechas de la doble redacción de sus manuscritos más estudiados, *T(oledo)* y *G(ayoso)*, de «era de 1368 años» (1330 según el calendario cristiano), y *S(alamanca)*, de «era de 1381 años» (o sea, 1343), siendo interpretada ésta por el mismo Kelly como posible error por el año *cristiano* de 1381 [531, p. 30].

El *Prólogo en prosa* del ms. *S* da una especie de cohesión a esta versión más extensa y tardía del *Lba*; no se encuentra en los otros códices. Siguiendo como lema el texto bíblico «Intellectum tibi dabo» (*Salmo* XXXI.8), el Arcipreste predica un aparente anti-sermón en contra del «loco amor» (es decir, el fornicio), primero exhortando a su auditorio que eviten esta actividad lujuriosa, pero asegurándoles luego la posibilidad de mejorar sus habilidades amorosas por medio de su libro; de ahí la ambigüedad de la obra (y de la «intención» a que siempre se refiere el Arcipreste). En el mismo *Prólogo*, Juan Ruiz también se jacta de su proeza como músico y poeta: «conpóselo [el *Lba*] otrosí a dar algunos leçión e muestra de metrificar e rimar e de trobar» (I, pp. 6-14). En lo último dice la verdad —más que en lo primero—, ya que el *Libro* ofrece una gran variedad de formas métricas que describen temas ya sagrados, ya profanos. Se emplea la cuaderna vía para más del 90% de la obra, con cerca de un cuarto de las estrofas utilizando octosílabos en lugar de heptasílabos en sus hemistiquios. Aparece también la forma del zéjel (cabeza-trístico monorrimoverso de vuelta-estribillo), notablemente en los primeros *Gozos de Santa María* (estrs.

20-32, v.gr., «¡O María!,/luz del día,/tú me guía/todavía» [20]) y en la jocosa canción de la panadera Cruz (estrs. 115-20, «Mis ojos non verán luz,/pues perdido he a Cruz» [115]). Representativo de la lírica popular es el villancico, de estructura *ABABCCB* (o —*ABB*) con versos octosílabos, que aparece en las cánticas de serrana; véase la de «La Chata», estrs. 959-71.

Temáticamente, el *Lba* se puede dividir en dos partes básicas (aparte el *Prólogo* inicial): las primeras 1505 estrofas constituyen una especie de «memoria amorosa» del narrador —una celebración de los gozos sensuales y espirituales de la vida—, la cual se convierte en una preocupación creciente por la muerte (R. Lapesa [534], R. Walker [549]) y las consecuencias del pecado en las estrs. 1506-1634 (el resto del texto, 1635-1709, sólo existente en el ms. *S*, reitera el mismo enfoque ambiguo, ya espiritual, ya sensual, en sus *Gozos/Loores de Santa María* [1635-84, *passim*] y en la *Cántica de los clérigos de Talavera* [1690-1709]). Esta distribución bipartita, pero siempre complementaria, la ha analizado F. Rico [541] en términos del «aristotelismo heterodoxo» del *Lba* (cf. estrs. 71-76); mientras que A. Zahareas [550] se dirige a la «cuestión palpitante» por excelencia de la obra: el celibato de la clerecía de la Iglesia católica.

El mofarse de las ambiciones humanas, tanto intelectuales como materiales, parece haber servido muy bien los fines didácticos del Arcipreste: la parodia de la transferencia de la sabiduría entre griegos y romanos (44-63), por ejemplo, es tan graciosa como lo es el «rapto» del narrador por la serrana «La Chata», o por otra que tenía «por el garnacho las sus tetas colgadas,/[que] dávanle a la çinta pues que estavan dobladas» (959-71, 1019ab). Se trata de temas divertidos en sí, que podían hacer reír a la muchedumbre de una plaza mayor o, en su capacidad de los *themata* sermónicos, servir como puntos de partida para la explicación de conceptos teológicos no siempre tan evidentes (para los casos citados, e.g., la iluminación divina del entendimiento y el carácter lujurioso de la mujer en general, según tradición popular). Pero algunos relatos son puras celebraciones de la comicidad y de la vida, notablemente el *Ensienplo del garçon que quería casar con tres mugeres* (189-97), el *Enxienplo de lo que conteçió a don Pitas Payas, pintor de Bretaña* (474-85) y el episodio de Doña Endrina y Don Melón (653-891), con su deuda a la comedia elegíaca latina *Liber Pamphilus*, del siglo XII. Esta alegría «instructiva» frente al dolor que se expresa en la invectiva del Arcipreste contra la muerte y en *El petafio de la sepultura de Urraca* (1520-78) nos da una visión totalmente humana de Juan Ruiz y su mundo —ya alegre, ya triste, pero nunca carente de esperanza.

Aparece en 1348 una de las últimas obras del «espíritu épico» de la Edad Media, el *Poema de Alfonso XI* (F.3) por Rodrigo Yáñez, probablemente un escritor leonés a juzgar por el dialecto occidental de la obra. Se trata de un texto de unos 10.000 versos —algunos muy prosaicos— agrupados en estrofas de cuartetas octosilábicas con dos rimas consonantes diferentes (*ABAB*). A diferencia de las grandes crónicas alfonsinas, con sus prosificaciones de varias epopeyas orales, el *Poema* parece derivar (por lo menos en parte) de la *Gran crónica de Alfonso XI* [553], cuyo editor, D. Catalán, indica que la semejanza entre las obras «se debe a una versificación del texto cronístico y no a una prosificación del poético» [552, p. 16]. No hay duda de que fue Alfonso uno de los monarcas más justos y eficientes del Medievo español. Conocido como «el Rey justiciero», promulgó las *Siete Partidas* de su bisabuelo, Alfonso X, en 1348; y sólo su inesperada muerte por la peste durante el sitio de Gibraltar (1350) impide la reconquista definitiva de Andalucía. Por eso, las alabanzas que se cantan en el *Poema* —que también incluyen las de Leonor de Guzmán, amante del rey— no son infundadas: «Espejo fué [él] de la ley,/del Gran Criador vasallo: éste fué el mejor rey/que estido en cavallo»; y luego, «Ffizo una ley cumunal/que fué una real cossa,/por todos en general/ffizo ley provechosa» (estrs. 274; 330). Se extiende el relato desde la subida del joven monarca al trono (era lo suficientemente audaz como para coronarse a sí mismo) hasta la conquista de Algeciras en 1344. La gran victoria de la cristiandad sobre los moros en el Río Salado (1340; se cuenta entre los victoriosos al Príncipe Negro de Chaucer) se describe en una profecía del mago artúrico Merlín en términos poco lisonjeros para el enemigo: «La espada que dixo Merlín/que el puerco í perdería / la honra fué del rey de Benamarín / que se í perdió aquel día» (1843). Pero la derrota definitiva de la amenaza oriental no se realizaría sino siglo y medio más tarde.

La crisis político-militar de mediados del siglo, agravada por la llegada de la peste, marca el comienzo de una tolerancia decreciente hacia la comunidad judía española: se les echa la culpa de este y otros desastres de la nación hasta 1391, año en que una serie de pogroms destruye para siempre la vitalidad de las aljamas de Sevilla, Toledo, Burgos y Barcelona. Un buen exponente de la reacción colectiva de los hebreos a estos cambios radicales son los *Proverbios morales* (F.4) del rabino Sem Tob de Carrión, terminados hacia 1350 (bibliografía: T. Perry [558]). Quizás representativos de una última etapa del desarrollo de la cuaderna vía, los *Proverbios* son cuartetos con versos de siete sílabas rimando *ABAB*, o sea, pares de versos alejandrinos con rima consonante interna. Según el amplio estudio de T. Perry [559], se trata temáticamente de la emisión de la sabiduría judía dentro de la España cristiana. Dirigidos al rey Pedro I, son atractivos los *Proverbios* por su lirismo y sentido común: «Non val el açor menos/ Por nasçer de mal nido,/ Nin los enxenplos buenos/ Por los dezyr judío» (estr. 64). Basando su obra en el contexto cultural hebreo del *Talmud*, si no del *Eclesiastés*, el poeta le recuerda al oyente (o lector) sus orígenes humildes: «[¿]Non te miemra que eres/ De vil cosa criado;/ De vna gota suzya,/ Podrida e dañada?» (299bc-300ab). Se destaca, al fin y al cabo, el comentario del rabino sobre la condición del hombre y las consecuencias de sus acciones, e.g., el del hablar (566-611): «Cuerpo es el callar,/ E el fablar, su alma;/ Omne es el fablar,/ E el callar, su cama» (611).

Del mismo tono sombrío es el *Rimado (o Libro rimado) del palacio* (F.5) de Pero López de Ayala (m. 1407; bibliografía, C. y H. Wilkins [569]), diplomático y, a partir de 1398, canciller mayor de Castilla. El *Rimado*, de unos 8.200 versos, probablemente se compuso entre 1378 y 1400, con una redacción definitiva poco antes de la muerte del poeta. Ya es el ocaso en España del empleo de la cuaderna vía, pero aparece esta forma, de catorce y dieciséis sílabas, especialmente en las estrofas 1-731 (que tratan, entre otros temas, los *Diez mandamientos*, los siete pecados mortales y el arte de reinar) y 922-2170 (una adaptación del *Libro de Job* según su comentario en los *Moralia* de Gregorio el Grande). Alternativamente se produce el auge del arte mayor (octavas dodecasilábicas), y el *Deitado sobre el cisma de Occidente*, estrofas 832 y sigs., es una de las primeras muestras de esta forma métrica en la Península; le sigue una hermosa alabanza a la Virgen (cf. 851-60). Las observaciones de Ayala sobre el *status quo* palaciego son ya satíricas, ya agrias, p.ej., las disputas escolásticas estériles (208). Refrescante también es su interpretación de los cinco sentidos (152-74), preocupación que se remonta a santo Tomás, a mediados del siglo XIII (y antes): la función auditiva, v.gr., es tanto histórica («Si Judas non oyera, non cayera en error» [162a]) como personal («Oi muchas mentiras, con falsa opinion» [161a]). Basta señalar aquí la preocupación del Canciller por el buen gobernamiento del Estado y su atracción consecuente a la máxima autoridad del día sobre el tema, Egidio Romano y su *De regimine principum* (H. Sears [568]).

Otra obra de gran variedad métrica es la *Historia troyana en prosa y verso* (F.6), cuya fecha, según su editor R. Menéndez Pidal, es «de hacia 1270» [571]. A. G. Solalinde [573], por su parte, la considera como una versión del *Roman de Troie* de Benoît de Sainte-Maure, fechable hacia 1350. La versión más extensa de la *Historia* se contiene en el ms. 10146 de la Bibl. Nacional de Madrid, la cual está basada en los vv. 5703-15567 del *Roman* francés, poema de 30.316 versos. Hay poco original en las doce secciones prosificadas de la *Historia* española; todo lo contrario en las poesías correspondientes, cuya espontaneidad y emoción produce efectos casi teatrales, v.gr., la profecía y arenga de la sibila Casandra sobre la destrucción de Troya (*Poesía II*, vv. 1-150): «'¡Gent perdida, / mal fadada,/cofondida,/desesperada,/gente syn entendimiento,/gente dura, / gente fuerte/syn ventura,/dada a muerte...!'» (1-9). Igualmente conmovedora es la escena de los amantes Troilo y Braçayda (= Crésida; *Poesía VII*). En cuanto a las formas métricas, hay sextinas octosilábicas, cuartetas octosílabas y heptasílabas, décimas con versos mezclados de cuatro y ocho sílabas y otras combinaciones ingeniosamente compuestas para adaptar su forma al contenido de cada episodio. (Para la *Crónica troyana* en prosa que mandó componer Alfonso XI, *vid.* [570].)

HUELLAS DE LA ÉPICA (7-8)

Aunque textualmente del siglo XIV, la *Gesta de los Siete Infantes de Lara* (F.7, prosificada en 1344 y antes) y las *Mocedades de Rodrigo* (F.8, c. 1375) pertenecen temáticamente a los siglos anteriores; cf. «B. Poesía épica...», *supra*.

G) EL ROMANCERO Y LA POESÍA AMATORIA CANCIONERIL (SIGLOS XIV-XV)
[574-667]

EL ROMANCERO (1-17)

Según D. C. Clarke [370, p. 94], la primera aparición de un romance en la Península es la poesía núm. 308 de las *Cantigas de Santa Maria* de Alfonso el Sabio: «E d'est un muj gran miragre/uos quer eu ora mostrar/—De todo mal pod' a Uírgen/a quen a ama sãar». Igual que con el Romancero castellano, se trata métricamente de una serie de versos octosílabos en que hay la misma rima asonante entre los pares, con los impares quedando libres. Las asonancias más comunes son *á-a*, *á-o*, *í-a* (llanas) y la *á* (aguda). El primer empleo del término *romance* es de Íñigo López de Mendoza, marqués de Santillana, en su *Prohemio e carta* a don Pedro de Portugal (1449, I.22); la primera balada recogida por escrito es *Estáse la gentil dama* («Gentil dona, gentil dona» [G. 10]), una versión del romance de *La dama y el pastor* copiada en 1421 por Jaume de Olesa, estudiante de derecho en Bolonia. Temáticamente, hay gran variedad en el Romancero: las fuentes de que han bebido sus compositores incluyen la poesía épica, la historia (incluso las guerras fronterizas de Granada), los mitos caballerescos, la *Biblia* y las tradiciones líricas y novelescas. En cuanto a su técnica, se destacan el fragmentarismo (muchas de las baladas comienzan *in medias res* y terminan abruptamente —su «saber callar a tiempo» según Menéndez Pidal); el diálogo y la tendencia a la repetición o reiteración, características ambas de la literatura oral; y el uso de las frases formularias, herencia de la poesía épica. Sus recursos estilísticos y lingüísticos incluyen un lenguaje estilizado y algo arcaizante (v.gr., el empleo de la -*e* paragógica en *dirade*, *pane*, etc.) y una variedad de usos de los tiempos verbales (p.ej., es típico usar el imperfecto de indicativo para las narraciones y el imperfecto de subjuntivo en -*ra* [*oyera, amara*] para producir un sabor arcaico). Algunos estudios importantes sobre el Romancero son los de S. Armistead [578-81], D. Catalán [582-87], D. Foster [592], G. Piacenti [599], A. Rodríguez-Moñino/A. Askins [601-02], A. Sánchez Romeralo [603] y C. Smith [604]; es útil también el estudio de S. Hess [593, pp. 23-47] sobre la investigación romancística, épica y lírica de Menéndez Pidal.

Romances históricos y fronterizos (1-9)

La pérdida de España por Rodrigo, último rey de los godos, y su penitencia se cantan en romances procedentes de la *Crónica sarracina* de Pedro de Corral, c. 1440 (véase G.1-2); pero es muy posible que tengan mayor antigüedad y hayan sido transmitidos por juglares en versiones primitivas antes de esta fecha. Para explicarse la invasión musulmana, la estructura política de los godos —ya en declive a principios del siglo VIII— tenía menos atracción para el público que la venganza de un padre (el conde Julián) por la violación real de su hija (la Cava, derivado del árabe *Alacaba* 'prostituta'). En recompensa, Rodrigo se mete «en una tumba con una culebra viva», hasta poder emitir las famosas palabras «cómeme ya por la parte...por donde fué el principio de la mi muy gran desdicha» (G.2, vv. 39, 55-56).

La estrecha relación que a menudo existe entre la balada y la poesía épica quizás el que mejor la ha comentado sea A. Deyermond cuando dice que «la épica proporcionó a los romances en general un sistema de versificación, el asunto para un número de ellos y el contenido en detalle para unos pocos» [589, p. 221]. Esto se puede ver en lo referente a los romances históricos y las epopeyas sobre los Siete Infantes de Lara (G.3 *Rodrigo de Lara*/F.7 *Gesta de los Siete Infantes de Lara*), El Cid (G.4 *Jimena Gómez*/F.8 *Mocedades de Rodrigo* y G.5-6 *Rey don Sancho-Juramento que tomó el Cid al rey Alfonso*/B.3 *El cantar de Sancho II y el cerco de Zamora*) y Pedro I (G.7 *Don Fadrique:* se desconoce aquí una correspondencia épica, pero los romances que datan del reinado de este monarca, 1350-69, son algunos de los más antiguos de que disponemos). No faltan en las baladas dinamismo e intensidad —muy frecuentemente desarrollan momentos de alto dramatismo en las epopeyas— ni una preocupación por la «política sexual»: Jimena Gómez se queja de que Rodrigo Díaz («buen hombre de familia» por excelencia en el *Cantar de mio Cid*) haya cebado su halcón «en mi palomar» (G.4, v. 9); y Vellido Dolfos, hablando menos metafóricamente, le recuerda a doña Urraca que «Tiempo era...de complir lo prometido» —es decir, de concederle sus favores— en recompensa por haber matado al rey Sancho (G.5, v. 10). Por otra parte, la historicidad de las guerras de Granada se ha captado en un contexto sumamente lírico en los romances fronterizos *¡Abenámar!, ¡Abenámar!* y *Álora la bien cercada* (G.8-9); inolvidable es la «respuesta» de Granada en aquél a la petición de matrimonio ofrecida por Juan II («Casada soy..., que no viuda;/el moro que á mí me tiene,/muy grande bien me quería» [22-23]).

Romances líricos, caballerescos y novelescos (10-17)

Se trata de romances del ciclo carolingio y «de amor, de venganza, misterio o... de aventuras» según A. Deyermond [589, p. 229], quien prefiere la designación de *literarios* y *de aventura* para estos grupos, que son para C. Smith [604] y otros los *carolingios/novelescos*. Los líricos (G.10-14) describen en gran medida episodios de amor y desamor: la «gentil dona» de *Estáse la gentil dama* (muy pícara, con «les titilles agudilles» [G.10, I.1A, v. 6] que quieren romper su blusa) fracasa en su tentativa de seducir al escudero; la infausta *Bella malmaridada* (G.11) parece estar a punto de perder la vida a manos de su marido; la «fadada» niña real de *La Infantina* (G.12), libre de un encantamiento después de siete años, tiene que esperar a su caballero y *ex*(?)-futuro esposo mientras que va a «tomar consejo/de una madre que tenía» (14); y la tortolica de *Fontefrida* (G.14), «viuda y con dolor» (3), rechaza al mal traidor del ruiseñor. *El conde Arnaldos* (G.13), por su parte, es pura magia y canta los misterios de la mar; es de aparente procedencia francesa y puede leerse en un contexto alegórico (la galera es la Iglesia, el marinero es san Pedro o Cristo) o por puro divertimiento, como lo hizo Longfellow al preparar su traducción, *The Secret of the Sea* (1850). La selección de baladas caballerescas procede del ciclo carolingio que se había originado en Francia, pero que ya se estimaba poco allí en el siglo xv, momento en que las hazañas de Carlomagno, Roldán y otros comenzaron a inspirar a los poetas españoles a crear versiones en forma de romance. *Gerineldo y la Infanta* (G.15) narra los legendarios amores de Eginardo, secretario de Carlomagno, con Emma, la hija del emperador. *¡Oh Belerma!* procede de las *chansons de geste* francesas tardías, e inspiró a Cervantes en la creación del episodio de la Cueva de Montesinos en *Don Quijote II* (1615), caps. 22-23.

El término «novelesco» se emplea *in sensu strictu* en su aplicación al *Romance de Calisto y Melibea* (G.17), ya que parece proceder de *La comedia de Calisto y Melibea*, versión original (¿1499?) de *Celestina* de Fernando de Rojas (I.38) y quizás la primera novela moderna (D. Severin [1024] ha subrayado los elementos novelescos en el sentido moderno de la famosa obra, a los cuales obedece también el romance). Muertos sus personajes principales, esta balada tardía (c. 1510-13) concluye con una advertencia moralizadora, algo bastante raro en el Romancero temprano: «Tales fines da el amor/ al que sigue su mandar» (339).

POESÍA AMATORIA CANCIONERIL (18-37)

Es durante los reinados de Juan II (1406-54) y de Fernando e Isabel, los Reyes Católicos (1474-1516), cuando alcanza su plenitud la lírica cortesana castellana (bibliografía y estudios: B. Dutton [628-29, 631], J. Stenou/L. Knapp [641], K. Whinnom [620]). En los cancioneros (o sea, antologías poéticas) de la primera parte del siglo xv es evidente todavía cierta admiración por composiciones en gallego-portugués: la «vieja generación» de poetas —los que escribieron durante el reinado de Juan I (1379-90) o antes— del *Cancionero de Juan Alfonso de Baena* (c. 1445), por ejemplo, normalmente compusieron sus obras amorosas en este idioma, mientras que los de la «nueva generación» —de finales del siglo xiv o de comienzos del xv— escribieron en castellano. Los cancioneros que se compilan en adelante, notablemente los de Lope de Estúñiga (c. 1465 [632-33]), Ramón de Llavia (c. 1490 [672]), Juan del Encina (1496 [658], el primero impreso) y de Hernando de Castillo (1511 [627]), con su empleo del español suplantan para siempre la lírica lusitana en Castilla como vehículo literario de la corte. Su forma poética más común, la *canción*, consta normalmente de versos octosílabos (*arte menor*), aunque las hay que emplean versos de cuatro a intervalos regulares (cf. «O qué poca cortesía» de Carvajales [G.22] y las *Coplas* de Jorge Manrique [H.3]); ya que el *decir*, de índole panegírica o satírica, se escribe en versos de ocho o de doce sílabas (*arte mayor;* véase el *Dezir por Diana de Sevilla*, por Francisco Imperial [G.18]).

Las canciones (y *cantigas*, como la del legendario Macías [G.19] en el *Canc. de Baena*) tratan temas del amor cortés en que el poeta-narrador sufre las penas de la pasión sin esperanza alguna de correspondencia: nos inquieta que el protagonista de *El triste que más morir* [G.20] diga que «La pluma tiene mi mano/ la otra tiene el cuchillo,/ la carta iase en el plano» (11-13) o que Carvajales se queje: «¡O qué poca cortesía/para ser tan lynda dama,/desamar a quien uos ama!» (G.23, 1-3); pero así son los sufrimientos amorosos. En efecto, entendemos muy poco del «lenguaje secreto» de los cancioneros, la mayor parte del cual es eufemística (e.g., *vitoria* 'conquista sexual') y, por lo tanto, indicativa de una tensión sico-erótica mucho más profunda y vital que el protocolo cortesano, que la tiene ligeramente velada (*vid.* I. Macpherson [639]). Por otra parte, no carecen algunas canciones de una fina espiritualidad cuando esta tensión se dirige a una contemplación más sublime: en *Más triste que non María*, Carvajales transfiere algunos aspectos del culto mariano a la corte cuando comenta el aspecto de una dama agitada por el amor, pero «más bella que Madalena:/cabellos, cara llorosa.../ la cara syempre serena» (G.25, vv. 5-6, 8). Sin embargo, es la agonía de esta tensión la que tendría más impacto en la creación literaria del siglo xv: no es nada menos que la muerte que a menudo espera a los protagonistas de las novelas sentimentales escritas a finales del siglo (que son, en un sentido, amplificaciones prosificadas de la poesía cancioneril; véase I.34-37) y en la novela dialogada *Celestina*, de ¿1499/1502? (I.39), donde la pasión producida por el amor cortés, llevada al extremo, concluye en el desastre final de la obra. A lo mejor, concordarían los críticos de este fenómeno sico-social con el poeta del romance sobre Calisto y Melibea en que «Tales fines da el amor/al que sigue su mandar» (G.17, v. 339).

Íñigo López de Mendoza, Marqués de Santillana (G.26-32, H.5, I.22)

Miembro de la familia Mendoza, de rancia estirpe, el Marqués de Santillana (1398-1458; bibliografía/estudios, D. Foster [644], H. Nader [654], R. Pérez Bustamente/J. Calderón Ortega [655]), hombre de armas y letras, es precursor de los humanistas renacentistas que caracterizan los últimos años del siglo xv y los primeros del xvi, e.g., Antonio Nebrija, Antonio de Guevara y Arias Montano. Su biblioteca, por ejemplo, era una de las mejores de la época, como ha señalado M. Schiff [656]; y su *Prohemio e carta* (c. 1449, en prosa, I.22) a don Pedro, condestable de Portugal, es el primer tratado de crítica literaria en castellano, ya que comenta, entre otros temas, la poesía (o «gaya sçiençia») en términos tanto generales como específicos («Infimos son aquellos que...fazen [los] romançes» [A. Gómez Moreno, ed., 651, p. 56]) y las obras de los poetas castellanos (viejos y nuevos), franceses (sobre todo, los provenzales) e italianos. Es evidente el influjo de los dos últimos grupos, junto con el gallego-portugués, en sus *Serranillas* (G.26-27), *Canciones* (G.28-29) y *Sonetos*

(G.30-32). En el caso de las serranillas (compuestas entre 1429-40), es posible que *Yllana, la serrana de Loçoyuela,* la cual exhibe un realismo refinado, represente una fusión de las tradicionales pastorelas exteriores (i.e., de Provenza, muy idealizante) y domésticas (de corte realista: recuérdese las serranas parodiadas en el *Libro de buen amor* [F.2]); mientras que la *Vaquera de la Finojosa* describe una genuina pastorela de índole francesa.

En cuanto a las canciones amorosas, el Marqués sigue en gran medida el arte menor de la poesía cancioneril (o sea, una estrofa con vuelta que repite la estructura y rimas del inicio en un conjunto de tres estrofas o menos); goza de gran popularidad aun hoy su dulce *Si tú desseas a mí* (G.29), con su promesa para los amantes de todas las edades: «A ti amo e amaré/toda sazón/e siempre te serviré» (21-23). Pero si estos grupos representan la continuidad o adaptación de tradiciones poéticas ya bien conocidas en la Península, los sonetos de Santillana «al ytálico modo» representan una gran innovación (escribe los suyos en 1438-55). No tienen el lirismo o la espontaneidad de las creaciones de Garcilaso de la Vega ochenta años después; sin embargo, como indica R. Lapesa, en ninguno de ellos «deja de haber la huella del gran poeta» [646, p. 200], *i.e.* los atractivos símiles y metáforas de *Non es el rayo del Febo luziente* (G.32). De índole doctrinal es su *Bías contra Fortuna* (1448; H.5), obra filosófica dirigida a su primo, el conde de Alba, encarcelado por mando de Álvaro de Luna, condestable de Castilla. La actitud estoica que el protagonista Bías, un sabio griego, mantiene a lo largo de sus 180 coplas de pie quebrado se resume en el *Prohemio*, «Omnia mea bona mecum porto»: el estudio, la contemplación de los libros en compañía de académicos, «e los sus justos preçeptos/diuinales,/que son bienes inmortales/e por los dioses electos» (XCIII, 741-44). Era sin duda la actitud del Marqués mismo en aquella época de turbulencia político-social, y, por lo tanto, sería aconsejable para otros también. Al final, Bías vence a Fortuna con su sabiduría, fundada en las artes liberales: «Yo me cuydo con razón,/mera justiçia e derecho,/...e diré: ¿Qu'es lo que piensas, Fortuna?» (CLXXX, 1433-34, 1439-40).

Juan del Encina (33-36)

Nacido Juan de Fermoselle (c. 1468-1529/30; bibliografía, H. Sullivan [661]), era hijo de zapatero este «padre del teatro español». Mozo de coro en la catedral de Salamanca, Encina entra en el servicio de los duques de Alba entre 1492 y 1495. Aspirante al puesto de cantor de la catedral salmantina en 1498, es derrotado por Lucas Fernández y cambia España por Roma, desde donde obtiene varios beneficios eclesiásticos en su país natal que le obligan a regresar. Otra vez en Roma en 1514, se ordena en 1519 y viaja a Jerusalén; pero vuelve a Roma y España para morir en 1529 o 1530. Su *Cancionero de 1496* [658], el primero publicado en España, constituye la más nutrida colección de sus obras (dramáticas y poéticas), y es uno de los compendios de las bellas letras más sobresalientes de la época de los Reyes Católicos;

como ha señalado R. Tinnell [662], la discografía moderna sobre Encina que se basa en este texto y en el *Cancionero musical de Palacio* (Madrid, ms. 1335 [242]) es impresionante. La lírica cortesana de Encina —a la cual nos limitamos ahora— luce por su inspiración popular, y refleja varios fenómenos de su época: su canción de influjo provenzal, *A una dama que le pidió una cartilla para aprender a leer* (G.33), por ejemplo, tiene las típicas metas amorosas de la poesía cancioneril, pero emplea el vehículo didáctico del abecedario (el cual se usa más en la prosa, e.g., el *Libro de enxemplos por a.b.c.* [I.19]) al describir tácitamente la evolución de la sociedad castellana —por lo menos al nivel palaciego— desde un estado esencialmente oral (cf. el analfabetismo de la dama) hacia otro orientado a la escritura, lo cual era inevitable con la llegada de la prensa. Asimismo, la deuda de Encina a cancioncillas tradicionales ya existentes en su día está clara en sus villancicos-glosas sobre *¡No te tardes, que me muero,/carcelero!* (G.34), *Ojos garços ha la niña* (G.35) y —reiterando los temas de la pastorela española— *Ya no quiero ser vaquero/ni pastor,/ni quiero tener amor* (G.36). Más político es el romance dirigido a Boabdil, el último rey moro, a la caída de Granada, *Qu'es de ti, desconsolado;* su interpretación polifónica moderna, sin embargo, es sumamente exquisita (*vid.* R. Tinnell [662, p. 59, núms. 1071-75]).

Ausiàs March (37)

Ha sido calificado Ausiàs March (1397-1459; bibliografía, Ll. Esteve/L. Ripoll [664]) como «the finest poet in Europe in the first half of the fifteenth century» por K. McNerney [666, «Preface»], quien ha estudiado su impacto sobre la poesía castellana de Joan Boscà, Garcilaso de la Vega y otros. Contemporáneo y amigo del Marqués de Santillana, este noble valenciano también era hombre de armas y letras, habiendo servido en las guerras de Italia y Africa, c. 1420. En 1437, se casó con Isabel Martorell, hermana de Joanot, autor principal de *Tirant lo Blanc* (I.39). La obra de March consiste en 128 poemas divisibles en cuatro grupos temáticos: los *cants d'amor, cants de mort, cants morals* y un *cant espiritual;* predomina en todos el verso decasílabo, tan importante para la poesía provenzal como para la catalana y valenciana. En el primer grupo, es evidente también la huella temática —aunque ahora depurada— de los trovadores provenzales (véase G.37, el *Cant* XXIII, «Llexant a part l'estil dels trobadors») y de Petrarca y Dante, ya que March alaba debidamente a sus mujeres poéticas pero sin los tópicos de la relación dama-señor de aquéllos o de la dama-ángel de éstos. En el mismo *Cant* XXIII, estamos ante la gentil «dona Teresa» (IV, 28); no es virgen porque Dios quiso linaje de ella: «Verge no sou perquè Déu ne volch casta» (III, 24). No carece este poema tampoco de elementos escolásticos (quizás procedentes del pensamiento de santo Tomás de Aquino) que subrayan el influjo inspirador para el entendimiento —si posee esta facultad el amante— de la hermosura y gentileza de la amada: «Tan gran delit tot hom entenent ha/e ocupat se troba .n vós entendre,/que lo desig del cors no.s pot estendre/a lleig voler...»

(V, 37-40). Tal como lo resume con acierto K. McNerney, «The tendency... of the spirit to elevate the body interests [March] more than the dichotomy between flesh and soul» [666, pp. 2-3].

H) POESÍA LÍRICO-DOCTRINAL Y DE LA REPRESENTACIÓN: DISPUTAS, DEBATE Y TEATRO (SIGLOS XIV-XV) [668-721]

Muy distinta de los versos amorosos y líricos de los cancioneros es la poesía doctrinal y teatral de este período. Con preferencia a la prosa, es el vehículo literario que expresa más nítidamente los sentimientos del hombre sobre la mujer (en pro y en contra, véase H.1); la fortuna y la política (H.2 y H.5); la muerte (H.3 y H.7); la relación entre el cuerpo y el alma (H.4); el amor y el hombre (H.6); y, con espíritu positivo (pero melancólico a la vez), sobre el nacimiento de su Salvador (H.8).

PERE TORRELLAS (1)

Para la primera categoría, surge en adelante durante el siglo xv (especialmente en Cataluña) una tradición literaria de misoginia en que se intenta resolver el debate académico antiguo, ahora popularizado, sobre la dicotomía «Ave/Eva» —si la mujer es sagrada como María o pecaminosa como Eva— del carácter femenino (véase J. Ornstein [166], M.ª Lacarra Ducay [141]). Uno de los poetas misóginos más notorios es el catalán Pere Torrellas (de su vida se sabe poco; véase B. Matulka [679, pp. 95-137]), quien escribió en su lengua materna y en castellano con igual facilidad. Sus *Coplas contra* (o *Maldezir de) las mugeres* (H.1, c. 1450), entre otras obras, se ganaría la muerte para sí mismo como personaje ficticio unos cuarenta años después en la novela sentimental *Grisel y Mirabella* (I.37) por Juan de Flores. Para Torrellas, ellas «son todas.../malignas e sospechosas» y «saben mentir sin pensar,/reir sin causa, y llorar» (vv. 55-56, 79-80). Sigue el patrón aristotélico de que ella «es un animal/que se dize hombre imperfecto,/procreado en el defecto/del buen calor natural» (l09-12). Sin embargo, su amor por cierta dama (¿Juana de Aragón, reina de Nápoles?) impone una excepción a la regla, la cual admite su palinodia al final: «Vós soys la que desfazeys/lo que contienen mis versos» (140-41).

JUAN DE MENA (2)

Insigne latinista y humanista fue Juan de Mena (1411-56; bibliografía, R. Di Franco [683]), cuyos intereses intelectuales le unían en amistad con el Marqués de Santillana. Su concepto de una fuerte monarquía absoluta apoyada por un Estado unitario —como el gobernado por el condestable Álvaro de Luna (ejecutado en 1453)— era prematuro para su época, aunque se refleja plenamente en su poema más famoso, el *Laberinto de Fortuna* o *Las trescientas* (H.2). Escrito en octavas de arte mayor y dedicado «Al muy prepotente don Juan el segundo» (1a), el *Laberinto* es una tentativa de elevar el castellano al mismo nivel que el latín, lo cual se logra en gran parte por el empleo de sintaxis y vocabulario sumamente cultos. Se trata de la tensión entre la diosa Fortuna (móvil; cf. el comentario *supra* sobre *Bías contra Fortuna* [H.5]) y la Providencia (constante), quien, igual que Virgilio en el inmortal *Infierno* dantesco, le sirve de guía al poeta en un recorrido por la mansión de aquélla. Con ella logra Mena ver desde lo alto las varias partes del mundo conocido en su día, contemplando asimismo tres ruedas que representan el pasado, el presente y el futuro; es imposible conocer el último porque «El umano seso se çiega e oprime» (60a) bajo el peso de la magia necesaria para adivinar lo que hay en la mente divina. Cada rueda tiene siete esferas regidas por igual número de planetas simbólicos, poblados (según un sistema dantesco de castigos y premios) por los viciosos en la parte inferior y por los virtuosos en la superior. Y macabro —pero inolvidable— es el pronóstico del cuerpo parlante sobre el futuro de España, estrofas 247-55: «Los miembros ya tiemblan del cuerpo muy frios,/...ya forma sus bozes el pecho iracundo,/temiendo la maga e sus poderíos» (252a/cd; ¿bebió de esta fuente Fernando de Rojas para la conjuración celestinesca del «triste Plutón» en su famosa obra? [I.38, *auto III]*).

JORGE MANRIQUE (3)

Uno de los poemas más famosos en lengua española trata el tema de la muerte: las *Coplas por la muerte de su padre* (H.3) de Jorge Manrique (c. 1440-79; bibliografía: M. Carrión Gútiez [688], M. Matjastic [694]) exhiben una dignidad ante el *transitus* jamás vista antes en la literatura peninsular —típica es la actitud horrorizada de Juan Ruiz en el *Libro de buen amor* (F.2, estrs. 1520-78)— y que no se vuelve a ver hasta el *Auto da barca da Glória* de Gil Vicente (1519). Con una progresión lógica perfecta (se comenta primero la vida y la muerte en términos generales, se describe a varias figuras históricas y luego se pasa al caso concreto de Rodrigo Manrique), las *Coplas* constituyen una fusión del amor filial con la memoria perdurable de un fallecido querido (F. Domínguez [689]).

Palidecen en comparación las cosas pasajeras de antaño, el *ubi sunt?* de este afectuoso memorial cuya ausencia se nota pero no se añora: «¿Qué se hizo el rey don Joan?/...¿Qué se hyzieron las damas,/sus tocados e vestidos,/sus olores?» (XVI, 181; XVII, 193-95). El efecto redoblante producido por el empleo del pie quebrado aquí y en las otras *Coplas* (de las cuales hay cuarenta, pero cf. J. Labrador et al. [692]) sostiene un tono grave apropiado para el tema. Sería para Pedro Salinas un aspecto estilístico de la «animación o vivificación de las formas tradicionales que trae [Manrique] a su poema» [697, pp. 206-209]. Aunque no se deben desestimar los aspectos políticos de la obra (J. Monleón [695]), es al fin y al cabo una especie de *ars moriendi* o «arte de bien morir»: el maestro Rodrigo, una vez acompañado por la Muerte, no quiere gastar más tiempo «en esta vida mesquina» (XXXVIII, 446), sobre todo cuando está a punto de recibir de Jesucristo mismo el perdón de sus pecados mediante su «sola clemencia» divina (XXXIX, 467). Muere sencillamente, cercado de su familia, pero no sin dejarles —según el poeta— «harto consuelo/su memoria» (XL, 479-80).

DANÇA DE LA MUERTE (7)

En contraste con el «caballero cortés» que es la Muerte de las *Coplas,* el duende imponente de la *Dança general de la Muerte* (H.7; bibliografía: J. Saugnieux [711], J. M. Solà-Solé, ed. [712]) es un «domador» de seres humanos; este poema en octavas de arte mayor es, por lo tanto, un documento social importante de los siglos xiv y xv (*vid.* A. Deyermond [706], P. Mikus [708], J. Rodríguez-Puértolas [710], F. Whyte [713]). Se maravilla la Muerte de que el hombre se preocupe por esta vida tan breve, pensando que vivirá para siempre jamás (I-III). Entre quienes entran en su danza hay doncellas (IX-X), un emperador (XIV-XV), un duque (XXII-XXIII), un abad —el más vicioso de todos— (XXXII-XXXIII), un abogado (XLII-XLIII) y un ermitaño; sólo éste recibe la simpatía de su dueño sobrenatural, quien le recuerda que es en el Paraíso donde ha de entrar (LXI). El concepto de la *dança* como un fenómeno social es bastante complejo; a lo mejor, la obra castellana deriva de un modelo francés, la *Danse macabre.*

DISPUTAS Y DEBATES (4, 6)

Continúa durante los siglos xiv y xv la tradición del debate y de la disputa del siglo anterior (véase el comentario *supra,* «D.1-2 La tradición del debate»). Compuesta en 1382 («Quatroçientos e veynt, entrante la era» [I, 3]) con códices preservados del siglo xv, la *Disputa del cuerpo e del ánima* (H.4), en diecisiete octavas de arte mayor, relata el sueño del poeta-narrador, testigo de un debate virulento entre un «cuerpo...finado» que «olia muy mal» (II, 12-13) y su alma, existente en forma de «un ave de blanca color» (III, 20). Vuelan los insultos hasta que llega un diablo negro que prende el pájaro. Se despierta el poeta, sólo para perder el sentido por temor de la visión (XVII). Otro debate menos horrífico se encuentra en el *Diálogo entre el Amor y un viejo* (H.6) de Rodrigo de Cota (m. después de 1504). Miembro de una familia de judíos conversos (F. Cantera Burgos [700]), Cota pudo haber escrito el primer acto de *Celestina,* aunque los críticos no están de acuerdo sobre este punto (*vid*. H. Salvador Martínez [1019], D. Severin [1023]). R. Glenn [703] ha subrayado la teatralidad de la obrita, mientras que R. Surtz [704, p. 34] insinúa que se empleaba para la lectura o el recitado. El viejo intenta ahuyentar al Amor, quien ha saltado las paredes de su huerta (v. 4). El viejo está desinteresado por la emoción amorosa; y no sólo él: también lo está —simbólicamente— su jardín (10-36). El Amor tiene mucha labia, sin embargo, y va ganando terreno sicológicamente sobre el viejo (199-243). Al final, éste se entrega a su pasión, abrazando a su contrincante: «(El Viejo): ¡Vente a mí, muy dulce Amor,/vente a mí, braços abiertos!» (509-10). Por primera vez en los debates, el triunfo de uno de los litigantes es definitivo.

Teatro del siglo xv: Gómez Manrique (8)

A diferencia de los siglos medievos tempranos (véase «C. Teatro...: siglo xii»), hay evidencia muy reciente (C. Torroja Menéndez/M.ª Rivas Palá [714]) de un teatro litúrgico castellano que floreció en Toledo en el siglo xv: se integraron allí los autos dramáticos como elemento de la fiesta del Corpus Christi a partir del último tercio de la centuria. Se destaca en esta misma época la obra del dramaturgo y poeta Gómez Manrique (c. 1412-c. 1490), cuya *Representaçión del naçimiento de Nuestro Señor* (H.8; c. 1475) es una verdadera pieza teatral, aunque su narración de la Navidad según el *Evangelio de San Lucas* se la debe al *Officium pastorum* (véase el estudio textual de F. López Estrada [716]; y el de H. Sieber [720] sobre su simetría dramática). Escrita en 185 versos octosílabos, la *Representaçión* termina con una *Canción para callar al niño* (186-207). Aprovechándose de la tradición medieval de pintar a san José como un cornudo («Negra dicha fue la mía/en casar me con María/...Yo la veo bien preñada, / no sé de quien, nin de quanto [¡!]» (3-4, 6-7), Manrique logra un equilibrio entre la comicidad y la tristeza que prevé la Gloriosa al pensar en su placer materno que «en dolor será tornado,/pues tú [Jesús] eres enbiado/para muerte padeçer» (47-49). Prosigue la adoración de tres pastores (86-114), seguidos de los ángeles Gabriel, Miguel y Rafael (115-45) y —curiosamente— los martirios que presentan al niño (146-85; cáliz, soga, azotes, corona, cruz, clavos, etc.). Aunque la *Canción* del final es un toque dulcificante, esta pieza «festiva» deja al lector moderno con una sensación de inquietud.

I) PROSA: (SIGLOS XIV-XV) [722-1044]

La producción literaria peninsular en prosa durante estos siglos es impresionante por su cantidad y, en general, calidad. Entre sus varias categorías se encuentran leyendas hagiográficas y cuasi hagiográficas (I.1-4); textos didácticos, tratadísticos y científicos (I.5-17); colecciones de fábulas y de *exempla* (I.18-20); obras humanísticas (I.21-23); autobiografía y biografía (I.24-26); libros de viajes (I.27-28); libros de aventuras caballerescas (para el castellano, I.29-33; para el catalán, I.39); libros de aventuras sentimentales (I.34-37); y una muy famosa novela dialogada (I.38). Se trata, en efecto, de una cornucopia de las artes científicas y de las de la imaginación; de la estética y del empirismo; del pensamiento interior del hombre y de sus observaciones sobre el mundo que le rodea. Además de esta producción secular, hay que subrayar la importancia del sermón y la literatura del púlpito en sí y para la técnica literaria (si no dramática) que brinda a las bellas letras: notables son las contribuciones, por ejemplo, del predicador catalán san Vicente Ferrer y de Alfonso Martínez de Toledo (I.17; y *vid.* P. Cátedra [199-204], A. Deyermond [208], E. Gerli [837] y F. Rico [755]).

El interés en la prosa es estimulado por los avances en la educación y en la promulgación del vernáculo que se realizan durante estas centurias, muchos de los cuales se deben a los esfuerzos recientes o anteriores de la Iglesia (e.g., el impacto del IV Concilio de Letrán de 1215 [D. Lomax, 398]); pero hay también varios inventos que facilitan la expansión de un público culto con interés en —si no hambre por— los susodichos textos. Los manuscritos de pergamino siempre eran muy caros; el papel, en cambio, ya existía en España en abundancia a finales del siglo XIII, era barato y tenía una robustez casi igual a la del pergamino debido a la fabricación de su pasta con trapos molidos o con pulpa de cáñamo, madera, etc. Con la aparición en la Península, c. 1470, de la prensa Gutenberg y el tipo móvil (H. Chaytor [205], J. Díez Borque [209], A. Gallardo [210], M. McLuhan [215]), no tarda su feliz maridaje con la industria papelera, el cual desemboca nada menos que en una revolución en la difusión del libro y de otros documentos impresos; es muy posible, por ejemplo, que Diego de San Pedro escribiera su novela sentimental, *Cárcel de Amor* (1492, I.36), exclusivamente para la prensa, dado el éxito de otra obra suya anterior. Con un creciente número de lectores y de oyentes (persistiría durante siglos la tradición medieval de dirigir lecturas en voz alta a grupos cultos y analfabetos), se aseguró el futuro de la imprenta. Otro invento de importancia para el aumento de lectores (y de la prolongación de su vida de lectura) son las lentes, que aparecen a finales del siglo XIII.

Entre las tradiciones textuales que se continúan durante los siglos XIV-XV están las crónicas y, más que nunca, las traducciones. La tradición cronística alfonsí se extiende a la obra del sobrino del Rey Sabio, Juan Manuel (1282-1348), en su *Crónica abreviada* (c. 1320), un compendio de la *Estoria de Espanna* (E.16). Otros relatos históricos incluyen la *Gran crónica de Alfonso XI* (entre 1344 y 1376 [553]), relacionada con el *Poema de Alfonso XI* (F.3); la *Crónica de veinte reyes* (c. 1320 [292]), que contiene una prosificación del *Cantar de mio Cid* distinta de la única versión poética que se conoce (B.4); la *Crónica de 1344* [728], trasunto castellano de la *Crónica geral de Espanha* portuguesa de Pedro de Barcelos; la *Crónica del rey don Pedro* [563] (¿posterior a 1393?) de Pero López de Ayala; la *Crónica del moro Rasis* [729], procedente del relato árabe (bastante ficticio) por al-Razi (m. 955) de la conquista musulmana de España a través de una versión portuguesa hecha c. 1300 para el rey Dionís; la *Crónica sarracina* (c. 1430) de Pedro del Corral, fuente del romancero sobre Rodrigo, el último rey godo y sus amores con la Cava (G.1-2); la rigurosa *Crónica del halconero de Juan II* (1420-50) de Pedro Carrillo de Huete [727]; y, a pesar de sus aspectos ficticios, la *Crónica* (o *Historia*) *troyana* que mandó traducir Alfonso XI (1350 [570]) del *Roman de Troie* de Benoît de Sainte-Maure.

Las traducciones que se deben mencionar incluyen las obras de Pero López de Ayala (F.5 *supra*: el *Libro de Job*, los *Morales* de Gregorio Magno, la *Consolación de la filosofía* de Boecio, las *Décadas* I, II y IV de Tito Livio y el *Livro da falcoaria* de Pero Menino para su *Libro de la caza de las aves* [564], c. 1386); de Enrique de Villena (I.14, 21 *infra*: el *De re militari* de Vegecio para su *Libro de la guerra*, y Virgilio y Dante para sus versiones prosificadas [c. 1427-28] de la *Eneida* y la *Divina commedia*); y del Marqués de Santillana (G.26-32 *supra*, H.5/I.22 *infra*: para su biblioteca fue traducido el *Fedón*, primera versión castellana de una obra de Platón; y hay que reparar en el influjo en sus propios escritos de Petrarca [el *Trionfo d'amore* en su *Triumphete de amor*], de Boccaccio y de Lucano [la *Fiammetta* y la *Farsalia* para *El sueño*] y de Dante [el *canto VI* de su *Inferno* para el *Infierno de los enamorados*]).

Mecenas para el siglo XIV, como lo fue para el XIII Alfonso el Sabio, es el noble aragonés Juan Fernández de Heredia (c. 1310-96), caballero hospitalario y Maestre de Rodas. En su *scriptorium* fueron producidas en su dialecto nativo crónicas y traducciones procedentes del latín y del griego (*vid.* L. Kasten/J. Nitti, eds. [740]); las *Vidas* de Plutarco, en especial, tienen gran valor histórico, ya que representan la primera versión de esta obra a una lengua vernácula occidental. Otros libros de interés son la *Crónica de los conquiridores I-II;* la *Grant Crónica de Espanya* (escrita en varias partes en la tradición alfonsí); la *Crónica de Morea;* el *Libro de Marco Polo* (I.27); y el *Secreto secretorum*, versión aragonesa de la tradición occidental de la *Poridat de las poridades* de Seudo Aristóteles (E.9).

LEYENDAS HAGIOGRÁFICAS Y CUASI HAGIOGRÁFICAS (1-4)

Barlaam e Josefat (I.1; bibliografía, R. Aguirre [769]), del siglo XIII o XIV, representa una versión cristiana de la leyenda de Buda que se encuentra en el sánscrito *Lalita-Vistara;* llega al Occidente a través de los maniqueos (siglo III), del árabe (siglo VIII), del griego (siglos VII-¿XI?, con contenido cristiano atribuido a san Juan Damasceno) y del latín (siglos XI-XIII). Relata la historia de Josafat, hijo de Anemur, rey indio, quien le encierra en el palacio para que evite la muerte y las miserias del mundo hasta que se encuentra sucesivamente con un leproso, un ciego y un viejo. La respuesta del príncipe: «¡Amarga es esta vida e llena de todo dolor e amargura!» (cap. VIII).

Siguiendo el camino de la perfección y guiado por Barlaam, renuncia a la corona y se convierte al cristianismo. Aunque todavía deleitan los cuentos intercalados de la obra (y en esto va más allá de los poemas hagiográficos del siglo XIII), e.g., *Del joven que prefería a los «diablos»* [= mujeres] y *La trompa de la muerte*, es el aspecto filosófico del *Barlaam* el que ha influido más en los escritores medievales (Juan Manuel y su *Libro de los estados* [I.9]) y posteriores (v.gr., Pedro Calderón de la Barca y *La vida es sueño*, del siglo XVII).

Otros textos hagiográficos y cuasi hagiográficos («cuasi» en el sentido de que sus héroes caballerescos ofrecen testimonio teológicamente «potable», e.g., don Túngano de Irlanda [I.3]) incluyen tradiciones populares que o son del tipo internacional o son minilibros de aventuras caballerescas en sí: de ahí que la línea entre hagiografía y caballería sea a veces muy fina (J. Walsh [768]). Santa Marta en su *Vida* (I.2), del siglo XIV, procedente del *Speculum historiale* de Vicente de Beauvais, viaja a Francia, donde logra domar al feroz «Dragón contra Oçidente»; mientras que la *Historia del virtuoso cavallero don Túngano* (I.3), que deriva de la *Visio Tnugdali* (1149), recuerda el inmortal viaje dantesco de la *Divina commedia*. «Muerto» Túngano durante cuatro días, su alma viaja a las tres zonas del más allá; formidable es *La bestia infernal* y el azar de sus víctimas: «Esta bestia tiene dos pies muy grandes, e dos alas en el cuerpo muy grandes... E salíale por la boca... muy grandes llamas... Todas aquellas almas que yazían en aquel lago [cerca de la bestia] se hazían preñadas [, tanto] los honbres como las mugeres. E las mugeres non parían donde solían parir, mas parían por braços y por las piernas... E parían bestias e sierpes...» De carácter más genial, aunque «oficial», es la *Estoria* [o *Vida*] *de Sancto Toribio de Astorga* (I.4), del siglo XIV. Toribio, históricamente obispo de Astorga (m. 460), es hijo de reyes, pero reniega del trono, «Ca más quiero ganar corona para syenpre en el reyno de Dios» (*Crianza de Toribio*). Sigue el camino divino a Jerusalén, donde es tesorero de «todas quantas reliquias» hay allí. Después de cinco años, un ángel le manda que lleve un arca llena de ellas a España, adonde llega después de un peligroso viaje por mar. La *Revelación del contenido del arca santa* es una cornucopia de la historia bíblica —y, sin duda, propaganda para el monasterio de Santo Toribio de Liébana, en el que está enterrado este héroe: contiene parte «de la vera cruç..., e uno de los treynta dineros por que Él fue vendido,...e de los pañizuelos en que fue enbuelto [Jesús] en el pesebre, e del pançón que fartó a los çinco mil onbres,...e de la verga con que partió [Moysés] el Mar Vermejo a los fijos de Israel» [¡!].

PROSA DIDÁCTICA, TRATADÍSTICA Y CIENTÍFICA (5-17)

Juan Manuel (5-11)

Toda obra medieval es, en general, «didáctica». En el caso de Juan Manuel (1282-1348; bibliografía, D. Devoto [786]), sin embargo, el adjetivo asume un significado ora estamental (como noble castellano, este sobrino de Alfonso X quería hacer constar sus opiniones sobre la sociedad), ora teológico (estaba dedicado a la Orden de Predicadores, los dominicos, para quienes fundó el monasterio de Peñafiel, y no se puede desestimar el valor docente de los *exempla* de su obra, e.g., *El conde Lucanor* [I.11], que pudieran haberles servido de guía en la preparación de sus sermones). Siempre consciente de las trampas que acechan al escritor y la difusión de su texto, tanto escritas (errores de copista) como orales (la emisión de variantes espurias que deforman la obra original), don Juan relata en el *Prólogo general* (I.5, c. 1342) la anécdota serio-cómica del zapatero, el caballero y la cantiga, asegurando a su público que ha hecho todo lo posible para producir un volumen esmerado y correcto. El diálogo entre el viejo y el joven del *Libro del cauallero et del escudero* (I.6, c. 1326), por su parte, subraya su interés en el método escolástico de la pregunta y respuesta para elucidar un panorama «oral» de la organización fundamental de la sociedad: los estados básicos son los «oradores, defensores [y] labradores», subiendo en importancia la jerarquía del primer grupo desde el «clerigo missa cantano» hasta el papa (cap. XVII); mientras que, entre los legos, es la caballería la actividad más honrada (cap. XVIII). La discusión sobre la filosofía natural, especialmente de «las vestias» (i.e., los animales; cap. XXXX) es muy curiosa, y recuerda el *Lucidario* (E.23) de la época de Sancho IV. Una fuente importante del *L. del cauallero* es el *Llibre del orde de la cavaylería* de Ramón Llull.

Es igualmente importante el procedimiento pregunta-respuesta en el *Libro de los estados* (I.9, posterior a 1330; *vid.* L. De Stefano [787], M. Harney [794]), una adaptación de la leyenda de *Barlaam y Josefat* (cf. I.1; Don Juan nos dice que «Et pus nonbre al rey, Moraban, et al infante, Johas, et al cauallero, Turín, et [al] philosofo, Julio»; I.ii) en que se subraya cómo se puede vivir bien y prudentemente en esta vida; es, por lo tanto, una fusión de la sabiduría oriental y la occidental. No mengua la función del entendimiento y de otros principios articulados en una obra tan imprescindible para los dominicos como la *Summa theologica*, por ejemplo, en el debate siguiente entre Turín y Julio sobre la *lex naturalis* y la justicia natural: «La ley de natura es non fazer tuerto nin mal a.ninguno. Et esta ley tan bien la an las animalias commo los omnes, et avn mejor: ca.las animalias nunca fazen mal [salvo] para su mantenimiento...nin se llegan los maslos a las fenbras, sinon en tienpo que an de e[n]gendrar segund su naturaleza...Et asi, pues es çierto que de.la ley de natura muy mejor vsan dello las animalias que.los omnes» (I.xxiv, xxv). Menos abstracto —y quizás más útil— es el consejo de Julio sobre cómo el emperador debe amar y apreciar a su mujer; entre otras cosas, sus camareras deben ser buenas y cuerdas, pero «nin muy mançebas nin muy fermosas» (I.lxvi). Son notables también sus comentarios sobre la guerra (I.lxxvii) y las relaciones feudales (I.lxxxvi).

Otros relatos más personales se encuentran en el *Libro de las armas* o *Libro de las tres razones* (I.7, c. 1337) y en el *Libro enfenido* (I.8, c. 1336-37). El *L. de las armas* en sus tres *razones* trata las armas («alas et leones») que recibió Manuel, padre de don Juan; por qué su familia puede hacer caballeros «non seyendo nós caualleros»; y la última conversación que tuvo don Juan en Madrid con el moribundo rey Sancho, su primo (*[Prólogo]*). En la última *razón*, vemos la «cara oscura» de la oralidad en la obra juanmanuelina. Según propia confesión, Sancho era el blanco de una maldición habitual de sus padres: «Et dio me la su maldicion mio padre [Alfonso X] en.su vida muchas vezes...; otrosi, mi madre, que es biua, dio me la muchas vegadas, et se que me.la da agora...» (*Razón del rey Sancho*). ¿Obra de la imaginación —una ficción oral, como la considera A. Deyermond [788]— o historia verdadera? El *L. enfenido* (i.e., «sin terminar»), por contraste, se dirige a Fernando Manuel (o de Villena), hijo de don Juan, muerto en 1350. Es un «espejo de príncipes» que le asegura la alteza de su rango social (puede viajar entre Navarra y Granada, durmiendo cada noche en una villa o castillo que su padre posee; cap. vi), aconsejándole asimismo cómo debe comportarse con nobles y vasallos, a veces líricamente: «Por mandadero pierde omne su mandado,/et por mal portero es el sennor denostado» (cap. xiv). Como siempre, es importante la mesura en la conversación —la pregunta y la respuesta— con otros (cap. xxiv).

El *Libro de la caza* (I.10, entre 1337 y 1348) refleja el gran interés en este pasatiempo, procedente de la cultura árabe y popular con el Rey Sabio, Alfonso X (cf. E.13, el *Libro de Moamín*). Con este texto Juan Manuel intenta compilar un manual actualizado y completo sobre el tema: describe los mejores raptores (los gerifaltes, cap. iii) y sitios para cazar con ellos (cap. xii). Pero es *El conde Lucanor* (I.11, 1335), con sus cincuenta *exemplos* o cuentos (C. Alvar [775]), el que coloca a don Juan entre los escritores occidentales de primera fila. J. England [792] ha estudiado detenidamente la técnica narrativa oral del *Lucanor*, y R. Ayerbe-Chaux [776; y *vid.* 777-78] su materia tradicional y originalidad creadora, cuyas fuentes incluyen los relatos orientales (*Exemplos* XXXV, XLVII) e hispánicos (*Exemplo* XI), Esopo (*Exemplo* V), las Cruzadas (*Exemplo* III) y la tradición sermonaria o eclesiástica (*Exemplo* XLV). Se trata de los dilemas de Lucanor y los consejos de Patronio, fuente ilimitada de sabiduría. Los *exempla* que ofrece éste son clásicos de la literatura mundial: el raposo y el cuervo (V); el enfermo y el hígado (VIII); el pobre y los «atramuces» (X); el deán de Santiago y don Yllán, mago de Toledo (XI, refundido por J. L. Borges [M. Diz, 791]); el raposo que se fingió estar muerto (XXIX); el mancebo que se casó con la mujer brava (XXXV, posible fuente de *The Taming of the Shrew* de Shakespeare); el caso del hombre que se hizo amigo del diablo (XLV); y el moro y su hermana, «muy medrosa» en cuanto al ruido de una gotera de agua, pero no tanto en el despojo de los cuerpos muertos (XLVII). Menos elegantes son las coplas que resumen el tema al final de cada *exemplum*, e.g., del exemplo XLVII, «Por qui non quiere lo que te cunple fazer,/tu non quieras lo tuyo por el perder». El valor sermonario de estos relatos para la Orden de Predicadores, amada de don Juan, debió de haber sido enorme.

La literatura cinegética: Guillermo el Halconero y Alfonso XI (12-13)

El pasatiempo de la caza ya lo hemos señalado en varias ocasiones (E.13 e I.10); Alfonso X y Juan Manuel, por ejemplo, eran grandes halconeros, como lo atestiguan sus libros sobre el tema. (Es de interés léxico el hecho de mantenerse la distinción entre «caza»/«cazar» y «montería»/«correr monte» o «venar» para la halconería y la caza mayor, respectivamente, hasta finales del s. xiv o principios del xv.) Un halconero de fama internacional es Guillermo (floreció en Nápoles o Sicilia durante la segunda mitad del siglo xii), cuyo tratado en latín fue traducido al castellano durante los primeros años del siglo xiv. Este *Libro de halcones* (I.12) habla de los mejores halcones, su crianza y sus enfermedades. Son de interés las anécdotas sobre los orígenes de ellos (e.g., cómo nacieron por primera vez los falcones blancos de una «ffenbra muy triste» por ser viuda [cap. 34]).

Gran rey y gran amigo de las bellas letras era Alfonso XI (1312-50), cuyo patronazgo se extiende, entre otras obras, al *Poema* (véase F.3, *supra*) y *Gran crónica* [553] que llevan su nombre. La compilación venatoria el *Libro de la montería* (I.13, c. 1350) subraya su interés en la caza mayor también, y quizás fue destinado originalmente a complementar el *Libro de la caza* de su pariente Juan Manuel. Escrito en tres libros, el primero describe las maneras de la montería del ciervo (el término «venado» era todavía genérico por cualquier bestia en aquel entonces), oso y jabalí (se emplea «puerco», ya que aquella voz árabe todavía no había entrado en el léxico); el segundo, en dos partes, consta de un tratado quirúrgico veterinario y de una sección sobre las varias enfermedades de los perros con una farmacopea de los remedios apropiados (la mayoría de este *Libro II. 2* procede del *Libro IV* del *L. de Moamín* [E.13]); y el tercero describe los mejores sitios —se detallan casi 9.000 topónimos desde el norte de España hasta el sur— para la caza de los susodichos animales «en verano et en ynuierno». En los *Libros I* y *III* se mantiene la muy agradable técnica literaria de emplear al rey mismo como narrador, la cual se ensalza aún más por la inclusión de varias anécdotas venatorias en éste, e.g., cómo la sabuesa «Bustera», muy preñada, interrumpió la caza de un ciervo para parir varios «fijos»: «asy como paria vn fijo [de vnos quatro o çinco], tomaua le en la boca et ponja le en vn logar, et tornaua a ladrar el çieruo...Et desque fue muerto el çieruo..., fuese al logar do estauan los fijos» (III.xiiij).

Enrique de Villena (14, 21)

En la introducción de esta sección de prosa se subraya la contribución humanística de Enrique de Villena (1384-1434; bio-bibliografía: D. Carr/P. Cátedra [821], P. Cátedra [822-24]) al campo de la traducción; pero aunque le debemos las primeras versiones castellanas de la *Eneida* y la *Divina commedia*, por ejemplo, constituyen sólo una parte de su obra, amplia y diversa. Vinculado con la casa real de Aragón y con la de Castilla, Villena, amigo de personajes tan ilustres como Santillana y Mena, es una de las figuras más curiosas de su época: por su fama de ser brujo, Juan II mandó expurgar su biblioteca, lo cual llevó a cabo el obispo Lope de Barrientos, quemando parte de ella. Y aunque Villena era posiblemente un poeta célebre en su juventud, sólo nos han llegado algunos trozos líricos suyos (J. Walsh/A. Deyermond [829]); pero sobre la teoría poética se conserva su *Arte de trobar* (1433). La mayoría de sus escritos sobre las ciencias ocultas fueron quemados por Barrientos (C. De Nigris [825]); sólo queda hoy el *Libro de aojamiento ['mal de ojo'] o fascinología* (1422-25).

Un manual muy útil que compuso Villena es el *Arte cisoria* (I.14, 1423). Llena de información para el «Cortador de Cuchillo Real», el *Arte* da recetas de cocina y abundantes noticias sobre las costumbres del día que gobernaban el comer y el beber en la mesa real. El cortador no debe escupir, ni toser, ni bostezar, ni estornudar ante el rey; y ya que su propia persona siempre debe oler bien, tampoco debe fumar «alhaxixa» ni «vsar mucho con mugeres, por que los cuerpos de [ellas] fieden» (cap. tercero). Es una verdadera lección de cultura medieval estudiar su preparación del pavón (literalmente real) para el monarca (cap. séptimo). Por otra parte, se puede ver el impulso humanístico de Villena —su preocupación por la antigüedad clásica— en *Los doze trabajos de Hércules* (I.21, antes de 1417), una refundición y comentario moralizado de las hazañas de este héroe legendario, un semidiós pagano. La obra fue compuesta originalmente en catalán, y luego traducida al castellano por el mismo Villena. Típico es el primer capítulo, *Cómo los çentauros fueron echados de la tierra e poblada*: «Oyendo Ercules el daño que aquestos [centauros] en la tierra fazian, movido por fervor de virtud e grandez de coraçon cavalleril, quiso...refrenar el su viçioso atrevimiento» («Istoria nuda»). Este y los otros episodios concluyen con una «Declaraçion» que los interpreta en términos de las virtudes y vicios humanos.

El amor, la ciencia y la teología: Bernardo de Gordonio, El Tostado y Alfonso Martínez de Toledo (15-17)

El tratado más famoso del mundo occidental sobre el amor es el *Ars amatoria* de Ovidio (m. 43 d. C.). Su impacto en el pensamiento científico y cultural de la época medieval es impresionante, revelándose en textos tan diversos como el *De arte honesti amandi* o *De amore* [103] de Andreas Capellanus (escrito en Francia a finales del siglo XII, es el manual que más ha influido en la ética medieval popularmente conocida hoy como «el amor cortés») y el *Lilium medicinae* de Bernardo de Gordonio (compuesto en Montpellier c. 1300, y traducido al castellano poco después). Salió el *Lilio de medicina* español en Sevilla, en 1495, y es una de las primeras obras médicas impresas en la Península. Analiza el amor como una enfermedad en el capítulo XX, *De amor que se dize hereos* (I.15), considerándolo como una especie de solicitud melancólica que se atribuye a la pasión por las mujeres (J. Lowes [832], M. Wack [833-34]). Entre otras autoridades, se cita a Ovidio, Galeno y Avicena al describir las causas, señales, cura y liquidación de esta dolencia. Una de las señales seguras en el procedimiento diagnóstico es tomar el pulso del paciente y «nombre le muchas mugeres: & commo nombrare a aquella que ama luego el pulso se despierta: pues aquella es, dígale que se parta della». Otra cura consiste en emplear a una vieja muy fea (¿prototipo de la Celestina [I.38]?) para que eche en la cara del amante «vn paño vntado conel menstruo de la muger..., diziendo le [entre otras cosas] que es tiñosa & borracha & que se mea en la cama & que es epilentica». Aclara todo esto Bernardo diciendo que «el amor es locura dela voluntad..., mezclando algunas alegrias con grandes dolores y pocos gozos». En cambio Alfonso de Madrigal (m. 1455), conocido como «El Tostado», ofrece una apología de la actividad amorosa en su *Tractado cómo al ome es nescesario amar* (I.16, c. 1450). Cita una larga serie de *auctoritates* —la *Biblia*, la antigüedad clásica, Ovidio e Hipócrates entre otros— para ilustrar cómo «el vino é el amor de las mugeres fazen renegar a los sabios é derribar á los seguros» (*Contemplación*). Clásico es el caso de Sansón, cuya lumbre intelectiva fue cegada por el amor de su mujer, con el resultado que «se siguió que le cegaron la lumbre corporal, quebrándole los ojos; é por esto dijo Salamon: —Non des poder á tu muger sobre ti, que te cohonderá» [¡!, 'confundirá'].

Aún más famoso por su aparente condenación de los engaños de las mujeres y los abusos del amor físico —el «loco amor» de Juan Ruiz— es el *Arcipreste de Talavera o Corbacho* (I.17, 1438) de Alfonso Martínez de Toledo (bibliografía: M. Gerli [837], E. von Richthofen [841a], D. Viera [842]). El éxito de la narración de este tratado (en cuatro partes) contra la lujuria depende en gran medida de los recursos técnicos del sermón popular. Con su empleo asimismo de varias fuentes escritas —e.g., la *Biblia*, el Pseudo-Catón, Boccaccio y el *De amore* de Andreas Capellanus—, *El Corbacho* es un excelente ejemplo de la *diglosia*, o fusión de los registros lingüísticos orales y escritos —los populares y los cultos— en una determinada obra (D. Seniff [228, pp. 270-71]). En la Primera parte, cap. XV, *Cómo el amor quebranta los matrimonios*, se describen las consecuencias de la ruptura de esta institución —de la cual «Sant Paulo [i.e., san Mateo y san Marcos] dixo: 'Los que Dios ayuntare non los separe onbre'»—, es decir, el fornicio. Los hijos nacidos de esta actividad «en derecho 'espurios' [son] llamados, e en romance 'bastardos', e en común bulgar de mal dezir, 'fijos de mala puta'». De ahí el interés lingüístico del autor, igual que en la Segunda parte, cap. I, *De los vicios... de las perversas mugeres*, cuando se le roba a una de ellas un huevo: «¿Adóle este huevo?... ¡Puta, fija de puta! Dime, ¿quién tomó este huevo?... ¡Ay, puta Marica, rostros de golosa, que tú me as lançado por puertas!... ¡Ravia, Señor, y dolor de coraçón!» En otras ocasiones, se nos cuentan ejemplos bien arraigados en la cuentística internacional, e.g., Segunda parte, X, en que una mujer adúltera cubre la salida de su amante sacando la teta y lanzándole a su marido un rayo de leche por los ojos «que le cegó del todo». Muy útil para el impacto de la teoría galénica de los humores corporales en el pensamiento científico de entonces es la Tercera parte, sobre las «quatro conplysyones *[= 'aspectos físicos'] en los on-*

bres», especialmente el cap. VI, *De cómo los sygnos señorean las partes del cuerpo*, que contiene asimismo comentario sobre el influjo del zodíaco («Escorpius es femenino, señorea las partes vergonçosas; es su planeta Martes»).

COLECCIONES DE FÁBULAS Y DE «EXEMPLA» (18-20)

Ya se ha examinado (E.11-12) la importancia de estas recopilaciones para la prosa latina y vernácula de los siglos xII y xIII. En los siglos xIV y xV siguen siendo fuentes no sólo para la poesía lírico-doctrinal (p. ej., Esopo y el *Libro de buen amor*), sino también para la literatura didáctica en general y la del púlpito en concreto (recuérdese en este sentido el doble valor del *Conde Lucanor* [I.11] de Juan Manuel). El *Libro de los gatos* (I.18), del siglo xV, procede de las *Fabulae* o *Narrationes* anglo-latinas de Odo de Cheritón (siglo xIII). Son, como los *Doze trabajos de Hércules* (I.21), relatos moralizados; y, como algunos de los *Trabajos*, contienen algún que otro reflejo temprano de la conciencia social. En *XLI. Enxienplo del cuervo con la paloma*, el cuervo-ladrón le roba a una paloma su hijo, pero promete devolvérselo si ella canta. Así lo hace, pero tiene que cantar aún mejor, lo cual le es imposible; así que el cuervo devora el pajarico. En el comentario que sigue, el exegeta nos dice que de verdad lo mismo pasa entre los ricos y los pobres: éstos siempre tienen que dar más de lo que deben, «Ansi que estragan los rricos a llos pobres mesquinos».

El *Libro de los exenplos por a.b.c.* (I.19, entre 1400-21) de Clemente Sánchez de Vercial (m. ¿1434?) extiende a este género la disposición estructural alfabética que se notó antes en la poesía de Juan del Encina (G.33); tal organización debió de haber sido muy útil para los predicadores en la composición de sus sermones. Este *Libro* incluye unos 550 cuentos, siendo bien interesante el 19, *Amicus verus morti se exponit pro amico et omnia bona sua*, cuyas coplas dicen que «El verdadero amigo a la muerte/se ofresce por salvar a su amigo». Se trata de la bondad y generosidad de un mercader hacia otro, y cómo éste, ofreciéndose como sacrificio, ayuda a salvar a su huésped y amigo en su hora más difícil.

Una de las fuentes más importantes de la literatura medieval paneuropea son las *Fábulas* de Esopo, tan esencial en España para el *Libro de buen amor* de Juan Ruiz, por ejemplo, como para *El conde Lucanor* de Juan Manuel. El *Ysopete ystoriado* castellano (I.20) parece ser una traducción de la versión francesa de Julien Macho; se atestigua la popularidad del *Ysopete*, una de las primeras obras impresas (o *incunabula)* de la Península, por su edición de Zaragoza (1489). Además de las fábulas tradicionales de la obra (e.g., el zorro y el cuervo), contiene varios relatos y *collectas* que el público moderno ignora del todo. Cuando Xantus, el filósofo, le pregunta al esclavo Ysopo por qué los hombres contemplan sus heces antes de abandonarlas, responde que había un sabio antiguo que tardó tanto en descargar el vientre que «echo el seso o meollo del celebro juntamente conlas hezes fuera... Empero tú,

[Xantus,] dexa te de aver miedo de aquello, ca lo que no tienes non puedes perder» (*Historia del seso y estiércol de un sabio*). Preciosa es la *Collecta xij, Del ciego & del adolescente adúltero*, cuando la joven mujer de un ciego le engaña, jugando «el juego de Venus» con su amante en un peral: debido a su astucia, se salva a sí misma, tiene a su amante, y se le devuelve a su marido la vista.

El impulso humanístico (21-23)

Ya se ha subrayado el interés de varios poetas y escritores del siglo xv en la literatura, lenguaje y pensamiento de la antigüedad clásica, notablemente el Marqués de Santillana (H.5, I.22), Enrique de Villena (I.14, 21) y Juan de Mena (H.2); es objetivo de Santillana, sobre todo, difundir en España las obras de Dante, Petrarca y de Boccaccio. Otros bibliófilos nobles y *littérateurs* que florecen en vida de Santillana incluyen a Pedro Fernández de Velasco (1399-1470) y a Carlos, príncipe de Viana (1421-61), hijo de Juan II de Aragón y autor de una traducción de la *Ética* de Aristóteles. Y en las últimas décadas del siglo aparecen los primeros filólogos «profesionales», cuyas obras reflejan un verdadero interés en la lengua en sí y en su historia: el *Universal vocabulario en latín y romance* (impreso en 1490) de Alfonso de Palencia y la *Gramática sobre la lengua castellana* de Antonio de Nebrija (I.23, de 1492). Las contribuciones de todos ellos son indispensables para el desarrollo de la formación intelectual —los *studia humanitatis*— durante la época de los Reyes Católicos (1474-1516), cuyo servidor político más poderoso, el cardenal Francisco Jiménez de Cisneros (1436-1517), funda la Universidad de Alcalá de Henares (abierta en 1510), donde patrocina, entre otras obras, la famosa *Biblia políglota complutense* (*vid.* O. Di Camillo [850], J. Lawrance [851], F. Rico [754], N. Round [852], J. Rubió Balaguer [853], P. Russell [854], A. Soria [855]).

Antonio de Nebrija (o Lebrixa, 1442-1522) colaboró en la preparación de la *Biblia políglota*, y era el más próximo a los humanistas italianos entre los españoles, ya que pasó diez años estudiando en su país, c. 1460-70. Cuando regresó a España, denunció el «bárbaro latín» que se usaba en la Universidad de Salamanca (F. Rico [859]), pero era lo suficientemente patriota como para quejarse del desprecio de los humanistas italianos por las tradiciones culturales españolas. Le interesaban la lexicografía y la ortografía, y sus *Introductiones latinae* (1481) pretenden ofrecer una gramática latina científica. Su *Gramática castellana* emplea modelos latinos, reconoce una deuda a la obra de Alfonso X (*Prólogo*), y tiene como meta describir acertadamente la fonética, la ortografía y la sintaxis de la lengua española.

AUTOBIOGRAFÍA Y BIOGRAFÍA (24-26)

Dentro del mismo espíritu del humanismo, estos dos conceptos cubren las tentativas valientes de ciertos historiadores, grandes y pequeños, por asegurar la memoria de determinados personajes —nobles y lejanos unas veces, familiares y cercanos otras—, así como de la época en que vivieron. Leonor López de Córdoba (¿1363?-1412) terminó sus *Memorias* c. 1410, pero describe asuntos que pasaron durante el reinado de Enrique III (1369-79), sobre todo el sufrimiento de su familia, fiel partidaria de Pedro I el Cruel (1350-69): «quedamos presos nueve años hasta que el Señor Rey Don Henrrique falleció; y nuestros Maridos tenian sesenta libras de hierro cada vno en los pies, y mi hermano Don Lope Lopez tenia una Cadena encima delos hierros en que havia setenta eslabones; El era Niño de treze años, la mas hermosa Criatura que havia enel mundo». El estilo es sencillo, directo y conmovedor (R. Lübenow Ghassemi [862]). Fernán Pérez de Guzmán (c. 1378-c. 1460) escribe sus *Generaciones y semblanzas* (I.25, c. 1450-55) a fin de examinar las cosas «verdaderas e çiertas» de la historia, sin miedo de tener que complacer o lisonjear a algún patrón noble. Estudia una serie de personajes reales y políticamente poderosos: Enrique III, su mujer Catalina («tanto pareçía onbre como muger»), Pero López de Ayala, Enrique de Villena, Álvaro de Luna y otros. Falta a menudo objetividad en estas descripciones, e.g., en la de Luna, que dependen de la retórica en gran medida para lograr el dicho fin «histórico» articulado al principio de la obra (F. López Estrada [863]). Fernando del Pulgar (c. 1425-después de 1490), por su parte, ofrece una serie de retratos psicológicamente penetrantes en sus *Claros varones de Castilla* (I.26; impreso en Toledo, 1486), e.g., los de Enrique IV «el Impotente» y el Marqués de Santillana, siendo éste «ombre agudo y discreto, y de tan grand coraçón que ni las grandes cosas le alteravan ni en las pequeñas le plazía entender».

LIBROS DE VIAJES (27-28)

Aunque el siglo xv es concretamente el del descubrimiento del Nuevo Mundo (Cristóbal Colón, 1492), el interés por la geografía y los viajes al exterior es muy anterior, si bien los tratados escritos sobre estos temas no siempre son del todo acertados (e.g., la susodicha *Semejança del mundo*, E.4). El primer gran encuentro entre Oriente y Occidente se relata en el *Libro de las maravillas* de Marco Polo, veneciano cuyo famoso viaje a la corte del Gran Khan de Cathay (la China) tuvo lugar entre 1271 y 1295. El mecenas aragonés Juan Fernández de Heredia mandó traducir el original franco-italiano a su dialecto nativo en las últimas décadas del siglo xiv con el título de *Libro de Marco Polo* (I.27), verdadera cornucopia de la observación empírica y de las leyendas indígenas recopiladas de todas las tierras visitadas: el misterioso «desierto del Lobo» (I); la «provincia de Sannils» (II), donde la hospitalidad para el viajero incluye hasta el «solaz» de la mujer de su anfitrión; y la «Isla de Seylan, Prouincia de Malabar» (L). De gran valor es el relato sobre el legendario prelado cristiano Preste Juan del Levante (*vid.* su encuentro mágico con «Cangiscan» en VII), a quien varios príncipes europeos buscaron durante siglos para formar alianzas contra el enemigo oriental. Muy posterior (entre 1435 y 1448) es *El Victorial o Crónica de don Pero Niño, conde de Buelna*, por Gutierre Díez de Games (c. 1378-después de 1448), «criado de la casa del conde» (*Proemio*, cap. VIII). Relato oficial, a veces anti-heroico (R. Surtz [871]), *El Victorial* describe la dura realidad de la profesión militar («No son todos cavalleros quantos cavalgan cavallos» [*idem.*]) en el contexto de las campañas del conde desde Málaga (Segunda parte, cap. xxxvii) hasta «Porlan» (i.e., la Punta de Portland, Dorset, Inglaterra; Segunda parte, caps. lxxi-ii). Se destaca la candidez de Díez de Games en sus observaciones sobre las nacionalidades (los franceses «son muy alegres, toman plazer de buena mente, e búscanlo» [Segunda parte, cap. lxxviii]) y las tradiciones populares (e.g., las «sierpes e muy fuertes dragones» y curiosas aves «vacares» de Inglaterra, asimismo su «pexe rey», que tiene forma de hombre con escamas parecidas a brazos y piernas [Segunda parte, cap. lxxxix]). ¿Puede considerarse *El Victorial* como precursor de la novela moderna?

LIBROS DE AVENTURAS CABALLERESCAS (29-33)

Con este género se entra en plena literatura de la imaginación. El ciclo bretón, que canta las hazañas del rey Arturo, su reina Ginebra y el caballero Lanzarote, exalta un mundo idealizado, y regido por el misterio, los magos y los elementos simbólicos y míticos (véase en el *Amadís de Gaula* [I.33], p.ej., la función de sus numerosos motivos de índole internacional). La fuente de la tradición artúrica paneuropea es la *Historia regum Britanniae* de Godofredo de Monmouth (escrito entre 1130 y 1136), crónica que también emplea Alfonso X para su *General Estoria; vid.* L. Kasten [479]. Sin embargo, la mayoría de los textos artúricos españoles (cuyos temas incluyen la búsqueda del santo Grial, las hazañas de Merlín y la historia de José de Arimatea) proceden de la versión llamada *Post-Vulgata* (c. 1230-40, hoy conocida como el *Roman du Graal*), falsamente atribuida a Roberto de Boron y de calidad inferior (bibliografía, H. Sharrer [894-96]). El *Lançarote* (I.29, c. ¿1300?), que trata los amores de este caballero de la Mesa Redonda y Ginebra (¿amor cortés «puro»?), se ha suprimido en la *Post-Vulgata*, pero existe una traducción castellana de principios del siglo xiv; emocionante es la escena en que Lanzarote rescata a la reina antes de ser quemada (difamada ante el rey por los enemigos del caballero).

El impacto de estas obras debió de haber sido grande tanto en Portugal como en España, ya que hay noticias lusitanas de una versión poética (o por lo menos oral) del *Amadís de Gaula* (I.33), de clara inspiración artúrica, que se remontan a finales del siglo XIII o comienzos del XIV (J. Cacho Blecua, ed. [926, I, pp. 64-67]). Compuesta la versión «primitiva» del texto castellano en la primera mitad del siglo XIV (si no antes), fue refundida por Garci Rodríguez de Montalvo, c. 1492, e impresa por Jorge Coci en los primeros años del siglo XVI (Zaragoza, 1508, fecha de la primera tirada conservada). Este *Amadís* refundido habría sido un éxito inmediato por su sensualidad (los amores entre Helisena [«desnuda como en su lecho estaua»] y el rey Perión, padres de Amadís, I.i; y los de Amadís y Oriana, I.xxxv); por su misterio (la intervención de la maga Urganda la Desconocida, I.v); y por su acción (especialmente la lucha entre Amadís y el Endriago, monstruo nacido del incesto, III.lxxiii), unido todo ello por la brillante técnica narrativa del entrelazamiento (E. Vinaver [899], J. Cacho Blecua [921]), tan típica del género de las novelas caballerescas. El influjo del *Amadís*, historia de un gran amante cortesano, sobre generaciones de escritores posteriores —notablemente Cervantes y su *Don Quijote* (1605-15)— fue enorme (*vid.* J. Cacho Blecua [920], F. Pierce [923], J. Fogelquist [922]). La «materia de Bretaña» del *Amadís* se complementa en el *Noble cuento del enperador Carlos Maynes de Roma & de la buena enperatrís Sevilla su mugier* (I.32), «materia de Francia» (la referencia a Roma es puramente titular) procedente de los poemas épicos franceses. Con Sevilla, reina casta, no se puede «jugar», como se entera el enano palaciego que intenta seducirla: ella «cerró el puño, & apretólo bien [al enano], & diole tal puñada en los dientes que le quebró ende tres, asý que gelos fizo caer en la boca; ...asý que lo quebró todo. E el enano le començó a pedir merçet...». Éste trama la venganza apropiada, la muerte de Sevilla, cuya bondad y honestidad la salvan del fuego al final.

Quizás la primera obra indígena de su tipo en España, el *Libro del cavallero Zifar* (I.30, c. 1300; bibliografía, M. Olsen [907]), en cuatro libros, se ha atribuido a «Ferrand Martínez», arcediano de Madrid. En los dos primeros libros, vemos cómo Zifar, caballero de la India, sufre la desgracia de que su caballo se le muere en batalla cada diez días; pierde, por lo tanto, su hacienda y el favor del rey. Abandona su tierra con su mujer, Grima, y sus hijos, Garfín y Roboán; pero son separados por una serie de contratiempos. En el tercer libro, los *Castigos [= consejos] del rey de Mentón*, Zifar aconseja a sus hijos sobre diversos aspectos de la vida humana; y en el cuarto, *Los hechos de Roboán*, este hijo menor llega a ser emperador de Triguiada y la familia vuelve a reunirse alegre e intacta. Predomina en la obra un espíritu de optimismo frente a los azares de la vida; no carece tampoco de comicidad, como en la escena de Zifar con el Ribaldo y los nabos robados. Son, a veces, chocantes los *exempla* que se ofrecen, e.g. *Del hijo criminal y la madre indulgente*, en que aquél, a punto de morir por sus crímenes, le muerde los labios a su madre, acto simbólico para castigarla, ya que nunca le corrigió en su juventud al cometerlos (*vid.* las miniaturas del ms. 36 Espagnol de la Bibl. Nationale de Paris, reproducidas en J. Keller/R. Kinkade [906, láms. 57-58]). Una de las pocas obras castellanas que tratan las Cruzadas a Tierra Santa, pero en la que tampoco faltan aventuras caballerescas, es la *Gran conquista de Ultramar*, que puede datar de 1295 o principios del siglo XIV, pero cuya primera versión impresa (y la más larga existente hoy) es de Salamanca, 1503 (I.31; bibliografía, C. González [914]). Derivada en gran parte del *Roman d'Éracle* de finales del siglo XIII y de otras fuentes francesas sobre las Cruzadas, se trata de la historia, ora verdadera, ora mítica, de Godofredo de Bouillon, a quien se supone ser nieto del «Caballero del Cisne». La preciosa *Leyenda* conectada con el Caballero describe la transformación en cisnes de seis de los siete hijos del conde Eustacio para librarlos de la muerte; inicialmente, sólo uno de ellos, el Caballero, conserva su figura humana, aunque cinco la recuperan más tarde (I.li-lxviii).

LIBROS DE AVENTURAS SENTIMENTALES (34-37)

En su espíritu y énfasis sobre la tensión emocional cortesana, estos libros son extensiones prosificadas lógicas de la poesía amatoria cancioneril que predomina en la Península durante el siglo XV y las primeras décadas del XVI: en la mayoría de ellos, la acción externa se subordina a la frustración interna (o psicológica, en términos modernos). Por otra parte, responden a la demanda de la literatura estimulada por las novelas de aventuras caballerescas (hay una excelente escena de batalla, v.gr., en la *Cárcel de Amor* de Diego de San Pedro [I.36]) y por el influjo italiano de la ficción sentimental (sobre todo la *Historia de duobus amantibus* de Enea Silvio Piccolomini —el papa Pío II— y la *Fiammetta* de Boccaccio). (Bibliografía y estudios: K. Whinnom [940], A. Deyermond [927-29], A. Gargano [931], E. Gerli [932-33], R. Rohland de Langbehn [937]). Igual que en los cancioneros, predomina en los libros un tono ora religioso-erótico, ora melancólico, ambiente conducente a la progresión deseo-muerte tan típica de su narración (P. Grieve [935]); no se debe desestimar, por lo tanto, la obra de Séneca como posible fuente de sus desenlaces trágicos (cf. el análisis de L. Fothergill-Payne [994] de *Celestina*, I.38, texto dialogado que va más allá de este género para alcanzar nuevas alturas literarias).

Prototipo de la novela sentimental es el *Siervo libre de amor* (I.34, entre 1425 y 1450) de Juan Rodríguez del Padrón (o de la Cámara; floreció durante la primera mitad del siglo XV; bibliografía, M. Gilderman [947]). Puede ser una obra autobiográfica en gran medida, narrando una desgracia amorosa del propio autor, de la baja nobleza gallega, con fuentes en la poesía y prosa peninsular-italianas susodichas. Como en otras novelas sentimentales (e.g., la *Triste deleytación*, I.35), es importante temáticamente la lírica cancioneril para la elaboración de distintas secciones del *Siervo*, notablemente *De Bien Amar y Ser Amado*. Lo esencial de la obra consta de la *Estoria de dos amadores*, relato de los malogrados amores de Ardanlier y Liessa, con fuentes en la historia de Inés de Castro, amante de un príncipe portugués. Preciosa es la tradición que recuerda la memoria de los protagonistas: ya en la tumba los dos amantes, los trece perros de Ardanlier se mantienen en vela sobre la suya hasta su propia muerte, momento en que se mudan «en fynas piedras, cada vno tornándose en su cantidat, vista y color». Aunque la obra puede considerarse escrita en la tradición penitencial (E. Gerli [946]), es muy posible que Rodríguez del Padrón intentara crear una prosificación castellana del *roman* francés, especialmente del famoso poema *Roman de la Rose*. Menos mesurada y llena de «toda [la] pasión de amor» (*Prólogo*) de su narrador es la *Triste deleytaçión* (I.35, 1460), escrita en castellano por «F.A.D.C.», autor catalán desconocido. Poderoso es el *Llanto de la S^a, heroína, al recibir noticia de la «muerte» del E^o, su amante* —en efecto, muy vivo.

Se sabe muy poco de los autores más famosos de este género, Diego de San Pedro (floreció a finales del siglo xv; *vid.* K. Whinnom [967]) y Juan de Flores (c. 1465-¿?; véase B. Matulka [970] y P. Waley, ed. [969]). San Pedro termina su primera novela, *Arnalte y Lucinda*, quizás hacia 1480, pero no se imprime hasta 1491; posiblemente debido al éxito de ella, escribe rápidamente su obra más famosa, la *Cárcel de Amor*, que aparece el año siguiente —la primera novela escrita para la prensa (A. Deyermond [733, p. 299])—. Se trata del amor de Leriano —no correspondido— por Laureola, siendo aquél un verdadero «hombre salvaje» (A. Deyermond [927]) hasta que convence al «Auctor»/narrador de la obra para que le ayude en su empresa amorosa: en aquel momento capitulan sus facultades del entendimiento, razón, memoria y voluntad en un *tour de force* de desesperación cortesana. Prosigue el desarrollo de su «relación» en forma epistolar —todo en balde—, y es por las cartas como el infausto Leriano, rechazado por Laureola, literalmente muere: estando en cama, el infeliz «hizo traer una copa de agua, y hechas las cartas pedaços echólas en ella...y...bebióselas en el agua...y...dixo: 'Acabados son mis males', y assí quedó su muerte en testimonio de su fe» (E. Gerli [957], D. Ynduráin [968]). Están bien elaborados en la novela el empleo de la alegoría (B. Kurtz [958]), el simbolismo de colores, la acción procedente de las novelas de caballerías y el lenguaje (I. Corfís [954]). Típico de este último es la arenga que Laureola le hace al Autor cuando éste aboga en favor de Leriano: «avísote, aunque seas estraño en la nación, que serás natural en la sepultura [si persistes]». Por su parte, *Grisel y Mirabella* (I.37, c. 1495) representa la novela sentimental más famosa de Juan de Flores (el *Grimalte y Gradissa* toma su material de la *Fiammetta* de Boccaccio). A los amantes del *Grisel* se les sorprende *in flagrante delicto* de violación de la «ley de Escocia» (i.e., tener relaciones sexuales fuera del matrimonio canónico); pero la culpabilidad se determina en una «corte de amores» donde abogan el notorio misógino Pere Torrellas (véase H.1) y Braçayda, protagonista de la literatura troyana, por el héroe y heroína respectivamente. El desenlace es lamentable (Grisel quemado, Mirabella despedazada por leones), pero Torrellas recibe el castigo apropiado (quemado y consumido por las damas de la corte, quienes conservan sus cenizas «por reliquias»).

Novela dialogada: «Celestina» (38)

Esta obra de Fernando de Rojas (m. 1541) y, posiblemente, Rodrigo Cota (*vid.* H.6; m. después de 1504) está en la primera fila de la literatura mundial; *Celestina: Tragicomedia de Calisto y Melibea* salió por primera vez en una versión de dieciséis *auctos* en ¿1499?, apareciendo un texto de veintiuno en 1501 o 1502 (bibliografía, J. Snow [981, 1028-30]). Se trata de los amores de Calisto («de noble linaje», pero enfermo del «amor que dizen hereos» [D. Seniff, 1021; M. Solomon, 1031]) y Melibea («de alta y serenísima sangre»), realizados en gran medida por la intervención de la alcahueta Celestina, antigua vecina de la familia de ésta. Por las maquinaciones de la vieja, los dos jóvenes logran consumar su pasión (*auto* XIV); pero el tesoro que recibe ella en recompensa le cuesta la vida, dada su codicia, a manos de los criados de Calisto, Pármeno y Sempronio, aliados en contra de su amo, que son ejecutados públicamente (XIII). Igual que en los libros de aventuras sentimentales, el desenlace es trágico, con la muerte casual de Calisto (XIX) seguida del suicidio de Melibea (XX); de ahí el posible influjo senequista (L. Fothergill-Payne [994]) en esta novela dialogada —muy dramática, pero demasiado larga para el teatro—. La deuda de Rojas a numerosas fuentes, tanto escritas como orales, en la preparación de *Celestina* se ha subrayado en algunos estudios recientes (D. Seniff [228, p. 271]), lo cual indica la importancia de la diglosia para la famosa obra (véase el comentario *supra* sobre *El Corbacho*, I.17). E. Gurza [1001], en particular, ha comentado su afinidad con una tradición popular de la representación y la diversión en cuanto a su nexo con la poesía de los cancioneros, su empleo del refrán (pero *vid.* A. Deyermond [986] para sus elementos petrarquistas), la abundancia de expresiones formularias y sus numerosas alusiones a las palabras y aun al silencio. Todo ello frente al momento culminante de la obra con la «actuación» en silencio de Pleberio ante el suicidio de Melibea, mientras le interroga trágicamente Alisa, su mujer: «¿Por qué arrancas tus blancos cabellos? ¿Por qué hieres tu honrada cara? ¿Es algún mal de Melibea?» (XXI). Ironía de ironías, en ese momento todavía no había visto Alisa el cuerpo destrozado de su querida hija. Por su espontaneidad y universalidad, *Celestina* es una obra que se puede calificar de eterna.

Libro catalán de aventuras caballerescas: «Tirant lo Blanc» (39)

Si el libro de caballerías castellano es, por excelencia, el *Amadís de Gaula*, el catalán es *Tirant lo Blanc* (I.39), escrito por Joanot Martorell (c. 1414-1468) y refundido después de su muerte por Martí Joan de Galba, quien se encargó de la primera edición (Valencia, 1490); tal fue la popularidad de la obra, que hubo una reedición a los siete años (Barcelona, 1497; bibliografía y estudios: D. Alonso [1036], M. Gutiérrez del Caño [1038], T. Hart [1039], K. McNerney [1042], M. de Riquer/M. Gallofré, eds. [1040], A. Torres-Alcalá [1044]). La obra se divide en cinco partes y relata las hazañas del joven bretón Tirant en Inglaterra, Sicilia y Rodas, en el imperio bizantino (Constantinopla) y en el norte de África; una muy importante fuente es la *Crònica* de Ramón Muntaner. Sin embargo, es muy típica su sensualidad jocosa (la del *Amadís* es más «formal» en contraste), e.g., cuando la criada Plaerdemavida —deliciosamente, 'Plácer de mi vida'— ayuda a Tirant a entrar en la cama de la Princesa (CCXXXI [= CCXXXIII], *Com Plaerdemavida posà a Tirant en lo llit de la Princesa*). Para Cervantes, el *Tirant* era «el mejor libro de su tipo del mundo».

SELECCIÓN BIBLIOGRÁFICA

Para los libros y monografías que se citan con frecuencia, incluyo sus abreviaturas dentro de la Bibliografía, seguidas del número de la ficha (indicado entre corchetes cuadrados, [ ]) que contiene su documentación completa o que guiará al lector a ella. Asimismo, empleo las siglas siguientes:

AHDE	*Anuario de historia del derecho español*
BAPLE	*Boletín de la Academia Puertorriqueña de la Lengua Española*
BBAHLM	*Boletín bibliográfico de la Asociación Hispánica de Literatura Medieval*
BBMP	*Boletín de la Biblioteca Menéndez y Pelayo*
BCSM	*Bulletin of the Cantigueiros de Santa Maria*
BHS	*Bulletin of Hispanic Studies*
BRABLB	*Boletín de la Real Academia de Buenas Letras de Barcelona*
BRAE	*Boletín de la Real Academia Española*
BRAH	*Boletín de la Real Academia de la Historia*
CEH	Centro de Estudios Históricos
CEMERS, Suny-Binghamton	Center for Early Medieval and Renaissance Studies, State Univ. of New York-Binghamton
CLHM	*Cahiers de linguistique hispanique médiévale*
CNRS	Centre National de Recherche Scientifique
CSIC	Consejo Superior de Investigaciones Científicas
FCE	Fondo de Cultura Económica
FUE	Fundación Universitaria Española
HR	*Hispanic Review*
HSA	The Hispanic Society of America
HSMS	Hispanic Seminary of Medieval Studies
JHP	*Journal of Hispanic Philology*
KRQ	*Kentucky Romance Quarterly* (nunc *Romance Quarterly* [*RQ*])
MHRA	Modern Humanities Research Association
MLA[IB]	*Modern Language Association [International Bibliography]*
NRFH	*Nueva revista de filología hispánica*
PMLA	*Publications of the Modern Language Association of America*
PPU	Promociones y Publicaciones Universitarias
PT/SH	Porrúa Turanzas/Studia Humanitatis
RABM	*Revista de archivos, bibliotecas y museos*

RAE	Real Academia Española
RCEH	*Revista canadiense de estudios hispánicos*
RFE	*Revista de filología española*
RH	*Revue hispanique*
RPh	*Romance Philology*
RQ	véase *KRQ*
SMP	Seminario Menéndez Pidal
SSMLL	Society for the Study of Mediaeval Languages and Literature
UAB	Universidad Autónoma de Barcelona
UNED	Universidad Nacional Educativa a Distancia
UP	University Press
ZrPh	*Zeitschrift für romanische Philologie*

Se indican con asterisco (*) los textos empleados en la *Antología*.

OBRAS GENERALES

ACTAS DE CONGRESOS

Asociación Hispánica de Literatura Medieval (= AHLM)

1. *Actas del I Congreso de la AHLM, Santiago de Compostela, 2 al 6 de diciembre de 1985*, ed. Vicente Beltrán, Barcelona: PPU, 1988.
2. *Actas del II Congreso de la AHLM, Segovia, 5 al 9 de octubre de 1987* (en prensa).

ANTOLOGÍAS Y COLECCIONES

3. Manuel Alvar, ed. *Poesía española medieval*. Barcelona: Planeta, 1969 (= *PEM*).
4. —. *Antigua poesía española lírica y narrativa*. México, D. F.: Porrúa, 1970 (= *APELN*).
5. Vicente Beltrán, trad. y ed. *Canción de mujer, cantiga de amigo*. Barcelona: PPU, 1987.
6. *Biblioteca de Autores Españoles (= BAE) 3, 10, 13, 16, 40, 44, 51, 57, 66, 68, 70, 116, 171, 257-58, 267*. Madrid: Rivadeneyra/Hernando, 1851-1950; Atlas, 1950— (con varias reimpresiones y los últimos tres publicados 1952-73).
7. D. J. Gifford y F. W. Hodcroft, eds. *Textos lingüísticos del Medioevo español*, 2.ª ed. Oxford: Dolphin Book, 1962.
8. Hélder Godinho, ed. *Prosa medieval portuguesa*. Lisboa: Comunicação, 1986.
9. Fernando González Ollé, ed. *Lengua y literatura españolas medievales: Textos y glosario*. Barcelona: Ariel, 1980.
10. María Jesús Lacarra Ducay, ed. *Cuentos de la Edad Media*. Madrid: Castalia, 1987.
11. Fernando Lázaro Carreter, ed. *Teatro medieval*, 3.ª ed. Madrid: Castalia, 1970.
12. Francisco López Estrada, ed. *Poesía medieval castellana: Antología*. Madrid: Taurus, 1984.
13. Ramón Menéndez Pidal, ed. *Textos medievales españoles*. Madrid: Espasa-Calpe, 1976.
14. —, ed. *Crestomatía del español medieval*, 2 vols., 2.ª ed. corr. y aum. de Rafael Lapesa y M.ª Soledad de Andrés. Madrid: SMP/Gredos, 1971-76.
15. Marcelino Menéndez y Pelayo, ed. *Antología de poetas líricos castellanos*, 14 vols. Madrid: Hernando y Vda. de Hernando, 1890-1916; reimpr. en 10 vols., Santander: Aldus, 1944-45.

16. *Nueva Biblioteca de Autores Españoles 6, 11, 19 y 22*. Madrid: Bailly-Ballière e Hijos, 1907-15.
17. Julio Rodríguez-Puértolas, ed. *Poesía de protesta en la Edad Media castellana*. Madrid: Gredos, 1968.
18. Paul Russell-Gebbett, ed. *Medieval Catalan Linguistic Texts*. Oxford: Dolphin Book, 1965.
19. Pedro Sainz Rodríguez, ed. *Antología de la literatura espiritual española I: Edad Media*. Madrid/Salamanca: FUE/Univ. Pontificia de Salamanca, 1980.
20. Serafim da Silva Neto, ed. *Textos medievais portuguêses e seus problemas*. [Rio de Janeiro:] Ministério da Educação e Cultura, Casa de Rui Barbosa, 1956.
21. Ronald E. Surtz, ed. *Teatro medieval castellano*. Madrid: Taurus, 1983.

BIBLIOGRAFÍAS, CATÁLOGOS Y MANUALES

22. John A. Alford y Dennis P. Seniff. *Literature and Law in the Middle Ages: A Bibliography of Scholarship*. Nueva York: Garland, 1984 (= *LLMA*).
23. *Aljamía-I: Boletín de información bibliográfica (Mudéjares-moriscos-textos aljamiados-filología arabo-románica)* (1989—; publicación anual del Dep. de Filología Clásica y Románica de la Univ. de Oviedo).
24. Vicente Beltrán, coord. y ed. *Boletín bibliográfico de la Asociación Hispánica de Literatura Medieval* (= *BBAHLM*), fascículos núms. 1 y 2 (1987 [1989] y 1988 [1990]). Barcelona: PPU (esta nueva publicación de la AHLM contiene secciones que tratan la literatura catalana, española, galaico-portuguesa y la latina).
25. «Bibliography of Medieval Literature» (1972—) y «Book Review Bibliography» (1974—) en *La Corónica: Spanish Medieval Language and Literature Journal and Newsletter* (de la Modern Language Association [MLA] of America, Division on SMLL; tanto la revista como estas bibliografías anuales son indispensables para el hispano-medievalista).
26. David J. Billick. «Beyond the *MLA[IB]*: Some Additional Bibliographies for Medievalists». *La Corónica* 12 (1983-84), 113-115.
27. Alberto Blecua. *Manual de crítica textual*. Madrid: Castalia, 1983.
28. Beatrice J. Concheff. *Bibliography of Old Catalan Texts*. Madison: HSMS, 1985.
29. Everett U. Crosby et al. *Medieval Studies: A Bibliographical Guide*. Nueva York: Garland, 1986.
30. James R. Chatham y Carmen C. McClendon. «Dissertations in Medieval Hispanic Languages and Literatures Accepted in the United States and Canada 1967-76. Part I: A-J; Part II: L[K]-Z.» *La Corónica* 6 (1977-78), 97-103; y 7 (1978-79), 43-50.
31. Alan Deyermond. «The Lost Genre of Medieval Spanish Literature». *HR* 43 (1975), 231-59.
32. —. «The Lost Literature of Medieval Spain: Excerpts from a Tentative Catalogue». *La Corónica* 5 (1976-77), 93-100.
33. —. *The Lost Literature of Medieval Spain: Notes for a Tentative Catalogue* (1977—; han aparecido cinco suplementos hasta la fecha; diríjase al Dept. of Spanish, Queen Mary and Westfield College, Kidderpore Ave., Hampstead, Londres NW3 7ST).
34. —. «Bibliografía», en *HLE* [61], pp. 375-94.
35. —, ed. «Bibliographical Notes», en *Westfield College Medieval Hispanic Research Seminar Newsletter*. Londres: Queen Mary and Westfield College, 1985—.
36. Manuel C. Díaz y Díaz. *Index scriptorum latinorum Medii Aevi hispanorum*, 2 vols. Salamanca: Universidad, 1958-59.
37. Charles B. Faulhaber. «Las *dictiones probatoriae* en los catálogos medievales de bibliotecas». *El Crotalón* 1 (1984), 891-904.

38. —. *Libros y bibliotecas en la España medieval: Una bibliografía de fuentes impresas*. Londres: Grant & Cutler, 1987.

39. — et al. *Bibliography of Old Spanish Texts*, 3.ª ed. Madison: HSMS, 1984 (la 4.ª ed. está en prensa).

40. Pablo Jauralde Pou. *Manual de investigación literaria*. Madrid: Gredos, 1981.

41. Hans Robert Jauss y Erich Köhler, eds. *Grundriss der romanischen Literaturen des Mittelalters*. Heidelberg: Carl Winter, 1968— (= *GRLM*; hasta 1988 han aparecido once volúmenes que constan de numerosos fascículos sobre diversas facetas de las literaturas románicas).

42. Rafael Lapesa. *Historia de la lengua española*, 9.ª ed. Madrid: Gredos, 1986.

43. Paul M. Lloyd. *From Latin to Spanish I: Historical Phonology and Morphology of the Spanish Language*. Filadelfia: American Philosophical Society, 1987.

44. Ramón Menéndez Pidal. *Manual de gramática histórica española*, 18.ª ed. Madrid: Espasa-Calpe, 1985.

45. Agustín Millares Carlo. *Tratado de paleografía española*, ed. J. M. Ruiz Asencio, 3 vols., 3.ª ed. Madrid: Espasa-Calpe, 1983.

46. «Notas bibliográficas»/«Bibliografía» (1914—, consolidadas en las «Nb» a partir de 1965 [1966]) y «Análisis de revistas» (1944—), en *RFE*. Madrid: CSIC, Instituto de Filología.

47. Felipe B. Pedraza Jiménez y Milagros Rodríguez Cáceres. *Manual de literatura española I: Edad media y II: Renacimiento*. Tafalla (Navarra): Cénlit, 1980-81.

48. Klaus Reinhardt y Horacio Santiago-Otero. *Biblioteca bíblica ibérica medieval*. Madrid: CSIC/CEH, 1986.

49. Emilio Sáez y Mercè Rossell. *Repertorio de medievalismo hispánico (1955-75)*, 4 vols. Barcelona: El Albir, 1976-85.

50. José Simón Díaz. *Bibliografía de la literatura hispánica III*, 2.ª ed. Madrid: CSIC, 1963-65 (con suplementos en la *Revista de literatura* [52]).

51. —. «Fuentes de la literatura: Revistas, archivos, bibliografía general», en *DBHLE* [64], pp. 13-50.

52. —, dir. «Información bibliográfica: Literatura castellana», en *Revista de literatura*. Madrid: CSIC, Instituto «Miguel de Cervantes»/Instituto de Filología, 1952— (la «Ib» actualmente está a cargo de María del Carmen Simón Palmer; véase también la importante sección «Reseñas de libros»).

53. «Spanish Literature/400-1499 Medieval Period», en *MLA International Bibliography* (=*MLAIB*). Nueva York: MLA, 1956— (esta bibliografía anual es la más completa de todas, e incluye también divisiones para «Catalan Literature/400-1499 Medieval Period» y «Portuguese Literature/400-1499 Medieval Period»).

54. «Spanish Studies: Medieval Literature», en *The Year's Work in Modern Language Studies*. Londres: MHRA, 1931— (también hay secciones sobre catalán y portugués).

55. R. Brian Tate et al. «Bibliography of Doctoral Dissertations on Themes of Medieval Peninsular Literature». *La Corónica* 6 (1977-78), 26-37.

56. Julián Weiss y Joseph T. Snow. «Hispano-medievalismo». *Revista de la Universidad Complutense* 2-4 (1984 [1988]), 171-94.

HISTORIAS DE LITERATURA (INCLUSO LOS AUXILIARES AUDIOVISUALES, ETC.)

57. Juan Luis Alborg. *Historia de la literatura española I: Edad Media y Renacimiento*, 2.ª ed. Madrid: Gredos, 1970.

58. José Amador de los Ríos. *Historia crítica de la literatura española*, 7 vols. Madrid: José Rodríguez, 1861-65; reimpr. Madrid: Gredos, 1969.

59. Carlos Blanco Aguinaga et al. *Historia social de la literatura española (en lengua castellana) I*, coord. Julio Rodríguez Puértolas, 2.ª ed. corr. y aum. Madrid: Castalia, 1986.

60. Ángel del Río. *Historia de la literatura española: Desde los orígenes hasta 1700*. Nueva York: Holt, Rinehart and Winston, 1963; reimpr. Barcelona: Ediciones B, 1988.

61. Alan D. Deyermond. *Historia de la literatura española: La Edad Media*. 11.ª ed. Barcelona: Ariel, 1985 (= *HLE*).

62. —, ed. *Historia y crítica de la literatura española I: Edad Media*, ed. Francisco Rico. Barcelona: Crítica, 1980 (= *HCLE*; ha aparecido un *Suplemento 1*, 1988).

63. Guillermo Díaz-Plaja, ed. *Historia general de las literaturas hispánicas I y III* (1949 y 1953), reimpr. Barcelona: Vergara, 1969.

64. José María Díez Borque, ed. *Historia de la literatura española I: La Edad Media*. Madrid: Taurus, 1980 (= *DBHLE*).

65. —, ed. *Historia de las literaturas hispánicas no castellanas*. Madrid: Taurus, 1980.

66. —, ed. *Historia del teatro en España I: Edad Media. Siglo XVI. Siglo XVII*. Madrid: Taurus, 1984.

67. Hans Flasche. *Geschichte der spanischen Literatur I-II* (en éste, «*Amadís de Gaula*», pp. 11-55). Berna/Múnich: Francke, 1977-82.

68. José Fradejas Lebrero y Lidio Nieto, dir. *Literatura española en imágenes*, 32 vols. proyectados (textos y 1920 diapositivas). Madrid: La Muralla, 1973—.

69. Francisco López Estrada. *Introducción a la literatura medieval española*, 5.ª ed. rev. Madrid: Gredos, 1983.

70. Martí de Riquer. *Història de la literatura catalana I-III: Part antiga*, 4.ª ed. Barcelona: Ariel, 1984.

71. P. E. Russell, ed. *Spain: A Companion to Spanish Studies*, 2.ª reimpr. Londres: Methuen, 1982.

72. António José Saraiva y Óscar Lopes. *História da literatura portuguesa*, 7.ª ed. corr. Oporto/Lisboa: Porto Edit./Empresa Lit. Fluminense, 1974.

73. Arthur Terry. *A Literary History of Spain: Catalan Literature*. Londres/Nueva York: Benn/Barnes & Noble, 1972.

74. David J. Viera. *Medieval Catalan Literature: Prose and Drama*. Boston: Twayne, 1988.

DICCIONARIOS/ENCICLOPEDIAS

75. David J. Billick y Steven N. Dworkin. *Lexical Studies of Medieval Spanish Texts: A Bibliography of Concordances, Glossaries, Vocabularies, and Selected Word Studies*. Madison: HSMS, 1987.

76. Juan Corominas y J. A. Pascual. *Diccionario crítico etimológico castellano e hispánico*, 6 vols. Madrid: Gredos, 1980-91.

76a. Joan Coromines. *Diccionari etimològic i complementari de la llengua catalana*. 9 vols. Barcelona: Curial, Edicions Catalanes, 1980-89.

77. *Enciclopedia universal ilustrada europeo-americana («Enciclopedia Espasa»)*, 107 vols. (con el último suplemento publicado 1983-84), 6.ª ed. Madrid: Espasa-Calpe, 1986.

78. E. Michael Gerli, ed. *Encyclopedia of Medieval Iberia*. Nueva York: Garland (en prensa).

79. Lloyd Kasten y John J. Nitti, eds. *Dictionary of the Old Spanish Language*. Madison: HSMS (en prensa).

80. Bodo Müller. *Diccionario del español medieval*. Heidelberg: Carl Winter, 1987— (aparecieron tres fascículos entre 1987-88 que contienen la «Bibliografía» y «*a-abrego*»; el fascículo 4 en prensa).

81. Bernard Pottier. «Lexique médiéval hispanique [A-J]». *CLHM* 5 (1980), 195-247; 6 (1981), 179-217; 7 (1982), 135-52; 8 (1983), 197-209; y 9 (1984), 177-87.

82. Real Academia Española. *Diccionario de la lengua española*, 20.ª ed., 2 vols. Madrid: RAE [Espasa-Calpe], 1984.

83. Angel Riesco Terrero. *Diccionario de abreviaturas hispanas de los siglos XIII al XVIII*. Salamanca: Varona, 1983.

84. Joseph R. Strayer, ed. *Dictionary of the Middle Ages/Interim Index* (1985), 13 vols. Nueva York: American Council of Learned Societies/Charles Scribner's Sons, 1982-89.

85. Philip Ward. *Diccionario Oxford de la literatura española e hispanoamericana*. Barcelona: Crítica, 1984.

Estudios

86. José Luis Abellán. *Historia crítica del pensamiento español I: Metodología e introducción histórica*. Madrid: Espasa-Calpe, 1979.

87. Dámaso Alonso. *Primavera temprana de la literatura europea: Lírica, épica, novela*. Madrid: Guadarrama, 1961.

88. Manuel Alvar, ed. *El comentario de textos 4: La poesía medieval*. Madrid: Castalia, 1983 (= *CTPM*).

89. Carlos Alvar y Angel Gómez Moreno. *La poesía lírica medieval*. Madrid: Taurus, 1987 (= *PLM*).

90. —. *La poesía épica y de clerecía medievales*. Madrid: Taurus, 1988 (= *PECM*).

91. Judson B. Allen. *The Ethical Poetic of the Later Middle Ages*. Toronto: Univ. of Toronto Press, 1982.

92. Flemming G. Andersen et al., eds. *Medieval Iconography and Narrative: A Symposium*. Odense: Odense UP, 1980.

93. Samuel G. Armistead. «Science and Literature in the Middle Ages: England, Spain, and the Arabs». *HR* 46 (1978), 235-40 (reseña-artículo de Dorothee Metlitzki, *The Matter of Araby in Medieval England* [New Haven, CT: Yale UP, 1977]).

94. AA.VV. *Narrativa breve medieval románica*, ed. J. Montoya Martínez et al. Granada: TAT, 1988.

95. —. *Typology of Sources of the Western Middle Ages*. Turnhout (Bélgica): Institut d'Études Médiévales, Univ. Catholique de Louvain [Brepols], 1972— (la serie completa constará de 200 fascículos sobre diversos temas medievales).

96. Yitzhak Baer. *Historia de los judíos en la España cristiana*, 2 vols. Madrid: Altalena, 1981.

97. Robert Bartlett. *Trial by Fire and Water: The Medieval Judicial Ordeal*. Oxford: Clarendon, 1988.

98. Roger Boase. «Courtly Love in Spanish Literature: A Continuing Debate». *JHP* 9 (1984-85), 67-73.

99. C. M. Bowra. *Poesía y canto primitivo*. Barcelona: Antoni Bosch, 1984.

100. Herman Braet y Werner Verbeke, ed. *Death in the Middle Ages*. Leuven: Leuven UP, 1983.

100a. James W. Brodman. «Charity and Captives on the Medieval Spanish Frontier». *Anuario medieval* 1 (1989), 34-45.

101. James F. Burke. «A New Critical Approach to the Interpretation of Medieval Spanish Literature». *La Corónica* 11 (1982-83), 273-79.

102. John R. Burt. *Selected Themes and Icons from Medieval Spanish Literature*. Madrid/Po-tomac, MD: PT/SH, 1982.

103. Andrés el Capellán. *Tratado sobre el amor [=De amore]*, ed. Inés Creixell Vidal-Quadras. Barcelona: El Festín de Esopo, 1985.

104. Tomás y Joaquín Carreras Artau. *Historia de la filosofía española: Filosofía cristiana de los siglos XIII al XV*, 2 vols. Madrid: Asociación Española para el Progreso de las Ciencias, 1939-43.

105. Américo Castro. *España en su historia*, 2.ª ed. Barcelona: Crítica, 1984.

106. Pedro M. Cátedra. *Amor y pedagogía en la Edad Media*. Salamanca: Universidad, 1989.

107. Dorothy Clotelle Clarke. «Spanish Literature: Versification and Prosody», en *Dictionary...Middle Ages 11* [84], 1988, pp. 458-60.

108. Alicia Colombí de Ferraresi. *De amor y poesía en la Edad Media*. México, D. F.: El Colegio de México, 1976.

109. Roger Collins. *España en la Alta Edad Media*. Barcelona: Crítica, 1986.

110. Rita Copeland. «Literary Theory in the Later Middle Ages». *RPh* 41 (1987-88), 58-71 (reseña-artículo de A. J. Minnis [160]).

111. Miguel Cruz Hernández. *El pensamiento de Ramón Llull*. Madrid: Fundación Juan March/Castalia, 1977.

112. Alan Deyermond. «The Interaction of Courtly and Popular Elements in Medieval Spanish Literature», en *Court and Poet: Selected Proceedings of the Third Triennial Congress of the International Courtly Literature Society*, ed. Glyn S. Burgess et al. Liverpool: Francis Cairns, 1981, pp. 21-42.

113. —. «Spain's First Women Writers», en *Women in Hispanic Literature* [159], pp. 27-52.

114. —. «Lost Literature in Medieval Portuguese», en *Medieval and Renaissance Studies in Honour of Robert Brian Tate*, ed. Ian Michael y Richard A. Cardwell. Oxford: Dolphin Book, 1987, pp. 1-12.

115. —. «Spanish Literature», en *Dictionary...Middle Ages 11* [84], 1988, pp. 408-27.

116. —, ed. *Medieval Hispanic Studies Presented to Rita Hamilton*. Londres: Támesis, 1976.

117. —, ed. «Temas y problemas de la literatura medieval», en *HCLE* [62], pp. 1-45.

118. — e Ian Macpherson, eds. *The Age of the Catholic Monarchs, 1474-1516: Literary Studies in Memory of Keith Whinnom*. Liverpool: Liverpool UP, 1989.

119. Manuel C. Díaz y Díaz. *De Isidoro al siglo XI: Ocho estudios sobre la vida literaria peninsular*. Barcelona: El Albir, 1976.

120. Heath Dillard. *Daughters of the Reconquest: Women in Castilian Town Society, 1100-1300*. Cambridge: Cambridge UP, 1984.

121. Peter Dronke. *La originalidad poética en la Edad Media*. Madrid: Cupsa, 1979.

122. —. *Women Writers of the Middle Ages: A Critical Study of Texts from Perpetua (d. 203) to Marguerite Porete (d. 1310)*. Cambridge: Cambridge UP, 1983.

123. Yves-René Fonquerne y Alfonso Esteban, eds. *La condición de la mujer en la Edad Media*. Madrid: Casa de Velázquez/Univ. Complutense, 1986.

124. Antonio Garrosa Resina. *Magia y superstición en la literatura castellana medieval*. Valladolid: Universidad, 1987.

125. Albert Gier y John E. Keller. *Les Formes narratives brèves en Espagne et Portugal*, en *Formes narratives brèves*, ed. W. D. Lange, *GRLM V.i-ii.2*. [41], 1985.

126. Harriet Goldberg. «The Several Faces of Ugliness in Medieval Castilian Literature». *La Corónica* 7 (1978-79), 80-92.

127. —. «The Literary Portrait of the Child in Castilian Medieval Literature». *KRQ* 27 (1980), 11-27.

128. Ángel Gómez Moreno. «Una forma española del tópico de modestia». *La Corónica* 12 (1983-84), 71-83.

129. J. N. Hillgarth. *Los reinos hispánicos, 1250-1516*, 2 vols. Barcelona: Grijalbo, 1979-80.

130. Richard Hitchcock. «¿Quiénes fueron los verdaderos mozárabes? Una contribución a la historia del mozarabismo». *NRFH* 30 (1981), 574-85.

131. —. «Muslim Spain (711-1492)», en *Spain: A Companion* [71], pp. 41-63.

132. *Homenaje ofrecido a Menéndez Pidal*, 3 vols. Madrid: Hernando, 1925.

133. Johan Huizinga. *El otoño de la Edad Media*, 6.ª ed. Madrid: Revista de Occidente, 1978.

134. W. T. H. Jackson, ed. *The Interpretation of Medieval Lyric Poetry*. Nueva York: Columbia UP, 1980.

135. Hans R. Jauss. «Littérature médiévale et théorie des genres». *Poétique* 1 (1970), 79-101.

136. Mark D. Johnston. *The Spiritual Logic of Ramon Llull*. Oxford: Clarendon, 1987.

137. Joseph R. Jones, ed. *Medieval, Renaissance, and Folklore Studies in Honor of John Esten Keller*. Newark, DE: Juan de la Cuesta, 1980.

138. John E. Keller. *Collectanea Hispanica: Folklore and Brief Narrative Studies*, ed. Dennis P. Seniff y María Isabel Montoya Ramírez. Newark, DE: Juan de la Cuesta, 1987.

139. — y Richard P. Kinkade. *Iconography in Medieval Spanish Literature*. Lexington, KY: UP of Kentucky, 1984.

140. M. E. Lacarra. «Notes on Feminine Analysis of Medieval Spanish Literature and History». *La Corónica* 17 (1988-89), 14-22.

141. María Jesús Lacarra. «Algunos datos para la historia de la misoginia en la Edad Media», en *Studia in honorem prof. M. de Riquer I*. Barcelona: Quaderns Crema, 1986, pp. 339-61.

142. María Rosa Lida de Malkiel. *La tradición clásica en España*. Barcelona: Ariel, 1975.

143. Derek Lomax. *La Reconquista*. Barcelona: Crítica, 1984.

144. Francisco López Estrada. «Características generales de la Edad Media literaria», en *DBHLE* [64], pp. 51-96.

145. —. «Poética medieval: Los problemas de la agrupación de las obras literarias», en *CTPM* [88], pp. 7-32.

146. —. «Las mujeres escritoras en la Edad Media castellana», en *La condición de la mujer* [123], pp. 9-38.

147. Humberto López Morales. «Sobre el teatro medieval castellano: *Status quaestionis*». *BAPLE* 14, núm. 1 (1986), 99-122.

148. Angus MacKay. *Society, Economy and Religion in Late Medieval Castile*. Londres: Variorum Reprints, 1987.

149. John R. Maier y Thomas D. Spaccarelli. «MS Escurialense h.I.13: Approaches to a Medieval Anthology». *La Corónica* 11 (1982-83), 18-34.

150. Yakov Malkiel. «Spanish Language», en *Dictionary...Middle Ages 11* [84], 1988, pp. 390-405.

151. Nancy F. Marino. *La serranilla española: Notas para su historia e interpretación*. Potomac, MD: Scripta Humanistica, 1987.

152. *Medieval Literature and Contemporary Theory*, en *New Literary History* 10, ii (1979) (con artículos de H. Jauss, P. Zumthor, et al.).

153. Ramón Menéndez Pidal, fundador/J. M. Jover Zamora, dir. *Historia de España III-VII* y *XIV-XVII*. Madrid: Espasa-Calpe, 1935-66 (con varias eds. hasta 1986; las ocho partes constan de nueve volúmenes por varios autores).

154. Marcelino Menéndez y Pelayo. *Orígenes de la novela I-III*. Madrid: Bailly-Ballière e Hijos, 1905-10; reimpr. Santander: Aldus, 1943.

155. María Rosa Menocal. *The Arabic Role in Medieval Literary History: A Forgotten Heritage*. Filadelfia: Univ. of Penn. Press, 1987.
156. Ian Michael. «Spanish Literature and Learning to 1474», en *Spain: A Companion* [71], pp. 191-245.
157. —. «Epic to Romance to Novel: Problems of Genre Identification». *Bulletin of the John Rylands University Library of Manchester* 68 (1986), 498-527.
158. John S. Miletich, ed. *Hispanic Studies in Honor of Alan D. Deyermond: A North American Tribute*. Madison: HSMS, 1986.
159. Beth Miller, ed. *Women in Hispanic Literature: Icons and Fallen Idols*. Berkeley: Univ. of Calif. Press, 1983.
160. A. J. Minnis. *Medieval Theory of Authorship: Scholastic Literary Attitudes in the Later Middle Ages*, 2.ª ed. Filadelfia: Univ. of Penn. Press, 1988.
161. Colbert I. Nepaulsingh. *Towards a History of Literary Composition in Medieval Spain*. Toronto: Univ. of Toronto Press, 1986.
162. —. «Spanish Literature: Lyric Poetry», en *Dictionary...Middle Ages 11* [84], 1988, pp. 445-52.
163. John J. Nitti, ed. *Studies in Honor of Lloyd A. Kasten*. Madison: HSMS, 1975.
164. F. J. Norton. *Printing in Spain, 1501-20*. Cambridge: Cambridge UP, 1966.
165. Glending Olson. *Literature as Recreation in the Later Middle Ages*. Ithaca, NY/Londres: Cornell UP, 1982.
166. Jacob Ornstein. «La misoginia y el profeminismo en la literatura castellana». *Revista de filología hispánica* 3 (1941), 219-32.
167. Eliezer Oyola. *Los pecados capitales en la literatura medieval española*. Barcelona: Puvill, 1979.
168. Howard R. Patch. *El otro mundo en la literatura medieval* (seguido de un apéndice por María Rosa Lida de Malkiel, «La visión de trasmundo en las literaturas hispánicas», pp. 371-449). México, D. F.: FCE, 1956; reimpr. 1983.
169. Stanley G. Payne. *La España medieval*. Madrid: Playor, 1985.
170. Evelyn S. Procter. *Curia y cortes en Castilla y León, 1072-1295*. Madrid: Cátedra, 1988.
171. Vladimir Propp. *Morfología del cuento*, 6.ª ed. Madrid: Fundamentos, 1985.
172. Hastings Rashdall. *The Universities of Europe in the Middle Ages II: Italy-Spain [etc.]* (1895). Oxford: Clarendon, 1936; reimpr. 1987.
173. Malcolm K. Read. *The Birth and Death of Language: Spanish Literature and Linguistics, 1300-1700*. Madrid/Potomac, MD: PT/SH, 1983.
174. Bernard F. Reilly. *The Kingdom of León-Castilla under King Alfonso VI, 1065-1109*. Princeton: Princeton UP, 1988.
175. Francisco Rico. *El pequeño mundo del hombre*, 2.ª ed. corr. y aum. Madrid: Alianza, 1986.
176. —. «*Aristoteles hispanus*: En torno a Gil de Zamora, Petrarca y Juan de Mena», en *Mitos, folklore y literatura*. Zaragoza: Caja de Ahorros y Monte de Piedad de Zaragoza, Aragón y Rioja, 1987, pp. 57-77.
177. Martí de Riquer. «Evolución estilística de la prosa catalana medieval». *Miscellanea Barcinonensia* 17 (1978), 7-19.
177a. Nicholas G. Round. *The Greatest Man Uncrowned: A Study of the Fall of don Alvaro de Luna*. Londres: Támesis, 1986.
178. Peter E. Russell. *Temas de «La Celestina» y otros estudios: Del «Cid» al «Quijote»*. Barcelona: Ariel, 1978.
179. Paul Russell-Gebbett. «Medieval Catalan Literature», en *Spain: A Companion* [71], pp. 247-63.

180. Ricard Salvat, ed. *El teatre durant l'Edat Mitjana: El teatre durant l'Edat Mitjana i el Renaixement. Actes del I Simposi Internacional d'Història del Teatre sobre 'L'Edat Mitjana i el Renaixement en el Teatre'. Sitges, 13 i 14 d'Octubre de 1983*. Barcelona: Universitat, 1986.

181. Claudio Sánchez-Albornoz. *España, un enigma histórico*, 10.ª ed. Barcelona: EDHASA, 1985.

182. Kenneth R. Scholberg. *Sátira e invectiva en la España medieval*. Madrid: Gredos, 1971.

183. Dennis P. Seniff. «Introduction to Natural Law in Didactic, Scientific, and Legal Treatises in Medieval Iberia», en *The Medieval Tradition of Natural Law*, ed. Harold J. Johnson. Kalamazoo, MI: Medieval Institute Publications, Western Michigan Univ., 1987, pp. 161-78.

184. Colin Smith. «On the 'Lost Literature' of Medieval Spain», en *Essays Presented to Duncan McMillan*. Reading: Reading Univ., 1984, pp. 137-50.

185. Lucy A. Sponsler. *Women in Medieval Spanish Epic and Lyric Traditions*. Lexington, KY: UP of Kentucky, 1975.

186. Robert B. Tate. «The Medieval Kingdoms of the Iberian Peninsula (to 1474)», en *Spain: A Companion* [71], pp. 65-105.

187. —. «Spanish Literature: Lost Works», en *Dictionary...Middle Ages 11* [84], 1988, pp. 442-45.

188. Owsei Temkin. *Galenism: Rise and Decline of a Medical Philosophy*. Ithaca, NY: Cornell UP, 1975.

189. Stith Thompson. *Motif-Index of Folk Literature*, 6 vols. Copenhague/Bloomington, IND: Rosenkilde-Bagger/Indiana UP, 1955-58.

190. Juan Vernet. *La cultura hispanoárabe en Oriente y Occidente*. Barcelona: Ariel, 1978.

191. —, ed. *Estudios sobre historia de la ciencia árabe*. Barcelona: CSIC, 1980.

192. John K. Walsh y B. Bussell Thompson. «Spanish Literature: Hagiography», en *Dictionary...Middle Ages 11* [84], 1988, pp. 438-40.

193. Keith Whinnom. *Spanish Literary Historiography: Three Forms of Distortion*. Exeter: Univ. of Exeter, 1967.

194. Katharina Wilson, ed. *Medieval Women Writers*. Athens, GA: Univ. of Georgia Press, 1985.

195. Kevin B. Wolf. *Christian Martyrs in Muslim Spain*. Cambridge: Cambridge UP, 1988.

196. Paul Zumthor. *Essai de poétique médiévale*. París: Seuil, 1972.

197. —. *Per leggere il Medioevo*. Bolonia: Il Mulino, 1980.

ORALIDAD Y ESCRITURA

198. Franz Bäuml. «Varieties and Consequences of Medieval Literacy and Illiteracy». *Speculum* 55 (1980), 237-65.

199. Pedro Cátedra. «The Present Situation in Spain». *Medieval Sermon Studies Newsletter*, núm. 3 (1978), 18-19.

200. —. *Dos estudios sobre el sermón en la España medieval*. Bellaterra (Barcelona): UAB, 1981 (1982).

201. —. «La predicación castellana de san Vicente Ferrer». *BRABLB* 39 (1983-84), 235-309.

202. —. «Acerca del sermón político en la España medieval»/«Nota adicional». *BRABLB* 40 (1985-86), 17-47 y anexo.

203. —. «La mujer en el sermón medieval (a través de textos españoles)», en *La condición de la mujer* [123], pp. 39-50.

204. —, ed. «*Pedro Marín [: Sermón para la Dominica III de Cuaresma]*», en *Predicación y literatura* [223], pp. 26-38.

205. H. J. Chaytor. *From Script to Print: An Introduction to Medieval Literature*. Cambridge: Heffer, 1945.

206. Michael T. Clanchy. *From Memory to Written Record: England, 1066-1307*. Cambridge, MA: Harvard UP, 1979.

207. Ruth Crosby. «Oral Delivery in the Middle Ages». *Speculum* 11 (1936), 88-110.

208. Alan Deyermond. «The Sermon and its Uses in Medieval Castilian Literature». *La Corónica* 8 (1979-80), 127-45.

209. José María Díez Borque. *El libro: De la tradición oral a la cultura impresa*. Barcelona: Montesinos, 1985.

209a. Lucien Febvre y Henri-Jean Martin. *The Impact of Printing 1450-1800: The Coming of the Book*, 2.ª reimpr. Londres: Verso, 1986a.

210. Andrés Gallardo. «Alfabetismo en la oralidad: El escritor medieval y la cultura del idioma». *Acta literaria*, núms. 10-11 (1985-86), 133-43.

211. Esperanza Gurza. «La oralidad...*Celestina*», *véase* [1001].

211a. G. B. Gybbon-Monypenny. «The Spanish *mester de clerecía*...», *véase* [324].

212. István Hajnal. *L'Enseignement de l'écriture aux universités médiévales*. Budapest: Academia Scientiarum Hungarica Budapestini, 1954.

213. L. P. Harvey. «Oral Composition...Novels of Chivalry», *véase* [887].

213a. J. N. H. Lawrance. «The Spread of Lay Literacy», *véase* [747].

214. Derek W. Lomax. «Spanish Literature: Sermons», en *Dictionary... Middle Ages 11* [84], 1988, pp. 455-56.

215. Marshall McLuhan. *The Gutenberg Galaxy: The Making of Typographic Man*. Toronto: Univ. of Toronto Press, 1962.

216. Ramón Menéndez Pidal. «Los cantares épicos yugoeslavos y los occidentales: El *Mio Cid* y dos refundidores primitivos». *BRABLB* 31 (1965-66), 195-225.

216a. Thomas Montgomery. «The *Poema de mio Cid*...», *véase* [298a].

216b. —. «The Uses of Writing... Epic», *véase* [274a].

217. James J. Murphy. *La retórica en la Edad Media*. México, D. F.: FCE, 1986.

218. —. *Medieval Rhetoric: A Select Bibliography*, 2ª ed. Toronto: Univ. of Toronto Press/Centre for Medieval Studies, 1989.

219. William Nelson. «From 'Listen, Lordings' to 'Dear Reader'». *University of Toronto Quarterly* 46 (1976-77), 111-24.

220. Walter J. Ong, S. J. *Orality and Literacy: The Technologizing of the Word*. Londres/Nueva York: Methuen, 1984.

221. *Oral and Written Traditions in the Middle Ages*, en *New Literary History* 16, núm. 1 (1984) (hay artículos por W. J. Ong, P. Zumthor, et al.).

222. G. R. Owst. *Literature and Pulpit in Medieval England*, 2.ª ed. Oxford: Basil Blackwell, 1961.

223. Francisco Rico. *Predicación y literatura en la España medieval*. Cádiz: UNED, 1977.

224. —. «La clerecía del mester», *véase* [326].

225. Elias L. Rivers. *Quixotic Scriptures: Essays on the Textuality of Hispanic Literature*. Bloomington: Indiana UP, 1983.

226. Paul Saenger. «Silent Reading: Its Impact on Late Medieval Script and Society». *Viator* 13 (1982), 367-414.

227. Dennis P. Seniff. «'Así fiz yo de lo que oy'», *véase* [811].

228. —. «Aproximación a la oralidad y textualidad en la prosa castellana medieval», en *Actas del IX Congreso de la Asociación Internacional de Hispanistas: 18-23 agosto 1986, Ber-*

lín, I, ed. Sebastian Neumeister. Fráncfort: Vervuert, 1989, pp. 263-77 (versión inglesa: «Orality and Textuality in Medieval Castilian Prose», *Oral Tradition* 2 [1987 (*A Festschrift for Walter J. Ong*)], 150-71).

229. Brian Stock. *The Implications of Literacy: Written Language and Models of Interpretation in the Eleventh and Twelfth Centuries*. Princeton: Princeton UP, 1983.
230. Roger M. Walker. «Oral Delivery or Private Reading?», *véase* [910].
231. Barbara F. Weissberger. «Authors... Readers...», *véase* [975].

INFORMÁTICA Y LITERATURA MEDIEVAL

231a. Manuel Alvar Ezquerra. *Concordancias e índices léxicos de la «Vida de San Ildefonso»*. Málaga: Univ. de Málaga, 1980.
232. Victoria A. Burrus. «Procedures and Progress on the *Dictionary of the Old Spanish Language*». *Computers and the Humanities* 17 (1983), 209-13.
233. *Computers and Medieval Data Processing/Informatique et études médiévales* (publicación periódica a cargo de Serge Lusignan, Institut d'Études Médiévales, Univ. de Montreal, Québec, Canadá H3C 3J7).
234. Charles B. Faulhaber. «Hispanismo e informática». *Incipit* 6 (1986), 157-84.
235. Francisco Marcos Marín. «Hacia una edición informatizada del *Libro de Alexandre*». Madrid: Univ. Autónoma, 1986.
236. Leopoldo Sáez-Godoy. «Las computadoras en el estudio del español». *Thesaurus* 38 (1983), 340-75.
237. —. «Metodología informática para la edición de textos». *Incipit* 6 (1986), 185-97.

POESÍA LÍRICA MOZÁRABE, GALLEGO-PORTUGUESA E HISPÁNICA TRADICIONAL: SIGLOS XI-¿XV? (A.1-21)

238. Dámaso Alonso. «Cancioncillas *de amigo* mozárabes: Primavera temprana de la lírica europea», en *Primavera temprana* [87], pp. 17-79.
239. Carlos Alvar y Ángel Gómez Moreno. «La poesía en latín: Pervivencias e innovaciones», «El problema de las *jarchas*», «La poesía cortés: Los orígenes», «La poesía cortés en la Península Ibérica» y «Poesía tradicional en la Edad Media tardía», en *PLM* [89], pp. 16-67, 109-15, 143-44, 147-48, 151-54 y 161.
239a. Manuel Alvar, ed. [Poesías varias], en *PEM* [3], núms. CDLXX, pp. 967-68; CCCLXX-LXXI, p. 921; CCCLXXVII, p. 923; y CCCLXXXVI, pp. 925-26. (*para A.11, 13-15 y 17).
240. Manuel Alvar y M.ª Teresa Rubiato, eds. *Endechas judeo-españolas*, 2.ª ed. Madrid: CSIC, Instituto «Arias Montano», 1969. (*para A.21).
241. Manuel Alvar/Carlos Alvar. «La poesía en la Edad Media (Excepto Mester de Clerecía y grandes poetas del siglo XV) [: Poesía lírica y narrativa]»/«Bibliografía crítica», en *DBHLE* [64], pp. 284-302 y 383.
242. Higini Anglès y Josep Romeu Figueras, eds. *Cancionero musical de Palacio: Siglos XV y XVI*, en *La música en la corte de los Reyes Católicos II-IV: Polifonía profana*. Barcelona: CSIC, Instituto Español de Musicología, 1947-65, núms. 7 (A.10), 76 (A.12), 24 (A.16), 238 (A. 19) y 215 (A. 20).

243. Eugenio Asensio. *Poética y realidad en el cancionero peninsular de la Edad Media*, 2.ª ed. aum. Madrid: Gredos, 1970.

244. Isaac Benabu y Joseph Yahalom. «The Importance of the Genizah Manuscript for the Establishment of the Text of the Hispano-Romance *Kharjas* in Hebrew Characters». *RPh* 40 (1986-87), 139-58.

245. Alan Deyermond. «La lírica primitiva y su posteridad», en *HLE* [61], pp. 21-64.

246. —, ed. «Las jarchas y la lírica tradicional», en *HCLE* [62], pp. 47-82.

247. Margit Frenk, ed. *Lírica española de tipo popular: Edad Media y Renacimiento*, 3.ª ed. Madrid: Cátedra, 1982.

248. — et al. *Corpus de la antigua lírica popular hispánica: Siglos XV a XVII*. Madrid: Castalia, 1987.

249. Emilio García Gómez. «Las jarchas», en *CTPM* [88], pp. 405-26.

250. Guillermo E. Hernández. «Some *Jarcha* Antecedents in Latin Inscriptions». *HR* 57 (1989), 189-202.

251. Richard Hitchcock. *The Kharjas: A Critical Bibliography*. Londres: Grant & Cutler, 1977.

252. —. «The Fate of the *Kharjas*: A Survey of Recent Publications». *Bulletin of the British Society for Middle Eastern Studies* 12, núm. 2 (1985, pero marzo de 1986), 172-90.

253. Ramón Menéndez Pidal. «La primitiva poesía lírica española», en *Estudios literarios*, 9.ª ed. Madrid: Espasa-Calpe, 1968, pp. 157-212.

254. Egla Morales Blouin. *El ciervo y la fuente: Mito y folklore del agua en la lírica tradicional*. Madrid/Potomac, MD: PT/SH, 1981.

255. Francisco Nodar Manso. *La narratividad de la poesía lírica galaico-portuguesa*, 2 vols. Kassel: Reichenberger, 1983.

255a. J. J. Nunes, ed. *Cantigas d'amigo dos trovadores galego-portugueses*, 3 vols. Coímbra, 1926-28; reimpr. Nueva York: Kraus Reprint Co., 1971, núms. 252, 19, 75 y 419 (*para A.4-7).

256. Silvio Pellegrini y Giovanna Marroni. *Nuovo repertorio bibliografico della prima lirica galego-portughese 1814-1977*. L'Aquila: Japadre, 1981 (actualizado en la reseña de David J. Viera, *La Corónica* 15 [1986-87], 287-92; y por Giovanna Marroni en *BBAHLM* [24], pp. 99-156).

257. Francisco Rico. «Çorraquín Sancho, Roldán y Oliveros: Un cantar paralelístico del siglo XII». *Homenaje a la memoria de don Antonio Rodríguez-Moñino (1910-1970)*. Madrid: Castalia, 1975, pp. 537-64. (*para A.9).

258. Josep Romeu i Figueras. «Poesies populars del segle XIV procedents del *Libre d'amoretes* i d'un manual de notari». *Actes del Cinquè Col.loqui Internacional de Llengua i Literatura Catalanes, Andorra, 1-6 d'octubre de 1979*, ed. J. Bruguera y J. Massot i Muntaner. Montserrat: L'Abadia, 1980, pp. 257-85.

259. Antonio Sánchez Romeralo. *El villancico: Estudios sobre la lírica popular en los siglos XV y XVI*. Madrid: Gredos, 1969.

260. J. M. Solà-Solé, ed. *Corpus de poesía mozárabe: Las hargas andalusíes*. Barcelona: HISPAM, 1973. (*para A.1-3).

261. Lucas de Tuy. *Chronicon mundi* (1236), ed. Andreas Schottus en *Hispaniae illustratae IV*. Francofurti: apud Claudium Marnium, 1608, p. 88. (*para A.8).

261a. Janice Wright. «Nature and the *amiga* in the Galician Portuguese *cantigas de amigo*». *LA CHISPA '89: Selected Proceedings [of] the Tenth Louisiana Conference on Hispanic Languages and Literatures*, ed. Gilberto Paolini. Nueva Orleans: Tulane Univ., 1990, pp. 345-55.

POESÍA ÉPICA Y SUS PROSIFICACIONES: SIGLOS XII-XIV (B.1-4, F.7-8)

262. Carlos Alvar. «Épica», en *PECM* [90], pp. 13-70 y 167-75.
263. Manuel Alvar/Carlos Alvar. «La poesía en la Edad Media...[: Épica]»/«Bibliografía crítica», en *DBHLE* [64], pp. 211-53 y 380-82.
264. Samuel G. Armistead. «From Epic to Chronicle: An Individualist Approach». *RPh* 40 (1986-87), 338-59 (reseña-artículo de Pattison [275]).
265. *Bulletin bibliographique de la Société Rencesvals (pour l'étude des épopées romanes)* (París; anual; véase especialmente el núm. 9, 1975, dedicado a la epopeya española).
266. Diego Catalán. «Poesía y novela en la historiografía castellana de los siglos XIII y XIV». *Mélanges offerts à Rita Lejeune I*. Gembloux: J. Duculot, 1969, pp. 423-41.
267. Alan Deyermond. «La épica», en *HLE* [61], pp. 65-101.
268. —, ed. «El *Cantar de mio Cid* y la épica», en *HCLE* [62], pp. 83-126.
269. Charles B. Faulhaber. «Neo-Traditionalism, Formulism, Individualism, and Recent Studies on the Spanish Epic». *RPh* 30 (1976-77), 83-101.
270. Fernando Gómez Redondo. «Fórmulas juglarescas en la historiografía romance de los siglos XIII y XIV». *La Corónica* 15 (1986-87), 225-39.
271. Jacques Horrent. *Les Épopées romanes: L'Épopée dans la péninsule ibérique*, en *GRLM III.i-ii.9* [41], 1987.
272. Ramón Menéndez Pidal. *Obras II: Historia y epopeya*. Madrid: CEH, 1934.
273. —. *Poesía juglaresca y orígenes de las literaturas románicas*, 6.ª ed. Madrid: Instituto de Estudios Políticos, 1957.
274. —. *Reliquias de la poesía épica española*, ed. Diego Catalán, 2.ª ed. Madrid: SMP/Gredos, 1980.
274a. Thomas Montgomery. «The Uses of Writing in the Spanish Epic». *La Corónica* 15 (1986-87), 179-85.
275. *Olifant* (boletín periódico de la sección norteamericana de la Société Rencesvals).
276. D. G. Pattison. *From Legend to Chronicle: The Treatment of Epic Material in Alphonsine Historiography*. Oxford: SSMLL, 1983 (véase la reseña de L. P. Harvey en *BHS* 63 [1986], 153-54).
277. Brian Powell. *Epic and Chronicle: The «Poema de mio Cid» and the «Chronica de veinte reyes»*. Londres: MHRA, 1983.

Roncesvalles

278. Ramón Menéndez Pidal, ed. «*Roncesvalles*: Un nuevo cantar de gesta español del siglo XIII». *RFE* 4 (1917), 105-204. (*)

Gesta (Cantar) de los Siete Infantes de Lara

278a. Carolyn A. Bluestine. «The Power of Blood in the *Siete Infantes de Lara*». *HR* 50 (1982), 201-17.
279. Thomas A. Lathrop., ed. *The Legend of the «Siete Infantes de Lara»: Refundición toledana de la «Crónica de 1344»*. Chapel Hill, NC: Univ. of North Carolina, 1971.
280. Ramón Menéndez Pidal, ed. *La leyenda de los Infantes de Lara*, en *Reliquias* [274], pp. 199-236. (*)

Poema de Fernán González

281. John S. Geary, ed. *Historia del conde Fernán González: A Facsimile and Paleographic Edition with Commentary and Concordance*. Madison: HSMS, 1987.
282. José Hernando Pérez. «Nuevos datos para el estudio del *Poema de Fernán González*». *BRAE* 66 (1986), 135-52.
283. Juan J. Victorio, ed. *Poema de Fernán González*. Madrid: Cátedra, 1981.
284. Beverly West. *Epic, Folk, and Christian Traditions in the «Poema de Fernán González»*. Madrid/Potomac, MD: PT/SH, 1983.
284a. Alonso Zamora Vicente, ed. *Poema de Fernán González*, 4.ª ed. Madrid: Espasa-Calpe, 1970. (*)

El cantar de Sancho II y el cerco de Zamora

285. Manuel Alvar, ed. *El cantar de Sancho II...*, en *PEM* [3], núm. XXVI, pp. 50-54. (*)
286. Mercedes Vaquero. «The Tradition of the *Cantar de Sancho II* in Fifteenth-Century Historiography». *HR* 57 (1989), 137-54 (véase el comentario de S. G. Armistead, «Note: Chronicles and Epics in the 15th Century», *La Corónica* 18 [1989-90], 103-07).

Poema (Cantar) de mio Cid

287. John A. Alford y Dennis P. Seniff, eds. «Hispanic: Cid *(Poema de mio Cid)*». *LLMA* [22], pp. 241-53.
288. Excm.º Ayuntamiento de Burgos, ed. *Poema de mio Cid*, 2 vols. [*I: Edición facsímil del ms. Bibl. Nacional 7-17 (vitrina)* y *II: Transcripción y versión modernizada, con estudios sobre lenguaje, historia, bibliografía y arte*]. Burgos: Ayuntamiento, 1982.
289. David J. Billick. «A Checklist of Theses and Dissertations on the *Poema del Cid* and the Cid Legend». *La Corónica* 9 (1980-81), 172-76.
289a. Diego Catalán. «El *Mío Cid*: Nueva lectura de su intencionalidad política», en *Symbolae Ludovico Mitxelena Septuagenario Oblatae, II*, ed. José L. Melena. Vitoria/Gasteiz: Aintzinate/Zientzien Institutua, Euskal Herriko Univertsitatea, 1985, pp. 807-19.
290. Alan Deyermond. «Tendencies in *Mio Cid* Scholarship, 1943-1973», en *«Mio Cid» Studies*, ed. A. Deyermond. Londres: Tamesis, 1977, pp. 13-47.
291. —. *El «Cantar de mio Cid» y la épica medieval española*. Barcelona: Sirmio, 1987.
291a. Joseph J. Duggan. *The «Cantar de mio Cid»: Poetic Creation in its Economic and Social Contexts*. Cambridge: Cambridge UP, 1989.
292. Nancy Joe Dyer, «*Crónica de veinte reyes*, Use of the Cid Epic: Perspectives, Method, and Rationale», *RPh* 33 (1979-80), 534-44.
292a. Michael Harney. «Class Conflict and Primitive Rebellion in the *Poema de mio Cid*». *Olifant* 12 (1987), 171-219.
293. Jules Horrent. «La Jura de Santa Gadea: Historia y poesía», en *Studia philologica: Homenaje ofrecido a Dámaso Alonso por sus amigos y discípulos con ocasión de su 60.º aniversario, II*. Madrid: Gredos, 1961, pp. 241-65.
294. Francisco López Estrada. *Panorama crítico sobre el «Poema de mio Cid»*. Madrid: Castalia, 1982.
295. Miguel Magnotta. *Historia y bibliografía de la crítica sobre el «Poema de mio Cid» (1750-1971)*. Chapel Hill: Univ. of North Carolina, 1976.
296. Ramón Menéndez Pidal, ed. *Cantar de mio Cid*, 3 vols., 4.ª ed. Madrid: Espasa-Calpe, 1964-69.

297. —. *La España del Cid*, 2 vols., 7.ª ed. Madrid: Espasa-Calpe, 1969 (contiene la *Historia Roderici* en *II*, pp. 919-69).

298. Ian Michael, ed. *Poema de mio Cid*, 2.ª ed. corr. y aum. Madrid: Castalia, 1978 [1981]. (*)

298a. Thomas Montgomery. «The *Poema de mio Cid*: Oral Art in Transition», en *«Mio Cid» Studies* [290], pp. 91-112.

299. Francisco Rico. «Del *Cantar del Cid* a la *Eneida*: Tradiciones épicas en torno al *Poema de Almería*». *BRAE* 65 (1985), 197-211.

300. Manuel Sánchez Mariana. «Guía bibliográfica del *Poema de mio Cid*», en *Poema de mio Cid II* [288], pp. 291-326.

301. —. «El *Poema de mio Cid* y la crítica de los siglos XVI y XVII». *Boletín Corporativo de la Academia Burgense* (Burgos) núm. 201 (1983), 415-21.

302. Colin Smith. *La creación del «Poema de mio Cid»*. Barcelona: Crítica, 1985.

303. Franklin M. Waltman. *Concordance to «Poema de mio Cid»*. University Park, PA: Penn. State UP, 1972.

303a. Mercedes Vaquero. «El *Cantar de la Jura de Santa Gadea* y la tradición del Cid como vasallo rebelde». *Olifant* 15 (1990), 47-84.

Mocedades de Rodrigo

304. Samuel G. Armistead. *«Mocedades de Rodrigo* and Neo-Individualist Theory». *HR* 46 (1978), 313-27.

305. Alan D. Deyermond. *Epic Poetry and the Clergy: Studies on the «Mocedades de Rodrigo»*. Londres: Támesis, 1968.

306. Leonardo Funes. «Gesta, refundición, crónica: Deslindes textuales en las *Mocedades de Rodrigo* (razones para una nueva edición crítica)». *Incipit* 7 (1987), 69-94.

307. Juan J. Victorio, ed. *Mocedades de Rodrigo*. Madrid: Espasa-Calpe, 1982. (*)

TEATRO LITÚRGICO CASTELLANO (¿?): SIGLO XII (C.1)/ TEATRO (GLOSA) LITÚRGICO CATALÁN: SIGLO XIII (CH.1)

308. Pere Bohigas. «Més notes sobre textos de teatre catalá medieval». *Iberoromania* 10 (1979), 15-29.

308a. Feliciano Delgado. «Las profecías de sibilas en el ms. 80 de la catedral de Córdoba y los orígenes del teatro nacional». *RFE* 67 (1987), 77-87.

309. Alan Deyermond. «En los orígenes del drama», en *HLE* [61], pp. 360-68.

310. —, ed. «El teatro medieval», en *HCLE* [62], pp. 451-69.

311. Humberto López Morales. «El teatro en la Edad Media», en *DBHLE* [64], pp. 513-30.

312. —. «Sobre el teatro medieval», *véase* [147].

313. Josep Romeu Figueras, ed. *Teatre hagiogràfic*, 3 vols. Barcelona: Barcino, 1957.

314. Ronald E. Surtz. «Estudio preliminar [: Introducción]», en *Teatro medieval* [21], pp. 9-13.

315. Maximiliano Trapero. «Nuevos indicios de la existencia de un teatro medieval en Castilla». *BAPLE* 8, núm. 1 (1980), 159-91.

Auto de los Reyes Magos

316. Gerold Hilty. «La lengua del *Auto de los Reyes Magos*», en *Logos Semantikos: Studia linguistica in honorem Eugenio Coseriu V: Geschichte und Architekture der Sprachen*, ed. Brigitte Schlieben-Lange. Berlín: de Gruyter, 1981, pp. 289-302.

317. Rafael Lapesa. «Sobre el *Auto de los Reyes Magos*: Sus rimas anómalas y el posible origen de su autor», en *De la Edad Media a nuestros días: Estudios de historia literaria*. Madrid: Gredos, 1967, pp. 37-47.

318. Ramón Menéndez Pidal, ed. «*Auto de los Reyes Magos*». *RABM* 4 (1900), 453-62. (*)

319. Ronald E. Surtz. «Estudio preliminar [: *Auto de los Reyes Magos*]», en *Teatro medieval* [21], pp. 13-19.

POESÍA LÍRICA Y NARRATIVA: SIGLO XIII (D.1-12)

320. Manuel Alvar/Carlos Alvar. «La poesía en la Edad Media... [: Poesía lírica y narrativa; poemas de disputas y debates; el planto *¡Ay Jherusalem!*]»/«Bibliografía crítica», en *DBHLE* [64], pp. 302-36 y 383-84.

321. Alan Deyermond. «La literatura en el despertar cultural del siglo XIII (I [y II])», en *HLE* [61], pp. 102-43 y 168-70.

322. —, ed. «Berceo y la poesía del siglo XIII», en *HCLE* [62], pp. 127-65.

323. Ángel Gómez Moreno. «Clerecía», en *PECM* [90], pp. 71-163 y 176-99.

324. G. B. Gybbon-Monypenny. «The Spanish *mester de clerecía* and its Intended Public: Concerning the Validity as Evidence of Passages of Direct Address to the Audience», en *Medieval Miscellany Presented to Eugène Vinaver,* ed. F. Whitehead et al. Manchester: Manchester UP, 1965, pp. 230-44.

325. John E. Keller. *Las narraciones breves piadosas versificadas en el castellano y gallego del Medievo: De Berceo a Alfonso X*. Madrid: Alcalá, 1987.

325a. Jesús Montoya. «El milagro literario hispánico», en *LA CHISPA '89* [261a], pp. 211-20.

326. Francisco Rico. «La clerecía del mester». *HR* 53 (1985), 1-23 y 127-50.

327. Nicasio Salvador Miguel. «El mester de clerecía [: Orígenes y en el siglo XIII]», en *DBHLE* [64], pp. 389-433 y 458-59.

328. —. «*Mester de clerecía*: Marbete generalizador de un género literario». *Revista de literatura*, núm. 82 (1979), 5-30; reimpr. en *Teoría de los géneros literarios,* ed. Miguel A. Garrido Gallardo. Madrid: Arco, 1988, pp. 343-71.

329. Antonio G. Solalinde. *Poemas breves medievales,* ed. Ivy A. Corfis. Madison: HSMS, 1987.

329a. Isabel Uría Maqua. «Gonzalo de Berceo y el mester de clerecía en la nueva perspectiva de la crítica». *Berceo,* núms. 110-11 (1986), 7-20.

Razón de amor

330. José Jesús de Bustos Tovar, ed. «*Razón de amor con los denuestos del agua y el vino*», en *CTPM* [88], pp. 53-83.

330a. S. Fernández Mosquera. «Organización del espacio en *Razón de amor*», en *Actas I Congreso AHLM* [1], pp. 289-94.

331. Harriet Goldberg. «The *Razón de amor* and *Los denuestos del agua y el vino* as a Unified Dream Report». *KRQ* 31 (1984), 41-49.

332. Ramón Menéndez Pidal, ed. «*Razón de amor* con los *Denuestos del agua y el vino*». *RH* 13 (1905), 602-18; reimpr. en *APELN* [4], pp. 143-57. (*)

333. Leo Spitzer. «*Razón de amor*». *Romania* 71 (1950), 145-65; reimpr. en *Sobre antigua poesía española*. Buenos Aires: Instituto de Literatura Española, 1962, pp. 41-58.

Elena y María

334. Ramón Menéndez Pidal, ed. «*Elena y María (Disputa del clérigo y el caballero)*: Poesía leonesa inédita del s. XIII». *RFE* 1 (1914), 52-96; reimpr. en *APELN* [4], pp. 165-73. (*)
334a. Kevin C. Reilly. «The Conclusion of *Elena y María*: A Reconsideration». *KRQ* 30 (1983), 251-62.

Vida de Santa Maria Egipçiaca

335. Manuel Alvar, ed. *Vida de Santa María Egipçiaca*, 2 vols. Madrid: CSIC, 1970-72.
336. María Soledad de Andrés Castellanos, ed. *La vida de Santa María Egipçiaca*. Madrid: RAE, 1964. (*)
336a. Lynn Rice Cortina. «The Aesthetics of Morality: Two Portraits of Mary of Egypt in the *Vida de Santa María Egipciaca*». *Hispanic Journal* 2, núm. 1 (1980-81), pp. 41-45.
336b. John L. Maier. «Sainthood...*Estoria...Egipçiaca*», *véase* [767].

Libre dels tres reys d'Orient (Libro de la infancia y muerte de Jesús)

337. Manuel Alvar, ed. *Libro de la infancia y muerte de Jesús (Libre dels tres reys d'Orient)*. Madrid: CSIC, 1965. (*)
338. Vivienne Richardson. «Structure and Theme in the *Libre dels tres reys d'Orient*». *BHS* 61 (1984), 183-88.

¡Ay Iherusalem!

339. Eugenio Asensio. «*¡Ay, Jherusalem!*: Planto narrativo del siglo XIII». *NRFH* 14 (1960), 251-70; reimpr. en *Poética y realidad* [243], pp. 263-92.
340. María del Carmen Pescador del Hoyo, ed. *¡Ay Iherusalem!*, en «Tres nuevos poemas medievales». *NRFH* 14 (1960), 242-50; el poema concretamente en las pp. 244-46.
340a. Juan J. Victorio. «*¡Ay Jerusalem!*: La guerra y la literatura», en *Actas I Congreso AHLM* [1], pp. 595-601.

Gonzalo de Berceo

341. *Actas de las Jornadas de Estudios Berceanos* (se han publicado en varios números de *Berceo* [343] y en los *Cuadernos de investigación filológica* del Colegio Universitario de Logroño).
342. Jeannie K. Bartha. *Vocabulario de los «Milagros de Nuestra Señora» de Gonzalo de Berceo*. Normal, IL: Applied Literature Press, 1980.
343. *Berceo: Boletín del Instituto de Estudios Riojanos* (Logroño; véase las bibliografías de esta publicación periódica).
344. Gonzalo de Berceo. *Duelo de la Virgen*, en *Signos que aparecerán antes del Juicio Final. Duelo de la Virgen. Martirio de San Lorenzo*, ed. Arturo M. Ramoneda. Madrid: Castalia, 1980, pp. 159-227. (*)
345. —. *Milagros de Nuestra Señora*, en *Obras completas II*, ed. Brian Dutton, 2.ª ed. corr. y aum. Londres: Tamesis, 1980.
345a. —. *Los Milagros de Nuestra Señora*, ed. Claudio García Turza. Logroño: Colegio Universitario de La Rioja, 1984. (*)
346. —. *Milagros de Nuestra Señora*, ed. E. Michael Gerli. Madrid: Cátedra, 1985.
347. —. *Poemas: Edición facsímil del manuscrito (siglo XIV) [F, nunc 4b, olim E, A' y A''],*

propiedad de la Real Academia Española. Madrid: RAE, 1983 (véase también el artículo de Isabel Uría Maqua [354], que contiene una edición facsímil de varios folios que faltan en este manuscrito).

348. —. *Vida de San Millán de la Cogolla,* en *Obras completas I,* ed. Brian Dutton, 2.ª ed. corr. y aum. Londres: Tamesis, 1984. (*)

349. E. Michael Gerli. «La tipología bíblica y la introducción a los *Milagros de Nuestra Seño-ra». BHS,* 62 (1985), 7-14.

350. María Jesús Lacarra Ducay. «El códice 879 del archivo de la catedral de Zaragoza y los *Milagros de Nuestra Señora* de Gonzalo de Berceo». *Príncipe de Viana* 47 (1986 [anejo 2, *Homenaje a José María Lacarra*]), 387-94.

351. Germán Orduna. «El sistema paralelístico de la cántica *Eya velar»,* en *Homenaje al Instituto de Filología y Literatura Hispánica «Dr. Amado Alonso».* Buenos Aires: Universidad, 1975, pp. 301-09.

352. Joël Saugnieux. *Berceo y las culturas del siglo XIII.* Logroño: CSIC/Centro de Estudios «Gonzalo de Berceo», 1982.

353. — y A. Varaschin. «Ensayo de bibliografía berceana». *Berceo,* núm. 104 (1983), 103-19.

354. Isabel Uría Maqua, ed. «Los folios LXXXIII y LXXXIV que faltan en el ms. 4b de la Real Academia Española, códice *in folio* de las obras de Berceo». *BRAE* 63 (1983), 49-66.

Libro de Alexandre

355. Charles F. Fraker. «*Aetiologia* in the *Libro de Alexandre». HR* 55 (1987), 277-99.

356. Francisco Marcos Marín. «La confusión de las lenguas: Comentario filológico desde un fragmento del *Libro de Alexandre». CTPM* [88], pp. 149-84.

357. —, ed. *Libro de Alexandre.* Madrid: Alianza, 1987.

358. Ian Michael. «The *Alexandre* 'Enigma': A Solution», en *Medieval... Studies... Tate* [114], pp. 109-21.

359. Dana A. Nelson, ed. *El «Libro de Alixandre».* Madrid: Gredos, 1979 (se trata de una reconstrucción crítica; el texto se atribuye a Gonzalo de Berceo; véase la reseña-artículo de R. S. Willis, «In Search of the Lost *Libro de Alexandre* and its Author», *HR* 51 [1983], 63-88). (*)

360. Francisco Rico. «*Libro de Alexandre*», en *Pequeño mundo* [175], pp. 50-59 y 304-08.

Libro de Apolonio

361. Carlos y Manuel Alvar. «*Apollonius-Apollonie-Apolonio*: La originalidad en la literatura medieval», en *CTPM* [88], pp. 125-47.

362. Manuel Alvar. «Apolonio, clérigo entendido», en *Symposium in honorem M. de Riquer.* Barcelona: Universitat/Quaderns Crema, 1986, pp. 51-74.

363. —, ed. *Libro de Apolonio.* Barcelona: Planeta, 1984. (*)

364. María Jesús Lacarra. «Amor, música y melancolía en el *Libro de Apolonio*», en *Actas I Congreso AHLM* [1], pp. 369-79.

365. Carmen Monedero, ed. *Libro de Apolonio.* Madrid: Castalia, 1987.

POESÍA SACRA Y PROFANA GALLEGO-PORTUGUESA: ALFONSO X EL SABIO

366. Afonso X, o Sábio. *Cantiga de mal dizer* (atribuida al Rey Sabio), en *Cantigas d'escarnho e de mal dizer dos cancioneiros medievais galego-portugueses,* ed. M. Rodrigues Lapa. Vigo: Galáxia, 1965, núm. 23, pp. 42-43. (*)

367. —. *Cantigas de Santa Maria*, ed. Walter Mettmann, 4 vols. Coímbra: Universidade, 1959-72. (*)

368. —. «*Cantigas de Santa Maria*»: *Códice T.I.1 de la Biblioteca de El Escorial*, 2 vols. [*I: Edición facsímil; II: Transcripción, traducción al castellano actual y estudios.*] Madrid: EDILAN, 1979.

368a. —. *Cantigas de Santa Maria*, ed. Walter Mettmann, 3 vols. [*I: Cantigas 1-100, II: Cantigas 101-260, III: Cantigas 261-427.*] Madrid: Castalia, 1986-89.

369. *Cantigueiros: Bulletin of the Cantigueiros de Santa Maria* (= *BCSM*; 1987—; publicación periódica a cargo de John E. Keller, Dept. of Spanish, Univ. of Kentucky, Lexington, KY 40506 EEUU).

370. Dorothy C. Clarke. «Versification in Alfonso's *Cantigas*». *HR* 23 (1955), 83-98.

371. James R. Chatham, ed. «A Paleographic Edition of the Alfonsine Collection of Prose Miracles of the Virgin», en *Oelschläger Festschrift*. Chapel Hill, NC: Univ. of North Carolina, 1976, pp. 73-111.

372. José Guerrero Lovillo. *Las Cántigas: Estudio arqueológico de sus miniaturas*. Madrid: CSIC, 1949.

373. Israel J. Katz. «The Study and Performance of the *Cantigas de Santa Maria*: A Glance at Recent Musicological Literature». *BCSM* 1 (1987-88), 51-60.

374. — et al., eds. *Studies on the «Cantigas de Santa Maria»: Art, Music, and Poetry. Proceedings of the International Symposium on the «Cantigas de Santa Maria» of Alfonso X, el Sabio (1221-1284) in Commemoration of Its 700th Anniversary Year-1981 (New York, November 19-21)*. Madison: HSMS, 1987.

375. John E. Keller. «The Threefold Impact of the *Cantigas de Santa Maria*: Visual, Verbal, and Musical», en *Studies* [374], pp. 7-33.

376. — y Richard P. Kinkade. «Las *Cantigas de Santa Maria*», en *Iconography* [139], pp. 6-40 (seguidas de 38 láminas en color de miniaturas procedentes del ms. Escorial T.I.1 [368].

377. Francisco Márquez Villanueva. «Las lecturas del deán de Cádiz en una *cantiga de mal dizer*», en *Studies* [374], pp. 329-54.

378. Walter Mettmann. «A Collection of Miracles from Italy as a Possible Source of the *Cantigas de Santa Maria*». *BCSM* 1 (1987-88), 75-82.

379. Connie L. Scarborough. «A Summary of Research on the Miniatures of the *Cantigas de Santa Maria*». *BCSM* 1 (1987-88), 41-50.

380. Joseph T. Snow. *The Poetry of Alfonso X, el Sabio: A Critical Bibliography*. Londres: Grant & Cutler, 1977.

381. —. «Trends in Scholarship on Alfonsine Poetry». *La Corónica* 11 (1982-83), 248-57.

382. —. «Current Status of *Cantigas* Studies», en *Studies* [374], pp. 475-86.

383. Roger D. Tinnell. «Alfonso X, el Sabio (1221-1284)», en *An Annotated Discography of Music in Spain before 1650*. Madison: HSMS, 1980, pp. 1-8, núms. 15-137.

384. Diane M. Wright. «Folk-Motifs in the Prose Miracles of the *Cantigas de Santa Maria*». *BCSM* 1 (1987-88), 99-109.

PROSA: SIGLOS XII-XIII (E.1-23)

385. Petrus Alfonsus. *Disciplina clericalis*, ed. M.ª J. Lacarra Ducay, trad. E. Ducay. Zaragoza: Universidad, 1980.

386. Samuel G. Armistead. «From Epic to Chronicle», *véase* [264].

387. Alan Deyermond. «La literatura en el despertar cultural del siglo XIII (II)», en *HLE* [61], pp. 144-84.
388. —, ed. «La prosa en los siglos XIII y XIV», en *HCLE* [62], pp. 167-212.
389. — y Mercedes Vaquero, eds. *Medieval Historiographical Discourse*, en *Dispositio: Revista hispánica de semiótica literaria* 10, núm. 27 (1985).
390. M. C. Díaz y Díaz. *Las primeras glosas hispánicas*. Bellaterra (Barcelona): UAB, 1978.
391. José M.ª Díez Borque y Ángela Ena Bordonada. «La prosa en la Edad Media [: Orígenes de la prosa y siglo XIII]», en *DBHLE* [64], pp. 97-123 y 198-203.
392. Charles B. Faulhaber. «Las retóricas hispanolatinas medievales: Siglos XIII-XV». *Repertorio de historia de las ciencias eclesiásticas en España* 7 (1979), 11-64.
393. Álvaro Galmés de Fuentes. «De nuevo sobre los orígenes de la prosa literaria castellana: A propósito de dos libros recientes». *BRAE* 61 (1981), 1-13.
394. J. José García González y F. Javier Peña Pérez, eds. *Fuentes medievales castellano-leonesas*. Burgos: Dept. de Historia Medieval del Colegio Universitario de Burgos [Ediciones J. M. Garrido Garrido], 1983— (*vid.* también la publicación periódica acompañante, *Cuadernos burgaleses de historia medieval*, a cargo del mismo J. J. García González).
395. Harriet Goldberg. «Sexual Humor in Misogynist Medieval *Exempla*», en *Women in Hispanic Literature* [159], pp. 67-83 (esp. 67-78).
396. Jacobo de la Junta, el de las Leyes. *Oeuvres I: Summa de los nueve tiempos de los pleitos*, ed. Jean Roudil. París: Séminaire d'Études Médiévales Hispaniques de l'Univ. de Paris-XIII [Klincksieck], 1986.
397. María Jesús Lacarra Ducay. *Cuentística medieval en España: Los orígenes*. Zaragoza: Universidad, 1979.
398. Derek W. Lomax. «The Lateran Reforms and Spanish Literature». *Iberoromania* 1 (1969), 299-313.
399. Francisco Rico. «Las letras latinas del siglo XII en Galicia, León y Castilla». *Ábaco* 2 (1969), 9-91.
400. —. *Predicación y literatura* [223], pp. 5-10.
401. Antonio Ubieto Arteta, ed. *Textos medievales*. Valencia: Anubar/[J. Nácher], 1961—.

CRÓNICAS Y FUEROS

Corónicas navarras

402. Antonio Ubieto Arteta, ed. *Corónicas navarras*. Valencia: (Textos Medievales, 14) [J. Nácher], 1964. (*)

Fuero general de Navarra

403. P. Ilarregui y S. Lapuerta, eds. *Fuero general de Navarra*. Pamplona: Diputación Provincial, 1869; reimpr. Diputación Foral de Navarra [Aranzadi], 1964. (*)

Fuero de Zorita de los Canes

404. Biblioteca Nacional-Madrid, ms. 247. (*)
405. Rafael de Ureña y Smenjaud, ed. *El «Fuero de Zorita de los Canes»*. Madrid: [Fortanet], 1911.

La geografía y la Biblia

Semejança del mundo

406. William E. Bull y Harry F. Williams, eds. *Semejança del mundo: A Medieval Description of the World*. Berkeley/Los Ángeles: Univ. of Calif. Press, 1959. (*)

Biblia romanceada

407. Mark G. Littlefield, ed. *Biblia romanceada I.I.8: The 13th-Century Spanish Bible Contained in Escorial MS I.I.8*. Madison: HSMS, 1983. (*)

Literatura gnómica (o de la sabiduría)

408. José Luis Coy, ed. «Los *Dichos de sabios* del manuscrito escurialense b.II.7». *La Corónica* 13 (1984-85), 258-61.
409. Anthony J. Farrell. «Version *H* of *The Seven Sages*: A Descriptive Bibliography of Spanish Editions». *La Corónica* 9 (1980-81), 57-66.
410. Jaime I de Aragón. *Libre de saviesa del rey Jaime I*, ed. J. M. Castro y Calvo. Barcelona: CSIC, Instituto «Antonio de Nebrija», 1946.
411. Barry Taylor. «Old Spanish Wisdom Texts: Some Relationships». *La Corónica* 14 (1985-86), 71-85.

Libro de los doze sabios

412. John K. Walsh, ed. *Libro de los doze sabios o Tractado de la nobleza y lealtad (c. 1237)*. Madrid: RAE, 1975. (*)

Bocados de oro

413. Mechthild Crombach, ed. *Bocados de oro*. Bonn: Romanisches Seminar der Universität, 1971. (*)

Historia de la donzella Theodor

414. Walter Mettmann, ed. *Historia de la donzella Teodor*. Mainz: Akademie der Wissenschaften und der Literatur, 1962. (*)

Poridat de las poridades

415. Judith S. Conde. *Poridat de las poridades: Vocabulario etimológico*. Normal, IL: Applied Literature Press, 1981.
416. Pseudo-Aristóteles. *Poridat de las poridades*, ed. Lloyd A. Kasten. Madrid: Seminario de Estudios Medievales Españoles de la Univ. de Wisconsin, 1957. (*)

Libro de los buenos proverbios

417. Harlan Sturm, ed. *Libro de los buenos proverbios*. Lexington, KY: UP of Kentucky, 1970. (*)

ÉPOCA DE ALFONSO X EL SABIO: 1250-1284

418. Brunetto Latini. *Libro del tesoro*, ed. Spurgeon Baldwin. Madison: HSMS, 1989.

COLECCIONES DE «EXEMPLA»

El libro de los engaños de las mugeres

419. Fadrique, príncipe de Castilla y León. *El libro de los engaños e los asayamientos de las mugeres*, ed. John E. Keller. Chapel Hill, NC: Univ. of North Carolina Press, 1959; reimpr. University, Mississippi: Romance Monographs, 1983. (*)

Calila y Dimna

420. Bidpai/¿Príncipe Alfonso [X], trad.? *Calila e Dimna*, ed. J. M. Cacho Blecua y M.ª J. Lacarra Ducay. Madrid: Castalia, 1984. (*)
421. —. *Calila e Dimna (excerpto)*, ed. M.ª J. Lacarra Ducay en «Un fragmento inédito del *Calila e Dimna* (Ms. *P*)». *El Crotalón* 1 (1984), 679-706.
422. M.ª Jesús Lacarra Ducay. «El cuento de *La rata transformada en niña* (*Calila e Dimna*, VI, 7)». *Lucanor: Revista del cuento literario* 3 (mayo 1989), 73-88.
423. I. Montiel. *Historia y bibliografía del «Libro de Calila y Dimna»*. Madrid: Nacional, 1975.

TRATADO CINEGÉTICO: EL «LIBRO DE MOAMÍN»

Libro de las animalias que caçan

424. Moamín el Halconero/¿Príncipe Alfonso [X], trad.? *Libro de las animalias que caçan*. Biblioteca Nacional de Madrid, ms. Res. 270. (*)
425. —. *Libro de los animales que cazan (Kitab al-Yawarih)*, ed. J. M. Fradejas Rueda. Madrid: Casariego, 1987.
426. —. *«Libro que es fecho de las animalias que caçan (The Book of Moamin)»: The Text and Concordance of Biblioteca Nacional Manuscript RES.270-217*, ed. A. J. Cárdenas. Madison: HSMS, 1987 (edición y concordancia en 4 microfichas).
427. M.ª Isabel Montoya Ramírez. «Estudio onomasiológico de los términos botánicos de los siglos XIII y XIV a través del *Libro de los animales que cazan*, del *Libro de los caballos* y del *Libro de la montería*», en *Actas del I Congreso Internacional de Historia de la Lengua Española: Cáceres, 30 de marzo-4 de abril de 1987. I*, ed. M. Ariza et al. Madrid: Arco, 1988, pp. 949-59.

ALFONSO X: 1252-84

428. Alfonso X, el Sabio. *Antología de Alfonso X, el Sabio*, ed. Antonio G. Solalinde, 7.ª ed. Madrid [Buenos Aires y México, D. F.]: Espasa-Calpe, 1980.
429. —. *Antología*, ed. Alejandro Bermúdez Vivas. Barcelona: Orbis, 1983.
430. —. *Obras de Alfonso X el Sabio (Selección)*, ed. Francisco J. Díez de Revenga. Madrid: Taurus, 1985.

431. David J. Billick. «Graduate Research on Alfonso X: A Bibliography of Master's Theses and Doctoral Dissertations». *La Corónica* 8 (1979-80), 67-72.

432. —. «Alfonsine Theses: Addenda». *La Corónica* 9 (1980-81), 55.

433. Robert J. Burns, S.J., ed. *Alfonso X the Learned: Emperor of Culture*, en *Thought: A Review of Culture and Idea* 60, núm. 239 (1985) (constituye las actas del simposio celebrado en Fordham Univ., Nueva York, 1985).

434. —, ed. *The Worlds of Alfonso the Learned and James the Conqueror: Intellect and Force in the Middle Ages*. Princeton: Princeton UP, 1985.

434a. —, ed. *Emperor of Culture: Alfonso X the Learned of Castile and His Thirteenth-Century Renaissance*. Filadelfia: Univ. of Pennsylvania Press, 1990.

435. Fernando Carmona y Francisco Flores, eds. *La lengua y la literatura en tiempos de Alfonso X el Sabio: Actas del Congreso Internacional, Murcia, 5-10 marzo 1984*. Murcia: Universidad/Academia «Alfonso el Sabio», 1985.

436. Rafael Cómez Ramos. *Las empresas artísticas de Alfonso X el Sabio*. Sevilla: Diputación Provincial, 1979.

437. Jerry R. Craddock. «Dynasty in Dispute: Alfonso X el Sabio and the Succession to the Throne of Castile and León in History and Legend». *Viator* 17 (1986), 197-219.

438. Juan Manuel del Estal. *Documentos inéditos de Alfonso X el Sabio y del Infante, su hijo don Sancho: Estudio, transcripción y facsímiles*. Alicante: Universidad, 1984.

439. Daniel Eisenberg. «Alfonsine Prose: Ten Years [*sic*, 1970-82] of Research». *La Corónica* 11 (1982-83), 220-30.

439a. *Exemplaria Hispanica: Journal of the Alfonsine Society of America* (publicación a cargo de R. J. González-Casanovas, Catholic Univ. of America, Washington, DC 20064, EEUU).

440. *Homenaje a Alfonso «el Sabio» (1284-1984)*, en *RCEH* 9, núm. 3 (1984-85).

441. Lloyd A. Kasten y John J. Nitti, eds. *Concordances and Texts of the Royal Scriptorium Manuscripts of Alfonso X, el Sabio*, 2 vols. Madison: HSMS, 1978 (ediciones y concordancias de trece manuscritos en 112 microfichas, o sea, el equivalente de 20.000 páginas de tamaño normal).

442. John E. Keller, ed. *Alfonsine Essays*, en *RQ* 33, núm. 3 (1986), 261-383.

442a. Francisco Márquez-Villanueva y Carlos Alberto Vega, eds. *Alfonso X of Castile the Learned King (1221-1284): An International Symposium, Harvard University, 17 November 1984*. Cambridge, MA: Dept. of Romance Languages and Literatures of Harvard Univ., 1990.

443. Gonzalo Menéndez Pidal. «Cómo trabajaron las escuelas alfonsíes». *NRFH* 5 (1951), 363-80.

444. José Mondéjar y Jesús Montoya, eds. *Estudios alfonsíes: Lexicografía, lírica, estética y política de Alfonso el Sabio*. Granada: Universidad, 1985.

445. Hans-J. Niederehe. *Alfonso el Sabio y la lingüística de su tiempo*. Madrid: Sociedad General Española de Librería, 1987.

446. *Noticiero alfonsí* (publicación periódica bilingüe a cargo de A. J. Cárdenas, The Univ. of New Mexico, Albuquerque, N. M. 87131, EEUU).

447. Francisco Rico. «En torno a Alfonso el Sabio», en *Pequeño mundo* [175], pp. 59-80.

448. Dennis P. Seniff. «Antonio García Solalinde (1892-1937): A Commemorative Bibliography». *La Corónica* 17 (1988-89), 109-15 (documenta sus numerosos estudios alfonsíes).

449. —. «El *corpus* literario alfonsí (1250-84): Diglossia en el *scriptorium* regio», en «Aproximación» [228], pp. 265-68.

450. Diodoro Urquía Latorre, ed. *Alfonso X, «el Sabio» (1221-1284)* (programa audiovisual con libro, casete y 195 diapositivas). Madrid: Ministerio de Asuntos Exteriores, Dirección General de Relaciones Culturales, 1984.

451. Herbert Van Scoy. *A Dictionary of Old Spanish Terms Defined in the Works of Alfonso X*, ed. Ivy Corfis. Madison: HSMS, 1986.

Derecho

452. Alfonso X. *Ordenamiento otorgado al Consejo de Burgos*, ed. Georg Gross en «Las Cortes de 1252: *Ordenamiento otorgado al Consejo de Burgos* en las Cortes celebradas en Sevilla el 12 de octubre de 1252». *BRAH* 182 (1985), 95-114. (*)

453. —. *Primera partida (Libro de las leyes)*, ed. Juan Antonio Arias Bonet en «*Primera Partida*» según el manuscrito Add. 20.787 del British Museum. Valladolid: Universidad, 1975. (* para 15a)

454. —. *Setenario*, ed. Kenneth H. Vanderford. Buenos Aires: Instituto de Filología, 1945; reimpr. con un estudio preliminar de Rafael Lapesa. Barcelona: Crítica, 1984. (*)

455. —. *Las «Siete Partidas»... [ed.] por la Real Academia de la Historia [1807] y glosadas por el lic. Gregorio López del Consejo Real de Indias de S. M. [Salamanca, 1555]: Nueva edición*, 5 vols. París: Rosa Bouret, 1851. (* para 15b)

456. *Alfonso X el Sabio: VII Centenario*, en *Revista de la Facultad de Derecho de la Universidad Complutense de Madrid*, monográfico núm. 9 (1985).

457. John A. Alford y Dennis P. Seniff. «Hispanic: Alfonso X (el Sabio)». *LLMA* [22], pp. 233-34, núms. 819-25.

458. José Antonio Bartol Hernández. *Oraciones consecutivas y concesivas en «Las Siete Partidas»*. Salamanca: Universidad, 1986.

459. Jerry R. Craddock. «La cronología de las obras legislativas de Alfonso X el Sabio». *AHDE* 51 (1981), 365-418.

460. —. *The Legislative Works of Alfonso X, el Sabio: An Annotated Bibliography*. Londres: Grant & Cutler, 1986.

461. —. «El *Setenario*: Última e inconclusa refundición alfonsina de la *Primera Partida*». *AHDE* 56 (1986), 441-66.

462. Luis María García-Badell Arias. «Bibliografía sobre la obra jurídica de Alfonso X el Sabio y su época: 1800-1985», en *VII Centenario* [456], pp. 288-319.

463. Alfonso García-Gallo. «La obra legislativa de Alfonso X: Hechos e hipótesis». *AHDE* 54 (1984), 96-161.

Historia

464. Alfonso X. *General Estoria, Parte I*, ed. Antonio G. Solalinde. Madrid: CEH [J. Molina], 1930. (*)

465. —. *General Estoria, Parte II*, ed. Antonio G. Solalinde (†), Lloyd A. Kasten y Víctor R. B. Oelschläger, 2 vols. Madrid: CSIC, 1957-61. (*)

466. —. *General Estoria, Parte III*, en *Prosa histórica* [468], pp. 209-25.

467. —. *Primera Crónica General de España [= la Estoria de Espanna y la Coronica de Espanna que se continuaba bajo Sancho IV en 1289]*, ed. R. Menéndez Pidal con un estudio actualizador de Diego Catalán, 2 vols., 3.ª reimpr. Madrid: SMP/Gredos, 1977. (*)

468. —. *Prosa histórica*, ed. Benito Brancaforte. Madrid: Cátedra, 1984.

469. Diego Catalán. *De Alfonso X al Conde de Barcelos: Cuatro estudios sobre el nacimiento de la historiografía romance en Castilla y Portugal*. Madrid: Gredos, 1962.

470. —. «El taller historiográfico alfonsí: Métodos y problemas en el trabajo compilatorio». *Romania* 84 (1963), 354-75.

471. —. «Poesía y novela... historiografía castellana», *véase* [266].

472. César E. Dubler. «Fuentes árabes y bizantinas en la *Primera Crónica General*». *Vox romanica* 12 (1951), 120-80.

473. Daniel Eisenberg. «The *General Estoria*: Sources and Source Treatment». *ZrPh* 89 (1973), 206-27.

474. Inés Fernández-Ordóñez. «La *Estoria de España*, la *General Estoria* y los diferentes criterios compilatorios». *Revista de literatura* 50, núm. 99 (1988), 15-36.

475. José Gómez Pérez. «Fuentes y cronología en la *Primera Crónica General de España*». *RABM* 67 (1959), 615-34.

476. Fernando Gómez Redondo. «Fórmulas juglarescas... historiografía», *véase* [270].

477. Patricia E. Grieve. «Private Man, Public Woman: Trading Places in *Condesa traidora* [de la *Primera Crónica General*, cap. 764]». *RQ* 34 (1987), 317-26.

478. Olga Tudorica Impey. «Ovid, Alfonso X, and Juan Rodríguez del Padrón: Two Castilian Translations of the *Heroides* and the Beginnings of Spanish Sentimental Prose». *BHS* 57 (1980), 283-97.

479. Lloyd A. Kasten. «The Utilization of the *Historia regum Britanniae* by Alfonso X», en *Studies in Memory of Ramón Menéndez Pidal*, *HR* 38, núm. 5 (1970), pp. 97-114.

480. Lawrence B. Kiddle. «A Source of the *General Estoria*: The French Prose Redaction of the *Roman de Thèbes*» y «The Prose *Thèbes* and the *General estoria*...». *HR* 4 (1936), 264-71, y 6 (1938), 120-32.

481. D. G. Pattison. *From Legend to Chronicle*, *véase* [276].

482. Francisco Rico. *Alfonso el Sabio y la «General Estoria»*, 2.ª ed. corr. y aum. Barcelona: Ariel, 1984.

483. Jean Roudil. «Index alphabétique des formes de la *Primera Crónica General*». *CLHM* 4bis (1979 [1980]), 205-365.

484. Antonio G. Solalinde, *véase* [448].

Ciencia

485. Alfonso X. *Lapidario*, ed. Sagrario Rodríguez M. Montalvo. Madrid: Gredos, 1981. (*)

486. —. *Libro de las cruzes*, ed. Lloyd A. Kasten y Lawrence B. Kiddle. Madrid/Madison: CSIC, Instituto «Miguel de Cervantes»/Seminario de Estudios Medievales Españoles (Univ. de Wisconsin), 1961. (*)

487. —. *Libros de acedrex, dados e tablas*, ed. Arnald Steiger. Ginebra/Zurich: E. Droz/Eugen Rents, 1941. (*)

488. —. *Los libros del saber de astronomía*, ed. Manuel Rico y Sinobas, 5 vols. Madrid: [Eusebio Aguado], 1863-67.

489. —. *Las tablas alfonsíes*, en *Les «Tables alphonsines» avec les «Canons de Jean de Saxe»*, ed. y trad. Emmanuel Poullé. París: CNRS, 1984, pp. 107-224.

490. Marcelino V. Amasuno. *La materia médica de Dioscórides en el «Lapidario» de Alfonso X el Sabio: Literatura y ciencia en la Castilla del siglo XIII*. Madrid: CSIC/CEH, 1987.

491. Georg Bossong. «Las traducciones alfonsíes y el desarrollo de la prosa científica castellana», en *Actas del Coloquio Hispano-Alemán Ramón Menéndez Pidal: Madrid, 31 de marzo a 2 de abril de 1978*. Tubinga: Niemeyer, 1982, pp. 1-14.

492. Anthony J. Cárdenas. «A Survey of Scholarship on the Scientific Treatises of Alfonso X, el Sabio». *La Corónica* 11 (1982-83), 231-47 (pero véase el *caveat* de F. Rico [482, pp. 193 n.3 y 198-99 n.14]).

493. Mercè Comes et al., eds. *De astronomia Alphonsi Regis*. Barcelona: Universitat, 1987.

494. *Conmemoración del Centenario de Alfonso X el Sabio*. Madrid: Real Academia de Ciencias Exactas, Físicas y Naturales, 1984.

495. Ana Domínguez Rodríguez. *Astrología y arte en el «Lapidario» de Alfonso X el Sabio.* Madrid: EDILAN, 1984.

496. Pilar García Morencos. *«Libro de ajedrez, dados y tablas» de Alfonso X el Sabio.* Madrid: Patrimonio Nacional, 1977.

497. Henry/Renée Kahane y Angelina Pietrangeli. «Hermetism in the Alfonsine Tradition», en *Mélanges... Rita Lejeune I* [266], pp. 443-57.

498. Julio Samsó. «Alfonso X y los orígenes de la astrología hispánica», en *Estudios... árabe* [191], pp. 81-114.

499. J. B. Trend. «Alfonso el Sabio and the Game of Chess». *RH* 81 (1931), 393-403.

500. Juan Vernet. «Alfonso X y la astronomía árabe», en *Estudios alfonsíes* [444], pp. 17-31.

ÉPOCA DE SANCHO IV: 1284-1295

501. Richard P. Kinkade. «Sancho IV: Puente literario entre Alfonso X y Juan Manuel». *PMLA* 87 (1972), 1039-51.

Castigos e documentos para bien vivir

502. Nancy Joe Dyer. «El decoro femenino en *Castigos e documentos del rey don Sancho*», en *Studia hispanica medievalia: II Jornadas de Literatura Española*, ed. L. Teresa y Jorge H. Valdivieso. Buenos Aires: Universidad Católica Argentina, 1987, pp. 21-30.

503. Sancho IV. *Castigos e documentos para bien vivir*, ed. Agapito Rey. Bloomington, IND: Indiana UP, 1952. (*)

504. Billy R. Weaver. «The Date of the *Castigos e documentos para bien vivir*», en *Studies... Lloyd A. Kasten* [163], pp. 289-300.

Lucidario

505. J. Nachbin. «Noticias sobre el *Lucidario* español y problemas relacionados con su estudio». *RFE* 22 (1935), 225-73; 23 (1936), 1-44 y 143-82.

506. ¿Sancho IV? *Los «Lucidarios» españoles*, ed. Richard P. Kinkade. Madrid: Gredos, 1968.

POESÍA LÍRICO-DOCTRINAL Y ÉPICA: SIGLO XIV (F.1-6)

507. Manuel Alvar/Carlos Alvar. «La poesía en la Edad Media...[: *Historia Troyana* en prosa y verso; poesía didáctico-moral»/«Bibliografía crítica», en *DBHLE* [64], pp. 336-42 y 384-85.

507a. Vicente Beltrán Pepió. «La *Cantiga* ['Em huum tiempo cogi flores'] de Alfonso XI y la ruptura poética del siglo XIV». *El Crotalón* 2 (1985), 259-73.

508. James F. Burke. «Spanish Literature», en *The Present State of Scholarship in Fourteenth-Century Literature*, ed Thomas D. Cooke. Columbia, MO: Univ. of Missouri Press, 1982, pp. 259-304.

509. Alan Deyermond. «La poesía en el siglo XIV: Decadencia y renovación», en *HLE* [61], pp. 185-219.

510. —, ed. «El *Libro de buen amor* y la poesía del siglo XIV», en *HCLE* [62], pp. 213-54.

511. Nicasio Salvador Miguel. «El mester de clerecía [en el siglo XIV]», en *DBHLE* [64], pp. 433-60.

Libro de miseria de omne

512. Jane E. Connolly, ed. *Translation and Poetization in the «Quaderna vía»: Study and Edition of the «Libro de miseria d'omne»*. Madison: HSMS, 1987.
513. Pompilio Tesauro. «Cronología léxica en el *Libro de miseria de omne*». *BBMP* 62 (1986), 5-14.
514. —, ed. *Libro de miseria de omne*. Pisa: Giardini, 1983. (*)

Libro de buen amor

515. John A. Alford y Dennis P. Seniff. «Hispanic: Ruiz, Juan (*Libro de buen amor*)», en *LLMA* [22], pp. 257-62, núms. 897-912.
516. Manuel Alvar. «Dos modelos lingüísticos diferentes: Juan Ruiz y don Juan Manuel». *RFE* 68 (1988), 13-32.
517. Arthur L.-F. Askins. «A New Manuscript of the *Libro de buen amor?*» *La Corónica* 15 (1986-87), 72-76.
518. Marina S. Brownlee. *The Status of the Reading Subject in the «Libro de buen amor»*. Chapel Hill, NC: Univ. of North Carolina Press, 1985.
519. Manuel Criado de Val. «Doña Endrina: El arte de la recreación». *CTPM* [88], pp. 185-209.
520. —, ed. *El Arcipreste de Hita (El libro, el autor, la tierra, la época): Actas del I Congreso Internacional sobre el Arcipreste de Hita*. Barcelona: SERESA, 1973.
521. John Dagenais. «A Further Source for the Literary Ideas in Juan Ruiz's Prologue». *JHP* 11 (1986-87), 23-52.
522. Monique De Lope. *Traditions populaires et textualité dans le «Libro de buen amor»*. Montpellier: Centre d'Études et de Recherches Sociocritiques, 1984.
523. Alan Deyermond. «Juan Ruiz's Attitude to Literature», en *Medieval... Studies... John Esten Keller* [137], pp. 113-25.
524. —. «El *Libro de buen amor* a la luz de las recientes tendencias críticas». *Ínsula*, núm. 488-89 (1987), 39-40.
525. Jorge García-Antezana. *«Libro de buen amor»: Concordancia completa de los códices de Salamanca, Toledo y Gayoso*. Toronto: Univ. of Toronto Press, 1981 (en 11 microfichas).
526. G. B. Gybbon-Monypenny, ed. *«Libro de buen amor» Studies*. Londres: Tamesis, 1970.
527. — et al. «Bibliografía del *Libro de buen amor* a partir de 1965», en *El Arcipreste de Hita... Actas* [520], pp. 495-503.
528. Francisco J. Hernández. «The Venerable Juan Ruiz, Archpriest of Hita». *La Corónica* 13 (1984-85), 10-22.
529. —. «Juan Ruiz y otros arciprestes, de Hita y aledaños». *La Corónica* 16 (1987-88), 1-31.
530. Jacques Joset. *Nuevas investigaciones sobre el «Libro de buen amor»*. Madrid: Cátedra, 1988.
531. Henry Ansgar Kelly. *Canon Law and the Archpriest of Hita*. Binghamton, NY: CEMERS, SUNY-Binghamton, 1984 (véase la reseña de Peter Linehan en *La Corónica* 15 [1986-87], 120-26).
532. —. «Juan Ruiz and Archpriests: Novel Reports». *La Corónica* 16 (1987-88), 32-54.
533. —. «A Juan Ruiz Directory for 1380-1382». *Mester* 17, núm. 2 (1988), 69-93.
534. Rafael Lapesa. «El tema de la muerte en el *Libro de buen amor*», en *De la Edad Media* [317], pp. 53-75.
535. Félix Lecoy. *Recherches sur le «Libro de buen amor» de Juan Ruiz, Archiprêtre de Hita*. París: Droz, 1938; reimpr. «with a New Prologue, Supplementary Bibliogra-

phy and Index by A. D. Deyermond», Farnborough, Hants.: Gregg International, 1974.

536. Vittorio Marmo. *Dalle fonti alle forme: Studi sul «Libro de buen amor»*. Nápoles: Liguori, 1983.

537. Priscilla Meléndez. «Una teoría de la escritura en el *Libro de buen amor* de Juan Ruiz, Arcipreste de Hita». *Hispanic Journal* 4, núm. 1 (1982-83), pp. 87-95.

538. Eric W. Naylor et al. «Bibliography of the *Libro de buen amor* since 1973». *La Corónica* 7 (1978-79), 123-35.

539. Germán Orduna. «El *Libro de buen amor* y el *Libro del Arcipreste*». *La Corónica* 17 (1988-89), 1-7.

540. Gail Phillips. *The Imagery of the «Libro de buen amor»*. Madison: HSMS, 1983.

541. Francisco Rico. «'Por aver mantenencia': El aristotelismo heterodoxo en el *Libro de buen amor»*, en *Homenaje a José Antonio Maravall III*. Madrid: Centro de Investigaciones Sociológicas, 1986, pp. 271-97.

542. Michael Rossner. «Rezeptionsästhetische Lektüre im Werk des Arcipreste de Hita: Zu den Leerstellen im *Libro de buen amor»*. *Archiv*, núm. 221 (1984), 113-29.

543. Juan Ruiz. *«Libro de buen amor»: Edición facsímil del códice de Salamanca, Ms. 2663*, ed. César Real de la Riva, 2 vols. Madrid/Salamanca: EDILAN/Univ. de Salamanca, 1975.

544. —. *Libro del Arcipreste*, ed. Anthony N. Zahareas. Madison: HSMS, 1989 (hay otros dos tomos en preparación).

545. —, Arcipreste de Hita. *Libro de buen amor*, ed. M. Criado de Val y E. W. Naylor, 2ª ed. Madrid: CSIC, 1972.

546. —, Arcipreste de Hita. *Libro de buen amor*, ed. Jacques Joset, 2.ª ed. Madrid: Espasa-Calpe, 1981 (*, con las «Correcciones de emergencia a la edición J. Joset [1974 y reimpresiones]» que aparecen en el «Apéndice II» de sus *Nuevas investigaciones* [530], pp. 148-50).

547. —, Arcipreste de Hita («provisionalmente»). *Libro de buen amor,* ed. G. B. Gybbon-Monypenny. Madrid: Castalia, 1988 (véase la reseña-artículo de J. Joset, «Invitación para releer a Juan Ruiz», *Ínsula*, núm. 503 [1988], 3).

547a. Florencio Sevilla Arroyo. «El cancionero de Juan Ruiz». *Epos* 4 (1988), 163-81.

547b. Louise O. Vasvari. «The Two Lazy Suitors in the *Libro de buen amor*: Popular Tradition and Literary Game of Love». *Anuario medieval* 1 (1989), 181-205.

548. Mary-Anne Vetterling. *A Computerized Bibliography for Juan Ruiz's «Libro de buen amor»*. Cambridge, MA: Brujeril Press, 1980— (se trata de una bibliografía electrónica constantemente actualizada; diríjase a 28 Fernald Dr., 22, Cambridge, MA 02138 EEUU).

549. R. M. Walker. «Towards an Interpretation of the *Libro de buen amor»*. *BHS* 43 (1966), 1-10.

550. Anthony N. Zahareas. «Celibacy in History and Fiction: The Case of El *libro de buen amor»*. *Ideologies & Literature* 1, núm. 2 (1977), 77-82.

Poema de Alfonso XI

551. Manuel Alvar. *«Poema de Alfonso XI»*, en *DBHLE* [64], pp. 280-83.

552. Diego Catalán. *«Poema de Alfonso XI»: Fuentes, dialecto, estilo*. Madrid: Gredos, 1953.

553. —, ed. *Gran crónica de Alfonso XI*, 2 vols. Madrid: SMP/Gredos, 1976.

554. Rodrigo Yáñez. *El «Poema de Alfonso XI»*, ed. Yo Ten Cate. Madrid: CSIC, Instituto «Miguel de Cervantes», 1956. (*)

Proverbios morales

555. Santob de Carrión. *Proverbios morales*, ed. Sanford Shephard. Madrid: Castalia, 1986. (*)
556. —. *«Proverbios morales» of Santob de Carrión*, ed. T. Anthony Perry. Madison: HSMS, 1986.
557. Agustín García Calvo. «Don Sem Tob», en *CTPM* [88], pp. 211-41.
558. T. Anthony Perry. «The Present State of Shem Tov Studies». *La Corónica* 7 (1978-79), 34-38.
559. —. *The «Moral Proverbs» of Santob de Carrión: Jewish Wisdom in Christian Spain*. Princeton: Princeton UP, 1987.
560. J. M. Zemke. «A Neglected Fragment of Shem Tov's *Proverbios morales*». *La Corónica* 17 (1988-89), 76-89.

Pero López de Ayala

561. José Luis Coy. *El «Rimado de palacio»: Tradición manuscrita y texto original*. Madrid: Paraninfo, 1985.
562. Michel García. *Obra y personalidad del Canciller Ayala*. Madrid: Alhambra, 1983.
563. Pero López de Ayala. *Coronica del rey don Pedro*, ed. Constance y Heanon Wilkins. Madison: HSMS, 1985.
564. —. *«Libro de la caça de las aves»: El MS 16.392 (British Library, Londres)*, ed. John G. Cummins. Londres: Tamesis, 1986.
565. —. *«Libro de poemas» o «Rimado de palacio»*, ed. Michel García, 2 vols. Madrid: Gredos, 1978.
566. —. *Libro rimado del Palaçio*, ed. Jacques Joset, 2 vols. Madrid: Alhambra, 1978.
567. —. *Rimado de palacio*, ed. Germán Orduna, 2 vols. Pisa: Giardini, 1981. (*)
568. Helen L. Sears. «The *Rimado de palaçio* and the *De regimine principum* Tradition of the Middle Ages». *HR* 20 (1952), 1-27.
568a. Constance L. Wilkins. *Pero López de Ayala*. Boston: Twayne, 1989.
569. — y Heanon M. Wilkins. «Bibliography of the Works of Pero López de Ayala». *La Corónica* 11 (1982-83), 336-50.

Historia troyana en prosa y verso (o Historia troyana polimétrica)

570. Alfonso XI. *La versión de Alfonso XI del «Roman de Troie»: MS H.I.6 del Escorial*, ed. Kelvin M. Parker. Normal, IL: Applied Literature Press, 1977.
571. R. Menéndez Pidal y E. Varón Vallejo, eds. *Historia troyana en prosa y verso: Texto de hacia 1270*. Madrid: CEH, 1934. (*)
572. Agapito Rey y Antonio G. Solalinde (†). *Ensayo de una bibliografía de las leyendas troyanas en la literatura española*. Bloomington, IND: Indiana UP, 1942.
573. Antonio G. Solalinde. «Las versiones españolas del *Roman de Troie*». *RFE* 3 (1916), 121-65.

Huellas de la épica. Siglo XIV: véase [279-80, 304-07]

EL ROMANCERO Y LA POESÍA AMATORIA CANCIONERIL: SIGLOS XIV-XV (G.1-36)

574. James F. Burke. «Spanish Literature», *véase* [508].
575. Joseph T. Snow. «Spain [: Poetry]», en *The Current State of Research in Fifteenth-*

Century Literature: Germanic and Romanic, ed. Wm. C. McDonald. Göppingen: Kümmerle, 1986, pp. 154-58.

El Romancero

576. Carlos Alvar y Ángel Gómez Moreno. «Poesía tradicional... [: El Romancero]», en *PLM* [89], pp. 115-20 y 161-62.
577. Manuel Alvar/Carlos Alvar. «La poesía en la Edad Media... [: El Romancero]»/«Bibliografía crítica», en *DBHLE* [64], pp. 254-79 y 382-83.
578. Samuel G. Armistead. «Current Trends in *Romancero* Research». *La Corónica* 13 (1984-85), 23-36.
579. —. «Trabajos actuales sobre el Romancero». *La Corónica* 15 (1986-87), 240-46.
580. — et al. *El Romancero judeo-español en el Archivo Menéndez Pidal: Catálogo índice de romances y canciones*, 3 vols. Madrid: SMP/Gredos, 1978.
581. — et al. *Judeo-Spanish Ballads from Oral Tradition I: Epic Ballads*. Berkeley/Los Ángeles: Univ. of Calif. Press, 1986.
582. Diego Catalán. *Siete siglos de Romancero: Historia y poesía*. Madrid: Gredos, 1969.
583. —. *Por campos del Romancero: Estudios sobre la tradición oral moderna*. Madrid: Gredos, 1970.
584. —. «Análisis electrónico de la creación poética oral: El programa Romancero en el Computer Center de UCSD», en *Homenaje... memoria... Rodríguez-Moñino* [257], pp. 157-94.
585. —. «El Romancero medieval», en *CTPM* [88], pp. 451-89.
586. —, ed. *«La dama y el pastor»: Romance, villancico, glosas,* 2 vols. Madrid: SMP/Gredos, 1977-78. (* para G.10; constituye los volúmenes 10-11 de la serie *Romancero tradicional...* [596]).
587. — dir., et al., eds. *El Romancero pan-hispánico: Catálogo general descriptivo/The Pan-Hispanic Ballad: General Descriptive Catalogue*, 3 vols. Madrid: SMP/Gredos, 1982-84.
588. Michelle Débax. *Romancero*. Madrid: Alhambra, 1982.
589. A. D. Deyermond. «La poesía en el siglo xiv [: El desarrollo de los romances]», en *HLE* [61], pp. 219-34.
590. —, ed. «El Romancero», en *HCLE* [62], pp. 255-93.
591. John Miles Foley. *Oral-Formulaic Theory and Research: An Introduction and Annotated Bibliography*. Nueva York/Londres: Garland, 1985 (contiene resúmenes de más de 1.800 estudios sobre la tradición oral internacional).
592. David W. Foster. *The Early Spanish Ballad*. Nueva York: Twayne, 1971.
593. Stephen Hess. *Ramón Menéndez Pidal*. Boston: Twayne, 1982 (contiene una bibliografía extensa sobre los estudios romancísticos de D. Ramón; véase en especial el cap. 2, «Reconstructing Medieval Literature: Epics, Lyrics, and Ballads», pp. 23-47).
594. Ramón Menéndez Pidal. *Romancero hispánico (Hispano-portugués, americano y sefardí): Teoría e historia*, 2 vols., 2.ª ed. Madrid: Espasa-Calpe, 1968.
595. —, ed. *Flor nueva de romances viejos*, 7.ª ed. Madrid: Espasa-Calpe, 1985. (* para G.15).
596. — et al., eds. *Romancero tradicional de las lenguas hispánicas (español-portugués-catalán-sefardí): Colección de textos y notas de María Goyri y Ramón Menéndez Pidal*. Madrid: SMP/Gredos, 1957— (11 volúmenes publicados hasta 1978).
597. Louise Mirrer-Singer. *The Language of Evaluation: A Sociolinguistic Approach to the Story of Pedro el Cruel in Ballad and Chronicle*. Amsterdam/Filadelfia: John Benjamins, 1986.
597a. —. «The Concept of 'Speech Genres' and the Problem of Dialogue in the *Romances viejos*». *Anuario medieval* 1 (1989), 147-55.

Paco,

Estos pueden ser útiles.

CBMC

598. *Oral Tradition* (publicación periódica a cargo de John Miles Foley, Dept. of English, Univ. of Missouri, Columbia, MO, EEUU; la bibliografía anual actualiza la *Oral-Formulaic Theory* del mismo Foley [591]).

599. Giuliana Piacenti. *Los pliegos sueltos* [con un suplemento]. Fascículo 1 de su *Ensayo de una bibliografía analítica del Romancero antiguo: Los textos (Siglos XV y XVI)*, 2 vols. Pisa: Giardini, 1981-82.

600. J. David Pinto-Correia. *Romanceiro tradicional português*. Lisboa: Comunicação, 1984.

601. Antonio Rodríguez-Moñino. *Diccionario bibliográfico de pliegos sueltos poéticos: Siglo XVI*. Madrid: Castalia, 1970.

602. — con Arthur L.-F. Askins. *Manual bibliográfico de Cancioneros y Romanceros: Siglos XVI y XVII*, 4 vols. Madrid: Castalia, 1973-78.

603. Antonio Sánchez Romeralo et al. *Bibliografía del Romancero oral*. Madrid: SMP/Gredos, 1980.

604. Colin Smith, ed. *Spanish Ballads*. Oxford: Pergamon Press, 1964.

605. Ruth House Webber. «Hispanic Oral Literature: Accomplishments and Perspectives». *Oral Tradition* 1 (1986), 344-80.

606. —, ed. *Hispanic Balladry Today*, en *Oral Tradition* 2, núms. 2-3 (mayo-octubre 1987), 387-687 (contiene varios estudios sobre el tema).

607. Fernando J. Wolf y Conrado Hofmann, eds. *Primavera y flor de romances*. Berlín: A. Ascher, 1856; 2.ª ed. corr. y adicionada por M. Menéndez y Pelayo en *Antología de poetas líricos castellanos VIII-IX: Romances viejos castellanos I-II* [vid. 15 supra]. Madrid: Hernando y Cía., 1899. (*para G.1-9, G.11-14 y G.16-17)

608. Roger Wright. «How Old is the Ballad Genre?» *La Corónica* 14 (1985-86), 251-57 (véase el comentario de S. G. Armistead en *«Encore les cantilènes!:* Prof. Roger Wright's Proto-romances». *La Corónica* 15 (1986-87), 52-66).

POESÍA AMATORIA CANCIONERIL

609. Carlos Alvar y Ángel Gómez Moreno. «Las transformaciones de la lírica cortés»; y «Poesía cancioneril del siglo xv: Los Cancioneros cuatrocentistas [y] los grandes poetas cuatrocentistas», en *PLM* [89], pp. 67-104, 109-15, 144-47, 155-59 y 160.

610. Manuel Alvar/Carlos Alvar. «La poesía en la Edad Media... [: Los cancioneros del siglo xv]»/«Bibliografía crítica», en *DBHLE* [64], pp. 345-64 y 385-86.

611. Robert G. Black. «Poetic Taste at the Aragonese Court in Naples», en *Florilegium Hispanicum: Medieval and Golden Age Studies Presented to Dorothy Clotelle Clarke*, ed. John S. Geary et al. Madison: HSMS, 1983, pp. 165-78.

612. Alan Deyermond. «Baena, Santillana, Resende and the Silent Century of Portuguese Court Poetry». *BHS* 59 (1982), 198-210.

613. —. «La poesía en el siglo xiv: [La lírica culta: Del galaico-portugués al castellano]» y «Poetas cortesanos y eclesiásticos en el siglo xv», en *HLE* [61], pp. 234-37 y 314-59.

614. —, ed. «La poesía del siglo xv». *HCLE* [62], pp. 295-349.

615. E. Michael Gerli. «La 'religión del amor' y el antifeminismo en las letras castellanas del siglo xv». *HR* 49 (1981), 65-86.

616. Pierre Le Gentil. *La Poésie lyrique espagnole et portugaise à la fin du Moyen Age: Les Thèmes, les genres et les formes*, 2 vols. Rennes: Plihon, 1949-53; reimpr. Ginebra-París: Slatkine, 1981.

617. Francisco López Estrada, ed. *Las poéticas castellanas de la Edad Media [=siglo XV]: «Prologus baenensis», «Proemio y carta» del Marqués de Santillana, «Arte de poesía castellana» de Juan del Enzina*. Madrid: Taurus, 1984.

618. Alexander A. Parker. *La filosofía del amor en la literatura española, 1480-1680*. Madrid: Cátedra, 1986.

618a. Harlan Sturm. «Las 'otras' serranillas del Cancionero». *Anuario medieval* 1 (1989), 167-80.

619. Julian Weiss. *The Poet's Art: Literary Theory in Castile c. 1400-60*. Oxford: SSMLL, 1990.

620. Keith Whinnom. *La poesía amatoria de la época de los Reyes Católicos*. Durham: Univ. of Durham, 1981.

621. Domingo Ynduráin/Isabel Visedo y Abraham Martín-Maestro. «Los poetas mayores del siglo xv: Santillana, Mena, Manrique»/«Bibliografía crítica», en *DBHLE* [64], pp. 461-511.

Cancioneros

622. Juan Alfonso de Baena. *Cancionero de Juan Alfonso de Baena*, ed. José María Azáceta, 3 vols. Madrid: CSIC, 1966. (* para G.18-19)

623. Jeanne Battesti-Pelegrin. *Lope de Stúñiga: Recherches sur la poésie espagnole au XVème siècle*, 3 vols. Aix-en-Provence: Univ. de Provence, 1982.

624. *Cancionero musical de Palacio*, véase [242].

625. Giovanni Caravaggi et al., eds. *Poeti cancioneriles del secolo XV*. L'Aquila-Roma: Japadre, 1986.

626. Pedro M. Cátedra, ed. *Poemas castellanos de cancioneros bilingües y otros manuscritos barcelonenses*. Exeter: Univ. of Exeter, 1983.

627. Hernando del Castillo. *Cancionero general*. Valencia: Cristóbal Kofman, 1511; reimpr. facsímil por Antonio Rodríguez-Moñino, Madrid: RAE, 1958, con un *Suplemento al «Cancionero general»*. Valencia: Castalia, 1959.

628. Brian Dutton. «Spanish Fifteenth-Century *cancioneros*: A General Survey to 1465». *KRQ* 26 (1979), 445-60.

629. —. *El Cancionero del siglo XV (1370-c. 1520)*, 2 vols. Salamanca: Universidad, 1989 (hay otros cinco volúmenes en prensa; inaugura la *Serie maior* de la *Biblioteca Española del Siglo XV* [725]).

630. — y Charles B. Faulhaber. «The 'Lost' Barrantes *cancionero* of Fifteenth-Century Spanish Poetry», en *Florilegium Hispanicum* [611], pp. 179-202.

631. — et al. *Catálogo-índice de la poesía cancioneril del siglo XV*. Madison: HSMS, 1982.

632. Lope de Estúñiga. *Cancionero de Estúñiga*, ed. Manuel y Elena Alvar. Zaragoza: Institución «Fernando el Católico», 1981. (* para G.20-25)

633. —. *Cancionero de Estúñiga*, ed. Nicasio Salvador Miguel. Madrid: Alhambra, 1987.

634. Barbara Fulks. «The Poet Named Florencia Pinar». *La Corónica* 18 (1989-90), 33-44.

635. Joaquín González Cuenca, ed. *Cancionero de la Catedral de Segovia*. Ciudad Real: Museo de Ciudad Real, 1980.

636. José J. Labrador et al. *Cancionero de poesías varias (siglos XV y XVI): Biblioteca de Palacio, Ms. No. 617. Estudio preliminar, numeración y relación de poemas, índices*. Cleveland/Denver: Cleveland State Univ./Univ. of Denver, 1984.

637. — et al., eds. *Cancionero de poesías varias: Manuscrito No. 617 de la Biblioteca Real de Madrid*. Madrid: El Crotalón [Maidhisa], 1986.

638. Jeremy N. H. Lawrance. «Juan Alfonso de Baena's Versified Reading Lists: A Note on the Aspirations and the Reality of Fifteenth-Century Castilian Culture». *JHP* 5 (1980-81), 101-22.

639. Ian Macpherson. «Secret Language in the *cancioneros*: Some Courtly Codes». *BHS* 62 (1985), 51-63.

640. Kenneth R. Scholberg. *Introducción a la poesía de Gómez Manrique*. Madison: HSMS, 1984.

641. Jacqueline Steunou y Lothar Knapp. *Bibliografía de los cancioneros castellanos del siglo XV y repertorio de sus géneros poéticos,* 2 vols. París: CNRS, 1975-78.

642. Jane Yvonne Tillier. «Passion Poetry in the *cancioneros*». *BHS* 62 (1985), 65-78.

Íñigo López de Mendoza, Marqués de Santillana

643. Carlos Alvar y Ángel Gómez Moreno. «Poesía cancioneril... [: El Marqués de Santillana]», en *PLM* [89], pp. 100-104 y 159.

644. David W. Foster. *The Marqués de Santillana*. Nueva York: Twayne, 1971.

645. Maxim. P. A. M. Kerkhof. «Cuatro notas filológicas a textos del Marqués de Santillana», en *Homenaje a Alonso Zamora Vicente*. Madrid: Castalia (en prensa).

646. Rafael Lapesa. *La obra literaria del marqués de Santillana*. Madrid: Ínsula, 1957.

647. Íñigo López de Mendoza, Marqués de Santillana. *Bías contra Fortuna,* ed. Maxim. P. A. M. Kerkhof. Madrid: RAE, 1982. (*)

648. —. *[Carta a don Pedro de Mendoza],* ed. Ángel Gómez Moreno en «Una carta del Marqués de Santillana». *RFE* 63 (1983), 115-22.

649. —. *La Comedieta de Ponza,* ed. Maxim. P. A. M. Kerkhof. Madrid: Cátedra, 1986; y Madrid: Espasa-Calpe, 1987.

650. —. *Obras completas,* ed. Maxim. P. A. M. Kerkhof y Ángel Gómez Moreno. Barcelona: Planeta, 1988. (* para G.26-32)

651. —. *Prohemio y carta,* ed. Ángel Gómez Moreno en Francisco López Estrada, ed., *Las poéticas castellanas* [617], pp. 39-63. (*)

652. —. *[Serranillas],* en «*Las Serranillas* del Marqués de Santillana», ed. Rafael Lapesa. *CTPM* [88], pp. 243-76.

653. —. *Los sonetos «al ytálico modo»,* ed. Maxim. P. A. M. Kerkhof y Dirk Tuin. Madison: HSMS, 1985.

654. Helen Nader. *The Mendoza Family in the Spanish Renaissance, 1350 to 1550*. New Brunswick, NJ: Rutgers UP, 1979.

655. Rogelio Pérez Bustamente y J. M. Calderón Ortega. *El Marqués de Santillana: Biografía y documentación*. Santillana del Mar/Madrid: Fundación Santillana/Taurus, 1983.

656. Mario Schiff. *La Bibliothèque du Marquis de Santillane*. París: Bouillon, 1905; reimpr. Amsterdam: Gérard Th. Van Heusden, 1970.

657. Domingo Ynduráin et al., *véase* [621], pp. 461-74 y 504-506.

Juan del Encina

657a. Matthew Bailey. «Lexical Ambiguity in Four Poems of Juan del Encina». *RQ* 37 (1990), 431-43.

658. Juan del Encina. *Cancionero de Juan del Encina [Salamanca, 1496], Primera edición: Publicado en facsímile por la Real Academia Española,* ed. Emilio Cotarelo. Madrid: RAE, 1928 [hay una edición en microfichas a cargo de J. C. Temprano, con transcripción de D. P. Seniff (Madison: HSMS, 1983)].

659. —. *Obras completas,* 4 vols., ed. Ana María Rambaldo. Madrid: Espasa-Calpe, 1978-83. (* para G.33-36)

660.   —. *Poesía lírica y cancionero musical*, ed. R. O. Jones y Carolyn R. Lee. Madrid: Castalia, 1979.
661.   Henry W. Sullivan. *Juan del Encina*. Boston: Twayne, 1976.
662.   Roger D. Tinnell. «Encina, Juan del (1468-1529)», en *Discography* [383], pp. 55-61, núms. 1005-1109.

Ausiàs March

663.   Robert Archer. *The Pervasive Image: The Role of Analogy in the Poetry of Ausiàs March*. Amsterdam/Filadelfia: John Benjamins, 1985.
664.   Lluïsa Esteve y Laura Ripoll. «Assaig de bibliografia ausiasmarquiana». *Llengua & literatura* 2 (1987), 453-85.
665.   Ausiàs March. *Obra poética completa*, ed. Rafael Ferreres, 2 vols. Madrid: Fundación Juan March/Castalia, 1979. (*)
666.   Kathleen McNerney. *The Influence of Ausiàs March on Early Golden Age Castilian Poetry*. Amsterdam: Rodopi, 1982.
667.   Arthur Terry. «Introspection in Ausiàs March», en *Medieval... Studies... Tate* [114], pp. 165-77.

POESÍA LÍRICO-DOCTRINAL Y DE LA REPRESENTACIÓN: DISPUTAS, DEBATES Y TEATRO, SIGLOS XIV-XV (H.1-8)

668.   Carlos Alvar y Ángel Gómez Moreno. «Poesía cancioneril...: Los grandes poetas cuatrocentistas [Juan de Mena, Jorge Manrique]», en *PLM* [89], pp. 104-109 y 159-61.
669.   Manuel Alvar/Carlos Alvar. «La poesía en la Edad Media... [: Poesía didáctico-moral (*Danza de la Muerte*); la sátira social y política en el siglo xv; poetas del tiempo de los Reyes Católicos]»/«Bibliografía crítica», en *DBHLE* [64], pp. 342-44, 365-79, 385 y 386-87.
670.   Vivana Brodey, ed. *Las coplas de Mingo Revulgo*. Madison: HSMS, 1986.
671.   Alan Deyermond. «En los orígenes del drama [: Espectáculos populares y cortesanos - Gómez Manrique - Formas semidramáticas en textos literarios]», en *HLE* [61], pp. 365-73.
672.   Ramón de Llavia. *Cancionero de Ramón de Llavia [Zaragoza, c. 1490]*, ed. Rafael Benítez Claros. Madrid: Sociedad de Bibliófilos Españoles, 1945 (contiene la poesía de Jorge Manrique).
673.   Fray Íñigo de Mendoza. *Coplas de vita Christi*, ed. Marco Massoli. Messina/Florencia: D'Anna/Univ. di Firenze, 1977.
674.   Howard R. Patch. *The Goddess Fortuna in Mediaeval Literature*. Cambridge, MA: Harvard UP, 1927.
675.   Chandler R. Post. *Medieval Spanish Allegory*. Cambridge, MA: Harvard UP; reimpr. Hildesheim: G. Olms, 1978.
676.   Julio Rodríguez-Puértolas, ed. *Poesía crítica y satírica del siglo XV*. Madrid: Castalia, 1981.
677.   M. Jean Sconza. «Pablo de Santa María and His *Siete edades del mundo*: The Extant Manuscripts». *Manuscripta* 32 (1988), 185-96.

COPLAS CONTRA LAS MUGERES

678. Peter Cocozzella. «Pere Torroella: Pan-Hispanic Poet of the Catalan Pre-Renaissance». *Hispanófila* 29, núm. 86 (1985-86), 1-14.
679. Barbara Matulka. «Torrellas, the Champion of Men», en *The Novels of Juan de Flores* [970], pp. 95-137.
680. Nicasio Salvador Miguel. «La tradición animalística en las *Coplas de las calidades de las donas*, de Pere Torrellas». *El Crotalón* 2 (1985), 215-24.
681. Pere Torrellas. *Coplas contra las mugeres* [o *Maldezir de mugeres*], ed. Pedro Bach y Rita en *The Works of Pere Torroella, a Catalan Writer of the Fifteenth Century*. Nueva York: Instituto de las Españas en los Estados Unidos, 1930, pp. 192-215; reimpr. en *Crestomatía II* [14], núm. 203, pp. 659-63. (*)

JUAN DE MENA

682. Alan Deyermond. «Structure and Style as Instruments of Propaganda in Juan de Mena's *Laberinto de Fortuna*». *Proceedings of the Patristic, Medieval and Renaissance Conference, Villanova Univ., 1980*. Villanova, PA: Univ. of Villanova Press, 1983, pp. 159-67.
683. Ralph Di Franco. *A Review of Concepts and Methodologies in Scholarship on Juan de Mena*. Normal, IL: Applied Literature Press, 1981.
684. —. «Formalist Critics and the *Laberinto de Fortuna*». *Hispanic Journal* 6 (1985), 165-72.
685. Juan de Mena. *Claro Escuro*, ed. Miguel Ángel Pérez Priego en «El *Claro Escuro* de Juan de Mena», en *CTPM* [88], pp. 427-50.
686. —. *Laberinto de Fortuna*, ed. Louise Vasvari Fainberg. Madrid: Alhambra, 1976. (*)
687. Domingo Ynduráin et al., *véase* [621], pp. 475-89 y 506-508.

JORGE MANRIQUE

688. Manuel Carrión Gútiez. *Bibliografía de Jorge Manrique: Homenaje al poeta en el V centenario de su muerte*. Palencia: Diputación Provincial, 1979.
689. Frank Domínguez. *Love and Remembrance: The Poetry of Jorge Manrique*. Lexington, KY: UP of Kentucky, 1988.
690. Stephen Gilman. «Tres retratos de la muerte en Jorge Manrique». *NRFH* 13 (1959), 305-24; reimpr. en *CTPM* [88], pp. 277-302.
691. *Homenaje a Jorge Manrique*, en *BAPLE* 10, núm. 1 (1982) (siete ensayos en homenaje al V centenario de la muerte de Manrique).
692. José J. Labrador et al. «Cuarenta y dos, no cuarenta coplas en la famosa elegía manriqueña». *BBMP* 61 (1985), 37-95.
693. Jorge Manrique. *Coplas por la muerte de su padre*, recogidas en el *Cancionero de Ramón de Llavia* [672]; y editadas en *Poesía* por Giovanni Caravaggi, Madrid: Taurus, 1984, núm. 49, pp. 116-32. (*)
694. Sister Mary Appolonia Matjastic. *The History of the Criticism of «Las Coplas» of Jorge Manrique*. Madrid: Rocana, 1979.
695. José B. Monleón. «Las *Coplas* de Manrique: Un discurso político». *Ideologies & Literature* 4, núm. 17 (1983), 116-32.

696. Julio Rodríguez Puértolas. «Jorge Manrique y la manipulación de la historia», en *Medieval... Studies... Tate* [114], pp. 123-33.
697. Pedro Salinas. *Jorge Manrique o tradición y originalidad*, 2.ª ed. Barcelona: Seix Barral, 1981.
698. Domingo Ynduráin et al., *véase* [621], pp. 490-503 y 509-511.

POESÍA DEL DEBATE

Disputa del cuerpo e del ánima

699. Erik von Kraemer, ed. *Dos versiones castellanas de la «Disputa del alma y el cuerpo» del siglo XIV*. Helsinki: Société Néophilologique, 1956. (*)

Bías contra Fortuna, véase *Íñigo López de Mendoza, Marqués de Santillana* [647]

Diálogo entre el Amor y un viejo

700. Francisco Cantera Burgos. *El poeta Rodrigo de Cota y su familia de judíos conversos*. Madrid: Univ. Complutense, 1970.
701. Rodrigo Cota. *Diálogo entre el Amor y un viejo*, recogido en el *Cancionero general [Valencia, 1511]* de Hernando del Castillo, ed. J. A. Balenchana. Madrid: [M. Ginesta], 1882, vol. I, núm. 125, pp. 297b-320b. (*; también en [627])
702. —. *Diálogo entre el Amor y un viejo*, ed. Elisa Aragone. Florencia: Le Monnier, 1961.
703. Richard F. Glenn. «Rodrigo Cota's *Diálogo entre el Amor y un viejo*: Debate or Drama?» *Hispania* 48 (1965), 51-56.
704. Ronald E. Surtz. «Estudio preliminar [: *Diálogo del viejo, el Amor y la hermosa*]», en *Teatro medieval* [21], pp. 34-38.

Dança general de la Muerte

705. Manuel Alvar/Carlos Alvar. «La poesía en la Edad Media... [: *Danza de la Muerte*]», en *DBHLE* [64], pp. 342-44 y 385.
706. Alan Deyermond. «El ambiente social e intelectual de la *Danza de la Muerte*», en *Actas del Tercer Congreso Internacional de Hispanistas: Celebrado en México, D. F., del 26 al 31 de agosto de 1968*, ed. Carlos H. Magis. México, D. F.: El Colegio de México, 1970, pp. 267-76.
707. David Hook y Jennifer Williamson. «'Pensastes el mundo por vós trastornar': The World Upside-Down in the *Dança general de la Muerte*». *Medium Aevum* 48 (1979), 90-101.
708. Patricia F. Mikus. «The Spanish *Dança general de la Muerte* in the European Context of the Theme». *Mid-Hudson Language Studies* 1 (1978), 35-50.
709. Margherita Morreale, ed. «Para una antología de literatura castellana medieval: La *Danza de la Muerte*». *Annali del corso di lingue e letterature straniere presso l'Università di Bari* 6 (1963), 5-70. (*)
710. Julio Rodríguez-Puértolas. «La literatura del siglo xv y las *Cortes de la Muerte*». *Revista de literatura* 33, núms. 65-66 (1968), 103-110.
711. Joël Saugnieux. *Les Danses macabres de France et d'Espagne et leurs prolongements littéraires*. París: Les Belles Lettres, 1972.
712. J. M. Solà-Solé, ed. *«La Dança general de la Muerte»: Edición crítico-analítico-cuantitativa*. Barcelona: Puvill, 1981.

713. Florence Whyte. *The «Dance of Death» in Spain and Catalonia*. Baltimore: Waverly, 1931; reimpr. Nueva York: Arno, 1977.

TEATRO DEL SIGLO XV: GÓMEZ MANRIQUE

714. C. Torroja Menéndez y M. Rivas Palá. *Teatro en Toledo en el siglo XV: «Auto de la Pasión» de Alonso del Campo*. Madrid: RAE, 1977.
715. Joseph T. Snow. «Spain [: Drama]», en *The Current State* [575], pp. 161-63.

Representaçion del naçimiento de Nuestro Señor

716. Francisco López Estrada. «La *Representación del nacimiento de Nuestro Señor*, de Gómez Manrique: Estudio textual». *Segismundo* 39-40 (1984), 9-30.
717. Humberto López Morales. «El teatro en la Edad Media [: Desarrollo del teatro del siglo XV: De Gómez Manrique a Juan del Encina; la *Representación del Nacimiento de Nuestro Señor]*», en *DBHLE* [64], pp. 530-36.
718. —. «Sobre el teatro medieval», *véase* [147].
719. Gómez Manrique. *Representaçion del naçimiento de Nuestro Señor*, recogida en el *Cancionero de Gómez Manrique*, ed. A. Paz y Melia. Madrid: A. Pérez Dubrull, 1885, vol. I, núm. LXII, pp. 198-206. (*)
720. Harry Sieber. «Dramatic Symmetry in Gómez Manrique's *La representación del nacimiento de Nuestro Señor*». *HR* 33 (1965), 118-35.
721. Ronald E. Surtz. «Estudio preliminar [: El teatro de Gómez Manrique]», en *Teatro medieval* [21], pp. 19-25.

PROSA: SIGLOS XIV-XV (I.1-39)

722. Alfonso XI. *La versión... del «Roman de Troie»*, *véase* [570].
723. —. *Colección documental de Alfonso XI: Diplomas reales conservados en el Archivo Histórico Nacional. Sección de Clero/Pergaminos*, ed. Esther González Crespo. Madrid: Univ. de Madrid, 1985.
724. Spurgeon Baldwin, ed. *The Medieval Castilian Bestiary from Brunetto Latini's «Tesoro»*. Exeter: Univ. of Exeter, 1982.
725. *Biblioteca del Siglo XV*. Salamanca: Universidad, 1989—.
726. James F. Burke. «Spanish Literature», *véase* [508].
727. Pedro Carrillo de Huete. *Crónica del halconero de Juan II,* ed. Juan de Mata Carriazo. Madrid: Espasa-Calpe, 1946.
728. Diego Catalán y María Soledad de Andrés, eds. *Crónica general de España de 1344*. Madrid: SMP/Gredos, 1971.
729. —, eds. *Crónica del moro Rasis... romanzada para el rey don Dionís de Portugal hacia 1300...* Madrid: SMP/Gredos, 1975.
730. Pedro M. Cátedra, *véase* [199-204].
730a. —. *La historiografía en verso en la época de los Reyes Católicos: Juan Barba y su «Consolatoria de Castilla»*. Salamanca: Universidad, 1989.
731. Carol A. Copenhagen. «The *Conclusio* in Fifteenth-Century Spanish Letters». *La Corónica* 14 (1985-86), 213-19.

732. Alan Deyermond. «'Palabras y hojas secas, el viento se las lleva': Some Literary Ephe-
      mera of the Reign of Juan II», en *Medieval and Renaissance Studies on Spain and Portu-
      gal in Honour of P. E. Russell,* ed. F. W. Hodcroft et al. Oxford: SSMLL, 1981,
      pp. 1-14.

733. —. «La prosa de los siglos xiv y xv: I. Prosa didáctica e histórica [y] II. Libros de
      aventuras y la primera novela», en *HLE* [61], pp. 238-313.

734. —. «La literatura oral en la transición de la Edad Media al Renacimiento». *Edad de
      Oro* 7 (1988), 21-32.

735. —, ed. «La prosa en los siglos xiii y xiv», «Libros de caballerías y 'novela' sentimental»,
      «Prosa y actividad intelectual en el otoño de la Edad Media» y «*La Celestina*», en *HCLE*
      [62], pp. 174-76, 194-212, 351-89, 391-449 y 485-528.

736. Fernando Díaz Plaja. *Historia de España en sus documentos: Siglo XV.* Madrid: Cáte-
      dra, 1984.

737. José María Díez Borque y Ángela Ena Bordonada. «La prosa en la Edad Media [: Siglos
      XIV y XV]», en *DBHLE* [64], pp. 123—97 y 203-209.

738. Brian Dutton, ed. *Medieval Spanish Medical Texts.* Madison: HSMS. 1984— (publicacio-
      nes en microfichas).

739. J. H. Elliott, «Monarchy and Empire (1474-1700)», en *Spain: A Companion* [71], pp.
      107-21.

740. Juan Fernández de Heredia. *Complete Concordances and Texts of the Fourteenth-Century
      Aragonese Manuscripts of Juan Fernández de Heredia,* eds. John Nitti y Lloyd Kasten.
      Madison: HSMS, 1982 (consta de un opúsculo introductorio y 107 microfichas).

741. Yves-René Fonquerne y Aurora Egido, eds. *Formas breves del relato: Coloquio Casa
      de Velázquez/Departamento de Literatura Española de la Universidad de Zaragoza. Ma-
      drid, febrero de 1985.* Zaragoza: Universidad, 1986.

742. Jean Gilkison Mackenzie. *A Lexicon of the 14th-Century Aragonese Manuscripts of Juan
      Fernández de Heredia.* Madison: HSMS, 1984.

743. *Gran crónica de Alfonso XI,* véase [553].

744. Hans U. Gumbrecht et al., eds. *La littérature historiographique en langues romanes dès
      origines à 1500,* en *GRLM XI, i-ii* [41], 1986— (hay varios fascículos publicados hasta
      la fecha).

745. Roger Highfield, ed. *Spain in the Fifteenth Century (1369-1516): Essays and Extracts
      by Historians of Spain.* Nueva York: Harper & Row, 1972.

746. Karl Kohut. «La posición de la literatura en los sistemas científicos del siglo xv». *Ibero-
      romania* 7 (1978), 68-87.

747. Jeremy N. H. Lawrance. «The Spread of Lay Literacy in Late Medieval Castile». *BHS*
      62 (1985), 79-94.

748. Pero López de Ayala, *véase* [563-64].

749. Francisco Márquez Villanueva. «Jewish 'Fools' of the Spanish Fifteenth Century». *HR*
      50 (1982), 385-409.

750. Walter Mettmann, ed. *La littérature dans la Péninsule Ibérique aux XIVe et XVe siècles
      [: Les genres lyriques; les genres narratifs; la littérature allégorique, satirique, didacti-
      que],* en *GRLM IX. i-ii* [41], 1983— (se han publicado los fascículos *IX.i.1-5;* y *IX.ii.2,*
      4 y 7 hasta la fecha).

751. A. R. D. Pagden. «The Diffusion of Aristotle's Moral Philosophy in Spain, ca. 1400-ca.
      1600». *Traditio* 31 (1975), 287-313.

752. Mario Penna, ed. *Prosistas castellanos del siglo XV, I,* en *BAE 116* [6]. Madrid: Atlas,
      1959.

753. Francisco Rico. *Predicación y literatura* [223], pp. 11-26.

754. —. «Imágenes del Prerrenacimiento español: Joan Roís de Corella y la *Tragèdia de Caldesa*», en *Estudios de literatura española y francesa, siglos XVI y XVII: Homenaje a Horst Baader,* ed. Frauke Gewecke. Francfurt: Vervuert, 1984, pp. 15-27.

755. —. «Alfonso de la Torre», en *Pequeño mundo* [175], pp. 101-107.

756. Nicholas G. Round. «The Shadow of a Philosopher: Medieval Castilian Images of Plato». *JHP* 3 (1978-79), 1-36.

757. Fernando Rubio, ed. *Prosistas castellanos del siglo XV II,* en *BAE 171* [6]. Madrid: Atlas, 1964.

758. Carmen Ruiz Bravo-Villasante, ed. *Libro de los animales.* Madrid: FUE, 1980.

759. Peter E. Russell. «Spanish Literature (1474-1681)», en *Spain: A Companion* [71], pp. 267-76.

760. —. *Traducción y traductores en la Península Ibérica (1400-1550).* Bellaterra (Barcelona): UAB, 1984.

761. Dorothy Sherman Severin, ed. *«El ynfante Epitus:* The Earliest Complete Castilian Version of the *Dialogue of Epictetus and the Emperor Hadrian».* BHS 62 (1985), 25-30.

762. Joseph T. Snow. «Spain [: Prose]», en *The Current State* [575], pp. 158-61.

763. Robert B. Tate. *Ensayos sobre la historiografía peninsular del siglo XV.* Madrid: Gredos, 1970.

764. —. «El cronista real castellano durante el siglo quince», en *Homenaje a Pedro Sainz Rodríguez III: Estudios históricos.* Madrid: FUE, 1986, pp. 659-68.

765. David J. Viera. *Bibliografia anotada de la vida i obra de Francesc Eiximenis (1340?-1409?).* Barcelona: Fundació Vives Casajuana [Dalmau], 1980.

LEYENDAS HAGIOGRÁFICAS Y CUASI HAGIOGRÁFICAS

766. Billy Bussell Thompson y John K. Walsh. «Old Spanish Manuscripts of Prose Lives of the Saints and Their Affiliations, I: Compilation *A* (the *Gran Flos Sanctorum)».* La Corónica 15 (1986-87), 17-28.

767. John L. Maier. «Sainthood, Heroism, and Sexuality in the *Estoria de Santa María Egipçiaca».* RCEH 8 (1983-84), 424-35.

768. John K. Walsh. «The Chivalric Dragon: Hagiographic Parallels in Early Spanish Romances». BHS 54 (1977), 189-98.

Barlaam e Josefat

769. Rafael A. Aguirre. *«Barlaam e Josafat» en la narrativa medieval.* Madrid: Playor, 1988.

770. John E. Keller y Robert W. Linker (†), eds. *Barlaam e Josefat.* Madrid: CSIC, Instituto «Miguel de Cervantes», 1979. (*)

Vida de Santa Marta

771. John K. Walsh y B. Bussell Thompson, eds. *Vida de Santa Marta* en *The Myth of the Magdalen in Early Spanish Literature: With an Edition of the «Vida de Santa Maria Madalena» in MS. h.I.13 of the Escorial Library.* Nueva York: Lorenzo Clemente, 1986, pp. 28-41. (*)

Historia del virtuoso cavallero don Túngano

772. John K. Walsh y B. Bussell Thompson, eds. *Historia del virtuoso cavallero don Túngano, y de las grandes cosas y espantosas que vido en el Infierno y en el Purgatorio y*

en el Paraýso, en *Historia del virtuoso cavallero don Túngano: Toledo 1526.* Nueva York: Lorenzo Clemente, 1985, pp. 13-25. (*)

Estoria (o Vida) de Sancto Toribio de Astorga

773. John K. Walsh y B. Bussell Thompson, eds. *La leyenda medieval de Santo Toribio y su «arca santa»: Con una edición del texto en el MS. 780 de la Biblioteca Nacional (Madrid).* Nueva York: Lorenzo Clemente, 1987, pp. 17-23. (*)

PROSA DIDÁCTICA, TRATADÍSTICA Y CIENTÍFICA

Juan Manuel

774. Academia «Alfonso X el Sabio», ed. *Don Juan Manuel: VII Centenario.* Murcia: Univ. de Murcia/Academia «Alfonso X el Sabio», 1982.

775. Carlos Alvar. «Ay cinquenta enxiemplos». *Bulletin hispanique* 86 (1984), 136-41.

776. Reinaldo Ayerbe-Chaux. *«El conde Lucanor»: Materia tradicional y originalidad creadora.* Madrid: Porrúa Turanzas, 1975 (*vid.* la reseña de Ian Macpherson en *The Modern Language Review* 72 [1977], 718-19).

777. —. «Don Juan Manuel y la conciencia de su propia autoría». *La Corónica* 10 (1981-82), 186-90.

778. —. «Manuscritos y documentos de don Juan Manuel». *La Corónica* 16 (1987-88), 88-93.

779. Ralph S. Boggs. «La mujer mandona de Shakespeare y de D. Juan Manuel». *Hispania* 10 (1927), 419-22.

780. Jeanne Battesti. «Proverbes et aphorismes dans le *Conde Lucanor,* de don Juan Manuel», en *Hommage à André Joucla-Ruau.* Aix-en-Provence: Univ. de Provence, 1974, pp. 1-61.

781. Alberto Blecua. *La transmisión textual de «El conde Lucanor».* Bellaterra (Barcelona): UAB, 1980.

782. James F. Burke. «Frame and Structure in the *Conde Lucanor».* RCEH 8 (1983-84), 263-74.

783. Vicente Cantarino. «Más allá de *El conde Lucanor*: Un infante desconocido», en *Josep Maria Solà-Solé: Homage, homenaje, homenatge (Miscelánea de estudios de amigos y discípulos) I,* ed. Antonio Torres-Alcalá et al. Barcelona: Puvill, 1984, pp. 55-66.

784. —. «Ese autor que llaman don Juan Manuel», en *Actas del VIII Congreso de la Asociación Internacional de Hispanistas: Celebrado en Brown University, del 22 al 27 de agosto de 1983, I,* ed. A. David Kossoff et al. Madrid: Istmo, 1986, pp. 329-38.

785. Diego Catalán. «Don Juan Manuel ante el modelo alfonsí: El testimonio de la *Crónica abreviada»,* en *Juan Manuel Studies* [796], pp. 17-51.

786. Daniel Devoto. *Introducción al estudio de don Juan Manuel y en particular de «El conde Lucanor»: Una bibliografía.* Madrid: Castalia, 1972.

787. Luciana De Stefano. «La sociedad estamental en las obras de don Juan Manuel». *NRFH* 16 (1962), 329-54.

788. Alan D. Deyermond. «Cuentos orales y estructura formal en el *Libro de las tres razones (Libro de las armas)»,* en *VII Centenario* [774], pp. 75-87.

789. Francisco Javier Díez de Revenga. *De don Juan Manuel a Jorge Guillén: Estudios literarios relacionados con Murcia,* 2 vols. Murcia: Academia «Alfonso X el Sabio», 1982.

790. Marta Ana Diz. *Patronio y Lucanor: La lectura inteligente «en el tiempo que es turbio».* Potomac, MD: Scripta Humanistica, 1984.

791. —. «El mago de Toledo: Borges y don Juan Manuel». *Modern Language Notes* 100 (1985), 281-97.

792. John England. «'¿*Et non el día del lodo?*': The Structure of the Short Story in *El Conde Lucanor*», en *Juan Manuel Studies* [796], pp. 69-86.

793. José Manuel Fradejas Rueda. «Las fuentes del *Libro de la caza* de don Juan Manuel». *BAPLE* 14, núm. 2 (1986), 35-42.

794. Michael Harney. «Estate Theory and Status Anxiety in the *Libro de los estados* and Other Medieval Spanish Texts». *Revista de estudios hispánicos* 23 (1989), 1-29.

795. Richard Hitchcock. «Don Juan Manuel's Knowledge of Arabic». *The Modern Language Review* 80 (1985), 594-603.

796. Ian Macpherson, ed. *Juan Manuel Studies*. Londres: Tamesis, 1977.

797. Juan Manuel. *Cinco tratados: Libro del cavallero et del escudero, Libro de las tres razones, Libro enfenido, Tratado de la asunción de la Virgen, Libro de la caça,* ed. Reinaldo Ayerbe-Chaux. Madison: HSMS, 1989.

798. —. *El Conde Lucanor*, en *Obras completas II*, ed. José Manuel Blecua. Madrid: Gredos, 1983, pp. 7-503. (*)

799. —. *Libro de la caza*, en *Obras completas I*, ed. José Manuel Blecua. Madrid: Gredos, 1982, pp. 515-96. (*)

800. —. *Libro de las armas (o Libro de las tres razones)*, en *Obras completas I* [799], pp. 117-40. (*)

801. —. *Libro del cauallero et del escudero*, en *Obras completas I* [799], pp. 35-116. (*)

802. —. *Libro del conde Lucanor*, ed. Reinaldo Ayerbe-Chaux con un estudio introductorio por Alan Deyermond. Madrid: Alhambra, 1985.

803. —. *Libro de los estados*, en *Obras completas I* [799], pp. 191-502. (*)

804. —. *Libro enfenido*, en *Obras completas I* [799], pp. 141-89. (*)

805. —. *Prólogo general*, en *Obras completas I* [799], pp. 27-33. (*)

806. —. *Juan Manuel: A Selection*, ed. Ian Macpherson. Londres: Tamesis, 1980.

807. —. *Textos y concordancias de la obra completa de Juan Manuel*, ed. Reinaldo Ayerbe-Chaux. Madison: HSMS, 1986 (edición en microfichas).

808. Germán Orduna. «El *Libro de las armas*: Clave de la 'justicia' de don Juan Manuel». *Cuadernos de historia de España* (1982 [1985]), 230-68.

809. Francisco Rico. «Crítica del texto y modelos de cultura en el *Prólogo general* de don Juan Manuel», en *Studia... M. de Riquer I* [141], pp. 409-23.

809a. María Cecilia Ruiz. *Literatura y política: El «Libro de los estados» y el «Libro de las armas» de don Juan Manuel*. Potomac, MD: Scripta Humanistica, 1989.

810. Jacqueline Savoye de Ferreras. «Forma dialogada y visión del mundo en el *Libro de los estados* de don Juan Manuel». *Criticón*, 28 (1984), 97-118.

811. Dennis P. Seniff «'Así fiz yo de lo que oý': Orality, Authority, and Experience in Juan Manuel's *Libro de la caza, Libro infinido*, and *Libro de las armas*», en *Josep Maria Solà-Solé... homenatge I* [783], pp. 91-109.

812. H. Tracy Sturcken. *Don Juan Manuel*. Nueva York: Twayne, 1974.

813. Barry Taylor. «Juan Manuel's Cipher in the *Libro de los estados*». *La Corónica* 12 (1983-84), 32-44.

LA LITERATURA CINEGÉTICA: GUILLERMO EL HALCONERO Y ALFONSO XI

Libro de los halcones

814. José Manuel Fradejas Rueda. «La originalidad en la literatura cinegética». *Epos* 2 (1986), 75-88.

815. Guillermo el Halconero. *Libro de los halcones*, ed. José Manuel Fradejas Rueda en *Tratado de cetrería I: Antiguos tratados de cetrería castellanos*. Madrid: Cairel, 1985, pp. 75-86. (*)

Libro de la montería

816. Alfonso XI, rey de Castilla y León. *Libro de la montería: Based on Escorial MS Y.II.19*, ed. Dennis P. Seniff. Madison: HSMS, 1983. (*; véase también la edición semipaleográfica del ms. Y.II.19, en microfichas, del mismo Seniff [Madison: HSMS, 1987])

817. —. «Edición crítica y estudio lingüístico del *Libro de la montería* de Alfonso XI», ed. M.ª Isabel Montoya Ramírez. Tesis doctoral inédita. Univ. de Granada, 1989.

818. Elisabeth Douvier. «L'Introduction du *Libro de la montería*: Étude des différents procédés d'expression». *CLHM*, núm. 1 (1976), 100-125.

819. Dennis P. Seniff. «El *Libro de la montería* de Alfonso XI: Nuevos manuscritos, nuevas fuentes». *RFE* 66 (1986), 257-72 (versión inglesa: «'Munchos libros buenos': The New MSS of Alfonso XI's *Libro de la montería* and Moamyn/Alfonso X's *Libro de las animalias que caçan*» con «Notes/Corrections», *Studia Neophilologica* 60 [1988], 251-62, y 61 [1989], 249-50).

ENRIQUE DE VILLENA

820. Russell V. Brown. «Ceremony and Stylistic Awareness in Enrique de Villena's *Arte cisoria*». *Revista de estudios hispánicos* 15 (1981), 75-83.

821. Derek C. Carr y Pedro M. Cátedra. «Datos para la biografía de Enrique de Villena». *La Corónica* 11 (1982-83), 293-99.

822. Pedro M. Cátedra. *Sobre la vida y la obra de Enrique de Villena*. Bellaterra (Barcelona): UAB, 1981.

823. —. «Algunas obras perdidas de Enrique de Villena, con consideraciones sobre su obra y su biblioteca». *El Crotalón* 2 (1985), 53-75.

824. —. «Sobre la obra catalana de Enrique de Villena», en *Homenaje a Eugenio Asensio*, ed. Luisa López Grigera y Agustín Redondo. Madrid: Gredos, 1988, pp. 127-40.

825. Carla De Nigris. «La classificazione delle arti magiche di Enrique de Villena». *Quaderni ibero-americani* 53-54 (1979), 289-98.

826. Enrique de Villena. *Arte cisoria: Arte de trinchar o cortar con cuchillo carnes y demás viandas*, ed. Enrique Díaz-Retg. Barcelona: Selecciones Bibliófilas, 1948. (*)

827. —. *Arte cisoria*, ed. Russell V. Brown. Barcelona: Humanitas, 1985.

828. — *Los doze trabajos de Hércules*, ed. Margherita Morreale. Madrid: RAE, 1958. (*)

829. John K. Walsh y Alan Deyermond. «Enrique de Villena como poeta y dramaturgo: Bosquejo de una polémica frustrada». *NRFH* 28 (1979), 57-85.

EL AMOR, LA CIENCIA Y LA TEOLOGÍA: BERNARDO DE GORDONIO, EL TOSTADO Y
ALFONSO MARTÍNEZ DE TOLEDO

Lilio de medicina

830. Bernardo de Gordonio. *Lilio de medicina [: Libro II, capítulo xx]*, ed. Dennis P. Seniff en «Bernardo de Gordonio's *Lilio de medicina*: A Possible Source of *Celestina?*» *Celestinesca* 10 (1986), 13-18. (*)

831. —. *Lilio de medicina*, ed. Cynthia M. Wasick. Madison: HSMS, 1988 (edición en microfichas).

832. J. Livingston Lowes. «'The Loveres Maladye of Hereos'». *Modern Philology* 11 (1913-14), 491-547.

833. Mary Frances Wack. «The Measure of Pleasure: Peter of Spain on Men, Women, and Lovesickness». *Viator* 17 (1986), 173-96.

834. —. *Lovesickness in the Middle Ages: The «Viaticum» and Its Commentaries*. Filadelfia: Univ. of Penn. Press, 1989.

Tractado cómo al ome es nescesario amar

835. Alfonso de Madrigal, El Tostado. *Tractado cómo al ome es nescesario amar*, en *Opúsculos literarios de los siglos XIV a XVI*, ed. A. Paz y Melia. Madrid: Sociedad de Bibliófilos Españoles [M. Tello], 1892, pp. 219-44. (*)

Alfonso Martínez de Toledo

836. Ralph Di Franco. «Rhetoric and Some Narrative Techniques in the *Corbacho* of Alfonso Martínez de Toledo». *KRQ* 29 (1982), 135-42.

837. E. Michael Gerli. *Alfonso Martínez de Toledo*. Boston: Twayne, 1976.

838. Ralph y Lisa S. de Gorog. *Concordancias del «Arcipreste de Talavera»*. Madrid: Gredos, 1978.

839. Alfonso Martínez de Toledo. *Arcipreste de Talavera o Corbacho*, ed. Joaquín González Muela [y Mario Penna], 3.ª ed. Madrid: Castalia, 1984. (*)

840. —. *Atalaya de las Coronicas*, ed. James B. Larkin. Madison: HSMS, 1983.

841. —. *The Text and Concordances of the Escorial Manuscript h.iii.10 of the «Arcipreste de Talavera»*, ed. Eric W. Naylor. Madison: HSMS, 1983 (edición en microfichas).

841a. Erich von Richthofen. «Fünfzig Jahre Arciprester-de-Talavera-Studien: Ein Überblick». *ZrPh* 104 (1988), 12-19.

842. David J. Viera. «An Annotated Bibliography on Alfonso Martínez de Toledo, Arcipreste de Talavera». *KRQ* 24 (1977), 263-80.

843. —. «El *Llibre de les dones* de Francesc Eiximenis y el *Corbacho* del Arcipreste de Talavera: Influencia directa, indirecta o fuentes comunes?». *Estudios franciscanos* 81 (1980), 1-31.

COLECCIONES DE FÁBULAS Y DE «EXEMPLA»

Libro de los gatos

844. Bernard Darbord, ed. *Libro de los gatos*. París: Séminaire d'Études Médiévales Hispaniques de l'Univ. de Paris-XIII [Klincksieck], 1984. (*)

845. Hugo Bizzarri. «La crítica social en el *Libro de los gatos*». *JHP* 12 (1987-88), 3-14.

846. María Jesús Lacarra. «El *Libro de los gatos*: Hacia una tipología del *enxienplo*», en *Formas breves del relato* [741], pp. 19-34.

Libro de los exenplos por a.b.c.

847. Harriet Goldberg. «Deception as a Narrative Function in the *Libro de los exenplos por a.b.c.*». *BHS* 62 (1985), 31-38.

848. Clemente Sánchez de Vercial. *Libro de los exenplos por a.b.c.*, ed. John E. Keller y Louis J. Zahn. Madrid: CSIC, 1961. (*)

Ysopete ystoriado

849. Esopo. *Fábulas o el Ysopete ystoriado*, ed. facsímil de la Real Academia Española. Madrid: RAE [Tipografía de Archivos], 1929. (*, con la transcripción modernizada de Dennis P. Seniff)

849a. Harriet Goldberg. «The *Vida de Ysopo*: A Case of Comic Didacticism». *Anuario medieval* 1 (1989), 114-25.

<h2 style="text-align:center">EL IMPULSO HUMANÍSTICO</h2>

850. Ottavio Di Camillo. *El humanismo castellano del siglo XV*. Valencia: Fernando Torres, 1976.

851. Jeremy N. H. Lawrance. «On Fifteenth-Century Spanish Humanism», en *Medieval... Studies... Tate* [114], pp. 63-79.

852. Nicholas G. Round. «Renaissance Culture and Its Opponents in Fifteenth-Century Castile». *The Modern Language Review* 57 (1962), 204-15.

853. J. Rubió Balaguer. «Sobre la cultura en la corona de Aragón en la primera mitad del siglo XV», en *IV Congreso de historia de la corona de Aragón: Ponencias* 7 (1955), 5-16.

854. Peter E. Russell. «Las armas contra las letras: Para una definición del humanismo español del siglo XV», en *Temas de «La Celestina»* [178], pp. 207-39.

855. Andrés Soria. *Los humanistas de la corte de Alfonso el Magnánimo*. Granada: Universidad, 1956.

856. Robert B. Tate y Anscari M. Mundó. «The *Compendiolum* of Alfonso de Palencia: A Humanist Treatise on the Geography of the Iberian Peninsula». *Journal of Medieval and Renaissance Studies* 5 (1975), 253-78.

Enrique de Villena, véase [820-29]

Íñigo López de Mendoza, Marqués de Santillana, véase [643-57]

<h2 style="text-align:center">ANTONIO NEBRIJA</h2>

Gramática sobre la lengua castellana

857. Víctor García de la Concha, ed. *Nebrija y la introducción del Renacimiento en España: Actas de la III Academia Literaria Renacentista*. Salamanca: Universidad, 1983.

858. Antonio de Nebrija (o Lebrixa). *Gramática sobre la lengua castellana [: Editio princeps, Salamanca 1492]*, I, ed. Pascual Galindo Romeo y Luis Ortiz Muñoz. Madrid: Junta del Centenario, 1946. (*)

859. Francisco Rico. *Nebrija frente a los bárbaros*. Salamanca: Universidad, 1978.

<h2 style="text-align:center">AUTOBIOGRAFÍA Y BIOGRAFÍA</h2>

Memorias

860. A. R. Firpo. «L'Idéologie du linage et les images de la famille dans les *Memorias* de Leonor López de Córdoba (1400)». *Moyen Age* 87 (1981), 243-62.

861. Leonor López de Córdoba. «Las *Memorias* de doña Leonor López de Córdoba», ed. Reinaldo Ayerbe-Chaux. *JHP* 2 (1977-78), 11-33. (*)

862. Ruth Lubenow Ghassemi. «La 'crueldad de los vencidos': Un estudio interpretativo de *Las memorias de doña Leonor de Córdoba*». *La Corónica* 18 (1989-90), 19-32.

Generaciones y semblanzas/Dotrina que dieron a Sarra

862a. «La veta folklórica en *Dotrina que dieron a Sarra* de Fernán Pérez de Guzmán». *HR* 58 (1990), 159-77.
863. Francisco López Estrada. «La retórica en las *Generaciones y semblanzas* de Fernán Pérez de Guzmán». *RFE* 30 (1946), 310-52.
864. Fernán Pérez de Guzmán. *Generaciones y semblanzas*, ed. Robert B. Tate. Londres: Tamesis, 1965. (*)

Claros varones de Castilla

865. Fernando del Pulgar. *Claros varones de Castilla [: Editio princeps, Toledo 1486]*, ed. Robert B. Tate. Madrid: Taurus, 1985. (*)

LIBROS DE VIAJES

866. Joaquín Rubio Tovar, ed. *Libros españoles de viajes medievales*. Madrid: Taurus, 1986.

Libro de Marco Polo (Aragonés)

867. Juan Fernández de Heredia, trad. *Libro de las maravillas [de Marco Polo]*, en *Aragonese Version of the «Libro de Marco Polo»*, ed. John J. Nitti. Madison: HSMS, 1980. (*)

El Victorial

868. Rafael Beltrán. «De la crónica oficial a la biografía heroica: Algunos episodios de Pero López de Ayala y Alvar García de Santa María y su versión de *El Victorial*». *Actas I Congreso AHLM* [1], pp. 177-85.
869. —. «Gutierre Díaz, escribano de Cámara del Rey: ¿Autor de *El Victorial*?» *La Corónica* 18 (1989-90), 62-84.
870. Gutierre Díez de Games. *El Victorial o Crónica de don Pero Niño, conde de Buelna*, ed. Juan de Mata Carriazo. Madrid: Espasa-Calpe, 1940. (*)
871. Ronald E. Surtz. «Díez de Games' Deforming Mirror of Chivalry: The Prologue to the *Victorial*». *Neophilologus* 65 (1982), 214-18.

LIBROS DE AVENTURAS CABALLERESCAS

872. Anita Benaim de Lasry. «Narrative Devices in Fourteenth-Century Spanish Romances». *La Corónica* 11 (1982-83), 280-85.
873. Pedro Bohigas Balaguer, ed. *El baladro del sabio Merlín*, 3 vols. Barcelona: Selecciones Bibliográficas, 1957-61.
874. Felicidad Buendía, ed. *Libros de caballerías españoles: El caballero Cifar, Amadís de Gaula, Tirante el Blanco*. Madrid: Aguilar, 1960.
875. Juan Manuel Cacho Blecua. «Estructura y difusión de *Roberto el Diablo*», en *Formas breves del relato* [741], pp. 35-56.

876. Pedro F. Campa. «The Spanish *Tristán*: Research and New Directions». *Tristania* 3, núm. 2 (1977-78), 36-45.

877. Pedro M. Cátedra, ed. *Història de París i Viana: Edició facsímil de la primera impresió catalana (Girona, 1491)*. Gerona: Diputació, 1986.

878. [Jean d'Arras]. *Historia de la linda Melosinda*, ed. Ivy Corfis. Madison: HSMS, 1986.

879. Alan Deyermond. «Problems of Language, Audience and Arthurian Source in a Fifteenth-Century Castilian Sermon», en *Josep Maria Solà-Solé... homenatge I* [783], pp. 43-54.

880. —, ed. *Apollonius of Tyre: Two Fifteenth-Century Spanish Prose Romances: «Hystoria de Apolonio» and «Confysión del amante: Apolonyo de Tyro»*. Exeter: Univ. of Exeter, 1973.

881. Daniel Eisenberg. *Romances of Chivalry in the Spanish Golden Age*. Newark, DE: Juan de la Cuesta, 1982.

882. William J. Entwistle. *The Arthurian Legend in the Literatures of the Spanish Peninsula*. Nueva York: E. P. Dutton, 1925.

883. Juan Ignacio Ferreras. «La materia castellana en los libros de caballerías: Hacia una nueva clasificación», en *Philologica Hispaniensia in honorem Manuel Alvar III: Literatura*. Madrid: Gredos, 1986, pp. 121-41.

884. Mossèn Gras. «*Tragèdia de Lançalot*», amb el facsímil de l'incunable, ed. Martí de Riquer. Barcelona: Quaderns Crema, 1984.

885. J. B. Hall. «La Matière arthurienne espagnole: The Ethos of the French Post-Vulgate *Roman du Graal* and the Castilian *Baladro del Sabio Merlín* and *Demanda del Sancto Grial*». *Revue de littérature comparée* 56 (1982), 423-36.

886. —. «A Process of Adaptation: The Spanish Versions of the *Romance of Tristan*», en *The Legend of Arthur in the Middle Ages: Studies Presented to A. H. Diverres by Colleagues, Pupils and Friends*, ed. P. B. Grout et al. Cambridge: Boydell and Brewer, 1983, pp. 76-85.

887. L. P. Harvey. «Oral Composition and the Performance of Novels of Chivalry in Spain». *Forum for Modern Language Studies* 10 (1974), 270-86.

888. David Hook y Penny Newman, eds. *Estoria do muy nobre Vespesiano Emperador de Roma (Lisbon, 1496)*. Exeter: Univ. of Exeter, 1983.

889. Hermann Knust, ed. *Dos obras didácticas y dos leyendas sacadas de manuscritos de la Biblioteca del Escorial*. Madrid: Sociedad de Bibliófilos Españoles, 1878.

890. Amancio Labandeira Fernández, ed. *El passo honroso de Suero de Quiñones*. Madrid: FUE, 1977.

891. Edmund Reiss et al., eds. *Arthurian Legend and Literature: An Annotated Bibliography I: The Middle Ages*. Nueva York/Londres: Garland, 1984.

892. L. Romero Tobar. «*Fermoso cuento de una enperatriz que ovo en Roma*: Entre hagiografía y relato caballeresco», en *Formas breves del relato* [741], pp. 1-18.

893. Dayle Seidenspinner-Nuñez. «The Sense of an Ending: The *Tristán* Romance in Spain». *Tristania* 7 (1981-82), 27-46.

894. Harvey L. Sharrer. *A Critical Bibliography of Hispanic Arthurian Material I. Texts: The Prose Romance Cycles*. Londres: Grant & Cutler, 1977.

895. —. «Notas sobre la materia artúrica hispánica 1979-86». *La Corónica* 15 (1986-87), 328-40.

896. —. «Spanish and Portuguese Arthurian Literature», en *The Arthurian Encyclopedia*, ed. Norris J. Lacy. Nueva York/Londres: Garland, 1986, pp. 516-21 (Sharrer tiene también otros 18 artículos en esta enciclopedia).

897. Harry Sieber. «The Romance of Chivalry in Spain: From Rodríguez de Montalvo to Cervantes», en *Romance: Generic Transformation from Chrétien de Troyes to Cervantes*, ed. Kevin y Marina S. Brownlee. Hanover, NH: UP of New England, 1985, pp. 202-19.

898. Anthony Van Beysterveldt. *Amadís-Esplandián-Calisto: Historia de un linaje adulterado*. Madrid/Potomac, MD: PT/SH, 1982.

899. Eugène Vinaver. *The Rise of Romance*. Oxford: Clarendon, 1971.

900. Roger M. Walker, ed. *El caballero Plácidas*. Exeter: Univ. of Exeter, 1982.

Lançarote

901. Karl Pietsch, ed. *Lançarote*, en *Spanish Grail Fragments I: «El libro de Josep ab Arimatia», «La estoria de Merlín», «Lançarote»*. Chicago: Univ. of Chicago Press, 1924, pp. 83-89. (*)

Libro del Caballero Zifar

902. Marta Ana Diz. «La construcción del *Zifar*». *NRFH* 28 (1979), 105-17.

903. Cristina González. *«El Cavallero Zifar» y el reino lejano*. Madrid: Gredos, 1984.

904. Joaquín González Muela, ed. *Libro del Caballero Zifar*. Madrid: Castalia, 1982. (*)

905. Ronald G. Keightley. «Models and Meaning for the *Libro del Caballero Zifar*». *Mosaic* 12 (1979), 55-73.

906. John E. Keller y Richard P. Kinkade. «El *libro del Cavallero Cifar*», en *Iconography* [139], pp. 60-92 y láminas 51-69.

907. Marilyn A. Olsen. «Tentative Bibliography of the *Libro del cauallero Zifar*». *La Corónica* 11 (1982-83), 327-35.

908. —. «The Prologue of the *Cauallero Çifar*: An Example of Medieval Creativity». *BHS* 62 (1985), 15-23.

909. —, ed. *Libro del Caballero Çifar*. Madison: HSMS, 1984 (texto del ms. Espagnol 36 de la Bibl. Nationale-París con transcripción semipaleográfica y concordancias en 6 microfichas).

910. Roger M. Walker. «Oral Delivery or Private Reading?: A Contribution to the Debate on the Dissemination of Medieval Literature». *Forum for Modern Language Studies* 7 (1971), 36-42.

Gran conquista de Ultramar

911. Louis Cooper, ed. *La Gran Conquista de Ultramar*, 4 vols. Bogotá: Instituto «Caro y Cuervo», 1979 (*; se basa en una versión impresa que data del s. XVI).

912. — y Franklin M. Waltman, eds. *Gran conquista de Ultramar*. Madison: HSMS, 1989 (se trata del ms. 1187 de la Bibl. Nacional-Madrid, del cual hay también una edición en microfichas [1985] por estos editores en el mismo HSMS).

913. Cristina González. «Alfonso X el Sabio y *La Gran Conquista de Ultramar*». *HR* 54 (1986), 67-82.

914. —. «Bibliografía de la *Gran Conquista de Ultramar*». *La Corónica* 17 (1988-89), 102-108.

915. —. *La tercera crónica de Alfonso X: «La Gran Conquista de Ultramar»*. Londres: Tamesis (en prensa).

916. George T. Northup. *Guide to «La Gran Conquista de Ultramar» Materials*. Chicago: Dept. of Special Collections, Univ. of Chicago, 1965.

Noble cuento de Carlos Maynes de Roma & de Sevilla su mugier

917. Anita Benaim de Lasry, ed. *Noble cuento del enperador Carlos Maynes de Roma & de la buena enperatrís Sevilla su mugier*, en *Two Romances: A Study of Medieval Spa-*

nish *Romances and an Edition of Two Representative Works [«Carlos Maynes» and «La enperatrís de Roma»].* Newark, DE: Juan de la Cuesta, 1982, pp. 107-73. (*)

918. John R. Maier. «Of Accused Queens and Wild Men: Folkloric Elements in *Carlos Maynes*». *La Corónica* 12 (1983-84), 21-31.

Amadís de Gaula

919. Juan B. Avalle-Arce. «The Primitive Version of *Amadís de Gaula*», en *The Late Middle Ages*, ed. Peter Cocozzella. Binghamton, NY: CEMERS, Suny-Binghamton, 1984, pp. 1-22.

920. Juan Manuel Cacho Blecua. *Amadís: Heroísmo mítico cortesano.* Madrid: Cupsa, 1979.

921. —. «El entrelazamiento en el *Amadís* y en las *Sergas de Esplandián*», en *Studia... M. de Riquer I* [141], pp. 235-71.

922. James D. Fogelquist. *El «Amadís» y el género de la historia fingida.* Madrid/Potomac, MD: PT/SH, 1982.

923. Frank Pierce. *Amadís de Gaula.* Boston: Twayne, 1976.

924. Martí de Riquer. *Estudios sobre el «Amadís de Gaula».* Barcelona: Sirmio, 1987.

925. Garci Rodríguez de Montalvo, refundidor. *Amadís de Gaula,* ed. Edwin B. Place, 4 vols. Madrid: CSIC, Instituto «Miguel de Cervantes», 1959-69. (*)

926. —. *Amadís de Gaula,* ed. Juan Manuel Cacho Blecua, 2 vols. Madrid: Cátedra, 1987-88.

Tirant lo Blanc, véase *Libro catalán de aventuras caballerescas* [1036-44]

LIBROS DE AVENTURAS SENTIMENTALES

927. Alan Deyermond. «El hombre salvaje en la novela sentimental». *Filología* 10 (1964 [1967]), 97-111.

928. —. «Las relaciones genéricas de la ficción sentimental española», en *Symposium... M. de Riquer* [362], pp. 75-92.

929. —. «El punto de vista narrativo en la ficción sentimental del siglo xv», en *Actas I Congreso AHLM* [1], pp. 45-60.

930. Edward Dudley. «The Inquisition of Love: *Tratado* as a Fictional Genre». *Mediaevalia* 5 (1979), 233-43.

931. Antonio Gargano. «Stato attuale degli studi sulla *novela sentimental*: 1. La questione del genere» y «2. Juan Rodríguez del Padrón, Diego de San Pedro, Juan de Flores». *Studi ispanici* 17 (1979), 59-80, y 18 (1980), 39-69.

932. E. Michael Gerli. «Metafiction in Spanish Sentimental Romances», en *The Age of the Catholic Monarchs* [118], pp. 57-63.

933. —. «Towards a Poetics of the Spanish Sentimental Romance». *Hispania* 72 (1989), 474-82.

934. Patricia E. Grieve. «*Flores y Blancaflor*: Hispanic Transformations of a Romance Theme». *La Corónica* 15 (1986-87), 67-71.

935. —. *Desire and Death in the Spanish Sentimental Romance.* Newark, DE: Juan de la Cuesta, 1988 (véase en especial el capítulo 6, «Toward an Approach to the Spanish Sentimental Romances», pp. 111-39).

936. Joseph J. Gwara, ed. *Studies on the Sentimental Romance.* Londres: Tamesis (en prensa).

937. Regula Rohland de Langbehn. «Desarrollo de géneros literarios: La novela sentimental española de los siglos xv y xvi». *Filología* 21 (1986), 57-76.

938. Emily Spinelli. «The Negative Lexicon in the Fifteenth-Century Spanish Sentimental Romance». *La Corónica* 16 (1987-88), 113-25.

939. Keith Whinnom. «*Autor* and *Tratado* in the Fifteenth-Century: Sentimental Novel or Etymological Trap?» *BHS* 59 (1982), 211-18.

940. —. *The Spanish Sentimental Romance, 1440-1550: A Critical Bibliography*. Londres: Grant & Cutler, 1983.

941. —, ed. *Dos opúsculos isabelinos: «La coronación de la señora Gracisla» (BN MS 22020) y Nicolás Núñez, «Cárcel de amor»*. Exeter: Univ. of Exeter, 1979.

Juan Rodríguez del Padrón (o de la Cámara)

942. Gregory P. Andrachuk. «A Further Look at Italian Influence in the *Siervo libre de amor*». *JHP* 6 (1981-82), 45-56.

943. Marina S. Brownlee. «The Generic Status of the *Siervo libre de amor*: Rodríguez del Padrón's Reworking of Dante». *Poetics Today* 5, núm. 3 (1984), 629-43.

944. Peter Cocozzella. «The Thematic Unity of Juan Rodríguez del Padrón's *Siervo libre de amor*». *Hispania* 64 (1981), 188-98.

945. Juan Fernández Jiménez. «La estructura del *Siervo libre de amor* y la crítica reciente». *Cuadernos hispanoamericanos* núm. 388 (1982), 178-90.

946. E. Michael Gerli. «*Siervo libre de amor* and the Penitential Tradition». *JHP* 12 (1987-88), 93-102.

947. Martin S. Gilderman. *Juan Rodríguez de la Cámara*. Boston: Twayne, 1977.

948. Javier Herrero. «The Allegorical Structure of the *Siervo libre de amor*». *Speculum* 55 (1980), 751-64.

949. Olga Tudorica Impey. «Ovid... Sentimental Prose», *véase* [478].

950. Juan Rodríguez del Padrón. *Siervo libre de amor*, ed. Antonio Prieto [y Francisco Serrano Puente]. Madrid: Castalia, 1976. (*)

Triste deleytación

951. F. A. D. C. *Triste deleytación: An Anonymous Fifteenth-Century Romance*, ed. E. Michael Gerli. Washington, D.C.: Georgetown UP, 1982. (*)

952. —. *Triste deleytación*, ed. Regula Rohland de Langbehn. Morón: Universidad, 1983.

Diego de San Pedro

953. Pedro M. Cátedra. «De sermón y teatro, con el enclave de Diego de San Pedro», en *The Age of the Catholic Monarchs* [118], pp. 7-18.

954. Ivy A. Corfis. «The *Dispositio* of Diego de San Pedro's *Cárcel de Amor*». *Iberoromania* n. s. 21 (1985), 32-47.

955. Peter N. Dunn. «Narrator as Character in the *Cárcel de Amor*». *Modern Language Notes* 94 (1979), 188-99.

956. Peter G. Earle. «Love Concepts in *La Cárcel de Amor* and *La Celestina*». *Hispania* 39 (1956), 92-96.

957. E. Michael Gerli. «Leriano's Libation: Notes on the *cancionero* Lyric, *Ars moriendi*, and the Probable Debt to Boccaccio». *Modern Language Notes* 96 (1981), 414-20.

958. Barbara E. Kurtz. «Diego de San Pedro's *Cárcel de Amor* and the Tradition of the Allegorical Edifice». *JHP* 8 (1983-84), 123-38.

959. James Mandrell. «Author and Authority in *Cárcel de Amor*: The Role of *El Auctor*». *JHP* 8 (1983-84), 99-122.

960. Alfonso Rey. «La primera persona narrativa en Diego de San Pedro». *BHS* 58 (1981), 95-102.

961. Regula Rohland de Langbehn. *Zur Interpretation der Romane des Diego de San Pedro.* Heidelberg: Carl Winter, 1970.

962. —. «El problema de los conversos y la novela sentimental», en *The Age of the Catholic Monarchs* [118], pp. 134-43.

963. Diego de San Pedro. *Cárcel de Amor,* en *Obras completas II,* ed. Keith Whinnom, 3.ª ed. Madrid: Castalia, 1985. (*)

964. —. *Cárcel de Amor,* ed. Ivy A. Corfis. Londres: Tamesis, 1985.

965. Dorothy S. Severin. «From the Lamentations of Diego de San Pedro to Pleberio's Lament», en *The Age of the Catholic Monarchs* [118], pp. 178-84.

966. Esther Tórrego. «Convención retórica y ficción narrativa en la *Cárcel de Amor*». *NRFH* 33 (1983), 330-39.

967. Keith Whinnom. *Diego de San Pedro.* Nueva York: Twayne, 1974.

968. Domingo Ynduráin. «Las cartas de Laureola: Beber cenizas». *Edad de Oro* 3 (1984), 299-309.

Juan de Flores

968a. Juan Fernández Jiménez. «Visión social moderna en la obra de Juan de Flores». *Anuario medieval* 1 (1989), 96-106.

969. Juan de Flores. *Grimalte y Gradissa,* ed. Pamela J. Waley. Londres: Tamesis, 1971.

970. —. *Grisel y Mirabella,* en *The Novels of Juan de Flores and Their European Diffusion: A Study in Comparative Literature,* ed. Barbara Matulka. Nueva York: Institute of French Studies, 1931; reimpr. Ginebra: Slatkine, 1974, pp. 331-71. (*)

971. —. *La historia de Grisel y Mirabella: Edición facsímil sobre la de Juan de Cromberger de 1529,* ed. Pablo Alcázar López y José A. González Núñez. Granada: Don Quijote, 1983.

972. —. *Triunfo de amor,* ed. Antonio Gargano. Pisa: Giardini, 1981.

973. Carmen Parrilla. «Un cronista olvidado: Juan de Flores, autor de la *Crónica incompleta de los Reyes Católicos*», en *The Age of the Catholic Monarchs* [118], pp. 123-33.

974. Antony Van Beystervelt. «Revisión de los debates feministas del siglo xv y las novelas de Juan de Flores». *Hispania* 64 (1981), 1-13.

975. Barbara F. Weissberger. «Authors, Characters and Readers in *Grimalte y Gradissa*», en *Creation and Re-Creation: Experiments in Literary Form in Early Modern Spain (Studies in Honor of Stephen Gilman).* Newark, DE: Juan de la Cuesta, 1983, pp. 61-76.

NOVELA DIALOGADA

Celestina: Tragicomedia de Calisto y Melibea

976. John A. Alford y Dennis P. Seniff. «*Celestina* (Fernando de Rojas)», en *LLMA* [22], pp. 238-41, núms. 837-45.

977. Cándido Ayllón. *La perspectiva irónica de Fernando de Rojas.* Madrid: Porrúa Turanzas, 1984.

978. Erna R. Berndt-Kelley. «Peripecias de un título: En torno al nombre de la obra de Fernando de Rojas». *Celestinesca* 9 (1985), 3-45.

979. Francisco Cantalapiedra Erostarbe. *Lectura semiótica formal de «La Celestina».* Kassel: Reichenberger, 1985.

980. Pedro M. Cátedra. «Amor y pedagogía en el trasfondo celestinesco», en «*La Celestina*»: *Actas de la IX Academia Literaria Renacentista*. Salamanca: Universidad (en prensa).

981. *Celestinesca: Boletín informativo internacional* (1977—; a cargo de J. T. Snow, Dept. Romance and Classical Languages, Mich. State Univ., East Lansing, MI 48824 EEUU).

982. [¿Rodrigo de Cota? y] Fernando de Rojas. *Comedia de Calisto y Melibea*, ed. facsímil de la primera edición de Fadrique de Basilea (Burgos, ¿1499?), preparada por Archer M. Huntington. Nueva York: HSA [De Vinne], 1909; reimpr. HSA, 1970.

983. —. *La Celestina*, ed. Dorothy S. Severin, 11.ª ed. Madrid: Alianza, 1986. (*)

984. —. *Celestina: Tragicomedia de Calisto y Melibea*, ed. Miguel Marciales (a cargo de B. Dutton y J. T. Snow), 2 vols. Urbana/Chicago: Univ. of Illinois Press, 1985 (véase la reseña-artículo de Dorothy S. Severin, «*Celestina*: The Marciales Edition», *BHS* 64 [1987], 237-43).

985. Manuel Criado de Val, ed. «*La Celestina*» *y su contorno social: Actas del Primer Congreso Internacional sobre* «*La Celestina*». Barcelona: HISPAM/Borrás, 1977.

986. Alan D. Deyermond. *The Petrarchan Sources of* «*La Celestina*». Londres: Oxford UP, 1961; reimpr. (con una bibliografía suplementaria) Westport, CT: Greenwood, 1975.

987. —. «'¡Muerta soy! ¡Confesión!': Celestina y el arrepentimiento a última hora», en *De los romances-villancicos a la poesía de Claudio Rodríguez: 22 ensayos... en homenaje a Gustav Siebenmann,* ed. J. M. López de Abiada y A. López Bernasocchi. Madrid: J. Esteban, 1984, pp. 129-40.

988. Engracia Domingo García. «En torno a Melibea», en *Homenaje a Álvaro Galmés de Fuentes III.* Oviedo/Madrid: Univ. de Oviedo/Gredos, 1987, pp. 403-19.

989. Peter N. Dunn. *Fernando de Rojas.* Boston: Twayne, 1975.

990. Peter G. Earle. «Love Concepts in... *La Celestina*», véase [956].

991. «El estado de la cuestión: *La Celestina*». *Ínsula* 43, núm. 497 (1988), pp. 17-20 (se trata de varios artículos que constituyen resúmenes de algunas de las ponencias de las *Actas de la IX Academia Literaria Renacentista* [en prensa; cf. 980] celebrada en la Universidad de Salamanca, marzo de 1988).

992. Patricia S. Finch. «The Uses of the Aside in *Celestina*». *Celestinesca* 6 (1982), 19-24.

993. Alberto M. Forcadas. «Sobre las fuentes históricas de '...eclipse ay mañana, etc.' y su posible incidencia en acto I de *Celestina*». *Celestinesca* 7 (1983), 29-37.

994. Louise Fothergill-Payne. *Seneca and* «*Celestina*». Cambridge: Cambridge UP, 1988.

995. Charles A. Fraker. «Declamation and the *Celestina*». *Celestinesca* 9 (1985), 47-64.

996. —. «*Celestina*»: *Genre and Rhetoric.* Londres: Tamesis, 1990.

997. E. Michael Gerli. «Calisto's Hawk and the Image of a Medieval Tradition». *Romania* 104 (1983), 83-101.

998. D. J. Gifford. «Magical Patter: The Place of Verbal Fascination in *La Celestina*», en *Medieval... Studies... Russell* [732], pp. 30-37.

999. Stephen Gilman. *La España de Fernando de Rojas: Panorama intelectual y social de* «*La Celestina*». Madrid: Taurus, 1978.

1000. —. «Entonación y motivación en *La Celestina*», en *Estudios... Horst Baader* [754], pp. 29-35.

1001. Esperanza Gurza. «La oralidad y *La Celestina*», en *Renaissance and Golden Age Essays in Honor of D. W. McPheeters,* ed. Bruno M. Damiani. Potomac, MD: Scripta Humanistica, 1986, pp. 94-105.

1002. Javier Herrero. «Celestina's Craft: The Devil in the Skein». *BHS* 61 (1984), 343-51.

1003. Pierre Heugas. «*La Célestine*» *et sa descendance directe.* Burdeos: Université, 1973.

1004. Lloyd Kasten y Jean Anderson. *Concordance to the* «*Celestina*» *(1499).* Madison/Nueva York: HSMS/HSA, 1976 (se basa en la ed. facsímil de la HSA [982]).

1005. María Rosa Lida de Malkiel. *La originalidad artística de «La Celestina»*. Buenos Aires: EUDEBA, 1962.

1006. —. «El ambiente concreto en *La Celestina*», en *Estudios dedicados a James Homer Herriott*. Madison, WI: Univ. de Wisconsin, 1966, pp. 145-66.

1007. Humberto López Morales. «El teatro en la Edad Media [: *La Celestina*]», en *DBHLE* [64], pp. 554-64 y 567-68.

1008. Adrienne S. Mandel. *«La Celestina» Studies: A Thematic Survey and Bibliography, 1824-1970*. Metuchen, NJ: Scarecrow, 1971.

1009. José A. Maravall. *El mundo social de «La Celestina»*, 3.ª ed. Madrid: Gredos, 1972; reimpr. 1976.

1010. June H. Martin. *Love's Fools: Aucassin, Troilus, Calisto and the Parody of the Courtly Lover*. Londres: Tamesis, 1972.

1011. D. W. McPheeters. *Estudios humanísticos sobre «La Celestina»*. Potomac, MD: Scripta Humanistica, 1985.

1012. Ciriaco Morón Arroyo. *Sentido y forma de «La Celestina»*, 2.ª ed. Madrid: Cátedra, 1984.

1013. Margherita Morreale. «Una bibliografía reciente de *La Celestina*, con unos apuntes sobre la presencia de ésta en Italia». *Rassegna iberistica* 28 (maggio, 1987), 19-26.

1014. Jerry R. Rank. «The Uses of 'Dios' and the Concept of God in *La Celestina*». *RCEH* 5 (1980-81), 75-91.

1015. Martín de Riquer. «Fernando de Rojas y el primer acto de *La Celestina*». *RFE* 41 (1957), 373-95.

1016. Peter E. Russell. «La magia, tema integral de *La Celestina*», en *Temas de «La Celestina»* [178], pp. 241-76.

1017. —. «Tradición literaria y realidad social en *La Celestina*», en *Temas de «La Celestina»* [178], pp. 277-91.

1018. —. «Discordia universal: *La Celestina* como 'floresta de philosophos'». *Ínsula* 43, núm. 497 (1988), pp. 1 y 3.

1019. H. Salvador Martínez. «Cota y Rojas: Una contribución al estudio de las fuentes y la autoría de *La Celestina*». *HR* 48 (1980), 37-55.

1020. Carmelo Samonà. *Aspetti del retoricismo nella «Celestina»*. Roma: Facoltà di Magisterio dell'Università di Roma, 1953.

1021. Dennis P. Seniff. «Bernardo... *Celestina*?», *véase* [830].

1021a. — y Diane M. Wright, eds. «An Edition of the [*romance*] *Entierro de Celestina* Based on Biblioteca Estense (Modena, Italy) Codice Campori 428». *Celestinesca* 13, ii (1989), pp. 59-70.

1022. Dorothy S. Severin. *Memory in «La Celestina»*. Londres: Tamesis, 1970.

1023. —. «Cota, His Imitator, and *La Celestina*: The Evidence Re-Examined». *Celestinesca* 4 (1980), 3-8.

1024. —. «Is *La Celestina* the First Modern Novel?» *Revista de estudios hispánicos* (Puerto Rico) 9 (1982 [1984]), 205-209.

1025. —. «La parodia del amor cortés en *La Celestina*». *Edad de Oro* 3 (1984), 275-79.

1026. —. *Tragicomedy and Novelistic Discourse in «Celestina»*. Cambridge: Cambridge UP, 1989.

1027. —. «From the Lamentations... to Pleberio's Lament», *véase* [965].

1028. Joseph T. Snow. *«Celestina» by Fernando de Rojas: An Annotated Bibliography of World Interest, 1930-1985*. Madison: HSMS, 1985.

1029. —. «Estado actual de los estudios celestinescos», en «El estado de la cuestión» [991], pp. 17-18.

1030. — et al. «Un cuarto de siglo de interés en *La Celestina*, 1949-1975: Documento bibliográfico». *Hispania* 59 (1976), 610-60 (con suplementos, abreviados «LCDB», publicados en *Celestinesca* 1 [1977], 23-45, y números siguientes [981]).

1031. Michael Solomon. «Calisto's Ailment: Bitextual Diagnostics and Parody in *Celestina*». *Revista de estudios hispánicos* 23 (1989), 41-64.

1032. James R. Stamm. *La estructura de «La Celestina»: Una lectura analítica*. Salamanca: Universidad, 1988.

1033. Catherine Swietlicki. «Rojas' View of Women: A Re-Analysis of *La Celestina*». *Hispanófila* 29, núm. 85 (1985-86), 1-13.

1034. Keith Whinnom (†). «El linaje de *La Celestina*». *Ínsula* 42, núm. 490 (1987), pp. 3-4.

1035. —. «El género celestinesco: Origen y desarrollo», en *Literatura en la época del Emperador: Actas de la Academia Literaria Renacentista (VI-VII)*. Salamanca: Universidad, 1988, pp. 119-30.

LIBRO CATALÁN DE AVENTURAS CABALLERESCAS: «TIRANT LO BLANC»

1036. Dámaso Alonso. «*Tirant-lo-Blanc*, novela moderna», en *Primavera temprana* [87], pp. 201-53.

1037. Patricia Boehne. *Dream and Fantasy in Fourteenth- and Fifteenth-Century Catalan Prose*. Barcelona: HISPAM, 1975.

1038. M. Gutiérrez del Caño. «Ensayo bibliográfico del *Tirant lo Blanch*». *RABM* 37 (1953), 259-69.

1039. Thomas R. Hart. «Comedy and Chivalry in *Tirant lo Blanc*», en *The Age of the Catholic Monarchs* [118], pp. 64-70.

1040. Joanot Martorell y Martí Joan de Galba. *Tirant lo Blanc*, ed. Martí de Riquer y Maria Josepa Gallofré, 2 vols., 2.ª ed. Barcelona: Edicions 62, 1985. (*)

1041. —. «*Tirante el Blanco»: Versión castellana impresa en Valladolid en 1511*, ed. Martín de Riquer, 5 vols. Madrid: Espasa-Calpe, 1974. (*)

1042. Kathleen McNerney. «*Tirant lo Blanc» Revisited: A Critical Study*. Detroit, MI: Michigan Consortium for Medieval and Early Modern Studies, 1983.

1043. Ramon Muntaner. *Crònica*, en *Les quatre grans cròniques*, ed. Ferran Soldevila. Barcelona: Selecta, 1971, pp. 667-942.

1044. Antonio Torres-Alcalá. *El realismo del «Tirant lo Blanch» y su influencia en el «Quijote»*. Barcelona: Puvill, 1979.

SIGLOS XI-XIII

A

POESÍA LÍRICA MOZÁRABE, GALLEGO-PORTUGUESA E HISPÁNICA TRADICIONAL

(SIGLOS XI-¿XV?)

MUWAŠŠAḤAS ÁRABES Y HEBREAS CON SUS *ḤARǦAS*

1

Abū Bakr Muḥammad ibn Arfaʿ Raʾ suh (fl. 1043-85); su obra se conserva en el compendio poético *Ǧayš al-tawšīḥ* (hoy los mss. Zayt, Nif y Abd, todos [¿?] archivados en Túnez) de Ibn al-Ḫaṭīb, visir de Granada (1313-74). Ed. de J. M. Solà-Solé, *Corpus de poesía mozárabe: Las ḥarǧa-s andalusíes* (Barcelona: HISPAM, 1973), núm. III, págs. 79-81.

a. *Muwaššaḥa* [versión literal del árabe]:

1. Del amor en los corazones hay secretos / que han revelado las lágrimas. / Y en el cuerpo del enamorado hay una llama / avivada por la pasión. / Perturba el sueño de mi ojo un fuego / que se esconde en el pecho. / ¡Oh, qué fuego! En su ardiente calor he pasado la noche / sin descansar mis ojos, / dando vueltas. Cada vez que me revolvía en la cama, / aumentaba en mi corazón el ardor. (...)

5. Tú eres mi amor, oh colmo de la hermosura: / así pues, ¿por qué dudas? / Duerme en paz; vive confiadamente: / tú, tú eres mi bien amado. / ¡Cuántas doncellas a su madre han hablado en términos alusivos / en un momento de temor del guardián...!

b. Y se propone el texto siguiente de la *ḥarǧa:*

(m f)n' yš lmḥt 'n lḥt   *k(n m) lš m(y b)ry*
(n)wn (m) l'š m(b)'r 'w lmt   *mm (ġ)r kfr'y*

Su vocalización sería:

> *mi fena ÿeš li-maḥtï in luḥtu*   *kon maleš me berey*
> *non me leša moberë aw limtu*   *mam(m)a ġar ke farey*

En lenguaje moderno:

> «Mi pena es a causa de un hombre violento: si salgo / con males me veré; / no me deja mover o soy recriminada. / Madre, dime, qué haré.»

2

Abū ʿĪsà ibn Labbūn, cadí del rey Maʾmūn de Toledo (1043-75); su obra también está conservada en el *Ġayš. Ibid.*, núm. VI, págs. 93-95.

a. *Muwaššaḥa* [versión literal del árabe]:

P[rel.] Se lamenta mi cuerpo / de lo que le ha hecho perder la enfermedad. / Yo la acepto, / aunque lo pierda todo.

1. ¡Qué desgraciado soy! / Muero así de amor / y no hallo / remedio para lo que sufro. / ¡Oh mi amor, / si quieres que perdure / [ven] a besarme, / pues a ti no te daña un beso, / y, en cambio, por su perfume, / sana el enfermo.

2. Ha cautivado mi razón / y ha anonadado mi inteligencia, / a pesar de mi favor, / una gacela humana. / Quiere mi muerte, / pero la adora mi alma, / a pesar de todo, / talmente como si su amor fuera una obligación. / ¡Oh qué desgracia, / pues el poderoso se humilla!

3. Soy un esclavo / de quien soy su señor; / y no hay obstáculo / a lo que Dios quiere: / una pequeña gacela, cuyos ojos / atacan a los leones. / Cuando dispara, / la flecha nunca falla, / ni son los muertos / menos que los disparos.

4. Cuando se infatuó / contra su esclavo mi ser amado, / —y no fue justo, / apartándose de la equidad—, / desde luego no obró con justicia / ni estuvo en lo lícito: / es por la sabiduría / por lo que se dulcifica el agravio; / pero hay que aceptarlo / si lo acepta el ser amado.

5. Cuántas doncellas, / enfermas de amor, sin saberlo, / que desafían por su belleza / al sol y a la luna, / recitaron tristes, / al enterarse de mi condición...

b. *Ḥarǧa*:

> *(ġr)y(d) my*   *k(n)d mw syd[y] yʾ qwm*
> *(k)rʾ blh*   *s(w) ʾlʾs(y) (m) drl*

Su vocalización:

> *ġaride-me*   *k(u)and mio sīdī yā qawmu*
> *ker(r)a bi-llāh*   *suo al-asī me dar-lo*

En lenguaje moderno:

>«Decidme: / ¿cuándo mi señor, oh amigos, / querrá, por Dios, / darme su medicina?»

3

Yehūdā Halevī (c. 1075-c. 1135/45); entre otros códices, su obra se conserva en Oxford: Bodleian [¿?], ms. 1971, y en Jerusalén: Schocken, ms. 37. *Ibid.*, núm. XXIXc, págs. 204-209.

a. *Muwaššaḥa* [versión literal del hebreo]:

1. Gacela hermosa, ten piedad de un corazón / que de continuo en ti mora. / Considera que desde el día en que te fuiste, / mi infortunio ha estado en tu ausencia; / pues habían quedado perturbados mis ojos / de mirar tu esplendor. / De tus mejillas me atacaron / las serpientes que pican, / ya que en su veneno fuego traen / y a mí me apartan. (...)

4. Un día, yo, a causa del vino de su amor, / como ebrio grité de alegría; / pues hizo que me llegaran sus saludos, / quejándose de mí, / por medio de mensajeros y, a su llegada, / a ellos imploraba favor. / Mensajeros de paz vinieron a verme / dos y tres veces. / Sus palabras a mi corazón sedujeron / y a mi espíritu renovaron.

5. Un día en su jardín pacieron mis manos, / y sus pechos acariciaron. / Dijo ella: «¡quita tus manos!, / ciertamente todavía ellos no han probado (tal experiencia).» / Y sus palabras fueron lisonja para mí, / que a mi corazón desarmaron...

b. Y se parte de un texto de la *ḫarǧa:*

> nn m t'nqš y' ḥbyby   f'nkr dn'šw
> 'lġl'lh rkṣh ('t[wt]h)   bšt (m) r(f)šw

Su vocalización sería:

> non me tanqeš yā habībī   fa-encara dan(n)ošo
> al-ġilāla rakṣa_a toto   bašta me refušo

En lenguaje moderno:

>«No me toques, oh amigo mío, / pues todavía es dañoso. / El corpiño (es) frágil. A todo, / basta, me rehúso.»

CANTIGAS DE AMIGO GALLEGO-PORTUGUESAS CONSERVADAS EN EL
CANCIONEIRO DA BIBLIOTECA NACIONAL (LISBOA; olim CANCIONEIRO
COLOCCI-BRANCUTI) Y EN EL CANCIONEIRO DA VATICANA (ROMA)

4

Meendinho (s. xiii), ed. de J. J. Nunes en su *Cantigas d'amigo dos trovadores galego-portugueses*
(3 vols.; Coímbra, 1926-28; reimpr. Nueva York: Kraus Reprint Co., 1971), núm. 252, vol.
II, págs. 229-30.

Sedia-m'eu na ermida de San Simion
e cercaron-mi as ondas, que grandes son:
    eu atendend'o meu amigo,
    eu atendend'o meu amigo!

Estando na ermida ant'o altar,
[e] cercaron-mi as ondas grandes do mar:
    eu atendend'o meu amigo,
    eu atendend'o meu amigo!

E cercaron-mi as ondas, que grandes son,
non ei [i] barqueiro, nen remador:
    eu atendend'o meu amigo,
    eu atendend'o meu amigo!

E cercaron-mi as ondas do alto mar,
non ei i barqueiro, nen sei remar:
    eu atendend'o meu amigo,
    eu atendend'o meu amigo!

Non ei i barqueiro, nen remador,
morrerei fremosa no mar maior:
    eu atendend'o meu amigo,
    eu atendend'o meu amigo!

Non ei i barqueiro, nen sei remar,
morrerei fremosa no alto mar:
    eu atendend'o meu amigo,
    eu atendend'o meu amigo!

[Yo estaba en la ermita de San Simeón, y me cercaron las ondas,
que son grandes —yo, esperando a mi amigo. Estando ante el altar de la
ermita, me cercaron las ondas; no tengo barquero ni remador, ni sé remar.
Moriré hermosa en el mar mayor, en el gran mar —yo, esperando a mi
amigo.]

5

Rey D. Dinis (1261-1325), ed. J. J. Nunes, *ibid.*, núm. 19, vol. II, págs. 19-20.

—Ai flores, ai, flores do verde pĩo,
se sabedes novas do meu amigo?
    ai, Deus, e u é?

Ai, flores, ai, flores do verde ramo,
se sabedes novas do meu amado?
    ai, Deus, e u é?

Se sabedes novas do meu amigo,
aquel que mentiu do que pôs comigo?
    ai, Deus, e u é?

Se sabedes novas do meu amado,
aquel que mentiu do que mi á jurado?
    ai, Deus, e u é?

—Vós me preguntades polo voss' amigo?
E eu ben vos digo que é sã' e vivo:
    ai, Deus, e u é?

Vós me preguntades polo voss' amado?
E eu ben vos digo que é viv' e são:
    ai, Deus, e u é?

E eu ben vos digo que é sã' e vivo
e seerá vosc' ant' o prazo saido:
    ai, Deus, e u é?

E eu ben vos digo que é viv' e são
e s[e]erá vosc' ant' o prazo passado:
    ai, Deus, e u é?

[Ay, flores, ay, flores del verde pino: ¿tenéis noticias de mi amigo? Ay,
Dios, ¿y dónde está? Ay, flores, del verde ramo: ¿tenéis noticias de aquel
que mintió sobre lo que me había prometido? —Tú me preguntas por tu amigo, y yo te digo que está sano y vivo; estará contigo antes de pasar el plazo
prometido.]

6

Nuno Fernandes Torneol (s. xiii), ed. J. J. Nunes, *ibid.*, vol. II, núm. 75, págs. 71-72.

Levad', amigo, que dormides as manhãas frias;
todalas aves do mundo d'amor dizian:
    leda m' and'eu.

Levad', amigo, que dormide'-las frias manhãas;
todalas aves do mundo d'amor cantavan:
　　leda m' and'eu.

Toda-las aves do mundo d'amor diziam;
do meu amor e do voss'en ment'avian:
　　leda m' and'eu.

Toda-las aves do mundo d'amor cantavan;
do meu amor e do voss'i enmentavan:
　　leda m' and'eu.

Do meu amor e do voss'en ment'avian;
vós lhi tolhestes os ramos en que siian:
　　leda m' and'eu.

Do meu amor e do voss'i enmentavam;
vós lhi tolhestes os ramos en que pousavan:
　　leda m' and'eu.

Vós lhi tolhestes os ramos en que siian
e lhis secastes as fontes en que bevian:
　　leda m' and'eu.

Vós lhi tolhestes os ramos en que pousavan
e lhis secastes as fontes u se banhaban:
　　leda m' and'eu.

　　[Levántate, amigo, que duermes las mañanas frías: todas las aves del mundo cantan del amor —alegre ando yo. Todas las aves del mundo piensan en
mi amor y el tuyo; pero tú les quitaste los ramos en que se posaban. Tú
les secaste las fuentes en que bebían y en donde se bañaban. ¡Alegre ando yo!]

7

Pero Meogo (s. XIII), ed. J. J. Nunes, *ibid.*, vol. II, núm. 419, págs. 379-80.

—Digades, filha, mia filha velida:
porque tardastes na fontana fria?
　　os amores ei.

Digades, filha, mia filha louçana:
porque tardastes na fria fontana?
　　os amores ei.

—Tardei, mia madre, na fontana fria,
cervos do monte a augua volvian:
　　os amores ei.

Tardei, mia madre, na fria fontana,
cervos do monte volvian a augua:
　　os amores ei.

—Mentir, mia filha, mentir por amigo;
nunca vi cervo que volvess'o rio:
os amores ei.

Mentir, mia filha, mentir por amado;
nunca vi cervo que volvess'o alto:
os amores ei.

[—Dime, hija, mi hermosa y alegre hija: ¿por qué tardaste en la fuente fría? —Tengo amores... —Tardé, madre, porque los ciervos del monte enturbiaron las aguas. —Mientes, mi hija, por tu amigo: nunca he visto ciervo que enturbiase el río, o lo alto de él.]

VILLANCICOS, CANTARES, CANCIONES Y ENDECHAS

8

Villancico, año 998, recogido en Lucas de Tuy, *Chronicon mundi* (1236), ed. de A. Schottus, *Hispaniae illustratae IV* (Francofurti: Cl. Marnium, 1608), pág. 88.

En Canatanazor
perdio Almãzor
el tambor

[cf. el texto alfonsí del «Ensayo: E. 16-17c Historia», *supra*]

9

Cantar paralelístico, c. 1158, recogido en la *Crónica de la población de Ávila* (h. 1255), ed. de A. Hernández Segura (Valencia: *Textos medievales* [20], 1966), págs. 25-26. Estudio y disposición del cantar de F. Rico en «Çorraquín Sancho, Roldán y Oliveros: Un cantar paralelístico del siglo XIII», *Homenaje a la memoria de A. Rodríguez-Moñino, 1910-1970* (Madrid: Castalia, 1975), págs. 537-64 a la pág. 546.

Cantan de Roldán,
cantan de Olivero,
e non de Çorraquín,
que fue buen cavallero.

Cantan de Olivero,
cantan de Roldán,
e non de Çorraquín,
que fue buen barragán.

10

Canción de alborada. Madrid: Palacio, ms. 1335, fol. 5r. Se trata del *Cancionero musical de Palacio* (fechado h. 1500), núm. 7, ed. de H. Anglès y J. Romeu Figueras en *La música en la corte de los Reyes Católicos* (ts. II, III, IV-1 y IV-2; Barcelona: CSIC, 1947-65).

Al alba venid, buen amigo,
al alba venid.

Amigo, el que yo más quería,
venid al alba del día.

Amigo, el que yo más quería,
venid a la luz del día.

Amigo, el que yo más amaba,
venid a la luz del alba.

Venid a la luz del día,
non trayáis compañía.

Venid a la luz del alba,
non traigáis gran compaña.

11

Canción de alba (albada), según un *Cancioneiro* de la Bibl. Hortensia, ed. M. Joaquim y reimpresa por M. Alvar en *Poesía española medieval* (Barcelona: Planeta, 1969), núm. CDLXX, págs. 967-68.

Ya cantan los gallos,
amor mío, y vete,
cata que amanece.

Vete, alma mía,
más tarde no esperes,
no descubra el día
los nuestros placeres.

Cata que los gallos,
según me parece,
dicen que amanece.

12

Canción de primavera. Madrid: Palacio, ms. 1335, fol. 52r, ed. H. Anglès/J. Romeu Figueras, *Cancionero,* núm. 76.

Entra mayo y sale abril,
tan garridico le vi venir.

Entra mayo con sus flores,
sale abril con sus amores,
y los dulces amadores
comienzan a bien servir.

13

Recogida por Pisador (1552) y reimpresa por M. Alvar, *Poesía...*, núm. CCCLXX, pág. 921.

Si te vas a bañar, Juanica,
dime a cuáles baños vas:
¡Juanica, cuerpo garrido!

14

También recogida por Pisador; reimpr. en M. Alvar, *ibid.*, núm. CCCLXXI, pág. 921.

En la fuente del rosel
lava la niña y el doncel:
él a ella y ella a él.

15

Del *Cancionero* de Velázquez de Ávila, pág. 87; reimpr. en M. Alvar, *ibid.*, núm. CCCLXXVII, pág. 923.

¡Oh, cuán tristes son las noches
y los días para mí!
¡No solían ser assí!

16

Madrid: Palacio, ms. 1335, fol. 16r, ed. H. Anglès/J. Romeu Figueras, *Cancionero...*, núm. 24.

Tres morillas me enamoran
en Jaén:
Axa y Fátima y Marién.
Tres morillas tan garridas
iban a coger olivas,

y hallábanlas cogidas
en Jaén:
Axa y Fátima y Marién.

Y hallábanlas cogidas
y tornaban desmaídas
y las colores perdidas
en Jaén:
Axa y Fátima y Marién.

Tres moricas tan lozanas,
tres moricas tan lozanas,
iban a coger manzanas
a Jaén:
Axa y Fátima y Marién.

17

Cuarteta recogida en el *Cancionero* de Sebastián de Horozco (no impreso hasta 1874) con reimpresión en M. Alvar, *Poesía...*, núm. CCCLXXXVI, págs. 925-26.

Besábale y enamorábale
la doncella al villanchón;
besábale y enamorábale,
y él metido en un rincón.

18

Madrid: Nacional, ms. 3915, fol. 320r (letra del s. XVI [¿?]). Transcripción de D. P. Seniff.

Aunque soy morena,
no soy de olvidar,
que la tierra negra
¡pan blanco suele dar!

19

Madrid: Palacio, ms. 1335, fol. 138v, ed. H. Anglès/J. Romeu Figueras, *Cancionero*, núm. 238.

Buen amor, no me deis guerra,
que esta noche es la primera.
Así os vea, caballero,
de la frontera venir,
como toda aquesta noche
vós me la dejéis dormir.

20

Madrid: Palacio, ms. 1335, fol. 128v, ed. H. Anglès/J. Romeu Figueras, *Cancionero,* núm. 215.

En Ávila, mis ojos,
dentro en Ávila.
En Ávila del Río
mataron a mi amigo,
dentro en Ávila.

21

Endecha sefardí, ed. de M. Alvar y M.ª Teresa Rubiato, *Endechas judeo-españolas* (2.ª ed. refund. y aum.; Madrid: CSIC, Instituto «Arias Montano», 1969), texto XIIb, pág. 194.

Pariome mi madre
en una noche oscura,
ponime por nombre
niñá y sin fortuna.
[5]   Ya crecen las yerbas
y dan amarillo,
triste mi corazón
vive con sospiro.
   Ya crecen las yerbas
10 y dan de colores,
triste nací yo,
vivo con dolores.

B

POESÍA ÉPICA

(SIGLOS XII-XIII)

1

Roncesvalles (c. 1230). Pamplona: Archivo General de Navarra, ms. 212 (incompleto, de comienzos del s. XIV), ed. de R. Menéndez Pidal, «*Roncesvalles:* Un nuevo cantar de gesta español del siglo XIII», *RFE,* 4 (1917), págs. 105-204. Se sigue el texto crítico, págs. 114-17.

[LAMENTO DE CARLOMAGNO POR EL CONDE ROLDÁN Y OTROS GUERREROS MUERTOS EN LA EMBOSCADA DE RONCESVALLES, AÑO DE 778]

....
ra[ç]onóse con ella, como si fuese bivo:
«Bueno pora las armas, mejor pora ante Jesuchristo,
»consejador de pecadores e dar... tanto ...da...
»el cuerpo pri*so* martirio por que le... dino
5 »¿Mas quién aconseyará este viejo mesquino,
»que finca en grant cuita *con mor*os *en p*er*iglo*!»
    Aquí clamó sus escuderos Carlos el *enper*a*nte:*
«¡Sacat al arçebispo desta mortaldade!
»Levémosle a su t*ierra* a Flanderes la ciudade.»
10   El enperador andava catando por la mortaldade;
vido en la plaça Oliveros ó yaze,
el escudo crebantado por medio del braçale;
non vio sano en éll quanto un dinero *cabe;*
tornado yaze a orient, como lo puso Roldán*e.*
15   El buen enperador mandó la cabeça alçar*e*
que la linpiasen la cara del polvo e de la sangre.
Como si fuese bivo, començólo de preguntare:

«Digádesme, don Oliveros, cavallero naturale,
»¿dó dexastes a Roldán?, digádesme la verdade.
20 »Quando vos fiz conpanneros diéstesme tal omenaje
por que nunca en vuestra vida non fuésedes partidos *máes*.
»Dizímelo, don Oliveros, ¿dó lo iré buscare?
»Yo demandava por don Roldán a la priesa tan grande.
»¡Ya mi sobrino, dónt vos iré buscare?»
25   Vío un colpe que fizo don Roldáne:
«Esto fizo con cueyta con grant dolor que aviá*e*.»
Estonz alçó los ojos, cató cabo adelante,
vido a don Roldán acostado a un pilare,
como se acostó a la ora de finare.
30 El rey quando lo vido, oít lo que faze,
a*r*riba alçó las manos, por las barbas tirare,
por las barbas floridas bermeja sallia la sangre;
essa ora el buen rey oít lo que dirá*de*,
diz: «¡Muerto es mio sobrino, el buen de don Roldáne!
35 »Aquí veo atal cosa que nunca vi tan grande;
»yo era pora morir, e vós pora escapare.
»Tanto buen amigo vós me soliádes ganare;
»Por vuestra amor a*r*riba muchos me solián amare;
»pues vós sodes muerto, sobrino, buscar me an todo mal*e*.
40 »Asaz veo una cosa que sé que es verdade:
»que la *vuest*ra alma bien sé que es en buen logare;
»mas atal viejo mezquino, ¿agora que fará*de*?
»Oi é perdido esfuerço con que soliá ganare.
      »¡Ai, mi sobr*i*no, non me queredes fablare!
45 »Non vos veo colpe nin lançada por que oviésedes male,
»por esso non vos c*r*eo que muerto sodes, don Roldáne.
»Dexá*m*osvos a çaga do*n*de prisiestes male;
»¡las mesnadas e los pares anbos van allá*e*
»con vós, e amigo por amor de a vos guardare!
50 »Sobrino, ¿por esso non me queredes fablare?
»Pues vós sodes muerto, Françia poco vale.
»Mio sobrino, ante que finásedes *era* yo pora morir má*es*.
»Atal viejo meçquino, ¿qui lo conseyará*de*?
      »Quando fui mançebo de la primera edade,
55 »quis a*n*dar ganar preçio de Francia, de mi t*ier*ra natural;
»fuime a Toledo a servir al rey Galafre
»que ganase a Durandarte large;
»ganéla de moros quando maté a Braymante,
»díla a vós, sobrino, con tal omenage
60 »que con vuestras manos non la diésedes a nadi;
»saquéla de moros, vós tornástela allá*e*.
»¡Dios vos perdone, que non podiestes má*es*!

»Con vuestra rencura el coraçón me quiere crebare.
    »Sallíme de Françia a tierras estrannas morare
65 »por conquerir proveza e demandar linaje;
    »acabé a Galiana, a la muger leale.
    »Naçiestes, mi sobrino; a diezesiete annos de edade,
    »fizvos cavallero a un precio tan grande.
    »Metím al camino, pasé ata la mare,
70 »pasé Jerusalem, fasta la fuent Jordane;
    »corriémos las tierras della e della parte.

    »Con vós conquís Truquía e Roma a priessa dava.
    »Con vuestro esfuerço arriba entramos en Espanna,
    »matastes los moros e las tierras ganávas,
75 »adobé los caminos del apostol Santiague;
    »non conquís a Çaragoça, ónt me ferió tal lançada.

    »¡Con tal duelo estó, sobrino, agora non fués bivo!
79 »¡Agora ploguiés al Criador, a mi sennor Jesuchristo,
80 »que finase en este logar, que me levase contigo!
78 »d'aquestos muertos que aquí tengo conmigo
81 »dizir me ias las nuevas, cada uno cómo fizo.»
    El rey quando esto dixo, cayó esmortecido.

    Dexemos al rey Karlos fablemos de ále,
    digamos del duc Aymón, padre de don Rinalte.
85 Vido yazer su fijo entre las mortaldades;
    despennós del cavallo, tan grant duelo que faze,
    alçóli la cabeça, odredes lo que diráde:
    «Fijo, vuestras mannas, ¿quí las podriá contare?
    »que cuerpo tan caboso omen non vió otro tale.
    »¡Vós fuérades pora bivir, e yo pora morir máes!
90 »Mas atal viejo mezquino siempre avrá male.
    »Por que más me conuerto por que perdoneste a Roldáne.
    »¡Finastes sobre moros, vuestra alma es en buen logare!
    »¿Quí levará los mandados a vuestra madre a las tierras de Montalbane?»
    El duc faziendo su duelo muyt grande,
95 veniáli el mandado que yaziá esmortecido el emperante.
    Mandó sacar el fijo de entre las mortaldades.

    Veniá el duc Aymón, e ese duc de Bretanna
    e el caballero Belart, el fi de Terrín d'Ardanna;
    vidieron al rey esmortecido dó estava,
100 prenden agua fría, al rei con ella davan.
    ....

2

Poema de Fernán González (c. 1250). Escorial: Monasterio, ms. b. IV. 21 (letra del s. xv), ed. de A. Zamora Vicente (4.ª ed.; Madrid: Espasa-Calpe, 1970).

VII

FERNÁN GONZÁLEZ

173   Ovo nonbre Fernando [*esse*] conde prymero [1],
nunca fue en el mundo otrro tal cavallero,
este fue de los moros vn mortal omiçero,
dizien le por sus lides el «vueytrre carniçero».

174   Fyzo grrandes batallas con la gent descreyda,
e les fyzo lazrar a la mayor medida,
ensancho en Casty[e]lla vna [*muy*] grran[*d*] partyda,
ouo en el su tienpo mucha sangrue uertyda.

175   El conde don Fernando con muy poca conpanna
—en contar lo que fyzo semejaria fazanna—,
mantovo syenpre guerra con los rrey[e]s d'Espanna,
non dava mas por ellos que por vna castanna.

176   Enante que entrremos delante en la rrazon,
dezir uos he del conde qual fue su cryazon,
furtol' vn pobrezy[e]llo que labraua carbon,
tovol' en la montanna vna grran[*d*] sazon.

177   Quanto podia el amo ganar de su mester,
[*todo*] al buen cryado dava muy volunter,
de qual linax venia fazia gelo entender,
avya quando lo oya el moço grran[*d*] plazer.

178   Quando yva el moço las cosas entendiendo,
oyo com a Cast[*y*]ella moros yvan corriendo.
«Ualas me, dixo, Cristo, yo a ty me encomiendo,
en coyta es Cast[*y*]ella segunt que yo entyendo.»

179   «Sennor, ya tienpo era, sy fues[*s*]e tu mesura,
que mudas[*s*]es la rrueda que anda a la ventura;
assaz an castellanos pas[*s*]ada de rrencura,
gentes nunca pas[*s*]aron atan mala ventura.»

180   «Sen[*n*]or, ya tienpo era de salir de cavannas,
que non só yo os[*s*]o brauo por uevyr en montannas;
tienpo es ya que sepan de mi las mis conpannas,
e yo sepa el mundo e las cosas estrannas.»

---

[1] El Fernán González histórico, primer conde de Castilla, nació c. 915 y murió en 970.

181 «Castellanos [*perdieron*] sonbra e grrand abrygo,
la ora que murio mi ermano don Rrodrygo,
avyan en el los moros un mortal enemigo,
sy yo d'aqui non salgo nunca valdre un fygo.» (...)

IX

SAN PEDRO DE ARLANZA.—PROFECÍA
DE FRAY PELAYO

225 El cond Ferran Gonçalez, cuerpo de buenas mannas,
cavalgo su cavallo, partios' de sus conpannas,
por yr buscar vn puerco, metios' por las montannas,
fallo lo en vn arroyo çerca de Vasqueban[n]as.

226 Acojio se el puerco a vn fyero lugar,
dó tenia su cueva e solia aluergar,
non se oso el puerco en cueva asegurar,
fuxo a vn ermita, metyos' tras el altar.

227 Era es[s]a ermita duna yedra çercada,
por que de toda ella non paresçia nada,
tres monjes ý veuian vida fuerte lazrada,
San Pedro avia nonbre es[s]a casa sagrrada.

228 Non pudo por la penna el conde aguijar,
sorrendo el cavallo, ovos' de apear,
por dó se metio'l puerco, metios' por es['] lugar,
entrro por la ermita, llego fasta'l altar.

229 Quand vio don Fernando tan onrrado logar,
desanparo el puerco, non lo quiso matar;
«Sennor, diz, a quien temen los vientos e la mar,
sy yo erre en esto deves me perdonar.»

230 «A ty me manifyesto, Virgen Santa Maria,
que d'esta santydat, Sen[n]ora, non sabia;
por ý fazer enojo aqui non entrraria,
sy non por dar ofrenda o por fer rromeria.»

231 «Sennor, tu me perdona, me val e me ayuda
contra la gent pagana que tanto me seguda,
anpara a Casty[e]lla de la gent descreuda,
sy tu non la anparas tengo la por perduda.»

232 Quando la oraçion el conde ovo acabada,
vyno a el vn monje de la pobre posada,
Pelayo avya nonbre, uiuia vyda lazrada,
salvol' e preguntol' qual era su andada.

233 Dyxo que tras el puerco [*el*] era ý venido,
era de su mesnada arredrrado e partydo,

sy por pecados fues[s]e de Almozor [1bis] sabydo,
non fyncaria tierra donde escapas[s]e uiuo.

234   Rrecudio'l monje [e] dixo: «Ruegot por Dios, amigo,
sy fues[s]e tu mesura, que ospedes conmigo,
dar te [é] yo pan de ordio ca non tengo de trygo,
sabras commo as de fer contra'l tu enemigo.»

235   El cond Ferran Gonçalez, de todo byen conplido,
del monje don Pelayo rresçibio su convydo,
del ermitanno santo tovos' por byen seruido,
mejor non aluergara despues que fuera uiuo.

236   Dyxo don frray Pelayo escontrra su sennor:
«Fago te, el buen conde, de tanto sabydor,
que quier la tu fazienda guiar el Cryador,
vençras tod el poder del moro Almozor.»

237   «Faras grrandes batallas en la gent descreyda,
muchas seran las gentes a quien [toldras] la vida,
cobrraras de la tierra vna buena partyda,
la sangrue de los rreyes por ty sera vertyda.»

238   «Non quiero mas dezir te de toda tu andança,
sera por tod el mundo temida la tu lança,
quanto que te yo digo ten lo por segurança,
dos vezes seras preso crey me syn[es] dudança.»

239   «Antes de terçer dia seras en grran[d] cuydado,
ca veras el tu pueblo todo muy espantado,
veran vn fuerte sygno qual nunca vyo omne nado,
el mas loçano dellos sera muy desmayado.»

240   «Tu confortar los has quanto mejor podieres,
dezir les as a todos que semejan mugeres,
departe les el [sygno] quanto mejor sopieres,
perderan tod el miedo quand gelo departieres.»

241   «Espydete agora con lo que as oydo,
aqueste lugar pobre non eches en oluido,
fallaras el tu pueblo triste e dolorido,
ffaziendo lloro e l[l]anto, metiendo apellido.»

242   «Por lloro nin [por] llanto non fazen ningun tuerto,
ca piensan que eres preso o que moros te han muerto,
que quedan syn sennor e syn ningun confuerto,
coydavan con los moros por ty salir a puerto.»

243   «[Mas] rruego te, amigo, e pydot' lo de grrado,
[que] quando ovyeres tu el canpo arrancado,

[1bis] *Almozor,* 'Almanzor': Se refiere a un poderoso general moro (quizás equivocado por *Almudhaffar,* personaje noble) de Abderrahmán III, califa de Córdoba (reinó entre 912 y 961). Se distingue entre este «Almanzor I» y otro famoso guerrero posterior (cf. nota 11).

venga [se] te en miente dest convento lazrado,
e non se te oluide el pobre ospedado.»

244 «Sennor, tres monjes somos, assaz pobre convento,
la nuestra pobre vyda non ha [nin] par nin cuento,
sy Dios non nos enbya algun consolamiento,
daremos a las syerpes nuestro avytamiento.»

245 El conde diol' rrespuesta commo omne ensennado.
Dixo: «Don Frray Pelayo, non aya[de]s cuydado,
quanto [que] demandastes ser vos ha otorgado,
conosçredes a donde diestes vuestrro ospedado.»

246 «Sy Dios aquesta lid me dexa arrancar,
quiero tod el mio quinto a este lugar dar,
demas, quando muriere, aqui me soterrar,
que mejore por mi syenpre este lugar.»

247 «Ffare otra yglesia de mas fuerte çimiento,
fare dentrro en ella el mi soterramiento,
dare ý donde uivan [de] monjes mas de çiento,
siruan todos a Dios, fagan su mandamiento.» (...)

XVIII-XX

BATALLA DE HACINAS

LA SERPIENTE EN LLAMAS

464 Çenaron e folgaron es[s]a gente cruzada,
....
todos a Dios rrogaron con voluntad pagada,
que ý les ayvdas[s]e la [su] virtud sagrrada.

465 Vyeron aquella noche vna muy fyera cosa,
venie por el ayre vna syerpe rrabiosa,
dando muy fuertes gruytos la fantasma astrosa,
toda venie sangruienta, bermeja commo rrosa.

466 Fazia ella senblante que feryda venia,
semejava en los gruytos que el çielo partya,
alunbraua las vestes el fuego que vertya,
todos ovyeron miedo que quemar los venia.

467 Non ovo end ninguno que fues tan esforçado,
que grran[d] miedo non ovo e [non] fue espantado;
cayeron muchos omnes en tierra del espanto,
ovyeron muy grran[d] miedo tod el pueblo crruzado.

468 Despertaron al conde que era ya dormido,
ante que el venies[s]e el culuebro era ydo,
fallo tod el su pueblo commo [muy] desmaydo,
demando del culuebro commo fuera venido.

469 Dyxeron gelo todo de qual guisa veniera,
commo cosa feryda que grrandes gritos diera,
vuelta venia en fuego aquella bestya fyera,
marauilla la tierra non la ençendiera.

470 Quando gelo contaron as[s]y commo lo vyeron,
entendio byen el conde que grran[d] miedo ovyeron,
que esta atal fygura diablos la fyzieron,
a los pueblos cruzados rreuoluer los quisieron.

471 A los moros tenia que venia ayvdar,
coydavan syn[es] duda a cristianos espantar,
por tal que los cruzados se ovyeran tornar,
quisyera[n] en la veste algun fuego echar. (...)

Intervención del Apóstol Santiago. Victoria

550 Querellandos' a Dios el conde don Ferrando,
los finojos fincados, al Criador rogando,
oyo vna grrand voz que le estaua llamando:
«Ferrando de Castiella, oy te crez muy grrand bando.»

551 Alço suso sus ojos por ver quien lo llamaua,
vyo'l santo apostol que de suso le estaua,
de caveros con el grran[d] conpanna lleuaua,
todos armas cruzadas com a el semejaua.

552 Fueron contra los moros, las hazes [byen] paradas,
nunca vyo omne [nado] gentes tan esforçadas,
el moro Almançor con todas sus mesnadas,
con ellos fueron luego fuerte m[i]ente enbargadas.

553 Veyen d'una sennal tantos pueblos armados,
ovyeron muy grand miedo, fueron mal espantados,
de qual parte venian eran marauillados,
lo que mas les pesaua que eran todos cruzados.

554 Dixo Rey Almançor: «Esto non puede ser.
¿Dónd recreço al conde atan fuerte poder?
Cuydaua yo oy syn duda le matar o prender,
e [aura] con [sus] gentes el a nós cometer.»

555 Los crystianos mesquinos que estauan cansados,
de fincar con las animas eran desfiuzados,
fueron con el apostol muy fuerte confortados,
nunca fueron en ora tan fuerte esforçados.

556 [Acresçio] les esfuerço, tod el miedo perdieron,
en los pueblos paganos grran[d] mortandad fizieron;
los poderes de Africa sofryr non lo pudieron,
tornaron las espaldas, del canpo se mouieron.

557   Quand vyo don Ferrando que espaldas tornauan,
       que con miedo de muerte el canpo les dexauan,
       el conde e sus gentes fuerte los aquexauan,
       espuelas [e] açotes en [las] manos tomauan.

558   Fasta en [Almenar] a moros malfaçaron,
       muchos fueron los presos, muchos los que mataron,
       vn dia e dos noches sienpre los alcançaron,
       despues al terçer dia a Fazinas se tornaron. (...)

XXI

CORTES EN LEÓN.—VENTA DEL AZOR
Y EL CABALLO

564   Enbio Sancho Ordonnez al buen conde mandado,
       que queria fazer cortes e que fues[s]e pryado,
       e que eran ayuntados todos los del Reynado,
       por el solo tardaua que non era ý g[u]yado.

565   Ovo yr a las cortes pero con gran[d] pesar,
       era muy fiera cosa la mano le besar;
       «Sennor Dios de los çielos, quieras me ayudar,
       que yo pueda a Casti[e]lla desta premia sacar».

566   El Rey e sus varones muy byen le reçebieron,
       todos con el buen conde muy grrand gozo ovieron,
       fasta en su posada todos con el venieron,
       entrante de la puerta todos se despedieron.

567   A chycos e a grrandes de toda la çibdad,
       la venida del conde plazia de voluntad;
       a la Reyna sola pesaua por verdad,
       que avya con el [conde] muy grrand enemistad.

568   Auia en estas cortes muy grran[d] pueblo sobejo,
       despues que'l conde vino duro les poquellejo,
       [ca] dio les el buen conde mucho de buen consejo,
       dellos en poridad, dellos por buen conçejo.

569   Leuava don Ferrando vn mudado açor,
       non auia en Casti[e]lla otro tal nin mejor,
       otros[s]y vn cauallo que fue[ra] d'Almançor,
       auia de todo ello el Rey muy grran[d] sabor.

570   De grran[d] sabor el Rey de a ello[s] lleuar,
       luego dixo al conde que lo[s] queria conprar.
       «Non lo[s] vendria, sennor, mandedes lo[s] tomar,
       vender non vos lo[s] quiero mas quiero vos lo[s] dar.»

571   El Rey dixo al conde que non lo[s] tomaria,
       mas açor e cavallo que gelo[s] co[n]praria,

que d'aquella moneda mill marcos le daria,
por açor e cavallo sy dar gelo[s] queria.

572   Avenieron se anbos, fizieron su mercado,
puso quando lo diesse a dia sen[n]alado;
sy el auer non fues[s]e aquel dia pagado,
si[e]npre fues cada dia al gallarin doblado.

573   Cartas por A B C partydas ý fizieron,
todos los paramentos alli los escriuieron,
en cabo de la carta los testigos pusieron,
quantos a esta merca delante estouieron.

574   Assaz avia el Rey buen cauallo conprado,
mas saliol' a tres annos muy caro el mercado.
con el auer de Françia nunca seria pagado,
por ý perdio el Rey Casti[e]lla su condado.

575   Fueron todas las cortes desfechas e partidas,
las gentes castellanas fueron todas venidas, (...)

XXII

TRAICIÓN DEL REY NAVARRO. PRISIÓN DEL CONDE

594   Fue luego don Ferrando en los fierros metido,
de grran[d] pesar que ovo cayo amorteçido;
a cabo d'una pyeça torno en su sentido,
dixo: «Sen[n]or del mundo ¿por que me as fallido?»

595   «Sennor Dios, si quisiesses que yo fues venturado,
que a mi los nauarros me fallas[s]en armado,
aquesto te ternia a merçed e [a] grrado,
e por esto me tengo de ti desanparado.» (...)

XXV

SANCHA LIBERTA AL CONDE

628   La infant donna Sancha, de todo byen conplida,
fue luego al casty[e]llo, ella luego sobyda,
quando vyo al conde tovo se por guaryda.
«Sennora, dixo el, ¿qual es esta venida?»

629   —«Buen conde, dixo ella, esto faz buen amor,
que tuelle a las duennas verguença e pavor,
oluidan los paryentes por el entendedor,
[ca] de lo que el se paga tyenen lo por mejor.»

630   «Sodes por mi amor, conde, mucho lazrado,
ond nunca byen ovyestes sodes en grran[d] cuydado;

conde, non vos quexedes e sed byen segurado,
sacar vos he d'aqui alegrue e pagado.»

631   «Sy vós luego agora d'aqui salir queredes,
pleyto [e] omenaje en mi mano faredes,
que por duenna en mundo a mi non dex[ar]edes,
comigo bendiçiones e mis[s]a prenderedes.»

632   «Sy esto non fazedes en la carçel mor[r]edes,
commo omne sy[n] consejo nunca d'aqui saldredes;
vós, mesquino, pensat lo, sy buen seso avedes,
sy vós por vuestra culpa atal duenna perdedes.»

633   Quand esto oyo el conde tovo se por guarydo,
e dixo entressy: «¡Sy fues[s]e ya conplido!»
—«Sennora, dixo el conde, por verdat vos lo digo,
seredes mi muger e yo vuestrro marydo.»

634   «Quien desto vos falliere sea de Dios fallido,
falesca le la vyda com falso descreydo,
rruego vos lo, sennora, en merçed vos lo pydo,
que lo que fablastes non echedes en oluido.»

635   El conde don Fernando dixo cosa fermosa:
«Sy vós guisar podieredes de fazer esta cosa,
mientrra [que] vós vysquieredes nunca aure otrra sposa,
sy desto vos falliere falescam' la Gloriosa.»

636   Quando tod esto ovyeron [entressy] afyrmado,
luego saco la duenna al conde don Fernando.
«Vayamos nos, sennor, que todo es guisado,
del buen rrey don Garçia non sea mesturado.»

637   El camino françes ovyeron a dexar,
tomaron a syniestra por vn grrand ençinar,
el conde don Fernando non podia andar,
ouol' ella vn poco a cuestas a llevar.

638   Quando se fue la noche el dia quier paresçer;
enant que ningun omne los podies[s]e v[e]er
vyeron vn monte espes[s]o, fueron se ý meter,
[e] ovyeron alli la noche atender.

XXVI

EL MAL ARCIPRESTE

639   Dexemos í a ellos en la mata estar,
veredes quanta coyta les querya Dios dar:
d'un a[r]çipreste malo que yva a caçar,
ovyeron los podencos en el rrastro entrrar.

640   Fueron luego los canes dó yazien en la mata,
el conde e la duenna fueron en grrand rrebata,
el a[r]çipreste malo quand vyo la barata,
plogol' mas que sy ganase a Acre e [D]amiata.

641   Assy commo los vyo començo de dezir:
dixo: «Donos traydores, non [vos] podedes yr,
del buen rrey don Garçia non podredes foyr,
amos a dos avredes mala muerte morir.»

642   Dixo el cond: «Por Dios sea [la] tu bondat,
que nos quieras tener aquesta porydat,
en medio de Casty[e]lla dar te [he] vna çibdat,
de guisa que la ayas syenpre por eredat.»

643   El falso [descreydo] llieno de crueldat,
mas que sy fues[s]en canes non ovo piedat.
«[El] conde, sy tu quieres que sea porydat,
dexa me con la duenna conplir mi voluntat.»

644   Quand vyo don Fernando cosa tan desguisada,
non serya mas quexado syl' dies vna lançada.
Dixo el conde: «Pydes cosa [muy] desguisada,
por poco de trabajo demandas grran[d] soldada.»

645   La duenna fue hartera escontrra'l coronado:
«A[r]çiprest, [lo] que quieres yo lo fare de grrado,
por end non nos perdremos amos e el condado;
mas val que ayunemos todos tres el pecado.»

646   Dyxol' luego la duenna: «Pensat vos despojar,
aver vos ha el conde los pannos de guardar,
[e] por que [el] non vea atan fuerte pesar,
plega vos, a[r]çipreste, d'aqui vos apartar.»

647   Quando el arçipreste ovo aquesto oydo,
ovo grrand alegruia e tovos' por guarydo,
verguença non avya el falso descreydo,
confonder cuydo a otrro mas el fue confondydo.

648   Ovyeron se entrramos ya quanto d'apartar,
cuydara se la cosa el luego acabar,
ouo el a[r]çipreste con ella de travar,
con sus brraços abyertos yva se la abrraçar.

649   La infant donna Sancha, duenna tan mesurada
—nunca omne [non] vyo duenna tan esforçada—,
[trauol' a la boruca], diol' vna grran[d] tyrada,
dixo: «Don trraydor, de ty sere vengada.»

650   El conde a la duenna non podia ayudar,
ca tenia grrandes fyerros e non podia andar,
cuchy[e]llo en la mano ovo a ella llegar,
ovyeron le entrramos al traydor de matar.

651 Quando de tal manera morio el traydor
 —nunca merced le quiera aver el Cryador—,
 la mula e los pannos e el mudado açor,
 quiso Dios que ovyes[s]e[n] mas onrrado sennor.

652 Tovyeron tod el dia la mula arrendada,
 el dia fue salido, la noche omillada,
 quando vyeron que era la noche aquedada,
 movyeron se andar por medio la calçada.

3

El cantar de Sancho II y el cerco de Zamora (¿siglos XI-XII?), ed. de C. Reig (Anejo XXXVII de la *RFE,* Madrid, 1947, págs. 104-13); reimpresión con títulos y numeración de M. Alvar en *Poesía española medieval* (Barcelona: Planeta, 1969), núm. XXVI, págs. 51-54. Se sigue el texto de Alvar.

Sancho II [reinó en Castilla 1065-72] se propone adquirir Zamora

 (...) [«] Quiero vos rogar agora como amigo et buen vasallo [Cid,]
 que vayades a Çamora a doña Urraca Fernando
 para que me dé la villa por haber o por cambio
 et que le daré a Medina con todo su infantadgo
10 desde Valladolid fasta Villalpando
 et a Tiedra, que es buen castiello armado.
 Et fazerle he juramentado con doze de mis vasallos,
 que nunca sea contra ella ....
 Et si esto non quisiere gela tomaré sin grado.»
15 Estonce dixo el Cid: «Señor, con ese mandado
 inviad otro mensajero ....
 ca yo fui con doña Urraca criado.

Doña Urraca comunica al concejo la propuesta de Sancho II. Los zamoranos la rechazan

 ....
 contra la jura que fizo a mi padre don Fernando;
 que le dé a Çamora por haber o por cambio;
20 cuáles son los que ternedes comigo como vasallos,
 ca él dize tomará a Çamora sin mi grado».
 Levantóse un caballero del Consejo por mandado,
 a quien dezien don Nuño, que era homne de bien, anciano,
 .... ca somos vuestros vasallos.

Pues demandastes consejo, dárvoslo hemos de grado:
25 pedimos vos por merçed ....
que non dedes a Çamora por haber nin por cambio,
ca quien vos cerca en peña, sacarvos querrá de lo llano.
Et el concejo de Çamora fará vuestro mandado:
antes comerá, señora, las mulas et los caballos
30 que nunca dé a Çamora, sinon por vuestro mandado.»
Et lo que dixo don Nuño todos a una lo otorgaron.

El Cid lleva a Sancho la negativa

El Cid despidióse d'ella et fuese pora el rey Sancho
como le dixo la infanta doña Urraca Fernando
que le non daría a Çamora por haber nin por cambio
35 nin por nenguna manera ....

Conversan doña Urraca y Vellido Dolfos

Et díxole estonce doña Urraca Fernando:
—«Vellido, dezirte he una palabra que dixo el sabio
que siempre homne merca bien con el pobre o con el cuitado.
Et tú ansí farás comigo, pero non te mando
40 que fagas ninguna cosa de mal si lo tú has pensado;
et fiziese levantar a mi hermano el rey don Sancho.»
Et cuando esto oyó Vellido, besóle la mano
.... et diole por ende un manto;
et armóse de todas armas et cabalgó en su caballo
45 et fuese pora casa de don Arias Gonçalo.

Vellido Dolfos mata a Sancho II

Et desque lo hobo ferido, volvió riendas al caballo
et fuese para aquel postigo que mostrara al rey don Sancho;
et demandó a grandes voces que le diesen un caballo.
Después que Vellido Dolfos fue en la villa encerrado,
50 con el gran miedo que había fuese meter so el manto.

El Cid queda sin señor

«Et matóme el traidor seyendo mi vasallo.
Bien creo que esto fue por mis pecados
et por las soberbias que fize a mios hermanos
et la jura que pasé de mi padre don Fernando.»

55 Et él diziendo esto llegó el Cid ....
    et dixo: «Señor, yo finco desamparado
    más que ninguno de España, ca yo he ganados
    muchos enemigos en vuestros hermanos».
    ....
    que cuanto vós lo fezistes que yo vos lo hobe consejado;
60 .... et muchos buenos vasallos;
    vos faga bien et merzed et vos rescibe por vasallo;
    si ansí vos fiziese tengo que será bien consejado.»
    Estonce levantóse el Cid et fuele besar la mano
    et desí todos los altos hombres y los perlados.
65 Et ruégovos que roguedes a don Alfonso mi hermano.

Diego Ordóñez reta a los de Zamora.
Arias Gonzalo acepta el reto

    Et digo que es traidor, quien traidor tiene consigo,
    si sabe de la traición o si lo ....
    Et riepto a los de Çamora, al grande como al chico,
    .... al muerto como al vivo
70 et al que es por nascer como al que es nascido
    et riéptoles las aguas que corren por los ríos,
    et riéptoles el pan et riéptoles el vino.
    Et si alguno hay en Çamora que desdiga lo que he dicho,
    yo les faré desdecir ....
75 et, con la merced de Dios, fincará como yo digo.»
    Respondióle Arias Gonçalo ....
    —«Si yo só tal cual tú dizes, non debiere ser nascido,
    mas en cuanto tú dizes todo lo has fallido:
    que lo que los grandes fazen non han culpa los chicos,
80 nin los muertos por lo que fazen los vivos.
    Mas saca ende los muertos et los niños
    et todas las cosas que non han sentido.
    Et cuanto lo otro dezirte he que has mentido
    et daré quien te lo lidie o lidiaré contigo:
85 ca home que riepta a concejo, debe de lidiar con cinco;
    et fincará por verdadero, si venciere los cinco
    et si alguno le venciere, el concejo finca quito,
    que non han culpa los grandes por lo que fazen los chicos,
    nin lo que fizieron los muertos a los vivos,
90 nin los por nascer a los nascidos.»

El Cid toma juramento a Alfonso VI [2]

—«Vós venides jurar por la muerte del rey don Sancho
que nin lo matastes nin fuestes en consejarlo.
Dezid: sí, juro, vós et esos fijosdalgo.»
Et el rey et ellos dixeron: «Sí, juramos».
95 Et dixo el Cid: «Si vós supiste parte o mandado,
tal muerte murades como murió el rey don Sancho:
villano os mate, que non sea fijodalgo;
de otra tierra venga, que non sea castellano».
—«Amén», respondió el rey et los que con él juraron.

4

Poema (Cantar) de mio Cid (entre 1100/1140 y 1210). Madrid: Nacional, ms. Vitrina 7-17
(fechado ¿1307?), ed. de I. Michael (2.ª ed. corr.; Madrid: Castalia, 1981).

CANTAR PRIMERO

[Posible laguna de hasta 50 versos
(falta el primer folio)]

1 [El Cid sale de Vivar para ir al destierro,
echado por el rey Alfonso VI]

De los sos oios   tan fuertemientre llorando,
tornava la cabeça   e estávalos catando;
vio puertas abiertas   e uços sin cañados,
alcándaras vazías,   sin pielles e sin mantos
5 e sin falcones   e sin adtores mudados.
Sospiró Mio Çid,   ca mucho avié grandes cuidados;
fabló Mio Çid   bien e tan mesurado:
«¡Grado a ti, Señor,   Padre que estás en alto!
»Esto me an buelto   mios enemigos malos.»

2 [Agüeros en el camino de Burgos]

10 Allí piensan de aguiiar,   allí sueltan las rriendas;
a la exida de Bivar   ovieron la corneia diestra

---

[2] El Cid histórico, Rodrigo (o Ruy) Díaz de Vivar, nació c. 1043 y murió en 1099; Alfonso VI reinó
en León entre 1065 y 1109, y en Castilla entre 1072 y 1109.

e entrando a Burgos oviéronla siniestra.
Meçió Mio Çid los ombros e engrameó la tiesta:
«¡Albricia, Álbar Fáñez, ca echados somos de tierra!»

3 [Acogida llorosa en Burgos]

15   Mio Çid Ruy Díaz por Burgos entrava,
en su conpaña sessaenta pendones.
16b   [E]xiénlo ver mugieres e varones,
burgeses e burgesas por las finiestras son,
plorando de los oios, tanto avién el dolor;
de las sus bocas todos dizían una rrazón:
20 «¡Dios, qué buen vassallo, si oviesse buen señor!»

4 [Una niña informa al Cid del mandato real; el Cid acampa en la glera]

Conbidar le ien de grado, mas ninguno non osava,
el rrey don Alfonso tanto avié la grand saña;
antes de la noche en Burgos d'él entró su carta
con grand rrecabdo e fuertemientre sellada:
25 que a Mio Çid Ruy Díaz que nadi nol' diessen posada
e aquel que ge la diesse sopiesse vera palabra
que perderié los averes e más los oios de la cara
e aun demás los cuerpos e las almas.
Grande duelo avién las yentes christianas,
30 ascóndense de Mio Çid, ca nol' osan dezir nada.
El Campeador adeliñó a su posada,
assí commo llegó a la puerta, fallóla bien çerrada
por miedo del rrey Alfonso, que assí lo avién parado
que si non la quebrantás por fuerça, que non ge la abriesse nadi.
35 Los de Mio Çid a altas vozes llaman,
los de dentro non les querién tornar palabra.
Aguiió Mio Çid, a la puerta se llegava,
sacó el pie del estribera, una ferídal' dava;
non se abre la puerta, ca bien era çerrada.
40 Una niña de nuef años a oio se parava:
«¡Ya Campeador, en buen ora çinxiestes espada!
»El rrey lo ha vedado, anoch d' él e[n]tró su carta
»con grant rrecabdo e fuertemientre sellada.
»Non vos osariemos abrir nin coger por nada;
45 »si non, perderiemos los averes e las casas
»e demás los oios de las caras.

»Çid, en el nuestro mal vós non ganades nada,
»mas el Criador vos vala con todas sus vertudes sanctas.»
Esto la niña dixo e tornós' pora su casa.

50 Ya lo vee el Çid que del rrey non avié gr[açí]a,
partiós' de la puerta, por Burgos aguijava,
llegó a Sancta María, luego descavalga,
fincó los inoios, de coraçón rrogava.
La oración fecha, luego cavalgava,

55 salió por la puerta e Arlançón p[a[s]sava,
cabo essa villa en la glera posava,
fincava la tienda e luego descavalgava.
Mio Çid Ruy Díaz, el que en buen ora çinxo espada,
posó en la glera quando nol' coge nadi en casa,

60 derredor d' él una buena conpaña;
assí posó Mio Çid commo si fuesse en montaña.
Vedádal' an conpra dentro en Burgos la casa
de todas cosas quantas son de vianda;
non le osarién vender al menos dinarada.

5 [*Martín Antolínez trae provisiones al Cid y se incorpora a su bando*]

65 Martín Antolínez, el burgalés conplido,
a Mio Çid e a los suyos abástales de pan e de vino,
non lo conpra, ca él se lo avié consigo,
de todo conducho bien los ovo bastidos;
pagós' Mio Çid e todos los otros que van a so çervicio. (...)

6 [*El Cid cuenta con la ayuda de Martín Antolínez en un ardid ideado para conseguir un préstamo*]

Fabló Mio Çid, el que en buen ora çinxo espada:
«¡Martín Antolínez, sodes ardida lança!

80 »Si yo bivo, doblar vos he la soldada.
»Espeso é el oro e toda la plata,
»bien lo vedes que yo non trayo aver

82b-83 »e huebos me serié pora toda mi compaña.
»Fer lo he amidos, de grado non avrié nada:

85 »con vuestro consejo bastir quiero dos arcas,
»inchámoslas d' arena, ca bien serán pesadas,
»cubiertas de guadalmeçí e bien enclaveadas. (...)

8 [*Martín Antolínez va en busca de los prestamistas judíos*]

Martín Antolínez non lo detar*d*a,
por Rachel e Vidas apriessa demandava;
passó por Burgos, al castiello entrava,
por Rachel e Vidas apriessa demandava.

9 [*Negociaciones con los prestamistas*]

100   Rachel e Vidas en uno estavan amos
en cuenta de sus averes, de los que avién ganados.
Llegó Martín Antolínez a guisa de menbrado:
«¿Ó sodes, Rachel e Vidas, los mios amigos caros?
»En poridad fablar querría con amos.»
105 Non lo detardan, todos tres se apartaron:
«Rachel e Vidas, amos me dat las manos
»que non me descubrades a moros nin a christianos;
»por siempre vos faré rricos que non seades menguados.
»El Campeador por las parias fue entrado,
110 »grandes averes priso e mucho sobeianos,
»rretovo d' ellos quanto que fue algo,
»por én vino a aquesto por que fue acusado.
»Tiene dos arcas llenas de oro esmerado,
»ya lo vedes que el rrey le á airado,
115 »dexado ha heredades e casas e palaçios;
»aquéllas non las puede levar, si non, serién ventadas,
»el Campeador dexar las ha en vuestra mano
»e prestalde de aver lo que sea guisado.
»Prended las arcas   e metedlas en vuestro salvo,
120 »con grand iura meted í las fes amos
»que non las catedes   en todo aqueste año.»
Rachel e Vidas seyénse conseiando:
«Nós huebos avemos en todo de ganar algo;
»bien lo sabemos que él algo gañó,
125 »quando a tierra de moros entró, que grant aver sacó;
»non duerme sin sospecha qui aver trae monedado.
»Estas arcas prendámoslas amas,
»en logar las metamos que non sean ventadas.
»Mas dezidnos del Çid, ¿de qué será pagado,
130 »o qué ganançia nos dará por todo aqueste año?»
Respuso Martín Antolínez a guisa de menbrado:
«Mio Çid querrá lo que sea aguisado,

»pedir vos á poco por dexar so aver en salvo.
»Acógensele omnes de todas partes me[n]guados,
135 »á menester seisçientos marcos.»
Dixo Rachel e Vidas: «Dar ge los [*emos*] de grado.»
«Ya vedes que entra la noch, el Çid es pressurado,
»huebos avemos que nos dedes los marcos.»
Dixo Rachel e Vidas: «Non se faze assí el mercado,
140 »sinon primero prendiendo e después dando.»
Dixo Martín Antolínez: «Yo d' esso me pago;
»amos tred al Campeador contado
»e nós vos aiudaremos, que assí es aguisado,
»por aduzir las arcas e meterlas en vuestro salvo
145 »que non lo sepan moros nin christianos.»
Dixo Rachel e Vidas: «Nós d' esto nos pagamos;
»las arcas aduchas, prendet seyesçientos marcos.»
Martín Antolínez cavalgó privado
con Rachel e Vidas de volu[n]tad e de grado.
150 Non viene a la puent, ca por el agua á passado,
que ge lo non ventassen de Burgos omne nado.
Afévoslos a la tienda del Campeador contado,
assí commo entraron, al Çid besáronle las manos.
Sonrrisós' Mio Çid, estávalos fablando:
155 «¡Ya don Rachel e Vidas, avédesme olbidado!
»Ya me exco de tierra ca del rrey só airado.
»A lo quem' semeia, de lo mío avredes algo,
»mientra que vivades non seredes menguados.»
Don Rachel e Vidas a Mio Çid besáronle las manos.
160 Martín Antolínez el pleito á parado
que sobre aquellas arcas dar le ien *seis*çientos marcos
e bien ge las guardarién fasta cabo del año,
ca assíl' dieran la fe e ge lo avién iurado
que si antes las catassen que fuessen periurados,
165 non les diesse Mio Çid de la ganançia un dinero malo.
Dixo Martín Antolínez: «Carguen las arcas privado,
»levaldas, Rachel e Vidas, ponedlas en vuestro salvo;
»yo iré convus[c]o que adugamos los marcos,
»ca a mover á Mio Çid ante que cante el gallo.»
170 Al cargar de las arcas veriedes gozo tanto,
non la podién poner en somo, maguer eran esforçados.
Grádanse Rachel e Vidas con averes monedados,
ca mientra que visquiessen rrefechos eran amos. (...)

18 [*El Cid recibe a los nuevos compañeros; oración
de doña Jimena; el Cid se marcha de
Cardeña y llega al Duero*]

295   Quando lo sopo Mio Çid el de Bivar
        quel' creçe conpaña por que más valdrá,
        apriessa cavalga, rreçebirlos salié,
        .... tornós' a sonrrisar;
298*b* lléganle todos, la mánol' ban besar,
        fabló Mio Çid de toda voluntad:
300   «Yo rruego a Dios e al Padre spiritual,
        »vós que por mí dexades casas e heredades,
        »enantes que yo muera algún bien vos pueda far,
        »lo que perdedes doblado vos lo cobrar.»
        Plogo a Mio Çid porque creçió en la iantar,
305   plogo a los otros omnes todos quantos con él están. (...)
[326] Mio Çid e su mugier a la eglesia van,
        echós' doña Ximena en los grados delant el altar,
        rrogando al Criador quanto ella meior sabe
        que a Mio Çid el Campeador que Dios le curiás de mal (...)
        «Tú eres rrey de los rreyes e de tod el mundo padre,
        »a ti adoro e creo de toda voluntad
        »e rruego a San Peidro que me aiude a rrogar
        »por Mio Çid el Campeador que Dios le curie de mal;
365   »quando oy nos partimos, en vida nos faz iuntar.»
        La oraçión fecha, la missa acabada la an,
        salieron de la eglesia, ya quieren cavalgar.
        El Çid a doña Ximena ívala abraçar,
        doña Ximena al Çid la mánol' va besar,
370   llorando de los oios que non sabe qué se far,
        e él a las niñas tornólas a catar:
        «A Dios vos acomiendo, fijas, e al Padre spiritual,
        »agora nos partimos, Dios sabe el aiuntar.»
        Llorando de los oios que non viestes atal,
375   assís' parten unos d' otros commo la uña de la carne. (...)
        «Aún todos estos duelos en gozo se tornarán,
        »Dios que nos dió las almas conseio nos dará.»
        Al abbat don Sancho tornan de castigar
        cómmo sirva a doña Ximena e a la[s] fijas que ha
385   e a todas sus dueñas que con ellas están;
        bien sepa el abbat que buen galardón d' ello prendrá.
        Tornado es don Sancho e fabló Álbar Fáñez:
388-89 «Si viéredes yentes venir por connusco ir, abbat,
389*b* »dezildes que prendan el rrastro e piessen de andar
390   »ca en yermo o en poblado poder nos [han] alcançar.» (...)

19 [*El ángel Gabriel se aparece al Cid en sueños*]

Í se echava Mio Çid   depués que fue çenado,
405 un suéñol' priso dulçe,   tan bien se adurmió;
el ángel Gabriel   a él vino en sueño:
«¡Cavalgad, Çid,   el buen Campeador!
407*b*-08 »Ca nunqua en tan buen punto   cavalgó varón;
»mientra que visquiéredes   bien se fará lo to.»
410 Quando despertó el Çid,   la cara se sanctigó,
sinava la cara,   a Dios se acomendó,
mucho era pagado   del sueño que á soñado. (...)

28 [*Se difunden por la región de Alcocer noticias de la llegada del Cid*]

Por todas essas tierras   ivan los mandados
565 que el Campeador Mio Çid   allí avié poblado,
venido es a moros,   exido es de christianos;
en la su vezindad   non se treven ganar tanto.
Aguardándose va Mio Çid   con todos sus vassallos,
el castiello de Alcoçer   en paria va entrando.
570 Los de Alcoçer a Mio Çid   yal' dan parias de grado

29 [*El Cid se apodera de Alcocer por medio de un ardid*]

e los de Teca   e los de Ter*r*er la casa;
a los de Calataút,   sabet, ma[*l*] les pesava.
Allí yogo Mio Çid   complidas *quinze* semmanas.
Quando vio Mio Çid   que Alcoçer non se le dava,
575 él fizo un art   e non lo detardava:
dexa una tienda fita   e las otras levava,
coió[*s'*] Salón ayuso,   la su seña alçada,
las lorigas vestidas   e çintas las espadas
a guisa de menbrado   por sacarlos a çelada.
580 Veyénlo los de Alcoçer,   ¡Dios, cómmo se alabavan!
«Fallido á a Mio Çid   el pan e la çevada;
»las otras abés lieva,   una tienda á dexada,
»de guisa va Mio Çid   commo si escapasse de arrancada.
»Demos salto a él   e feremos grant ganançia,
585 »antes quel' prendan los de Ter*r*er,   si non, non nos darán dent nada;
»la paria qu' él á presa   tornar nos la ha doblada.»
Salieron de Alcoçer   a una priessa much estraña,

Mio Çid, quando los vio fuera, cogiós' commo de arrancada,
coiós' Salón ayuso, con los sos abuelta *anda*.
590 Dizen los de Alcoçer: «¡Ya se nos va la granança!»
Los grandes e los chicos fuera salto dan,
al sabor del prender de lo ál non piensan nada,
abiertas dexan las puertas que ninguno non las guarda.
El buen Campeador la su cara tornava,
595 vio que entr' ellos e el castiello mucho avié grand plaça,
mandó tornar la seña, apriessa espoloneavan:
«¡Firidlos, cavalleros, todos sines dubdança!
»¡Con la merçed del Criador nuestra es la ganança!»
Bueltos son con ellos por medio de la llana.
600 ¡Dios, qué bueno es el gozo por aquesta mañana! (...)

44 [*El Cid vende Alcocer a los moros*]

Ya es aguisado, mañanas' fue Minaya
e el Campeador [*fincó*] con su mesnada.
La tierra es angosta e sobeiana de mala,
todos los días a Mio Çid aguardavan
840 moros de las fronteras e unas yentes estrañas;
sanó el rrey Fáriz, con él se conseiavan.
Entre los de Teca e los de Ter*r*er la casa
e los de Calatayut, que es más ondrada,
assí lo an asmado e metudo en carta,
845 vendido les á Alcoçer por tres mill marcos de plata.

45 [*Los del Cid reciben su parte*]

Mio Çid Ruy Díaz Alcoçer á ven[*d*]ido,
¡qué bien pagó a sus vassallos mismos!
A cavalleros e a peones fechos los ha rricos,
en todos los sos non fallariedes un mesquino;
850 qui a buen señor sirve siempre bive en deliçio.

46 [*Los moros de Alcocer lamentan la partida del Cid; éste acampa en El Poyo, cerca de Monreal del Campo*]

Quando Mio Çid el castiello quiso quitar,
moros e moras tomáronse a quexar:
«¡Vaste, Mio Çid! ¡Nuestras oraçiones váyante delante!
»Nós pagados finca*m*os, señor, de la tu part.»

855 Quando quitó a Alcoçer Mio Çid el de Bivar,
moros e moras compeçaron de llorar.
Alçó su seña, el Campeador se va,
passó Salón ayuso, aguijó cabadelant,
al exir de Salón mucho ovo buenas aves.
860 Plogo a los de Terrer e a los de Calatayut más;
pesó a los de Alcoçer ca pro les fazié grant. (...)

55 [*Llegan al conde noticias de la invasión*]

[957]   Llegaron las nuevas al conde de Barçilona
que Mio Çid Ruy Díaz quel' corrié la tierra toda;
ovo grand pesar e tóvos'lo a grand fonta. (...)

58 [*El Cid derrota al conde de Barcelona*]

1000   Todos son adobados quando Mio Çid esto ovo fablado,
las armas avién presas e sedién sobre los cavallos,
vieron la cuesta yuso la fuerça de los francos;
al fondón de la cuesta, çerca es de[*l*] llano,
mandólos ferir Mio Çid, el que en buen ora nasco.
1005 Esto fazen los sos de voluntad e de grado,
los pendones e las lanças tan bien las van enpleando,
a los unos firiendo e a los otros derrocando.
Vençido á esta batalla el que en buen [ora] nasco;
al conde don Remont a presón le an tomado.

59 [*El Cid gana la espada llamada Colada; el conde prisionero se niega a tomar alimentos*]

1010   Í gañó a Colada, que más vale de mill marcos de plata.
[Í bençió] esta batalla por ó ondró su barba.
Prísolo al conde, pora su tie*n*da lo levava,
a sos creenderos guarda*r*lo manda*v*a.
De fuera de la tienda un salto dava,
1015 de todas partes los sos se aiuntaron;
plogo a Mio Çid ca grandes son las gananças.
A Mio Çid don Rodrigo grant cozínal' adobavan;
el conde don Remont non ge lo preçia nada,
adúzenle los comeres, delant ge los paravan,
1020 él non lo quiere comer, a todos los sosañava:
«Non combré un bocado por quanto ha en toda España,
»antes perderé el cuerpo e dexaré el alma,
»pues que tales malcalçados me vençieron de batalla.»

60 [*El Cid trata de convencer al conde*
de que coma]

Mio Çid Ruy Díaz odredes lo que dixo:
1025 «Comed, conde, d' este pan e beved d' este vino;
»si lo que digo fiziéredes, saldredes de cativo,
»si non, en todos vuestros días non veredes christianismo.» (...)

62 [*Por fin el conde acepta el ofrecimiento de la*
libertad y rompe el ayuno]

Dixo Mio Çid: «Comed, conde, algo,
1033b »ca si non comedes non veredes [christianos];
»e si vós comiéredes dón yo sea pagado,
1035 »a vós e [a] dos fijos d' algo
1035b »quitar vos he los cuerpos e dar vos é de [mano].»
Quando esto oyó el conde, yas' iva alegrando:
«Si lo fiziéredes, Çid, lo que avedes fablado,
»tanto quanto yo biva seré dent maravillado.»
«Pues comed, conde, e quando fuéredes iantado,
1040 »a vós e a otros dos dar vos he de mano;
»mas quanto avedes perdido e yo gané en campo,
1042 »sabet, non vos daré a vós un dinero malo,
1044 »ca huebos me lo he e pora estos mios vassallos
1045 »que comigo andan lazrados.
»Prendiendo de vós e de otros ir nos hemos pagando;
»abremos esta vida mientra ploguiere al Padre sancto,
»commo que ira á de rrey e de tierra es echado.»
Alegre es el conde e pidió agua a las manos
1050 e tiénengelo delant e diérongelo privado;
con los cavalleros que el Çid le avié dados
comiendo va el conde, ¡Dios, qué de buen grado!
Sobr' él sedié el que en buen ora nasco:
«Si bien non comedes, conde, dón yo sea pagado,
1055 »aquí feremos la morada, no nos partiremos amos.»
Aquí dixo el conde: «De voluntad e de grado.»
Con estos dos cavalleros apriessa va iantando;
pagado es Mio Çid, que lo está aguardando,
porque el conde don Remont tan bien bolvié la[s] manos.
1060 «Si vos ploguiere, Mio Çid, de ir somos guisados,
»mandad nos dar las bestias e cavalgaremos privado;
»del día que fue conde non ianté tan de buen grado,
»el sabor que de[n]d é non será olbidado.»

Danle tres palafrés muy bien ensellados
1065 e buenas vestiduras de pelliçones e de mantos. (...)
[1082] Ido es el conde, tornós' el de Bivar,
juntós' con sus mesnadas, conpeçós' de *pa*gar
de la ganançia que an fecha maravillosa e grand.

CANTAR SEGUNDO

72 [*El Cid asedia Valencia y envía heraldos a los reinos cristianos del norte*]

1170   A los de Valençia escarmentados los ha,
non osan fueras exir nin con él se aiuntar;
taiávales las huertas e fazíales grand mal,
en cada uno d' estos años Mio Çid les tollió el pan.
Mal se aquexan los de Valençia que non sabent qués' far,
1175 de ninguna part que sea non les vinié pan;
nin da cosseio padre a fijo, nin fijo a padre,
nin amigo a amigo nos' pueden consolar.
Mala cueta es, señores, aver mingua de pan,
fijos e mugieres verlo[s] murir de fanbre. (...)

74 [*Muchos guerreros acuden a reforzar a los sitiadores; Valencia se entrega al Cid*]

1195   Esto dixo Mio Çid, el que en buen ora nasco.
Tornavas' a Murviedro ca él ganada se la á.
Andidieron los pregones, sabet, a todas partes,
al sabor de la ganançia non lo quiere[n] detardar,
grandes yentes se le acoien de la buena christiandad.
1200 Creçiendo va en rriqueza Mio Çid el de Bivar;
quando vio Mio Çid las gentes iuntadas, conpeçós' de pagar.
Mio Çid don Rodrigo non lo quiso detardar,
adeliñó pora Valençia e sobr' ellas' va echar,
bien la çerca Mio Çid que non í avía art,
1205 viédales exir e viédales entrar.
Sonando va[n] sus nuevas todas a todas partes,
más le vienen a Mio Çid, sabet, que nos' le van.
Metióla en plazo, si les viniessen uviar;
nueve meses complidos, sabet, sobr' ella iaz[e],
1210 quando vino el dezeno oviérongela a dar.
Grandes son los gozos que van por és logar

quando Mio Çid gañó a Valençia e entró en la çibdad.
Los que fueron de pie cavalleros se fazen;
el oro e la plata ¿quién vos lo podrié contar?
1215 Todos eran rricos, quantos que allí ha. (...)

76 [*El Cid ha hecho voto de dejarse
la barba intonsa (...)*]

Grand alegría es entre todos essos christianos
con Mio Çid Ruy Díaz, el que en buen ora nasco.
Yal' creçe la barba e vále allongando,
dixo Mio Çid de la su boca atanto:
1240 «Por amor del rrey Alfonso que de tierra me á echado»,
nin entrarié en ella tigera, ni un pelo non avrié taiado
e que fablassen d' esto moros e christianos. (...)

87 [*Llegada a Valençia de la familia del Cid;
suben al alcázar a contemplar la ciudad*]

1610   Adeliñó Mio Çid con ellas al alcáçar,
allá las subié en el más alto logar.
Oios vellidos catan a todas partes,
miran Valençia cómmo iaze la çibdad
e del otra parte a oio han el mar,
1615 miran la huerta, espessa es e grand;
alçan las manos por a Dios rrogar
d'esta ganançia cómmo es buena e grand.
Mio Çid e sus compañas tan a grand sabor están.
El ivierno es exido, que el março quiere entrar.
1620 Dezirvos quiero nuevas de allent partes del mar,
de aquel rrey Yúcef que en Marruecos está. (...)

90 [*El Cid se deleita con la perspectiva de un gran
botín y con la oportunidad de llevar a cabo
alguna proeza ante su mujer*]

«¡Grado al Criador e a[l] Padre espirital!
»Todo el bien que yo he, todo lo tengo delant;
1635 »con afán gané a Valençia e éla por heredad,
»a menos de muert no la puedo dexar;
»grado al Criador e a Sancta María madre,
»mis fijas e mi mugier que las tengo acá.
»Venídom' es deliçio de tierras d'allent mar,

1640 »entraré en las armas,   non lo podré dexar,
      »mis fijas e mi mugier   ver me an lidiar,
      »en estas tierras agenas   verán las moradas cómmo se fazen,
      »afarto verán por los oios   cómmo se gana el pan.» (...)

96 [*El Cid envía una dádiva de caballos al rey*]

      Alegres son por Valençia   las yentes christianas,
1800 tantos avién de averes,   de cavallos e de armas;
      alegre es doña Ximena   e sus fijas amas
      e todas la[s] otras dueñas   que[s'] tienen por casadas.
      El bueno de Mio Çid   non lo tardó por nada:
      «¿Dó sodes, caboso?   Venid acá, Minaya;
1805 »de lo que a vós cayó   vós non gradeçedes nada;
      »d'esta mi quinta,   dígovos sin falla,
      »prended lo que quisiéredes,   lo otro rremanga;
      »e cras a la mañana   ir vos hedes sin falla
      »con cavallos d'esta quinta   que yo he ganada,
1810 »con siellas e con frenos   e con señas espadas;
      »por amor de mi mugier   e de mis fijas amas,
      »porque assí las enbió   dond ellas son pagadas,
      »estos dozientos cavallos   irán en presentaias
      »que non diga mal el rrey Alfonso   del que Valençia manda.»
1815 Mandó a Pero Vermúez   que fuesse con Minaya.
      Otro día mañana   privado cavalgavan
      e dozientos omnes   lievan en su conpaña
      con saludes del Çid   que las manos le besava:
      d'esta lid   que ha arrancada
1819b *dozientos* cavallos   le enbiava en presentaia,
1820 «E servir lo he sienpre»   mientra que ovisse el alma. (...)

101 [*Los infantes de Carrión se deciden a pedir
      la mano de las hijas del Cid*]

      Besáronle las manos   e entraron a posar;
      bien los mandó servir   de quanto huebos han.
      De los iffantes de Carrión   yo vos quiero contar,
1880 fablando en su conseio,   aviendo su poridad:
      «Las nuevas del Çid   mucho van adelant,
      »demandemos sus fijas   pora con ellas casar,
      »creçremos en nuestra ondra   e iremos adelant.»
      Vinién al rrey Alfonso   con esta poridad:
1885 «¡Merçed vos pidimos   commo a rrey e señor natural! (...)

105 [*El Cid se niega a entregar personalmente a sus
hijas y Álvar Fáñez actúa como padrino*]

»Yo vos pido merçed a vós, rrey natural:
»pues que casades mis fijas assí commo a vós plaz,
»dad manero a qui las dé, quando vós las tomades;
»non ge las daré yo con mi mano, nin de[n]d non se alabarán.»
2135 Respondió el rrey: «Afé aquí Álbar Fáñez,
»prendellas con vuestras manos e daldas a los ifantes,
»assí commo yo las prendo d'aquent, commo si fosse delant,
»sed padrino d'ell*a*s a tod el velar;
»quando vos iuntáredes comigo, quem' digades la verdat.»
2140 Dixo Álbar Fáñez: «Señor, afé que me plaz.» (...)

CANTAR TERCERO

112 [*El león del Cid se escapa y el Cid lo amansa;
cobardía de los infantes de Carrión*]

En Valençia seí Mio Çid con todos sus vassallos,
con él amos sus yernos los ifantes de Carrión.
2280 Yaziés' en un escaño, durmié el Campeador,
mala sobrevienta, sabed, que les cuntió:
saliós' de la rred e desatós' el león.
En grant miedo se vieron por medio de la cort;
enbraçan los mantos los del Campeador
2285 e çercan el escaño e fincan sobre so señor.
Ferrán Gonçález ....
2286b non vio allí dós' alçasse, nin cámara abierta nin torre,
metiós' so 'l escaño, tanto ovo el pavor.
Diego Gonçález por la puerta salió,
diziendo de la boca: «¡Non veré Carrión!»
2290 Tras una viga lagar metiós' con grant pavor,
el manto e el brial todo suzio lo sacó.
En esto despertó el que en buen ora naçió,
vio çercado el escaño de sus buenos varones:
«¿Qué 's esto, mesnadas, o qué queredes vós?»
2295 «Ya señor ondrado, rrebata nos dio el león.»
Mio Çid fincó el cobdo, en pie se levantó,
el manto trae al cuello e adeliñó pora ['*l*] león.
El león, quando lo vio, assí envergonçó,
ante Mio Çid la cabeça premió e el rrostro fincó.

2300 Mio Çid don Rodrigo al cuello lo tomó
      e liévalo adestrando, en la rred le metió.
      A maravilla lo han quantos que í son
      e tornáronse al palaçio pora la cort.
      Mio Çid por sos yernos demandó e no los falló,
2305 maguer los están llamando, ninguno non rresponde.
      Quando los fallaron, assí vinieron sin color,
      non viestes tal juego commo iva por la cort. (...)

    124 *[Los infantes planean una venganza inicua; piden al Cid que*
         les autorice para llevarse a sus esposas a Carrión;
         el Cid da ricos ajuares a sus hijas
         y se despide de ellas]

      «Pidamos nuestras mugieres al Çid Campeador,
      »digamos que las levaremos a tierras de Carrión
2545 »[e] enseñar las hemos dó las heredades son.
      »Sacar las hemos de Valençia de poder del Campeador,
      »después en la carrera feremos nuestro sabor,
      »ante que nos rretrayan lo que cuntió del león;
      »nós de natura somos de condes de Carrión.
2550 »Averes levaremos grandes que valen grant valor,
      »escarniremos las fijas del Canpeador.
      »D'aquestos averes siempre seremos rricos omnes,
      »podremos casar con fijas de rreyes o de enperadores,
      »ca de natura somos de condes de Carrión.
2555 »Assí las escarniremos a las fijas del Campeador,
      »antes que nos rretrayan lo que fue del león.» (...)
2569-68 Nos' curiava de ser afontado el Çid Campeador:
2568b «Dar vos he mis fijas e algo de lo mío;
2570 »vós les diestes villas por arras en tierras de Carrión,
      »yo quiero les dar axuar *tres* mill marcos de plata;
      »dar vos é mulas e palafrés muy gruessos de sazón,
      »cavallos pora en diestro, fuertes e corredores,
      »e muchas vestiduras de paños de çiclatones;
2575 »dar vos he dos espadas, a Colada e a Tizón,
      »bien lo sabedes vós que las gané a guisa de varón.
      »Mios fijos sodes amos quando mis fijas vos do,
      »allá me levades las telas del coraçón.
      »Que lo sepan en Gallizia e en Castiella e en León
2580 »con qué rriqueza enbío mios yernos amos a dos. (...)

128 [*La afrenta en el robledo de Corpes*]

Entrados son los ifantes al rrobredo de Corpes,
los montes son altos, las rramas puian con las núes;
¡e las bestias fieras que andan aderredor!
2700 Fallaron un vergel con una linpia fuent,
mandan fincar la tienda ifantes de Carrión,
con quantos que ellos traen í iazen essa noch,
con sus mugieres en braços demuéstranles amor,
¡mal ge lo cunplieron quando salié el sol!
2705 Mandaron cargar las azémilas con grandes averes,
cogida han la tienda dó albergaron de noch,
adelant eran idos los de criazón,
assí lo mandaron los ifantes de Carrión
que non í fincás ninguno, mugier nin varón,
2710 sinon amas sus mugieres doña Elvira e doña Sol:
deportarse quieren con ellas a todo su sabor.
Todos eran idos, ellos *quatro* solos son,
tanto mal comidieron los ifantes de Carrión:
«Bien lo creades, don Elvira e doña Sol,
2715 »aquí seredes escarnidas en estos fieros montes.
»Oy nos partiremos e dexadas seredes de nós,
»non abredes part en tierras de Carrión.
»Irán aquestos mandados al Çid Campeador,
»nós vengaremos por aquésta la [*desondra*] del león.»
2720 Allí les tuellen los mantos e los pelliçones,
páranlas en cuerpos e en camisas e en çiclatones.
Espuelas tienen calçadas los malos traidores,
en mano prenden las çinchas fuertes e duradores.
Quando esto vieron las dueñas, fablava doña Sol:
2725 «¡Por Dios vos rrogamos, don Diego e don Ferrando!
»Dos espadas tenedes fuertes e taiadores,
»al una dizen Colada e al otra Tizón,
»cortandos las cabeças, mártires seremos nós,
»moros e christianos departirán d'esta rrazón,
2730 »que por lo que nós mereçemos no lo prendemos nós.
»Atan malos ensienplos non fagades sobre nós;
»si nós fuéremos maiadas, abiltaredes a vós,
»rretraer vos lo an en vistas o en cortes.»
Lo que rruegan las dueñas non les ha ningún pro,
2735 essora les conpieçan a dar los ifantes de Carrión,
con las çinchas corredizas máianlas tan sin sabor,
con las espuelas agudas dón ellas an mal sabor
rronpién las camisas e las carnes a ellas amas a dos,

linpia salié la sangre   sobre los çiclatones;
2740 ya lo sienten ellas   en los sos coraçones.
¡Quál ventura serié ésta,   si ploguiesse al Criador,
que assomasse essora   el Çid Campeador!
Tanto las maiaron   que sin cosimente son,
sangrientas en las camisas   e todos los ciclatones.
2745 Cansados son de ferir   ellos amos a dos,
ensayandos' amos   quál dará meiores colpes.
Ya non pueden fablar   don Elvira e doña Sol;
por muertas las dexaron   en el rrobredo de Corpes. (...)

132 [*Álvar Fáñez lleva a las hijas a Valencia*]

«En los días de vagar   toda nuestra rrencura sabremos contar.»
Lloravan de los oios   las dueñas e Álbar Fáñez
e Pero Vermúez   otro tanto las ha:
2865 «Don Elvira e doña Sol,   cuidado non ayades
»quando vós sodes sanas e bivas   e sin otro mal.
»Buen casamiento perdiestes,   meior podredes ganar.
»¡Aún veamos el día   que vos podamos vengar!»
Í iazen essa noche   e tan grand gozo que fazen.
2870 Otro día mañana   piensan de cavalgar,
los de Sant Estevan   escurriéndolos van
fata Río d'Amor,   dándoles solaz;
d'allent se espidieron d'ellos,   piénsanse de tornar
e Minaya con las dueñas   iva cabadelant. (..)

134 [*A petición de Muño Gustioz, don Alfonso*
convoca cortes en Toledo]

«Dezidle al Campeador,   que en buen ora nasco,
»que d'estas *siete* semanas   adobes' con sus vassallos,
2970 »véngam' a Toledo,   éstol' do de plazo.
»Por amor de Mio Çid   esta cort yo fago.
»Saludádmelos a todos,   entr' ellos aya espaçio,
»d'esto que les abino   aún bien serán ondrados.»
Espidiós' Muño Gustioz,   a Mio Çid es tornado.
2975 Assí commo lo dixo,   suyo era el cuidado,
non lo detiene por nada   Alfonso el castellano,
enbía sus cartas   pora León e a Sancti Yaguo,
a los portogaleses   e a galizianos
e a los de Carrión   e a varones castellanos,
2980 que cort fazié en Toledo   aquel rrey ondrado,
a cabo de *siete* semanas   que í fuessen iuntados;

qui non viniesse a la cort   non se toviesse por su vassallo.
Por todas sus tierras   assí lo ivan pensando
que non falliessen   de lo que el rrey avié mandado. (...)

137 [*En la corte de Toledo*]

Essora salién aparte   iffantes de Carrión
con todos sus parientes   e el vando que í son,
apriessa lo ivan trayendo   e acuerdan la rrazón:
«Aún grand amor nos faze   el Çid Campeador
3165 »quando desondra de sus fijas   no nos demanda oy,
»bien nos abendremos   con el rrey don Alfonso.
»Démosle sus espadas   quando assí finca la boz,
»e quando las toviere   partir se á la cort;
»ya más non avrá derecho   de nós el Çid Canpeador.»
3170 Con aquesta fabla   tornaron a la cort:
«¡Merçed, ya rrey don Alfonso,   sodes nuestro señor!
»No lo podemos negar   ca dos espadas nos dio,
»quando las demanda   e d'ellas ha sabor
»dárgelas queremos   delant estando vós.»
3175 Sacaron las espadas   Colada e Tizón,
pusiéronlas en mano   del rrey so señor,
saca las espadas   e rrelumbra toda la cort,
las maçanas e los arriazes   todos d'oro son.
Maravíllanse d'ellas   todos los omnes buenos de la cort.
3180 Reçibió [*el Çid*] las espadas,   las manos le besó,
tornós' al escaño   dón se levantó,
en las manos las tiene   e amas las cató,
nos' le pueden camear   ca el Çid bien las connosçe,
alegrós'le tod el cuerpo,   sonrrisós' de coraçón,
3185 alçava la mano,   a la barba se tomó:
«¡Par aquesta barba   que nadi non' messó,
»assís' irán vengando   don Elvira e doña Sol!»
A so sobrino   por nónbrel' llamó,
tendió el braço,   la espada Tizón le dio:
3190 «Prendetla, sobrino,   ca meiora en señor.»
A Martín Antolínez,   el burgalés de pro,
tendió el braço,   el espada Coládal' dio:
«Martín Antolínez,   mio vassallo de pro,
»prended a Colada,   ganéla de buen señor,
3195 »del conde do Remont Verenguel   de Barçilona la mayor.
»Por esso vos la do   que la bien curiedes vós;
»sé que si vos acaeçiere ....
3197b »con ella ganaredes   grand prez e grand valor.»

Besóle la mano, el espada tomó e rreçibió.
Luego se levantó Mio Çid el Campeador:
3200 «Grado al Criador e a vós, rrey señor,
»ya pagado só de mis espadas, de Colada e de Tizón.
»Otra rrencura he de ifantes de Carrión:
»quando sacaron de Valençia mis fijas amas a dos
»en oro e en plata tres mill marcos les di [y]o,
3205 »yo faziendo esto, ellos acabaron lo so;
»denme mis averes quando mios yernos non son.»
¡Aquí veriedes quexarse ifantes de Carrión!
Dize el conde don Remond: «Dezid de sí o de no.»
Essora rresponden ifantes de Carrión:
3210 «Por éssol' diemos sus espadas al Çid Campeador
»que ál no nos demandasse, que aquí fincó la boz.»
«Si ploguiere al rrey, assí dezimos nós:
»a lo que demanda el Çid quel' rrecudades vós.»
Dixo el buen rrey: «Assí lo otorgo yo.» (...)

139 [*El Cid pronuncia la acusación solemne de
menos valer contra los infantes*]

«Dezid, ¿qué vos mereçí, ifantes [*de Carrión*],
3258b-59 »en juego o en vero o en alguna rrazón?
3259b »Aquí lo meioraré a juvizio de la cort.
3260 »¿A quém' descubriestes las telas del coraçón?
»A la salida de Valençia mis fijas vos di yo
»con muy grand ondra e averes a nombre;
»quando las non queriedes, ya canes traidores,
»¿por qué las sacávades de Valençia sus honores?
3265 »¿A qué las firiestes a çinchas e a espolones?
»Solas las dexastes en el rrobredo de Corpes
»a las bestias fieras e a las aves del mont;
»por quanto les fiziestes menos valedes vós.
»Si non rrecudedes, véalo esta cort.»

140 [*El conde García Ordóñez denigra al Cid; éste
le recuerda su propia humillación en Cabra*]

3270 El conde don Garçia en pie se levantava:
«¡Merçed, ya rrey, el meior de toda España!
»Vezós' Mio Çid a llas cortes pregonadas;
»dexóla creçer e luenga trae la barba,
»los unos le han miedo e los otros espanta.

3275 »Los de Carrión son de natura tal
»non ge las devién querer sus fijas por varraganas,
»o ¿quién ge las diera por pareias o por veladas?
»Derecho fizieron por que las han dexadas.
»Quanto él dize non ge lo preçiamos nada.»
3280 Essora el Campeador prisos' a la barba:
«Grado a Dios que çielo e tierra manda!
»Por esso es lue[n]ga que a deliçio fue criada;
»¿qué avedes vós, conde, por rretraer la mi barba?
»Ca de quando nasco a deliçio fue criada,
3285 »ca non me priso a ella fijo de mugier nada,
»nimbla messó fijo de moro nin de christiana,
»commo yo a vós, conde, en el castiello de Cabra;
»quando pris a Cabra e a vós por la barba,
»non í ovo rrapaz que non messó su pulgada.
3290 »La que yo messé aún non es eguada.» (...)

146 [*Martín Antolínez reta a Diego*]

Martín Antolínez en pie se levantava:
«¡Calla, alevoso, boca sin verdad!
»Lo del león non se te deve olbidar,
»saliste por la puerta, metístet' al corral,
3365 »fústed' meter tras la viga lagar,
»¡más non vesti*st* el manto nin el brial!
«Yo llo lidiaré, non passará por ál,
»fijas del Çid porque las vós dexastes;
»en todas guisas, sabed que más valen que vós.
3370 »Al partir de la lid por tu boca lo dirás
»que eres traidor e mintist de quanto dicho has.»
D'estos amos la rrazón fincó. (...)

151 [*Martín Antolínez vence a Diego*]

Martín Antolínez e Diego Gonçález firiéronse de las lanças,
tales fueron los colpes que les quebraron amas.
Martín Antolínez mano metió al espada,
rrelumbra tod el campo, tanto es linpia e clara;
3650 diol' un colpe, de traviéssol' tomava,
el casco de somo apart ge lo echava,
las moncluras del yelmo todas ge las cortava,
allá levó el almófar, fata la cofia llegava,
la cofia e el almófar todo ge lo levava,

3655 rráxol' los pelos de la cabeça, bien a la carne llegava,
lo uno cayó en el campo e lo ál suso fincava.
Quando este colpe á ferido Colada la preçiada,
vio Diego Gonçález que no escaparié con el alma,
bolvió la rrienda al cavallo por tornasse de cara.
3660 Essora Martín Antolínez rreçibiól' con el espada,
un cólpel' dio de llano, con lo agudo nol' tomava.
3662-63 Diago [Go]nçález espada tiene en mano, mas no la ensayava,
essora el ifante tan grandes vozes dava:
3665 «¡Valme, Dios, glorioso señor, e cúriam' d'este espada!» (...)

152 [Segundos matrimonios de las hijas; linaje real del Cid]

Dexémosnos de pleitos de ifantes de Carrión,
de lo que an preso mucho an mal sabor;
3710 fablémosnos d'aqueste que en buen ora naçió.
Grandes son los gozos en Valençia la mayor
porque tan ondrados fueron los del Canpeador.
Prisos' a la barba Ruy Díaz so señor:
«¡Grado al Rey del çielo, mis fijas vengadas son!
3715 »Agora las ayan quitas heredades de Carrión.
»Sin vergüença las casaré o a qui pese o a qui non.»
Andidieron en pleitos los de Navarra e de Aragón,
ovieron su aiunta con Alfonso el de León,
fizieron sus casamientos con don Elvira e con doña Sol.
3720 Los primeros fueron grandes, mas aquéstos son miiores,
a mayor ondra las casa que lo que primero fue.
¡Ved quál ondra creçe al que en buen ora naçió
quando señoras son sus fijas de Navarra e de Aragón!
Oy los rreyes d'España sos parientes son,
3725 a todos alcança ondra por el que en buen ora naçió.

C

TEATRO LITÚRGICO CASTELLANO (¿?):

(SIGLO XII)

1

Auto de los Reyes Magos (1150-1200). Madrid: Nacional, ms. Vitrina 5-9 (letra de principios del s. xiii), ed. de R. Menéndez Pidal, «*Auto de los Reyes Magos*», *RABM*, 4 (1900), págs. 453-62.

[ESCENA I]

[CASPAR, *solo*]

D*i*os criador, qual marauila,
no ſe qual eſ acheſta ſtrela!
Agora p*r*imas la é ueida,
poco timpo á que eſ nacida.
5 ¿Nacido eſ el Criador
que eſ de las gentes senior?
Non eſ uerdad, no*n* ſe que digo;
todo eſto non uale uno figo.
Otra nocte me lo catare;
10 si eſ uertad, bine lo ſabre. [*Pausa.*]
¿Bine eſ uertad lo que io digo?
En todo, en todo lo prohio.
¿No*n* pudet ſeer otra ſennal?
Acheſto eſ i no*n* eſ ál;
15 nacido eſ D*i*os, por uer, de fembra
in acheſt meſ de december.
Ala ire ó que fure, aoralo é,
por D*i*os de todos lo terne.

[Baltasar, *solo*]

    Eʃta ʃtrela non ʃe dond uinet,
20 quin la trae o quin la tine.
    ¿Por que eʃ acheʃta sennal?
    en moʃ diaʃ [no] ui atal.
    Certas nacido eʃ en tirra
    aquel qui en pace i en guera
25 senior á a ʃeer da oriente
    de todos hata in occidente.
    Por tres nocheʃ me lo uere
    i maʃ de uero lo ʃabre. [*Pausa.*]
    ¿En todo, en todo es nacido?
30 Non ʃe ʃi algo é ueido.
    Ire, lo aorare,
    i pregare i rogare.

[Melchior, *solo*]

    Ual Criador, atal facinda
    fu nunquas alguandre falada
35 o en eʃcriptura trubada?
    Tal eʃtrela non eʃ in celo,
    deʃto ʃó io bono ʃtrelero;
    bine lo ueo ʃineʃ eʃcarno
    que uno omne eʃ nacido de carne,
40 que es ʃenior de todo el mundo,
    aʃi cumo el cilo eʃ redondo;
    de todaʃ gentes ʃenior ʃera
    i todo ʃeglo iugara.
    ¿Eʃ? ¿non eʃ?
45 Cudo que uerdad eʃ.
    Ueer lo é otra uegada,
    ʃi eʃ uertad o ʃi eʃ nada. [*Pausa.*]
    Nacido eʃ el Criador
    de todas las gentes maior;
50 bine lo [u]eo que eʃ uerdad;
    ire ala, par caridad.

[ESCENA II]

[Caspar *a* Baltasar]

    Dios uoʃ ʃalue, senior; ¿ʃodes uós ʃtrelero?
    dezidme la uertad, de uós ʃabelo quiro.

[¿Uedes tal marauila?]
55 [Nacida] eſ una ſtrela.

[BALTASAR]

Nacido eſ el Criador,
que de laſ ge*n*tes eſ senior.
Ire, lo aorare.

[CASPAR]

Io otro ſi rogar lo é.

[MELCHIOR, *a los otros dos*]

60 Seniores, ¿a qual ti*r*ra, o que[redes] andar?
¿Queredes ir co*n*migo al Criador rogar?
¿Auedes lo ueido? Io lo uó [aor]ar.

[CASPAR]

Noſ imoſ otroſi, ſil podremos falar.
Andemos traſ el ſtrela, ueremos el logar.

[MELCHIOR]

65 ¿Cumo podremos prouar ſi es hom*n*e mortal
o ſi eſ rei de te*r*ra o ſi celeſtrial?

[BALTASAR]

¿Queredes bine ſaber cumo lo ſabremos?
Oro, mira i acenſo a el ofrecremos:
ſi fure rei de te*r*ra, el oro quera;
70 ſi fure om*n*e mortal, la mira tomara;
ſi rei celeſtrial, eſtos doſ dexara,
tomara el ence*n*ſo quel pe*r*tenecera.

[CASPAR *y* MELCHIOR]

Andemos i aſi lo fagamos.

[ESCENA III]

[CASPAR *y los otros dos reyes, a* HERODES]

Salue te el Criador, Dios te curie de mal:
75 un poco te dizeremos no*n* te queremos ál;

Dios te de longa uita i te curie de mal;
imos in romeria aquel rei adorar
que eſ nacido in tirra, nol podemos fallar.

[HERODES]

¿Que decides, ó ides? ¿a quin ides buſcar?
80 ¿de qual terra uenides, ó queredes andar?
Decid me uoſtros nombres, nom los querades celar.

[CASPAR]

A mi dizen Caſpar,
eſt otro Melchior, ad acheſt Baltaſar.
Rei, un rei eſ nacido que eſ senior de tirra,
85 que mandara el ſeclo en grant pace ſineſ gera.

[HERODES]

¿Eſ aſi por uertad?

[CASPAR]

Si, rei, por caridad.

[HERODES]

¿I cumo lo ſabedes?
¿ia prouado lo auedes?

[CASPAR]

90 Rei, uertad te dizremos,
que prouado lo auemos.

[MELCHIOR]

Eſto eſ grand ma[ra]uila;
un ſtrela eſ nacida.

[BALTASAR]

Sennal face que eſ nacido
95 i in carne humana uenido.

[HERODES]

¿Quanto í á que la uiſtes
i que la percibiſtis?

[CASPAR]

Tredze dias á,
i mais no*n* auera,
100   que la auemos ueida
i bine percebida.

[HERODES]

Puſ andad i buſcad
i a el adorad
i por aqui tornad.
105   Io ala ire
i adoralo é.

[ESCENA IV]

[HERODES, *solo*]

¿Qui*n* uio numquas tal mal?
¡ſobre rei otro tal!
Aun no*n* ſó io morto
110   ni ſo la te*r*ra puſto!
¿Rei otro ſobre mi?
Num*m*quas atal no*n* ui!
El ſeglo ua a çaga,
ia no*n* ſe que me faga.
115   Por uertad no lo creo
ata que io lo ueo.
Uenga mio maior do[ma]
q*u*i mios aueres toma. [*Sale el mayordomo.*]
Id me por mios abades
120   i por miſ podeſtades
i por mioſ ſcriuanos
i por meos gramatgos
i por mios ſtreleros
i por mios retoricos;
125   dezir man la uertad, ſi iace i*n* eſcripto
o ſi lo ſaben elos o ſi lo a*n* ſabido.

[ESCENA V]

[*Salen* LOS SABIOS *de la Corte*]

Rei, ¿qque te plaze? He noſ uenidos.

[HERODES]

¿I traedes uostros eſcriptos?

[LOS SABIOS]

Rei, ſi traemos,
130 loſ meiores que nós auemos.

[HERODES]

Puſ catad,
dezid me la uertad,
ſi eſ aquel omne nacido
que eſto tres rees man dicho.
135 Di, rabi, la uertad, ſi tu lo aſ ſabido.

[EL RABÍ]

Po[r] ueras uo lo digo
que nolo [fallo] eſcripto.

[OTRO RABÍ *al primero*]

¡Hamihala, cumo eres enartado!
¿por que eres rabi clamado?
140 Non entendes las profecías,
laſ que nos dixo Ieremias.
¡Par mi lei, nos ſomos erados!
¿por que non ſomoſ acordados?
¿por que non dezimos uertad?

[RABÍ PRIMERO]

145 Io non la ſe, par caridad.

[RABÍ SEGUNDO]

Por que no la auemos uſada
ni en noſtras uocas es falada.

CH

TEATRO (GLOSA) LITÚRGICO CATALÁN

(SIGLO XIII)

1

Epístola farcida de Sant Esteve (1250-99). Barcelona: Catalunya, ms. 1000, fols. 34v-35v (letra del s. XIII), ed. de J. Romeu Figueras en *Teatre hagiogràfic,* t. II (Barcelona: Barcino, 1957), núm. I, págs. 5-10.

Lectio Actum Apostolorum

1   Esta liçó que legirem,
    dels *Fayts dels Apòstols* la traurem.
    Lo dit sent Luch recomptarem;
4   de sent Esteve parlarem.

In diebus illis

II   En aycel temps que Déus fo nat
    e fo de mort resucitat
    e pux e·l cel se'n fo puyat,
8   sent Esteve fo lapidat.

Stephanus autem, plenus gratia et fortitudine,
faciebat prodigia et signa magna in populo

III   Auyats, seyors, per qual raysó
    lo lapidaren li feló,
    car víron que Déus en él fo
12   e féu miracles per son do.

Surrexerunt autem quidam de synagoga, que
appellantur Libertinorum et Cirenencium et
Alexandrinorum et eorum qui erant a
Cilicia et Asia, disputantes cum
Stephano

ıv En contra él coren e van
li feló libertinian,
e li cruel celician
16 e·ls altres d'Alexandria.

Et non poterant resistere sapiencie et
spiritui, qui loquebantur

v Lo sant de Déu e la vertut
los mençongés à coneguts,
los pus savis ha renduts muts,
20 los pochs e·ls grans à tots vençuts.

(...) Et lapidabant Stephanum invocantem
et dicentem

xıı Cant lo sant viu las pedras venir,
dolces li són, no volch fugir;
per son Seyor sofir martir,
48 e comencet axí a dir:
—*Domine Ihesu, accipe spiritum meum.*—

* * *

Lectura de los Actos (o Hechos) de los
Apóstoles

ı Esta lectura que leeré
la traigo de los *Hechos de los Apóstoles*
relatados por San Lucas;
de San Esteban hablaré.

En aquellos tiempos

ıı En aquellos tiempos cuando nació
Dios (Jesucristo) y fue resucitado,
y después subió al Cielo,
San Esteban fue apedreado.

Esteban, lleno de gracia y fuerza, hacía actos
prodigiosos y milagros entre la gente

III Escuchen, señores, la razón por la
qual la gentuza le apedrearon: vieron
que Dios estaba en él, y que hacía
milagros por este don divino.

De la sinagoga subieron y lucharon contra
Esteban los libertinianos et al.

IV Corrieron contra él los libertinianos,
los crueles cilicianos y otros de
Alejandría.

No podían resistir su sabiduría y
espíritu, de que se habla aquí

V Este santo de Dios y su virtud ha
confundido a los mentirosos, a los
más sabios les ha rendido mudos, y a
los pobres y los ricos les ha vencido
todos.

(...) Y apedreaban a Esteban, quien invocaba
el nombre de Dios y decía...

XII Cuando el santo vio las piedras venir,
le son dulces, no quiere huir;
por su Señor quiere ser mártir,
y así comienza a decir:
«*Jesús, Señor, recibe mi espíritu*».

Esteban, lleno de gracia y fuerza, hacía años
predicaba y milagros entre la gente.

» Escuchen, señores, la razon por la
qual la gentuza le apedrearon: vieron
que Dios estaba en él, y que hacía
milagros por este don divino.

De su sangre subieron y hicieron contra
Esteban los libertinianos, et al.

» Corrieron contra él los libertinianos,
los cireles cilidanos y otros de
Alejandría:

» No podían resistir su sabiduría y
espíritu, de que se habla aquí.

» Este santo de Dios y su virtud ha
confundido a los mentirosos; a los
más sabios les ha rendido mudos, y a
los pobres y los ricos los ha vencido
todos;

(...) Y apedreaban a Esteban, quien invocaba
el nombre de Dios y decía:

» Cuando el santo vio las piedras venir,
le son dulces, no quiere huir,
por su Señor quiere ser mártir,
y así comienza a decir:

Jesús, Señor, recibe mi espíritu.

D

POESÍA LÍRICA Y NARRATIVA

(SIGLO XIII)

LA TRADICIÓN DEL DEBATE

1

Razón de amor con los *Denuestos del agua y el vino* (c. 1205). París: Nationale, ms. latín 3576 (letra de 1200-50), ed. de R. Menéndez Pidal, *RH,* 13 (1905), págs. 602-18; reimpresión (con las *eses* altas sustituidas por las ordinarias) en M. Alvar, *Antigua poesía española lírica y narrativa* (México, D. F.: Porrúa, 1970), págs. 143-57. Se sigue el texto de Alvar.

> (...) En el mes d'abril, depues yantar,
> estaua so un oliuar.
> Entre çimas d'un mançanar
> un uaso de plata ui estar;
> 15 pleno era d'un claro uino
> que era uermeio e fino;
> cubierto era de tal mesura
> no lo tocás' la calentura.
> Vna duena lo ý eua puesto,
> 20 que era senora del uerto,
> que quan su amigo uiniese,
> d'a aquel uino a beuer le diesse.
> Qui de tal uino ouiesse
> en la mana quan comiesse:
> 25 e dello ouiesse cada dia,
> nuncas mas enfermarya.
> Ariba del mançanar
> otro uaso ui estar;

pleno era d'un agua fryda
30 que en el mançanar se naçia.
Beuiera d'ela de grado,
mas oui miedo que era encantado.
Sobre un prado pus' mi tiesta,
que nom' fiziese mal la siesta;
35 parti de mí las uistiduras,
que nom' fizies', mal la calentura.
Plegem a una fuente perenal,
nunca fue omne que uies tall;
tan grant uirtud en si auia,
40 que de la frydor que d'í yxia,
cient pasadas aderedor
non sintryades la calor.
Todas yeruas que bien olien
la fuent çerca si las tenie:
45 ý es la saluia, ý sson as rosas,
ý el liryo e las uiolas;
otras tantas yeruas ý auia
que sol' nombra no las sabria;
mas ell olor que d'í yxia
50 a omne muerto ressuçitarya.
Prys' del agua un bocado
e fuy todo esfryado.
En mi mano prys' una flor,
sabet, non toda la peyor;
55 e quis' cantar de fin amor.
Mas ui uenir una doncela;
pues naçí, non ui tan bella:
blanca era e bermeia,
cabelos cortos sobr' ell oreia,
60 fruente blanca e loçana,
cara fresca como maçana;
naryz egual e dreyta,
nunca uiestes tan bien feyta;
oios negros e ridientes;
65 boca a razon e blancos dientes;
labros uermeios, non muy delgados,
por uerdat bien mesurados;
por la çentura delgada,
bien estant e mesurada;
70 el manto e su brial
de xamet era, que non d'ál;
vn sombrero tien' en la tiesta,
que nol' fiziese mal la siesta;

vnas luuas tien en la mano,
75 sabet, non ie las dio uilano.
De las flores uiene tomando,
en alta uoz d'amor cantando. (...)
Yo non fiz aqui como uilano,
leuem' e pris la por la mano;
junniemos amos en par
105 e posamos so ell oliuar.
      Dix le yo: «dezit, la mia senor,
»si ssupiestes nunca d'amor?»
      Diz ella «a plan, con grant amor ando,
»mas non connozco mi amado;
110 »pero dizem' un su mesaiero
»que es clerygo e non caualero,
»sabe muio de trobar
»de leyer e de cantar;
»dizem' que es de buenas yentes,
115 »mancebo barua punnientes.»
      —«Por Dios, que digades, la mia senor,
»que donas tenedes por la su amor?»
      —«Estas luuas y es' capiello.
»est' oral y est' aniello
120 »enbió a mí es' meu amigo,
»que por la su amor trayo con migo.»
Yo connoçi luego las alfayas,
que yo ie las auia enbiadas;
ela connoçio una mi cinta man a mano,
125 qu'ela la fiziera con la su mano.
Tolios' el manto de los onbros,
besome la boca e por los oios;
tan gran sabor de mí auia,
sol fablar non me podia.
130 «Dios senor, a ti loado
»quant conozco meu amado!
»agora e tod bien comigo
»quant conozco meo amigo!»
Vna grant pieça ali estando,
135 de nuestro amor ementando,
elam dixo: «el mio senor, oram' serya de tornar,
»si a uos non fuese en pesar.»
      Yol' dix': «Yt, la mia senor, pues que yr queredes,
»mas de mi amor pensat, fe que deuedes.»
140 Elam' dixo: «bien seguro seyt de mi amor,
»no uos camiaré por un enperador.»

La mia senor se ua priuado,
dexa a mí desconortado.

Que que la ui fuera del uerto,
145   por poco non fuy muerto.
Por uerdat quisieram' adormir,
mas una palomela ui;
tan blanca era como la nieu del puerto,
uolando uiene por medio del uerto,
150   (en la fuent quiso entrá,
mas quando a mí uido estar
entrós' en la del malgranar)
un cascauielo dorado
tray al pie atado.
155   En la fuent quiso entrá,
mas quando a mí uido estar,
entrós en el uaso del malgranar.
Quando en el uaso fue entrada
e fue toda bien esfryada,
160   ela que quiso exir festino,
uertiós' al agua sobre 'l uino!

* * *

Aquis copiença a denostar
el uino, y el agua a maliuar.
El uino faulo primero:
165   «mucho m'es uenido mal conpanero!
»Agua, as mala mana,
non quieria auer la tu compana;
que quando te legas a buen bino,
fazes lo feble e mesquino.
170   —«Don uino, fe que deuedes,
»¿por quales bondades que uós auedes
»a uós queredes alabar,
»e a mí queredes aontar?
»Calat'; yo e uós no nos de[ ]nostemos,
175   »que uuestra[s] mannas bien las sabemos:
»bien sabemos que recabdo dades
»en la cabeça dó entrades;
»los buenos uos preçian poco,
»que del sabio façedes loco;
180   »no es homne tan senado,
»que de ti ssea fartado,
»que no aya perdio el ssesso y el recabdo.»

El uino, con sana pleno,
dixo: «don agua, bierua uós ueno!
185 »Suzia, desberconçada,
»salit buscar otra posada;
»que podedes a Dios iurar
»que nunca entrastes en tal lugar;
»antes amaryella e astrosa,
190 »agora uermeia e fermosa.»
Respondio el agua:
«Don uino, que ý ganades
»en uillanias que digades?
»Pero si uós en apagardes,
195 »digamos uos las uerdades:
»que no á homne que no lo sepa
»que fillo sodes de la çepa,
»y por uerdat uos digo
»que non ssodes pora comigo;
200 »que grant tiempo a que uuestra madre sserye arduda,
»ssi non fusse por mia iuda:
»mas quando ueo que le uan cortar,
»ploro e fago la leuar.»
Respondio el uino luego:
205 —«Agoa, entiendo que lo dizes por iuego.
»Por uerdat plaçem' de coraçón,
»por que somos en esta razón;
»ca en esto que dizes puedes entender
»cómo es grant el mio poder,
210 »ca ueyes que no é manos ni piedes
»e io derribo a muchos ualientes;
»e sí farya a quantos en el mundo son,
»e si biuo fuese, Sansón.
»E dexemos todo lo ál:
215 »la mesa sin mi nada non ual.» (...)
»[E] contart'é otras mis manas
245 »mas temo que luego te asanas:
»yo fago al çiego ueyer
»y al coxo corer
»y al mudo faublá
»y al enfermo organar;
250 »asi com' dize en el scripto,
»de mi fazen el cuerpo de Iesu Cristo.»
—«Asi, don uino, por carydad,
»que tanta sabedes de diuinidat!

2

Elena y María (c. 1280). Madrid: ms. de la bibl. particular de la Duquesa de Alba (letra
de 1300-10), ed. de R. Menéndez Pidal, «*Elena y María (Disputa del clérigo y el caballero)*:
Poesía leonesa inédita del s. xiii», *RFE*, 1 (1914), págs. 52-96; reimpresión en M. Alvar, *ibid.*,
págs. 165-73, con la regularización de ∫ y τ. Se sigue el texto de Alvar.

           (...) Elena la cató
           de su palabra la son sanó,
           graue mientre le rrespuso,
    10   agora oyd commo fabró:
           «Calla, María,
           por qué dizes tal follía?
           esa palabra que fabreste
           al mio amigo denosteste,
    15   mas se lo bien catas
           e por derecho lo asmas
           non eras tu pora conmigo
           nin el tu amigo pora con el mio;
           somos hermanas e fijas de algo,
    20   mays yo amo el mays alto,
           ca es cauallero armado,
           de sus armas esforçado;
           el mio es de fensor,
           el tuyo es orador:
    25   quel mio defende tierras
           e sufre batallas e guerras,
           ca el tuyo janta e jaz
           e sienpre esta en paz.»
               Maria, atan por arte,
    30   rrespuso dela otra parte:
           «ve, loca trastornada,
           ca non sabes nada!
           dizes que janta e jaz
           por que esta en paz!
    35   ca el biue bien onrrado
           e sin todo cuydado;
           ha comer e beuer
           e en buenos lechos jazer;
           ha vestir e calçar
    40   e bestias enque caualgar,
           vasallas e vasallos,
           mulas e cauallos;

ha dineros e paños
e otros aueres tantos.
45 De las armas non ha cura
e otrosi de lidiar,
ca mas val seso e mesura
que sienpre andar en locura,
commo el tu cauallero
50 que ha vidas de garçon.
Quando al palaçio va
sabemos vida quele dan:
el pan rraçion,
el vino sin sazon;
55 sorie mucho e come poco,
va cantando commo loco;
commo tray poco vestido,
sienpre ha fanbre e frío.
Come mal e jaze mal
60 de noche en su ostal,
ca quien anda en casa ajena
nunca sal de pena.
Mientre el está allá,
lazerades vós acá;
65 para[ ]des mientes quando verná
e cata le las manos que adurá,
e senin tray nada,
luego es fría la posada.»
Elena con yra
70 luego dixo: «esto es mentira.
En el palaçio anda mi amigo,
mas non ha fanbre nin frío;
anda vestido e calçado
e bien encaualgado;
75 a[ ]conpananlo caualleros
e siruen lo escuderos;
dan le grandes soldadas
e abasta alas conpanas.
Quando al palaçio viene,
80 apuesto e muy bien,
con armas e con cauallos
e con escuderos e con vasallos,
sienpre trae açores
e con falcones delos mejores;
85 quando vien' rriberando
e las aves matando,
butores e abtardas

e otras aues tantas;
quando al palaçio llega,
90 Dios, qué bien semeja!
açores gritando,
cauallos rreninchando,
alegre vien' e cantando,
palabra de cortes fabrando.
95 A mi tien' onrada,
vestida e calçada;
viste me de çendal
e de ál que mas val.
Creas me de çierto,
100 que mas val vn beso de infançón
que çinco de abadón,
commo el tu baruj rrapado
que sienpre anda en su capa en çerrado,
que la cabeça e la barua e el pescueço
105 non semeja senon escueso.
Mas el cuydado mayor
que ha aquel tu señor
de su salterio rrezar,
e sus molaziellos ensenar;
110 la batalla faz con sus manos
quando bautiza sus afijados;
comer e gastar
e dormir e folgar,
fijas de omnes bonos en nartar,
115 casadas e por casar.
Non val nenguna rren
quien non sabe de mal e de bien:
que el mio sabe dello e dello
e val mas por ello.»
120   Maria rrespuso tan yrada,
esa vegada:
«Elena, calla,
por que dizes tal palabra?
Ca el tu amigo
125 a pos el mio non val vn mal figo.
Quando el es en palaçio
non es en tal espaçio,
oras tien algo, oras tien' nada,
que ayna falla ela soldada.
130 Quando non tien' que despender,
tornase luego a jogar;
e joga dos vezes o tres,

que nunca gana vna vez;
quando torna a perder,
135 ayna sal' el su auer:
joga el cauallo e el rroçín
e elas armas otro syn,
el mantón, el tabardo
e el bestido e el calçado;
140 finca en auol guisa,
en panicos e en camisa. (...)
195   Elena, dó sedia,
cató contra María;
diz: «ve, astrosa,
e non has ora verguença?
Por qué dizes tal maldat
200 abuelta con torpedat?
querrieste alabar
se te yo quesiese otorgar
....
Ca tu non comes con sazón
esperando la obraçión;
205 lo que tú has a gastar,
ante la a eglisa onrrada lo ha aganar;
beuides commo mesquinos,
de alimosna de vuestros vezinos.
Quando el abbad misa dezía,
210 a su moger maldezía;
enla primera oraçión
luego le echa la maldeçión.
ssi tu fueres misa escuchar,
tras todos te has a estar;
215 ca yo estare enla delantrera
e ofreçere enla primera;
ami leuaran por el manto,
e tu yras tras todas arrastrando;
amj leuaran commo condesa,
220 ati diran commo monaguesa.»
  Quando María oyó esta rrazón,
pesol' de coraçon;
rrespondió muy bien:
«todo esto non te prista rren;
225 anos quenos val
por anbas nos denostar?
Ca yo bien se asaz
el tu amigo lo que faz:
se el va en fonsado,

230   non es de su grado;
      se va conbater,
      non es de su querer;
      non puede rrefuyr
      quando lo va otro ferir;
235   lazerar lo ha ý,
      senon tornar sobre sy.
      Se bien lidia de sus maños
      es vna vez en treynta años;
      se vna vez vien de scudado
240   e vien aparejado,
      s... uedes v...
      endurades mas de tres.
      Muchas vegadas queredes comer
      quenon podedes auer.
245   Ca bien telo juro por la mi camisa,
      que sienpre estó de buena guisa;
      se bien janto e mejor çeno
      que nunca lazdro nin peno,
      ca ora he grand viçio
250   e biuo en grand deliço;
      ca bien ha mio señor
      que de la eglisa que de su lauor,
      que sienpre tien rriqueza e bondat e honor.
      Quando el misa dize,
255   bien se que a mi non maldize;
      ca quien vos amar en su coraçón
      non vos maldizera en nulla saçón,
      Ca sy por uero lo sopiesen
      e en escripto lo liesen,
260   que asy se perdia la moguer quel clerigo touiese,
      non farien otro abbad
      senon el que touiese castidat;
      ca non deue clerigo ser
      el que alma ajena faz perder.
265   Mas otra onrra mejor
      ha el mio señor:
      se fueren rreys o condes
      o otros rricos omnes
      o duenas de linage
270   o caualleros de parage,
      luego le van obedesçer
      e vanle ofreçer
      bien se tiene por villano
      quien le non besa la mano.

275 Villania fablar
    es asy me denostar;
    se amj dizen monaguesa,
    atí diran cotayfesa.
    Mas se tu oujeses buen sen
280 bien te deujas conosçer;
    ca dó ha seso de prior,
    conosçese enlo mejor.
    Mas tu non as amor por mj
    njn yo otro si por ti;
285 Vayamos anbas ala corte de vn rrey
    que yo de mejor non sey;
    este rey e enperador
    nunca julga senon de amor.
    Aquel es el rrey Oriol,
290 señor de buen valor,
    non ha en todo el mundo corte
    mas alegre nin de mejor conorte;
    corte es de muy grand alegria
    e de plazer e de jogreria;
295 omne non faz otro lauor
    senon cantar sienpre de amor;
    cantar e deportar
    e viesos nueuos contrubar;
    tanto ha entre ellos conorte
300 quenon han pauor de morte. (...)

HAGIOGRAFÍA Y LLANTO POR LA PÉRDIDA DE JERUSALÉN

3

Vida de Santa María Egipciaca (c. 1215). Escorial: Monasterio, ms. K.III.4, fols. 65r-82r (letra del s. xiv), ed. de M.ª Soledad de Andrés Castellanos (Madrid: RAE, 1964).

[I. Prólogo]

    Oyt, varones, huna Razon
    en que non ha ſſi verdat non;
    eſcuchat de coraçon,
    ſí ayades de Dios perdon.
  5 Toda es ffecha de uerdat:
    non á ý Ren de falſſedat.

Todos aquellos que a Dios amaran
eſtas palabras eſcucharan,
e los que de Dios non an cura
10 eſta palabra mucho les es dura.
Bien ſſe que de uoluntat la oyran
aquellos que a Dios amaran;
eſſos que a Dios amaran
grant gualardon ende Reçibran.
15 Si eſcucharedes eſta palabra,
mas vos ualdra que huna fabla.
De huna duenya que auedes oyda
quiero uos conptar toda ſſu ujda,
de ſanta Marja Egipçiaqua [3],
20 que ffue huna duenya muy loçana,
et de ſu cuerpo muy loçana
quando era mançeba z ninya.
Beltad le dio Nuestro ſennyor
porque fue fermoſa pecador,
25 mas la merçet del Criador
deſpues le fizo grant amor.
Eſto ſſepa todo pecador
que ffuere culpado del Criador:
que non es pecado
30 tan grande nj tan orrible,
que ⟨non le faga⟩ Dios non le faga perdon
por penjtençia ho por conffeſſion;
quien se Repjnte de coraçon,
luego le faze Dios perdon.
35 Los que prenden penjtença,
bien ſſen guarden de deſcreença;
qua el que deſcreye del Crjador
non puede auer la ſſu amor. (...)

[II. INFANCIA Y PRIMERA JUVENTUD DE MARÍA]

Eſta de qui qujero ffablar
80 Marja la hoí nombrar.
El ſſu nombre es en eſcripto,
por que naſçio en Egipto.
De pequenya fue bautizada,
mala mjentre fue enſenyada:

---

[3] Santa María Egipciaca nació el 16 de marzo de 354 y murió c. 431.

85 mientre que fue en mancebia,
dexo bondat ꝛ priſo follia;
tanto fue plena de luxurja,
que non entendie otra curja.
Por que era bella ꝛ genta
90 mucho fiaua en ſu juuenta.
Tanto amaua ffer ſus plaçeres,
que non ha cura d'otros aueres,
mas deſpender ꝛ deſbaldir,
que nol membraua de morjr.
95 A ſſus parientes ſſe daua,
a todos ſſe baldonaua. (...)
Pues que xij anyos houo de edat,
con todos faze ſu uoluntat:
a njnguno non ſſe querie vedar,
130 sol que aya algo quel dar.
E deſpues le vino acordar
que dexaſſe ſu linatge;
por mas fer ſſu voluntat,
hir ſſe querie dela çibdat.

[III. Vida licenciosa en Alejandría]

135 Marja ſſe va en otro Regno
por acabar mas de preçio:
sus parientes todos dexo,
aſſi que mas nunqua los vio.
Solla ſſallo como ladron,
140 que non demando companyon:
en ſſu camjno entro Marja,
que non demandaua companya.
Vna aueziella tenje en mano,
aſſi canta yujerno como verano;
145 Marja la tenje a grant honor
por que cada dia canta d'amor.
En Alexandrja fue Marja,
aqui demanda aluergueria:
alla va prender oſtal
150 con las malas en la cal;
las meretriçes, quando la vieron,
de buena mjente la Recibieron;
a gran honor la Reçibieron
por la beltat que en ella vieron.
155 Los fijos delos burzeſſes mando llamar,

que la vinjeſſen mirar.
Ellos de ella aujen grant ſabor,
que tal era como la flor.
Todos la van corteyar

160 por el ſu cuerpo acabar.
Ella los Recibie de uolonter
por que fizieſſen ſu plazer;
e por fer todo ſu viçio,
los mantenje a grant deliçio.

165 En beuer z en comer z follia
cuydaua noche z dia.
Quando ſe lleua de yantar
con ellos va deportar.
Tanto quiere jugar z Reyr,

170 que nol mjembra que ha de morjr.
Los mancebos dela çibdat
tanto les plaze dela beltat,
que cada dia la uan ha veyer,
que non ſe pueden della toller.

175 Tantas hiuan de copanyas,
que los juegos tornan a ſanyas:
ante las puertas, en las ⟨en las⟩ entradas,
dauanſe grandes eſpadadas;
la ſangre que dellos fallia

180 por medio dela cal corrja.
La catiua, quando lo vedie,
nulla piedat no le prendie;
el que era mas faldrjdo,
aquell era ſu amjgo;

185 el que vençie, dentro lo cogie,
el que murie, pocol dolie:
sil murjen dos amjgos,
ella auje cinquenta biuos;
e por alma del ques murje

190 ella mas de vn Riſo non darje.
Los que porella eran plagados
non eran della viſitados:
mas ama con los ſanos jugar
que los enfermos viſitar.

195 En Alexandrja era Marja,
aſi ſſe mantenje noche z dia.
En Aleſandrja es venjda,
ahi mantenje aqueſta vida.
En tal hora hí fue entrada,

200 qυe toda la villa fue meſclada,
   e tanta ſangre fue derramada,
   qυe toda la villa fue menguada,
   e las villas de enderredor
   todas eran en grant error.

[DE LA BELLEZA DE MARÍA]

205 Dela beltat ᴢ de ſu figura,
   como dize la eſcriptura,
   ante qυe diga adelante,
   direuos de ſu ſemblante:
   de aqυell tiempo qυe ffue ella,
210 depues no naſcio tan bella;
   nin Reyna njn condeſſa
   non vieſtes tal como eſta:
   Redondas auje las orejas,
   blanquas como leche d'ouejas;
215 ojos negros ᴢ sobreçejas,
   alua fruente faſta las çernejas;
   la faz tenje colorada,
   como la roſa quando es granada;
   boqua chiqua ᴢ por meſura,
220 muy fermoſa la catadura;
   su cuello ᴢ ſu petrina,
   tal como la flor dell eſpina;
   de ſus tetiellas bien es ſana,
   tales ſon como maçana;
225 braços ᴢ cuerpo ᴢ todo lo ál
   blanco es como criſtal.
   En buena forma fue taiada:
   njn era gorda njn muy delgada.
   Nin era luenga njn corta,
230 mas de meſura bona.
   De ſſu beltat dexemos eſtar,
   qυe non uos lo podrja contar (...)

[IV. VIAJE A JERUSALÉN]

   Enel mes de mayo hun dia,
   leuantoſſe eſſa Marja:
   sallio al muro dela çibdat
   por demoſtrar ſu beltad.

265 Cato ayuſo alos puertos,
     on ſolia fer sus depuertos:
     [Vio] vna galeya arribar,
     que eſtaua dentro enla mar;
     lena era de pelegrinos,
270 non auja hí omnes meſquinos:
     plena era de Romeros,
     de Ricos omnes τ caualleros.
     Todos hiuan en Romeatge
     a Iherusalem de buen oratge;
275 mucho ſſe quexauan de andar,
     que ellos hí cuydauan eſtar
     a huna fieſta que es anyal,
     grande τ general,
     el dia dela Açenſion,
280 quando aurja hí grant proceſſion.
     Alli poſaron en eſt logar,
     que alli querien fer ſu yantar:
     querjen vn poco folgar,
     τ depues que penſſaſſen de andar,
285 Mançebos auja hí liuyanos,
     que ſſe tomaron delas manos;
     metieron ſſe a andar,
     por las Riberas van ſolazar;
     corrjendo uan por la Ribera,
290 jugando por la eglera.
     Quando ſe aperçibio Marja,
     non pudo eſtar que non ſſe hirja.
     Cerqua ſſi vio vn omne eſtar;
     començol a demandar:
295 «Por Dios me digas tu, ſennyor,
     ſſí de Dios ayas amor,
     aquelos que ſſallen del drumon
     a qual parte van ho que omnes ſſon.
     Si me podrja conellos hir,
300 grant talant é d'aqui ſſallir;
     hir me querria d'aqueſte logar,
     non he talante d'aqui eſtar.»
     Alli reſpuſo aquell varon,
     delo que demanda dixol razon:
305 «Eſto ſſe yo bien de plan:
     que aquellos en Iherusalem van;
     si tu ouieſſes que les dar,
     ellos te podrjan leuar.»
     Alli reſpuſo eſſa:

310 «Yo, di⟨e⟩ze, he buen cuerpo;
    este les dare a gran baldon,
    que non les dare otro don.
    Non les dare otro logro,
    que non tengo mas d'un dobro.» (...)
    Si enla naue me quiſieredes meter,
350 ſerujr uoſ é volonter;
    conbuſco me hire a vltra mar,
    ſſi me quiſieredes leuar.
    Por leuar huna meſquina
    non ſſaldredes mas tarde a riba;
355 si vós eſta limoſna fer podedes,
    mas ayna arribaredes.
    Por Dios vos Ruego z por carjdat,
    que conbuſco me leuat».
    Quando le hoyeron eſta razon,
360 no ý houo qui dixies de non;
    luego alas manos la priſieron
    z dentro enla barqua la metieron.
    La barqua van Rjmar
    z luego ſſe meten ala mar.
365 Luego alçaron las velas;
    toda la noche andan alas eſtrellas,
    mas de dormjr non ay nada,
    que Marja es aparellada:
    tanto la auja el diablo compriſa,
370 que toda la noche ando en camjſa.
    Tollo la toqua delos cabellos,
    nunqua vio omne mas bellos.
    Primerament los va tentan[d]o,
    deſpues los va abraçando;
375 e luego ſe ua con ellos echando,
    a grant ſabor los beſando.
    Non auja hí tan enſſenyado,
    ſſi quier vieijo, ſſi quier cano,
    non hí fue tan caſto,
380 que conella non fizieſſe pecado;
    ninguno non ſe pudo tener,
    tanto fue corteſa de ſu meſter.
    Quando ella veye las grandes ondas
    tan pauoroſas z tan fondas,
385 e las lluujas con los vientos grandes,
    que trayen las tenpeſtades,
    non le prende null pauor
    njn llama al Crjador,

       antes los comjença a conffortar
390 z conbidalos a jugar.
       Ellos tanto la querien,
       que toda ſſu voluntat complien.
       Grant maraujlla puede omne auer,
       que huna fembra tanto puede fer.
395 Mas non era aquella noche
       que el diablo conella non fueſſe:
       bien la cuydaua enganyar
       quella pereçieſſe enla mar;
       mas non le fizo nengun tuerto,
400 que Dios la ſaco a puerto.

[V. Conversión de María en Jerusalén]

       Quando ffue arribada,
       dolienta fue z deſerrada;
       lorando sseye enla marjna:
       non ſſabe ques faga la meſqujna.
405 Non connoſçie hom[n]e njn fembra,
       aquella tierra nada nol ſembla.
       Non ſabe por qual man[er]a
       pueda beujr en aquella tierra.
       A la poſtremerja dixo:
410 «Yo hire a Iherusalem la çibdat.
       A mj meneſter me tornare,
       que bien me gouernare.»
       E lloroſa z deſconſſeiada
       en Iherusalem entraua.
415 Mas non dexo hí de pecar,
       ante començo de peorar. (...)

[Ángeles guerreros le impiden la entrada a María; se arrepiente de sus pecados]

440 Dentro entro la companjya,
       mas non ý entro Marja:
       enla grant prieſſa ſſe metie,
       mas nulla re nol valie,
       que aſſi le era aſſemejant
445 que veye huna gente muy grant,
       en ſſemeiança de caualleros,
       mas ſſemeiauan le muy fieros;

cada vno tenje ſſu eſpada,
menazauan la ala entrada;
450 quando querie a dentro entrar,
a riedro la fazien tornar.
Quando vio que non podie auer la entrada,
atras faze la tornada;
alli eſta muy deſmayada,
455 a vn *Requexo* es aſſentada.
Aqui comjença a penſar
z de coraçon a llorar,
d'amas manos tira a ſſus cabellos,
grandes ferjdas dio a ſus pechos.
460 Vio⟨l⟩ como [Dios] le era ſanyudo,
nol oſo pedir conſeio njnguno.
Ella aſaz diziendo: «en mal hora
fuy tan pecadora.
Tan mal conſeio houe prendudo
465 quando Dios me es aſſi ſanyudo.
Tan ſſo plena de malueztat,
de luxurja z de maldat,
que non puedo al templo entrar
nj a Dios me reclamar.
470 ¿Que fare agora, catiua?
Tanto me peſa porque ſſo biua.» (...)
Vna boz oyo veramente
que le dixo paladinamjente:
«Ve ala *Ribera* de ſſant Iordan,
635 al moneſterjo de ſant Iohan.
Vna melezina prenderas,
de todos tus pecados ſanaras:
Corpus *Christi* te daran,
z fuente Iordan te paſſaran.
640 Depues entraras en hun yermo
z moraras hí vn grant tiempo.
Enel yermo estaras,
faſta que biuas hí te deſpendras.»
Quando ella oyo eſta ſſanta boz,
645 en ſu fruente fizo cruz. (...)

[Mudanza física de María, ya penitente,
mientras en el desierto]

720 Toda ſſe mudo d'otra ffigura,
qua non ha panyos njn veſtidura:

perdio las carnes ⁊ la color,
que eran blancas como la flor;
e los ſus cabellos, que eran Ruujos,
725 tornaron blancos ⁊ ſuzios;
las ſus orejas, que eran aluas,
mucho eran negras ⁊ pegadas;
entenebrjdos auie los oios,
perdidos auje los mencojos;
730 la boca era enpeleçida,
derredor la carne muy denegrjda;
la faz, muy negra ⁊ arrugada
de frio viento ⁊ elada;
la barbiella ⁊ el ſſu grinyon
735 ſſemeia cabo de tizon;
tan negra era ſſu petrina
como la pez ⁊ la reſina;
en ſſus pechos non auja tetas,
como yo cuydo eran ſecas (...)
760 Tres panes houo non grandes mucho:
aquellos fueron ſſu conducho;
el primer anyo ſſon tan duros
como piedras de muros;
deſpues fueron aluos ⁊ blancos,
765 como ſſi del dia fueſſen amaſſados;
cada dia metie dellos en ſu boca,
mas eſto era poca coſa.
Quando eſte pan fue acabado,
torno Marja alas yeruas del campo:
770 commo otra beſtia las maſcaua,
mas por eſſo non deſmayaua;
por las montanyas corrje,
las yeruas aſſi las comje.
De yeruas ⁊ de granos
775 viſco dize ocho anyos. (...)

[MUERTE DE SANTA MARÍA; LA ENTIERRA EL MONJE
GOZIMÁS CON LA AYUDA DE UN LEÓN]

Quando ella ſe eſtendio en tierra,
luego conella era [Gozimás].
Quando en tierra fue echada
a Dios ſſe acomendaua.
1330 Premjo los ojos bien conujnjentes,
çerro ſu boca, cubrjo ſus dientes,

enbolujos en ʃus cabellos,
echo ʃus braços ʃobre ʃus pechos.
El alma es de ella ʃalljda,

1335 los angeles la an Recebjda;
los angeles la van leua[n]do,
tan dulçe ʃon que van cantando.
Mas bien podedes eʃto jurar,
que el diablo no ý pudo llegar.

1340 Eʃta duenya da enxemplo
a todo omne que es en [e]ʃte ʃieglo.
ꝛ Don Gozimas priʃo la via,
tornoʃe a ʃʃu abadia.
Mas de huna coʃa es mucho yrado:

1345 porque ʃu nombre no le á demandado.
A don Gozimas mucho le peʃaua
por la quareʃma que tanto tardaua,
mas quando vino eʃʃa ʃazon,
el abat les dio ʃu bendicion.

1350 Quando Gozimas ffue partido,
al fflumen Iordan ayna vino:
alliende paʃʃo ala ribera,
pora Marja prende carrera.
«Dios, —dixo— mueʃtra me aquell cuerpo,

1355 por çierto cuydo que es muerto.»
Bien quiʃo Dios a Gozimas,
non quiʃo que mas penás.
Torno los ojos a dieʃtra parte,
houo a ojo huna clarjdat;

1360 a aquella lumbre ʃʃe allego,
vio el cuerpo, mucho ʃe pago,
que jazie contra Orjente,
ʃʃus ojos floxos fermoʃamjentre;
sus crines tenje por lençuelo,

1365 a Gozimas priʃʃo grant duelo.
Vno de ʃʃus pannyos deʃnudo,
llegos al cuerpo, conel lo cubrjo.
Cato ayuʃo contra la tieʃta,
ꝛ vio hunas letras eʃcritas en tierra;

1370 mucho eran claras ꝛ bien tajadas,
que en çielo fueron formadas.
Don Gozimas las leyo feʃtino,
como ʃi ffueʃʃen en pargamjno:
«Prent, Gozimas, el cuerpo de Marja,

1375 ʃʃotierral oy en eʃte dia.
Quando lo auras ʃoterrado,

Ruega porell, que aſi te es acomendado.»
Quando Gozimas el nombre ffallo,
a Dios mucho lo agradeſçio.
1380 Deſpues le ffizo el mjniſterio
z dixo los ſalmos del ſalterio.
Mas de huna coſa es mucho marrjdo,
que non aduxo nada conſigo
con que pudieſſe la tierra obrjr
1385 para el cuerpo ſſobollir.
Mas por amor d'eſta Marja,
grant ayuda Dios le enbia:
vn leyon ſallo deſa montanya,
a Gozimas faze conpanya.
1390 Maguer que era beſtia fiera,
manſo va dó el cuerpo era.
Semblant fizo del cuerpo ſerujr,
quel quiere ayudar a ſſobollir.
Quando eſto vio el buen varon,
1395 muchol plaze de corazon.
Eſtonçe le dixo: «Vós, amjgo,
aqui eſtaredes comjgo.»
El leyon caua la tierra dura,
el le mueſtra la meſura.
1400 La fueſſa fue ayna cauada
z dela tierra bien mondada.
Amos la ponen enla fueſa
z vanſe dende en fuera.
Don Gozimas faze la comendaçion
1405 ſin ayuda d'aquell leyon.
Mas quando le vio la tierra echar,
non quiſo en balde eſtar.
Toda la tierra acarrey[o],
ſobre el cuerpo la echo.
1410 Echoſe en tierra por ſe eſpedir,
ſenyas fizo ques queria yr.
«Compannyero, jd uos en paz,
bien ſe que Dios por Marja faz.»
Luego el leyon ſen partio,
1415 por la montanya ſen metio.
«Agora creyo en mj creyençia
que ſanta coſa es penjtençia,
e penjtençia prendre,
piedat de mj cuerpo non aure.»

4

Libre dels tres reys d'Orient (Libro de la infancia y muerte de Jesús) (c. 1215). Escorial: Monasterio, ms. K. III. 4 (letra del s. xiv), ed. de M. Alvar (Madrid: CSIC, 1965).

Un ángel recomienda a José la huida a Egipto

Si por enojo non lo hobieredes,
dezir vos é una cosa
de Cristo e de la Gloriosa.
Josep yazía adormido,
85 el ángel fue a él venido.
Dixo: «Lieva varón e ve tu vía,
fuye con el niño e con María;
vete pora Egipto
que así lo manda el escripto».
90 Levantósse Josep mucho espantado,
pensó de complir el mandado.
Prende el niño e la madre
e él guiólos como á padre.
Non levó con ellos res
95 sino una bestia e ellos tres.

La Sagrada Familia es asaltada por unos ladrones

Madrugaron grant mañana,
solos pasan por la montaña.
Encontraron dos peyones,
grandes e fuertes ladrones,
100 que robaban los caminos
e degollaban los pelegrinos.
El que alguna cosa traxiese
non ha haber que le valiesse.
Presos fueron festino,
105 sacábanlos del camino;
de que fuera los tovieron
entre sí razón hobieron.
Dixo el ladrón más fellón:
«Así seya la partición.
110 Tú que mayor e mejor eres
descoig d'ellos cual más quisieres.
Desí partamos el más chiquiello

con el cuchiello.»
El otro ladrón tovo que dizie fuerte cosa
115 et fablar por miedo non osa.
Por miedo que se iraría
e que faria lo que dizía.
Antes dixo que dizia seso
e quel' partiessen bien por pesso,
120 et «óyasme, amigo, por caridat
e por amor de piadat,
pensemos de andar
que hora es de albergar.
En mi cassa albergaremos
e cras como quisieres partiremos.
125 E si se fueren por ninguna arte
yo te pecharé tu parte».

EL BUEN LADRÓN LOS ACOMODA EN SU PROPIA CASA

Dios, ¡qué bien recebidos son
de la mujer d'aquell ladrón!:
130 a los mayores daba plomaços
e al niño toma en braços;
e faziales tanto de plazer
cuanto más les podie fer.
Mas ell otro traidor quisiera luego
135 que ante ques' posasen al fuego,
manos e piedes les atar,
e en la cárcel los echar.
El otro ladrón començó de fablar
como oiredes contar.
140   —«Óyasme, amigos, por caridat
e por amor de piedat.
Buena cosa e fuerte tenemos;
cras como quisieres partiremos.
E si se fueren por ninguna arte
145 yo te pecharé tu parte.»

LA MUJER DEL BUEN LADRÓN BAÑA AL NIÑO
Y LLORA LA SUERTE DEL SUYO

La huéspeda nin come nin posa
sirviendo a la Gloriosa.
E ruegal' por amor de piedat
que non le caya en pesar,

150 e que su fijo lo dé a bañar.
La Gloriosa diz: «Bañatle,
e fet lo que quissieredes,
que en vestro poder nos tenedes».
Va la huéspeda correntera
155 e puso del agua en la caldera.
De que el agua hobo asaz caliente
el niño en braços prende.
Mientre lo baña ál non faz
sino cayer lágrimas por su faz.
160 La Gloriosa la cataba;
demandól' por qué lloraba:
«Huéspeda, ¿por qué llorades?,
non me lo celedes, sí bien hayades.»
Ella dixo: «Non lo celaré, amiga,
165 mas queredes que vos diga.
Yo tengo tamaña cueita
que querria seyer muerta.
Un fijuelo que había,
que parí el otro día,
170 afélo allí don jaz gafo
por mi pecado despugado».

María baña al hijo del ladrón en el agua donde estuvo Jesús. El niño sana

La Gloriosa diz: «Dátmelo, varona,
yo lo bañaré, que no só ascorosa.
E podedes dezir que en este año
175 non puede haber mejor baño».
Fue la madre e prísolo en los braços,
a la Gloriosa lo puso en las manos.
La Gloriosa lo metió en el agua
dó bañado era el Rey del cielo e de la tierra.
180 La vertut fue fecha man a mano:
metiol' gafo e sacól' sano.
En el agua fincó todo el mal,
tal lo sacó com' un cristal.
Cuando la madre vio el fijo guarido
185 grant alegría ha consigo.
—«Huéspeda en buen día a mi casa viniestes,
que a mi fijo me diestes.
Et aquell niño que allí jaz,
que tales miraglos faz,

190 atal es mi esperanza
     que Dios es sines dubdança.»
         Corre la madre muy gozosa,
     al padre dize la cosa.
     Contol' todo comol' avino,
195 mostról' el fijo guarido.

EL BUEN LADRÓN FACILITA LA HUIDA
DE LA SAGRADA FAMILIA

         Cuando el padre lo vio sano
     non vio cosa más fues' pagado;
     e por pavor del otro despertar
     pensó quedo des' levantar;
200 e con pavor de non tardar
     priso carne, vino e pan.
     Pero que media noche era
     metióse con ellos a la carrera.
     Escurriólos fasta en Egipto,
205 así lo dize el escripto.
     E cuando de ellos se hobo a partir,
     mercet les començó de pedir.
     Que el fijo que ell ha sanado
     suyo seya acomendado.
210 A tanto ge lo acomendó de suerte
     que suyo fues' a la muerte.
     La Gloriosa ge lo ha otorgado,
     el ladrón es ya tornado.

EL MAL LADRÓN TIENE UN HIJO. AL CABO DE LOS AÑOS,
LOS DOS HIJOS SON APRESADOS POR SER BANDOLEROS.
MUEREN JUNTO A JESÚS

         Al otro alevoso ladrón
215 nació' un fijo varón.
     Los niños fueron cresciendo,
     las mañas de los padres aprendiendo.
     Sallien robar caminos
     el degollaban los pelegrinos.
220 E facian mal atanto
     fasta on lo priso Pilato.
     A Iherusalem los aduz,
     mándalos poner en cruz

en aquel día señalado
225 que Christus fúe crucificado.
El que en su agua fue bañado,
fue puesto al su diestro lado.
Luego quel' vio en él creyó,
e merced le demandó.
230 Nuestro Señor dixo:
«Hoy serás conmigo
en el santo paraíso.»
El fi de traidor cuando fablaba
todo lo despreciaba.
235   Diz: «Varón, cómo eres loco,
que Christus non te valdrá tampoco.
A sí non puede prestar,
¿cómo puede a ti uviar?»
Éste fue en infierno miso
240 e el otro en paraísso.
Dimas fue salvo
e Gestas fue condapnado.
Dimas e Gestas
medio divina potestas.

5

¡Ay Iherusalem! (1200-1300 [¿?]. Madrid: Archivo Histórico Nacional, ms. de Diversos/Miscelánea, cajón 12 (letra de 1390-1410 [¿?]), ed. de M.ª del Carmen Pescador del Hoyo, «Tres nuevos poemas medievales», *NRFH*, 14 (1960), págs. 242-50, a las págs. 244-46.

A los que adoran en la Vera Cruz,
salud e gracia de la vera luz,
que envió sin arte
el maestre d' Acre
5   a Iherusalem.
Bien querría más convusco plañir,
llorar noches e días, gemir e non dormir,
que contarvos prosas
de nuevas llorosas
10   de Iherusalem.
Creo que pecado me sería callar;
lloros e sospiros non me dan vagar
de escrebir el planto
en el Concilio Santo
15   de Iherusalem.

De Iherusalem vos querría contar,
del Sepulcro Santo que es allende el mar:
moros lo cercaron
e lo[s] derribaron
20   a Iherusalem.

Estos moros perros a la Casa Santa
siete años e medio la tienen cercada;
non dubdan morir
por la conquerir
25   a Iherusalem.

Fazen ayuntamiento los de Babilonia
con los africanos para los de Etiopia,
paran los coraminos,
tártaros e miros
30   por Iherusalem.

Grandes afincanças ponen con sus lanças
por ir a cristianos commo a perdonanças.
Llena por encima
vence morería
35   en Iherusalem.

Aunque los cristianos non pueden sofrir,
han pocas viandas e mucho ferir.
Non les viene acorro
del su Consistorio
40   en Iherusalem.

Ya todos acuerdan con el Patriarca:
para el Padre Santo escriben una carta
con letras de sangre,
que mueren de fambre
45   en Iherusalem.

Raros muy amargos moros cuantos son,
tiénenlo cerrado al altar de Sión.
Non dubdan morir
por la conquerir
50   a Iherusalem.

Léese la carta en el Concilio santo:
papa e cardenales fazían grand llanto,
rompen sus vestidos,
dan grandes gemidos
55   por Iherusalem.

Mandan dar pregones por la cristiandad,
alçan sus pendones, llaman Trinidad.
«¡Valed, los cristianos,
a vuestros hermanos
60   en Iherusalem!»

Non les da buen viaje la sagrada mar:
los vientos han contrarios, non les dexa andar.
Cuando están en calma
esflaquéceles el alma,
65   en Iherusalem.
Hora es venida, por nuestros pecados,
de tan negro día moros esforçados.
Llena por encima
vence morería
70   en Iherusalem.
Pocos son cristianos, menos que ovejas.
Muchos son los moros, más que las estrellas;
non dubdan morir
por la conquerir
75   a Iherusalem.
¡Cuánta gran batalla fuera en aquel día!
Con los caballeros es la clerezía,
por tomar pasión
por la defensión
80   de Iherusalem.
Revenden cristianos muy bien la su sangre:
por muerte de uno cient moros van delante.
De todo por encima
vence morería
85   en Iherusalem.
Sacerdotes e fraires en cadenas presos;
tienen a los abades en cepos de maderos.
Afán e amargura
hanlo por folgura
90   en Iherusalem.
Vienen las donzellas que eran delicadas
en cadenas presas e muy atormentadas.
Afán e quebranto,
fazían grande llanto
95   en Iherusalem.
Veen los cristianos a sus fijos asar,
veen a sus mujeres vivas destetar;
vanse por los campos,
cortos pies e manos,
100   en Iherusalem.
De las vestimentas facían cubiertas;
del Sepulcro Santo facían establo;
de las cruces santas
facían estacas
105   en Iherusalem.

Quien este canto non quiere oir,
non tiene mientes de a Dios servir
nin poner un canto
en el Concilio santo
110   de Iherusalem.

«CUADERNA VÍA»: HAGIOGRAFÍA Y ÉPICA LITERARIA

GONZALO DE BERCEO (FINALES DEL SIGLO XII - c. 1265)

6

Vida de San Millán de la Cogolla (¿1230?). Santo Domingo de Silos: Monasterio, ms. 110 *(olim* 93), fols. 1r-31v, copia hecha por el P. Ibarreta, 1774-78, de un ms. «en quarto», perdido, de c. 1255; ed. de B. Dutton (2.ª ed. corr. y aum.; Londres: Tamesis, 1984).

Aquí escomiesça la estoria de Señor sant Millán, tornada de latín en romance, la qual composo Maestre Gonçalo de Verceo.

1   Qui la vida quisiere de sant Millán saber [4]
    e de la su istoria bien certano seer,
    meta mientes en esto que yo quiero leer:
    verá a dó embían los pueblos so aver.

2   Secundo mió creencia, que pese al Peccado,
    en cabo quando fuere leído el dictado,
    aprendrá tales cosas de que será pagado,
    de dar les tres meajas no li será pesado.

3   Cerca es de Cogol[l]a de parte de ôrient,
    dos leguas sobre Nágera, al pie de Sant Lorent,
    el barrio de Verceo, Madriz [li] yaz present,
    ý nació sant Millán, esto sin falliment.

4   Luego que fue nacido, los que lo engendraron,
    embuelto en sos pannos a [glesia] lo levaron;
    como la leï manda baptismo demandaron,
    diérongelo los clérigos, de crisma lo untaron.

5   Luego que fue criado, que se podió mandar,
    mandólo ir el padre las ovejas curiar;
    obedeció el fijo, fuelas luego guardar
    con ábito qual suelen los pastores usar.

---

[4] San Millán de la Cogolla nació c. 474 y murió en 574.

6 Guardava bien su grei como muy sabidor:
so cayado en mano a leï de pastor,
bien referi[é] al labo e al mal robador,
las ovejas con elli avi[é]n muy grant sabor.

7 Avi[é] otra costumne el pastor que vos digo,
por uso una cítara trayé siempre consigo,
por referir el suenno, que el mal enemigo
furtar no li pudiesse cordero ni cabri[g]o.

8 Dioli estranna gracia el pastor celestial,
nin lobo nin res mala no li podié fer mal;
tornava so ganado sano a so corral,
facié a sos parientes servicio natural.

9 Mas el Reï de gloria que es de grant ambisa,
quiso est ministerio cambiar en otra guisa,
levantarlo del polvo, darli mayor divisa,
lo que, quando El quiere, aína lo aguisa.

10 Andando por las sierras, su cayado fincado,
cumpliendo so oficio, sus ovejas guiando,
fuelo de fiera guisa el suenno apesgando,
apremió la cabeça, fose adormitando.

11 Durmió quanto Dios quiso suenno dul[ç] e temprado,
mientre yacié dormiendo fue de Dios aspirado;
quando abrió los ojos despertó maestrado,
por partirse del mundo oblidó el ganado.

12 Entendió que el mundo era pleno de ênganno,
querié partirse d'elli [e] ferse ermitanno;
de levar non asmava nin conducho nin panno,
faciéseli el día más luengo que un año. (...)

111 Belzebup, él qe ovo a[d] / Adám decevido,
teniése d'est pro omne mucho por escarnido,
ca muchas de vegadas lo avié cometido,
mas siempre se partié del so pleyte vencido.

112 La bestia maledicta, plena de travessura,
preso forma de carne e umanal figura;
paróseli delant en una angostura,
diciéndoli palabras fuertes e de pavura.

113 «Millán, —disso el demon— aves mala costumne,
»eres muy cambiadiço, non traes firmedumne,
»semejas en tos dichos que traes mansedumne,
»amarguean / tos fechos plus que la fuert calumne.

114 »Quando primeramientre [venist] en [est] logar,
»non te paguesti d'elli, [ovist]lo a dessar;
»entresti a los montes por a mi guerrear,

»diciés que al poblado [nunqa] qerriés tornar.

115   »En cabo quando eras cerca del passamiento,
»de tornar a poblado prísote grant taliento;
»tornesti a Verceo, sovist ý poco tiempo,
»placié con las tues nuevas pocco á es conviento.

116   »[Dessest] Sancta Olalia por grant aliviamiento,
»no lis dissisti gracias en tu espidimiento;
»aun agora quieres fer otro poblamiento
»¡bien me ten por babieca si yo te lo consiento!

117   »Dizirt'é una cosa, ca téngola asmada,
»qe la luchemos ambos qual terrá la possada;
»déssela el caído, cosa es aguisada,
»finqe en paz el otro, la guerra destajada.»

118   Luego qe esto disso la bestia enconada,
quiso en el [sant] omne meter mano irada,
abraçarse con elli, pararli çancajada,
mas no li valió todo una nuez foradada.

119   El confessor precioso fizo sue oración,
«Sennor, qe por tos siervos dennest prender passión,
»Tu me defendi oy d'esti tan fuert bestión,
»[com] él sea vençudo e yo sin lisión.»

120   Luego qe Millán ovo la oración finida,
ovo toda la fuerça el dïablo perdida;
fue la sue grant sobervia en el polvo caída,
tanto que non ganara nada enna venida.

121   Levantó un grant polvo, un fiero torbellino,
[fusso] mal crebrantada, diziendo «¡Ay, mesquino!
»siempre oí dezir e sobre mí avino,
»qe mal día [l'] amasco al qi á mal vecino.»

122   Fusso e desterróse a la tierra estranna,
el confessor precioso, fincó en so montanna;
mientre el sieglo sea e durare Espanna,
siempre será contada esta buena fazanna.

123   El bon campeador por toda la victoria
non dio en sí entrada a nulla vanagloria;
guardava bien so corso, t[e]nié bien sue memoria,
qe no lo engannase la vida transitoria.

7

Milagros de Nuestra Señora (c. 1246-c. 1252). Santo Domingo de Silos: *ibid.*, fols. 102r-52v; ed. de Cl. García Turza (Logroño: Colegio Universitario de La Rioja, 1984).

INTRODUCCIÓN

1 Amigos e vasallos de Dios omnipotent,
si vós me escuchássedes por vuestro consiment,
querríavos contar un buen aveniment:
terrédeslo en cabo por bueno verament.

2 Yo, maestro Gonçalvo de Verçeo nomnado,
yendo en romería caeçí en un prado,
verde e bien sençido, de flores bien poblado,
logar cobdiçiaduero pora omne cansado.

3 Davan olor sovejo las flores bien olientes,
refrescavan en omne las caras e las mientes;
manavan cada canto fuentes claras, corrientes,
en verano bien frías, en ivierno calientes.

4 Avié ý grand abondo de buenas arboledas,
milgranos e figueras, peros e mazanedas,
e muchas otras fructas de diversas monedas,
mas non avié ningunas podridas ni azedas.

5 La verdura del prado, la olor de las flores,
las sombras de los árbores de temprados savores,
refrescáronme todo e perdí los sudores:
podrié vevir el omne con aquellos olores.

6 Nunqa trobé en sieglo logar tan deleitoso,
nin sombra tan temprada ni olor tan sabroso;
descargué mi ropiella por yazer más viçioso,
poséme a la sombra de un árbor fermoso.

7 Yaziendo a la sombra perdí todos cuidados,
odí sonos de aves, dulces e modulados;
nunqa udieron omnes órganos más temprados,
nin qe formar pudiessen sones más acordados. (...)

19 En esta romería avemos un buen prado,
en qui trova repaire tot romeo cansado:
la Virgin glorïosa, madre del buen crïado,
del qual otro ninguno egual non fue trobado.

20 Esti prado fue siempre verde en onestat,
ca nunca ovo mácula la su virginidat;
post partum et in partu fue virgin de verdat,
illesa, incorrupta en su entegredat. (...)

31 Tornemos ennas flores   qe componen el prado,
    qe lo façen fermoso,   apuesto e temprado;
    las flores son los nomnes   qe li da el dictado
    a la Virgo María,   madre del buen crïado.

32 La benedicta Virgen   es estrella clamada,
    estrella de los mares,   guïona deseada,
    es de los marineros   en las cuitas guardada,
    ca quando éssa veden,   es la nave guïada.

33 Es clamada, y eslo,   de los cielos reína,
    tiemplo de Jesu Christo,   estrella matutina,
    sennora natural,   pïadosa vezina,
    de cuerpos e de almas   salud e medicina. (...)

1. LA CASULLA DE SAN ILDEFONSO

47 En España cobdicio   de luego empezar,
    en Toledo la magna,   un famado logar,
    ca non sé de quál cabo   empieze a contar,
    ca más son que arenas   en riba de la mar.

48 En Toledo la buena,   essa villa real,
    qe yaze sobre Tajo,   essa agua cabdal,
    ovo un arzobispo,   coronado leal,
    qe fue de la Gloriosa   amigo natural.

49 Diziénli Ildefonsso,   dizlo la escriptura,
    pastor qe a su grey   dava buena pastura,
    omne de sancta vida   qe trasco grand cordura,
    qe nós mucho digamos,   so fecho lo mestura.

50 Siempre con la Gloriosa   ovo su atenencia,
    nunqua varón en dueña   metió mayor qerencia;
    en buscarli servicio   metié toda femencia,
    facié en ello seso   e buena providencia.

51 Sin los otros servicios,   muchos e muy granados,
    dos yazen en escripto,   éstos son más notados:
    fizo d'Ella un libro   de dichos colorados
    de su virginidat   contra tres renegados. (...)

59 Apareció·l la madre   del Rey de Magestat
    con un libro en mano   de muy grant claridat:
    el qe él avié fecho   de la virginidat;
    plógo·l a Illefonsso   de toda voluntat.

60 Fízoli otra gracia   qual nunqa fue oída:
    dioli una casulla   sin aguja cosida;
    obra era angélica,   non de omne texida,
    fablóli poccos vierbos,   razón buena, complida.

61 «Amigo, —dísso·l— sepas qe só de ti pagada,
asme buscada onrra, non simple, ca doblada:
fecist de mí buen libro, asme bien alavada,
fecistme nueva festa qe non era usada. (...)

66 Quando plogo a Christo, al celestial Sennor,
finó sant Illefonsso, precioso confessor,
onrrólo la Gloriosa, Madre del Crïador,
dio·l grand onrra al cuerpo, al alma muy mejor.

67 Alzaron arzobispo un calonge lozano,
era *mucho* sovervio e de seso liviano;
quiso eguar al otro, fue en ello villano,
por bien non gelo tovo el pueblo toledano.

68 Posóse enna cátedra del su antecessor,
demandó la casulla qe·l dio el Crïador,
disso palabras locas el torpe peccador,
pesaron a la Madre de Dios, Nuestro Sennor.

69 Disso unas palavras de muy grand liviandat:
«Nunqa fue Illefonsso de mayor dignidat,
tan bien só consegrado como él por verdat,
todos somos eguales enna umanidat».

70 Si non fuesse Sïagrio tan adelante ido,
si oviesse su lengua un poco retenido,
non *serié* enna ira del Crïador caído,
ond dubdamos qe es ¡mal peccado! perdido.

71 Mandó a los ministros la casulla traer
por entrar a la missa, la confessión fazer,
mas non li fo sofrido ni ovo él poder,
ca lo qe Dios non quiere nunqa puede seer.

72 Pero qe ampla era la sancta vestidura,
issióli a Sïagrio angosta sin mesura;
prísoli la garganta como cadena dura,
fue luego enfogado por la su grand locura.

73 La Virgen glorïosa, estrella de la mar,
sabe a sus amigos gualardón bueno dar;
bien sabe a los buenos el bien gualardonar,
a los qe la dessierven sábelos mal curar.

74 Amigos, atal madre aguardarla devemos,
si a Ella sirviéremos, nuestra pro buscaremos;
onrraremos los cuerpos, las almas salvaremos,
por pocco de servicio grand gualardón prendremos.

2. EL SACRISTÁN FORNICARIO

75 Amigos, si quisiéssedes un pocco esperar,
aún otro miraclo vos qerría contar
qe por Sancta María dennó Dios demostrar,
de cuya lege quiso con su bocca mamar.

76 Un monge beneíto fue en una mongía,
el logar no lo leo, decir no lo sabría,
querié de corazón bien a Sancta María,
facié a la su statua el enclín cada día.

77 Facié a la su statua el enclín cada día,
fincava los enojos, diçié: «Ave María».
El abbat de la casa dioli sacristanía,
ca teniélo por cuerdo e quito de follía.

78 El enemigo malo, de Belzebud vicario,
que siempre fue e eslo de los buenos contrario,
tanto pudió bullir el sotil aversario
que corrompió al monge, fízolo fornicario.

79 Priso un uso malo el locco peccador,
de noche, quando era echado el prïor,
issié por la eglesia fuera del dormitor,
corrié el entorpado a la mala lavor.

80 Siquier a la exida, siquier a la entrada,
delante del altar li cadié la passada;
el enclín e la Ave teniéla bien usada,
non se li oblidava en ninguna vegada.

81 Corrié un río bono cerca de la mongía,
aviélo de passar el monge todavía;
dó se vinié el loco de complir su follía,
cadió et enfogósse fuera de la freiría.

82 Quando vino la ora de matines cantar,
non *avié* sacristano qe podiesse sonar;
levantáronse todos, quisqe de so logar,
fueron a la eglesia al fraire despertar. (...)

85 Mientre yazié en vanno el cuerpo en el río,
digamos de la alma en quál pleito se vío:
vinieron de dïablos por ella grand gentío,
por levarla al váratro, de deleit bien vazío.

86 Mientre qe los dïablos la trayén com a pella,
vidiéronla los ángeles, descendieron a ella;
ficieron los dïablos luego muy grand qerella:
qe suya era guita, qe se partiessen d'ella.

87 Non ovieron los ángeles razón de vocealla,
   ca ovo la fin mala e assín fue sin falla;
   tirar no lis podieron valient una agalla,
   ovieron a partirse tristes de la vatalla.

88 Acorrió·l la Gloriosa, reína general,
   ca tenién los dïablos mientes a todo mal;
   mandólis atender, non osaron fer ál,
   moviólis pletesía firme e muy cabdal. (...)

94 El Reï de los Cielos, alcalde savidor,
   partió esta contienda, non vidiestes mejor:
   mandó tornar la alma al cuerpo el Sennor,
   dessent qual mereciesse recibrié tal onor.

95 Estava el convento triste e dessarrado
   por esti mal exiemplo qe lis era uviado;
   resuscitó el fraire qe era ya passado,
   espantáronse todos ca era aguisado.

96 Fablólis el buen omne; díssolis: «Companneros,
   muerto fui e só vivo, d'esto seet certeros.
   ¡Grado a la Gloriosa qe salva sos obreros,
   que me libró de manos de los malos guerreros!».

97 Contólis por su lengua toda la ledanía,
   qé dizién los dïablos e qé Sancta María,
   cómo lo quitó Ella de su podestadía;
   si por Ella non fuesse, *serié* en negro día.

98 Rendieron a Dios gracias de buena boluntat,
   a la sancta Reína, madre de pïadat,
   qe fizo tal miraclo por su benignidat,
   por qui está más firme toda la christiandat.

99 Confessóse el monge e fizo penitenzia,
   mejoróse de toda su mala contenencia,
   sirvió a la Gloriosa mientre ovo potencia,
   finó quando Dios quiso sin mala repindencia,
   requïescat in pace cum divina clemencia.

100 Muchos tales miraclos e muchos más granados
    fizo Sancta María sobre sos aclamados;
    non serién los millésimos por mil omnes contados,
    mas de lo qe sopiéremos seed nuestros pagados.

3. EL CLÉRIGO Y LA FLOR

101 Leemos de un clérigo qe era tiestherido,
    ennos vicios seglares feramient embevido;
    pero qe era locco, avié un buen sentido:
    amava la Gloriosa de corazón complido.

102 Comoqiere qe era en ál mal costumnado,
en saludar a Ella era bien acordado;
nin irié a eglesia nin a ningún mandado
qe el su nomne ante non fuesse aclamado.

103 Dezir no lo sabría sobre quál ocasión,
ca nós no lo sabemos si lo buscó o non,
diéronli enemigos salto a est varón,
ovieron a matarlo, ¡Domne Dios lo perdón!

104 Los omnes de la villa e los sus compañeros
esto cómo cuntiera com non eran certeros,
defuera de la villa entre unos riberos
allá lo soterraron, non entre los dezmeros.

105 Pesó·l a la Gloriosa con est enterramiento,
qe yazié el su siervo fuera de su conviento;
pareció·l a un clérigo de buen entendimiento,
díssoli qe fizieran en ello fallimiento.

106 Bien avié treinta días qe era soterrado:
en término tan luengo podié seer dannado;
dísso·l Sancta María: «Fiziestes desguissado,
que yaz el mi notario de vós tan apartado.

107 Mándote qe lo digas: qe el mi cancellario
non mereçié seer echado del sagrario;
dilis qe no lo dexen ý otro trentanario;
métanlo con los otros en el buen fossalario».

108 Demandóli el clérigo qe yazié dormitado:
«¿Quí eres tú qe fablas? Dime de ti mandado,
ca quando lo dissiero, seráme demandado
quí es el querelloso, o quí el soterrado».

109 Díssoli la Gloriosa: «Yo só Sancta María,
madre de Jesu Christo qe mamó leche mía;
el qe vós desechastes de vuestra compannía,
por cancellario mío yo a éssi tenía.

110 El qe vós soterrastes luenne del cimiterio,
al qe vós non qisiestes fazer nul ministerio,
yo por ésti te fago todo est reguncerio;
si bien no lo recabdas, tente por en lazerio».

111 El dicho de la duenna fue luego recabdado,
abrieron el sepulcro apriessa e privado,
vidieron un miraclo non simple ca doblado,
el uno e el otro fue luego bien notado.

112 Issiéli *por la boca* una fermosa flor
de muy grand fermosura, de muy fresca color;
inchié toda la plaza de sabrosa olor,
qe non sentién del cuerpo un punto de pudor.

113 Trobáronli la lengua   tan fresca e tan sana
     qual pareze de dentro   la fermosa mazana;
     no la tenié más fresca   a la meredïana
     quando sedié fablando   en media la quintana.

114 Vidieron qe viniera   esto por la Gloriosa,
     ca otri non podrié   fazer tamanna cosa;
     transladaron el cuerpo,   cantando «Specïosa»,
     aprés de la eglesia   en tumba más preciosa.

115 Todo omne del mundo   fará grand cortesía
     qi fiziere servicio   a la Virgo María;
     mientre qe fuere vivo,   verá plazentería,
     e salvará el alma   al postremero día. (...)

6. EL LADRÓN DEVOTO

142 Era un ladrón malo   qe más qerié furtar
     qe ir a la eglesia   ni a puentes alzar;
     sabié de mal porcalzo   su casa governar,
     uso malo qe prisso   no lo podié dexar.

143 Si *facié* otros males,   esto non lo leemos,
     serié mal condempnarlo   por lo qe non savemos,
     mas abóndenos esto   qe dicho vos avemos;
     si ál fizo, perdóneli   Christus en qi creemos.

144 Entre las otras malas   *avié* una bondat
     qe li valió en cabo   e dioli salvedat:
     credié en la Gloriosa   de toda voluntat,
     saludávala siempre   *contra su magestat.*

145 Si fuesse a furtar   o a otra locura,
     siempre se inclinava   contra la su figura;
     dizié «Ave María»   e más de escriptura;
     tenié su voluntad   con esto más segura.

146 Como qui en mal anda   en mal á a caer,
     oviéronlo con furto   est ladrón a prender;
     non ovo nul consejo   con qe se defender,
     judgaron qe lo fuessen   en la forca poner.

147 Levólo la justicia   pora la crucejada
     dó estava la forca   por concejo alzada;
     prissiéronli los ojos   con toca bien atada,
     alzáronlo de tierra   con soga bien tirada.

148 Alzáronlo de tierra   quanto alzar qisieron,
     quantos cerca estavan   por muerto lo tovieron;
     si ante lo sopiessen   lo qe depués sopieron,
     no li ovieran fecho   esso qe li fizieron.

149 La Madre glorïosa, duecha de acorrer,
qe suele a sus siervos ennas cuitas valer,
a esti condempnado qísoli pro tener,
membróli el servicio qe li solié fazer.

150 Metióli so los piedes dó estava colgado
las sus manos preciosas, tóvolo alleviado;
non se sintió de cosa ninguna embargado,
non sovo plus vicioso nunqua ni más pagado.

151 *End* al día terzero vinieron los parientes,
vinieron los amigos e los sus connocientes,
vinién por descolgallo rascados e dolientes,
sedié mejor la cosa qe metién ellos mientes.

152 Trobáronlo con alma alegre e sin danno,
non serié tan vicioso si yoguiesse en vanno;
dizié qe so los piedes tenié un tal escanno,
non sintrié mal ninguno si colgasse un anno.

153 Quando lo entendieron los qe lo enforcaron,
tovieron qe el lazo falsso gelo dexaron;
fueron mal rependidos qe no lo degollaron,
tanto gozarién d'esso quanto depués gozaron.

154 Fueron en un acuerdo toda essa mesnada
qe fueron engañados enna mala lazada,
mas qe lo degollassen con foz o con espada,
por un ladrón non fuesse tal villa afontada.

155 Fueron por degollarlo *manzebos* más livianos
con buenos serraniles, grandes e adïanos;
metió Sancta María entre medio las manos,
fincaron los gorgueros de la golliella sanos.

156 Quando esto vidieron qe no·l podién nocir,
qe la Madre gloriosa lo qerié encobrir,
oviéronse con tanto del pleito a partir,
hasta qe Dios quisiesse dexáronlo vevir.

157 Dexáronlo en paz qe se fuesse su vía,
ca *non qerién ir ellos* contra Sancta María;
mejoró en su vida, partióse de follía,
quando cumplió su corso murióse de su día.

158 Madre tan pïadosa, de tal benignidad,
qe *en buenos e malos* face su pïadad,
devemos bendezirla de toda voluntad:
los qe la bendissieron ganaron grand rictad.

159 Las mannas de la Madre con las del qe parió
semejan bien calannas qui bien las connoció;

El por bonos e malos, por todos descendió;
Ella, si la rogaron, a todos acorrió.

21. LA ABADESA PREÑADA

500 Sennores e amigos, companna de prestar,
de qe Dios se vos quiso traer a est logar,
aún si me quissiéssedes un poco esperar,
en un otro miraclo vos querría fablar. (...)

505 De una abbatissa vos quiero fer conseja,
qe peccó en buen punto como a mí semeja;
quissiéronli sus duennas revolver mala ceja,
mas no·l empedecieron valient una erveja.

506 En esta abbadessa yazié mucha bondat,
era de grand recabdo e de grand caridat,
güïava su conviento de toda boluntat,
vivién *segundo* regla en toda onestat.

507 Pero la abbadesa cadió una vegada,
fizo una locura qe es mucho vedada,
pisó por su ventura yerva fuert enconada,
quando bien se catido fallóse embargada.

508 Fo·l creciendo el vientre encontra las terniellas,
fuéronseli faciendo peccas ennas masiellas,
las unas eran grandes, las otras más poquiellas,
ca ennas *primerizas* caen estas cosiellas.

509 Fo de las companneras la cosa entendida,
non se podié celar la flama encendida;
pesava a las unas qe era mal caída,
mas plaçiélis sobejo a la otra partida.

510 Apremiávalas mucho, teniélas encerradas
e non les consintié fer las cosas vedadas;
querrién veerla muerta las locas malfadadas,
cunte a los prelados esto a las vegadas.

511 Vidieron qe non era cosa de encobrir,
si non podrié de todas el dïablo reír;
embïaron al bispo por su carta deçir
qe non las visitava e deviélo padir.

512 Entendió el *obispo* enna mesagería
o qe avién contienda o fizieron follía;
vino fer su officio, visitar la mongía,
ovo a entender toda la pletesía.

513 *Dessemos* al obispo folgar en su posada,
finqe en paz e duerma elli con su mesnada;

digamos nós qé fizo   la duenna embargada,
ca *savié otro día   que serié* porfazada.

514   Cerca de la su cámara   dó *solié* albergar
tenié un apartado,   un apuesto logar:
era su oratorio   en qe *solié* orar,
de la Gloriosa era   vocación el altar.

515   Ý *tenié* la imagen   de la sancta Reígna,
la qe fue *pora'l* mundo   salut e *medicina;*
teniéla afeitada   de codrada cortina,
ca por todos en cabo   Essa fue su madrina.

516   *Savié* qe otro día   *serié* mal porfazada,
non *avié nul'* escusa   a la cosa provada;
tomó un buen consejo   la bienaventurada,
esto fue maravilla   cómo fue acordada.

517 (519)   Entró al oratorio   Ella sola, sennera,
non demandó consigo   ninguna compañera;
paróse desarrada   luego de la primera,
mas Dios e su ventura   abriéronli carrera. (...)

528   Tan afincadamente   fizo su oraçión
qe la oyó la Madre   *plena* de bendición;
com qui amodorrida   vío grant visïón,
tal qe *devié* en omne   *fer* edifficación.

529   Traspúsose la duenna   con la grant cansedat,
Dios lo obrava todo   por la su pïadat;
aparecióˑl la Madre   del Rey de magestat,
dos ángeles con Ella   de muy grand *claridat.*

530   Ovo pavor la duenna   e fo mal espantada
ca de tal vissïón   nunqa era usada;
de la grand claridad   fo mucho embargada,
pero de la su cuita   fo mucho alleviada.

531   Díssoli la Gloriosa: «Aforzad, abbadessa,
bien estades comigo,   non vos pongades quessa;
sepades qe vos trayo   *mucho* buena promessa,
mejor qe non querrié   la vuestra prioressa.

532   Non ayades nul miedo   de caer en porfazo,
bien vos á Dios guardada   de caer en es lazo;
bien lis hid a osadas   a tenerlis el plazo,
non lazrará por esso   el vuestro espinazo».

533   Al sabor del solaz   de la Virgo preçiosa,
non sintiendo la madre   de dolor nulla cosa,
nació la creatura,   cosiella muy fermosa;
mandóla a *dos* ángeles   prender la Glorïosa.

534 Díssolis a los ángeles: «A bós ambos castigo:
     levad esti ninnuelo a fulán mi amigo;
     dezidle qe·m lo críe, yo assín gelo digo,
     ca bien vos creerá; luego seed comigo».

535 Moviéronse los ángeles a muy grand ligereza,
     recabdaron la cosa sin ninguna pereza;
     plógo·l al ermitanno más qe con grand riqueza,
     ca de verdad bien era una rica nobleza.

536 Recudió la parida, fízose santiguada,
     dizié: «¡Valme, Gloriosa, Reína coronada!
     si es esto verdad o si só engannada,
     ¡Sennora beneíta, val a esta errada!».

537 Palpóse con sus manos quando fo recordada,
     por vientre, por costados e por cada ijada;
     trobó so vientre llacio, la cinta muy delgada,
     como muger qe es de tal cosa librada.

538 No lo podié creer por ninguna manera,
     cuidava qe fo suenno, non cosa verdadera;
     palpóse e catóse la begada tercera,
     fízose de la dubda en cabo bien certera.

539 *Quand* se sintió delivre la prennada mesquina,
     fo el saco vacío de la mala farina,
     empezó con grand gozo cantar «Salve Regina»,
     qe es de los cuitados solaz e medicina.

540 Plorava de los ojos de muy grand alegría,
     dicié laudes preciosas a la Virgo María,
     non se temié del bispo nin de su cofradría,
     ca terminada era de la *fuert* malatía. (...)

548 Empezóla el bispo luego a increpar
     qe avié fecha cosa por qe devié lazrar
     e non devié por nada abadessa estar
     nin entre otras monjas non devié abitar:

549 «Toda monja qe façe tan grand desonestat,
     qe non guarda so cuerpo nin tiene castidat,
     devié seer echada de la socïedat;
     allá por dó quisiere faga tal suciedat».

550 «Sennor —díssoli ella— ¿por qé me maltraedes?
     Non só por aventura tal como vós tenedes».
     «Duenna —disso el bispo— porqe vós lo neguedes,
     non seredes creída ca a provar seredes».

551 «Duenna —disso el bispo— essit bós al ostal,
     nós avremos consejo, después faremos ál».
     «Sennor —disso la duenna— non decides nul mal:
     yo a Dios me *comiendo,* al qe puede e val».

552 Issió la abbadessa   fuera del consistorio,
    como mandó el bispo   fo pora'l diversorio;
    fizieron su cabillo   la ira e el odio,
    amasaron su massa   de farina de ordio.

553 Díssolis el obispo: «Amigas, non podemos
    condepnar esta duenna   menos qe la provemos».
    Díssoli el conviento: «De lo qe bien savemos,
    sennor, en otra prueva   nós ¿por qé entraremos?».

554 Díssolis el obispo: «Quando fuere vencida,
    vós seredes más salvas,   ella más cofondida;
    si non, nuestra sentencia   serié mal retraída,
    no li puede en cabo   prestar nulla guarida».

555 Envïó de sos clérigos   en qui él más fïava
    qe provassen la cosa   de quál guisa estava;
    tolliéronli la saya   maguer qe li pesava,
    falláronla tan secca   qe tabla semejava.

556 Non trovaron en ella   signo de prennedat,
    nin leche nin batuda   de nulla malveztat;
    dissieron: «Non es esto   fuera grand vanidat,
    nunqa fo lebantada   tan fiera falsedat».

557 Tornaron al obispo,   dissiéronli: «Sennor,
    savet qe es culpada   de valde la seror;
    quiquier que ál vos diga,   salva vuestra onor,
    dizvos tan grand mentira   qe non podrié mayor». (...)

561 Tornóse al conviento   bravo e muy fellón,
    «Duennas —disso— fiziestes   una grand traïción;
    pussiestes la sennora   en tan mala razón
    qe es muy despreciada   vuestra religïón.

562 Esta cosa non puede   sin justicia passar;
    la culpa qe quissiestes   vós a ella echar,
    el Decreto lo manda,   en vós deve tornar:
    qe devedes seer   echadas d'est logar».

563 Vío la abbadessa   las duennas mal judgadas,
    qe avién a seer   de la casa echadas;
    sacó apart al bispo   bien a quinze passadas,
    «Sennor —disso— las duennas   non son mucho culpadas».

564 Díssoli su façienda   por qé era pasada,
    por sos graves peccados   cómo fo engañada;
    cómo la acorrió   la Virgo coronada,
    si por Ella non fuesse,   fuera mal porfazada;

565 e cómo mandó Ella   el ninnuelo levar,
    cómo al ermitanno   gelo mandó crïar.
    «Sennor, si vós quisiéredes,   podédeslo provar,

¡por caridat, non pierdan las duennas el logar!

566 Más quiero yo sennera seer embergonzada
qe tanta buena duenna sea desamparada.
Sennor, merced vos pido, parcid esta vegada,
por todas a mí sea la penitencia dada».

567 Espantóse el bispo, fo todo demudado;
disso: «Duenna, si esto puede seer provado,
veré don Jesu Christo qe es vuestro pagado,
yo mientre fuero vivo, faré vuestro mandado».

568 Envïó dos calonges luego al ermitanno
provar esto si era o verdat o enganno;
trovaron al bon omne con ábito estraño,
teniendo el ninnuelo envuelto en un panno. (...)

574 Methió paz el obispo enna congregación,
amató la contienda e la dissensïón;
quand quiso despedirse, diolis su bendición,
fo bona pora todos essa vissitación.

575 Embïó sus saludes al sancto ermitanno,
como a buen amigo, a cuempadre fontano,
qe crïasse el ninno hasta'l seteno anno,
desend él pensarié de ferlo buen christiano.

576 Quando vino el término, los siet annos passados,
envïó de sos clérigos dos de los más onrrados
qe trasquiessen el ninno del mont a los poblados;
recabdáronlo ellos como bien castigados.

577 Adussieron el ninno en el yermo crïado,
de los días qe era era bien ensennado;
plógoli al obispo, fo ende muy pagado,
mandó·l poner a letras con maestro letrado.

578 Issió *mucho* bon omne, en todo mesurado,
parecié bien qe fuera de bon amo crïado;
era el pueblo todo d'elli mucho pagado,
quando murió el bispo, diéronli el bispado.

579 Guïólo la Gloriosa qe lo dio a crïar,
savié su obispado con Dios bien governar,
guïava bien las almas como devié guïar,
sabié en todas cosas mesura bien catar.

580 Amávanlo los pueblos e las sus clerezías,
amávanlo calonges e todas las mongías;
todos, por ond estavan, rogavan por sos días,
fuera algunos foles qe amavan follías.

581 Quando vino el término qe obo de finar,
no lo dessó su ama luengamiente lazrar;

levólo a la Gloria, a seguro logar
dó ladrón nin merino nunqua puede entrar.

582 A la Virgo gloriosa todos gracias rendamos,
de qui tantos miraclos leemos e provamos;
Ella nos dé su gracia qe servirla podamos,
e nos guíe fer cosas por ond salvos seamos. (Amen).

8

Duelo de la Virgen (c. 1258). Santo Domingo de Silos: *ibid.*, fols. 73v-82v; ed. de A. M.
Ramoneda (Madrid: Castalia, 1980).

1   En el nomne precioso de la Santa Reína,
de qui nasció al mundo salud e melecina,
si ella me guiasse, por la gracia divina,
qerría del su duelo componer una rima.

2   El duelo qe sufrió del su santo Crïado,
en qui nunqua entrada non ovo el pecado,
quando del su conviento fincó desemparado,
el qe nul mal non fezo era muy mal ju*d*gado. (...)

[Dice la Virgen:]

48   [«] Vediendo al mi Fijo seer en tal estado,
entre dos malos om*n*es seer crucifigado,
el mal non mereciendo seer tan mal judgado,
nunqua podrié seer mi corazón pagado.

49   Vedía correr sangre de las sus santas manos,
otrosí de los piedes, ca non eran bien sanos;
el costado abierto parescién los livianos,
faciéndoli bocines judíos e paganos.

50   Judíos e paganos *f*aciéndoli bocines,
dando malos respendos como malos rocines,
tenién mal afectadas las colas e los clines,
cantando malas viésperas e peores matines.

51   Matándome el Fijo á tan grant traïción,
¿cómo podri*é* pagado seer mi corazón?;
compráronlo primero del de su criazón,
matáronlo en cabo, diéronli grant passión.

52   De pie*des* e de manos corrié la sangre viva,
sangrentava la cruz de palma e *d'*oliva;
echávanli en rostro los malos su saliva,
estava muy rabiosa la *su* madre captiva.

53   Corrié d'Elli la sangre a grandes zampunuelos,
rescibiéla la madre en muy blancos lenzuelos;
dexaron eredat bien *d'*estonz los abuelos,
de que combrién agraces siempre los netezuelos.

54   En quanto más de penas davan al mi Sennor,
tanto la mi almiella sufrié cuita mayor;
facía a menudo preces al Crïador,
qe me diesse la muerte ca me serié mejor.

55   Facía a menudo preces multiplicadas,
non podría tal muerte soff*r*ir tantas vegadas;
querría en la tiesta levar grandes mazadas
más qe soffrir las cuitas tantas e tan granadas.

56   Dicía a los moros: «Gentes, *f*e qe devedes,
matat a mí primero qe a Christo matedes;
si la madre matáredes mayor me*r*ced avredes,
tan buena creatura, por Dios, n*o* la matedes».

57   Dicía â los judíos: «Parientes e amigos,
una natura somos de los padres antigos,
recebit el mi ruego e los mis apellidos,
matatme, sí veades criados vuestros fijos.

58   Sí veades criados *a* los que engendrastes,
e logredes los cuerpos por qui mucho lazdrastes
qe soltedes el cuerpo qe de Judas comprastes,
ficiestes *de la madre* *mal* qe n*o* la matastes.

59   Si ante me oviéssedes muerta o soterrada,
o en fuego metida o en pozo echada,
abriédesme guarida, ca non sintría nada,
non sería tan cocha oï, n*in* tan asada». (...)

76   Fijo dulz e sombroso, tiemplo de caridad,
archa de sapïencia, fuente de pïedad,
non desses a tu Madre en tal so*c*ïedad,
qa non saben *catar* mesura nin bondad.

77   Fijo, tú de las cosas eres bien sabidor,
tú eres de los pleitos sabio avenidor,
non desses a tu Madre en esti tal pudor,
do los santos enforcan, salvan al traïdor.

78   Fijo, siempre oviemos yo e tú una vida,
yo a ti quissi mucho e fui de ti qerida;
yo siempre te creí e fui de ti creída,
la tu pïadad larga *a*hora me oblida.

79   Fijo, non me oblides e liévame contigo,
non me f*i*nca en sieglo más de un buen amigo,

Joh*á*n, que·m dist por fijo, aquí plora conmigo;
ruégote que·m condones esto qe yo te digo.

80   Ruégote que·m condones esto qe yo te pido,
assaz es pora Madre esti poco pidido;
Fijo, bien te lo ruego e yo te me convido
qe esta petición non caya en oblido».

81   Recudió el Sennor, dixo palabras tales:
«Madre, mucho me duelo de los tus grandes males
muévenme *las* tos lágrimas, los tus dichos capdales,
más me amarga esso qe los colpes mortales.

82   Madre, bien te lo dixi, mas haslo oblidado,
por qé fúi del Padre del cielo envïado,
por recibir martirio, seer crucifigado;
tuélletelo el duelo qe es grant e pesado [»]. (...)

132   El viernes a la tardi, el meidía pasado,
cerca era de nona, el sol bien encorvado,
Joseph, un omne bueno, fo al adelantado,
pidió el cuerpo santo ca ya era finado.

133   Pidió el santo cuerpo por darli sepultura,
qomo al omne muerto lo manda la natura;
Pilato otorgógelo, cató toda mesura,
sí Dios me ben*e*diga feço grant apostura.

134   Feço grant apostura el que gelo pidió,
mas non menos Pilato qe de grado lo dio;
el uno *e* ell otro gualardón mereció,
mas de ambos el uno más gelo gradeció.

135   A ambos lo gradesca Dios el Nuestro Sennor,
qa ambos fueron bonos, mas el uno mejor;
el qe li dio el túmulo plecteó non peor,
el mérito del otro creo qe fo menor. (...)

162   Amaneció el sábbado, un pezemento día,
sufriemos grant tristicia, ninguna alegría,
compusiemos de planto una grant ledanía,
ficiemos muy grant duelo Johanes e María. (...)

166   A mayor mi quebranto e mayor mi pesar,
movióse *la* aljama toda de su logar;
entraron a Pilato por consejo tomar,
qe non gelo podiessen los disci*p*los furtar. (...)

170   [«] Sennor, tú meti guarda, ca déveslo facer,
que nós en tal escarnio non podamos caer;
mucho más nos valdri*é* todos muertos seer
que de refeces omnes tal escarnio prender.

171   Farién de nós escarnio e comporrién canciones,
ca son omnes maldignos, traviessas criaçones,
poblarién tod el mundo, vallejos e rencones,
farién de la mentira istorias e sermones».

172   Recudiólis Pilatus a essos gurrïones,
ca bien lis entendié élli los corazones:
«Assaç avedes guardas e fardidos peones,
guardat bien el sepulcro, controbatli canciones [»]. (...)

176   Tornaron al sepulcro vestidos de lorigas,
diciendo de sus bocas muchas sucias nemigas,
controbando cantares que non balién tres figas,
tocando instrumentos: cedras, rotas e gigas.

177   Cantavan los trufanes unas controvaduras
que eran a su madre amargas e muy duras:
«Aljama, nos velemos, andemos en corduras,
si non farán de nós escarnio e gahurras.

        Eya velar, eya velar, ¡eya velar!
178   Velat aljama de judiós,
        ¡eya velar!
    que non vos furten el *su* dios.
        ¡Eya velar!

179 Ca *ya* furtárvoslo querrán,
        ¡eya velar!
    Andrés e Peidro e Johán.
        ¡Eya velar!

180   Non sabedes tanto *d*'escanto,
        ¡eya velar!
    que *isc*ades de so el canto.
        ¡Eya velar!

181   Todos son *omnes* ladronciellos,
        ¡eya velar!
    que assechan por los pestiellos.
        ¡Eya velar!

182   Vuestra lengua tan palavrera,
        ¡eya velar!
  *h*avos dado mala carrera.
        ¡Eya velar!

183   Todos son omnes plegadiços
        ¡eya velar!
    rioaduchos mescladiços.
        ¡Eya velar!

184   Vuestra lengua *tan* sin recabdo
        ¡eya velar!

por mal cabo vos *ha* echado.
¡Eya velar!

185   Non sabedes tant*o d'*enganno
¡eya velar!
que *isc*ades en*d* es*t* un anno.
¡Eya velar!

186   Non sabedes tanta raçón
¡eya velar!
que *isc*ades de la pres*ón.*
¡Eya velar!

187   *Don* Tomaseio e Matheo
¡eya velar!
de furtarlo han grant deseo.
¡Eya velar!

188   El discípulo lo vendió
¡eya velar!
el maestro no·*l* entendió.
¡Eya velar!

189   Don Philipo, Simón e Judas,
¡eya velar!
por furtar*lo* buscan ayudas.
¡Eya velar!

190   Si lo quieren acometer
¡eya velar!
oy es día de parescer.
¡Eya velar!».

191   Mientre ellos triscavan, dici*é*n sus truferías,
cosas muy desapuestas, grandes alevosías,
pesó al Rey del Cielo de tan grandes *f*ollías,
qomo d*ic*ié*n de Christo e de sus compannías.

192   Pesóli de su Madre sobre todo lo ál,
que li dici*é*n blasfemias e li dici*é*n grant mal;
tornólis el depuerto en otro sobernal,
que non cantavan alto nin cantavan tuval.

193   Vínolis sobrevienta, un espanto cabdal,
nin lis veno por armas nin por fuerça carnal,
mas vínolis por Dios, *el* Sennor spiri*t*al,
el que sofrir non quiso de aver su igual.

194   Vínolis tal espanto e tal mala ventura,
perdieron el sentido e toda la cordura,
todos cayeron muertos sobre la tierra dura,
yaci*é*n todos rebueltos redor la sepultura.

195   Recordaron bien tard*i* los malaventurados,
non vedién de los ojos, todos escalabrados,
ferién·*s* unos con otros como embellinados,
eran todos los risos en bocedos tornados.

196   Resu*s*citó don Christo, ¡Dios, tan grant alegría!
Dos soles, Deo gratias, nascieron essi día;
resuscitó don Christo, e la Virgo María
toda la amargura tornó en alegría.

9

Libro de Alexandre (c. 1249, atribuido a Berceo). Madrid: Nacional, ms. Vitrina 5-10 (letra del s. XIV), y París: Nationale, ms. Esp. 488 (c. 1440-60); ed. de D. Nelson (Madrid: Gredos, 1979).

LA INTRODUCCIÓN:

1   Señores, si [quisiéssedes] mi servicio prender,
querría vos de grado servir de mi *mester:*
deve de lo que sabe omne largo seer,
si non podrié en culpa e en *riepto* caer.

2   *Mester* trayo fermoso, non es de jo*g*lería;
mester es sin peccado, qua es de clerecía:
fablar curso rimado por la *quaderna vía,*
a sílabas contadas, qua es grant maestría. (...)

NACIMIENTO E INFANCIA DE ALEJANDRO:

7   El infant Alixandre luego en su niñez [5]
empeçó *de*mostrar que serié de grant prez;
nunca quiso mamar *lech* de mu*g*ier rafez,
si non *fues* de linage o de grant gentilez.

8   C[*u*]*n*ti[*e*]*r*on grandes signos quand est infant nació;
el aire fue cam*b*iado, el sol [ob]scureció,
tod el mar fue irado, la tierra tremeció;
por poco que el mundo todo non pereció. (...)

ARISTÓTELES DA CONSEJOS AL PRÍNCIPE:

60   «Fijo, a tus vassallos non les seas irado,
nunca comas sin ellos en *l*o*g*ar apartado;

[5] El Alejandro Magno histórico nació en 356 a. C. (Pella, Macedonia) y murió el 21 de abril de 323 (Babilonia).

nunca sobre comer non seas deno*da*do;
si tú esto fizieres serás d'ellos amado.

61 »*Fijo,* quando ovieres tus huestes a sacar,
los viejos por los niños non dexes de *l*evar,
qua dan firmes conse*j*os que valen *en* lidiar,
e quando *son* en campo non se *dexan* rancar.

62 »Si quisieres por fuerça tod el mundo vencer,
non te pren*da* cobdicia de condesar aver (...)».

ALEJANDRO INVADE ASIA:

245 Quando todas las tierras ovo en pa*z* tornadas,
las naves fueron prestas, de conducho cargadas;
el rey Alixandre ensenbl[ó] sus mesnadas
todas fasta die[z] años rica ment adobadas.

246 No*n* eran tanto muchas com eran bien guarnidas,
eran, lo que más val[e], por mano escogidas,
una mejor que otra, *de* esfuerço complidas;
sabet, non semejava que eran desmarridas.

247 Quiero vos de las naves quántas eran contar,
ond podades las gentes quántas serién asmar;
como lo diz Galtér en su versificar [6],
de dos vegadas *ciento* doze podién menguar. (...)

SE RECIBE A LAS AMAZONAS EN AUDIENCIA:

1863 Allí vino al rey una rica reína,
señora de la tierra que dizen fem*i*nina;
[Th]alestr*i*s *le* dix*i*eron desque fue pequeñina,
non trayé un varón sólo por melezina.

1864 Trayé trezientas vírgines en cavallos ligeros,
que no[n] vedarién lid a sendos cavalleros;
todas eran maestras de fer colpes certeros,
de tirar de ballestas e echar escuseros.

1865 Nunca en essa tierra son varones caídos;
a[ve]n en las fronteras *l*ogares establidos,
dó tres vezes en el año [y]azen con sus maridos;
assí de tal ma[ner]a son todos avenidos.

1866 Si nace fija fem[n]a, [la] su madre la cría;

---

[6] Se refiere a Gautier de Châtillon (fl. s. XII), autor de la *Alexandreis* latina, fuente principal del *Alexandre* escrita en la tradición de Quinto Curcio.

si nace fijo masclo, al padre lo enbía;
los unos a los otros sacan por *merchandía*
de lo que en la tierra ha ma[y]or carestía.

1867 Todas vinién vestidas de capas traves[s]eras,
sus ballestas al cuello —turquesas e cérveras—,
saetas e quadriellos de diversas maneras;
todas sabién parar corriendo cavalleras.

1868 Como avién su vida siempre de [tal] manera
—avién de meter mano en toda fazendera—
la part del lado *diestro* andava más *soltera,*
qua essa mano suele andar más correndera.

1869 Fazen otra barata por mal non parecer:
queman la teta diestra, que non pueda crecer;
la otra, porque puede más cubierta seer,
por criar los infantes dexan la poblecer. (...)

1880 El rey Alixandre salió la recebir,
mucho-l plogo a ella quand lo vío venir;
estendieron las diestras, fueron se las ferir;
besaron se los ombros por la salva complir.

1881 El rey fue palaciano, priso la por la rienda,
por mejor ospedarla levó la a su tienda;
después que fue yantada a ora de merienda,
entró-l a demandar el rey de su fazienda.

1882 «Quiero saber, reína, *ónd* es vuestra andada,
o por quál razón sodes *vós* aquí *arribada*;
que quiere que pidades, seredes escuchada,
vuestra petición non será [repoyada].

1883 »Si averes quisiér[e]des —grado al Criador—
yo vos daré abondo *muy* de buen amor;
si de morar connusco oviér[e]des sabor,
honrar-vos-han los griegos con su emperador».

1884 «Gracias», dixo [Th]alestris al rey, «de la promessa;
non vin ganar averes, *ca non só* joglaressa;
de bevir con varones mi ley non me dexa,
mas quiero responderte, descobrirte mi quexa.

1885 »Oí dezir tus nuevas, que traes grant ventura,
grant seso e esfuerço, *franqueza* e mesura;
teme te tod el mundo, es en grant estrechura,
vin veer de quál cuerpo ixié tan grant *pavura*.

1886 »Demás, quiero un dono de tu mano levar:
aver de ti un fijo, no-*m*-lo quieras *negar*;
non avrá en el mundo de linaje su par,
non te deves por tanto contra mí denodar.

1887   »Si fijo barón fuere, a ti lo enbiaré;
       si Dios de mal me curia, bien te lo guardaré,
       fasta que [nado] sea nunca cavalgaré;
       si fuera fija fem[n]a, mi regno le daré».

1888   Dixo el *rey*, «Plaz me, esto faré de grado».
       Dio salto en la selva, corrió bien el venado;
       recabdó la reína rica ment su mandado;
       alegre e pagada tornó al su regnado. (...)

UNA EXPEDICIÓN SUBMARINA:

2305   Una fazaña suelen las gentes retraer,
       non yaze en escripto, es *grave* de creer;
       si es verdat o non yo non *he* í que fer,
       maguer[a] non la quiero en olvido poner.

2306   *Dizen* que por saber qué *fazen* los pescados,
       cómo biv*en* los chicos entre los más granados,
       fizo arca de vidrio *con* muzos bien cerrados;
       metió se él de dentro con dos de sus criados.

2307   Éstos fueron *catados* de todos los mejores,
       por tal que non oviessen dono [de] traidores;
       qua que el[li] *que* ellos avrién aguardadores,
       non farién a su guisa los malos reboltores.

2308   Fue de buen*a* betu*m*ne la casa aguisada,
       fue con buenas cadenas *bien* presa e *cal*[*c*]*ada;*
       fue con p[l]iegos bien firmes a las naves *p*[*l*]*egada,*
       que fondir no-s podiesse e [soviesse] *colgada.*

2309   *Mandó que* lo dexassen quinze días folgar,
       las naves con tod esto pensassen de andar;
       as*s*az podrié en esto saber e mesurar
       e meter en escripto los secretos del mar.

2310   La cuba fue echada en que el rey [y]azié,
       a los unos pesava, a los otros plazié;
       bien cuidavan algunos que nunca *end* saldrié,
       mas destajado era que en mar non morrié.

2311   Andava el buen rey en su casa cerrada,
       sedié grant coraçón en angosta posada;
       ve[d]ié toda la mar de pescados poblada,
       non es bestia en si*e*glo que non fues í trobada.

2312   Non bive en el mundo ninguna cr*e*atura
       que non *cría* el mar su semejant figura;
       traen enemiztades entre sí por natura,
       los fuertes a los flacos dan les mala ventura.

2313 Eston[z] vío el rey en aquellas andadas
cómo echan los unos a los otros celadas;
dizen que ende fueron presas e sossacadas,
fueron desent acá en el sieglo usadas.

2314 Tanto se acogién al rey los pescados
como si los ovies[s]e por armas subjugados;
vinién fasta la cuba todos cabez *colgados,*
tremién todos ant él como moços mojados.

2315 *J*urava Alixandre por el su diestro lado
que nunca fue de omnes mejor aconpañado;
de los pueblos del mar tovo se por pagado,
contava que avié grant emperio ganado. (...)

2329 Pesó al Criador que crió la Natura;
ovo de Alixandre saña e grant rencura;
dixo, «Este lunático que non cata mesura
yo-l tornaré el gozo todo en amargura.

2330 »Él sopo la soberbia de los peces judgar,
la que en sí *tenié* non la sopo asmar;
omne que *tan bien* sabe judicios delibrar
por qual ju[d]izio dio por tal deve passar».

2331 Quand vío la Natura que al Señor pesava,
ovo grant alegría, maguer triste andava;
movió se de las nuves, de dó siempre morava;
por *mostrar* su rencura ¡quál quebranto tomaba!

2332 Bien veyé que por omne nunca serié vengada,
qua moros e judíos temién la su espada;
asmó que *l*[e] echassen una mala celada:
buscar como le diessen collación enconada.

2333 *Pos*puso sus labores, las que solié usar,
por nuevas creaturas las almas guerrear;
de[s]cendió al infierno su pleito recabdar,
por al rey Alixandre mala carrera dar. (...)

UNA EXPEDICIÓN AÉREA:

2496 Alixandre el bueno, podestat sin *frontera,*
asmó una cosa *yendo* por la carrera:
cómo aguisarié poyo *o* escalera
por veer tod el mundo cómo *y*azié o quál era.

2497 Fizo prender dos grifos, que son aves valientes,
abezó los a carnes saladas e rezientes;
tovo los muy viciosos de carnes convinientes,
fasta que se fizieron gruessos e muy [potentes].

2498 Fizo fer una casa de cuero muy sovado,
      quanto cabrié un omne a anchura posado;
      l[e]gó la a los grifos con un firme filado
      que non podrié falsar por un omne pesado.

2499 Fizo les el *conducho* por tres días toller,
      por amor que oviessen talento de comer;
      fizo se él demientre en el cuero coser,
      la cara descubierta, que podiesse veer.

2500 Priso en una piértega la carne espetada,
      en medio de los grifos pero bien alongada;
      los grifos por prenderla dieron luego volada,
      cuidavan se cevar, mas non les valió nada.

2501 Quanto ellos bolavan, él tanto se ercía;
      el rey Alixandre toda vía *sobía;*
      a las vezes alçava, a las vezes premía,
      allá ivan los grifos dó el rey quería.

2502 Cuitava los la fam[n]e que avién encargada;
      contendién por cevarse, mas non les valié nada;
      bolavan toda vía e cunplién su jornada;
      era el rey traspuesto de la su albergada.

2503 Alçava *les* la carne quando querié sobir;
      iva *la* declinando quando querié decir;
      dó vey[é]n ir la carne allá *ivan seguir;*
      non los riepto, qua fam[n]e *mala* es de *sofrir.*

2504 Tanto pudo el rey a las nuves pujar,
      veyé montes e valles de yuso sí estar;
      veyé entrar los ríos todos en alta mar,
      mas cómo yazié o non nunca lo pudo asmar.

2505 *Ve[d]ié* en quáles puertos *son* angostos los mares,
      veyé grandes perig[l]os en muchos de lugares;
      veyé muchas galeas dar en los peñiscales,
      otras salir a puerto, adobar de yantares.

2506 Mesuró toda África cómo yaz assentada,
      por quál parte serié más rafez la entrada;
      luego vío por [?] *aver* mejor passada,.
      qua avrié grant *exida* e larg[u]era entrada.

2507 Luengo serié de todo quanto vío contar,
      non podrié a lo medio el día *abondar;*
      mas [plus] en una ora sopo mientes parar
      que todos [los] abades non lo sabrién asmar. (...)

10

Libro de Apolonio (1230-50). Escorial: Monasterio, ms. K. III. 4 (letra del s. xiv), ed. de M. Alvar (Barcelona: Planeta, 1984).

INTRODUCCIÓN

1   En el nombre de Dios y de Santa María,
si ellos me guiassen estudiar querría,
componer un romance de nueva maestría
del buen rey Apolonio y de su cortesía.

2   El rey Apolonio, de Tiro natural,
que por las aventuras visco grant temporal,
cómo perdió la fija y la mujer capdal,
cómo las cobró amas, ca les fue muy leyal.

3   En el rey Antïoco vos quiero començar,
que pobló Antïoca en puerto de la mar,
del su nombre mismo fízola titolar:
si estonç' fuesse muerto no l' debiera pesar.

4   Muriósel' la mujer con qui casado era,
dexóle una fija genta de grant manera;
no l' sabián en el mundo de beltat compañera,
nin habrián en su cuerpo señal reprendedera.

5   Muchos fijos de reyes la vinieron pedir,
mas non pudo en ella ninguno avenir;
hobo en est' comedio tal cosa a contir,
es pora en concejo vergüença de decir.

6   El pecado, que nunca en paz suele seyer,
tanto pudo el malo volver y revolver
que fiço a Antioco en ella entender
tanto que se quería por su amor perder.

7   Hobo a lo peyor la cosa a venir:
hobo su voluntat en ella a complir,
pero sin grado l'hobo della de consentir,
que veyé que tal cosa non era de sofrir.

8   La dueña por est' fecho fue tan envergonzada
que por tal que muriese non queriá comer nada,
mas una ama vieja, que la hobo criada,
fiçol' creyer la dueña que non era culpada,

9   —«Fixa, dixo, si vergüença o quebranto prisiestes,
«vós non habedes culpa, que vós más non pudiestes;

«esto que vós veyedes en ventura l'hobiestes:
«alegratvos, señora, que vós más non pudiestes.

10   «De más yo vos consejo, y vós creyer debedes,
«que al rey vuestro padre, vós non lo enfamedes,
«maguer grant es la pérdida, más val que lo calledes
«que al rey y a vós en mal precio echedes.»

11   —«Ama, dixo la dueña, jamás por mal pecado,
«non deberá de mí padre seyer clamado;
«por llamarme él fija téngolo por pesado:
«el nombre derechero es en amos fogado.

12   «Mas cuando ál non puedo desque só violada,
«prendré vuestro consejo, mi nodricia hondrada,
«mas bien veo que fui de Dios desemparada;
«a derechas m'en tengo de vós aconsejada.

13   «Bien sé que el nemigo en el rey fue 'ncarnado,
«que non habiá poder de veyer el pecado;
«mantenié mala vida, era de Dios airado,
«ca no l' faciá servicio don' fuese su pagado.»

ASTUCIAS DEL REY. PROPONE ENIGMAS PARA EVITAR EL CASAMIENTO DE SU HIJA

14   Por fincar con su fija, escusar casamiento,
que pudiesse con ella complir su mal taliento,
hobo a sosacar un mal sosacamiento:
mostrógelo el diablo, un bestión mascoriento.

15   Por fincar sin vergüença, que non fuese reptado,
faciá una demanda, un argument' cerrado,
al que lo devinase gela dariá de grado,
el que no l' devinase seriá descabeçado.

16   Habián muchos por esto las cabeças cortadas
—sedián sobre las puertas de las menas colgadas—;
las nuevas de la dueña por mal fueron sonadas,
a mucho buen doncel habián caras costadas.

APOLONIO VA A LA COMPETICIÓN

17   El rey Apolonio, que en Tiro regnaba,
oyó d'aquesta dueña, que'n grant precio andaba;
queriá casar con ella, que mucho la amaba.
La hora del pedir, veyer non la cuidaba.

18   Vino a Antïoca, entró en el reyal;
salvó rey Antïoco y la cort' general;
demandóle la fija por su mujer capdal,
que la metrié en arras en Tiro la cibdat.

19   La corte d'Antïoca firme de grant vertut,
todos hobieron duelo de la su juventut;
dicián que non se supo guardar de mal englut,
por mala nigromancia perdió buena salut.

20   Luego de la primera, demetió su raçón;
toda cort' escuchaba, teniá buena saçón,
púsol' el rey Antioco la su proposición
que l' dariá la cabeça o la osulución.

21   —«La verdura del ramo escome la raíz,
«de carne de mi madre, engruesso mi serviz.»
El que adevinase este vieso que ditz,
esse habriá la fija del rey, emperadriz.

APOLONIO RESUELVE EL PRIMER ENIGMA Y DESCUBRE LOS PECADOS DE ANTIOCO

22   Com' era Apolonio de letras profundado,
por solver argumentos era bien dotrinado;
entendió la fallença y el sucio pecado
como si lo hobiese por su ojo probado.

23   Habiá grant repintencia porqu' era hí venido,
entendió bien que era en fallença caído,
mas por tal que no fuese por babieca tenido,
dïó a la pregunta buen responso complido.

24   Dixo: «Non debes rey tal cosa deman[d]ar,
«que a todos aduze vergüença y pesar:
«esto, si la verdat non quisieres negar,
«entre tú y tu fija se debe terminar.

25   «Tú eres la raíz; tu fija, el cimal.
«Tú pereces por ella, por pecado mortal,
«ca la fija hereda la depda caronal, ·
«la cual tú y su madre habiedes comunal.»

26   Fue de la profecía el rey muy mal pagado;
lo que siempre buscaba lo había fallado,
metiólo en locura la muebda del pecado;
aguisóle en cabo com' fues' mal porfaçado.

Apolonio, temeroso, regresa a Tiro

27   Maguer por encobrir la su iniquitat,
      dixo a Apolonio que l' dixo falsedat,
      que non lo querriá fer por nula heredat,
      pero todos asmaban que dixera verdat.

28   Díxole que metría la cabeça a perder
      que la adevinança non podría solver,
      aún treínta días le quiso añader,
      que por mengua de plaça non pudiese cayer.

29   Non quiso Apolonio en la villa quedar:
      tenía que la tardança podiá en mal finar;
      triste y desmarrido pensó de naveyar;
      fasta que fue en Tiro él non se dio vagar. (...)

Ira de Antioco contra Apolonio
al sentirse descubierto

36   En el rey Antioco vos queremos tornar;
      non nós ende debemos tan aína quitar:
      habiá de Apolonio ira e grant pesar,
      querría, si pudiesse, de grado lo matar.

37   Clamó a Talïarco, que era su privado,
      el que de sus consejos era bien segurado;
      habiánlo en su casa de pequeño criado,
      acomendól' que fuese recapdar un mandado.

38   Díxol' el rey: —«Bien sepas, el mió leyal amigo,
      «non diría a otrie esto que a tí digo:
      «que só de Apolonio capital enemigo,
      «quiero fablar por esto mi consejo contigo.

39   «De lo que yo facía, él me ha descubierto,
      «nunca me fabló hombre ninguno tan en cierto,
      «mas, si me lo defiende poblado nin desierto,
      «tener me hiá por nada, más que seco ensierto.

40   «Yo te daré tresoros cuantos que tú quisieres;
      «da contigo en Tiro cuanto tú más pudieres,
      «por gladio o por yerbas, si matar lo pudieres,
      «desaquí te prometo cual cosa tú quisieres.»

Un hombre avisa a Apolonio de sus peligros. Conversación de ambos

68   Vino un hombre bueno, Elánico el cano,
era de buena parte, de días ancïano,
metió en el rey mientes, prísolo por la mano:
apartóse con él en un campiello plano.

69   Dixol' el homne bueno que habié d'él dolor,
aprisiera las nuevas, era bien sabidor:
—«¡Ay, rey Apolonio, digno de gran valor,
«si el tu mal supieses, debiés haber dolor!

70   «De el rey Antioco eres desafiado,
«nin en ciudat ni burgo non serás albergado:
«quien matar te pudiere será muy bien soldado;
«si estorcer pudieres, serás bien venturado.»

71   Respondió Apolonio como ascalentado:
—«Dígasme, homne bueno, sí Dios hayas pagado,
«¿por cuál razón Antioco me anda demandando?
«E al qui me matar, ¿cuál don le ha 'torgado?»

72   —«Por eso te copdicia o matar o prender,
«porque lo que es él, tú quisiste seyer;
«cient quintales promete, dará de su haber,
«al qui la tu cabeça le pudiere render.»

73   Estonç' dixo Apolonio: —«Non es por el mió tuerto,
«ca yo non fice cosa que deba seyer muerto,
«mas Dios, el mió señor, nos dará buen conhuerto,
«Él que de los cuitados es carrera e puerto. (...)

Viene Luciana a danzar. Trata de consolar a Apolonio

162   El rey Architrastres, por la cort' más pagar,
a su fija Luciana mandóla hí entrar;
la dueña vino luego, non lo quiso tardar,
ca quiso a su padre obediente estar.

163   Entró por el palacio la infant' adobada,
besó al rey las manos, como bien enseñada;
salvó los ricos homnes e toda su mesnada.
Fue la cort' d'esta cosa alegre e pagada. (...)

Tañe Luciana e invita a Apolonio

178   Aguisósse la dueña, fiziéronle logar;
dexó cayer el manto, parós' en un brial:
tempró bien la vihuela en un son natural;
començó una laude, homne non vïó tal.

179   Faziá fermosos sones, fermosas deballadas,
quedaba a sabiendas la voz a las vegadas;
faziá a la vihuela dezir puntos ortados,
semejaban que eran palabras afirmadas.

180   Los altos e los baxos, todos d'ella dizién:
—«¡La dueña e la vihuela tan bien se avinién!»
Lo tenién a fazaña cuantos que lo veyén.
Faziá otros depuertos que mucho más valién.

181   Alabábanla todos, Apolonio callaba;
fue pensando el rey por qué él non fablaba,
demandóle e dixol' que se maravellaba,
que con todos los otros tan mal se acordaba.

182   Recudiól' Apolonio como firme varón:
—«Rey, de la tu fija, non digo si bien, non,
«mas si prindo la vihuela cuido fer un tal son
«que entendredes todos que es más con razón.

183   «Tu fija bien entiende en una gran partida,
«ha comienço bueno e es bien entendida,
«mas aún no se tenga por maestra complida:
«si yo dezir quisiere, téngase por vencida.»

184   —«Amigo, dixo ella, sí Dios te benediga,
«por amor, si la has, de tu dulce amiga,
«que cantes una laude en rota o en giga:
«si no, dicho me has soberbia e nemiga.» (...)

[Venden a Tarsiana, hija de Apolonio y Luciana, que es comprada por el dueño de una mancebía]

394   Fue presa la cativa, al mercado sacada;
el vendedor con ella, su bolsa 'parejada:
vinieron compradores sobre cosa tachada,
que comprar la querién: —«¿Por cuánto serié dada?»

395   El señor Antinágora, la villa tenié 'n poder,
vïó esta cativa de muy gran parescer;

hobo tal amor d'ella que s' en querié perder
prometióles por ella diez libras de haber.

396   Pero un homne malo, señor de soldaderas,
asmó ganar con ésta ganancias tan pleneras;
metió por ella luego dos tanto las primeras,
por meterla a cambio con las otras coseras.

397   Prometió Antinágora que l' daría las trenta,
dixo el garçon malo que l' daría cuarenta;
Antinágora luego puyó a las cincuenta;
el malo fidiondo subió a las sesenta.

398   Dixo mayor paraula el malaventurado,
que de cuanto ninguno diese por el mercado,
o, si más lo quisiese de haber monedado,
eñadrié vente pesos de buen oro colado.

399   Non quiso Antinágora en esto porfiar,
asmó que la dexasse al traïdor comprar:
cuand' la hobiés' comprada, gela irié logar;
podrié por menos precio su cosa recabdar.

400   Pagógela el malo, hóbola de prender;
lágrimas no debie una mujer valer;
aguisóse la ciella para 'l mal menester;
escribió en la puerta el precio del haber.

401   Esto dize el título, qui lo quiere saber:
—«Qui quisiere Tarsiana primero coñoscer,
«una libra de oro habrá hí a poner,
«los otros sendas onzas habrán a ofrecer.»

402   Mientre él esta cosa andaba revolviendo,
fue la barata mala la dueña entendiendo;
rogó al Criador de los ojos vertiendo:
—«Señor, diz, tú me val que a ti me comiendo.

403   «Señor, que de Teófilo me quesiste guardar,
«que me quiso el cuerpo a traïción matar;
«Señor, la tu verdad me debe amparar,
«que no m' puedan el alma garçones enconar.»

404   En esto Antinágora, príncep de la cibdat,
rogó al traïdor de firme voluntat
que le diese el precio de la virginidat,
que gelo otorgase por Dios, en caridat.

405   Hobo esta primicia el príncep otorgada,
la huérfana mesquina, sobre gent' adobada,
fue con gran procesión al avol enviada:
veyerlo hie quien quiere qu'ella iba forçada.

LAS RAZONES DE TARSIANA CONMUEVEN A ANTINÁGORAS.
LA MUCHACHA SALVA SU VIRGINIDAD

406   Saliéronse los otros, fincó ella señera
       —romaneció el lobo solo con la cordera—;
       mas como Dios lo quiso, ella fue bien artera:
       con sus palabras planas, metiól' en la carrera.

407   Cayóle a los piedes, començó a dezir:
       —«Señor, mercet te pido, que me quieras oir,
       «que me quieras un poco esperar e sofrir:
       «habert' ha Dios del cielo por ello que gradir.

408   «Que tú quieras agora mis carnes quebrantar,
       «podemos aquí amos mortalmientre pecar;
       «yo puedo perder mucho, tú non puedes ganar;
       «tú puedes tu nobleça mucho menoscabar.

409   «Yo puedo por tu fecho perder ventura e fado,
       «cayerás por mal cuerpo tú en mortal pecado;
       «homne eres de precio, ¡sí te veyas logrado!,
       «sobre huérfana pobre non fagas desguisado.»

410   Contóle sus periglos, cuantos habié sofridos,
       cóm' hobo de chiquiella sus parientes perdidos,
       habiendo de su padre muchos bienes recebidos,
       cómo hobiera amos falsos e descreídos.

411   El príncep Antinágora que vinié denodado,
       fue con estas paraulas fieramient amansado;
       tornó contra la dueña el coraçón camiado,
       recudióle al ruego e fue bien acordado.

412   —«Dueña, bien yo entiendo esto que me dezides,
       «que de linatge sodes de buena part' venides;
       «por esta petición que vós a mí pedides
       «véyolo por derecho ca bien lo concluides.

413   «Todos somos carnales, habemos a morir,
       «todos esta ventura habemos a seguir,
       «demás el homne debe asmar e comedir
       «que cual aquí fiziere, tal habrá de padir.

414   »Dióme Dios una fija, téngola por casar;
       «a todo mió poder, querríala guardar;
       «porque no la querría veyer en tal logar,
       «por tal entención vos quiero perdonar.

415   «Demás por el buen padre de que vós ementestes,
       «e por la razón buena, que tan bien enformestes,

«quiérovos dar agora más que vós demandestes,
«que nos venga emiente en cual logar me viestes.

416   «El precio que daría para con vós pecar
«quiérovos en donado ofrecer e donar,
«que si vós non pudierdes por ruego escapar,
«al que a vós entrare, datlo para quitar.

417   «Si vós d'aquesta maña pudierdes estorcer,
«mientre lo mio durare, non vos faldrá haber:
«¡El Criador vos quiera ayudar e valer,
«que vós vuestra fazienda podades bien poner!»

418   Con esto Antinágoras fues' para su posada.
Presto sobo otro por entrar su vegada,
mas tanto fue la dueña sabia e adonada
que ganó los dineros e non fue violada.

419   Cuanto ahí vinieron e a ella entraron,
todos se convertieron, todos por tal passaron,
nengún daño l' fizieron, los haberes lexaron;
de cuanto aduxieron con nada non tornaron.

TARSIANA PROPONE A SU EXPLOTADOR UN NEGOCIO MÁS LUCRATIVO QUE EL DEL COMERCIO CARNAL

420   Cuando vino la tarde, mediodía passado,
habié la buena dueña tan gran haber ganado,
que serié con lo medio el traïdor pagado:
reyéssele el ojo al malaventurado.

421   Vio a ella alegre, fue en ello artera,
cuando el tal la vido, plógol' de gran manera.
Dixo: —«Agora tienes, fija, buena carrera,
«cuando alegre vienes, muestras cara soltera.»

422   Dixo la buena dueña un sermón tan temprado:
—«Señor, si lo hobiese yo de ti condonado,
«otro mester sabía que es más sin pecado,
«que es más ganancioso e que es más hondrado.

423   «Si tú me lo condonas, por la tu cortesía,
«que meta yo estudio en essa maestría,
«cuanto tú demandases, yo tanto te daría:
«tú habríes gran ganancia e yo non pecaría.

424   «De cual guisa se quiere que pudiesse seyer,
«porque mayor ganancia tú pudieses haber,
«por esso me compreste, esso debes facer;
«a tu provecho fablo, débesmelo creyer.»

425   El sermón de la dueña fue tan bien adonado
que fue el coraçón del garçón amansado;
diole de plaço poco a día señalado,
mas que ella catase, qué habié demandado.

TARSIANA SE HACE JUGLARESA

426   Luego el otro día, de buena madurgada,
levantóse la dueña ricamient' adobada,
priso una viola, buena e bien temprada,
e salió al mercado violar por soldada.

427   Començó unos viesos e unos sones tales
que trayén grant dulçor e eran naturales,
finchíense de homnes apriesa los portales,
non cabién en las plaças, subién a los poyales.

428   Cuando con su viola hobo bien solazado,
a sabor de los pueblos hobo asaz cantado,
tornóles a rezar un romanz bien rimado
de la su razón misma por ó habiá pasado.

429   Fizo bien a los pueblos su razón entender,
más valié de cient marcos es' día el loguer;
fuesse el traïdor pagando del mester:
ca ganaba por ello, sobejo grant haber.

430   Cogieron con la dueña todos muy grant amor,
todos de su fazienda habían grant sabor,
demás, como sabían que había mal señor,
ayudábanla todos de voluntat mejor.

431   El príncep' Antinágora mejorar la querié,
que si su fija fuese más non la amarié:
el día que su voz o su canto n' oyé,
conducho que comiese mala pro le tenié.

432   Tan bien sopo la dueña su cosa aguisar
que sabiá a su amo la ganancia tornar;
reyendo e gabando con el su buen catar
sopóse, maguer niña, de folía quitar.

433   Visco en esta vida un tiempo porlongado
fasta que a Dios plogo, bien quita de pecado.
Mas dexemos a ella su menester usado;
tornemos en el padre, que andaba lazdrado. (...)

Apolonio identifica a su hija: gran alegría

539   Reviscó Apolonio, plogól' de coraçón,
        entendió las palabras que vinién por razón;
        tornóse contra ella, de grado el varón,
        preguntól' por paraula, si mintié o non.

540   —«Dueña, sí Dios te dexe al tu padre veyer,
        «perdóname el fecho dart' he de mio haber;
        «erré con felonía puédeslo bien creyer,
        «ca nunca fiz tal yerro, nin lo cuidé fazer.

541   —«Demás, si me dixiesses, ca puede te membrar,
        «el nombre de la ama, que te solié criar,
        «podriémos por ventura amos nos alegrar:
        «yo podría la fija, tú el padre cobrar.»

542   Perdonólo la dueña, perdió el mal taliento,
        dïó a la demanda leyal recudimiento:
        —«La ama, de que siempre, diz', menguada me siento,
        «dixiéronle Licórides, sepades que non miento.»

543   Vïó bien Apolonio que andaba certera,
        entendió senes falla que la su fija era,
        salló fuera del lecho luego de la primera
        diziendo: —«¡Valme Dios, que eres vertut vera!»

544   Prísola en sus braços con muy grant alegría
        diziendo: —«Ay, mi fija, que yo por vós muría,
        «agora he perdido la cuita que había,
        «¡nunca amanesció para mí tan buen día!

545   «Nunca aqueste día no lo cuidé veyer,
        «nunca en los mios braços yo vos cuidé tener;
        «hobe por vós tristicia, agora he placer;
        «siempre habré por ello a Dios que gradecer.»

546   Començó a llamar: —«¡Venit, los miós vasallos,
        «sano es Apolonio, ferit palmas e cantos,
        «echat las coberturas, corret vuestros caballos,
        «alçat tablados muchos, pensat de quebrantallos!

547   «¡Pensat cómo fagades fiesta grant e complida,
        «cobrada he la fija que había perdida!
        «¡Buena fue la tempesta, de Dios fue permetida,
        «por onde nos hobiémos a fer esta venida!» (...)

Antinágoras comunica al concejo su casamiento y pide hacer justicia

556   Sonaron estas nuevas luego por la cibdat,
plogo mucho a todos con esta unidat;
a chicos e a grandes, plogo de voluntat,
fueras al traidor que s' dolié por verdat.

557   Con todos los roídos, maguer que se callaba,
con este casamiento Tarsiana non pensaba:
el amor que l' fiziera cuand' en cuita estaba,
cuando sallida era, non se le olvidaba.

558   Aguisaron las bodas, prisieron bendiciones,
fazién por ellos todos preces e oraciones;
fazién tan grandes gozos e tan grandes missiones
que non podrián contarlas loquelas nin sermones.

559   Por esto Tarsiana non era segurada,
non se tenié que era de la cuita sacada,
si el traidor falso que la habiá comprada
non fuesse lapidado o muerto a espada.

560   Sobr'esto Antinágora mandó llegar concejo,
fueron luego llegados a un buen lugarejo,
dixo él: —«¡Ya varones!, oid un poquellejo,
«mester es que prindamos entre todos consejo:

561   «El rey Apolonio, homne de grant poder,
«es aquí caescido, quiérevos conoscer;
«una fija que nunca más la cuidó veyer,
«hala aquí fallada, debe a vos placer.

562   «Pedíla por mujer, só con ella casado;
«es rico casamiento, só con ella pagado,
«cuál es, vós lo sabedes, que aquí ha morado,
«todos vós lo veyedes com' ella ha probado.

563   «Gradéscevoslo mucho, tiénevoslo en amor,
«que tan bien la guardastes de cayer en error;
«fuemos hí bien apresos —grado al Criador—
«si non habriémos ende grant pesar e dolor.

[Encuentro de los esposos, Apolonio y Luciana]

585   Mientre que él contaba su mal e su lacerio,
non pensaba Luciana de reçar el salterio:

entendió la materia e todo el misterio,
non le podié de gozo caber el monesterio.

586   Cayó al rey a piedes, dixo a altas vozes:
—«¡Ay!, rey Apolonio, creyo que m' non conosces;
«non te cuidé veyer en aquestas alfoces,
«cuando me conoscieres, non creyo que t' non gozes.

587   «Yo só la tu mujer, la que era perdida,
«la qu' en la mar echeste, que tienes por transida,
«del rey Architrastres fija fui muy querida,
«Luciana he por nombre, viva só e guarida.

588   «Yo só la que tú sabes, cómo t' hobe amado,
«yaziendo mal enferma, vinístem' con mandado,
«de tres que me pidién aduxist' el dictado:
«yo te di el escripto, cual tú sabes, notado.»

589   —«Entiendo, diz' Apolonio, toda esta estoria.»
Por poco que con gozo non perdió la memoria,
amos uno con otro viéronse en gran gloria,
car habiéles Dios dado gracia e grant victoria.

POESÍA SACRA Y PROFANA GALLEGO-PORTUGUESA

11

Cantigas de Santa Maria (c. 1281). Escorial: Monasterio, mss. T.I.1 y B.I.2 (letra del
s. XIII), ed. de Walter Mettmann (4 tomos; Coímbra: Universidade de Coimbra, 1959-72). Se
sigue el *volume* I (1959).

[Este é o Prologo das Cantigas de Santa Maria,
ementando as cousas que á mester eno trobar]

[Aquí el rey Alfonso, como trovador de la Virgen, reconoce las dificultades de escribir poesía
digna de Ella. Ruega su ayuda en esta empresa.]

Porque trobar é cousa en que jaz
entendimento, poren queno faz
5   á-o d'aver e de razon assaz,
per que entenda e sábia dizer
o que entend' e de dizer lle praz,
ca ben trobar assi s'á de ffazer.

E macar eu estas duas non ey
10 com' eu querria, pero provarei
a mostrar ende un pouco que sei,

confiand' en Deus, ond' o saber ven,
ca per ele tenno que poderei
mostrar do que quero algũa ren.

15   E o que quero é dizer loor
da Virgen, Madre de nostro Sennor,
Santa Maria, que ést' a mellor
cousa que el fez; e por aquest' eu
quero seer oy mais seu trobador,
20   e rogo-lle que me queira por seu

Trobador e que queira meu trobar
reçeber, ca per el quer' eu mostrar
dos miragres que ela fez; e ar
querrei-me leixar de trobar des i
25   por outra dona, e cuid' a cobrar
per esta quant' enas outras perdi.

Ca o amor desta Sen[n]or é tal,
que queno á sempre per i mais val;
e poi-lo gaannad' á, non lle fal,
30   senon se é per sa grand' ocajon,
querendo leixar ben e fazer mal,
ca per esto o perde e per al non.

Poren dela non me quer' eu partir,
ca sei de pran que, se a ben servir,
35   que non poderei en seu ben falir
de o aver, ca nunca ý faliu
quen llo soube con merçee pedir,
ca tal rogo sempr' ela ben oyu.

Onde lle rogo, se ela quiser,
40   que lle praza do que dela disser
en meus cantares e, se ll'aprouguer,
que me dé gualardon com' ela dá
aos que ama; e queno souber,
por ela mais de grado trobará.

[Aquí sse acaba o Prologo das Cantigas de Santa Maria.]

[CANTIGA 4]

ESTA É COMO SANTA MARIA GUARDOU AO FILLO DO JUDEU
QUE NON ARDESSE, QUE SEU PADRE DEITARA NO FORNO

[Un niño judío de Bourges recibe comunión con sus compañeros cristianos de escuela. Al enterarse, su padre le echa en un horno encendido, del cual le salva la Virgen. Al niño y a su madre se les bautiza; el padre muere quemado.]

A Madre do que livrou
dos leões Daniel,
5 *essa do fogo guardou*
un menỹo d'Irrael.

En Beorges un judeu
ouve que fazer sabia
vidro, e un fillo seu
10 —ca el en mais non avia,
per quant' end' aprendi eu—
ontr' os crischãos liya
na escol'; e era greu
a seu padre Samuel.

15 *A Madre do que livrou...*

O menỹo o mellor
leeu que leer podia
e d'aprender gran sabor
ouve de quanto oya;
20 e por esto tal amor
con esses moços collia,
con que era leedor,
que ya en seu tropel.
A Madre do que livrou...

25 Poren vos quero contar
o que ll' avẽo un dia
de Pascoa, que foi entrar
na eygreja, u viia
o abad' ant' o altar,
30 e aos moços dand' ya
ostias de comungar
e vỹ' en un calez bel.
A Madre do que livrou...

O judeucỹo prazer
35 ouve, ca lle parecia
que ostias a comer
lles dava Santa Maria,
que viia resprandecer
eno altar u siia
40 e enos braços tẽer
seu Fillo Hemanuel.
A Madre do que livrou...

Quand' o moç' esta vison
vyu, tan muito lle prazia,
45 que por fillar seu quinnon
ant' os outros se metia.

Santa Maria enton
a mão lle porregia,
e deu-lle tal comuyon
50 que foi mais doce ca mel.
A Madre do que livrou...

Poi-la comuyon fillou,
logo dali se partia
e en cass' seu padr' entrou
55 como xe fazer soya;
e ele lle preguntou
que fezera. El dizia:
«A dona me comungou
que vi so o chapitel.»
60 *A Madre do que livrou...*

O padre, quand' est' oyu,
creceu-lli tal felonia,
que de seu siso sayu;
e seu fill' enton prendia,
65 e u o forn' arder vyu
meté-o dentr' e choya
o forn', e mui mal falyu
como traedor cruel.
A Madre do que livrou...

70 Rachel, sa madre, que ben
grand' a seu fillo queria,
cuidando sen outra ren
que lle no forno ardia,
deu grandes vozes poren
75 e ena rua saya;
e aque a gente ven
ao doo de Rachel.
A Madre do que livrou...

Pois souberon sen mentir
80 o por que ela carpia,
foron log' o forn' abrir
en que o moço jazia,
que a Virgen quis guarir
como guardou Anania
85 Deus, seu Fill', e sen falir
Azari' e Misahel.
A Madre do que livrou...

O moço logo dali
sacaron con alegria
90 e preguntaron-ll' as[s]i

se sse d'algun mal sentia.
Diss' el: «Non, ca eu cobri
o que a dona cobria
que sobelo altar vi
95 con seu Fillo, bon donzel.»
A Madre do que livrou...

Por este miragr' atal
log' a judea criya,
e o menỹo sen al
100 o batismo recebia;
e o padre, que o mal
fezera per sa folia,
deron-ll' enton morte qual
quis dar a seu fill' Abel.
105 *A Madre do que livrou...*

[CANTIGA 7]

ESTA É COMO SANTA MARIA LIVROU A ABADESSA PRENNE,
QUE ADORMECERA ANT' O SEU ALTAR CHORANDO

[Una abadesa embarazada es acusada por las monjas de su orden ante el obispo. La noche
anterior a su examen, ella reza a la Virgen, y ésta la libera de la criatura —un varoncito— enviándo-
selo a un ermitaño para que lo críe.]

*Santa Maria amar
devemos muit' e rogar
5 que a ssa graça ponna
sobre nós, por que errar
non nos faça, nen peccar,
o demo sen vergonna.*

Porende vos contarey
10 dun miragre que achei
que por hũa badessa
fez a Madre do gran Rei,
ca, per com' eu apres' ei,
era-xe sua essa.

15 Mas o demo enartar-
a foi, por que emprennar-
s' ouve dun de Bolonna,
ome que de *recadar*
avia e de guardar
20 seu feit' e sa besonna.
Santa Maria amar...

As monjas, pois entender
foron esto e saber,
ouveron gran lediça;
25 ca, porque lles non sofrer
queria de mal fazer,
avian-lle mayça.
E fórona acusar
ao Bispo do logar,
30 e el ben de *Colonna*
chegou ý; e pois chamar-
a fez, vẽo sen vagar,
leda e mui risonna.
Santa Maria amar...

35 O Bispo *lle* diss' assi:
«Dona, per quant' aprendi,
mui mal vossa fazenda
fezestes; e vin aqui
por esto, que ante mi
40 façades end' emenda.»
Mas a dona sen tardar
a Madre de Deus rogar
foi; e, come quen sonna,
Santa Maria tirar-
45 lle fez o fill' e criar-
lo mandou en Sanssonna.
Santa Maria amar...
Pois s' a dona espertou
e se guarida achou,
50 log' ant' o Bispo vẽo;
e el muito a catou
e desnua-la mandou;
e pois lle vyu o sẽo,
começou Deus a loar
55 e as donas a brasmar,
que eran d'ordin d'Onna,
dizendo: «Se Deus m'anpar,
por salva poss' esta dar,
que non sei que ll'aponna.»
60 *Santa Maria amar...* (...)

[CANTIGA 10]

ESTA É DE LOOR DE SANTA MARIA, COM' É FREMOSA E BÕA E Á GRAN PODER

[Cada décima *cantiga* es un *loor* o alabanza de la Virgen. Aquí, Alfonso, como *trobador*, la describe a Ella en términos metafóricos de la naturaleza: es la «Fror das frores».]

Rosa das rosas e Fror das frores,
Dona das donas, Sennor das sennores.

Rosa de beldad' e de parecer
5 e Fror d'alegria e de prazer,
Dona en mui piadosa seer,
Sennor en toller coitas e doores.
Rosa das rosas e Fror das frores...

Atal Sennor dev' ome muit' amar,
10 que de todo mal o pode guardar,
e pode-ll' os peccados perdõar,
que faz no mundo per maos sabores.
Rosa das rosas e Fror das frores...

Devemo-la muit' amar e servir,
15 ca punna de nós guardar de falir;
des i dos erros nos faz repentir,
que nós fazemos come pecadores.
Rosa das rosas e Fror das frores...

Esta dona que tenno por Sennor
20 e de que quero seer trobador,
se eu per ren poss' aver seu amor,
dou ao demo os outros amores.
Rosa das rosas e Fror das frores...

12

Cantiga de mal dizer atribuida al rey Alfonso X (¿1267?), ed. de M. Rodrigues Lapa, *Cantigas d'escarnho e de mal dizer dos cancioneiros medievais galego-portugueses* (Vigo: Galaxia, 1965), núm. 23, págs. 42-43.

[El deán de Cádiz, maestro en las artes de la seducción de las mujeres, poseía una magnífica colección de libros pornográficos, mediante los cuales podía seducir aun a la mujer del diablo.]

Ao daian de Cález eu achei
livros que lhe levavan d' aloguer;
e o que os tragia preguntei

por eles, e respondeu-m' el: —Senher,
5   con estes livros que vós veedes dous
e conos outros que el ten dos sous,
fod' el per eles quanto foder quer.

E ainda vos end' eu mais direi:
macar no leito muitas [el ouver],
10   por quanto eu [de] sa fazenda sei,
conos livros que ten, non á molher
a que non faça que semelhen grous
os corvos, e as anguias babous,
per força de foder, se x'el quiser.

15   Ca non á mais, na arte do foder,
do que [ē]nos livros que el ten jaz;
e el á tal sabor de os leer,
que nunca noite nen dia al faz;
e sabe d'arte do foder tan ben,
20   que cõnos seus livros d'artes, que el ten,
fod' el as mouras cada que lhi praz.

E mais vos contarei de seu saber,
que cõnos livros que el ten [i] faz:
manda-os ante si todos trager,
25   e pois que fode per eles assaz,
se molher acha que o demo ten,
assi a fode per arte e per sen,
que saca dela o demo malvaz. (...)

E

PROSA
(SIGLOS XII-XIII)

CRÓNICAS Y FUEROS

1

Corónicas navarras (1186-1196/1213). Pamplona: Archivo General de Navarra, ms. 1, y Archivo de la Catedral, sin número (letra del s. XIV), ed. de A. Ubieto Arteta (Valencia: Textos Medievales [Imprenta de J. Nácher], 1964).

Agora vos contaremos el linage de los reyes d'Espayna.

El rey don Sancho el Mayor —el padre del rey don Ferrando de León et del rey don García de Nágera qui fo rey de Navarra— ovo un fijo de otra muger. Et [el] fijo ovo nombre l'ifant don Romiro; et fo muyt bono et muyt esforçado. Et pues por el salvamiento que fizo a su madrastra la reyna dona Alvira, la muger del rey don Sancho, dióli eylla sus arras. Et el rey atorgógelas, et ovo el reysmo de Aragón.

Est rey don Romiro ovo muchas fazanias con moros, et lidió muchas veces con eyllos, et venciolos. Et pues a postremas vino sobre el rey don Sancho de Castieylla, et era su tío, hermano de so padre. Est rey don Sancho ovo grant poder de moros, et ovo todo el poder de Çaragoça et de toda la tierra. Et venieron a eyll a Sobrarbe, et gastáronli toda la tierra; et eyll vino a eyllos a bataylla, et lidió con eyllos, et matáronlo hy en Grados.

Est rey don Romiro fo padre del rey don Sancho de Aragón: fo muyt bono et muyt leyal.

Este rey don Sancho ovo muytas fazanias con moros, et venciolas. Et a postremas çercó Huesca, que era de moros, et ferieronlo ý d'una sayeta. Et fizo jurar a sus bonos ombres por rey a su fijo Pero Sanç. E pues fizo jurar a su fijo que non decercase la villa en tro a que la prendiese o que lo levantassen por fuerça. Morió el rey don Sancho et soterraronlo en Mont aragón. Desí levaronlo a Sant Johan de la Peyna, por miedo de los moros. (26-28).

Era D. LXXX. aynos fizo la bataylla al rey Artuyss con Modret Equibleno.

Era DCCC. LXXX. VI. aynos morio Carle Magne.

Era M.ª L. VII. aynos mataron al yfant Garcia en León.

Era DCCC. LXXX. VIII. aynos morio el rey don Alfonso el Casto.

Era M.ª LXXX. VII. aynos morio el rey don Sancho el Mayor. (40).

2

Fuero general de Navarra (c. ¿1194?). Pamplona: Archivo General de Navarra, ms. 1, ed. de P. Ilarregui y S. Lapuerta (Pamplona: Diputación Provincial, 1869; reimpresión, Diputación Foral de Navarra [Ed. Aranzadi], 1964).

PRÓLOGO

POR QUIEN ET POR QUOALES COSAS FUÉ PERDIDA ESPAYNNA, ET CÓMO FUÉ LEVANTADO EL PRIMER REY DESPAYNNA.

Por grant traycion quoano moros conquirieron a Espaynna sub era de DCC.ᵒˢ et dos aynnos por la traycion que el rey D. Rodrigo fijo del rey Jetizano fezo al conde D. Julian su sobrino que se li jogó con su muger, et ovo enviado el su sobrino a los moros; et despues por la grant traycion, onta et pesar que ovo el Conde D. Julian, ovo fabla con moros con el Miramomelin rey de Marruechos [7] et con Albozubra et con Alboalí et con otros reyes moros, et fezo sayllir a la bataylla al rey D. Rodrigo entre Murcia et Lorqua en el campo de Sangonna, et ovo hý grant mortaldat de Crisptianos, et perdióse hý el rey D. Rodrigo qui a tiempos fué trobado el cuerpo en Portogal en un sepulcro, et avya hí escripto que ailli iacia el rey D. Rodrigo. Entonz se perdió Espayna ata los puertos, sinon Galicia, las Asturias, et daquí Alava et Vizquaya, et de la otra part Baztan et la Berrueza et Deyerri et en Ansso, et sobre Iaca et encara en Roncal et Sarasaz et en Sobrare et en Aynssa [8].

---

[7] *Era de DCC.ᵒˢ et dos aynnos:* la era española equivale a treinta y ocho años antes del nacimiento de Cristo, es decir, al año 664 en este caso (sin embargo, parece equivocada la cita, carente de una «L» o «cincuenta» antes de la «dos» para llegar al año 711 [o 714] cristiano histórico que corresponde a la invasión musulmana). — *Rodrigo:* el llamado «último rey de los godos» (reinó 710-711). — *Julian:* parece ser un personaje ficticio. — *el Miramomelin:* se refiere al emir Mūsā ibn Nuṣair (n. 640-m. 718), gobernador del Norte de África para el califa —y verdadero «miramomelín» en Damasco— Walid I de los Omeyas (reinó 705-715); cf. el texto de la *Estoria de Espanna,* cap. 555, que habla de «Vlit (i. e., Walid) que era amiramomelin de *Arauia*» (en la ed. cit. de E. 16 *infra,* I, 308b; énfasis mío).

[8] Sobre la tradición de la pérdida de España, véase también los textos *infra* de la *Estoria de Espanna* (E. 16, cap. 554) y del romancero (G. 1 y G. 2).

Et en estas montaynas se alzaron muyt pocas gentes, et diéronse a pié faciendo cavalgadas, et prisiéronse a cavayllos, et partiéronse los bienes a los más esforzados ata que fueron en estas montaynas de Aynsa et de Sobrarbe mas de CCC.^{os} a cavayllo, et no avia ninguno que ficies uno por otro sobre las ganancias et las cavalgadas. Et ovo grant cavalgada et envidia entre eyllos, et sobre las cavalgadas barallavan, et ovieron su acuerdo que enviassen a Roma pora conseyllar cómo farian al apostóligo Aldebano que era entonz, et otrossi, a Lombardia que son ombres de grant iusticia, et a Francia. Et estos enbiáronles dizir que oviessen rey por qui se caudeyllassen; et primeramente que oviessen lures establimientos jurados et escriptos; et ficieron como los conseyllaron, et escrivieron lures fueros con conseio de los lonbardes et franceses, quoanto eyllos meior podieron como ombres que se ganavan las tieras de los moros; et despues esleyeron rey a D. Pellayo qui fué del linage de los godos et guerreó de las Asturias a los moros et de todas las montaynas. (5).

[LIBRO I]

TÍTULO I.— DE REYES ET DE HUESTES, ET DE COSAS QUE TAYNNEN
A REYES ET A HUESTES.

CAPÍTULO I.— CÓMO DEVEN LEVANTAR REY EN ESPAYNA, ET CÓMO LES DEVE
EYLL JURAR

Et fué primeramerament establido por Fuero en Espaynna de Rey alzar por siempre, porque ningun Rey que iamas seria non lis podies ser malo, pues conceyllo zo es pueblo lo alzavan, et le davan lo que eyllos avian et ganavan de los moros: primero que les iuras, antes que lo alzassen sobre la cruz et los santos evangelios, que los toviess a drecho, et les meioras siempre lures fueros, et non les apeyoras, et que les desfizies las fuerzas, et que parta el bien de cada tierra con los ombres de la tierra convenibles a richos ombres, a cavaylleros, a yfanzones, et a ombres bonos de las villas, et non con extranios de otra tierra. Et si por aventura aviniesse cossa que fuesse Rey ombre de otra tierra, o de estranio logar o de estranio lengoage, que non lis adusiesse en essa tierra mas de V.º en vayllia, ni en servitio de Rey hombres estranios de otra tierra. Et que Rey ninguno que no oviesse poder de fazer Cort sin conseyo de los ricos ombres naturales del Regno, ni con otro Rey o Reyna, guerra ni paz, nin tregoa non faga, ni otro granado fecho o embargamiento de Regno, sin conseyllo de XII ricos ombres o XII de los más ancianos sabios de la tierra. Et el Rey que aya sieyllo pora sus mandatos, et moneda iurada en su vida, et alferiz, et seyna caudal, et que se levante Rey en sedieylla de Roma, o de arzobispo, o de obispo, et que sea areyto la noche en su vigilia, et oya su missa en la eglesia, et ofrezca pórpora, et dé su moneda, et depues comulgue, et al levantar suba sobre su escudo, teniendo los ricos ombres, clamando todos tres vezes REAL, REAL, REAL. Entonz espanda su moneda sobre las gentes ata C. sueldos, por entender que ningun otro Rey terrenal no aia poder sobre eyll, cingase eyll mesmo su espada, que es a semeiant de Cruz, et non deve otro cavayllero ser fecho en aqueyll dia. Et los XII richos ombres o savios deven iurar al Rey sobre la cruz et los evangelios de curiarle el cuerpo et la tierra et el pueblo, et los fueros ayudarli a mantener fielment, et deven besar su mano. (7).

[LIBRO II

TÍTULO i.— DE JUYZIOS]

Capítulo VII.— De iuyzio de alcalde sobre paramientos et convenienzas

Un hombre bono avia un palombar que se tenia a la casa dun su vezino, et este palonbar yva a cayer, et dixo el seynor de la casa al seynor del palombar, «fulan, si descendieses vuestro palonbar asi que non fiziese dayno a mi casa, dar vos iya C. sueldos»: et dixo el seynor del palombar, «plazme» et fueron avenidos en una del precio et del plazo; et ante del plazo cayó el palonbar por si, et non fezo dayno en las casas. El seynor del palonbar quoando vió caydo el palombar por si, et non fezo dayno en las casas de su vezino, demanda al seynor de la casa quel dé C. sueldos: et dize el dueyno de la casa que nol deve dar, que eyll non descendió el palonbar segun el paramiento, et él dize que si, et el otro dize que no. Et fueron ante el alcalde, et oídas las razones dambas las partidas, dixo el alcalde, que no era tenido de dar los C. sueldos, porque él no habia fecho ren, segunt el paramiento. (30).

[LIBRO IV

TÍTULO i.— DE CASAMIENTOS]

Capítulo III.— Cómo deve ombre iazer con su muger

Todo ombre casado que a su muyller tiene en el término de la villa, non deve iazer sino es con eylla; et deve iazer a menos de bragas. (157).

[LIBRO IV

TÍTULO iii.—DE FUERZAS DE MUGERES ET DE ADULTERIOS]

Capítulo III.— Qué pena ha el yfanzon que forza yfanzona et en caso deve casar con eylla, et quí puede poner la quereylla

Si nuyll ombre a muyller forzare que sea ifanzona et menos valiere eylla que aqueill qui la forza, deve casar con eylla, et si casar non quisiere ytelo el Rey de la tierra et empare lo suyo quoanto oviere, et espere et sufra enemiztat de sus parientes. Et si forzare millor de si, deve DC sueldos, los meyos por al Rey, et los otros pora la forzada; et el Rey sobre esto dévelo ytar de la tierra et sufra enemiztat de los parientes deylla si la fuerza podiere ser provada con ombres creedueros. Si non podiere ser provada la fuerza como dito es de suso, puede escapar con su iura, que iure que non la fodió, nin la fregó. (164).

[LIBRO V

TÍTULO i.– DE FERIDAS]

CAPÍTULO XII.— LA FERIDA DE MORO O DE BESTIA COMO DEVE SER PROVADO

Si moro o bestia de alguno fiere al ombre et lo niega, con dos testigos leyales cristianos li deve provar. Et si provar non li pueden, el seynor del moro o de la bestia deve iurar que su moro o su bestia non lo ferió; et si iurar non quisiere, rendrá el moro o la bestia. (173).

3

Fernando III (1217-52), *Fuero de Zorita de los Canes* (otorgado el 6 de mayo de 1218). Madrid: Nacional, ms. 247 (letra de principios del s. xiv), transcr. de D. P. Seniff.

DEL ESPOSO QUE CARNAL MIENTRE CONNOSÇIERE SU ESPOSA ET SE REPINTIERE

Et si por auentura el esposo ouiere que baratatar con el esposa et despues se repintiere, peche .c. marauedis et salga enemigo.

QUAL COSA TOMARE EL ESPOSO SI EL ESPOSA MURIERE ANTE DE LAS BODAS O EL MATRIMONIO

Mas si el esposa ante de las bodas o ante que el matrimonio sea celebrado muriere, el esposo tome las uestiduras et que quiere quel aya dado. Si por auentura el esposo muriere, tome el esposa todas sus alfaias. (fol. 33r).

DE AQUEL QUE MUGER FORÇARE

Tod aquel que muger forçare o la leuare rabida, contra uoluntad de sus parientes, deue recebir muerte por ello. Et si ella despues cosintiere en aquel que la leuo rabida, sea deseredada, et salga enemiga con el arrabador. (fol. 49v).

De aquel que monia forçare

Otroquesi, tod aquel que fuerça fiziere a monia o a santera sea enforcado, si pudiere seer preso; et si non, que peche .D. sueldos de aquellas cosas que ouiere. (fol. 50r).

De aquel que su muger fallare en adulterio

Et tod aquel que a su muger fallare faziendo adulterio con alguno et la matare, non peche calonna ninguna, nin salga por ende enemigo, si el fodedor con ella matare o escapare ferido. Si de otro guisado la matare, peche las calonnas et salga enemigo. Otroquesi, si al que faze el adulterio firiere o matare et no a la muger, peche las calonnas.

Del que la muger denostare

Tod aquel que muger llamare o denostare diziendo «puta» o «rocina» o «malata», peche dos marauedis. E sobre todo aquesto, iure que aquel mal no lo sabe en ella. E por auentura iurar non quisiere, salga enemigo. Enpero tod aquel que puta publica forçare, peche .i. marauedi; et si la denostare, non peche ninguna cosa.

De aquel que muger por los cabellos tomare

Otroquesi, tod aquel que por los cabellos muger tomare, peche .v. marauedis si firmar lo pudiere, si non que iure con dos uezinos et sea creydo. (fols. 50rv).

De aquel que a muger tetas cortare

Otroquesi, toda aquel que a muger tetas cortare, peche .cc. marauedis et salga enemigo. (fol. 51r).

De la muger que ligare omnes o bestias

Otroquesi, la muger que omnes o bestias ligare deue seer quemada. Si non, saluese por el fierro caliente. Si el ligador omne fuere, deue seer trasquilado et echado de toda la uilla. Si negare, saluese por lit de dos que es dicha *monomachia.*

DE LA MUGER QUE FUERE FECHIZERA O HERUOLERA

Otroquesi, la muger que fuere herbolera o fechizera deue seer quemada, o saluese por el fierro caliente (...) Aquella muger que el fierro ouiere de tomar, primeramente deue seer escodrinnada, que non tenga en si algun maleficio. Dende laue sus manos ante todos, et torzidas sus manos, tome el fierro. Pues que el fierro ouiere tomado, el juez tome et cubra la mano della con çera, et sobre la çera pongal el estopa o el lino; despues, liguelo muy bien con panno. Esto fecho, adugala el juez a su casa, et despues de tres dias catele la mano. Et si la mano fuere quemada, deue seer ella quemada, o sostenga la pena que es aqui iudgada. Et aquella muger sola tome el fierro, que fuere alcauueta o puta, que con .vi. uarones sea tomada. (fols. 52r-53r).

LA GEOGRAFÍA Y LA BIBLIA

4

Semejança del mundo (1222 *a quo,* trad. de las *Etymologiae* de San Isidoro [m. 636] y de la *Imago mundi* de Honorio Incluso [fl. 1100]). Escorial: Monasterio, ms. X.III.4 (letra del s. xv), «Texto *B*», ed. de W. E. Bull y H. F. Williams (Berkeley y Los Ángeles: Univ. of Calif. Press, 1959).

[PRÓLOGO]

Aqui comiença el libro que conpuso Sant Ysidro que se llama Mapa Mundi. Ensennamiento de muchos que non an abasto de lybros de philosofia e de otros que dizen del mundo commo es ordenado e es escripto en este libro, e ha nonbre «Semejança del mundo», por rrazon que pareçe en el todo el ordenamiento del mundo asy commo en espejo. E maguera que gran lazerio e gran estudio sea en trasladar de latyn en rromançe, todo es de sofryr de grado por graçia e por amor de nuestros amygos.

M u n d u s tanto quiere dezir commo de toda parte movido, por rrazon que sienpre se mueue de cada parte; e la semejança del mundo es a manera de pella e en semejança de hueuo, pero es departido por sus elementos; e asy commo el hueuo es çerrado de casco, e dentro çerca del casco es ençerrada el aluura, desy açerca del aluura es la yema e en medio de la yema yaze otro poquillo, asi commo gota de sangre cuajada. Otrosy el mundo a esa semejança e es çerrado de toda parte del çielo, asi commo el hueuo del casco, e dentro del çielo es ençerrado p u r u s e t e r, que es aquel elemento que nos llamamos fuego, ansi commo el albura es açerca del casco, e desende el ayre çerca del fuego, segun la yema es açerca del aluura, e desende es çercada la tierra del ayre, ansy commo la gota bermeja que es en medio de la yema.

1. DE LOS ELEMENTOS

E ya oystes dezir del mundo commo es ordenado por la semejança del
hueuo. Agora veamos de los quatro elementos. «Elemento» tanto quiere dezir
como materia de que son todas las cosas, e estos elementos son quatro: el
vno es el fuego que es alla suso sobre el ayre, e desi es luego açerca del
fuego el ayre, et açerca del ayre es el agua, e el quarto es mas baxo, que
es la tierra; e estos elementos se ayuntan por naturas, vnos que an en sy
semejables, ansi commo si se abraçasen, ca la tierra, que es seca e fria de
natura, ayuntase al agua, que es frya e vmorosa de natura; e desende el ayre,
que es vmoroso e caliente de natura, ayuntase al fuego puesto sobre sy, que
es caliente de natura; e desende el fuego, que es caliente e seco de natura,
ayuntase con la tierra, que es seca de natura. E de estos quatro elementos,
la tierra, asi commo es mas pesada, segun el ordenamiento e el plazer de
Dios, tiene el lugar postrymero e mas baxo, e el fuego, asi commo es mas
lyuiano e mas sotil elemento, tiene el mas alto e el mas noble lugar, e los
otros dos elementos, que son agua e ayre, son ordenados entre medias, segun
que lo ordeno e plugo a Nuestro Sennor, ca el agua e el ayre son ordenados:
el agua, que es mas pesada, es mas çerca de la tierra, e el ayre, que es mas
lyuiano, es mas açerca del çielo. (53).

3. DE LAS PARTES DEL MUNDO, COMMO SE DEPARTEN

E deuedes saber que la tierra es departida en çinco partes; e en las dos
partes postrymeras non mora ninguno, por la gran fuerça del fryo que ay
faze e por que nunca ay fiere el sol, e en la otra terçera parte non mora
ninguno por la gran calentura del sol que faze aý. Toda esta partida es sobre
la que pasa el sol. E en las otras dos partydas, que son tenpradas por calentura e por frio, moran los omes. E aquesta partida en que moramos, que dize
la escritura zona, departela el mar Mediterrano en tres partes; e la vna ha
nonbre Asya, e la otra ha nonbre Ehuropa, e la otra terçera ha nonbre Africa.
(55).

6. AQUI COMENÇAREMOS DE LAS TIERRAS DE ASYA,
QUE ES LA MAYOR PARTE DE LAS TRES

Asya es dicha del nonbre de vna rreyna que aý ovo e dixeronla donna
Asya, e Asya es vna tyerra en oriente. E en esta partida de Asya es el parayso
terrenal, e es vn lugar deseoso de ver e lleno de todo deleyte e de todo bien,
e es lugar a dó non puede entrar ningun ome que sea, nin otra cosa, ca es
çerrado de muro de fuego fasta el çielo. E en este lugar esta el arbol de vida,
e ha tal fruto que quien del comiere sera todo sienpre en vn estado e non moryra.

E en medio deste parayso terrenal ay vna fuente de que naçen quatro rrios: el vno ha nonbre Gion, e el otro Fyson, e el otro Tygrys, e el otro Ehufrates; e estos quatro rrios rriegan todo el parayso, e despues alla dentro escondense e van so tierra toda via fasta que pareçen en otros lugares, segun que oyredes.

7. Del rrio Fison que corre por Yndia

Fyson, que dizen en otro nonbre Ganges, corre por tyerra de Yndia a semejança de vista de ome, e naçe del monte que dizen Hercobares, e corre contra oriente fasta que cae en la mar que çerca toda la tierra en derredor, que ha nonbre Oçeano; e Gion, que llaman Nilo, es en tierra de oryente por vista de ome, e nasçe çerca de la tierra que dizen Atalante, e desdende sumese en tierra e va so tyerra fasta que cae en la rribera del Mar Rrubro; e desi este mismo rrio çerca toda Etiopia e corre por Egito, e ally se departe por rriberas fasta que entra en la Gran Mar çerca de Alixandria. (57).

16. De los omes que an cabeças como perros

En tierra de Yndia ay otras gentes que an cabeças como perros, e an las vnnas coruas, e visten pieles de los ganados e de qual quier bestia que pueden aver, e ladran commo perros.

E avn ay otrosy mugeres que paren sus fijos todos canos, e despues que comiençan a envejezer tornanse todos negros, e estos byuen mucho mas que nosotros; e ay otrosy vnas mugeres que engendran e paren sus fijos, mas non byuen de ocho annos adelante. (59).

17. De los que non an mas de vn ojo e de otros

En esta tierra ay otrosy otras gentes manocli, por que estos non an mas de vn ojo, e ay otras gentes que dizen armyaspidi, e otros a que dizen los çinopes, e estos son muy espantables e muy grandes de cuerpos, e comen los omes byuos e los ganados dó quier que los pueden alcançar; e ay otrosy otras gentes a que dizen çinopedes, e segun que dize el sabio que conpuso este libro, que non an mas de vn pie, e solo con este pie corren mas que el viento, e quando les plaze folgar posanse en tierra e alçan el pie e estan a su sonbra del.

18. De los que non an cabeças

E otrosy en esta tierra ay otras gentes que non an cabeças, e an los ojos en los onbros, e han las narizes fazia arriba, e an grandes dos forados en la boca, e an en los pechos grandes sedas, segun que en las bestias, e son muy espantables.

19. De los que byuen del olor de la maçana

Otrosy, çerca de la fuente donde naçe el rrio que dizen Ganges, ay otras gentes que biuen tan sola mente del olor de vna maçana; e sy por aventura an de fazer alguna carrera traen consigo la maçana, ca luego que les falleçe el olor de la maçana, muerense de todo en todo. E en esta tierra ay otrosy serpientes e bestias tan fieras que se tragan los çieruos byuos, e nadan a las vegadas en la mar que dizen Oçeano. (61).

130. Del monte que dizen Atalante

E deuedes saber que en este mar que dizen Oçeano es el monte que dizen Atalante e es monte muy fuerte e muy alto, onde por eso le dizen el monte Atalante, e dizen otrosy a la mar que corre por aý Atalantycun mare.

131. Deste monte que es muy alto

E otrosy deuedes saber que en Africa fue vn rrey que dixeron don Atalas e fue hermano de don Prometeo, e de aquel tomo el monte nonbre Atalante, por que, segun dizen vnos sabios, ençima deste monte estudo el rrey don Atalante que dixeron quando escryuio la çiençia que dizen astrologia, onde dizen los filosofos que don Atalante sostiene el çielo en sus onbros, por que a ensennamiento de los otros escryuio la astrologia, que es çiençia de vn ordenamiento de las estrellas, e de aqui tomo nonbre este monte de Africa que dizen Atalante; e este monte, por la gran altura que ha, ha semejança que el sostiene el çielo e las estrellas. (95).

140. De la ysla de Lybina

Escoçia es vna ysla açerca de Bretanna, e a esta ysla dizen otro nonbre Lybyna; e esta ysla es rrica e bien puesta e comiença de la parte del ábrigo e tiene fasta el çierço; e a esta ysla dizen Escoçia del nonbre de los moradores della que dizen los escotos.

141. De la ysla de Gades

E otrosy en el mar Oçeano es vna ysla que dizen Gades, e es en el cabo de la provinçia que dizen Betica; e esta ysla departe e Ehuropa de Africa. E segun dizen los actores en sus fablas, quando don Hercoles vino en Espanna, que era prynçipe muy noble e muy poderoso, e conquirio toda Espanna fasta que llego a esta ysla que dizen Gades, e desque vio que de alli adelante todo era mar, por tal que la fama de los sus nobles fechos que feziera sienpre durasen e que nunca se podiesen perder, fizo aý fazer dos pilares, e pusoles nonbres Gades Hercoles, que los que eran por venir sopiesen que fasta alli conquyriera el toda la tierra de Espanna e que aquellos eran sus mojones, ca Gades tanto quiere dezir en latyn commo mojones. (97).

370. De la prymera planeta que es la luna

E deuedes saber que la prymera de las siete planetas, començando ome en la mas baja planeta que es la luna, e segun dize vn sabio, de todas las estrellas que son esta es muy menor.

371. De la luna

E deuedes saber que esta estrella que nos dezimos luna por esta rrazon pareçe muy mayor de las otras estrellas por que esta mas baxa e esta mas çerca de nós e de la tierra, e por que esta otrosy en el primero çirculo; e esta luna ha cuerpo rredondo e es de natura de fuego, pero ha en sy mezclada mucha agua; onde por esta rrazon la luna non ha lunbre propia, sy non es quanto toma en prestado del sol quando acaesçe que esta de travieso. Onde dizen los sabios que la luna toma claridat e lunar del sol; onde segun esta rrazon la luna es llamada en la escriptura l u ç in a , ca tanto quiere dezir luçina como estrella naçida e alunbrada de la luz e de la claridat del sol.

372. De la natura que ha la luna de agua

E deuedes saber que aquello que pareçe en medio de la luna escuro que es asy commo avejuela pequenna, segun que piensan e creen los sabios, es la natura de la agua que ha mezclada en sy; onde segun que ellos mismos dizen e pruevanlo, sy la luna non oviese en sy agua mezclada toda la tierra alunbraria, segun que faze el sol; e avn, segun que dizen ellos mismos, non la alunbraria tan sola mente mas avn quemar la ýa e astragar la ýa toda por rrazon que esta es la mas baxa planeta e mas çerca de la tierra. E segun que dizen los philosofos, e es cosa verdadera, la luna mucho mayor es que la tierra, maguer que semeje al omne que poco mayor es que vna escudilla. (129).

377. De la planeta Mercurio

La segunda planeta llama la escriptura Mercurio, e esta planeta la llama otrosy Estilbon; e esta planeta es rredonda de forma e es foguenna de natura, e esta planeta es mas grande que la luna, e toma lunbre e claridat del sol; e segun que dize el sabio, esta planeta anda e cunple todo su çerco en derredor en que ella esta en trezientos e treynta e vn dias.

378. De la planeta que dizen Venus

La terçera planeta llama la escriptura Venus, e ha otrosy otro nonbre, segun el latyn, E s p u s A h u r o r e e G e f a l i f y l y u s, e ha otrosy nonbre Luçifer e Vesper; e esta planeta es rredonda de forma, e es otrosy de natura de fuego, e esfuerçase otrosy de yr syenpre contra el mundo, segun que faze la otra planeta que dizen Mercurio; e esta planeta anda e cunple todo su çirculo en que es en trezientos e quarenta e ocho dias.

379. De la planeta que dizen Sol

La quarta planeta es el Sol, e esta planeta á nonbre Sol por rrazon por que el solo luze e todas las otras estrellas son asi commo escuras, ca segun dizen vnos sabios, las estrellas toman lunbre e claridat del sol, pero dizen otros sabios que la toman de aquel elemento que llama la escriptura p u r u s e t e r (...)

380. Del Sol commo es mas grande ocho tanto que la tyerra

S o l es dicho por que luze e alunbra sobre todas cosas buenas e malas, e esta planeta es rredonda de forma e es de natura de fuego; e segun dizen los philosophos, el sol es ocho tanto mas grande que toda la tierra, e segun que oystes de suso, dizen que del toman lunbre e claridat todas las estrellas; e esta planeta anda de oriente fasta en oçidente con el gran arremetymiento del fyrmamiento que la rroba, toda via se esfuerça de yr contra el mundo, segun que las otras planetas que de suso oystes.

381. De la planeta del Sol commo alunbra de dia

E deuedes saber que quando esta planeta, que dizen Sol, esta sobre nós e sobre tierra, estonçe avemos nós dia e lunbre e que non se parte de sobre nós, e quando entra de yuso de tierra, estonçe avemos nós noche e tyniebla; ca segun dizen los philosophos, asy commo en el dia luze sobre la tierra; otrosy en la noche luze de yuso de la tierra; e verdadera cosa es que el sol que sienpre ha su claridat e su lunbre e asy lo ordeno Nuestro Sennor, ca non que vna ora aya claridat e lunbre e otra non; e esta planeta anda e cunple todo su çerco en derredor en que esta en veynte e ocho annos. (130).

385. Destas planetas cada vna tiene su lugar

E deuedes saber que cada vna destas planetas an sus lugares espeçiales e sennalados en que estan: ca Jupiter ha su lugar espeçial en el syno que dizen Vyrgo, e Mares ha su lugar espeçial en el syno que dizen Leo, e el sol ha su lugar espeçial en el syno que dizen Geminis, e Venus ha su lugar espeçial en el syno que dizen Sagytario, e Mercurio ha su lugar espeçial en el syno que dizen Capicornio, e la luna, que es la mas baxa planeta de todas, ha su lugar espeçial en el syno que dizen Aries.

386. ESTOS ÇIRCULOS SON ÇIELOS

Segun dizen los sabios, estos siete çirculos en que estan estas siete planetas, que oystes de suso, estos mismos çirculos dizen vnos sabios que son siete çielos, bueluense e andan toda via en derredor con duçe armonia que es vn sueno muy suaue e muy duçe; e deuedes saber que aquel duçe canto e sueno muy suave con que se bueluen e andan en derredor estos siete çielos por ende non viene a nuestras orejas por que se faze suso allende del ayre, e otrosy por que los duçes cantares e duçes suenos traspasan el nuestro oyr, que es mucho angosto e muy pequenno, e por esta rrazon non oymos nós aquellos duçes suenos e duçes cantares con que se mueuen e andan en derredor estos çielos de que oystes; e otrosy el fyrmamiento anda en derredor con tales duçes suenos, como oystes de suso de los siete çirculos en que estan las siete planetas.

Aqui se acaba este libro que conpuso Sant Ysidro de beruo a veruo, segun que lo cuenta el mismo; e este traslado fabla del mundo como es ordenado e de todos los quatro elementos e de las siete planetas. E acabose miercoles .XXI. dias de abril anno de mill e quatroçientos e sesenta e siete annos. Deo gratias (131).

5

Biblia romanceada (s. XIII). Escorial: Monasterio I.I.8 (letra del s. XIV), ed. de M. G. Littlefield, *Biblia romanceada I.I.8: The 13th-Century Spanish Bible Contained in Escorial MS. I.I.8* (Madison: HSMS, 1983).

JOB

I Un honbre fue en tierra de Hus que auia nonbre Job, & aquel honbre era sinple & drechurero & temient a Dios & quito del mal; & ouo siete fijos & tres fijas. Et fue su heredamiento siete mil oueias & tres mil camelos & quinientos jugos de buyes & quinientas asnas & muy grant compayna, et aquel era grant honbre entre todos los orientales. E sus fijos fazian grandes comeres por sus casas a reuezes, & llamauan aqueillas sus tres hermanas que comiessen & beuiessen con eillos. Et quoando eran acabados los dias de los comeres en derredor, inbiaua por eillos Job & bendizie los, et leuantauasse de maynana & offrecia holocaustos por cada uno, car dizia: «Por ventura peccaron mis fijos & non bendixieron a Dios en sus coraçones». Assi fazia Job cada dia.

Mas vn dia que vinieron los fijos de Dios a estar delante Dios, fue entre eillos Sathan. (...)

Fuesse Sathan delante Dios. E vn dia dó comian los fijos & las fijas de Jop, & beuian vino en casa del mayor deillos, veno mandado a Job, & dixol: Los buyes arauan, & las asnas pascian cabo eillos; & vinieron sabeos & leuaron lo todo & mataron los honbres, & escape yo solo por dezir te lo. El diziendo esto, llego otro & dixo: «Cayo el fuego de Dios del cielo, & quemo las oueias & los pastores, & escape yo solo por dezir te lo a ti». El diziendo esto, llego otro & dixo: «Los caldeos se fizieron tres compaynas, & leuaron todos los camelos & mataron los honbres, & escape yo solo por dezir te lo». E esto diziendo, entro otro & dixo: «Tus fijos & tus fijas, comiendo & beuiendo en casa de su hermano el mayor, vino viento muy fuert de part del desierto, & echo la casa sobre eillos & murieron; & escape yo por dezir te lo». E Job rompio sus paynos &, trasquilada su cabeça, cayo en tierra. E, orando, dixo: «Desnuyo sailli del vientre de mi madre & desnuyo tornare ailla; Dios me lo dio, me lo tiro, assi es como a el plogo, bendicho sea el nonbre de Dios». (...)

II (...) Saillido Sathan de delante Dios, firio a Job de muy grant llaga, de las plantas de los pies fasta el somo de la cabeça. El rayasse la podridura con vn tiesto, & yazie en el estiercol. E dixo su muger: «¿Avn aturas en tu simpleza? Maldizi a Dios, & muer». El recudio: «Tu fablas assi como vna de las mugeres locas. Si nós recibiemos los bienes de la mano de Dios, ¿por que non recibremos los males?» En todas estas cosas non peco Job de sus labros. Tres amigos de Job, oyendo tanto mal quel viniera, vinieron cada uno de su logar: Eliphat Themanithes, & Baldat Suites, & Sophar Nahamatithes, car pusieron que veniessen en vno a visitarlo & consolarlo. E quoando alçaron sus oios aluen non lo conocieron, &, dando vozes, lloraron & ronpieron sus paynos, & derramaron poluo sobre sus cabeças ental cielo. E assentaron se cabo el en tierra, & souieron ý siete dias & siete noches, & nol fablaua ninguno, car veyan la su dolor que era muy fuert.

III Desi abrio Job su boca & maldixo el su dia, & dixo: «Perezca el dia en que yo nasci, la noch en que fue dicho: 'Conceb[i]do es el honbre'. Aquel dia se torne en tiniebras; nol requira Dios de suso, nin sea en remenbrança, nin sea alunbrado de lumbre. Oscurezcan le tiniebras & sonbra de muert, prendal espessura & sea enbuelto en amargura». (277).

LITERATURA GNÓMICA
(O DE LA SABIDURÍA)

6

Libro de los doze sabios o Tractado de la nobleza y lealtad (c. 1237). Madrid: Nacional, ms. 12733 (letra de fines del s. xiv o principios del s. xv), ed. de J. K. Walsh (Madrid: RAE, 1975).

CAP. I. DE LAS COSAS QUE LOS SABIOS DIZEN
E DECLARAN EN LO DE LA LEALTANÇA

E començaron sus dichos estos sabios, de los quales eran algunos dellos grandes filósofos e otros dellos de santa vida. E dixo el primero sabio dellos: «Lealtança es muro firme e ensalçamiento de ganançia». El segundo sabio dixo: «Lealtança es morada por sienpre e fermosa nonbradía». El terçero sabio dixo: «Lealtança es ramo fuerte e que las ramas dan en el çielo e las raýzes a los abismos». El quarto sabio dixo: «Lealtança es prado fermoso e verdura syn sequedad». El quinto sabio dixo: «Lealtança es espaçio de coraçón e nobleza de voluntad». El sesto sabio dixo: «Lealtança es vida segura e muerte onrrada». El seteno sabio dixo: «Lealtança es vergel de los sabios e sepoltura de los malos». El otavo sabio dixo: «Lealtança es madre de las virtudes, e fortaleza non corronpida». El nobeno sabio dixo: «Lealtança es fermosa armadura e alegría de coraçón e consolaçión de pobreza». El déçimo sabio dixo: «Lealtança es señora de las conquistas e madre de los secretos e confirmaçión de buenos juyzios». El honzeno sabio dixo: «Lealtança es camino de paraýso e vía de los nobles, espejo de la fidalguía». El dozeno sabio dixo: «Lealtança es movimiento espiritual, loor mundanal, arca de durable tesoro, apuramiento de nobleza, raýz de bondad, destruymiento de maldad, profeçión de seso, juyzio fermoso, secreto linpio, vergel de muchas flores, libro de todas çiençias, cámara de caballería».

CAP. II. DE LO QUE LOS SABIOS DIZEN EN LO DE LA COBDIÇIA

Desque ovieron fablado en lo de la lealtança, dixieron de codiçia. E dixo el primero sabio: «Codiçia es cosa ynfernal, morada de abariçia, çimiento de sobervia, árbol de luxuria, movimiento de enbidia». El segundo sabio dixo: «Codiçia es sepoltura de virtudes, pensamiento de vanidad». El terçero sabio dixo: «Codiçia es camino de dolor e semyente de arenal». El quarto sabio dixo: «Codiçia es apartamiento de plazer, e vasca de coraçón». El quinto sabio dixo: «Codiçia es camino de dolor, e es árbol syn fruto, e casa syn çimiento». El sesto sabio dixo: «Codiçia es dolençia syn melezina». El seteno sabio dixo: «Codiçia es voluntad non saçiable, pozo de abismo». El otavo sabio dixo: «Codiçia es falleçimiento de seso, juyzio corronpido, rama seca». El nobeno sabio dixo: «Codiçia es fuente syn agua, e río syn vado». El déçimo sabio dixo: «Codiçia es conpaña del diablo, e raýz de todas maldades». El honzeno sabio dixo: «Codiçia es camino de desesperaçión, açercana de la muerte». El dozeno sabio dixo: «Codiçia es señoría flaca, plazer con pesar, vida con muerte, amor syn esperança, espejo syn lunbre, fuego de pajas, cama de tristeza, rebatamiento de voluntad, deseo prolongado, aborreçimiento de los sabios». (73-75).

Cap. LI. En quel rey tema e ame a Dios sobre todas las cosas

Teme e ama e obedeçe e sirve a Dios sobre todas las cosas, e junta con Él tu voluntad e obra, e abrán buena fin todos tus fechos, e tu regimiento, e acabarás toda tu entençión, e tus conquistas serán todas a tu voluntad, e verás reýnas e reys de tu linage, e serás bienaventurado, e será amunchiguada la ley de Dios, si sigues e guardas el consejo de los sabios.

Cap. LII. En que el rey non crea a fechizeros nin agoreros nin adevinos

Non creas en fechizeros, nin en agoreros, nin cures de adevinos, nin de estornudos, nin en otras burlas, nin dudes de andar en miércoles, nin en martes, nin en otro día ninguno, nin dexes de fazer lo que quisieres. Que deves creer que Dios non fizo cosa mala, nin día malo nin ora. E pon toda tu fe en Dios, e tus fechos yrán adelante. (112-13).

7

Bocados de oro (c. 1250). Salamanca: Universitaria, ms. 1866 (letra del s. xv), ed. de M. Crombach (Bonn: Romanisches Seminar der Universität Bonn, 1971).

Éstos son los dichos del propheta Sed e sus castigos, e él fue el primero por quien fue rescebida la ley e la sabencia

E dixo que ha de aver en el creyente diez e seis virtudes: La primera es conoscer a Dios e a sus ángeles. La segunda es conoscer el bien e el mal; el bien, para punar en lo fazer, e el mal, para se guardar de lo non fazer. La tercera es obedescer al rey que pone Dios en su lugar en la tierra e lo apodera del su pueblo. La quarta es onrrar los padres. La quinta es fazer bien a los omes segunt su poder. La sexta es fazer limosna a los pobres. La séptima es anparar a los estraños. La octava es ser esforçado en servicio de Dios. La novena es que se guarde de fornicio. La dezena es en ser sofrido. La onzena es en ser verdadero de palabra. La dozena es ser derechero. La trezena es en fazer sacrificios a Dios por los bienes que faze a su pueblo. La quatorzena es non ser cobdicioso. La quinzena es agradescer a Dios por las ocasiones que acaescen en el mundo. La diez e seis es ser vergoñoso e de poca porfía. (1).

Capítulo de los fechos de Socrates, el aborrescedor del mundo

Socrates en griego quiere dezir «tenedor con justicia». E nasció en Atenas, e dexó tres fijos varones. E por que le fizieron casar, segunt era su costunbre estonce de fazer a los buenos casar, por tal que fincasse el su linaje entre ellos, casó-se con la más fuerte muger e la más nescia que avía en su tierra; e por soffrir la su nescedat e las sus malas maneras, podríe otrossí soffrir la nescedat de los omes comunal mente.

E tanto quiso onrrar la sapiencia, de guisa que destorvó a los filósofos que vinieron después d'él, que él teníe por bien de non meter la sapiencia en pargaminos. E dizíe, «por que la sapiencia es cosa linpia e santa, non nos conviene de la poner si non es las almas bivas, e non en los pellejos muertos». E por eso non fizo libros ningunos, nin lo que mostrava a sus discípulos, non ge lo mostrava por libro, si non por palabra sola mente. (...)

E los de su tienpo preguntaron-le, si adoraríen los ídolos, e vedó-ge-lo, e desvió los omes de los adorar. E mandó-les orar el Vno, el Durable, el Criador, el Sabio, el Poderoso; non a la piedra que non oye, nin fabla, nin siente. E mandó a los omes fazer bien, e non mal. E quando sopieron los príncipes de su tienpo que su opinión era de desechar los ídolos, e desviar a los omes de los adorar, judgaron-lo a muerte. E los que lo judgaron a muerte eran los onze juezes de Atenas. (45).

E dieron-le a bever el tósico, que le dizen opio. E quando los juezes lo judgaron de muerte, pesó mucho al rey, e por que non pudo estorcer el su juizio, dixo: «Escoje quál muerte quisieres morir». E dixo: «Con tósico». E otorgó-ge-lo. E fizo-le tardar la muerte de Socrates, después que fue judgado para morir, por que la nave, que solíen enbiar con grandes presentes a la casa del ídolo, tardó. E avíe tardado por malos vientos que auíe fechos. E auíen por costunbre de non matar ninguno, fasta que tornase la nave a Atenas. (...).

E dexó Socrates doze mill entre discípulos e discípulos de sus discípulos. (46).

Éstos son sus castigos

Dixo: «La primera cosa, en que pongas tu voluntad, sea en guardar el derecho de Dios en servir-le; e puna de fazer lo que a él plaze, non con los sacrificios sola mente; mas en non fazer tuerto, nin jurar por él jura falsa.

La sapiencia es escalera del sabio, que el que non la ha, non puede seer cerca de Dios.

Assí como estuercen los enfermos de la enfermedat por la física, assí estuercen los torticeros por las leyes.

Por la justicia se aseguran las almas.»

E dizíe quando se possava a demostrar: «Yo só el senbrador, e las almas son el senbrado, e el estudio es el agua con que se cría. E el que non fuere el su senbrado linpio, e la su agua non fuere mucha, non puede aprovechar al su senbrar.

Só maravillado del que olvida por este mundo, que ha fin, el otro, que non ha fin.» (49).

8

Historia de la donzella Theodor (c. 1250). Salamanca: Universitaria, ms. 1866, y Escorial: Monasterio, ms. h.III.6 (letra del s. xv), ed. de W. Mettmann (Mainz: Akademie der Wissenschaften und der Literatur, 1962).

[Título primero]

En los reynos de Tunez ouo vn mercader natural de las partes de Vngria, el qual entre los mercaderes era el mas rico que en el mundo se fallasse. E vn dia passando por la plaça, vido vender vna donzella christiana que era de las partes de España. Y el viéndola ser muy hermosa, compróla al moro que la traýa. E conociendo en su gentil disposicion e criança que deuía ser fijadalgo, hízole mostrar a leer y escreuir e todas las sciencias que deprender pudiesse. La qual se dió tanto a la virtud y estudio que sobrepujo a todos los hombres e mugeres que en aquel tiempo fuessen, assi en sciencia como en musica y otras infinitas maneras de artes (...) E hallándose un día el mercader en tanta miseria que cosa ninguna no tenía para se mantener, ouo de dezir a la donzella: «Ya sabéys como corre sobre mi fortuna en tal manera que no me ha quedado cosa de quanto solía tener de todos mis thesoros e aueres. No tengo cosa que venda ni empeñe, y esto es por los grandes pecados que yo he hecho e cometido a Nuestro Señor Dios, de manera que ya no me queda otra cosa sino vós. Por lo qual, hija e señora, será forçado que vos aya de vender; e Dios sabe quanto por ello me pesa; empero ya vós conocéys que yo no puedo mas hazer. Por que mucho ruego, fija mia señora, que vós me queráys consejar de lo que a vuestro entendimiento mas le parescerá que yo deua hazer. Que segun la mucha sciencia vuestra yo tengo gran confiança que con vuestro consejo yo seré remediado e hauré manera con que me pueda mantener e salir de mis trabajos.»

E la donzella Teodor, como esto oyó hablar a su señor, vuo dello muy gran tristeza e pesar, e abaxó sus ojos a tierra e comiençó de llorar, e estuuo asi vna gran pieça que no fabló, pensando en su coraçon. E desque vuo bien pensado e mirado en su entendimiento el cobro que podía dar a su señor, el qual la hauía criado e gastado con ella de sus thesoros en la mostrar todo lo que sabía, alçó la cabeça e díxole: «Esforçad, señor mio, e no toméys cuytado de cosa alguna, e tened buena esperança en Nuestro Señor Dios, que el vos ayudará e os dará buen consejo con que salgáys deste trabajo e de la gran pobreza en que agora estáys, e no curéys de mas pensar sobre esto, que Dios os porná cobro. Porende leuantadvos luego e ydvos para los joyeros e trahedme composturas e afeytes con que se afeytan las mugeres, e trahedme paños de fina color para que me vista, e vestirlos he e componerme he con ellos. E despues que yo sea afeytada e compuesta, leuarme heys al rey Miramamolin Almançor, e dezidle que me queréys vender. E quando el os preguntare que es lo que por mi querýs, respondelde en esta manera: —Señor, yo vengo a Vuestra Alteza con gran menester que tengo con esta donzella; si os plaze de me la comprar, yo gela venderé por lo que justo sea. (...)

[Título segundo]

Dize el cuento que aquel mercader leuó su donzella Teodor ante el rey Miramamolin Almançor al su alcaçar donde el estaua, e fabló con el portero, rogándole mucho que le abriesse e le dexasse entrar, porque quería fablar con el rey. E el portero le abrió luego la puerta, deziéndole que entrasse en buen hora. E el mercader entró luego e fuése con su donzella para la camara donde estaua el rey, e saluó al rey e a todos los que aý estauan. E humillándose a el, hízole gran reuerencia e besó la tierra ante el rey, e allegáronse mas e besáronle las manos. (...)

E la donzella (...) díxole: «Señor Rey, vós deuéys saber que el primer saber que yo deprendí es la ley de Dios e sus mandamientos, e deprendí mas todos los sermones suyos, los quales el mandó a los sus santos profetas que fiziesen; e deprendí mas todas las complisiones de los quatro elimentos; e deprendí mas el arte de la estrelleria e las planetas e los cursos e mouimientos dellas e las casas en que mora cada vna dellas, e conosco los nombres de las estrellas, las quales crió Dios, Nuestro Señor, en los sus altos cielos; e deprendí mas la habla de las animalias; e deprendí mas la ynnocençia e el arte de la nigromançia e las hablas de todas las otras cosas; e deprendí mas los setenta e dos lenguajes que son por todo el mundo, asi de cristianos como de judios e moros, e de todas las leyes e cerimonias; e deprendí mas de medicina e çurugia, e todo lo tengo bien estudiado e probado; e deprendí mas la sotil geometria e gramatica e logica e la natura della; e deprendí mas el arte de la poesia e musica, e sé tanger todos estormentos de pluma e de mano, e todas quantas maneras tangen por todo el mundo; e deprendí mas las treynta e tres maneras e artes que son fondadas en el arte de trobar, e toda la manera dello, e sé los nombres de cada una; e por ser mas cierta en esta arte deprendí el motejar e cantar e baylar e dançar, e los passos que se requieren e pertenescen para cada vna dança, e sé tangeres viejos e nueuos e a la llana, e canto e tenòr e contras e otros cantares e muchos romançes cantados; e sé fazer muchas canticas viejas e nueuas, e sé sonarlas muy bien». (103-109).

[El rey llama a sus sabios para disputar con Theodor]

Despues que el primero sabio fué vençido, leuantóse el segundo e díxole assi: «Dime, donzella, responderme has a lo que yo te preguntare.» E ella le respondió humildosamente e díxole: «Maestro señor, yo os responderé con la ayuda de Dios.» (...)

Preguntóle mas: «Qual es la cosa que mas enuegesce al hombre antes de tiempo?» Respondió la donzella: «El dormir mucho con mugeres. Ca dize Aristoteles, fablando de los luxuriosos, que toda su obra era ponçoñosa, porque los hombres dauan la mejor sangre de su cuerpo, e que las mugeres dauan la peor que tenían.»

E preguntóle mas el sabio: «Que me dizes del baño?» Respondióle la donzella: «El baño es mucho menester para alimpiarse el hombre o la muger antes que vaya a hazer oracion, e para entonces es bueno. Empero es menester que salga luego dél, que no esté mucho deleytándose dentro.» (...)

Preguntóle mas el sabio: «Dime, donzella, qual es el mejor dormir con la muger amenudo, o quando está en razon?» (...) E la donzella le dixo que le plazía de buena voluntad de le responder, e dixo luego sin detardar al sabio: «Sabed, señor maestro, que la muger gentil es muy donosa e sabrosa. Empero no es de dormir con muger, saluo que la escoja el ombre el que hazerlo pudiere. E déuela buscar que sea garça; que dize el sabio Aristoteles, tratando de aquesta materia, que la muger garça para dormir el hombre con ella ha menester que esté parida e tenga la criatura a sus pechos, o que esté preñada. Otrosi el hombre que asi con ella quiere dormir ha menester que sea sabio e sotil e engenioso quando dormiere con ella.» E el sabio le preguntó: «Dime, donzella, en que manera.» E ella dixo: «Señor maestro, sabed que si la muger fuere tardia en su voluntad, deue el hombre que dormiere con ella ser sabio, como dicho tengo, e conoscer su complexion; e déuese detardar con ella, burlándose con ella e haziéndole de las tetas e apretándogelas, e a vezes ponerle la mano en el papagayo, e otras vezes tenerla encima de si, e a vezes de baxo. E haga por tal manera que las voluntades de los dos vengan a vn tiempo. E si por ventura la muger veniere a complir su voluntad mas ayna que el hombre, deue el con discrecion entenderla e jugar vn rato con ella, porque la haga complir otra vez, e vengan juntas las voluntades de amos, como de suso dixe. E haziéndolo desta manera, amarle ha mucho la muger.» Entonçes le respondió el sabio: «Dígote, donzella, que muy bien has respondido.» E preguntóle mas el sabio: «Dime, donzella, qual tiempo e hora es mas clara e mas prouechosa para dormir el hombre con la muger?» Respondióle la donzella: «Maestro señor, el tiempo e la hora que es mas prouechosa para el hombre que ha de dormir con muger, e mas sano, ha de ser despues de pasados los dos tercios de la noche; e en el postrer tercio está el stomago del hombre vasio e limpio de la vianda, e la muger en aquel tiempo tiene la madre caliente, e tiene ella mayor plazer en si para lo reçebir.» Respondió el sabio e díxole: «Muy bien has dicho, donzella.»

E preguntóle el sabio: «Dime, donzella, de las edades de las mugeres, en que es preciada cada vna; la de veynte años, que me dizes della?» —«Dígovos, maestro, que quando es gentil, que paresce bien a las gentes, especialmente a los hombres.» —«E la muger de tre[i]nta años, que me dizes della?»

—«Digoos, señor maestro, que es tal e tan sabrosa como quando hombre
come perdizes o carnero con limones.» —«E la de quarenta años, que me
dizes?» —«Essa, señor, tiene seso entero e para darlo a otras que no lo tienen.» —«De la de cinquenta años, que me dizes?» —«Essa, vos digo, señor
maestro, que es para el cuchillo.» —«E la de sesenta años, que me dizes?»
—«En essa no hay bien ninguno.» —«E la de setenta años, que me dizes?»
—«Essa, os digo, señor maestro, que es tierra e fuera de toda razon.»
—«E de la [de] ochenta años, que me dizes?» —«Essa, os digo que no me
la mentéys, e de las vnas e de las otras renegad de la mejor.» Entonçes respondió el sabio e díxole: «Dígote que has hablado bien en todo quanto has
respondido.»

E díxole mas el sabio: «Dime, donzella, que señales ha de hauer vna muger
para ser muy fermosa?» Ella le respondió: «Ha de tener diez e ocho señales,
e son estas que yo os diré: ha de ser luenga en tres lugares, e corta en tres
lugares, e ancha en tres lugares, vermeja en tres lugares, y prieta en tres lugares, e blanca en tres lugares.» E rogóle mucho el sabio que le dixiesse en
que manera, e que gelo contasse todo por menudo, cada vna cosa por si.
E ella díxole asi: «Señor maestro, sabed que ha de ser luenga en tres lugares
en esta manera: para ser del todo fermosa, ha de tener el cuello luengo, e
los dedos luengos, e el cuerpo luengo. E ha de ser pequeña en tres lugares:
pequeñas las narizes, e la boca, e los pies. E ha de ser blanca en tres lugares:
ha de ser blanca en el cuerpo, e blanca en la cara, e blancos los dientes.
E ha de ser prieta en tres lugares: los cabellos prietos, e las pestañas prietas,
e lo prieto de los ojos. E ha de ser vermeja en tres lugares: vermejos los
labrios de la boca, e vermejas las enzias, e vermeja en medio de los carillos.
Ha de ser ancha en tres lugares: ancha en las muñecas de los braços, e ancha
de los hombros, e ha de ser ancha en las espaldas.» (115-19).

TÍTULO [.vii.], DE LAS PREGUNTAS QUE FIZO ABRAHAN EL TROBADOR
A LA DONZELLA, E DE LAS RESPUESTAS QUE LE DIÓ

Preguntó el sabio a la donzella: «Dime, qual es la cosa mas pesada de
todo el mundo?» Respondió la donzella que era la deuda. E dixo el sabio
que era la verdad.

E preguntóle mas que qual era la cosa mas aguda en todas las cosas. Respondió la donzella que la lengua del hombre o de la muger.

Preguntóle mas que qual era la cosa mas apressurada que saeta. E dixo
la donzella que era el pensamiento.

E preguntóle mas que qual era la cosa mas apressurada e mas ardiente
e quemante que el fuego. E dixo que era el coraçon.

Preguntóle mas que qual era la cosa mas dulce que la miel. Respondió
la donzella que era la gran bienquerencia que tenía el padre e la madre con
sus fijos.

E preguntóle mas que qual era la cosa mas amarga que la hiel. Respondióle la donzella e dixo que era el mal fijo o la mala fija.

Preguntóle mas que qual era la dolencia sin medicina, que era incurable. Respondióle la donzella que era la mala fija loca e de poco seso e poca verguença.

E preguntóle mas que qual era la deuda que nunca se pagaua. Respondió la donzella que era la locura. (123).

El sabio le preguntó: «Donzella, que condicion tiene el hombre?» La donzella [le] respondió: «El hombre tiene en si todas las condiciones e virtudes que tienen todas las aues e otras bestias e anemalias que Dios crió, que son estas que se pudieron fallar: Es brauo como leon, franco como gallo, ardit como furon, alegre como ximio, callado como pece, suzio como puerco, manso como oueja, ligero como cieruo, artero como raposo, fermoso como pauon, tragon como lobo, casto como abeja, leal como cauallo, perezoso como taxo[n], escaso como can, couarde como lebre, triste como araña, parlador como tordo, limpio como cisne, nescio como asno, feo como erizo, ayunador como topo, fornicador como chinche, falso como sierpe.» (130).

Entonces mandó el rey dar a la discreta donzella diez mill doblas de buen oro e mandó a su camarero que se las diesse luego alli, e mandóla vestir de brocado, y embió a ella y a su señor con grande honrra para su tierra. (133-34).

9

Seudo-Aristótiles, *Poridat de las poridades* (s. xiii). Escorial: Monasterio, ms. L.III.2 (letra del s. xiii), ed. de L. A. Kasten (Madrid: Seminario de Estudios Medievales Españoles de la Univ. de Wisconsin, 1957).

Loado sea a Dios, el Sennor de todo el mundo. El Miramomelín mando a mi su sieruo [9] que buscasse el libro de manera de hordenar el regno quel dizen *Poridat de las poridades,* el que fizo el philosopho leal Aristotiles, fijo de Nicomaco, a su discipulo Alixandre, fiio del rey Phelipo, el rey mayor, el hondrado Dulcarnayn. (29).

EL TRACTADO SEGUNDO ES EN ESTADO DEL REY COMMO DEUE SER EN SI

Conuiene al rey que aya un nonbre sennalado que non conuenga si no a el.

Alexandre, todo rey que faze so regno obediente a la ley merece regnar; *et* el que faze desobediente el regno a la ley, aquel desama la ley, *et* qui desama la ley, la ley lo mata. (...)

---

[9] *El Miramomelín:* se refiere al califa damasceno al-Ma'mun (reinó 813-833). — *Su siervo:* Yahya ibn al-Batrik (fl. 800), cristiano nestoriano que fue un esclavo liberto del califa, y primer traductor de la *Poridat de las poridades* ('Secreto de los secretos').

Et que se uista mui bien *et* de buenos pannos de guisa que sea estremado de todas las yentes otras, *et* que sea apuesto *et* de buena palabra *et* que sepa bien lo que quier dezir. *Et* que aya la uoz alta, que la uoz alta yaze en ella pro pora quando quisiere amenazar. *Et* non fable mucho ny a uozes sy no quando fuere muy grant mester, *et* pocas uezes, que quando muchas uezes le oyessen los om*n*es, afazer se yen a el *et* nol p*r*eciarien nada. *Et* non aya grant conpanna con mugeres ni con om*n*es refezes. (...)

Alexandre, non querades fornicio seguyr, que es de natura de los puercos. ¿*Et* qual bien á en la cosa que las bestias an mayor poder que los om*n*es? *Et* demas es cosa que enueieçe el cuerpo, *et* enflaquece el coraçon, *et* mingua la uida *et* metesse om*n*e en poder de mugeres.

Alexandre, non dexedes algunas uezes en el anno, dos o tres, que coman conuusco u*uest*ros priuados *et* u*uest*ros ricos om*n*es *et* que ayan conuusco solaz; *et* conuiene uos que ondredes el que de ondrar es, *et* poner a cada uno en el logar que merece, *et* que les fagades cosas por que uos amen, *et* que les razonedes bien ant*e* ellos *et* enpos ellos, *et* que les dedes que uistan; *et* si les dieredes uestiduras de u*uest*ro cuerpo, tener se an por mas ondrados *et* amar uos an por ello. *Et* a los que non dieredes una uez, daldes otra fasta que los egualedes a todos.

Et conuiene al rey seer asessegado *et* que non ria mucho, que quando mucho rie non le dubdaran tanto los om*n*es. (36-39).

DE LAS MANERAS DEL OMNE

Sepades, Alexandre, que el om*n*e es de mas alta natura que todas las cosas biuas del mundo, *et* que no á manera propria en ninguna creatura de quantas Dios fizo que no la aya en el. Es esforçado commo leon; es couarde commo liebre; es mal fechor commo cueruo; es montes commo leo pardo; es franco como gallo; es escasso como can; es duendo como paloma; es artero commo gulpeija; es sin arte como oueija; es corredor commo gamo; es perezoso commo osso; es noble commo elefante; es amanssado como asno; es ladron como pigaça; es loçano commo pauon; es guiador como alcotan; es perdido como nema; es uelador commo abeia; es foydor commo cabron; es triste como arana; es manso commo camello; es brauo como mulo; es mudo commo pescado; es fablador commo tordo; es sofridor como puerco; es malauenturado como buho; es seguidor commo cauallo; es dannoso como mur. (49).

CAPITULO DE LAS FECHURAS DE LOS OMNES

Alexandre, por que fue la sapiencia de facionia de las sçiençias ondradas *et* pensadas, conuiene uos de saber esta sçiençia *et* de meter en ella mientes pora los om*n*es que auedes mester que uos siruan; e por eso toue por bien de poner en este capitolo de las sennales de la facionia lo que se aueriguo

della a my *et* a otros que fueron ante que yo, *et* toda uia lo fallaron por
prueua uerdadera *et* que es uerdat. (...)

El que á el pescueço luengo *et* delgado es loco, *et* couarde et bozebrero.
Et si ouiere con esto la cabeça pequenna sera mas loco *et* mas sin recabdo.
Et quien á el pescueço gordo es torpe *et* muy comedor.

El que á el uientre grant es loco *et* torpe *et* couarde. El que á el uientre
delgado *et* los pechos angostos es de buen seso, *et* de buen conseio *et* de
buen entendimiento.

El que á los onbros anchos es esforçado *et* de poco seso, *et* quien á el
espinazo encogido es brauo *et* sannudo. *Et* quien á el espinazo derecho *et*
egual es buena sennal. El que á los onbros altos es de mala uoluntad e
desuergonçado.

El que á los braços luengos fasta que lleguen a la rodiella es franco *et*
noble *et* de grand coraçon. El que los á muy cortos es couarde *et* ama baraija.

El que á la palma luenga *et* los dedos luengos faze bien todos sos fechos
et bien apuestos. *Et* el que la á blanca *et* apuesta es sabio *et* de buen entendimiento. *Et* el que la á muy corta es loco. (62-65).

CAPITULO DEL ORDENAMIENTO BUENO EN PENSAR DEL CUERPO

Conuiene uos que quando uos leuantaredes de dormir, que andedes un
poco, *et* que estendades los mienbros estendimiento egual, *et* que peynnedes
la cabeça, que el andar fazer uos a meior comer, *et* el estender de los mienbros
fazer uos a mas fuerte, *et* el peynnar fara salir los baffos que suben a la
cabeça del estomago quando duerme el om*n*e. *Et* lauat uos en tie*n*po de uera-
no en agua fria, *et* esforçar uos á el cuerpo *et* guardar uos á la calentura
natural, *et* conbredes meior por ello. *Et* uestid pannos limpios *et* aguisat uós
lo mas apuesto que uós pudieredes, que u*uest*ra alma se alegrara con ello
et esforçar se á u*uest*ra natura. *Et* fregat u*uestros* dientes con corteza de arbol
amargo *et* aspera, *et* fazer uos á grant pro, *et* alinpiar uos á los dientes *et*
la boca, *et* echaredes la flema, *et* fazer uos á la lengua escorrecha *et* la uoz
clara, *et* dar uos á sabor de comer. *Et* echat en la nariz poluos pora purgar
la cabeça segunt perteneçe al tienpo en que fueredes, *et* fazer uos á muy grant
pro en abrir las carreras çerradas del celebro, *et* esforçara la cara *et* los sentidos, *et* fazer uos á tardar las canas. (66-67).

EL OCTAUO TRACTADO DE LAS UIRTUDES DE LAS PIEDRAS

La esmeralda—su uertud es que quien la tiene ondrar le an los om*n*es.
Et fara quedar dolor del estomago quando la colgaren del pescueço al om*n*e
quel llegue al estomago. *Et* faze pro a los malatos quando beuen su raedura.
Et quien la trae colgada del pescueço o en sortija en el dedo tuelle el demonio
si la touiere ante quel uenga. (72-73).

10

Libro de los buenos proverbios (primera mitad del s. xiii). Escorial: Monasterio, ms. L.III.2 (letra de 1290-1300), ed. de H. Sturm (Lexington, Ky.: Univ. Press of Kentucky, 1970).

[CAPÍTULO XII]

DE UN ENSEÑAMIENTO DE SOCRATES EL FILOSOFO

Estos son los quatro que nunqua pierden cuydado: el uno es el avariçioso; el otro es el que á poca sazon que enriqueçio; el otro es el embidioso; el otro es el que esta con los bien enseñados y el no lo es.

Qui tiene en poder su poridat encubre su fazienda de los omnes.

La lengua verdadera mejor es al omne que aver, ca de la verdat conpraran y herederan sus herederos.

El que se quier meter por sesudo tienenle los omnes por torpe.

Quien vee que todos los omnes son eguales no á amigo ninguno.

Non te pesa de yra de omne que se paga de la materia.

El que mucho se faze a los omnes non puede estar que non compañe con malo, y por ende conviene a omne que se llegue a los omnes con mesura.

La mejor cosa del mundo es la mesura.

El cuydado y la quexedumbre constriñen los coraçones assy commo otras enfermedades de los cuerpos.

Quanto mas cobdiçia omne la muerte, tantol da Dios mas la vida.

Si no alcançare omne las cosas con espaçio o con mansedunbre, no á cosa por que las pueda alcançar.

Este sieglo es atal commo la figura en el pargamino que quando dobla el una parte paresçe el otra.

El sofrir consume todas las cosas.

Quien se mucho apresura, mucho entrepieça. (70-71).

ÉPOCA DE ALFONSO X EL SABIO
(1250-1284)

COLECCIONES DE *EXEMPLA*

11

Fadrique, príncipe de Castilla y León, *El libro de los engaños e los asayamientos de las mugeres* (1253). Madrid: Academia Española, ms. 15 (letra del s. xv), ed. de J. E. Keller (Chapel

Hill: Univ. of North Carolina Press, 1959; reimpresión University, Mississippi: Romance Monographs, 1983).

Enxenplo del consejo de su muger

Avia un rrey en Judea que avia nonbre Alcos; e este rrey era señor de gran poder e amava mucho a los omnes de su tierra e de su rregno e mantenialos en justiçia; e este rrey avia noventa mugeres. Estando todas, segun era ley, non podia aver de ninguna dellas fijo; e dó jazia una noche en su cama con una dellas, començo de cuydar que quien heredaria su rregno despues de su muerte; e desi cuydo en esto, e fue muy triste, e començo de rrebolverse en la cama con muy mal cuydado que avia; e a esto llego una de sus mugeres, aquella quel mas queria, e era cuerda e entendida e aviala el provado en algunas cosas; e llegose a el por quel veye estar triste e dixol que era onrrado e amado de los de su rregno e de los de su pueblo:

—¿Por que te veo estar triste e cuydado? Si es por miedo o si te fize algun pesar, fazmelo saber e avere dolor contigo, e si es otra cosa, non deves aver pesar tan grande, ca graçias a Dios, amado eres de tus pueblos e todos dizen bien de ti por el gran amor que te an; e Dios nunca te faga aver pesar e ayades la su bendiçion.

Estonçe dixo el rrey: —Piadosa, bienaventurada, nunca quesiste nin quedeste de me conortar e me toller todo cuydado quando lo avia; mas, —esto dixo el rrey— yo, nin quanto poder he, nin quanto ay en mi rregno non podrian poner cobro en esto que yo estó triste. Yo querria dexar para quando muriese heredero para que heredase el rregno. Por esto estó triste.

E la muger dixo: —Yo te dare consejo bueno a esto: rruega a Dios, quel que de todos bienes es conplido, ca poderoso es de te fazer e de te dar fijo, si le pluguiere; ca el nunca canso de fazer merçed, e nunca le demandaste cosa que la non diese; e despues quel sopiere que tan de coraçon le rruegas, darte a fijo. Mas tengo por bien, si tu quesieres, que nos levantemos e rroguemos a Dios de todo coraçon e quel pidamos merçed que nós de un fijo con que folguemos e finque heredero despues de nós; ca bien fio por la su merçed, que si ge lo rrogamos, que nos lo dara; e si nos lo diere, devemosnos pagar e fazer el su mandado, e ser pagado del su juyzio, e entender la su merçed, e saber quel poder todo es de Dios e en su mano, e a quien quier toller, e quien quier matar.

E despues que ovo dicho esto, pagose el dello e sopo que lo que ella dixo era verdat; e levantaronse amos, e fizieronlo asi, e tornaronse a su cama; e yazio con ella el rrey, e enpreñose luego; e despues que lo sopieron por verdat, loaron a Dios la merçed que les fiziera. E quando fueron conplidos los nueve meses, encaesçio de un fijo saño; e el rrey ovo gran gozo e alegria e mucho [fue] pagado dél; e la muger loo a Dios por ende. (...)

E el ynfante creçio e fizose grande e fermoso, e diole Dios muy buen entendimiento. (...)

[Enseñanza y horóscopo del infante]

Çendubete, [su maestro], tomo el ñino por la mano, e fuese con el para su posada, e fizo fazer un gran palaçio fermoso de muy gran guisa, e escrivio por las paredes todos los saberes quel avia de mostrar e de aprender, todas las estrellas, e todas las feguras, e todas las cosas.

Desi dixole: —Esta es mi silla e esta es la tuya fasta que aprendas los saberes todos que yo aprendi en este palaçio. Desenbarga tu coraço[n] e abiva tu engeño e tu oyr e tu veer.

E asentose con el a mostralle, e trayanles ally que comiesen e que beviesen, e ellos non salian fuera, e ninguno otro non les entrava alla; e el ñino era de buen engeño e de buen entendymiento, de guisa que ante que llegase el plazo, aprendio todos los saberes que Çendubete, su maestro, avia escripto del saber de los omnes. E el rrey demando por el dos dias del plazo.

Quando llego el mandadero del rrey, dixole: —El rrey te quiere tanto que vayas antel.

Dixol: —Çendubete, ¿que as fecho? ¿Que tienes?

E Çendubete le dixo: —Señor, tengo lo que te plazera, que tu fijo sera cras, dos oras pasadas del dia, contigo.

E el rrey le dixo: —Çendubete, nunca fallesçio tal omne commo tu de lo que prometiste. Pues vete onrrado, ca meresçes aver gualardon de nós.

E tornose Çendubete al ñiño e dixole: —Yo quiero catar tu estrella. —E catola, e vio quel niño seria en gran cueyta de muerte si fablase ante pasasen los siete dias; e fue Çendubete en gran cueyta e dixo al moço: —Yo he muy gran pesar por el pleyto que con el rrey puse.

E el moço dixo: —¿Por que as tu muy gran pesar? Ca si me mandas que nunca fable, nunca fablare; e mandame lo que tu quesieres, ca yo todo lo fare.

Dixo Çendubete: —Yo fiz pleyto a tu padre que te vayas cras a el, e yo non le he de fallesçer del pleyto que puse con el. Quando fueren pasadas dos oras del dia, vete para tu padre; mas non fables fasta que sean pasadas los siete dias, e yo esconderme he en este comedio.

E quando amanesçio otro dia, mando el rrey guisar de comer a todos los de su rregno, e fizoles fazer estrados dó estudiesen e menestryles que les tañyiesen delante; e començo el niño a venir fasta que llego a su padre; e el padre llegole a si e fablole, e el moço non le fablo; e el rrey tovo por gran cosa. Dixo al niño: —¿Dó es tu maestro? —E el rrey mando buscar a Çendubete, e sallieron los mandaderos por lo buscar e cataronlo a todas partes e non pudieron fallar. E dixo el rrey a los que estavan con el: —Quiça, por aventura, ha de mi miedo e non osa fablar.

E fablaronle los consejeros del rrey, e el niño non fablo.

E el rrey dixo a los que estavan con el: —¿Que vos semeja de fazienda de este moço?

E ellos dixieron: —Semejanos que Çendubete, su maestro, le dio alguna
cosa, alguna melezina por que aprendiese algun saber, e aquella melezina le
fizo perder la fabla.

E el rrey lo tovo por gran cosa, e pesol mucho de coraçon. (4-10).

Enxenplo de la muger en commo aparto al ynfante en el palacio e commo, por lo que ella le dixo, olvido lo que le castigara su maestro

El rrey avia una muger, la qual mas amava, e onrravala mas que a todas
las otras mugeres quel avia; e quando le dixieran commo le acaesçiera al niño,
fuese para el rrey e dixo: —Señor, dixieronme lo que avia acaesçido a tu
fijo. Por aventura, con gran verguença que de ti ovo, non te osa fablar; mas
si quesieses dexarme con el aparte, quiça el me dira su fazienda, que solia
fablar sus poridades comigo, lo que non fazia con ninguna de las tus mugeres.

E el rrey le dixo: —Lievalo a tu palaçio e fabla con el.

E ella fizolo asi, mas el ynfante non le rrespondie ninguna cosa quel dixiese; e ella siguiolo mas e dixol: —Non te fagas neçio, ca yo bien se que non
saldras de mi mandado. Matemos a tu padre, e seras tu rrey e sere yo tu
muger, ca tu padre es ya de muy gran hedat e flaco, e tu eres mançebo e
comiençase el tu bien, e tu deves aver esperança en todos bienes mas que el.

E quando ella ovo dicho, tomo el moço gran saña; e estonçes se olvido
de lo que le castigara su maestro e todo lo quel mandara, e dixo: —¡Ay,
enemiga de Dios! ¡Si fuesen pasados los siete dias yo te rresponderia a esto
que tu dizes!

Despues que esto ovo dicho, entendio ella que seria en peligro de muerte,
e dio bozes e garpios, e començo de mesar sus cabellos; e el rrey, quando
esto oyo, mandola llamar e preguntole que que oviera. E ella dixo: —Este
que dezides que non fabla me quiso forçar de todo en todo, e yo non lo
tenia a el por tal.

E el rrey, quando esto oyo, creçiol gran saña por matar su fijo, e fue
muy bravo e mandolo matar; e este rrey avia siete pryvados mucho sus consejeros, de guisa que ninguna cosa non fazia menos de se consejar con ellos.
Despues que vieron quel rrey mandava matar su fijo a menos de su consejo,
entendieron que lo fazia con saña porque creyera su muger.

E dixeron los unos a los otros: —Si a su fijo mata, mucho le pesara,
e despues non se tornara sinon a nós todos, pues que tenemos alguna rrazon
atal por que este ynfante non muera. (11-12).

Enxenplo del omne, e de la muger, e del papagayo, e de su moça

—Señor, oy dezir que un omne que era çeloso de su muger; e conpro
un papagayo e metiolo en una jabla e pusolo en su casa, e mandole que le

dixiese todo quanto viese fazer a su muger, e que non le encubriese ende nada; e despues fue su via a rrecabdar su mandado; e entro su amigo della en su casa dó estava. El papagayo vio quanto ellos fizieron, e quando el omne bueno vino de su mandado, asentose en su casa en guisa que non lo viese la muger; e mando traer el papagayo, e preguntole todo lo que viera; e el papagayo contogelo todo lo que viera fazer a la muger con su amigo; e el omne bueno fue muy sañudo contra su muger e non entro mas dó ella estava; e la muger cuydo verdaderamente que la moça la descubriera, e llamola estonçes.

E dixo: —Tu dexiste a mi marido todo quanto yo fize.

E la moça juro que non lo dixiera: —Mas sabed que lo dixo el papagayo.

E quando vino la noche, fue la muger al papagayo e desçendiolo a tierra e començole a echar agua de suso commo que era luvia; e tomo un espejo en la mano e parogelo sobre la gabla, e en otra mano una candela, e paravagelo de suso; e cuydo el papagayo que era rrelanpago; e la muger començo a mover una muela, e el papagayo cuydo que eran truenos; e ella estuvo asi toda la noche faziendo asi fasta que amanesçio.

E despues que fue la mañana, vino el marido e pregunto al papagayo: —¿Viste esta noche alguna cosa?

E el papagayo dixo: —Non pud ver ninguna cosa con la gran luvia e truenos e rrelanpagos que esta noche fizo.

E el omne dixo: —En quanto me as dicho es verdat de mi muger commo esto, non á cosa mas mintrosa que tu, e mandarte e matar.— E enbio por su muger, e perdonola, e fizieron paz.

—E yo, señor, non te di este enxenplo sinon porque sepas el engaño de las mugeres, que son muy fuertes sus artes e son muchos, que non an cabo nin fin.

E mando el rrey que non matasen su fijo.

ENXENPLO DE COMMO VINO LA MUGER AL SEGUNDO DIA ANTE EL RREY LLORANDO E DIXO QUE MATASE SU FIJO

E dixo: —Señor, non deves tu perdonar tu fijo, pues fizo cosa por que muera; e si tu non lo mates e lo dexas a vida, aviendo fecho tal enemiga, ca si tu non lo matas, non escarmentaria ninguna de fazer otro tal; e yo, señor, contarte é el enxenplo del curador de los paños e de su fijo.

Dixo el rrey: —¿Commo fue eso?

E ella dixo: —Era un curador de paños e avia un fijo pequeño. Este curador, quando avia de curar sus paños, levava consigo su fijo; e el niño començava a jugar con el agua, e el padre non ge lo quiso castigar; e vino un dia quel niño se afogo; e el padre, por sacar el fijo, afogose el padre en el pielago; e afogaronse amos a dos. E señor, si tu non te antuvias a castigar tu fijo ante que mas enemiga te faga, matarte á.

E el rrey mando matar su fijo. (15-17).

Enxenplo del terçero privado, del
caçador e de las aldeas

E vino el terçero privado ante el rrey, e finco los ynojos antel, y dixo:
—Señor, de las cosas, quando el omne non para mientes en ellas, viene ende
grande daño; e es atal commo el ensenplo del caçador e de las aldeas.

E dixo el rrey: —¿Commo fue eso?

Dixo el: —Oy dezir que un caçador que andava caçando por el monte,
e fallo en un arbol un enxanbre; e tomola e metiola en un odre que tenia
para traer su agua; e este caçador tenia un perro e trayalo consigo; e traxo
la miel a un mercador de un aldea que era açerca de aquel monte para la
vender. E quando el caçador abrio el odre para lo mostrar al tendero, e cayo
del una gota, e pososse en el una abeja; e aquel tendero tenia un gato, e dio
un salto en el abeja e matola; e el perro del caçador dio salto en el gato
e matolo; e vino el dueño del gato e mato al perro; e estonçes levantose el
dueño del perro e mato al tendero por quel matara al perro; e estonçes vinieron los del aldea del tendero e mataron al caçador e al dueño del perro; e
vinieron los del aldea del caçador a los del tendero, e tomaronse unos con
otros e matronse todos, que non finco ý ninguno; e asi se mataron unos
con otros por una gota de miel.

E señor, non te di este enxenplo sinon que non mates tu fijo fasta que
sepas la verdat, por que non te arrepientas. (24).

12

Bidpai/¿Príncipe Alfonso [X]?, *Calila e Dimna* (procede del *Panchatantra* sánscrito de c.
200 a. C. por medio de traducciones persas y árabes; se vierte al castellano en 1251 o 1261).
Escorial: Monasterio, ms. h.III.9 (finales del s. xiv o principios del s. xv), ed. de J. M. Cacho
Blecua y M.ª J. Lacarra Ducay (Madrid: Castalia, 1984).

[El ignorante que quería pasar por sabio]

[Q]ualquier ome que este libro leyere et lo entendiere llegará a la fin de
su entención, et se puede dél aprovechar bien, et lo tenga por enxenplo, et
que lo guarde bien; ca dizen que el ome entendido non tiene en mucho lo
que sabe nin lo que aprendió dello, maguer que mucho sea; ca el saber esclare-
çe mucho el entendimiento así bien commo el olio que alunbra la tiniebla,
ca es la escuridat de la noche; ca el enseñamiento mejora su estado de aquel
que quiere aprender.

Et aquel que sopiere la cosa et non usare de su saber non le aprovechará.

El hombre que dormía mientras le robaban

Et es atal commo el ome que dize[n] que entró el ladrón en su casa de noche et sopo el lugar donde estava el ladrón. Et dixo: —Quiero callar fasta ver lo que fará, et de que oviere acabado de tomar lo que quisiere, levantarme he para gelo quitar.

Et el ladrón andudo por casa, et tomó lo que falló. Et entre tanto el dueño dormióse, et el ladrón fuese con todo quanto falló en su casa. Et después despertó, et falló que avía el ladrón levado quanto tenía. Et entonçe començó el ome bueno a culparse et maltraerse, et entendió que el su saber non le tenía pro, pues que non usara dél; ca dizen que el saber non se acaba sinon con la obra. (92, 93).

El ladrón y el rayo de luna

Et fue así, que andava una noche un ladrón sobre una casa de un omne rico, et fazía luna, et andavan algunos conpañeros con él; et en aquesta casa avía una finiestra por donde entrava la luz de la luna al omne bueno. Et despertó el dueño de la casa, et sintiólos, et pensó que tal ora non andarían por sus tejados salvo ladrones; et despertó a su muger, et díxole: —Fabla quedo, que yo he sentido ladrones que andan ençima de nuestro tejado, et dime, quando los sintieres çerca de aquí: —¡Ay marido! ¿Non me dirás de qué llegaste tantas riquezas commo avemos? Et quando yo non te quisiere responder, sígueme preguntando fasta que te lo diga.

Et oyó ella el ladrón et començó a preguntar al marido lo que le avía mandado, et el ladrón començó a escuchar lo que dezían.

Et el marido fizo senblante que gelo non quería dezir, et ella sigui[ó]le tantas vezes fasta que le dixo: —Yo te lo diré, pues que tanto lo quieres saber. Sepas que yo non ayunté todas estas riquezas salvo de ladronía.

Et dixo la muger: —¿Cómmo puede eso ser, ca las gentes te tenían por omne bueno?

Et dixo él: —Esto fue por una sabiduría que yo fallé al furtar, et es cosa muy encubierta et sotil, de guisa que ninguno non sospechava de mí tal cosa.

Et dixo la muger: —¿Cómmo fue eso?

Respondió él et dixo: —Yo andava la noche que fazía luna, et mis compañeros comigo, fasta que sobía en somo de la casa dó quería entrar, et llegava a alguna finiestra por donde entrava la luna, et dezía siete vezes «saulan, saulan». Desí abraçávame con la luna et entrava por la finiestra, et desçendía por ella a la casa, et iva de aquella casa a todas las otras casas. Et después que tomava lo que fallava, tornávame al logar onde desçendía, et abraçá[va]me con la luna, et subía a la finiestra. Et en este estado gané todo esto que tú vees.

Et quando esto oyeron los ladrones, plógoles mucho dello et dixeron: —Más avemos ganado que pensávamos.

Et estovieron aí una ora. Et después que los oyeron callar, cuidando que dormían los señores de la casa, et dixo un ladrón de los más ligeros que lo dexasen a él, et desí dixo siete vezes «saulan, saulan». Et abraçóse con la luna, et dexóse caer por la finiestra, et cayó en casa del buen omne, et de la caída quebrantóse todo. Et quando lo oyó el omne bueno, levantóse de su cama et diole muchos palos, et los otros sus conpañeros, en que lo vieron así, fuyeron. Et el omne bueno llamó sus vezinos et guardaron el ladrón fasta que fue de día, et entregáronlo a la justiçia. (109-10).

EL AMANTE QUE CAYÓ EN MANOS DEL MARIDO

Et [una casada] avía un caño de su casa fasta la calle, et el caño era del pozo çerca; et fizo una puerta al caño, por que, si su marido viniese asoras, que pusiese aí su amigo et lo çerrase dentro. Et acaesçió así que un día, estando él dentro con ella, dixiéronle que su marido estava a la puerta. Et dixo la muger al amigo: —Vete aína por el caño que está çerca del pozo.

Et él detóvose de ir a aquel logar; et acaesçió que el pozo era derrundiado, et él tornóse a ella et díxole: —Ya lleg[u]é fasta el caño et fallé el pozo caído.

Et dixo la muger: —Non te dixe yo del pozo salvo por te guiar al caño. ¡Aguija et vete!

Et dixo él: —Non devieras tú dezir çerca del pozo, pues yo avía de ir al caño.

Dixo ella: —¡Ve, et dexa la locura de ir et de venir!

Dixo él: —¿Cómmo iré, aviéndome tú conturbado?

Et non çesó de dezir fasta que entró el marido, et prendiólos et firiólos muy mal, et llevólos a la justiçia. (111-12).

EL PIOJO Y LA PULGA

Dixo Digna [el chacal]: —Dizen que un piojo estava muy viçioso en un lecho de un rico omne, et avía de su sangre cada día quanta quería, et andava sobre él muy suavemente que lo non sentía él. Desí fue así que le demandó una pulga una noche ospedadgo, et él ospedóla, et díxole: —Albergad comigo esta noche en sabrosa sangre et mollido lecho.

Et la pulga fízolo así, et alvergóse con él; et en echándose el omne en su lecho, mordiólo la pulga muy mal, et él levantóse del lecho, et mandó sacodir su sávana et catar si avía alguna cosa; et saltó la pulga et estorçió a una parte, et fallaron al piojo mal andante, et tomáronlo et matáronlo.

Et yo non te di este enxenplo sinon por que sepas et entiendas que el mal omne sienpre está aparejado para fazer mal. (152-53).

El labrador y sus dos mujeres

Dixo Digna: —Dizen que en una çibdat que dezían Maruca corriéronla los enemigos, et cativaron et mataron mucha gente della; et cayeron en suerte a un omne de los que la conquistaron un omne labrador que tenía dos mugeres; et fazíales mal, et non las fartava de comer, et traíalas desnudas. Et enbiólas un día a coger leña, así desnudas. Et falló la una dellas un trapo viejo et cubrió con él su vergüença. Et dixo la otra al marido: —Catad cómmo cubre esta su natura; et non lo faze sinon por que ayas sabor della et yoguieses con ella.

Dixo el marido: —Astrosa, non paras mientes en ti que estás descubierta et riebtas a la otra que cubrió su vergüença con lo que pudo aver.

Dixo Digna: —Et tú deves parar mientes en cobrir a ti et callar. (194-95).

La rata transformada en niña

Dixo el búho: —Dizen que un buen omne religioso, cuya boz oía Dios, estava un día ribera de un río, et pasó por ý un milano et levava una rata, et cayósele delante de aquel religioso. Et ovo piadat della, et tomóla et enbolvióla en una foja, et quísola levar para su casa; et temióse que l' sería fuerte de criar et rogó a Dios que la tornase niña. Et fízola Dios niña fermosa et muy apuesta; et levóla para su casa, et crióla muy bien, et non le dixo nada de su fazienda cómmo fuera. Et ella non dubdava que era su fija. Et desque llegó a doze años, díxol' el religioso: —Fijuela, tú eres ya de hedat, et non puedes estar sin marido que te mantenga et te govierne, et que me desenbargue de ti, por que me torne a orar como ante fazía sin ningund enbargo; pues escoge agora quál marido quisieres et casarte he con él.

Dixo ella: —Quiero un tal marido que por ventura [non] aya [par] en valentía et en esfuerço et en poder.

Díxole el religioso: —Non sé en el mundo otro tal commo el sol, que es muy noble et muy poderoso, alto más que todas las cosas del mundo; et quiérole rogar et pedirle por merçed que se case contigo.

Et fízolo así, et bañóse et fizo su oración; desí oró et dixo: —Tú, sol, que fueste criado por provecho et por merçed de todas las gentes, ruégote que te cases con mi fija, que me rogó que la casase con el más fuerte et con el más noble del mundo.

Díxole el sol: —Ya oí lo que dexiste, omne bueno, et yo só tenudo de te non enbiar sin respuesta de tu ruego por la honra et por el amor que as con Dios et por la mejoría que as entre los omnes; mas enseñarte he el ángel que es más fuerte que yo.

Díxole el religioso: —¿Et quál es?

Díxol': —Es el ángel que trae las nuves, el qual con su fuerça cubre mi fuerça et non me la dexa estender por la tierra.

Tornóse el religioso al lugar dó son las nuves de la mar, et llamó a las nuves, bien así commo llamó al sol, et díxoles bien así commo dixo al sol. Et dixieron las nuves: —Ya entendimos lo que dexiste et tenemos que es así, que nos dio Dios fuerça más que a otras cosas muchas; mas guiarte hemos a otra cosa que es más fuerte que nós.

Dixo el religioso: —¿Quién es?

Dixéronle: —Es el viento que nos lieva a dó quiere, et nós non podemos defender dél.

Et fuese para el viento et llamólo así commo a los otros, et díxole la mesma razón. Díxole el viento: —Así es commo tú dizes, mas guiarte he a otro que es más fuerte que yo, et que puné en ser su egual et non lo pude ser.

Díxole el religioso: —¿Et quién es?

Díxole: —Es el monte que está çerca de ti.

Et fuese el religioso para el monte et díxole commo dixo a los otros. Díxole el monte: —Atal só yo commo tú dizes, mas guiarte he a otro que es más fuerte que yo, que con su grand fuerça non puedo aver derecho con él et non me puedo defender dél, que me faze quanto daño puede.

Díxole el religioso: —¿Et quién es ese?

Díxole: —Es un mur, ca éste me faze quanto daño quiere, que me forada de todas partes.

Et fuese el religioso al mur et llamólo así commo a los otros. Et díxole el mur: —Atal só yo commo tú dizes en poder et en fuerça, mas ¿cómmo se podría guisar que yo casase con muger, seyendo mur et morando yo en covezuela et en forado?

Dixo el religioso a la moça: —¿Quieres ser muger del mur, que ya sabes cómmo fablé con todas las otras cosas et non fallé más fuerte qu' él, et todas me guiaron a él? ¿Quieres que ruegue a Dios que te torne en rata et que te case con él? Et mora[rá]s con él en su cueva, et yo requerirte he et visitarte he, et non te dexaré del todo. Díxol' ella: —Padre, yo non dubdo en vuestro consejo; pues vós lo tenedes por bien, fazerlo he.

Et rogó a Dios que la tornase en rata, et fue así, et casóse con el mur, et entróse con él en su cueva, et tornóse a su raíz et a su natura. (244-46).

TRATADO CINEGÉTICO: EL *LIBRO DE MOAMÍN*

13

Moamín el Halconero/¿Príncipe Alfonso [X]?, *Libro de las animalias que caçan* (c. 860-c. 1250). Madrid: Nacional, ms. Res. 270 (letra de fines del s. XIII o principios del XIV), transcripción de D. P. Seniff.

Aqui comiença el primer tractado del libro que es fecho de las animalias que caçan, e de sos estados naturales e accidentales. Y este libro fezo Mafomat fijo dAudalla e nieto de Homar el acetrero de las aues e de las bestias que caçan. (fol. 2r).

Digo que [a] la maestría de la caça pertenesçen ý tres cosas nobles, entre todas las otras maestrías. La primera segund dixo aquel que fezo el libro, que Dios fablo della en sus Escripturas e que Él lo quiso demostrar a los omnes por mucho apuesto ordenamiento e por bella maestria. Por que la caça fue fallada por .vi. razones, las .v. dellas son muy nobles e la .vi^a. partese dellas en nobleza. La primera razon e la mas noble es por que la amostro Dios. La segunda, por que lo dixieron los sabios de su part. La tercera razon, por que los reyes altos lo recibieron dellos. La quarta, por los maestros que meten en obra la maestria de la caça por mandamiento de los reyes. La .v^a., por las aues e por las bestias que caçan. Mas la .vi^a. razon es por las cosas que padeçen la caça, que son las animalias que son caçadas. Esto todo prende la .i^a. cosa de las tres cosas antedichas. La .ii^a. cosa es por que es .i^a. arte sacada de filosofía; ca es .i^a. partida de saber gouernar.

E saber gouernar es una grand partida de filosofía. La .iij^a. cosa es por que siempre pertenecio a Reyes, assi como es ante dicho, por que siempre amaron maestría de caça, e aquellos que entendién della. Ca assi les conuiene, por que es una manera de apoderamiento.

E por esso dizen «Rey», por que á poder sobre muchas cosas, e por uencer todas las cosas ques' le quieren defender. (fol. 3r).

TRACTADO (O LIBER) I, TITULUS ii

DELAS ANIMALIAS QUE CAÇAN

(...) [L]as aues menores non se departen si no en la color o segund se departen las mayores, que son las primas de las menores que son sos torçuelos; e en las taformas e en sos torçuelos; e en los sagres; e en los falcones; e en los alcotanes e en todos sos torçuelos. Quando los ceuan o quando prenden es en los picos mas que en las manos, por que los picos usan mas que otro mienbro en ceuar e en prender. Mas los açores, e los gauilanes, e los esmerijones, e todos sos torçuelos: pareçe mas el usamiento dellos en las palmas e en las unnas, por que apiertan mucho la mano del omne quando los çeuan, e la caça quando la prenden. (fol. 7r).

TRACTADO (O LIBER) I, TITULUS xi

DE COMO DEUEN CAÇAR CON [LAS AUES]

(...) [C]onuien que los sagres, e los que son de su manera, que los echen ala caça en pos el uiento. E a las aues caçadores que rodean, assi como son los gauilanes e las que son de su manera [...:] conuiene que quando los caçadores uieren la caça, que las saborguen e que las ecchen a ella, e echen las el uiento ayusu. E quando se eguaren en las luuas, e uieren es la caça de la parte donde uiene el uiento, conuiene que gela leuanten con atambor o con algun roido otro, de manera que uaya con ella el uiento ayusu. Ca aquesto les faze atreuer se mas a ella, e alcançarla. E quando le leuantan la caça el uiento a riba, non la pueden alcançar por que se conbuelue la caça con el uiento e pierdenla.

E a las aues que deuen echar la caça cogidas en el puño, assi como son los gauilanes e los esmerijones, non les deuen catar ninguna destas prueuas. Mas á menester que quando los caçadores uieren la caça, que las coian en el puño e que las saborguen en la ca[ç]a; e quando aguzaren el catar contra la caça, e teniendo las [en los] puños. E es les a estas a tal este aguzamiento del catar segund es el contenente que diçen *el certero,* «a las que echan de sobre mano». E estuence les deuen echar ala caça de cara contra el uiento. E las caças a que deuen echar las aues caçadores assoora, assi como son las adorraias e las que son de su manera, non les acaece segunt dixiemos delas otras caças. (fol. 64r).

ALFONSO X (1252-1284): DERECHO

14

Ordenamiento otorgado al Consejo de Burgos (1252). Burgos: Archivo Municipal (Sección Histórica), ms. 1391 (original de 1252), ed. de G. Gross en «Las Cortes de 1252: *Ordenamiento otorgado al Consejo de Burgos* en las Cortes celebradas en Sevilla el 12 de octubre de 1252». *BRAH,* 182 (1985), págs. 95-114.

X. De quanto ualan los Çapatos

Otroſſi mando que çapatos dorados que den .VII. pares por un morabetino delos meiores, et qui mas quiſiere dar que mas de. Et delos çapatos de mugier dorados .VI. pares por un morabetino delos meiores. Et çapatos de cabrito entallados z de acuerda .V. pares por un morabetino los meiores. Et de cordouan entallados z a cuerda .VI. pares por un morabetino los meiores. Et delos Çuecos .III. pares por un morabetino los meiores. Et el çapatero que por mas los uendiere nin el que por mas los comprare, que peche cadauno dellos .X. morabetinos. (102).

XV. De los regateros que non compren peſcado freſco nin cabritos nin gallinas

Otroſſi mando que nengun regatero nin regatera non compre nengun peſcado freſco de Rio nin de mar pora reuender, nin trucha nenguna nin freſca nin otra. Et que nengun regatero non compre peſcado freſco en razon de Ric omne, nin de otro omne nenguno. Et que non ſalga fuera dela villa alos Caminos pora comprar cabritos nin Gallinas, nin capones, nin uianda nenguna, et el que lo comprare que lo pierda, et peche demas en coto .X. morabetinos, por cada coſa, z por cada uegada que lo fiziere. Et el que non ouiere de que peche el coto, ſepa que yara en mi priſsion quanto yo quiſiere. (104).

XXI. Que non tomen los hueuos a los açoreſ

Otroſſi mando en razon delos açores, que non tomen lo (sic) hueuos alos açores, nin alos Gauilanes, nin alos falcones. Et que non ſaquen nin tomen açor nin Gauilan del nido fata que ſea de dos negras. Et los falcones que los non tomen fata mediado el mes de abril. Et que nenguno non ſea oſado de ſacar açor nin falcon nin Gauillan de mios regnos ſi non fuere con mio mandado. Et el que ſacare qual aue quiere deſtas delos Regnos, que peche el aue doblado, et peche demas en coto por cada aue .C. morabetinos. Et el que tomare açor o falcon o Gauilan, o hueuos contra eſte mio coto ſobredicho, quel corten la mano dieſtra. Et ſi otra uegada gelo fallaren quel enforquen. Et ſi non ouiere el coto ſobredicho, que yaga en mi priſion quanto fuere mi merçet. (106).

XXVI. De quanto uala falcon nebli

Et falcon nebli prima que caçe, que non uala maſ de .XII. morabetinos el meior. Et falcon nebli torçuelo que caçe .IIII. morabetinos el meior. Et falcon nebli prima que non caçe, que non uala mas de .V. morabetinos el meior. Et falcon nebli torçuelo que non caçe, que non uala mas de .I. morabetino, el meior. (107).

XXX. Que non pongan fuego alos montes

Otroſſi mando que nenguno non ponga fuego pora quemar los montes, et el que gelo fallaren faziendo, quel echen dentro, et ſi non le pudieren auer, quel tomen quanto ouiere. (108).

XXXI. Que non echen yeruaſ en loſ aguaſ pora matar el peſcado

Otroſſi mando que nenguno non eche yeruas nin cal, nin otra coſa nenguna en las aguas con que muera el peſcado. Et mando que en la tierra o ſon los Salmones, que non tomen los pequenos que an nombre gorgones. Et qual quiere que nenguna coſa deſtas fiziere, que peche en coto .C. morabetinos, et pierda el peſcado, et ſi non ouiere de que pechar el coto, que yaga en mi priſion quanto yo touiere por bien. (109).

15a

Primera Partida (¿1280-1295?; promulgada en 1348 por Alfonso XI). Londres: British Library, ms. ADD. 20787 (c. 1290), ed. de J. A. Arias Bonet (Valladolid: Univ. de Valladolid, 1975).

TÍTULO XV

LEY Iª.— DEL DERECHO DEL PADRONAZGO

Natura e razón mueue a los omnes pora amar las cosas que fazen e pora guardarlas quanto pudieren que se meioren e no se menoscaben assí cuemo el padre ama a su fijo que engendró e guarda quanto puede que biua e dure en buen estado. Otrossí el que llanta algun arbol plazel con él e trabaiase de criarle e guardarle que se no pierda e otro tal faze el que siembra, que ama e guarda su simiente, e assí es en las otras cosas que fazen o crían los omnes ca aquel que las cría o las faze de nueuo es les assí cuemo padre. Otrossí las creaturas que han entendimiento o razón aman e deuen amar e seruir e onrrar a los que las criaron e la fizieron o de quien recibieron bien fecho, e por esta razón el que faze la eglesia déuela amar e onrrar cuemo cosa que él fizo a seruicio de Dios, e otrossí la eglesia deue amar a él e ayudarle e onrrarle e reconnoscerlo por padrón que es assí cuemo padre. (322).

15b

Partidas II-VII (1256-65; promulgadas 1348). Madrid: Nacional, ms. Vitrina 4-6 (letra del s. xv); existen otros muchos manuscritos. Ed. de la Real Academia de la Historia (3 tomos; Madrid, 1807); la «nueva edición» (5 tomos; París: Rosa Bouret, 1851) de ésta contiene las glosas halladas en la versión temprana (Salamanca, 1555) del licenciado Gregorio López. Se sigue la «nueva edición».

PARTIDA IIª, TÍTULO v

LEY III.— QUE EL REY DEBE GUARDAR EN QUÉ LUGAR FACE LINAGE

Viles nin desconvenientes mugeres el rey non debe traer para facer linage, como quier que naturalmente deba cobdiciar de haber fijos que finquen en su lugar, asi como los otros homes, et desto se debe guardar por dos razones; la una porque non envilezca la nobleza de su linage, et la otra que non los faga en lugares dó non conviene; ca estonce envilece el rey su linage quando usa de viles mugeres o de muchas, porque si hobiere fijos dellas, non será él por ende tan honrado nin su señorio, et demas que los non habrie derechamente segunt la ley manda. Et seguiendo mucho las mugeres en esta manera, aviene ende muy grant daño al cuerpo, et piérdese por hí el alma, que son dos cosas que estan mal a todo home, et mayormente al rey: et por ende dixo el rey Salomon, «el vino et las mugeres quando mucho lo usan facen en los sabios renegar en Dios». Et otrosi en lugares desconvenientes se debe el rey mucho guardar de facer linage, asi como con sus parientas, o con sus cuñadas, o mugeres de religión o casadas; ca sin el pecado muy grande que hí yace quanto a Dios, et la muy fea malestanza quanto al mundo, los fijos que nacen de tales mugeres non se pueden mostrar manifiestamente ante los homes sin muy grant vergüenza de sí et de quien los fizo. (II, 34-35).

Ley XX.— Cómo el rey debe ser mañoso en cazar

Mañoso debe el rey ser et sabidor de otras cosas que se tornan en sabor et en alegria para poder mejor sofrir los grandes trabajos et pesares quando los hobiere, segunt deximos en la ley ante desta. Et para esto una de las cosas que fallaron los antiguos que mas tiene pro es la caza, de qual manera quier que sea: ca ella ayuda mucho a menguar los pensamientos et la saña, lo que es mas menester a rey que a otro home; et sin todo aquesto da salud, ca el trabajo que en ella toma, si es con mesura, face comer et dormir bien, que es la mayor parte de la vida del home; et el placer que en ella recibe es otrosi grant alegria como apoderarse de las aves et de las bestias bravas, et facerles que le obedezcan et le sirvan, aduciendol las otras a su mano. Et por ende los antiguos tovieron que conviene mucho esto a los reyes mas que a los otros homes, et esto por tres razones: la primera por alongar su vida et su salud, et acrescentar su entendimiento, et redrar de sí los cuidados et los pesares, que son cosas que embargan muy mucho el seso (...)

La segunda, porque la caza es arte et sabidoria de guerrear et de vencer, de lo que deben los reyes ser mucho sabidores; la tercera porque mas abondadamiente la pueden mantener los reyes que los otros homes. (II, 46).

PARTIDA IIª, TÍTULO xxxi

Ley I.— Qué cosa es estudio, et quántas maneras son dél, et por cuyo mandado debe seer fecho

Estudio es ayuntamiento de maestros et de escolares que es fecho en algunt logar con voluntad et con entendimiento de aprender los saberes: et son dos maneras dél; la una es a que dicen estudio general en que ha maestros de las artes, asi como de gramática, et de lógica, et de retórica, et de arismética, et de geometria, et de música et de astronomia, et otrosi en que ha maestros de decretos et señores de leyes: et este estudio debe seer establescido por mandado de papa, o de emperador o de rey. La segunda manera es a que dicen estudio particular, que quier tanto decir como quando algunt maestro amuestra en alguna villa apartadamente a pocos escolares; et tal como este puede mandar facer perlado o concejo de algunt logar.

LEY II.— EN QUÉ LOGAR DEBE SEER ESTABLESCIDO EL ESTUDIO, ET CÓMO DEBEN SEER SEGUROS LOS MAESTROS ET LOS ESCOLARES QUE HÍ VINIEREN A LEER ET APRENDER

De buen ayre et de fermosas salidas debe seer la villa dó quieren establescer el estudio, porque los maestros que muestran los saberes et los escolares que los aprenden vivan sanos, et en él puedan folgar et rescebir placer a la tarde quando se levantaren cansados del estudio: et otrosi debe seer abondada de pan, et de vino et de buenas posadas en que puedan morar et pasar su tiempo sin grant costa. Et otrosi decimos que los cibdadanos de aquel logar dó fuere fecho el estudio deben mucho honrar et guardar los maestros, et los escolares et todas sus cosas; et los mensageros que venieren a ellos de sus logares non los debe ninguno peyndrar nin embargar por debdas que sus padres debiesen nin los otros de las tierras onde ellos fuesen naturales: et aun decimos que por enemistad nin por malquerencia que algunt home hobiese contra los escolares o a sus padres non les deben facer deshonra, nin tuerto nin fuerza. Et por ende mandamos que los maestros, et escolares, et sus mensageros et todas sus cosas sean seguros et atreguados en veniendo a los estudios, et en estando en ellos et en yéndose para sus tierras: et esta seguranza les otorgamos por todos los logares de nuestro señorio, et qualquier que contra esto ficiese, tomándoles por fuerza o robándoles lo suyo, débegelo pechar quatro doblado, et sil firiere, ol deshonrare ol matare, debe seer escarmentado cruamente como home que quebranta nuestra tregua et nuestra seguranza.

LEY III.— QUÁNTOS MAESTROS A LO MENOS DEBEN ESTAR EN EL ESTUDIO GENERAL, ET A QUÉ PLAZO LES DEBE SEER PAGADO SU SALARIO

Para seer el estudio general complido quantas son las ciencias tantos deben seer los maestros que las muestren, asi que cada una dellas haya hí un maestro a lo menos: pero si de todas las ciencias non pudiesen haber maestros, abonda que haya de gramática, et de lógica, et de retórica, et de leyes et de decretos. Et los salarios de los maestros deben seer establescidos por el rey, señalando ciertamente a cada uno quanto haya segunt la ciencia que mostrare et segunt que fuere sabidor della: et aquel salario que hobiere a haber cada uno dellos débengelo pagar en tres veces; la primera parte le deben dar luego que comenzare el estudio, et la segunda por la pascua de Resurreccion, et la tercera por la fiesta de sant Johan Bautista.

Ley IV.— En qué manera deben los maestros mostrar los saberes a los escolares

Bien et lealmente deben los maestros mostrar sus saberes a los escolares leyéndoles los libros et faciéndogelos entender lo mejor que ellos pudieren: et desque comenzaren a leer deben continuar el estudio todavia fasta que hayan acabados los libros que comenzaron, et en quanto fueren sanos non deben mandar a otros que lean en su logar dellos, fueras ende si alguno dellos mandase a otro leer alguna vez por facerle honra et non por razon de se excusar él del trabajo de leer. Et si por aventura alguno de los maestros enfermase despues que hobiese comenzado el estudio de manera que la enfermedat fuese tan grande o tan luenga que non pudiese leer en ninguna manera, mandamos quel den el salario tambien como si leyese todo el año: et si acaesciese que muriese de la enfermedat, sus herederos deben haber el salario tambien como si hobiese leido todo el año. (II, 353-55).

PARTIDA IVª, TÍTULO xxi

Ley VIII.— Cómo judio nin moro non puede haber cristiano por siervo

Judio, nin moro, nin herege nin otro ninguno que non sea de nuestra ley non puede haber cristiano por siervo; et qualquier dellos que contra esto feciese, teniendo a sabiendas cristiano por siervo, debe morir por ello, et perder todo quanto que hobiere et seer del rey. Otrosi decimos que qualquier destos sobredichos que hobiere siervo que non fuese de nuestra ley, si aquel siervo se tornase cristiano, que se face por ende libre luego que se face batear et rescibe la nuestra fe, et non es tenudo de dar por sí ninguna cosa a aquel cuyo era ante que se tornase cristiano. (III, 180).

PARTIDA VIIª, TÍTULO xxiv

Ley II.— En qué manera deben facer su vida los judios mientra vivieren entre los cristianos, et quáles cosas non deben usar nin facer segunt nuestra ley, et qué pena merescen los que contra esto ficieren

Mansamente et sin bollicio malo deben vevir et facer vida los judios entre los cristianos, guardando su ley et non diciendo mal de la fe de nuestro señor Jesucristo que guardan los cristianos. Otrosi se deben mucho guardar de non predicar nin convertir a ningunt cristiano que se torne judio, alabando su ley et denostando la nuestra: et qualquier que contra esto ficiere debe morir por ende et perder lo que ha. Et porque oyemos decir que en algunos lugares los judios ficieron et facen el dia del viernes santo remembranza de la pasion de nuestro señor Jesucristo en manera de escarnio, furtando los niños et poniéndolos en la cruz, o faciendo imágines de cera et crucificándolas quando los niños non pueden haber, mandamos que si fama fuere daqui adelante que en algunt lugar de nuestro señorio tal cosa sea fecha, si se pudiere averiguar que todos aquellos que se acertaren en aquel fecho que sean presos, et recabdados et aduchos antel rey: et despues que él sopiere la verdad, débelos mandar matar muy aviltadamente quantos quier que sean. Otrosi defendemos que el dia del viérnes santo ningunt judio non sea osado de salir de su barrio, mas que esten hí encerrados fasta el sábado en la mañana, et si contra esto ficieren, decimos que del daño o de la deshonra que de los cristianos recibieren estonce non deben haber emienda ninguna.

LEY III.— QUE NINGUNT JUDIO NON PUEDE HABER NINGUNT OFICIO NIN DIGNIDAD PARA PODER APREMIAR A LOS CRISTIANOS

Antiguamente los judios fueron muy honrados et habien grant privillejo sobre todas las otras gentes; ca ellos tan solamente eran llamados pueblo de Dios: mas porque ellos fueron desconoscientes a aquel que los habie honrados et previllegiados, et en lugar de facerle honra deshonráronle dandol muy aviltada muerte en la cruz, guisada cosa fue et derecha que por tan grant yerro et maldat que ficieron que perdiesen la honra et el privilegio que habien: et por ende daquel dia en adelante que crucificaron a nuestro señor Jesucristo nunca hobieron rey nin sacerdote de sí mismos, asi como lo habian ante. Et los emperadores que fueron antiguamente señores de algunas partes del mundo, tovieron por bien et por derecho que por la traycion que ficieron en matar a su señor que perdiesen por ende todas las honras et los privillejos que habien, de manera que ningunt judio nunca toviese jamas lugar honrado nin oficio público con que pudiese apremiar a ningunt cristiano en ninguna manera.

LEY IV.— CÓMO PUEDEN HABER LOS JUDIOS SINAGOGA ENTRE LOS CRISTIANOS

Sinagoga es lugar dó los judios facen oracion: et tal casa como esta non pueden facer nuevamente en ningunt lugar de nuestro señorio a menos de nuestro mandado. Pero las que habien antiguamente si acaesciese que se derribasen, puédenlas reparar et facer en aquel mismo suelo, asi como enante estaban, non las alargando mas, nin las alzando, nin las faciendo pintar: et la sinagoga que dotra guisa fuese fecha, débenla perder los judios et seer de la eglesia mayor del lugar dó la ficiesen. Et porque la sinagoga es casa dó se loa el nombre de Dios, defendemos que ningunt cristiano non sea osado de la quebrantar, nin de sacar nin de tomar ende ninguna cosa por fuerza; fueras ende si algunt home malfechor se acogiese a ella; ca a este atal bien le pueden hí prender por fuerza para levarle ante la justicia. Otrosi defendemos que los cristianos non metan hí bestias, nin posen en ellas, nin fagan embargo a los judios mientra que hí estudieren faciendo oracion segunt su ley. (IV, 644-45).

HISTORIA

16

Primera crónica general de España (= *Estoria de Espanna* [c. 1270] y *Coronica de Espanna* [c. 1289-¿s. xiv?]). Escorial: Monasterio, mss. Y.I.2 y X.I.4 (letra del s. xiii y de fines del xiii/comienzos del xiv, respectivamente), ed. de R. Menéndez Pidal con un estudio actualizador de D. Catalán, 3.ª reimpresión (2 tomos; Madrid: Seminario Menéndez Pidal y Gredos, 1977).

ESTORIA DE ESPANNA

6. DE CUEMO JULIO CESAR POBLO SEUILLA POR LAS COSAS QUE Ý FALLO QUE FIZIERA HERCULES

E puso [Hercules] alli seys pilares de piedra muy grandes, e puso en somo una muy grand tabla de marmol escripta de grandes letras que dizien assi: «Aqui sera poblada la grand cibdat»; y en somo puso una ymagen de piedra, e tenie la una mano contra orient, e tenie escripto en la palma: «Fasta aqui llego Hercules»; y ell otra mano tenie contrayuso mostrando con el dedo las letras de la tabla. Onde auino depues, que en tiempo de los romanos, quando fueron sennores del mundo, ouo desabenencia entre Julio Cesar e Pompeio, que eran suegro e yerno, e amos emperadores; e fue puesto en Roma que enuiaron a Pompeio a parte dorient e Julio Cesar a occident pora conquerir aquello que no obedecie a Roma; e pusieron les plazo que fuessen tornados a .V. annos a Roma, y el que no lo fiziesse que numqua iamas fuesse recebido por emperador. E Pompeio gano en aquellos .V. annos toda parte dorient, e Julio Cesar en estos .V. annos non pudo ganar sino fasta Lerida, que es una cibdat en Espanna en una tierra que llaman Catalonna. E segund cuenta Lucan, que escriuio est estoria, pues que se cumplieron los .V. annos, enuiaron le dezir los romanos ques tornasse, e sino que nol recibrien mas por emperador. El con despecho que ouo no lo quiso fazer, mas dixo que pues que ell era emperador que tomaua otros .V. annos pora acabar aquello que començara; e depues en aquellos otros cinc annos que el tomo conquirio toda Espanna, e quando fue en aquel logar ó primeramientre fue poblada la cibdat

de Ythalica, semeiol que no estaua poblada en buen logar e fue buscar ó
la assentasse de nueuo. E quando fue a aquel logar ó estauan los pilares sobre
que pusiera Hercules la imagen, cato la tabla de marmol que yazie por pieças
quebrada, e quando uio las letras, fizo las ayuntar en uno e leyo en ellas
que alli auie a seer poblada la grand cibdat; estonce fizo la mudar daquel
logar, e poblola alli ó agora es, e pusol nombre Yspalis, assi como ouiera
primeramientre nombre quando fue poblada sobre estacas de palos en un logar que llaman Almedina, que es cabo Caliz. (I, 8b-9a).

8. DE LAS UILLAS QUE POBLO HERCULES EN ESPANNA

[D]e las diez naues que [Hercules] troxiera, dexara la una de comienço
en Caliz, e leuara las nueve consigo a Galizia; e desi mando que fincassen
las ocho alli e quel aduxiessen la nouena; e al logar ó ella arribo semeiol
que auie ý buen logar de poblar, e mando fazer ý una uilla, e pusol nombre
Barca nona, que quier dezir tanto cuemo la nouena barca; e agora llaman
le Barcilona. Desque Hercules ouo conquista toda Esperia e tornada en su
sennorio, ouo sabor dir andar por el mundo por las otras tierras e prouar
los grandes fechos que ý fallasse; empero non quiso que fincasse la tierra
sin omnes de so linage, en manera que por los que el ý dexasse, fuesse sabudo
que el la ganara; e por esso la poblo daquellas yentes que troxiera consigo
que eran de Grecia, e puso en cada logar omnes de so linage. E sobre todos
fizo sennor un so sobrino, que criara de pequenno, que auie nombre Espan;
y esto fizo el por quel prouara por much esforçado e de buen seso; e por
amor del camio el nombre a la tierra que ante dizien Esperia e pusol nombre
Espanna. (I, 10b-11a).

59. DE LA CARTA QUE ENUIO LA REYNA DIDO A ENEAS

La reyna Dido, quando sopo que Eneas tomaua aquella carrera tan luenga, semeiol que no tenie en coraçon de numqua tornar a ella; por end llorando
e faziendo grand duelo e seyendo la mas cuytada que seer podrie, enuiol su
carta fecha en esta manera, e dizie assi depues de las saludes:
«Eneas, mio marido: la razon quet yo enuio dezir es tal cuemo el canto
del cigno, que se tiende sobre la yerua rociada e comiença de cantar un canto
cuemo dolorido a la sazon que á de morir. Pero las razones quet enuio dezir
yo en esta carta no lo fago por que entiendo quet mouras ni que tu faras
mio ruego ni las cosas quet yo enuio dezir, ca non quiso Dios que yo en
tal punto mayuntasse contigo. Mas pues que yo perdi en ti la mi buena fama
y el mi buen prez que yo merecia auer segund los mios fechos, e perdi otrossi
el cuerpo e la mi castidat que yo auia tan a coraçon de guardar e la guardaua
quanto mas podia, por muy mas ligera cosa tengo de perder las mis palabras
en ti. Eneas, yo sé que as puesto dirte en todas guisas e numqua tornar aca;

¿cuemo pued ésta cosa seer que tu te uayas e dexes a Dido mezquina y en duelo y en cuydado por siempre? (...)

¡Ay Eneas! agora asmasses tu en tu voluntad o se te parasse ante los tos oios la mi figura, de cuemo yo estó escriuiendo esta carta, teniendo sobre los mios inoios la espada que me diste, que troxieras de Troya, corriendo de los mios oios lagremas que caen sobrella; mas en vez de lagremas ayna cadran ý gotas de la mi sangre, si tu conseio no das a esta mi coyta. Par Dios, Eneas, bien acuerda est espada con el gualardon que tu me das, ca en el fecho parece quem la dist con que me matasse. Lexa estar, ca si me no uales, yo aguisare que con poca despensa se cumpla todo esto. E non tengas tu que el mio coraçon sea llagado agora primeramientre, ca siempre lo fue desque te yo ui, de muy fuert amor. Anna mi hermana, mi hermana Anna, tu eres sabidor de todo mio fecho, si yo en alguna culpa yago; e por end quand yo fuer muerta, tomaras el mio cuerpo e fazellas cenizas segund ell uso de los omnes dalto linage; mas en el luzillo ól' metieres, no escriuiras «aqui yaze Elisa, muger dAcerua el Sicheo»; mas entallaras en el marmol letras que digan assi:

Prebuit Eneas et causam mortis et ensem
ipsa sua Dido concidit icta manu.

Que quier dezir en lenguage castellano:

Eneas dio espada – e achaque de llano
por que Dido coytada – se mato con su mano.

(I, 39b-40a; 43b)

151. DE LOS FECHOS QUE CONTECIERON A LOS QUARAENTA ET DOS ANNOS

(...) En aquella sazon fue el mundo mas en paz et mas assessegado so un sennor que numqua fuera ante, ni fue depues; e duraron estas pazes a Cesar Augusto catorze annos, que se le no aluoroço yente ninguna por leuantar guerra ni otra desabenencia contra Roma, si no tarde ya en su ueiez que se le leuantaron los de Atenas et los de Dacia. Et estando desta guisa toda la tierra en paz, compuso ell emperador Octauiano muchas leyes por que se mantouiessen las tierras et uisquiessen las yentes en paz, et cobdiciasse todo el linage de los omnes aprender los saberes et onrar ell ensennamiento et seer ellos onrados por el. E sabet otrossi que aquel anno mismo encaecio Helisabet, ocho dias por andar de junio, et nascio sant Johan Babtista bien cuemo dixiera ell angel a Zacharias su padre, et cobro Zacharias la fabla que perdiera. Et alli quedo el uieio testamento et entro el nueuo. E aquel anno uino ell angel Gabriel, ocho dias por andar de março, a la Uirgen sancta Maria, et traxol las nueuas del su concebimiento, et concibio de Spirito Santo. E a nueue meses depues daquesto, e a seys derechamientre depues de la nascencia de San Johan, nascio della el Nuestro Sennor Ihesu Cristo, ocho dias por andar del mes de deziembre, fincando ella uirgen bien cuemo lo ante era. E sabet que a la sazon que el Nuestro Sennor Ihesu Cristo nascio, aparescieron por el mundo muchas sennales et muchas marauillas; ca luego aquella noche, segund cuenta ell Euangelio, uieron unos pastores en el monte grandes compannas dangeles que cantauan la loor de la nascencia del Nuestro Sennor, e a aquella sazon apparescio sobre Judea a tod el mundo en ell ayre, tan bien de dia cuemo de noche, una muy grand estrella et muy clara, et esta guio los tres Reyes Magos, cuemo adelante oyredes. E entonce, por que pario uirgen, cayo en Roma el grand templo que fizieran a la deessa Paz de las pazes, bien cuemo les dixiera el mal espirito que yazie en ell ydolo de cerca de Delos la ysla. Otrossi fallamos en las estorias que a aquella ora que Ihesu Cristo nascio, seyendo media noche, apparescio una nuue sobre Espanna que dio tamanna claridat et tan grand resplandor et tamanna calentura cuemo el sol en medio dia quando ua mas apoderado sobre la tierra. E departen sobresto los sabios et dizen que se entiende por aquello que, depues de Ihesu Cristo, uernie su mandadero a Espanna a predigar a los gentiles en la ceguedat en que estauan, et que los alumbrarie con la fe de Cristo; et aqueste fue sant Paulo. Otros departen que en Espanna auie de nacer un princep cristiano que serie sennor de tod el mundo, et ualdrie mas por el tod el linage de los omnes, bien cuemo esclarecio toda la tierra por la claridat daquella nuue en quanto ella duro. (I, 108ab).

513. De como Bamba fue alçado rey, et de como se alço contra ell el cuende Hylderigo

Despues que fue muerto el rey Recesuindo alçaron los godos a Bamba por rey, que era omne bien fidalgo et del meior linnage de los godos que otro ninguno que ý fuesse, et era buen cauallero darmas et manso et de paz; et aun ante que fuesse alçado rey era mucho onrrado, assi que todos tenien que ell aurie de regnar despues del rey Recesuindo, e acordaron se todos en ell e alçaron le rey, assi como dixiemos, et regno nueue annos et un mes. E el primero anno de su regnado fue en la era de syetecientos et catorze, quando andaua ell anno de la Encarnacion en seyscientos et setaenta et seys, e el del imperio de Costantin en onze, e el del papa Agatho en uno, e el de Theoderigo rey de Francia otrossi en uno, e el de Moabia rey de los alaraues en ueyntidos, e el de los alaraues en que Mahomat fue alçado rey dellos en cinquaenta et syete. Cuenta la estoria que quando a este rey Bamba quisieron alçar rey, que lo non quiso el consentir de seerlo; mas pero al cabo ouo de otorgar lo con miedo et menazas quel fizieron, pero mando ell et deffendio que ninguno nol llamasse rey fasta que recebiesse el sagramiento de la uncion en la mayor eglesia de la cibdad de Toledo, como lo auien en costumbre en aquel tiempo. Estonces le tomaron los altos, et troxieron le a Toledo, et consagrol ell arçobispo Quirigo con consentimiento de todos en la mayor eglesia de Sancta Maria, que es en la seeia arçobispal; e todos escriuiron ý sus nombres de su buena uoluntad en la election dél, segund que estonces era costumbre, e yuraronle et fizieronle omenage e prometieronle de seer leales a ell et al regno. E Paulo, que fue despues traydor, yuro ý et escriuiosse otrossi entre los otros. E el rey Bamba, estando ya guarnido del guarnimiento real, yuro et prometio antell altar de Dios que el ternie la fe catolica, et confirmo las leys et las costumbres quantas eran derechas. Cuenta la estoria que aquella ora quel ouo ell arçobispo unciado, quel salio de la boca una abeia, et que uolo suso en alto contral cielo, et esto que lo uiron todos; mas aquellos que lo uiron et pensaron en ello que podrie seer, entendieron que por aquel rey serie exalçado et onrrado et auenturado el regno de los godos et que se manternien en bien et en paz. (I, 283b-284a).

537. De las cibdades que an los nombres camiados

Estas son las cibdades et los castiellos a que son los nombres camiados de como eran llamados en ell otro tiempo: Yspalis es Seuilla.—Assidonna: Cidonna.—Alberri: Granada.—Astigi: Belsa.—Agabro: Cabra.—Tuccis: Xerez.—Oxonoua: Sedunia.—Egitania: Edanna, esta es Lucenna.—Caliabria: Montanges.—Fferrezola: Toledo.—Oreto: Calatraua.—Mentisa: Jahan.—Acci: Guadiex.—Vrgi: Almaria.—Ylici: Berga.—Setabis: Xatiua.—Compluto: Guadalfaiara, en otro tiempo llamauan otrossi a Alcala Compluto.—Elbora: Talauera; en Portogal á otrossi una cibdad a que dizen Euora.—Vrsaria: Madrid.—Duruetrum: Saluatierra.—Calcidonia: Tuda.—Ell obispado de Augene, esta es Oca, es agora passada a Burgos, et[ ]diol la eglesia de Roma libertad pora siempre assi como a Leon et a Ouiedo.—Marcua: Panplona.—Tricio: Naiara.—Compostelle, esta es Sanctiago, et despues fue passada a ella ell arçobispado de Merida.—Leon: Fflor.—Coyanca: Valencia.—Malgrad: Benauent.—Rama: Astorga.—Domnos sanctos: Sant Fagunt.—Ell obispado de Lucerna, que era en las Asturias, es agora passado a la cibdad de Ouiedo.—Numancia: Çamora.—Pace: Badaioz.—Moriana: Castro Toraf.—Campus gothorum: Toro. (I, 299ab).

553. De como el rey Rodrigo abrio el palacio que estaua cerrado en Toledo et de las pinturas de los alaraues que uio en el panno

(...) En la cibdad de Toledo auie estonces un palacio que estidiera siempre cerrado de tiempo ya de muchos reys, et tenie muchas cerraduras, e el rey Rodrigo fizol abrir por que cuedaua que yazie ý algun grand auer; mas quando el palacio fue abierto non fallaron ý ninguna cosa, sinon una arca otrossi cerrada. E el rey mando la abrir, et non fallaron en ella sinon un panno en que estauan escriptas letras ladinas que dizien assi: que quando aquellas cerraduras fuessen crebantadas et ell arca et el palacio fuessen abiertos et lo que ý yazie fuesse uisto, que yentes de tal manera como en aquel panno estauan pintadas que entrarien en Espanna et la conqueririen et serien ende sennores. El rey quando aquello oyo, pesol mucho por que el palacio fiziera abrir, e fizo cerrar ell arca et el palacio assi como estauan de primero. En aquel palacio estauan pintados omnes de caras et de parescer et de manera et de uestido assi como agora andan los alaraues, e tenien sus cabeças cubiertas de tocas, et seyen en cauallos, et los uestidos dellos eran de muchos colores, e tenien en las manos espadas et ballestas et sennas alçadas. E el rey et los altos omnes fueron mucho espandados por aquellas pinturas que uiran.

554. De la fuerça que fue fecha a la fija o a la muger del cuende Julian, et de como se coniuro por ende con los moros

Costumbre era a aquella sazon de criar se los donzelles et las donzellas fijos de los altos omnes en el palacio del rey; e auie estonces entre las donzellas de la camara del rey una fija del cuende Julian, que era muy fremosa ademas. E el cuende Julian era un grand fidalgo, et uinie de grand linnage de partes de los godos, et era omne muy preciado en el palacio et bien prouado en armas; demas era cuende de los esparteros et fuera parient et priuado del rey Vitiza, et era rico et bien heredero en el castiello de Consuegra et en la tierra de los marismas. Auino assi que ouo de yr este cuende Julian de que dezimos a tierra de Africa en mandaderia del rey Rodrigo; e ell estando alla en el mandado, tomol el rey Rodrigo aca la fija por fuerça, et yogol con ella; e ante desto fuera ya fablado que auie el de casar con ella, mas non casara aun. Algunos dizen que fue la muger et que ge la forço; mas pero destas dos qualquier que fuesse, desto se leuanto destroymiento de Espanna et de la Gallia Gothica. (I, 307a-308a).

557. De como los moros entraron en Espanna la tercera uez et de como fue perdudo el rey Rodrigo

(...) Dizen que en la hueste de los cristianos que fueron mas de cient mill omnes darmas, mas eran lassos et flacos, ca dos annos auien passados en grand pestilencia de fambre et de mortandad, e la gracia de Dios auie se arredrada et alongada dellos et auie tollido el su poder et el su deffendimiento de los omnes de Espanna, assi que la yente de los godos que siempre fue uencedor et noble et que conquerira toda Asia et Europa et uenciera a los vuandalos et los echara de tierra et les fiziera passar la mar quando ellos conqueriron toda Africa, assi como dixiemos ya, aquella yente tan poderosa et tan onrrada fue essora toruada et crebantada por poder de los alaraues. El rey Rodrigo estaua muy fuert et sufrie bien la batalla; mas las manos de

los godos que solien seer fuertes et poderosas, eran encoruadas alli et encogi-
das; e los godos que solien uerter la sangre de los otros, perdieron ellos alli
la suya, en poder de sus enemigos. El cuende Julian esforçaua los godos que
con ell andauan, et los moros otrossi, et que lidiassen todos bien de rezio;
e la batalla seyendo ya como desbaratada, et yaziendo muchos muertos de
la una parte et de la otra, et las azes de los cristianos otrossi bueltas et espar-
zudas, e el rey Rodrigo a las uezes fuyendo a las uezes tornando, sufrio alli
grand tiempo la batalla; mas los cristianos lidiando, et seyendo ya los mas
dellos muertos et los otros fuydos e dellos fuyendo, non sabe omne que fue
de fecho del rey Rodrigo en este medio; pero la corona et los uestidos et
la nobleza real et los çapatos de oro et de piedras preciosas et el su cauallo
a que dizien Orella fueron fallados en un tremedal cabo del rio Guadalet sin
el cuerpo. Pero diz aqui don Lucas de Thuy [10] que cueda que murio alli lidiando mas non que ciertamientre lo sopiesse el, et por ende lo pon en dubda.
E dalli adelante nunqua sopieron mas que se fizo, si non que despues a tiempo
en la cibdad de Viseo en tierra de Portogal fue fallado un luziello en que
seye escripto: «aqui yaze el rey Rodrigo, el postrimero rey de los godos».
Maldita sea la sanna del traydor Julian, ca mucho fue perseuerada; maldita
sea la su yra, ca mucho fue dura et mala, ca sandio fue el con su rauia et
coraioso con su incha, antuuiado con su locura, oblidado de lealdad, desacor-
dado de la ley, despreciador de Dios, cruel en si mismo, matador de su sennor, enemigo de su casa, destroydor de su tierra, culpado et aleuoso et traydor
contra todos los suyos; amargo es el su nombre en la boca de quil nombra;
duelo et pesar faze la su remenbrança en el coraçon daquel quel emienta,
e el su nombre siempre sera maldito de quantos del fablaren. (I, 309b, 310ab).

558. DEL LOOR DE ESPANNA COMO ES COMPLIDA DE TODOS BIENES

(...) Pues esta Espanna que dezimos tal es como el parayso de Dios, ca
riega se con cinco rios cabdales que son Ebro, Duero, Taio, Guadalquiuil,
Guadiana; e cada uno dellos tiene entre si et ell otro grandes montannas et
tierras; e los ualles et los llanos son grandes et anchos, et por la bondad
de la tierra et ell humor de los rios lieuan muchos fructos et son abondados.
Espanna la mayor parte della se riega de arroyos et de fuentes, et nunqual
minguan poços cada logar ó los á mester. Espanna es abondada de miesses,
deleytosa de fructas, viciosa de pescados, sabrosa de leche et de todas las
cosas que se della fazen; lena de uenados et de caça, cubierta de ganados,
loçana de cauallos, prouechosa de mulos, segura et bastida de castiellos, alegre por buenos uinos, ffolgada de abondamiento de pan; rica de metales,
de plomo, de estanno, de argent uiuo, de fierro, de arambre, de plata, de

---

[10] Lucas, obispo de Tuy (el Tudense; nació en León, segunda mitad del s. XII), autor del *Chronicon mundi*
(1236).

oro, de piedras preciosas, de toda manera de piedra marmol, de sales de mar et de salinas de tierra et de sal en pennas, et dotros mineros muchos: azul, almagra, greda, alumbre et otros muchos de quantos se fallan en otras tierras; briosa de sirgo et de quanto se faze dél, dulce de miel et de açucar, alumbrada de cera, complida de olio, alegre de açafran. Espanna sobre todas es engennosa, atreuuda et mucho esforçada en lid, ligera en affan, leal al sennor, affincada en estudio, palaciana en palabra, complida de todo bien; non á tierra en el mundo que la semeie en abondança, nin se eguale ninguna a ella en fortalezas et pocas á en el mundo tan grandes como ella. Espanna sobre todas es adelantada en grandez et mas que todas preciada por lealdad. ¡Ay Espanna! non á lengua nin engenno que pueda contar tu bien. (...)

Pues este regno tan noble, tan rico, tan poderoso, tan onrrado, fue derramado et astragado en una arremessa por desabenencia de los de la tierra que tornaron sus espadas en si mismos unos contra otros, assi como si les minguassen enemigos; et perdieron ý todos, ca todas las cibdades de Espanna fueron presas de los moros et crebantadas et destroydas de mano de sus enemigos. (I, 310b-312a).

CORONICA DE ESPANNA

755. El capitulo de como Almançor fue uençudo et de la su muerte

(...) Et ayuntaronse todos en aquel lugar a que en ell arauigo dizen Cannatannaçor, et en el castellano quiere dezir «altura de bueytres». Et Almançor [11] era ya estonces salido de su tierra con su hueste et uinie pora correr Castiella et astragarla como solie, et llego alli a Cannatannaçor, et ellos alli lidiaron, et la lid fue muy grand et muy ferida, de guisa que les duro todo el dia fasta en la noche, et nin fincaron uençudos los unos nin los otros. Et finco assi la fazienda por la noche que les uino et los partio, ca sinon Almançor fuera muerto o preso, segund dize don Lucas de Tuy. Almançor quando uio ell astragamiento de su hueste que perdiera, non oso atender la batalla pora otro dia, et fuese de noche fuyendo. Et quando llego a un lugar que dizen Borg Alcorax, adolecio con pesar daquello quel contecio, et nin quiso comer nin beuer, et murio assi. Et pues que fue muerto, leuaronle a enterrar a Medinacelim. Otro dia mannana el rey don Vermudo et el conde Garçi Fernandez pararon sus azes pora la batalla, cuedando que eran los moros en sus tiendas et que saldrien a ella; et pues que non ueyen salir a ninguno, llegaron los cristianos alla a las posadas de los moros, et fallaronlas yermas de guisa que no ouo ý quien respuesta tornasse, maguer que pregunta quisiessen fazer. Et

---

[11] *Almançor:* Se refiere a Muhamad ben Abdallah ben Abi Ahmer el Moaferi, nacido en 939 (Algeciras) y muerto en 1002 (Medinaceli); es «Almanzor II» (cf. nota 1 bis).

tomaron estonces las tiendas et todo lo ál que ý fallaron, et tornaronse con muy grand bienandança. Et el conde Garci Fernandez fue en alcanço con su companna empos los moros que yuan fuyendo, et mato ý tantos dellos que muy pocos escaparon ende. Et Almançor que siempre uenciera, fue dalli uençudo daquella uez, ell et toda su companna essa poca que ende escapo. Sobresto cuenta en este logar don Lucas de Tuy que esse dia en que Almançor fue uençudo, que andaua un omne en guisa de pescador por la ribera de Guadalquiuir dando uozes como que llamasse et fiziesse duelo, et dizie una uez por arauigo et otra por castellano en esta manera: «en Cannatannaçor Almançor perdio ell atamor»; et quiere esto dezir, segund departen los sabido-res: en Cannatannaçor perdio Almançor su alegria et su brio et la su loçania. Et los de Cordoua que querien yr alla a aquel omne et llegarsele por dezirle alguna cosa et preguntarle, desfazieseles delante de los oios et non le ueyen; et desi parescieles en otro logar diziendo aquellas palabras mismas que ante et llorando. Et dizen aqui los omnes sabios et entendudos que esto bien creen que non era al sinon espirito daquellos a que las escripturas llaman yncubos que an aquella natura de parescer et desfazerse et parescer de cabo quando quieren, o que era diablo que lloraua el crebanto de los moros et ell astraga-miento que les uernie et ueno et lo soffrieron dalli adelante. (II, 449a-450a).

764. [LA CONDESA TRAIDORA]

[Doña Sancha,] la madre de[l] conde don Sancho, cobdiciando casar con un rey de los moros, asmo de matar su fijo por tal que se alçasse con los castiellos et con las fortalezas de la tierra, et que desta guisa casarie con el rey moro mas endereçadamientre et sin enbargo. Et ella destemprando una noche las yeruas quel diesse a beuer con que muriesse, fue en ello una su couigera de la condessa, et entendio muy bien que era. Et quando ueno el conde, aquella couigera descubrio aquel fecho que sabia de su sennora a un escudero que queria bien, que andaua en casa del conde; et el escudero dixolo al conde su sennor, et conseiol como se guardase de aquella traycion. Et deste escudero uienen los monteros dEspinosa que guardan el palacio de los reyes de Castiella; et esta guarda les fue dada por el aperçebimiento que este escudero fizo a su sennor. Et quando la madre quiso dar al conde aquel uino a beuer, rogo el a su madre que beuiesse ella primero; et ella dixo que lo non farie, ca non lo auie mester. Et el rogola muchas uezes que beuiesse, et ella non lo quiso ninguna uez; et el quando uio que la non podie uencer por ruego, fizogelo beuer por fuerça; et aun dizen que saco el la espada et dixol que si lo non beuiesse quel cortarie la cabeça. Et ella con aquel miedo, beuio el uino, et cayo luego muerta. (II, 453b-454b).

961. Del miraclo que Dios mostro por el cuerpo del Çid Ruy Diaz et de commo fue soterrado

Cuenta la Estoria deste noble varon el Çid Ruy Diaz el Campeador, sennor que fue de Valencia, et dize assy [12], que diez annos estudo el su cuerpo assentado en aquella siella en el tabernaculo que el rey don Alfonso le pusiera; et cada anno, en tal dia commo el finara, el abbat don Garci Tellez et Gil Diaz mandauan fazer muy grant fiesta et dauan a comer et a uestir a muchos pobres, et ayuntauase ý muy grant conpanna de todas partes de enderredor. Et acaescio assy vna vez, faziendo aquella fiesta, que se allegaron ý muy grandes conpannas, et vinien ý muchos judios et moros por veer aquella estranneza del cuerpo del Çid. Et el abbat don Garcia Tellez auie por costunbre, quando fazie aquella fiesta, de fazer su predication muy noble al pueblo, et porque non cabien en la eglesia, salie siempre fuera a la plaça. Et el estando faziendo su sermon, diz que finco ý vn judio en la puerta de la eglesia; et estando todos fuera por oyr aquel sermon, aquel judio entrosse dentro en la eglesia, et fuesse parar ante el cuerpo del Çid Ruy Diaz; et començol a catar en commo estaua tan noblemiente asentado et en commo tenie el rostro tan fermoso et la barba luenga et mucho apuesta, et tenie la espada en la mano siniestra et la derecha en las cuerdas del manto, assy commo lo el rey mandara poner, saluo ende quel camiauan cada anno los pannos, et tornauanle en aquella misma manera; et dize la estoria que quando aquel judio se paro antel Çid, auie ya siete annos que estaua en aquella siella. Et en toda la eglesia non estaua otro omne sinon aquel judio, ca todos estauan fuera, oyendo la predicaçion que el abbat fazie et mucho assessegados; et el judio quando se vio en su cabo, començo a cuydar et a dezir entre ssi mismo: «este es el cuerpo de aquel Ruy Diaz el Çid, de que dizen que nunca en toda su vida le trauo omne de la barba! quiero yo agora trauarle en ella et veer que sera lo que el me podra fazer». Entonçe tendio la mano por trauar en la barba del Çid, et ante que la mano huuiasse llegar al Çid, cayo la mano derecha de las cuerdas del manto et trauo en el arriaz del espada, et sacola fuera quanto vn palmo. Et quando esto vio el judio, ouo atan grant miedo que cayo atras de espaldas, et começo a dar muy grandes bozes, que quantos estauan fuera de la eglesia lo oyeron, et el abbat mismo ouo a dexar la predication, et entro en la eglesia; et fallaron aquel judio antel cuerpo del Çid tendido, et callara ya de dar bozes, et estaua tan quedo que semeiaua que era muerto. Et quando esto vio el abbat don Garcia Tellez, paro mientes al cuerpo del Çid, et vio commo tenia la mano derecha en el arriaz del espada et la espada sacada quanto vn palmo, et fue marauillado, ca la non solie tener siempre sinon en las cuerdas del manto. Estonces el abbat demando del agua, et echola al judio en el rostro, et recordo; et el abbat pregunto que que fuera aquello;

---

[12] Se trata de una *Estoria del Cid,* compuesta en San Pedro de Cardeña (¿h. 1238-1260?), que se ha perdido.

et el judio começo a dezir todo lo quel acaesçiera. Quando esto oyeron el abbat et Gil Diaz et quantos ý estauan, fueron marauillados, et fizieron grant clamor de grant plegaria a Dios porque tal virtud mostrara por el cuerpo del Çid, ca manifiestamente paresçio que assy fue commo el judio dixo. Et desde aquel dia en adelante, estido el cuerpo del Çid en aquella manera, que nunca mas le pudieron mudar los pannos nin toller la mano del arriaz del espada, nin sacar la espada nin meterla mas en la bayna; et assy estudo tres annos, en que se cumplieron los x annos. Et despues destos x annos, cayosele al Çid el pico de la nariz; et quando esto vieron el abbat don Garçi Tellez et Gil Diaz, entendieron que dalli adelant non caye que el cuerpo del Çid estudiesse en aquel lugar, porque parescie feo; et ayuntaronse ý tres obispos de las prouincias de enderredor, et con muchas missas et con muchas vigilias enterraron el cuerpo del Çid ante el altar, a par de donna Ximena su muger, ally ó agora yaze. (II, 642a-643a).

17a

General Estoria. Parte I (s. xiii). Madrid: Nacional, ms. 816 (1272 [¿?]), ed. de A. G. Solalinde (Madrid: Centro de Estudios Históricos, 1930).

[GÉNESIS]

[LIB. III], XV. DE COMO LOS OMNES CREYERON EN LAS ESTRELLAS

Despues de todos estos om*n*es de cuyas creencias *e* cosas de que auemos fablado, llegaron estonçes, en cabo dellos *e* con ellos, otros que entendieron ya mas que aquellos de qui auemos dicho; lo uno por quelo aprendieran ya delos *sos* ancianos *e* les dexaran ende escriptas algunas cosas, lo ál por la sotileza que tomauan en si daquello que dellos aprendien, *e* assacauan sobrello mas de suyo. Onde cataron suso sobre todos los elementos al cielo; *e* en la noche, quando fue dado alas estrellas que paresciessen luzientes, uieron cosas tan claras como las estrellas *e* la luna, *e* por la uista destas que tan bien parescien de noche, mesuraron el sol que alumbraua el dia, *e* quanto era mas *e* meior lo que el parescie *e* alumbraua quela luna *e* las estrellas.

E departiendo enlas naturas delas estrellas, fallaron quelas unas se mouien *e* las otras non; e delas que se mouien *e* nunca quedauan escogieron *e* assumaron que eran vii; *e* por que se mouien *e* nunca quedauan de andar nin se parauan en ningun logar *e* andauan appartadas unas dotras, onde dixieron que auie cada una dellas su cielo apartado en que non era otra estrella ninguna, *e* llamaron les planetas, *e* planeta tanto quier dezir como estrella andadora; *e* dioron le este no*m*bre de *planos* que dize el griego por tal andar.

E estas siete estrellas planetas o andadoras, pusieron a cada una su nombre sennalado: E a aquella que esta enel primero cielo que es mas cerca de nós, dixieron Luna. E ala que anda enel segundo cielo sobreste, llamaron Mercurio; e esta anda siempre cerca el sol que nunca dél se parte. Ala planeta del terçero cielo Venus. Ala del quarto cielo Sol. Ala del quinto Mars. Ala del sexto Jupiter. Ala del seteno cielo Saturno.

E touieron que estas siete estrellas eran ya mas arriba, e mas çelestiales, e dela natura de Dios quelos elementos; e dexaron de aorar aquellos e aoraron a estas. E fizieron los ende siete partes del mundo, siete tiemplos muy grandes e muy onrrados, segund sos gentiles a que les uinien las yentes a orar e en romeria de todas las tierras. E por onrrar las mas, pusieron les nombres dellas a los siete dias de la semana, e assi an oy nombre los dias de la semana; e esto los gentiles lo fizieron, que fueron muy sabios omnes en estos saberes e en todos los otros.

Si non que por remembrança del Uieio Testamento e por que salio el Nueuo dél, quelos cristianos, que llamamos despues al VII dia a que dixoron los gentiles Saturno, quel dezimos nós sabbato. Et otrossi al primero dia dela semana a que llamaron los gentiles Sol que nós los cristianos, otrossi por onrra e remembrança de nuestro sennor Ihesu Cristo e Dios, quel dezimos domingo. E lieua este nombre de dominus que dizen en latin por sennor, e domingo tanto quiere dezir enel nuestro lenguage de Castiella como dia sennoral, fascas dia del Sennor, e sabbado folgança. Los otros dias de la semana retouieron e retienen los antigos nombres quelos gentiles les pusieron delas planetas: el lunes de la Luna, el martes de Mars, el miercoles de Mercurio, el iueues de Juppiter, el viernes de Venus. (65b-66a).

[LIB. IV], XXVI. DEL ESFUERÇO DE SEMIRAMIS E COMO ASSACO ELLA LOS PANNOS MENORES

Cuenta mahestre Godofre en la setena parte del *Pantheon* [13] que esta reyna Semiramis, enlos dias del rey Nino su marido, que con el yua ella alas lides, e que assi se uistie, e se armaua e caualgaua como uaron, e que tan bien firie de lanza e despada, e fazie conlas otras armas como todo uaron quilo bien fiziesse, e que enlas azes delas lides tan bien tomaua ella, como el rey su marido, su logar enellas con los suyos, que la aguardauan o la delantera, o la çaga o vna delas costaneras; e quando enla lid entrauan tan fuerte era ella ý, e tan bien lidiaua con su caualleria e su yente enla parte ó ella estaua como el rey enla suya, e aun, que mas nombrada era e mas temuda que el.

E quando caualgaua, por encobrir ensi las cosas dond ella aurie uerguença, si paresciesse al caualgar, ouo a buscar manera poro las encobriesse, por que quando caualgasse que sele non estoruasse por esta razon delo fazer ligera mientre; e assaco por ende la manera delos pannos menores ella ante que

---

[13] Godofredo de Viterbo, *Pantheon,* en la ed. de J. Pistorius, *Rerum germanicarum scriptores aliqvot insignes,* 3 vols. (Ratisbon, 1726), en la III.ª parte, págs. 65b-66a.

otro om*n*e ninguno; *e* por que uio que eran apostura *e* muy buena cosa, fizo los dalli adelante fazer *e* traer alos uarones *e* alas mug*e*res, tan bien alos unos como alos otros, ca tenie que tan bien era uerguença lo delos unos como lo delos otros quando se descubrie delas otras ropas *e* parescie. E quando ella caualgaua punnaua quanto pudie en fazer contenente de uaron en su caualgar; *e* por esto que fiziera en dias del marido, *e* por las batallas que uencie despues dél, auien todos della muy grand miedo *e* aun muy grand uerguença. (103ab).

[LIB. VII], XXXV. DEL REY JUPPITER *E* DELOS DEPARTIMIENTOS DELOS SABERES DEL TRIUIO E DEL QUADRUUIO

En esta çibdad de Athenas nascio el rey Juppiter, como es ya dicho ante desto, *e* alli estudio *e* aprendio ý tanto, que sopo muy bien todo el triuio *e* todel quadruuio, que son las siete artes aque llaman liberales por las razones que uos contaremos adelante, *e* uan ordenadas entre si por sus naturas desta guisa: la primera es la gramatica, la segunda dialetica, la tercera rectorica, la quarta arismetica, la quinta musica, la sesena geometria, la setena astronomia.

E las tres primeras destas siete artes son el triuio, que quiere dezir tanto como tres uias o carreras que muestran all om*n*e yr a una cosa, et esta es saber se razonar cumplida mientre. Et las otras quatro postrimeras son el quadruuio, que quiere dezir tanto como quatro carreras que ensennan connoscer complida mientre, saber yr a una cosa cierta, *e* esta es las quantias delas cosas, assi como mostraremos adelante.

La gramatica, que dixiemos que era primera, ensenna fazer las letras, *e* ayunta dellas las palabras cada una como conuiene, *e* faze dellas razon, *e* por esso le dixieron gramatica que quiere dezir tanto como saber de letras, ca esta es ell arte que ensenna acabar razon por letras *e* por sillabas et por las palabras ayuntadas que se compone la razon.

La dialetica es art pora saber connoscer si á uerdad o mentira en la razon quela gramatica co*m*puso, *e* saber departir la una dela otra; mas por que esto non se puede fazer menos de dos, ell uno que demande et ell otro que responda, pusieron le nombre dialetica que muestra tanto como razonamiento de dos por fallar se la uerdad complida mientre.

La rectorica otrossi es art pora affermosar la razon *e* mostrar la en tal mane̦ra, quela faga tener por uerdadera *e* por cierta alos que la oyeren, de guisa que sea creyda. Et por ende ouo nombre rectorica, que quiere mostrar tanto como razonamiento fecho por palabras apuestas, *e* fermosas *e* bien ordenadas.

Onde estas tres artes que dixiemos, aque llaman triuio, muestran all om*n*e dezir razon conueniente, uerdadera *e* apuesta qual quier que sea la razon; *e* fazen all om*n*e estos tres saberes bien razonado, *e* uiene ell om*n*e por ellas meior a entender las otras quatro carreras aque llaman el quadruuio.

E las quatro son todas de entendimiento *e* de demostramiento fecho por prueua, onde deuien yr primeras en la orden. Mas por que se non podien entender sin estas tres primeras que auemos dichas, pusieron los sabios a estas tres primero que aquellas quatro, ca maguer que todas estas quatro artes del quadruuio fablan delas cosas por las quantias dellas, assi como diremos, *e* las tres del triuio son delas uozes *e* delos nombres delas cosas, *e* las cosas fueron ante que las uozes *e* quelos no*m*bres dellas natural mientre. Pero por quelas cosas non se pueden ensennar nin aprender departida mientre si non por las uozes et por los nombres que an, maguer que segund la natura estas quatro deurien yr primeras et aquellas tres postrimeras como mostramos, los sabios por la razon dicha pusieron primeras las tres artes del triuio *e* postrime-ras las quatro del quadruuio; ca por las tres del triuio se dizen los nombres alas cosas, *e* estas fazen al om*n*e bien razonado, *e* por las quatro del qua-druuio se muestran las naturas delas cosas, *e* estas quatro fazen sabio ell om-*n*e; pues aprendet por aqui que el triuio faze razonado ell om*n*e y el quadruuio sabio. (193b-194b).

[LIB. VII], XXXVII. DE COMO FALLARON LOS GRIEGOS LA NATURA DE LA MUSICA

Los de Grecia comen*ç*aron primero que otros om*n*es, a usar de andar mu-cho sobre mar; et algunos dellos trabaiaron se quanto podrien entrar adentro por el, por prouar sil podrien fallar cabo dela parte dallend. *E* andudieron tanto que uinieron a un logar dond oyeron sones et bozes queles semeio que ninguna cosa non podrie seer mas sabrosa nin mas dulce que aquel son, *e* comen*ç*aron a fablar dello entressi, et dixieron si fue nunca qui son tan dulce oyesse en logar del mundo; *e* estando ellos fablando desto, cataron *e* uieron estar un pennedo aluen dellos, et asmaron que serien serenas que cantauan en aquella penna *e* fazien aquel son tan sabroso, *e* cogieron se *e* fueron pora alla quanto mas pudieron, *e* llegaron se ala penna. Et ellos estando assi como desuentados, con muy grand sabor del canto tan dulce que oyen, salio adesora un tan grand sollo del uiento cier*ç*o que todos los metio so ell agua et los mato alli en la mar, si non muy pocos que fincaron a uida *e* se acogieron alas pie*ç*as delos nauios que quebrantara aquel uiento, *e* salieron en ellos a terreno, *e* contaron alos griegos todo aquello por que auien passado *e* como les contesciera.

Estonces ayuntaron se muchos de Grecia *e* fizieron de maderos un engenno muy sotil *e* muy fuerte en que pudiessen entrar muchos dellos bien a aquella penna. *E* cogieron se por el logar poro fueran los primeros, *e* andudieron fasta que uinieron a aquel pennedo, *e* llegaron se a el en aquel estrumento en que uinien que fizieran pora ello. Et estando alli pararon mientes a la piedra, *e* uieron como era cauada de dentro, *e* auien en ella siete forados abiertos fechos agrados, los unos anchos los otros mas angostos, *e* los unos altos et los otros baxos, *e* eran fechos de grado en grado; et uieron otrossi como entrauan los uientos en ell agua del mar *e* salie por aquellos forados *e* fazien aquellos sones tan dulces; et alli aprendieron ellos ell arte dela musica *e* ý fallaron las siete mudaciones della complida mientre.

E por quela aprendieron por uiento et por agua pusieron el este nombre *moys,* ca esta palabra *moys* tanto quiere dezir en la fabla delos griegos como agua en el nuestro lenguage de Castiella, et *sicox* en el suyo tanto como uiento en el nuestro. Onde este nombre musica, que es compuesto destas dos palabras griegas *moys e sicox,* tanto quier mostrar como arte de son fallada por agua *e* por uiento. Et es musica ell arte que ensenna todas las maneras delos sones *e* las quantias de los puntos, assi como dixiemos; *e* esta arte es carrera pora aprender a cordar las uozes *e* fazer sonar los estrumentos. (195ab).

17b

General Estoria. Parte II (s. XIII). Madrid: Nacional, ms. 10237, y Escorial: Monasterio, ms. O.I.11 (letras del s. XIV), ed. de A. G. Solalinde (†), L. A. Kasten y V. R. B. Oelschläger (2 tomos; Madrid: CSIC, Instituto «Miguel de Cervantes», 1957-61).

[JOSUÉ]

[CIV] DE COMO AMPARARON LAS DUENNAS AMAZONAS SU TIERRA POR BATALLA DESPUES QUE SUS MARIDOS FUERON MUERTOS

[*E*] fueron uençudos los scitas, *e* murieron ý todos los mas de guisa que non fincaron ende si non muy pocos que fuxieron. Las mugieres de los scitas quando esto uieron, entendieron cuemo fincauan bibdas todas las mas, *e* que aurien a uuscar casamientos de tierras agenas, *e* les entrarien los enemigos esse reyno que ellas tenien, *e* non serien ellas ende sennoras, auenturaron se a deffender le ellas por si; et por que non se ouiessen que dezir las unas a las otras, mataron todos quantos uarones entrellas auie, chicos *e* grandes, que no dexaron ý nin el menor. Et cogieron se a armas, *e* ayuntaron se todas las que eran pora ello, *e* armaron se *e* fueron contra aquellos que mataran a sos maridos por uengar los. (I, 120a-121a).

[CV] DE LA PLEYTESIA QUE FIZIERON LAS DUENNAS AMAZONAS CON LOS QUE ERAN SOS FRONTEROS

Estas duennas scitas, pues que ouieron ganado de sus uezinos paz por sus armas, metieron mientes de cuemo fiziessen fijos que heredassen el reyno yl mantouiessen despues dellas, et non quisieron coger maridos en su *tie*rra, mas pusieron entre si que ouiessen maridos de fuera de su *tie*rra; et que pues que tan mal fuera a sos uarones en armas, que todos murieran en batallas *e* eran ya finados, que non ouiesse ningun uaron en toda su tierra, suyo nin ageno, et touieron por meior de auer sos casamientos con los de las otras tierras que eran sos fronteros. Et enuiaron les sos mensages con sus abenencias *e* sus pleytesias que saldrien ellas a ellos a las ffronteras de los reynos, *e* alli ouiessen sus solazes, *e* dalli se partiessen *e* se tomassen ellas a so reyno, *e* se fincassen ellos en sus t*ie*rras; et pusieron ý luego los de qual villa con los de qual, *e* quantas uezes en el anno las que prennadas non fuessen, ca las que lo eran, ninguna uez fasta que ouiessen parido; et la que pariesse uaron quel enuiasse luego a so padre, et la que pariesse fija que la criasse en su tierra pora tener la consigo, pero Estorias fallamos que dizen que los uarones que los matauan luego. (...)

Et usauan todas las demas tirar darco, *e* eran alançadoras de dardo *e* de toda arma que se alançasse; et por que las tetas, que auien grandes, las estoruauan mucho all alançar de las armas, uuscaron esta maestria de quemarse las tetas diestras quando eran ninnas por que les doldrien menos, *e* les nunqua crescerien mas nin las estoruarien all usar de las armas, nin de arcos nin de otras; et las siniestras que las guardassen pora criar las fijas. Et por que dizen el griego .a. por lo que en el nuestro lenguage de Castiella sin, *e* m a z o n por lo que en el castellano teta, los griegos, que pusieron nombres a las cosas mas natural mientre que otros sabios dotra tierra, ayuntaron estas dos palabras .a. *e* m a z o n *e* compusieron ende este no*m*bre a m a ç o n, *e* llamaron le aquellas duennas por esta razon, et en el nuestro lenguage de Castiella tanto quiere dezir a m a z o n a s como mugieres sin teta. (I, 121a-122a).

[JUECES]

[CCXL] De como Edippo, rey de Thebas, perdio la vista por el grand crebanto en que era

La reyna Jocasta si triste estaua, non era marauilla, ca sabie ya ella bien que de su fijo mismo auie ya fecho dos fijos *e* dos fijas. Et el rey Edippo lloro tanto que perdio el ueer, *e* doblosse le entonces daquella guisa la tristeza. Et amos s*os* fijos, Ethiocles *e* Pollinices, que eran ninnos *e* fermosos, preciauan menos a so padre por el duelo que fazie *e* por tan grant tristeza que tomaua en si, *e* fazien grant escarnio dél. Et el rey *e* la reyna amos fizieron grant duelo, *e* d*e*sseauan que fuesse muy poca su uida. Et dizen que nunqua los dioses tamanno escarnio, nin tamanna auiltança, *e* dolor, *e* quebranto aduxieran sobre otros omnes como sobrellos.

Et assi acaescio que un dia que uinieron amos los fijos delant ell *e* d*i*xieron le mucho*s* escarnios malos, tanto que se ayro ell *e* fue muy sannudo; *e* con despecho de s*os* fijos quebrantosse amos los oios, *e* sacosselos, *e* echolos ante sus fijos. Et ellos estonces sobieron de pies en ellos, *e* follaron los oios de so padre, *e* sobresso maltroxieron le de mala guisa, tanto que se touo ell ende tan por quebrantado que non pudo mas. Et en cabo tomaron le los fijos *e* echaron le en una cueua, o fue el despues en grant tristeza *e* en grant dolor *e* murio. (I, 337b-338a).

[CCCXXVI] Aqui se comiença la estoria de Thola, el vi juyz de Israhel

Pves que fue muerto Abimelech, fizieron *e* cabdiello *e* juez en Israhel a Thola, fijo de Phua, thio de Abimelec de parte de so padre; mas era este Thola del linnage de Isacar, *e* Abimalec del de Manasses. Et dizen los departidores desta ystoria que non es marauilla de seer parientes seyendo de sennos linnages, contados por sos departimientos que fazien los de Isr*a*el; ca fueron Joas *e* Phua hermanos, fijos de una madre, mas de sennos padres. Et el padre de Joas uino de Manasses, el de Phua del de Ysacar; et por ende fue contado Joas daquel linnage *e* Ysacar deste otro. Et pero Thola *e* Abimalec fueron parientes desta guisa. Et moro este juez Thola en la çibdat de Samir en el mont de Effraym, et iudgo a Israhel ueynte tres annos; *e* murio, *e* enterraron le en Samir. Despues desto uino Jayr.

Agora dexamos aqui la estoria de la Biblia, *e* tornaremos a las razones de los gentiles que acaescieron en el tienpo deste Thola, juyz de Israhel. (I, 394b).

[CCCXXIX] Del fecho de la reyna Pasiphe

Las reynas, maguer que son de la mas alta sangre del mundo *e* las mas altas duennas que seer pueden, a las uezes algunas dellas non pueden foyr nin mudan las naturas de las mugieres. Et diz que la isla de Creta es muy grant, *e* que á en ella cient cibdades con *sus* aldeas *e* sus terminos, assi como es contado en esta estoria ant*e* desto. Et el rey Minos fue andar por so reyno; et andando el por su tierra finco la reyna Pasiphe en su casa. Et como contescen a las uegadas que yerran las grandes sennoras, tan bien como las uassallas, acaescio a la reyna Pasiphe de errar en esta guisa.

Cerca los palacios de la reyna Pasiphe auie ý lugares muy a autes de muchos canpos, *e* de muchos prados, *e* seluas, *e* muy buenos exidos. Et un dia acaescio por auenimiento que una grey de uacas del rey que uinieron alli paçiendo a aquellos canpos ant*e*l palacio de la reyna. Et acaescio otrossi que la reyna Pasiphe que ouo sabor de salir a andar con sus duennas, *e* salio a essos campos mismos poró las uacas andauan. Et era esto en el tienpo del mayo quando los toros quieren a las vacas *e* ellas a ellos.

Et acaescio que un toro llego alli a una vaca ante la reyna de guisa que lo uio ella. Et fue en tal punto que tamanna cobdicia le tomo de auer con aquel toro otro tal fecho qual le uio fazer con la vaca que por poco non cayo desmemoriada en tierra. (I, 395ab).

[CCCXXX] De como la reyna Pasiphe se descrubio
a su ama e de lo que ý fizieron

Pasiphe, quando uio a su ama tan afincada en aquel fecho e quel prometie assi poridad e acorro, atrouosse a descrobirsele. Et dixol como uiera a aquel toro auer a aquella uaca, que en tal punto fuera e en tal malauentura le uiniera al coraçon que era muerta por auer ella a aquel toro como le uiera auer a la uaca o en qual quier man*er*a que seer pudiesse. Et pues que tanto la prometio que diesse ý consseio como· pudies ser e si non, que muerta era e que nunqua la dalli uerie leuantar si le esto non guisasse. (I, 396a).

[CCCXXXI] De como dio el ama consseio
a lo que la reyna Pasife querie

Las amas e mayor mientre las uieias, assi como dize Ouidio [14] en el libro del *Arte de amar,* sienpre sopieron mucho e assacaron mucho pora encrobir a sus criadas en fecho de amor. Et aquella muy buena duenna, ama de la reyna Pasiphe, ueyendo a su criada e a su sennora en tan grant angostura, asmo sobrello. Et auie estonçes en las lauores del rey Minos un maestro carpintero muy sotil e muy engennoso. *E* el ama non sopo estonçes ál que fazer si non de enuiar por el carpentero —e por uentura que el, que era tan sabidor, que darie consseio a tal cosa—, e enuio por el.

Et Dedalo uino luego; e la buena duenna conyuro lo luego quel dizrie una poridat muy grant, e que el nunqua la descrubiesse della, e el otorgo gelo. Contol ella estonces muy apriessa tod aquella estranneza de amor en que la reyna, su sennora, era cayuda; e que diesse ý conseio, e que serie bien andant por ello, cal farie por ello la reyna todas las cosas que quisiesse. Et Dedalo non se querie de luego acoger a razon de dar conseio a tal fecho; mas tanto trauo con el aquella duenna, e aun que ouo la reyna a ser en la razon, que ouo el maestro a meter se a dar consseio a tal fecho.

Et tomo luego tablas e dololas, e abino las de guisa que fizo dellas un estrumento assemeiança de uaca. Et mando luego traer de las uacas el toro de que la reyna se enamoro e la uaca tras que el andaua. Et tomaron a aquel toro e a aquella uaca con pocas de las otras uacas, e leuaron las encubierta mientre a casa de la reyna. *E* tomaron luego a aquella uaca tras que andaua el toro, e apartaron a el con las otras, e mataron luego aquella. Et mientre la dessollauan, tomaron Dedalo e el ama a Pasiphe, e leuaron la a aquella fechura de uaca de las tablas, e metieron la dentro, e pararon la de guisa que ouiesse ella con el toro lo que querie. Et guisado esto, fue Dedalo e tomo el cuero daquella uaca, e aduxol e tendiol sobre la vaca daquellas tablas de la guisa que estudiera en el cuerpo de la su vaca.

---

[14] Publio Ovidio Naso, poeta y mitólogo romano (n. 43 a. C. - m. ¿17? d. C.).

Et desque esto fue muy bien guisado, aparto el toro de las otras vacas, *e* echol en aquel corral ó estaua la uaca de las tablas. El toro cuedosse que era aquella la uaca que solie [auer], *e* fue luego pora ella, *e* osmola, *e* caualgo la luego de guisa que alcanço a la reyna, *e* enprennola. Et tollieron luego ende el toro con las otras uacas *e* enuiaron le. Et Dedalo *e* el ama amos muy encubierta mientre tollieron aquel cuero daquella uaca de las tablas. Et desi abrieron las tablas, *e* tomaron a la reyna dalli, *e* leuaron la a so palacio de guisa que omne del mundo nin entendio nin sopo ninguna cosa daquel fecho.

E preguntaron alli aquel ora Dedalo *e* el ama a la reyna si era terminada daquel mal quel tomara. Et respondio les ella que si, *e* que les gradesçie mucho aquello que auien fecho, *e* que fuesse poridat que ella gelo gualardonarie. Et ellos yuraron le *e* prometieron le que assi lo farien. Et fue luego Dedalo, *e* desbarato tod el arca de la uaca de guisa que non paresciesse ý ninguna sennal de la su fechura. *E* la reyna finco prennada del toro; et adelant diremos desto. (I, 396b-397a).

CIENCIA/OTRAS OBRAS

18

Libro de las cruzes (1259). Madrid: Nacional, ms. 9294 (fechado 26-II-1259), ed. de L. A. Kasten y L. B. Kiddle (Madrid-Madison: CSIC, Instituto «Miguel de Cervantes», y el Seminario de Estudios Medievales Españoles [Univ. de Wisconsin], 1961).

Et aqui compieça el texto del libro, segont fue transladado del arauigo. En el nombre de Dyos. Este es el Libro de las Cruzes en los iudizios de las estrellas que esplano Oueydalla [15].

Dixo Oueydalla: Esto es lo que falle en los libros antigos del Libro de las Cruzes en los iudiçios de las estrellas, *et* transladel *et* esplanel por que ui que es mucho *p*rouechable en las costellationes de las reuolutiones *et* de las coniunctiones de las planetas, *et* en los compeçamentos de los regnos *et* de los sennorios, *et* como se camian, *et* en los accidentes del ayre; que los fechos *et* los poderes de las planetas non pareçen· si non segunde son sus constellationes *et* sus estados en las rayzes *et* en los compeçamentos que guyan los tyempos.

Et yo falle este libro que fabla en las cruzes desta manera simple ment por si en las costellationes de las cruzes apartada ment, non tomando rayzes de coniuntion ninguna, nin de reuolution, si non por si apartada ment. (...)

---

[15] Será Abu Said Ubaidalla, astrólogo árabe que murió en 1058.

Et por que yo ui el grande prouecho que á en estas constellationes en esta sciencia, por esto las quis esplanar et departir. Et digo que las rayzes que estos tomaron en estas costellationes de las significationes de las planetas altas, que son Sol, Mars, Jupiter et Saturno, et sos coniunctiones unas con otras, et sus quadraduras unas a otras et sus oppositiones unas a otras... (...)

Et pusieron los signos aqueos et los signos terreos en ueç de cayentes, et nombraron los signos yaçientes.

Et las significationes de los reyes, et de los sennores, et de los altos omnes et de las podestades toman de seer las planetas en los signos igneos et en los signos aereos, que son los erechos.

Et las significationes del pueblo, et de los aduersarios et de los enemigos toman de seer las planetas et los signos yacentes, que son los terreos et los aqueos. (...)

Et yo pare mientes en los iudiçios desta yente que iudgauan con estas figuras, et ui que en unas constellationes dizian que significauan destruction de rey, et en otras constellationes dizian que significauan destruction de los aduersarios del rey. (5a-6a).

EN SABER DE QUAL HOMBRE QUESYERES QUANDO SERA RIQUO

Et otrossi quando tu quesyeres saber quando enrequiçera et ganara auer qual homne tu quisyeres, para myentes et cata al signo que fue en acendent de su nacencia, et assecha quando uieres todas las planetas o las mas dellas ayuntadas en aquel signo o en alguno de los otros signos que son amigos daquel signo, et judga que estonçe enriquicera aquel homne o ganara algo, o accaecer la algun buen accaecemento en sus faziendas.

EN SABER DE QUAL HOMNE QUISYERES QUANDO SERA POBRE

Et otrossi quando quisyeres saber quando se empobrecera et se fara pobro alguno homne que quisyeres, o quando ly accaecera alguno entrepyeço, o alguna emfermedat, o alguna otra occasion en su auer, o alguna prisyon, o alguno otro malo accidente en su cuerpo o en su fazienda, para myentes en su nacencia et cata si ouiere en su acendent o en su septima casa alguna de las quatro planetas pesadas, que son Saturno, Jupiter et Mars et el Sol, et depues para myentes et assecha quando aquella planeta se torna a aquel mismo signo en que fue en la rayz de la nacencia, et fueren en aquel tyempo las otras tres planetas que fincan o las dos dellas ayuntadas en alguno de los signos que son enemigos daquel signo en que es la planeta, o que sean las tres planetas que fincan esparzidas por los signos que son enemigos daquel signo en que fuere la planeta, et judga que estonçe sera tyempo de la occasion *et* del entrepyeço daquel homne en su auer, o en su cuerpo, o en alguna otra cosa de sus faziendas.

En saber la muert dalgun homne

Et otrossi quando quisyeres saber quando morira qual quier homne que tu quisyeres saber, para myentes quando el Sol fuere en el signo de su acendent de su nacencia o en su vii.ª casa, et fuere estonç Mars ayuntado con Saturno o con Jupiter, con qual quier uno dellos o con ambos, *et* fuere aquella coniunction en quadradura· del Sol, quier detras o delant seendo el Sol en su acendente o en su septima casa, segunt es dicho, judga que en aquel tyempo morra aquel homne *et* se perdera.

Mas quando fallares en su acendent o en su septima casa, en uez del Sol que dixiemos, Saturno o Jupiter qual quier uno dellos, *et* fuere el otro ayuntado con Mars *et* ambos en quadradura de la otra planeta que fuere en el acendent o en la septima casa en uez del Sol, judga que esta costellation non significa danno ninguno nin destruymento, mas significa entrepieço *et* occasion quel acaecera en sus faziendas *et* en su auer, *et* p*r*opriament significa que saldra de su casa *et* perdra su eredat.

Et generalment quando el Sol no*n* fuere en esta costellation en el acendent ny en la septima casa, non significa muerte ny destruymento de cuerpo fueras ende si la costellation fuere en uil homne o en pobre homne que non aya otra cosa en quel pueda accaecer occasion si non en su cuerpo; en aquel iudga su muerte o grand occasion en el cuerpo, mas en los otros homnes non judgues muerte ny occasion en el cuerpo por esta costellation si non fuere el Sol en el acendent o en su septima casa segunt es dicho, *et* con esto non yerraras con Dyos. (...)

En saber quales signos son enemigos

Et sepas que los signos que dezimos que son enemigos del signo, quier sea en acendent o en otra qual quier casa, son la su quarta casa, *et* la su decima, *et* la su septima, *et* la su segunda, *et* la su duodecima, *et* estas son enemigas de grand *et* fuerte enemizdat. Et las que son de flaqua enemizdat *et* que non an tan grant poder en la malquerença son la su viii.ª casa *et* la su sexta.

En saber quales signos son amigos

Et los signos que dezimos que son amigos del signo *et* que se quieren byen de buen catamyento, quier sea aquel signo en acendent o en qual quier

otra casa, son la su tercera casa, *et* la su v.ᵃ, *et* la su nouena *et* la su xi.ᵃ
Et segunt esto para myentes en cada signo que pusyeres rayz *et* compezamen-
to, *et* fallaras las casas *et* los signos quales son enemigos *et* mal queryentes,
et quales catan de mal catamyento, et los signos *et* las casas que ly son amigos
et byen queryentes, *et* lo catan de buen catamyento. Et segund desto judga
en los iudizios que fallares en las costellationes deste libro, *et* acertaras en
tus judizios, et non erraras con Dyos. (120b-122a).

El capitulo xxxºii.º fabla en las electiones de las costellationes en que homne gana en carreras et meiora su fazienda

Et quando quisyeres saber quando accaecera al homne que quesieres carrera en que gane, *et* en que sea byen andante, et en que se meiuraran todas
sus faziendas, para myentes a su nacencia, *et* cata qual signo es el noueno
de su acendent, *et* ponne aquel signo acendente al compeçamento de su carrera, *et* ponne en aquel signo el Sol *et* Jupiter ambos ayuntados, o el uno dellos
qual quier, et ponne las otras dos planetas que fincan de las quatro altas
ambas ayuntadas en alguno de los signos que son amigos del acendent, o
pone los ambos departidos por los signos que son amigos del acendent, et
con esta figura ganara en carrera *et* sera bien andante. Et estas son las figuras
desta costellation:

En la primera figura destas son Sol *et* Jupiter en acendent, Saturno *et*
Mars en la tercera casa.

En la segonda figura son Sol *et* Jupiter en acendent, Saturnus *et* Mars
en la quinta casa.

En la tercera figura son Sol *et* Jupiter en acendent, Saturno *et* Mars en
la ix.ᵃ casa.

En la quarta figura son Sol et Jupiter en el acendent, Saturno *et* Mars
en la undecima casa. (123ab).

19

Lapidario (s. xiii). Escorial: Monasterio, ms. h.I.15 (fechado 1279), ed. de S. Rodríguez
M. Montalvo (Madrid: Gredos, 1981).

Dela piedra aq*ue* dizen g[a]gatiz en caldeo *et* en latin gagates. —
Del tercero grado del *s*igno de Aries es la piedra aq*ue* dize*n* gagatiz en caldeo,
et en latin gagates. E*s*te nombre á ella dun ryo en q*ue* la fallan aque dizen
Gaga; et dizen le otro*ss*i ryo dynfierno, *et* corre cabo la ca*s*a del Templo.
A e*s*ta piedra non pa*s*sa el ui*s*o, ca es de color de greda turuia. Et fallan

la otrossi en Espanna, en unos montes que son çerca de Saragoça, en un logar que dizen Diche, et otrossi en el monte que es cabo Granada aque llaman Soler, en unas cueuas que ý á. Pero tan bien las de Saragoça, como las de Granada, son pocas, et non son tan buenas como las que fallan en el ryo de Gaga.

Esta piedra es de su natura calient et seca. Et á tal propiedat que, quando la pulen, et dan lo que della sale a beuer a algun omne a que huela mal el cuerpo, por razon de suor, tuelle gelo, et faz quel huela bien. Et aun sin esta, á otra propiedat, que si la cinnieren sobre el uientre a omne que aya en los estentinos gusanos aque llaman semiente de calabaças, faze los todos morir et echar los por dyuso.

Et la estrella que es sobre la monneca del braço diestro dela «sennora que esta en la siella assentada», á poder sobresta piedra et della recibe la fuerça et la uertud. Et quando ella fuere en el ascendente aura esta piedra mayor fuerça et mayor uertud, et mostrara mas manifiesta miente sus obras. (...)

DELA PIEDRA AQUE DIZEN CENTIZ. — Del quinto grado del signo de Aries es la piedra aque dizen centiz. Et es fallada en tierra de India, en una ysla poró corre un ryo que á assi nombre; et fallan la en las riberas daquella agua. Et es de color tan uerde que tira ya quanto contra negro.

Esta piedra es muy fuerte, et pesan ciento et ueynte dragmas. Et quando la alimpian, puliendo la, catan se los omnes en ella assi como en espeio dalhinde. Et es otrossi ⟨es⟩ de su natura caliente et seca.

Et á en si tal propriedat que, si la touiere la mugier colgada sobressi, o encastonada en sortija, quando yoguiere el uaron con ella, nunqua se emprennara si non de maslo. Esso mismo fara qual quier animal sobre que la colgaren.

Et esta uertud recibe dela estrella que es en el retornamiento del ryo, la que tanne en los pechos de Caytoz. Et quando es esta estrella en medio del cielo, muestra esta piedra mas maniesta miente sus obras.

DELA PIEDRA AQUE LLAMAN MOUEDOR. — Del sesto grado del signo de Aries es la piedra que es dicha mouedor. Et á este nombre por que, quando la pulen, et toman lo que sale della, et lo dan a beuer a mugier que sea prennada, morra luego la criatura, et echar la a dessi muerta o uiua, de qual guisa quier que este. Et esso mismo faze si la touiere colgada. Otro tal fara a toda animal que della beua o gela cuelguen de suso. Esta uertud es mala pora las mugieres que tienen los fijos biuos en los uientres et non los querrien perder, et bona pora las que los tienen muertos et no los pueden echar, o son tan flacas que no pueden parir. (22-24).

DELA PIEDRA AQUE LLAMAN ABARQUID. — Del quinto grado del signo de Tauro es la piedra aque dizen albarquid. Et es fallada en tierra de Affrica,

en las mineras del *s*ufre. Liuiana es *et* fuerte de q*u*ebrantar. Et es de fuera
de color de alhenna mezclada uerde co*n* un poco de amariello. Es de figura
llana, *et* quando la om*n*e bien cata, paresce en ella figura de *e*scorpion. Et
*s*i la q*u*ebrantan, fallan dentro la piedra figurada daquella mi*s*ma manera.
De *s*u natura es fria *et s*eca.

Et á tal uertud q*u*e quando alguna mug*i*er la trae co*n*sigo, enciende la
tanto por cobdicia de uaro*n*, que *s*e no*n* puede ende *s*ofrir *s*i no*n* por muy
grand fuerça. Et a*s*si lo faze qual q*u*ier animal q*u*e la te*n*ga que *s*ea fembra.
Et los de India, que *s*e trabaian mucho del arte de nigromancia, obra*n* mucho
co*n* esta piedra.

Et á tal uertud q*u*e *s*i diere*n* desta piedra, molida, a beuer a mugier, inchal
el uientre poco a poco, de guisa q*u*e *s*emeia prennada, *et* q*u*a*n*do uiene al
tiempo del parir de*s*faz *s*e. Et los nigromancianos faze*n* creer q*u*e por *s*u arte
et por *s*u *s*aber, *s*e faze aq*u*ella prennadez *et s*e tuelle. (41).

D*ELA* *P*IEDRA QUE FUYE DEL UINO. — Del ueyntiun grado del *s*igno de Tauro es la piedra q*u*e fuye del uino. Fria es en la fin del quarto grado, *et s*eca
en el comença*m*iento del *s*egu*n*do. Dura es fuerte de quebrantar, et es resplan-
decient *et* de muchas colores, a*s*si que los que la ueen, paresce les en ella
como letras *e*scripta*s*, por el coloramiento mezclado que es en ellas de muchas
maneras. Et fallan la en la y*s*la dela mar aque dizen Alcuçu*n*, çerca dela y*s*la
aque llama*n* Uauac. Et á este nombre porque, *s*egund dize Ptholomeo, nascen
en aquella tierra, en los arboles, una*s* fructas en figuras de mugieres, *et* cuelgan por los cabellos, *et* mientre estan en los arboles uerdes, *s*on uiua*s*, *et*
nunqua ál faze*n* *s*i non dezir «uacuat», *et* de que *s*on maduras caen *s*e *et*
mueren. Et çerca daq*u*ella y*s*la, que es a*s*si llamada, ay logar poró pueden
yr a pie doze migeros por la oriella dela mar, *et* alli fallan estas piedras embueltas en arena. Dellas ay grandes *et* dellas pequennas, *et s*on de diuer*s*as
formas. Et *s*on muy preciadas en aquellas tierras por *s*u claridat *et* por *s*u
fremo*s*ura. *Et* los reyes las ponen en las coronas *et* en *s*ortiias, *et* en otros
ornamientos nobles que fazen.

Et á tal uertud que, el que la trae co*n*sigo nol acaesce la ymagination
aq*u*e llaman los om*n*es demonio, nin á miedo por e*s*tar el om*n*e *s*ennero de
noche, en tiniebra. Et á otra uertud; que tanto aborrece el uino, por *s*u natura, q*u*e quando la ponen con el, *s*alta *et* fuye muy derrezio. (50).

20

Setenario (s. xiii). Toledo: Catedral, ms. 43-20 (letra del s. xiv), y Escorial: Monasterio,
ms. P.II.20 (letra del s. xv), ed. de K. H. Vanderford (Buenos Aires: Instituto de Filología,
1945; reimpresión con estudio preliminar de R. Lapesa, Barcelona: Crítica, 1984).

[LEY I. — DE LAS SSIETE LETRAS DE ALPHA ET O QUE MUESTRAN CADA VNA SSIETE NONBRES DE DIOS]

(...) A es la quarta letra de Alpha e muestra otros ssiete nonbres de Dios en latín, que sson éstos:

AU- RORA	ARTI- FFEX	AURA	AUXI- LIUM	AG- NUS	ANGU- LUS	AL- TARE

Onde el nonbre de Aurora, que quiere dezir por la lunbre que viene quando aluoreçe ante que ssalga el ssol, esto sse entiende que él alunbra el mundo, assí commo el ssol ffaz el alua, con la ssu merçet et escalienta el ssol con la ssu piedat. Artiffex quiere dezir maestro conplido, e esto con grant rrazón; ca él ffizo las cosas e las ssopo ffazer de tal manera que por otro maestro non pueden sser asmadas nin ffechas. Aura quiere otrossí dezir oriella. Esto sse entiende por Dios; ca él es oriella buena e tenprada e ssana con que guaresçen las enffermedades e rressuçitan los muertos e sse perdonan los peccados. Auxilium es tanto commo ayuda e defendedor de todas las cosas que con él sse tienen. Agnus sse muestra por cordero mansso; que assí commo él es más manssa bestia que otra, assí la manssedunbre dél es tan grande que non podría sser asmada commo que él uençe e quebranta los coraçones duros e malos e los trae a ssu uoluntad. Et a los quel desaman, ffaze quel amen quando él quiere. Angulus quiere tanto dezir commo rrencón. Este nonbre conuyene mucho a Dios; que assí commo en el rrencón sse ayuntan todas las lauores e sse ffirman, assí en Dios sson ayuntados todos los bienes e dél rreçiben creçimiento e ffirmedunbre. Altar es nonbrado con grant rrazón; que todos los ssacriffiçios ffazen a él e por él sson ffechos. (3-4).

[LEY VII]. — DE CÓMMO EL RREY DON FFERNANDO ERA BIEN ACOSTUNBRADO EN SIETE COSAS

COMIEN- DO	BEUIEN- DO	SEYEN- DO	YAZIEN- DO	ESTAN- DO	ANDAN- DO	CAUAL- GANDO

Ca él comíe mesuradamente, nin mucho nin poco. Esto mismo ffazía en el beuer; ca beuye quanto conueníe e non en otra guisa, e aun esto non mucho nin a menudo. Ser sabíe en tan buen contenente que todo omne quel veye connosçíe que él era el ssennor de los otros que ý estauan. Jazer e echarsse sabía muy apuestamente e en buen contenente, e dormir; et otrosí non era dormidor. Estando en pie sse mostraua otrosí por noble omne: ca non estaua sinon a las sazones que conueníe, assí commo quando oye las misas o las

otras horas que dizen en Santa Eglesia, o quando era en poridat en ssu casa
o estando a pie algunas uezes con algunos buenos omnes que estauan con
él. Et andar de pie otrosí muy bien; ca nin lo ffazíe mucho a menudo nin
mucho de uagar, nin lo husaua de ffazer ssinon quando non lo podía escusar,
assí commo quando yua de vna casa a otra, o ssi ffallaua huerto o prado
o logar ffermoso por ó ouyese sabor de andar por rreçebir gasaiado o ssolaz
contra los enxecos e trabaios que rreçibíe en cuydar e en ffablar en los grandes
ffechos que auya de ffazer. Caualgando se conponíe otrosí muy bien en ffa-
zerlo otrosí muy apuestamente e en buenas bestias e ffermosas e bien apuestas
de ffrenos e de ssiellas. (12-13).

[Ley XI]. — Por quáles rrazones pusiemos nonbre
a este libro Ssetenario

Setenario pusiemos nonbre a este libro porque todas las cosas que en él
sson van ordenadas por cuento de siete. Et esto ffué porque es más noble
que todos los otros, ssegunt que adelante sse mostrará por las rrazones que
sse dizen en él desdel comienço ffasta la ffin, e sennaladamente en esta ley,
ó a muchos más setenarios que en qualquier de las otras por demostrar por
ellos más conplidamente el nonbre del libro, que ssale de ssiete rrazones. (...)
Et por este cuento mismo partieron las ssiete hedades del omne, en esta guisa:

NINNEZ	MOÇE-DAT	MAN-ÇEBÍA	OMNE CON SSESO	FFLA-QUEZA	VEIE-DAT	FFA-LLESÇI-MIENTO

Ende ninnez, que es la primera, dura mientre el ninno non ssabe nin puede
comer e mama. Moçedat es quando ssale de ninno e comiença a sser moço
e aprende las cosas, quáles sson en ssí e cómmo han nonbre. Et esto dura
ya ffasta que es mançebo e entra en edat que podría casar e auer ffijos; que
dallí adelante cámiassele el nonbre e llámanle mançebo. Mançebo es de que
ua creçiendo en ssu vida ffasta que llega a los quarenta annos e es omne
conplido e a toda ssu ffuerça que deue auer. Omne con sseso es quando ua
ssaliendo desta ssazón e llega a los ssesenta annos e comiença a entrar en
fflaquedat. Fflaqueza es quando viene a veiedat e le enffraqueçen los mienbros e va perdiendo la ffuerça que ssuele auer. Veiedat es quando ha visto
e prouado todas las cosas e las connosçe çiertamiente, quáles sson e cómmo
deue obrar dellas. Pero ua baxando en ssu vida e en ssu ffuerça, e ssegunt
aquesto torna a auer en ssí assessegamiento e a sser sabio de guisa por que
pueda mostrar a otro. Et tales vieios commo éstos deuen sser enuergonçados
e onrrados. Ffalleçimiento es otrosí desque va enfflaqueçiendo la natura e
pierde el ssentido e torna a sser commo ninno en su manera, de guisa que
non cobdiçia ssinon comer e auer plazer. (25, 28-29).

[Ley XVI]. — Qué cosa es ssuenno

Suenno commo quier que ssea natural que ordenó Dios en la natura del omne en quel dió tienpo en que ffolgase en dormiendo por los trabaios que lieua velando —et en aquel dormir, ssegunt dixieron los que ffablaron de naturas e es uerdaderamiente, los mienbros ffuelgan e están quedos—, el spíritu de la vida mueue los sentidos e quiere obrar con ellos bien commo ssi estudiesen despiertos. Et porque esta obra non es tan ffirme commo de la que husa el cuerpo quando non duerme, et por esso ssuennan muchas cosas, dellas naturalmiente e con rrazón e dellas de otra guisa, ssegunt lo que comen o beuen o lo ál que ffazen en que andan o cuydan mientra están despiertos, o ssegunt creçen o menguan los quatro humores de que es ffecho el cuerpo; que han de creçer en él los cuydados e las antoianças de manera que lo que ffalla tiene que es çierto en quanto está en ssuennos, e quando despierta non tiene nada. Et por ende los que ssobre tan fflaco çimiento commo éste arman ssu crençia, bien se daua a entender que su creençia non era cosa ffirme nin ssana, nin podría durar luengamientre. (48).

[Ley XXVI]. — De cómmo a la luna llamauan los antigos
mugier del ssol, e por qué rrazón es así llamada

Luna, ssegunt de ssuso es dicho, es la primera planeta que está en el primero çielo más çerca de nós que las otras planetas, que quier tanto dezir commo lunbre fflaca; porque la lunbre que ha es toda del ssol, e non de ssí, e creçe e mingua ssegunt él enbía los rrayos de la luz ssobrella. Et por ende algunos de los gentiles llamauan a la luna mugier del ssol. Et quando era llena, dizían que era prennada. Et otros llamáuanla ssu ffija. E ffiziéronle anno de ccc e l e quatro días e nueue horas menos quinta parte de hora. Et el ssu mes, el vno de treynta días e el otro de veynte e nueue. Et ssu día ssennalado en lunes, e ssus horas la primera e la ochaua deste día. E la ffuerça que auye, dizíen que era de rreçebir vertud de las otras planetas e conpartirla ssobre las cosas que sson de ssu çielo ayuso. Et diéronle poder ssobre las aguas, diziendo que las ffazía creçer e menguar, e otrossí ssobre los meollos de todas cosas biuas, e generalmiente ssobre aquellos en que ha vmidat. Et de las mineras diéronle la plata. Et ffazíanle ymagen de fforma de duenna assentada en ssu cáthedra con corona en la cabeça commo rreyna, vestida de pannos blancos. Et oráuanla contra parte de occidente. Et ffazíanle ssacriffiçios de aues que andan en agua e ssuffumáuanla. Et dáuanle otrossí parte con las otras planetas en aquellas ssiete cosas que de ssuso son dichas en la ley ante désta. (58).

21

Libros de acedrex, dados e tablas (s. XIII). Escorial: Monasterio, ms. T.I.6 (fechado 1283), ed. de A. Steiger (Ginebra-Zurich: E. Droz-E. Rents, 1941).

Los blancos iuegan primero, e dan mate al rey prieto en XI uezes delos sus iuegos o en menos, si los prietos no lo sopieren alongar.

El p r i m e r o iuego es: dar la xaque del cauallo blanco en la tercera casa del alffil prieto, e entrara el rey prieto en casa de so alfferza.

El s e g u n do iuego, dar la xaque del roque blanco en la quarta casa del alfferza blanca, e entrara el rey prieto en la segunda casa de so alffil.

El t e r c e r o iuego, dar la xaque con esse mismo roque blanco en la segunda casa del alfferza prieta, e entrara el rey prieto en la tercera casa de so cauallo.

El q u a r t o iuego, dar la xaque con esse mismo roque blanco en la segunda casa del cauallo prieto en guarda del peon blanco, e entrara el rey prieto en la quarta casa de so alffil.

El q u i n t o iuego, dar la xaque con el cauallo blanco en la quarta casa del rey blanco. Si el rey prieto entrare en la quarta casa del alfferza blanca, es mate en dos iuegos:

El primero iuego, dar la xaque del otro cauallo blanco en la tercera casa del alffil blanco, e aura a entrar el rey prieto, por fuerza, en la quarta casa de su alfferza.

El segundo iuego, dar la xaque e mate con el roque blanco en la segunda casa del alfferza prieta; pues lo meior es, quandol dio xaque con el cauallo blanco al rey prieto en la quarta casa del rey blanco, que entre el rey prieto en la quarta casa de su alfferza.

El s e s t o iuego, dar la xaque con el roque blanco en la segunda casa del alfferza prieta, e entrara el rey prieto en la su quarta casa.

El s e t e n o iuego, dar la xaque con el cauallo blanco en la tercera casa del alffil blanco, e entrara el rey prieto en la quarta casa de so alffil.

El o c h a u o iuego, dar la xaque con el roque blanco en la quarta casa del alfferza prieta, e entrara el rey prieto en la quarta casa del cauallo blanco.

El n o u e n o iuego, dar la xaque con el cauallo blanco en la tercera casa del alffil prieto, e entrara el rey prieto en la tercera casa del roque blanco.

El d e z e n o iuego, dar la xaque con el roque blanco en su casa, e entrara el rey prieto en la segunda casa del cauallo blanco.

El o n z e n o iuego, dar la xaque e mate con el roque blanco en la segunda casa del roque blanco.

E si los blancos erraren de dar xaque cada uez al rey prieto, es el rey blanco mate al primero iuego con el alfferza prieta en la segunda casa del cauallo blanco. (36-38).

ÉPOCA DE SANCHO IV
(1284-1295)

22

Sancho IV, *Castigos e documentos para bien vivir* (c. 1293). Escorial: Monasterio, ms. Z.III.4 (letra de 1390-1410 [¿?]), ed. de A. Rey (Bloomington: Indiana Univ. Press, 1952).

CAPÍTULO VII

DE QUAND NOBLE COSA ES FAZER LIMOSNA E QUANTAS VIRTUDES E BIENES TRAE CONSIGO

Mio fijo, aprende bien el mio castigo. Bien auenturado es el cristiano que houo sabor de fazer elimosna e la faze. El alimosna laua los pecados del pecador; e el alimosna al que esta en mal estado trahele a verdadera peniten- çia, ca todas las obras que el pecador faze mientra que esta en pecado mortal todas son muertas saluo ende en esto, que commo quier que el pecador estan- do en pecado mortal el alimosna que estonçe faze non sea a saluamiento de su alma, atanto es lo que gana. E por el alimosna que trahe a conosçimiento e arrepentimiento de sus pecados e a que enderesçe bien [la] fazienda de su alma, por que la muerte non le alcançe en mal estado. Tal es el alimosna para el alma del omne commo la candela por que se guia el que anda de noche. En la limosna ha quantos bienes te yo agora dire. Lo primero, conosçi- miento que el omne faze a Dios de los bienes que ha en este mundo en darlo por su amor e en su nonbre alli ó deue a los pobres. Por esto dize Nuestro Sennor Jesu Cristo en el euangelio «oue fanbre e distesme a comer; oue sed e distesme a beuer; era desnudo e distesme de vestir; enfermo era e en carçel e visitastesme.» Demandaronle: «Sennor, ¿dó te vimos nós en todas estas cuy- tas e te fezimos todos estos bienes?» Respondioles Jesu Cristo: «Lo que fezis- tes en alimosna a los pobres por mi amor, a mi lo fezistes.»

Fallamos escripto en la estoria del rey Sant Aduarte de Inglaterra que vna vegada andaua a monte en el yermo con muy grand frio, e yendo el rey parti- do de toda su gente en pos vn çieruo topo con vn pobre que era gafo e estaua desnudo moriendo de frio, de tal manera que si en aquella ora non le acorrie- ran fuera muerto, segund el frio que demostraua que auie. E aquel gafo le dixo: «Rey, ruegote por amor de Jesu Cristo, aquel tu saluador, e Sant Joan Bautista, que tu amas de coraçon, que me tomes en pos de ti en la bestia e me lleues deste logar que non muera aqui; e si yo aqui moriere, a ti lo demande Dios.» E el rey quando oyo estas palabras dexo la caça e cunplio la voluntad del pobre, e por tal que non muriese de frio vestiol las vestiduras que el mesmo traya, e caualgole en la su silla, e el rey pusose en pos en las ancas de la bestia, e fue con el para vna abadia de monjes negros que era a dos leguas dende. E en yendo con el por el canpo rogole aquel pobre e gafo por aquellas palabras mesmas que te ante conte que con jura que le sonase las narizes. E commo quier que aquel rey fuese en muy grand cuyta de fazer aquello, por el husgo que ende auie, ouolo de fazer por amor de Jesu Cristo e de Sant Joan. E desque le ouo sonado las narizes fallo en la mano vn rubi muy grande e muy bueno, mayor que vn hueuo de gallina. E quando el rey cato e vio aquel rubi fue muy marauillado en el su coraçon. E quando paro mientes ante si, fallo la silla vazia e non vio mas aquel pobre. E en esta guisa entendio el rey que aquel miraglo veniera por Dios que le quisiera probar que era lo que farie por el su amor. Estonçe tomo el rey aquel rubi e pusolo en vna su corona, la qual corona es aquella con que oy dia se consagran e se coronan primeramente los reyes de Inglaterra, e asi lo vsaron despues de aquel tienpo aca. (61-62).

CAPÍTULO XXI

DE MAHOMAD

(...) Vna duenna que auia nonbre Atana era sennora de vna grant gente e de vna grand prouinçia, la qual llaman Coronica. Veyendo que a este ome se llegaua muy grande gente de moros e de judios penso en su coraçon que en el era la diuinal magestad escondidamente. E commo ella fuesse biuda, tomo a Mahomat por marido, e por eso ouo a ser Mahomad prinçipe mayor de aquella prouinçia. E tales maneras sopo traher Mahomad con esta duenna e con toda esta conpanna que todos dezian que era el mexias prometido a la ley. E commo Mahomad ouo de auer vna enfermedat gota, que es llamada perlensia, e commo esto vido Atana, su muger, fue mucho triste porque se auia casada con omne puro e gotoso. A la qual, queriendola consolar, falagauala con sus palabras muy dulçes deziendole: «Sennora, quando vós vedes que estó assi fuera de mi, sabed que veo el angel Gabriel, que me fabla de la parte de Dios, e commo non puedo sofrir la su grant claridat de la su cara, desfallesco en mi e cayo en tierra, e esta es la verdat.» E los nesçios asi lo creyan. (...)

E todas las partes ayunto Mahomad, e fizo el libro que se dize el *Alcoran*. E las cosas revoluio las vnas con otras, ca por el bautismo del agua santa que los cristianos auemos, sin la qual non podemos ser linpios de pecado, dio el por bautismo vnas palabras que se dizen en algarabia: *xihedo leylle hirala, xihedo Mahomad arraçorolla,* que quieren dezir: «Non hay otro sinon Dios, e Mahomad, su mensajero.» E mas, que mando que todos se lauasen en agua, espeçialmente quantas vegadas pasare a la muger, tantas vegadas mande que se laue con agua. Eso mesmo dando muchas graçias e solturas a las carnes de deleytes, plazeres. E afirma e dize que los moros todos han de yr a parayso, e han de comer miel e leche e manteca e bunnuelos, e han de auer muchas moças. E bien podemos dezir que si asi fuese, que la vianda que faze distinçion e estiercol, que en tal parayso aura fedor; e pues non es de creer que parayso sea dó se faga forniçio e aya fedor. E lo que los cristianos dan por malo e por pecado, dalo el por bueno e por saluaçion; e lo que damos por saluaçion, dalo el por pecado. (129-30).

23

¿Sancho IV?, *Lucidario* (c. 1293). Madrid: Nacional, ms. 3369 (fechado marzo de 1455); hay otros varios códices. Ed. de R. P. Kinkade, *Los «Lucidarios» españoles* (Madrid: Gredos, 1968).

CAPITULO lxii POR QUE RRAZON LA PULGA E EL PIOJO AN MUCHOS PIES, EL CABALLO, EL ORIFANT [sic] NON AN MAS DE CADA QUATRO

Dixo el diçipulo: «maestro, rruego te que me digas vna palabra que fallo escripta, la qual dize asi: interposuit interdum gaudia curis; e quiere dezir: entre todos los cuydados pon en medio a las vezes algund plazer. Pues por ende, mio maestro, ó yo tantas demandas fago cada dia e tan graues e fuertes de thologia e de naturas, rruego te que me sueluas vna demanda que te yo fare en solas, la qual es esta: que me digas por que rrazon ha la pulga, e la formiga, e el piojo muchos pies e el elefante, e el cauallo, e el buy [sic] non han mas de quatro, ca estas animalias que son foertes de cuerpo e muy grandes, e muy pesadas, por rrazón mas pies deuien auer para sofrir toda aquella carga que non la formiga e la pulga que son animalias mesquinas e pequennas e liuianas; por ende te rruego que me digas por ques.» Rrespondio el maestro: «como quier que tu cuydas es muy lliuiana de soluer e de jogleria, non es tan ligera para soluer como tu cuydas, mas pues que quieres, yo te lo dire. Tu deues saber que todas las criaturas que viuen, asi las que guaresçen sobre tierra como las que viuen [so] tierra, e que viuen en el ayre e en el mar, e en las auguas, todas son fechas de tres naturas las quales son estas: la primera es generaçion engendrada de padre [e de madre]; la segunda generaçion es que se faze de corronpimiento de la tierra; la terçera generaçion que se faze de corronpimiento de las auguas en que se faze de limos viscosos de que se engendran animalias de aquella natura que son pescados m[a]riscos. E por ende, tu deues saber que todas [las] animalias que sobre tierra viuen e so tierra, que son engendradas de padre o de madre, que todas han quatro pies e non mas; e esto es a semejança del omne que Dios ordeno que ouedesçiesen, que desde Adan, que fue el primero, afueras, todos los otros nasçieron de padre e de madre; e por ende, como quier quel omne ande sobre [dos] pies e traya los braços e las manos para ayudarse dellos, si se vaxase a andar por tierra sobre las manos, andarie en quatro pies. Otrosi, las abes que buelan en el ayre mueben las alas que tienen en logar de braços, e con las pierrnas vanse apujando en el ayre estendiendo las alas e encogiendo las en semejança de las otras que han quatro pies que son fechas de padre e de madre; quando andan o corren estas vestias primero mueben los pies delante e despues, las çagueras en pos ellos; vien asi fazen las aues que primero mueben las alas e despues las pierrnas en pos ell[a]s. Por esta rrazon, cada vestia que vieres grande que aya quatro pies o pequenna, sepas que naturalmente es fecha de padre e de madre; e la natura que Dios ordeno, faze todas las cosas ordenadas, e por eso les dan que ayan quatro pies sennalados sobre que anden e en que sostengan la grandez de sus cuerpos. E las otras animalias que tu vieres que non han ningund pie e andan rrastrando sobre sus vientos [sic] asi como las culuebras e las serpientes, estas non son fechas de generaçion de padre nin de madre, sinon de corronpimiento malo que se faze en la tierra, e las mas dellas non fazen generaçion. E otrosi otras animalias que veras pequennas como tu agora dizes por las formigas, e las pulgas, e los piojos, e otras tales como estas que han muchos pies en que feçiste demanda por que estos tales auien muchos pies, es por esta rrazon: tales animalias como estas non son fechas de generaçion de padre nin de madre, e por eso non son naturales, ca non son fechas de natura ordenada que Dios mando; e por eso non han ordenamiento en sus fechuras nin en sus pies. Ca las pulgas fazen se e crian se del poluo e del estiercol de la casa; e las formigas de la sequedad de la tierra en los logares a dó por grant sequedat se forada la tierra contra yuso; e desque en tal tierra como esta cahe vmidad de la lubia o del rruçio, faze las formigas subir arriba, ca ya non se pueden mantener de aquella sequedat que avien en aquel logar dó estaban, e han a buscar de fuera que coma[n] de otra de bianda, ca non de aquella en que nasçieron e en que se crian; los piojos e los aradores son fechos del corronpimiento de la carrne del omne [e de la su sangre e de los otros humores que son en el cuerpo, ca tal] es la vida del omne que non podrie durar si non fuesen por estas cosas que la natura echa de si. Los pescados que andan en la mar non han pies, ca la natura non les da rrazon por que los ayan menster, mas han aletas pequennas con que se vezan andar; e ellos son de natura tan ligeros e tan sofridores del ayre [so] el augua que boluiendo e mouiendo se en el cuerpo de la [vna] parte a la otra, van pero quiere; e la rrazon por que ellos sufren el ayre andando so el augua, que non se afogan, es esta. Tu deues saber que ningund pescado non á pulianon [sic], ca si pulon ouiese, non podria sufrir de andar so el agua que se non afogase [sy a çima non saliere a coger ayre de nueuo con que folgase]. E otrosi, como son de [fria] conplision, [an] el corazon frio, e por eso non an menester sinon poco ayre para veuir e andar so el augua; e en logar de pulmon, an entre las quixadas e las alas delanteras las aguilas, e por aquellas aguilas rresçiben ayre quanto quiere[n] en guisa que non se afogan por andar que anden so el agua; e estas aguilas son de tal natura e de tal viscosidad an en si, que desque el pescado es sacado e es fuera del agua, e se ellos comiençan a secar en si por la vmidad de la agua que les mengua, e la su sequedad faze afogar el pescado. E todos los pescados que andan en el mar e en los rrios son de dos naturas como quier que muchos departimientos ayan en si de colores e de façiones, ca los mas son de generaçion de padre e de madre e los otros se crian e fazen de podrimiento del agua e de viscosidad que se faze en ella. E como quier que la tierra sea tierra e el mar e las aguas sean aguas, e asi como en la tierra se crian todas las animalias de generaçiones de padre e de madre e de corronpimiento, vien asi se crian en la mar a semejança desto.»

CAPITULO [...] POR QUE NON SEMEJA VN HOMNE A OTRO

Pregunto el diçipulo a su maestro e dixo: «rruego te que me digas, pues que me rrespondiste a esta ál, que rrazon es por que non semeja vn omne a otro, que quando vien paro mientes a todas las criaturas que son viuas sobre tierra, non fallo otras ningunas en que contesca sinon en los omnes; ca beo de los leones que si fueren çiento o dozientos, que todos semejan vnos a otros en façida e en color; e otrosi, las otras animalias, como quier que sean desuariadas en color vna de otra, todas aquellas que son de vna natura, todas se semejan en guisa que como quier que ayan las colores desuariadas, por la façion podra omne entender que son de vna natura; mas veo de los omnes que non es asi». Rrespondio el maestro e dixole: «sotil demanda me as fecha e non es cosa a que te pueda rresponder por thologia, mas segund naturas te rrespondre a ella, ca esto es obra que se faze por natura. E quiero te dezir, como ya te yo dixe, de como en el cuerpo del omne son quatro vmores a semejança de los quatro elementos de que es [con]puesto el mundo, e estos quatro humores son estos: el primero es la colora que es mas sotil e mas agudo a semejança del elemento del fuego; el segundo es la sangre que es a semejança del elemento del ayre; el terçero es la flema que es a semejança del elemento de la agua; [el] quarto es la malenconia que es a semejança del elemento de la tierra. Pues estos quatro humores que te yo he agora contado, que son conpuestos en el cuerpo del omne ordenadamente; cada vno dellos a su tienpo e a su ora en el dia e en la noche que rreyna en el cuerpo del omne, el vno mas quel otro; que desi, las siete planetas, que te yo dixe ante desta quistion, andan por los çielos por las figuras de los doze signos, e cada vno destos doze signos [a su çerco. En derredor en aquel çerco que tien cada vno] estan figuradas todas aquellas figuras que en este mundo podrie(n) [omne] cuydar e ymaginar en el su corazon, o pintando las en la pared; [e estas] ymagenes [son] de aquella natura de que es el signo e el signo lieua vertud de aquella planeta que a la mayor vertud en el que las otras que es figurado; e quando aquella planeta viene a echar los rrayos de si e estos rrayos pasan por algunas destas figuras que [estan en] el çerco del signo, e en pasando por aquellas figuras, llieua vertud consigo de aquella semejança de que es la figura. E en aquel tienpo acaesçe que se engendra la criatura en el vientre de su madre, e conbiene de tirar en[de] alguna cosa que semeje aquella figura pero le viene la vertud de aquella estrella que es llamada planeta, e a la semejança en figura e en color; e por eso fallamos muchas vegadas que acaesçen que seran el padre e la madre sanos e escorre-

chos e fermosos e saldra el fijo ligiado e non tan solamente destas lisiones
que son vistas entre nós, mas de otras lisiones estrannas quel saldran en el
rrostro o en el cuerpo que todos quantos lo vieron se marauillaran dello; e
todo esto viene por rrazon de aquellas figuras que te yo ya dixe. E como
quier que dizen los omnes que estas cosas non serien sinon por Dios, dizen
muy grande verdad, ca si Dios non quisiere, non serie nada; ca el es sobre
la natura como aquel que la fizo, para fazerla e para desfazerla quando quisiere, ca todo es en su poder; mas quando el fizo la natura, ordeno para
ella que los cuerpos e las figuras de los çielos ouiesen poder sobre los terrenales en fazerlos, e desque son fechos, torrna los a su natura. E otrosi, con
ayuda desto, quando se engendra criatura en el vientre de su madre, segund
es la ora del dia e de la noche, acaesçe que rreyna mas en el cuerpo del
padre o de la madre la vna vmor que las otras; e de aquella vmor que mas
rreyna, fazese la mayor parte de la criatura; e por esta rrazon á de semejar
mas a la natura de aquella vmor que de las otras, e quiero te dezir como.
Luego, lo primero, la colora, que es del elemento del fuego, fallamos que
es caliente e seca; e por eso, los que son coloricos son naturalmente mas ama-
riellos que blancos, e son secos e han viso de los ojos muy viuo, e el entendimiento muy agudo; e son muy senudos de natura, e asi como se ensanna
ligeramente, non les dura mucho la sanna, e sinon es alguno por marabilla
naturalmente; todos an cumunales los mienbros pequennos e delgados e secos.
La sangre es a semejança del elemento del ayre, e por eso es ella calliente
e humida, e por estas dos cosas que ella ha en si, se mantiene el alma del
omne; ca por la calentura se gobierna el cuerpo e por la vmidad [corre la
vertud della por las venas que son en el cuerpo]; e por eso todos aquellos
que son sanguinos son vien colorados e han los mienbros vien grandes e vien
façionados; e asi como son vien colorados, asi son de la otra parte blancos,
e esto es por la flema que anda buelta con la sangre, ca mas tira a su natura
que ninguno de los otros vmores; e los omnes sanguinos son mas tenprados
en todas las cosas que han a fazer que los [otros] omnes que viuen, mas
sol que sean goardados por sangria que les fagan a tienpo sabido porque non
huye en ellos pujar gran pujamiento de sangre de que se ouiese a fazer postema e estos otros males que se fazen de corronpimiento de la sangre, e la
rrazon por que se esto faze en la sangre te dire yo agora. Quando ella es
mucha en el cuerpo del omne, en guisa que es sobeja, auiendo y mucho mas
de lo que es mucho menester, atiesta se en guisa que non puede correr por
las uenas ella nin los otros humores que andan bueltos con ella; ella nin los
espiritus de que se mantiene[n] el cuerpo non puede[n] correr por las venas
por la sangre que es mucho espesa; [por]que ella non puede correr de vna
parte nin a otra, á se de trauajar, e estando queda, viene a corronperse e
nasçe ende mal para el omne en manera que si este mal es tal que pueda
la natura con el, busca la natura logar poról eche fuera del logar del cuerpo,
e si el es tal que pueda mas que la natura, mata al omne. E el terçero vmor
es la flema, e este es del elemento del agua; e el vmor es frio e humido e
todos los omnes que son flematicos son naturalmente gruesos e han las enfer-

medades luengas, e non son tan peligrosas como las otras callientes e secas;
e son blancos de natura e encanesçe[n] mas ayna que los otros omnes e esto
es por la friura de la flema que han en la cabeça que lo faze; e han el entendimiento grueso e al su grado sienpre quiere comer e veuer e yazer de cuesta,
e en tierra caliente; conponese mejor con la calentura que otra gente e si
pusieres la leunga en el cuero dél, fallarlo as que á (en) el cuerpo salgado
mas que otro omne; e asi como se para vien a sofryr la calentura en la tierra
calliente, asi se conpone peor en lo frio e en la tierra fria, que por grosura
que ha en si, non le puede sofryr; e han la carne mas muelle que otros omnes,
e por eso les es defendido en fisica que non coma carne de puerco, e mas
la carne fresca e non la salgada; e otrosi, les es defendido el pescado porque
es de su natura; e otrosi, [mandan les que beuan en antes vino que agua
porque la agua es de su natura]; a estos va les mejor quando son mançebos,
que despues que comiença a vegeçer, que quanto mas caen en dias, tanto
les van peor cadal dia, porque cadal dia cresçe mas en ellos la flema e fazense
gruesos e perlaticos e han otras enfermedades muchas con que pasan vida
mala en este mundo fasta que mueren. La malenconia es el vmor del elemento
de la tierra e es fria e seca, vien asi como es la tierra; e porque la tierra
es el mas pesado elemento de todos, vien asi son los omnes malenconiosos
muy pesados e muy asosegados en querer pasar todo su tienpo en cuydado,
que nunca ál quiere fazer de dia nin de noche al su grado; dó, si los dexasen,
(o) non ouiesen verguença de los omnes, ca non les avonda a ellos cuydar
en las cosas que les es menester, mas tan vien en las que pueden seer (en
las que pueden seer) como en las que [non] pueden seer, en todas tienen por
derecho de cuydar; e de aqui han muchas fantasticas por que han a perder
el seso, e esto les contesçe por la sequedad que se les faze en el meollo, que
de aqui viene la locura; e esta sequedat del meollo es por lo que te dixe,
que la malenconia es fria e seca; ca por la friura se pierde la calentura e
la vmidad del meollo, e la secura faze de secar en si, por que viene el omne
a perder el seso e tornar a ser loco. E esto contesçe en los omnes en que
es muy sobeja la malenconia, ca la malenconia fallamos nós de dos naturas:
la vna es malenconia natural que es cumunalmente en todos los cuerpos de
los omnes; la otra, que se faze del gran sobejamiento de la colora, que quando
es muy sobeja, quema se por el grand ençendimiento que ha en si e torrna
asi como çeniza quemada; e como quier que toda es mala, e sobeja, peor
es esta postremera que la primera, e mas nozible para el cuerpo del omne.
E el omne que es malenconico, fallarlo as seco e los mienbros como secos
e encogidos; e sienpre ha mayor friura en si que otro omne, e al su grado
querria comer cada dia a menudo e estol faze la malenconia, que esta en
fondon del estomago, que rrasca el estomago; aquel rrascar que es en el estomago es el sabor de comer; e el malenconico es triste de natura e rretiene
vien las cosas que oye, que non se le oluidan; e envegesçe ayna en el rrostro,
mas non envegesçe tan ayna como el flematico; e de llieue nunca rrie e quando
lo faze, faze lo muy fuerte e dural muy grand pieça; e despues que va entrando en dias, faze le la conplision muy fuerte como fierro e dural mucho; e

los malenconicos que son de natura han la color entre negra e parada como en çenizienta. E por estas rrazones que te he contadas, non semeja vn omne a otro.» (230-37).

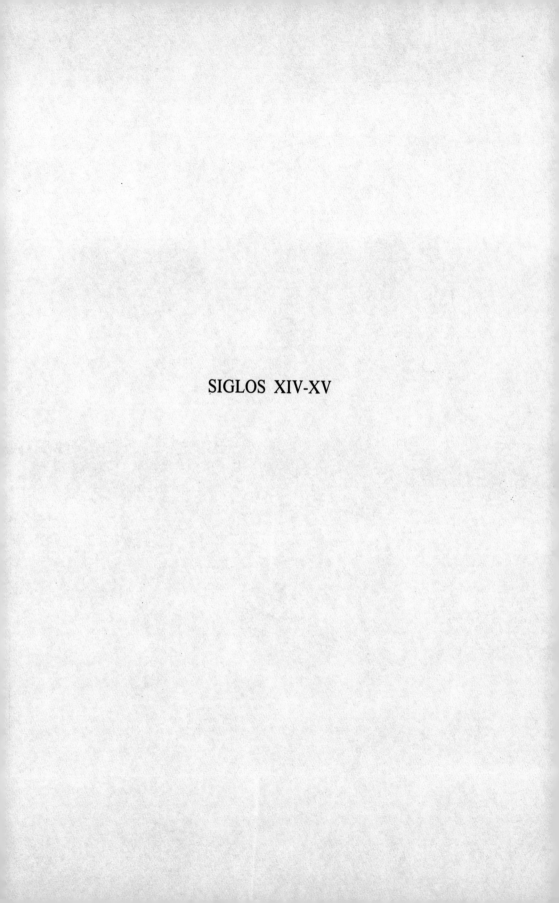

SIGLOS XIV-XV

POESÍA LÍRICO-DOCTRINAL Y ÉPICA

(SIGLO XIV)

«CUADERNA VÍA»: DECADENCIA E INNOVACIÓN EN EL «MESTER DE CLERECÍA»

1

Libro de miseria de omne (adaptación del s. XIV del *De contemptu mundi* de Inocencio III). Santander: Menéndez y Pelayo, ms. M/77 (letra del s. XV), ed. de P. Tesauro (Pisa: Giardini, 1983).

[PROLOGUS]

1

Todos los que vos preciades venit a seer comigo;
más vos preciaredes siempre si oyerdes lo que digo;
el que bien lo retoviere a Dios abrá por amigo,
ca sabrá dexar ablezas muchas que trae consigo.

2

El buen papa Inoçençio [16], e muy santo coronado,
maestro en las siete artes, por todo el mundo nombrado,
de las miserias del ombre fizo un libro ditado:
puso ý muchas razones como flores en el campo. (...)

---

[16] Inocencio III (o sea, Lotario, hijo de Trasimondo, conde de Segni) nació en 1161 y murió en 1216 (fue papa entre 1198 y 1216).

13

Formado es de otras cosas el omne malventurado:
polvo, lodo e çeniza, sperma de suzio estado;
es en comezón de carne concepto e engendrado,
es e nascido a trabajo e a muerte por su pecado.

14

Faze muchas malas obras, por que ave a Dios airado;
pues a Dios ave en saña, non tiene a ningún pagado;
si los omnes bien no·l quieren, non pued bevir segurado:
más le valdriá que non fuese nascido e engendrado. (...)

16

¿Qué será del mesquino omne quando salier d'esta vida?
Será massa, la su carne, feda, suzia e podrida,
de gujanos que non mueren despedaçada e roída,
e en perdurable fuego con los dïablos ardida.

DE VILITATE NATURE

17

De las miserias del omne compeçévos de contar;
quatro son los elementos, quiero vos los contar:
fuego, aire, tierra, agua; d'ésos quixo Dios crïar
las cosas de aqueste mundo que fueron e son e han de star. (...)

28

Por Dios, ¿quí trobaría omne que con su muger yoguiese,
quandoquier que ese fecho por fijos aver feziese,
que non venga ý deleite e sabor ý non oviese?
Mentiría por la barba todo omne que lo dixese.

29

Si metiéredes el vino en el vaso corrompido,
la corrupción del vaso tornará el vino podrido;
así es del mesquino omne que de muger es nasçido:
nasce suzio con pecado, de tal vaso es salido. (...)

DE DOLORE PARTUS, EIULATU INFANTIS

42

Todos nascemos plorando: como lo sé, desir vos lo he:
si nasçe varón, dize: «ah», si nasçe muger, dize: «eh».
Así dizen nuestros sabios, otra guisa non lo sé,
ca non vi parir muger nin el fijo le saqué. (...)

48

La muger siempre concibe en luxuria e en fedor,
pare siempre la mesquina en tristeza e en dolor,
nodreçe su crïatura en angustia e en labor,
e guárdala noche e día con acuzia e temor.

DE VANAGLORIA D'ESTE MUNDO

389

Demás ave otro vicio que vos lo quiero contar:
vanagloria es llamado, pleno es de mal afar,
onde non es omne en mundo que non lo faga pecar
ca por dicho o por fecho fázelo gloriar. (...)

393

Gloríanse muchos omnes de forniçios pertratar,
de casadas e de vivdas e de niñas disfamar,
maguer que non las ovieren, d'ellas se quieren alavar,
por que muchas pierden consejo e aven putas estar. (...)

COMO SE GLORÍAN LAS MUGERES

395

Dirévos de las mugeres quál es el su glorïar:
mésanse las sobreçejas, fázenselas pintar,
porque ayan altas fruentes los pelos fazen pelar,
e pónense los revoles que las fagan colorar.

396

Mas aquél es buen color e es buena fermosura
que a muger o a varón puso Dios por su mesura,

ca el color apostizo lodo es e poco dura;
qui lo pone faz pecado, así dize la scriptura.

397

Demás ninguna muger, que buena quisiere ser,
nin revoles nin pinturas nunca las deve poner,
ca fazen rugada cara e la boca mal oler,
desende, lo que es peor, el amor de Dios perder. (...)

QUOD IN INFERNO IX SPICIALES PENE ESSE LEGUNTUR

473

Allí son las nueve penas quales vos quiero contar:
la primera es de fuego que siempre ave de durar,
si todo el mar ý cayese non lo podría amatar,
mas el mar por fina fuerza en fuego ave de tornar.

482

Paresçen en la otava todos los omnes malfechores;
formas malas de dïablos, de serpientes e dragones,
flamas dando por las bocas, con terribles visïones
que conturban e estorvan a todos los pecadores.

483

En la novena son los lazos de fuego e de cadenas
pora enlazar los ombres e echarlos en las penas,
allí penarán las almas e las carnes con las venas,
cada una por su culpa, ca non por culpas agenas.

484

Todo omne muy codicioso e ardit pora aver,
que toda su esperança en él la quiere poner,
en aquel maldito fuego sepa que ave de arder,
ca el oro e la plata non le podrá pro tener.

2

Juan Ruiz (¿1295-1353?), *Libro de buen amor* (1330/1343). Salamanca: Universitaria,
ms. 2663, y Madrid: Academia Española, ms. 19 (letra de principios del s. xv y de finales
del s. xiv, respectivamente), ed. de J. Joset (2 tomos, 2.ª ed.; Madrid: Espasa-Calpe, 1981),

con correcciones sacadas de *Nuevas investigaciones sobre el «Libro de buen amor»* (Madrid: Cátedra, 1988), págs. 148-50, del mismo editor Joset.

ÉSTA ES ORACIÓN QU'EL AÇIPRESTE FIZO A DIOS
QUANDO COMENÇÓ ESTE LIBRO SUYO

1 Señor Dios, que a los jodíos, pueblo de perdiçión,
   saqueste de cabtivo, del poder de Far[aón],
   a Danïel saqueste del poço babilón:
   saca a mí coitado d'esta mala presïón. (...)
10 Dame graçia, Señora de todos los señores,
   tira de mí tu saña, tira de mí rencores,
   faz que todo se torne sobre los mescladores:
   ¡ayúdame, Gl[or]iosa, Madre de pecado[res]. (...)

[PRÓLOGO EN PROSA]

Intellectum tibi dabo, et instruam te in via hac qua gradieris: firmabo super te oculos meos. El profeta David, por Spíritu Santo fablando, a cada uno de nós dize en el psalmo triçésimo primo del verso dezeno, que es el que primero suso escreví. En el qual verso entiendo yo tres cosas, las quales dizen algunos doctores philósophos que son en el alma e propiamente suyas; son éstas: entendimiento, voluntad e memoria. Las quales, digo, si buenas son, que traen al alma consolaçión e aluengan la vida al cuerpo e danle onra con pro e buena fam[a]. Ca por el buen entendimiento entiende onbre el bien e sabe dello el mal. (...)

Onde yo, de mi poquilla çiençia e de mucha e grand rudeza, ent[end]iendo quántos bienes faze perder al alma e al cuerpo e los males muchos que les apareja e trae el amor loco del pecado del mundo, escogiendo e amando con buena voluntad salvaçión e gloria del paraíso para mi ánima, fiz esta chica escriptura en memoria de bien e conpuse este nuevo libro en que son escriptas algunas maneras e maestrías e sotilezas engañosas del loco amor del mundo, que usan algunos para pecar. Las quales, leyéndolas e oyéndolas omne o m[u]ger de buen entendimiento que se quiera salvar, descogerá e obrarlo ha. (...)

Enpero, porque es umanal cosa el pecar, si algunos, lo que non los consejo, quisieren usar del loco amor, aquí fallarán algunas maneras para ello. E ansí este mi libro a todo omne o muger, al cuerdo e al non cuerdo, al que entendiere el bien e escogiere salvaçión e obrare bien amando a Dios; otrosí al que quisiere el amor loco en la carrera que andudiere, puede cada uno bien dezir: *Intellectum tibi dabo e cetera.* E ruego e consejo a quien lo oyere e lo viere, que guarde bien las tres cosas del alma: lo primero, que quiera bien entender e bien juzgar la mi entençión, porque lo fiz, e la sentençia de lo que ý dize, e non al son feo de las palabras: se segu[n]d derecho, las palabras sirven a la intençión e non la intençión a las palabras. E Dios sabe que la mi intençión non fue de lo fazer por dar manera de pecar ni[n] por maldezir, mas fue por reduçir a toda persona a memoria buena de bien obrar e dar ensienplo de buenas constunbres e castigos de salvaçión; e porque sean todos aperçebidos e se puedan mejor guardar de tantas maestrías como algunos usan por el loco amor. (...)

E conpóselo otrosí a dar algunos leçión e muestra de metrificar e rimar e de trobar; ca trobas e notas e rimas e ditados e versos fiz conplidamente, segund que esta çiençia requiere. (I, 6-14).

AQUÍ DIZE DE CÓMO EL AÇIPRESTE ROGÓ A DIOS QUE LE DIESE GRAÇIA QUE PODIESE FAZER ESTE LIBRO

13   Tú, Señor e Dios mío que el omne formeste,
enforma e. ayuda a mí, el tu açipreste,
que pueda fazer librō de buen amor aqueste,
que los cuerpos alegre e a las almas preste.

14   Si queredes, señores, oír un buen solaz,
ascuchad el romançe, sosegadvos en paz;
non vos diré mentira en quanto en él yaz,
ca por todo el mundo se usa e se faz.

15   E porque mejor sea de todos escuchado,
fablarvos he por trobas e por cuento rimado:
es un dezir fermoso e saber sin pecado,
razón más plazentera, fablar más apostado.

16   Non tengades que es libro de neçio devaneo,
nin creades que es chufa algo que en él leo:
ca, segund buen dinero yaze en vil correo,
ansí en feo libro está saber non feo.

17   El axenuz, de fuera negro más que caldera,
es de dentro muy blanco más que la peñavera;
blanca farina está so negra cobertera,
açúcar dulçe e blanco está en vil cañavera.

18   So la espina está la rosa, noble flor,
en fea letra está saber de grand dotor;
como so mala capa yaze buen bevedor,
ansí so mal tabardo está el buen amor.

19   Porque de todo bien es comienço e raíz
la Virgen Santa María, por ende yo, Juan Ruiz,
Açipreste de Fita, d'ella primero fiz
cantar de los sus gozos siete, que ansí diz:

Gozos de Santa María

20   ¡O María!,
luz del día,
tú me guía
todavía.

21   Gánam' gracia e bendiçión
de Jhesú consolaçión,
que pueda con devoçión
cantar de tu alegría. (...)

Aquí fabla de cómo todo omne entre los sus cuidados se deve alegrar e de la disputaçión que los griegos e los romanos en uno ovieron

44   Palabras son de sabio e díxolo Catón,
que omne á sus coidados, que tiene en coraçón,
entreponga plazeres e alegre razón,
ca la mucha tristeza mucho pecado pon.

45   E porque de buen seso non puede omne reír,
avré algunas burlas aquí a enxerir:
cada que las oyeres non quieras comedir
salvo en la manera del trobar e dezir.

46   Entiende bien mis dichos e piensa la sentençia:
no m' contesca contigo como al dotor de Greçia
con el ribald romano e su poca sabiençia,
quando demandó Roma a Greçia la çiençia.

47   Ansí fue que romanos las leyes non avién,
fuéronlas demandar a griegos que las tenién;
respondieron los griegos que las non meresçién
nin las podrién entender, pues que tan poco sabién.

48   Pero que si las querién para por ellos usar,
que ante les convenié con sus sabios disputar
por ver si las entendién e meresçían levar:
esta respuesta fermosa davan por se escusar.

49   Respondieron romanos que les plazía de grado:
para la disputaçión pusieron pleito firmado;
mas, porque non entendrién el lenguaje non usado,
que disputasen por señas, por señales de letrado.

50   Pusieron día sabido todos por contender;
fueron romanos en coita, non sabién qué se fazer
porque non eran letrados nin podrían entender
a los griegos dotores ni a su mucho saber.

51   Estando en su coita, dixo un çibdadano
que tomasen un ribald, un vellaco romano;
segund Dios le demostrase fazer señas con la mano
que tales las feziese: fueles consejo sano.

52   Fueron a un vellaco muy grand e muy ardid;
dixiéronle: «Nós avemos con griegos nuestro conbid
para disputar por señas; lo que tú quisieres pid
e nós dártelo hemos; escúsanos d'esta lid.»

53   Vistiéronlo muy bien paños de grand valía,
como si fuese dotor en la filosofía;
subió en alta cathreda, dixo con bavoquía:
«D'oy mais vengan los griegos con toda su porfía.»

54   Vino aý un griego, dotor muy esmerado,
escogido de griegos, entre todos loado;
sobió en otra cathreda, todo el pueblo juntado,
e començó sus señas como era tratado.

55   Levantóse el griego, sosegado, de vagar,
e mostró sólo un dedo que está çerca el pulgar,
luego se assentó en ese mismo lugar;
levantóse el ribald, bravo, de malpagar.

56   Mostró luego tres dedos contra el griego tendidos:
el pulgar con otros dos que con él son contenidos,
en manera de arpón los otros dos encogidos;
assentóse el neçio, catando sus vestidos.

57   Levantóse el griego, tendió la palma llana
e assentóse luego con su memoria sana;
levantóse el vellaco con fantasía vana,
mostró puño cerrado: de porfía a gana.

58   A todos los de Greçia dixo el sabio griego:
«Merecen los romanos las leys, non gelas niego.»
Levantáronse todos con paz e con sosiego;
grand onra ovo Roma por un vil andariego.

59   Preguntaron al griego qué fue lo que dixiera
por señas al romano e qué le respondiera.
Diz: «Yo dixe que es un Dios; el romano que era
uno en tres personas, e tal señal feziera.

60   Yo dixe que era todo a la su voluntad;
respondió que en su poder tenié el mundo, e diz verdad.
Desque vi que entendién e creién la Trinidad,
entendí que meresçién de leyes çertenidad.»

61   Preguntaron al vellaco quál fuera su antojo;
diz: «Díxom' que con su dedo que m' quebrantaría el ojo;
d'esto ove grand pesar e tomé grand enojo,
e respondíl' con saña, con ira e con cordojo

62   que yo le quebrantaría ante todas las gentes
con dos dedos los ojos, con el pulgar los dientes;
díxom' luego após esto que le parase mientes,
que m' daría grand palmada en los oídos retinientes.

63   Yo l' respondí que l' daría a él tal puñada
que en tienpo de su vida nunca la vies vengada;
desque vio que la pelea tenié mal aparejada,
dexóse de amenazar dó non gelo preçian nada.»

64   Por esto diz' la pastraña de la vieja ardida:
«Non ha mala palabra si non es a mal tenida»;
verás que bien es dicha si bien es entendida:
entiende bien mi libro e avrás dueña garrida.

65   La bulra que oyeres non la tengas en vil;
la manera del libro entiéndela sotil;
saber bien e mal, dezir encobierto e doñeguil,
tú non fallarás uno de trobadores mill.

66   Fallarás muchas garças, non fallarás un uevo;
remendar bien non sabe todo alfayate nuevo:
a trobar con locura non creas que me muevo;
lo que buen amor dize, con razón te lo pruevo.

67   En general a todos fabla la escriptura:
los cuerdos con buen seso entendrán la cordura;
los mançebos livianos guárdense de locura:
escoja lo mejor el de buena ventura.

68   Las del buen amor son razones encubiertas:
trabaja dó fallares las sus señales çiertas;
si la razón entiendes o en el seso açiertas,
non dirás mal del libro que agora refiertas.

69   Do coidares que miente dize mayor verdat:
en las coplas pintadas yaze grand fealdat;
dicha buena o mala por puntos la juzgat,
las coplas con los puntos load o denostat.

70   De todos instrumentos yo, libro, só pariente:
bien o mal, qual puntares, tal diré çiertamente;
qual tú dezir quisieres, ý faz punto, ý tente;
si me puntar sopieres sienpre me avrás en miente.

AQUÍ DIZE DE CÓMO SEGUND NATURA LOS OMNES E LAS
OTRAS ANIMALIAS QUIEREN AVER CONPAÑÍA
CON LAS FENBRAS

71   Como dize Aristótiles, cosa es verdadera,
el mundo por dos cosas trabaja: la primera,
por aver mantenençia; la otra cosa era
por aver juntamiento con fenbra plazentera.

72   Si lo dexies' de mío, sería de culpar;
    dízelo grand filósofo, non só yo de reptar:
    de lo que dize el sabio non devemos dubdar,
    ca por obra se prueva el sabio e su fablar.

73   Que diz verdat el sabio clarame[n]te se prueva:
    omnes, aves, animalias, toda bestia de cueva
    quieren segund natura conpaña sienpre nueva,
    e mucho más el omne que toda cosa que s' mueva.

74   Digo muy más el omne que toda creatura:
    todas a tienpo çierto se juntan con natura;
    el omne de mal seso todo tienpo, sin mesura,
    cada que puede e quiere fazer esta locura.

75   El fuego sienpre quiere estar en la çeniza,
    comoquier que más arde quanto más se atiza;
    el omne quando peca bien vee que desliza,
    mas non se parte ende ca natura lo entiza.

76   E yo, como só omne como otro, pecador,
    ove de las mugeres a las vezes grand amor;
    provar omne las cosas non es por end peor,
    e saber bien e mal, e usar lo mejor. (...)

114   Fiz con el grand pesar esta troba caçur[r]a;
    la dueña que la oyere por ello non me aburra:
    ca devriénm' dezir neçio e más que bestia burra,
    si de tan grand escarnio yo non trobase burla.

DE LO QUE CONTESÇIÓ AL ARÇIPRESTE CON FERRAND GARÇÍA, SU MENSAJERO

115   Mis ojos non verán luz,
    pues perdido he a Cruz.

116   Cruz cruzada, panadera,
    tomé por entende[de]ra,
    tomé senda por carrera
    como [faz el] andaluz.

117   Coidando que la avría,
    díxelo a Ferrand Garçía
    que troxies' la pletesía
    e fuese pleités e duz.

118   Díxom' que l' plazía de grado,
    fízos' de la Cruz privado:
    a mí dio rumiar salvado,
    él comió el pan más duz.

119   Prometiól' por mi consejo
    trigo que tenía añejo

e presentól' un conejo,
el traidor falso, marfuz.

120   ¡Dios confonda mensajero
tan presto e tan ligero!
¡Non medre Dios conejero
que la caça ansí aduz!

121   Quando la Cruz veía, yo sienpre me omillava,
santiguávame a ella doquier que la fallava;
el conpaño de çerca en la Cruz adorava;
del mal de la cruzada yo non me reguardava.

122   Del escolar goloso, conpañero de cucaña,
fize esta otra troba, non vos sea estraña:
ca de ante nin después non fallé en España
quien ansí me feziese de escarnio magadaña.

AQUÍ FABLA DE LA CONSTELAÇIÓN E DE LA PLANETA EN QUE
LOS OMNES NASÇEN, E DEL JUIZIO QUE LOS ÇINCO
SABIOS NATURALES DIERON EN EL NASÇEMIENTO
DEL FIJO DEL REY ALCARAZ

123   Los antiguos astrólogos dizen en la çiençia
de la astrología una buena sabiençia:
qu'el omne, quando nasçe, luego en su naçençia,
el signo en que nasçe le juzgan por sentençia.

124   Esto diz Tholomeo e dízelo Platón,
otros muchos maestros en este acuerdo son:
qual es el asçendente e la costellaçión
del que naçe, tal es su fado e su don.

125   Muchos ay que trabajan sienpre por clerezía,
deprende[n] grandes tienpos, espienden grant quantía;
en cabo saben poco, que su fado les guía:
non pueden desmentir a la astrología.

126   Otros entran en orden por salvar las sus almas,
otros toman esfuerço en querer usar armas,
otros sirven señores con las sus manos amas,
pero muchos de aquestos dan en tierra de palmas.

127   Non acaban en orden nin son más cavalleros,
nin han merçed de señores nin han de sus dineros;
porque puede ser esto, creo ser verdaderos,
segund natural curso, los dichos estrelleros.

128   Porque creas el curso d'estos signos atales,
dezirt' he un juizio de çinco naturales,
que judgaron un niño por sus çiertas señales,
dieron juizios fuertes de acabados males.

129   Era un rey de moros, Alcaraz nonbre avía;
       nasçióle un fijo bello, más de aquél non tenía;
       enbió por sus sabios, d'ellos saber quería
       el signo e la planeta del fijo que l' nasçía.

130   Entre los estrelleros que l' vinieron a ver,
       vinieron çinco d'ellos de más conplido saber;
       desque vieron el punto en que ovo de nasçer,
       dixo el un maestro: «Apedreado ha de ser.»

131   Judgó el otro e dixo: «Éste ha de ser quemado»;
       el terçero diz: «El niño ha de ser despeñado»;
       diz el quarto: «El infante ha de se[e]r colgado»;
       dixo el quinto maestro: «Morrá en agua afogado.»

132   Quando oyó el rey juicios desacordados,
       mandó que los maestros fuesen muy bien guardados,
       fízolos tener presos en logares apartados,
       dio todos sus juizios por mintrosos provados.

133   Desque fue el infante a buena edat llegado,
       pidió al rey su padre que l' fuese otorgado
       de ir a correr monte, caçar algún venado;
       respondióle el rey que le plazía de grado.

134   Cataron día claro para ir a caçar;
       desque fueron en el monte, óvose a levantar
       un revatado nublo, començó de agranizar,
       e a poca de ora començó de apedrear.

135   Acordóse su ayo de cómo lo judgaron
       los sabios naturales que su signo cataron;
       «Señor», diz, «acojámonos, que los que vos fadaron
       non sean verdaderos en lo que adevinaron».

136   Pensaron mucho aína todos de se acojer;
       mas como es verdat e non puede fallesçer
       que lo que Dios ordena en cómo ha de ser,
       segund natural curso, non se puede estorçer:

137   façiendo la grand piedra, el infante aguijó,
       pasando por la puente, un grand rayo le dio,
       foradóse la puente, por allí se despeñó,
       en un árbol del río de sus faldas se colgó.

138   Estando ansí colgado, adó todos lo vieron,
       afogóse en el agua, acorrer non lo podieron:
       los çinco fados dichos todos bien se conplieron,
       los sabios naturales verdaderos salieron.

139   Desque vido el rey conplido su pesar,
       mandó los estrelleros de la presión soltar;
       fízoles mucho bien e mandóles usar
       de su astrología, en que non avié que dubdar.

140 Yo creo los astrólogos verdad naturalmente;
pero Dios, que crió natura e açidente,
puédelos demudar e fazer otramente:
segund la fe cathólica yo d'esto [só] creyente.

141 En creer lo de natura non es mal[a] estança,
e creer muy más en Dios con firme esperança;
porque creas mis dichos e non tomes dubdança,
pruévotelo brevemente con esta semejança:

142 çierto es que el rey en su regno ha poder
de dar fueros e leyes e derechos fazer:
d'esto manda fazer libros e quadernos conponer,
para quien faze el yerro, qué pena deve aver. (...)

ENSIENPLO DEL GARÇÓN QUE QUERÍA CASAR
CON TRES MUGERES

189 »Era un garçón loco, mançebo bien valiente,
non quería casarse con una solamente,
sinon con tres mugeres: tal era su talente;
porfiaron en cabo con él toda la gente.

190 »Su padre e su madre e su hermano mayor
afincáronle mucho que ya, por su amor,
con dos que se casase, primero con la menor
e, dende a un mes conplido, casase con la mayor.

191 »Fizo su casamiento con aquesta condiçión;
el primer mes ya pasado, dixiéronle tal razón:
que al otro su hermano con una e con más non
quisiese que le casasen a ley e a bendiçión.

192 »Respondió el casado que esto non feçiesen,
que él tenía muger en que amos a dos oviesen
casamiento abondo e d'esto le dixiesen;
de casarlo con otra non se entremetiesen.

193 »Aqueste omne bueno, padre de aqueste neçio,
tenía un molino de grand muela de preçio;
ante que fues' casado el garçón atán reçio,
andando mucho la muela, teniél' con el pie quedo.

194 »Aquesta fuerça grande e aquesta valentía,
ante que fues' casado, ligero la fazía;
el un mes ya pasado que casado avía,
quiso provar como ante e vino allí un día:

195 »provó tener la muela como avía usado:
levantóle las piernas, echólo por mal cabo;
levantóse el neçio, maldíxole con mal fado,
diz: «¡Ay, molino reçio, aún te vea casado!»

196   »A la muger primera él tanto la amó
       que a la otra donzella nunca más la tomó;
       non provó más tener la muela, sol non lo asmó:
       ansí tu devaneo al garçón loco domó.

197   »Eres padre del fuego, pariente de la llama,
       más arde e más se quema qualquier que te más ama;
       Amor, quien te más sigue, quémasle cuerpo e alma,
       destrúyeslo del todo, como el fuego a la rama. (...)

[PELEA ENTRE EL ARÇIPRESTE Y DON AMOR; RESPUESTA DE ÉSTE]

430   »Si quieres amar duenas o otra qualquier muger,
       muchas cosas avrás primero a deprender;
       para que ella te quiera en amor acoger,
       sabe primeramente la muger escoger.

431   »Cata muger fermosa, donosa e loçana,
       que non sea muy luenga nin otrosí enana;
       si podieres non quieras amar muger villana,
       que de amor non sabe, es como baüsana.

432   »Busca muger de talla, de cabeça pequeña;
       cabellos amarillos, non sean de alheña;
       las çejas apartadas, luengas, altas, en peña;
       ancheta de caderas; ésta es talla de dueña.

433   »Ojos grandes, someros, pintados, reluzientes,
       e de luengas pestañas, bien claras, paresçientes;
       las orejas pequeñas, delgadas; páral mientes
       si ha el cuello alto: atal quieren las gentes.

434   »La nariz afilada, los dientes menudillos,
       eguales, e bien blancos, poquillo apartadillos;
       las enzías bermejas; los dientes agudillos;
       los labros de la boca bermejos, angostillos.

435   »La su boca pequeña, así de buena guisa;
       la su faz sea blanca, sin pelos, clara e lisa;
       puna de aver muger que la vea sin camisa,
       que la talla del cuerpo te dirá: «Esto aguisa.»

436   »La muger que embïares de ti sea parienta,
       que bien leal te sea, non sea su servienta;
       non lo sepa la dueña, porque la otra non mienta:
       non puede ser quien mal casa, que non se arrepienta.

437   »Puña, en quanto puedas, que la tu mensajera
       sea bien razonada, sotil e costumera,
       sepa mentir fermoso e siga la carrera,
       ca más fierbe la olla con la su cobertera.

438 »Si parienta non tienes atal, toma [unas] viejas
que andan las iglesias e saben las callejas:
grandes cuentas al cuel[l]o, saben muchas consejas,
con lágrimas de Moisén escantan las orejas.

439 »Son [muy] grandes maestras aquestas pavïotas:
andan por todo el mundo, por plaças e [por] cotas;
a Dios alçan las cuentas, querellando sus coitas:
¡Aÿ, quánto mal saben estas viejas arlotas! (...)

444 »Si dexier' que la dueña non tien' mienbros muy grandes,
nin los braços delgados, tú luego le demandes
si ha los pechos chicos; si dize sí demandes
contra la fegura toda, porque más çierto andes.

445 »Si diz que los sobacos tiene un poco mojados
e que ha chicas piernas e luengos los costados,
ancheta de caderas, pies chicos, socavados,
tal muger non la fallan en todos los mercados.

446 »En la cama muy loca, en [la] casa muy cuerda:
non olvides tal dueña, mas d'ella te acuerda. (...)

ENXIENPLO DE LO QUE CONTEÇIÓ A DON PITAS PAYAS, PINTOR DE BRETAÑIA

474 »Del que olvidó la muger te diré la fazaña,
si vieres que es burla, dime otra tan maña.
Era Don Pitas Pajas un pintor de Bretaña,
casó con muger moça, pagávas' de conpaña.

475 »Ante del mes conplido, dixo él: «Nostra dona,
yo volo ir a Frandes, portaré muyta dona.»
Ella diz: «Mon señer, andés en ora bona,
non olvidés casa vostra nin la mía persona.»

476 »Dixo Don Pitas Pajas: «Dona de fermosura,
yo volo fer en vós una bona figura,
porque seades guardada de toda altra locura.»
Ella diz: «Mon señer, fazet vostra mesura.»

477 »Pintól' so el onbligo un pequeño cordero.
Fuese Don Pitas Pajas a ser novo mercadero;
tardó allá dos años, mucho fue tardinero:
faziésele a la dona un mes año entero.

478 »Como era la moça nuevamente casada,
avié con su marido fecha poca morada;
tomó un entendedor e pobló la posada,
desfízose el cordero, que d'él non finca nada.

479 »Quando ella oyó que venía el pintor,
muy de priessa enbïó por el entendedor;

díxol' que le pintase como podies' mejor
en aquel logar mesmo un cordero menor.

480   »Pintól' con la grand priessa un eguado carnero,
conplido de cabeça, con todo su apero;
luego en ese día vino el mensajero,
que ya Don Pitas Pajas d'ésta venié çertero.

481   »Quando fue el pintor de Frandes [ya] venido,
fue de la su muger con desdén resçibido;
desque en el palacio con ella [en uno] estido,
la señal que l' feziera non la echó en olvido.

482   »Dixo Don Pitas Pajas: «Madona, si vos plaz,
mostratme la figura e ajam buen solaz.»
Diz la muger: «Mon señer, vós mesmo la catat:
fey ý ardidamente todo lo que vollaz.»

483   »Cató Don Pitas Pajas el sobredicho lugar,
e vido un grand carnero con armas de prestar:
«¿Cómo es esto, madona, o cómo pode estar
que yo pinté corder e trobo este manjar?»

484   »Como en este fecho es sienpre la muger
sotil e malsabida, diz: «¿Cómo, mon señer,
en dos años petit corder non se fazer carner?
Vos veniésedes tenprano e trobaríades corder.»

485   »Por ende te castiga, non dexes lo que pides,
non seas Pitas Pajas, para otro non errides;
con dezires fermosos a la muger conbides;
desque te lo prometa, guarda non lo olvides. (...)

ENXIENPLO DE LA PROPIEDAT QU'EL DINERO HA

490   »Mucho faz el dinero, e mucho es de amar:
al torpe faze bueno e omne de prestar,
faze correr al coxo e al mudo fablar;
el que non tiene manos, dineros quier' tomar.

491   »Sea un omne nesçio e rudo labrador,
los dineros le fazen fidalgo e sabidor,
quanto más algo tiene, tanto es más de valor:
el que non ha dineros non es de sí señor.

492   »Si tovieres dineros, avrás consolaçión,
plazer e alegría, e del papa raçión;
conprarás paraíso, ganarás salvaçión:
dó son muchos dineros, es mucha bendiçión.

493   »Yo vi en corte de Roma, dó es la santidat,
que todos al dinero fazen grand omildat;

grand onra le fazían con grand solenidat:
todos a él se enclinavan, como a la magestat.

494   »Fazié muchos priores, obispos e abades,
arçobispos, doctores, patriarcas, potestades;
a muchos clérigos nesçios dávales dinidades;
fazié verdat mentiras e mentiras verdades.

495   »Fazía muchos clérigos e muchos ordenados,
muchos monges e monjas, religiosos sagrados:
el dinero los dava por bien examinados;
a los pobres dezían que non eran letrados.

496   »Dava muchos juïzios, mucha mala sentençia:
con muchos abogados era su mantenençia
en tener pleitos malos e fazer abenençia;
en cabo, por dineros avía penitençia.

497   »El dinero quebranta las cadenas dañosas,
tira çepos e grillos e presiones peligrosas;
el que non tien' dineros échanle las esposas:
por todo el mundo faze cosas maravillosas.» (...)

AQUÍ DIZE DE CÓMO FUE FABLAR CON DOÑA ENDRINA EL ARÇIPRESTE

653   ¡Ay, Dios! ¡Quán fermosa viene Doña Endrina por la plaça!
¡Qué talle, qué donaire, qué alto cuello de garça!
¡Qué cabellos, qué boquilla, qué color, qué buenandança!
Con saetas de amor fiere quando los sus ojos alça.

654   Pero tal lugar non era para fablar en amores;
a mí luego me venieron muchos miedos e tenblores:
los mis pies e las mis manos non eran de sí señores,
perdí seso, perdí fuerça, mudáronse mis colores.

655   Unas palabras tenía pensadas por le dezir,
el miedo de las conpañas me façién ál departir;
apenas me conosçía nin sabía por dó ir:
con mi voluntat mis dichos non se podían seguir.

656   Fablar con muger en plaça es cosa muy descobierta:
a bezes mal perro atado tras mala puerta abierta...
Bueno es jugar fermoso, echar alguna cobierta;
adó es lugar seguro, es bien fablar, cosa çierta. (...)

697   Busqué trotaconventos qual me mandó el Amor,
de todas las maestras escogí la mejor;
Dios e la mi ventura que me fue guiador...
acerté en la tienda del sabio corredor.

698   Fallé una tal vieja qual avía mester,
artera e maestra e de mucho saber;

    Doña Venus por Pánfilo non pudo más fazer
de quanto fizo aquésta por me fazer plazer.

699   Era vieja buhona de las que venden joyas:
éstas echan el laço, éstas cavan las foyas;
non ay tales maestras como estas viejas troyas,
éstas dan la maçada: si has orejas oyas.

700   Como lo han de uso estas tales buhonas,
andan de casa en casa vendiendo muchas donas;
non se reguardan d'ellas, están con las personas,
fazen con mucho viento andar las atahonas.

701   Desque fue en mi casa esta vieja sabida,
díxele: «Madre señora, tan bien seades venida:
en vuestras manos pongo mi salud e mi vida;
si vos non me acorredes, mi vida es perdida.

702   »Oí dezir de vós sienpre mucho bien e aguisado,
de quantos bienes fazedes al que vós viene coitado;
cómo ha bien e ayuda quien de vós es ayudado;
por la vuestra buena fama yo he por vós enbïado.

703   »Quiero yo fablar convusco bien como en penitençia:
toda cosa que vos diga, oídla en paçïençia;
sinon vós, otro non sepa mi quexa e mi dolençia.»
Diz la vieja: «Pues dezidlo, e aved en mí creençia.

704   »Comigo seguramente vuestro coraçón fablad,
faré por vós quanto pueda, guardarvos he lealtat:
ofiçio de correderas es de mucha poridat,
más encubiertas cobrimos que mesón de vezindat.

705   »Si a quantas d'esta villa nós vendemos las alhajas
sopiesen unos de otros, muchas serían las barajas;
muchas bodas ayuntamos, que vienen a repantajas,
muchos panderos vendemos, que non suenan las sonajas.»

706   Yo le dixe: «Amo una dueña sobre quantas nunca vi;
ella si me non engaña, paresçe que ama a mí;
por escusar mill peligros fasta oy lo encubrí:
toda cosa d'este mundo temo mucho e temí.

707   »De pequeña cosa nasçe fama en la vezindat;
desque nasçe, tarde muere, maguer non sea verdat,
sienpre cada día cresçe con enb[id]ia e falsedat:
poca cosa le enpeçe al mesquino en mesquindat.

708   »Aquí es bien mi vezina; ruégovos que allá vayades,
e fablad entre nós amos lo mejor que entendades;
encobrid aqueste pleito lo más mucho que podades,
açertad el fecho todo pues vierdes las voluntades.»

709   Dixo: «Yo iré a su casa de esa vuestra vezina,
e le faré tal escanto, e l' daré tal atalvina,

por que esa vuestra llaga sane por mi melezina.
Dezidme quién es la dueña.» Yo le dixe: «Doña Endrina.» (...)

DE CÓMO DOÑA ENDRINA FUE A CASA DE LA VIEJA
E EL ARÇIPRESTE ACABÓ LO QUE QUISO

871   Después fue de Santiago, otro día seguiente:
a ora de mediodía, quando yanta la gente,
vino Doña Endrina con la mi vieja sabiente,
entró con ella en casa bien sosegadamente.

872   Como la mi vejezuela me avía aperçebido,
non me detove mucho, para allá fui luego ido;
fallé la puerta çerrada, mas la vieja bien me vido:
«¡Yuy!», diz, «¿qué es aquello, que faz aquel roído?

873   »¿Es omne o es viento? Creo que es omne, non miento
¡vedes, vedes, cómo otea el pecado carboniento!
¿Es aquél? ¿Non es aquél? Él me semeja, yo l' siento:
¡a la fe! Es Don Melón, yo l' conosco, yo lo viento.

874   »Aquélla es la su cara e su ojo de bezerro;
¡catat, catat cómo assecha! Barrúntanos como perro;
allí raviaría agora, que non pued' tirar el fierro:
mas quebrantarié las puertas, ménalas como çencerro.

875   »Cierto aquí quiere entrar; mas ¿por qué yo non le fablo?
¡Don Melón, tiradvos dende! ¿Tróxovos ý el dïablo?
¡Non quebrantedes mis puer[t]as!, que del abad de Sant Pablo
las ove ganado [yo]: non posistes aý un clavo.

876   »Yo vos abriré la puerta, ¡esperat, non la quebredes!,
e con bien e con sosiego dezid si algo queredes;
luego vos id de mi puerta, non nos alhaonedes:
entrad mucho en buen ora; yo veré lo que faredes.»

877   «¡Señora Doña Endrina! ¡Vós, la mi enamorada!
¡Vieja! ¿Por esto teníades a mí la puerta çerrada?
¡Tan buen día es oy éste que fallé atal çelada!
Dios e mi buena ventura me la tovieron guardada.»

....

878   «Cuando yo salí de casa, pues que veyades las redes,
¿por qué fincávades sola, con él, entre estas paredes?
A mí non rebtedes, fija, que vós lo meresçedes;
mejor cobro que tenedes: vuestro mal que lo calledes.

879   »Menos de mal será que esto poco çeledes,
que non que vos descobrades e ansí vos pregonedes:
casamiento que vos venga, por esto no l' perderedes;
mejor me paresçe esto que non que vos enfamedes.

880   »E pues que vós dezides que es el daño fecho,
defiéndavos e ayúdevos a tuerto e a derecho;

fija, a daño fecho aved ruego e pecho:
¡callad! Guardat la fama, non salga de so techo:

881   »si non parlas' la picaça más que la codorniz,
non la colgarién en plaça, nin reirién de lo que diz:
castigad vos, ya amiga, de otra tal contraíz,
que todos los omnes fazen como Don Melón Ortiz.»

882   Doña Endrina le dixo: «¡Ay, viejas tan perdidas!,
a las mugeres trahedes engañadas, vendidas:
ayer mill cobros me davas, mill artes e mill salidas;
oy, ya que só escarnida, todas me son fallesçidas.

883   »Si las aves lo podiesen bien saber e entender
quántos laços les paran, non las podrían prender:
quando el laço veen, ya las lievan a vender;
mueren por el poco çevo, non se pueden defender.

884   »Sí, los peçes de las aguas, quando veen el anzuelo,
ya el pescador los tiene e los trahe por el suelo;
la muger vee su daño, quando ya finca con duelo:
non la quieren los parientes, padre, madre nin avuelo.

885   »El que la ha desonrada déxala, non la mantiene;
vase perder por el mundo, pues otro cobro non tiene,
pierde el cuerpo e el alma: a muchos esto aviene;
pues yo non he otro cobro, así fazer me conviene.»

886   Está en los antiguos seso e sabïençia,
es en el mucho tienpo el saber e la çiençia;
la mi vieja maestra ovo ya conçiençia
e dio en este pleito una buena sentençia:

887   «El cuerdo gravemente non se deve quexar,
quando el quexamiento no l' puede pro tornar:
lo que nunca se puede reparar ni emendar,
dévelo cuerdamente sofrir e endurar.

888   »A las grandes dolençias, a las desaventuras,
a los acaesçimientos e yerros de locuras,
deve buscar consejo, melezinas e curas:
el sabidor se prueva en coitas e en presuras.

889   »La ira, la discordia a los amigos mal faz,
pone sospechas malas en el cuerpo dó yaz:
aved entre vós amos concordïa e paz,
el pesar e la saña tornadlo en buen solaz.

890   »Pues que por mí dezides que el daño es venido,
por mí quiero que sea el vuestro bien avido:
vós se[e]d muger suya e él vuestro marido;
todo vuestro deseo es bien por mí conplido.»

891   Doña Endrina e Don Melón en uno casados son:
alégranse las conpañas en las bodas con razón;

si villanía he dicho, aya de vós perdón,
que lo feo de la estoria dize Pánfilo e [Ovidio] Nasón. (...)

CÁNTICA DE SERRANA

959   Passando una mañana
el puerto de Malangosto,
salteóme una serrana
a la asomada del rostro:
«Fademaja», diz, «¿dónde andas?
¿Qué buscas o qué demandas
por aqueste puerto angosto?»

960   Dixle yo a la pregunta:
«Vóme fazia Sotosalvos.»
Diz: «El pecado t' barrunta
en fablar verbos tan bravos,
que por esta encontrada,
que yo [me] tengo guardada,
non pasan los omnes salvos.»

961   Paróseme en el sendero
la gaha, roín [e] heda:
«A la he», diz, «escudero,
aquí estaré yo queda
fasta que algo me prometas;
por mucho que te arremetas,
non pasarás la vereda.»

962   Dixle yo: «Por Dios, vaquera,
non me estorves mi jornada:
tuelte e dame carrera,
que non trax para ti nada.»
Ella diz: «Dende te torna,
por Somosierra trastorna,
ca no avrás aquí passada.»

963   La Chata endïablada,
¡que Sant Illán la cofonda!,
arrojóme la cayada
e rodeóme la fonda,
enaventóme el pedrero:
«Par el Padre verdadero,
tú m' pagarás oy la ronda.»

964   Fazié nieve e granizava;
díxome la Chata luego,
hascas que me amenazava:
«Págam', si non verás juego.»

Díxel yo: «Par Dios, fermosa,
dezirvos he una cosa:
más querría estar al fuego.»

965   Diz: «Yo t' levaré a casa,
demostrarte he el camino,
fazerte he fuego e brasa,
darte he del pan e del vino;
¡alaúd!, prométeme algo
e tenerte he por fidalgo;
¡buena mañana te vino!»

966   Yo, con miedo, arrezido,
prometíl una garnacha
e mandél para el vestido
una broncha e una prancha;
ella diz: «D'oy más, amigo,
anda acá, tréte conmigo,
non ayas miedo al escacha.»

967   Tomóm' rezio por la mano,
en su pescueço me puso
como a çurrón liviano
e levóm' la cuesta ayuso:
«Hadeduro, non te espantes,
que bien te daré qué yantes,
como es de sierra uso.»

968   Púsome mucho aína
en la venta con su enhoto;
diome foguera de enzina,
mucho gaçapo de soto,
buenas perdizes asadas,
hogaças mal amassadas
e buena carne de choto;

969   de buen vino un quartero,
manteca de vacas mucha,
mucho queso assadero,
leche, natas e una trucha;
dize luego: «Hadeduro,
comamos d'este pan duro,
después faremos la lucha.»

970   Desque fui poco estando,
fuime desatiriziendo;
como me iva calentando,
ansí me iva sonriendo;
oteóme la pastora,
diz: «Ya conpañón, agora
creo que vó entendiendo.»

971   La vaqueriza traviessa
        diz[e]: «Luchemos un rato;
        liévate dende apriesa,
        desbuélvete de aqués hato.»
        Por la muñeca me priso,
        ove a fazer quanto quiso:
        creo que fiz buen barato. (...)

DE LO QUE CONTESÇIÓ AL ARÇIPRESTE CON LA SERRANA
E DE LAS FIGURAS D'ELLA

1006   Sienpre ha mala manera la sierra e la altura:
        si nieva o si yela, nunca da calentura;
        ençima de ese puerto, fazía orilla dura,
        viento con grand elada, ruçío con früura.

1007   Como omne non siente tanto frío si corre,
        corrí la cuesta ayuso, ca diz: «Quien da a la torre,
        antes diçe la piedra que sale el alhorre»;
        yo dixe: «Só perdido, si Dios non me acorre.»

1008   Nunca desque nasçí pasé tan grand peligro
        de frío; al pie del puerto falléme con vestiglo,
        la más grande fantasma que vi en este siglo:
        yeguariza trefuda, talla de mal çeñiglo.

1009   Con la coita del frío, de aquella grand elada,
        roguéla que ese día me quisies' dar posada;
        díxome que l' plazía si l' fuese bien pagada:
        tovélo a Dios en merçed e levóme a la Tablada.

1010   Sus mienbros e su talla non son para callar,
        ca bien creed que era grand yegua cavallar;
        quien con ella luchase no s' podrié bien fallar:
        si ella non quisiese, non la podrié aballar.

1011   En el Apocalipsi Sant Juan Evangelista
        no vido tal figura nin de tan mala vista;
        a grand hato daría grand lucha e conquista:
        non sé de quál dïablo es tal fantasma quista.

1012   Avía la cabeça mucha grand[e], sin guisa,
        cabellos chicos, negros, más que corneja lisa,
        ojos fondos, bermejos, poco e mal devisa;
        mayor es que de osa la patada dó pisa;

1013   las orejas mayores que de añal burrico,
        el su pescueço negro, ancho, velloso, chico,
        las narizes muy gordas, luengas, de çarapico;
        beverié en pocos días caudal de buhón rico;

1014   su boca de alana, grandes rostros e gordos,
        dientes anchos e luengos, cavallunos, moxmordos,

los sobreçejas anchas e más negras que tordos:
los que quieren casarse, aquí non sean sordos.

1015   Mayores que las mías tiene sus prietas barvas;
yo non vi en ella ál, mas si tú en ella escarvas,
creo que fallarás de las chufetas darvas;
valdríasete más trillar en las tus parvas.

1016   Mas, en verdat sí, bien vi fasta la rodilla:
los huesos mucho grandes, la çanca non chiquilla,
de las cabras de fuego una grand manadilla,
sus tovillos mayores que de una añal novilla.

1017   Más ancha que mi mano tiene la su muñeca,
vellosa, pelos grandes, pero non mucho seca,
boz gorda e gangosa, a todo omne enteca,
tardía, como ronca, desdonada e hueca.

1018   El su dedo chiquillo mayor es que mi pulgar:
piensa de los mayores si t' podrías pagar;
si ella algund día te quisiese espulgar,
bien sentirié tu cabeça que son viga[s] de lagar.

1019   Tenié por el garnacho las sus tetas colgadas,
dávanle a la çinta pues que estavan dobladas,
ca estando senzillas darl' ién so las ijadas:
a todo son de çítola andarién sin ser mostradas.

1020   Costillas mucho grandes en su negro costado,
unas tres vezes contélas estando arredrado;
dígot' que non vi más ni t' será más contado,
ca moço mesturero non es para mandado.

1021   De quanto que me dixo e de su mala talla,
fize bien tres cantigas, mas non pud bien pintalla:
las dos son chançonetas, la otra de trotalla;
de la que te non pagares, veyla e ríe e calla. (...)

DE LA PELEA QUE OVO DON CARNAL CON LA QUARESMA

1067   Açercándose viene un tiempo de Dios santo:
fuime para mi tierra por folgar algund quanto;
dende a siete días era Quaresma: tanto
puso por todo el mundo miedo e grand espanto.

1068   Estando a la mesa con Don Jueves Lardero,
troxo a mí dos cartas un ligero trotero;
dezirvos he las notas: servos he tardinero,
ca las cartas leídas dilas al mensajero.

1069   «De mí, santa Quaresma, sierva del Salvador,
enbïada de Dios a todo pecador,
a todos los açiprestes e clérigos sin amor,
salud en Jhesú Cristo fasta la Pasqua Mayor.

1070 »Sabed que me dixeron que ha çerca de un año
   que anda Don Carnal sañudo, muy estraño,
   astragando mi tierra, faziendo mucho daño,
   vertiendo mucha sangre, de lo que más me asaño.

1071 »E por aquesta razón, en vertud de obedïençia,
   vos mando firmemente, so pena de sentençia,
   que por mí e por mi Ayuno e por mi Penitençia
   que l' desafïedes luego con mi carta de creençia.

1072 »Dezidle de todo en todo que, de oy en siete días,
   la mi persona mesma e las conpañas mías
   iremos pelear con él e con sus porfías:
   creo que no s' nos tenga en las carneçerías.

1073 »Dadla al mensajero esta carta, leída,
   liévala por la tierra, non la traya escondida,
   que non diga su gente que non fue aperçebida.
   Dada en Castro de Ordiales, en Burgos resçebida.»

1074 Otra carta traía abierta e sellada,
   una concha muy grande de la carta colgada:
   aquél era el sello de la dueña nonbrada;
   la nota es aquésta, a Carnal fue enbïada:

1075 «De mí, Doña Quaresma, justiçia de la mar,
   alguaçil de las almas que se han de salvar,
   a ti, Carnal goloso, que no t' coidas fartar,
   enbíote el Ayuno por mí desafïar:

1076 »desde oy en siete días, tú e tu almohalla
   que seades conmigo en canpo, a la batalla;
   fasta el Sábado Santo darvos he lid sin falla:
   de muerte o de lisión non podrás escapalla.» (...)

1081 Desque vino el día del plazo señalado,
   vino Don Carnal ante: está muy esforçado,
   de gentes bien guarnidas, muy bien aconpañado:
   serié Don Alexandre de tal real pagado. (...)

1088 Vinieron muchos gamos e el fuerte javalí:
   «Señor, non me escusedes de aquesta lid a mí,
   que ya muchas vegadas lidié con Don Alí:
   usado só de lid, sienpre por end' valí.»

1089 Non avié acabado de dezir bien su verbo,
   ahévos adó viene muy ligero el çiervo:
   «Omíllom'», diz, «señor, yo el tu leal siervo,
   por te fazer serviçio ¿non fui por ende siervo?»

1090 Vino presta e ligera al alarde la liebre:
   «Señor», diz, «a la dueña yo le metré la hiebre,
   dalle he sarna e diviesos, que de lidiar no l' mienbre;
   más querrá mi pelleja quando alguno le quiebre.» (...)

1102   El primero de todos que ferió a Don Carnal,
fue el puerro cuelloalvo e feriólo muy mal:
fízole escopir flema: esto fue grand señal;
tovo Doña Quaresma que era suyo el real.

1103   Vino luego en ayuda la salada sardina,
firió muy reziamente a la gruesa gallina:
atravesósle en el pico e afogóla aína;
después a Don Carnal falsól la capellina.

1104   Vinién las grandes mielgas en esta delantera,
los verdeles e xibias guardan la costanera;
buelta es la pelea de muy mala manera:
cayé de cada cabo mucha buena mollera.

1105   De parte de Valençia venían las anguillas,
salpresas e trechadas, a grandes manadillas,
davan a Don Carnal por medio de las costillas;
las truchas de Alverche dávanle en las mexillas.

1106   Aý andava el atún como un bravo león,
fallós' con Don Tozino, díxol mucho baldón;
si non por la Çeçina, que l' desvió el pendón,
diérale a Don Lardón por medio del coraçón.

1107   De parte de Bayona venién muchos caçones,
mataron las perdizes, castraron los capones;
del río de Henares venién los camarones,
fasta en Guadalquivir ponién sus tendejones. (...)

1124   La mesnada del mar fízose un tropel:
fincaron las espuelas, dieron todos en él,
matar non lo quisieron, ovieron duelo d'él:
a él e a los suyos metieron en un cordel.

1125   Troxiéronlos atados porque non escapasen,
diéronlos a la dueña ante que se aforrasen;
mandó Doña Quaresma que a Carnal guardasen
e a Doña Çeçina con el Toçino colgasen.

1126   Mandólos colgar altos, bien como atalaya,
e que a descolgallos ninguno ý non vaya;
luego los enforcaron de una viga de faya;
el sayón va deziendo: «Quien tal fizo, tal aya.»

1127   Mandó a Don Carnal que l' guardase el Ayuno
e él fuese carçelero que no l' viese ninguno,
si non fuese doliente o confesor alguno,
e a comer le diesen al día manjar uno. (...)

Enxienplo del ladrón que fizo carta al diablo
de su ánima

1454 »En tierra sin justicia eran muchos ladrones;
fueron al rey las nuevas, querellas e pregones;
enbió allá su alcalde, merinos e sayones:
al ladrón enforcavan por quatro pepïones.

1455 »Dixo el un ladrón d'ellos: "Ya yo só desposado
con la forca, que por furto ando desorejado;
si más yo só con furto del merino tomado,
él me fará del todo con la forca casado."

1456 »Ante que el desposado penitençia presiese,
vino a él el dïablo porque non lo perdiese;
díxol que de su alma la carta le feçiese,
e furtase sin miedo quanto furtar podiese.

1457 »Otorgóle su alma, fízole dende carta;
prometióle el dïablo que d'él nunca se parta:
d'esta guisa el malo sus amigos enarta;
fue el ladrón a un canbio, furtó de oro gran sarta.

1458 »El ladrón fue tomado, en la cadena puesto,
llamó a su amigo, que l' consejó aquesto;
vino el mal amigo, diz: "Feme aquí presto:
non temas, ten esfuerço, que non mor[r]ás por esto.

1459 »Quando a ti sacaren a judgar oy o cras,
aparta al alcalde e con él fablarás;
pon mano en tu seno, dal lo que fallarás;
amigo, con aquesto en salvo ficarás."

1460 »Sacaron otro día los presos a judgar;
él llamó al alcalde e con él fue fablar;
metió mano en el seno e fue dende sacar
una copa de oro, muy noble, de preçiar.

1461 »Diógela en presente, callando, al alcalde;
diz luego el judgador: "Amigos, el ribalde
non fallo por qué muera, prendístesle de balde:
yo l' do por quito suelto: vós, merino, soltalde."

1462 »Salió el ladrón suelto, sin pena de presión,
usó su malfetría grand tienpo e grand sazón;
muchas vezes fue preso, escapava por don;
enojóse el dïablo, fue preso su ladrón.

1463 »Llamó su mal amigo, así como solía;
vino el malo e dixo: "¿Qué m' llamas cadal día?
Faz ansí como sueles, non temas, en mí fía,
darás cras el presente, saldrás con arte mía."

1464   »Apartó al alcalde, segund lo avía usado,
        puso mano a su seno e falló negro fallado:
        sacó una grand soga, diola al adelantado;
        el alcalde diz: "Mando que sea enforcado."

1465   »Levándol a la forca, vido en altas torres
        estar su mal amigo, diz: "¿Por qué non me acorres?"
        Respondió el dïablo: "¿E tú? ¿Por qué non corres?
        Andando e fablando, amigo, non te engorres.

1466   "Luego seré contigo, desque ponga un fraile
        con una fraila suya que me diz: '¡Traile, traile!'
        Engaña a quien te engaña e a quien te fay, faile;
        entre tanto, amigo, vete con ese baile."

1467   »Çerca el pie de la forca començó de llamar:
        "Amigo, ¡valme, valme!, que m' quieren enforcar."
        Vino el malo e dixo: "¡Ya te viese colgar!,
        que yo te ayudaré como lo suelo far.

1468   "Súbante e non temas, cuélg[u]ente a osadas,
        e pon tus pies entramos sobre las mis espaldas,
        que yo te soterné, segund que otras vegadas
        sotove a mis amigos en tales cavalgadas."

1469   »Entonçes los sayones al ladrón enforcaron;
        coidando que era muerto, todos dend' derramaron,
        a los malos amigos en mal lugar dexaron;
        los amigos entramos en uno razonaron.

1470   »El dïablo quexóse, diz: "¡Ay!, ¡qué mucho pesas!
        ¡Tan caros que me cuestan tus furtos e tus presas!"
        Dixo el enforcado: "Tus obras malapresas
        me troxieron a esto por que tú me sopesas."

1471   »Fabló luego el dïablo, diz: "Amigo, otea
        e dime lo que vieres, toda cosa que sea."
        El ladrón paró mientes, diz: "Veo cosa fea:
        tus pies descalabrados, e ál non sé que m' vea.

1472   "Veo un monte grande de muchos viejos çapatos,
        suelas rotas e paños rotos e viejos hatos,
        e veo las tus manos llenas de garavatos:
        d'ellos están colgados muchas gatas e gatos."

1473   »Respondió el dïablo: "Todo esto que dixiste,
        e mucho más dos tanto, que ver non lo podiste,
        he roto yo andando en pos ti, segund viste;
        non puedo más sofrirte, ten lo que mereçiste.

1474   "Aquellos garavatos son las mis arterías,
        los gatos e las gatas son muchas almas mías,
        que yo tengo travadas; mis pies tienen sangrías
        en pos ellas andando las noches e los días."

1475   »Su razón acabada, tiróse, dio un salto,
dexó a su amigo en la forca tan alto;
quien al dïablo cree, trával su garavato:
él le da mala çima e grand mal en chico rato.

1476   »El que con el dïablo faze la su crïança,
quien con amigo malo pone su amistança,
por mucho que se tarde, mal galardón alcança:
es en amigo falso toda la malandança. (...)

DE LAS FIGURAS DEL ARÇIPRESTE

1485   «Señora», diz la vieja [Trotaconventos,] «yo l' veo a menudo:
el cuerpo ha bien largo, mienbros grandes, trefudo,
la cabeça non chica, velloso, pescoçudo,
el cuello non muy luengo, cabelprieto, orejudo,

1486   »las çejas apartadas, prietas como carbón,
el su andar enfiesto, bien como de pavón,
el paso sosegado e de buena razón;
la su nariz es luenga: esto le desconpón;

1487   »las encías bermejas e la fabla tunbal,
la boca non pequeña, labros al comunal,
más gordos que delgados, bermejos como coral,
las espaldas bien grandes, las muñecas atal.

1488   »Los ojos ha pequeños, es un poquillo baço;
los pechos delanteros, bien trefudo el braço,
bien conplidas las piernas; el pie, chico pedaço:
señora, d'él non vi más, por su amor vos abraço.

1489   »Es ligero, valiente, bien mançebo de días,
sabe los instrumentos e todas juglarías,
doñeador alegre, ¡par las çapatas mías!:
tal omne como éste no es en todas erías.»

1490   A la dueña mi vieja tan bien que la enduxo:
«Señora, diz la fabla del que de feria fuxo:
la merca de tu uço Dios es que te la aduxo;
¡amad, dueñas, amalde tal omne qual debuxo! (...)

DE CÓMO MORIÓ TROTACONVENTOS E DE CÓMO
EL ARÇIPRESTE FAZE SU PLANTO DENOSTANDO
E MALDIZIENDO LA MUERTE

1520   ¡Ay muerte!, ¡muerta seas, muerta e malandante!
Mataste a mi vieja, ¡matasses a mí ante!
Enemiga del mundo, que non as semejante,
de tu memoria amarga non es que non se espante.

1521   Muerte, al que tú fieres, liévaslo de belmez,
al bueno e al malo, al noble e al refez,
a todos los egualas e lievas por un prez,
por papas e por reyes non das una vil nuez.

1522   Non catas señorío, debdo nin amistad,
con todo el mundo tienes cotiana enamistad;
non ay en ti mesura, amor nin pïadad,
sinon dolor, tristeza, pena e grand crüeldad.

1523   Non puede foir omne de ti nin se asconder,
nunca fue quien contigo podies' bien contender;
la tu venida triste non se puede entender,
desque vienes non quieres a omne atender.

1524   Dexas el cuerpo yermo a gusanos en fuesa,
al alma que lo puebla liévastela de priesa;
non es el omne çierto de tu carrera aviesa:
de fablar en ti, muerte, espanto me atraviesa.

1525   Eres en tal manera del mundo aborrida
que, por bien que lo amen al omne en la vida,
en punto que tú vienes con tu mala venida,
todos fuyen d'él luego como de res podrida.

1526   Los que l' aman e quieren en vida su conpaña
aborrésçenlo muerto como a cosa estraña;
parientes e amigos, todos le tienen saña,
todos fuyen d'él luego como si fuese araña.

1527   De padres e de madres los fijos tan queridos,
amigos de amigas deseados e servidos,
de mugeres leales los sus buenos maridos,
desque tú vienes, muerte, luego son aborridos.

1528   Fazes al mucho rico yazer en grand pobreza:
non tiene una meaja de toda su riqueza;
el que bivo es bueno e con mucha nobleza,
vil, fediondo es muerto, aborrida vileza.

1529   Non ha en el mundo libro nin escrito nin carta,
omne sabio nin neçio que de ti bien departa;
en el mundo no ha cosa que con bien de ti s' parta,
salvo el cuervo negro, que de ti, muerte, s' farta.

1530   Cada día le dizes que tú le fartarás;
el omne non es çierto quándo e quál matarás:
el que bien far podiese, oy le valdría más,
que non atender a ti nin a tu amigo cras cras.

1531   Señores, non querades ser amigos del cuervo,
temed sus amenazas, non fagades su ruego;
el bien que far podieres, fazedlo luego luego:
tened que cras morredes, ca la vida es juego.

1532   La salud e la vida muy aína se muda:
en un punto se pierde, quando omne non cuda;
el bien que farás cras, palabra es desnuda:
vestidla con la obra ante que muerte acuda. (...)

1552   Tu morada por sienpre es infierno profundo,
tú eres mal primero e él es el segundo,
pueblas mala morada e despueblas el mundo,
dizes a cada uno: «Yo sola a todos hundo.»

1553   Muerte, por ti es fecho el lugar infernal,
ca, beviendo omne sienpre en mundo terrenal,
non avrié de ti miedo nin de tu mal hostal,
non temerié tu venida la carne umanal.

1554   Tú yermas los poblados, pueblas los çiminterios,
refazes los fosarios, destruyes los inperios;
por tu miedo los santos fizieron los salterios:
sinon Dios, todos temen tus penas e tus lazerios. (...)

1568   Muerte desmesurada, ¡matases a ti sola!
¿Qué oviste conmigo? ¿Mi leal vieja, dola?
Tú m' la mataste, muerte; Jhesú Cristo conpróla
por la su santa sangre, por ella perdonóla.

1569   ¡Ay! Mi Trotaconventos, ¡mi leal verdadera!,
muchos te siguién biva, muerta, yazes señera;
¿adó te me han levado? Non sé cosa çertera:
nunca torna con nuevas quien anda esta carrera.

1570   Cierto, en paraíso estás tú assentada,
con los mártires deves estar aconpañada:
sienpre en el mundo fuste por Dios martirïada;
¿quién te me rebató, vieja por mí lazrada?

1571   A Dios merçed le pido que te dé la su gloria,
que más leal trotera nunca fue en memoria;
fazerte he un pitafio escrito con escoria:
pues que a ti non viere, veré tu triste estoria. (...)

EL PETAFIO DE LA SEPULTURA DE URRACA

1576   «Urraca só que yago so esta sepultura;
en cuanto fui al mundo, ove viçio e soltura;
con buena razón muchos casé, non quis boltura:
caí en una ora so tierra, del altura.

1577   »Prendióme sin sospecha la muerte en sus redes;
parientes e amigos, aquí non me acorredes:
obrad bien en la vida, a Dios non lo erredes,
que bien como yo morí, así todos morredes.

1578   »El que aquí llegare, ¡sí Dios le ben[e]diga!,
e ¡sí l' dé Dios buen amor e plazer de amiga!,

que por mí, pecador, un pater nóster diga;
si dezir no l' quisiere, a muerta non maldiga.» (...)

DE LAS PROPIEDADES QUE LAS DUEÑAS CHICAS HAN

1606   Quiérovos abreviar la mi predicaçión,
que sienpre me pagué de pequeño sermón
e de dueña pequeña e de breve razón,
ca lo poco e bien dicho finca en el coraçón.

1607   Del que mucho fabla ríen, quien mucho ríe es loco;
es en la dueña pequeña amor grande e non de poco;
dueñas di grandes por chicas, por grandes chicas non troco;
mas las chicas e las grandes non se arrepienten del troco.

1608   De las chicas que bien diga el Amor me fizo ruego,
que diga de sus noblezas; yo quiérolas dezir luego,
dirévos de dueñas chicas que lo avredes por juego:
son frías como la nieve e arden como el fuego.

1609   Son [muy] frías de fuera, con el amor ardientes:
en cama solaz, trebejo, plazenteras e rïentes,
en casa cuerdas, donosas, sosegadas, bienfazientes:
mucho ál ý fallaredes, adó bien parardes mientes.

1610   En pequeña girgonça yaze grand resplandor,
en açúcar muy poco yaze mucho dulçor:
en la dueña pequeña yaze muy grand amor;
pocas palabras cunplen al buen entendedor.

1611   Es pequeño el grano de la buena pemienta,
pero más que la nuez conorta e calienta:
así dueña pequeña, si todo amor consienta,
non ha plazer del mundo que en ella non sienta.

1612   Como en chica rosa está mucha color
e en oro muy poco grand preçio e grand valor,
como en poco blasmo yaze grand buen olor,
ansí en dueña chica yaze muy grand sabor.

1613   Como robí pequeño tiene mucha bondad,
color, virtud e preçio e noble claridad,
ansí dueña pequeña tiene mucha beldad,
fermosura, donaire, amor e lealtad.

1614   Chica es la calandria e chico el ruiseñor,
pero más dulçe cantan que otra ave mayor:
la muger que es chica por eso es mejor,
en doñeo es más dulçe que açúcar nin flor.

1615   Son aves pequeñuelas papagayo e orior,
pero qualquier[a] d'ellas es dulçe gritador,
adonada, fermosa, preçiada cantador:
bien atal es la dueña pequeña con amor.

1616   De la muger pequeña non ay conparaçión:
terrenal paraíso es e consolaçión,
solaz e alegría, plazer e bendiçión:
mejor es en la prueva que en la salutaçión.

1617   Sienpre quis muger chica más que grande nin mayor:
non es desaguisado del grand mal ser foídor,
del mal tomar lo menos, dízelo el sabidor,
por ende de las mugeres la mejor es la menor.

3

Rodrigo Yáñez, *Poema de Alfonso XI* (s. xiv). Escorial: Monasterio, ms. Y.III.9 (fechado 1348), ed. de Yo ten Cate (Madrid: CSIC, Instituto «Miguel de Cervantes», 1956). Se sigue la edición crítica.

[Carácter y contribución de Alfonso XI] [17]

Virtudes y cualidades de Alfonso XI

274   Espejo fué de la ley,
del Gran Criador vassallo:
éste fué el mejor rey
que estido en cavallo.

275   Rey noble, entendido,
muy fiel de coraçón,
con Dios Padre muy tenido,
bien devoto en oración.

276   Conpañero graçioso,
real, ssin mala codiçia,
cavallero muy fermosso,
peso igual de justiçia.

277   Caçador, real montero,
muy fiel batallador,
en lidiar fuerte braçero,
de espada bien feridor. (...)

Cortes en Madrid. Alfonso XI como legislador

328   Salió de Valladolid
con todos ssus naturales,
en la villa de Madrit
fizo cortes muy reales.

---

[17] El Alfonso XI histórico reinó entre 1312 y 1350.

329   Commo lo ussan los reys
por más cumunal provecho,
publicó muy bien ssus leys
otorgadas en derecho.

330   Ffizo una ley cumunal
que fué una real cossa,
por todos en general
ffizo ley provechosa. (...)

[La batalla del Río de Salado, 1340:
victoria sobre los moros. Profecía
de Merlín]

1808   Dios ayudó la su ley
e Africa quebrantó,
por honra del noble rey
España adelantó

1809   en nobleza e en señorío,
en valor e en altura,
en fama e en poderío,
al buen rey dió la ventura.

1810   Mal desonrado salió
de Tarifa el moro marín:
en aquel día Dios conplió
una profeçia *de Merlín*.

1811   Merlín fabló d' España
e dixo esta profeçía
estando en la Bretaña
a un maestro que í avía.

1812   Don Antón era llamado
este maestro que vos digo,
sabidor e letrado,
de don Merlín mucho amigo.

1813   Este maestro sabidor
así le fué preguntar:
«Don Merlín, por el mi amor
sepádesme declarar

1814   la profeçia de España,
que yo querría saber
por vós alguna fazaña
de lo que se ha de fazer.»

Profecía de Merlín

1815   Merlín, sabidor sotil,
dixo luego esta razón:

«Acabados los años mill
e los trezientos de la encarnaçión

1816   cincuenta e nueve conplirán
los años desta fazaña
la mar fonda pasarán
de bestias muy grand conpaña.

1817   Muchas cosas aconteçerán,
maestro, creeldo çiertamiente,
fuertes batallas serán
en las tierras del Poniente.

1818   Reynará un león coronado
en la provençia de España,
será fuerte e apoderado,
señor de muy grand conpaña.

1819   Sabidor e de coraçón,
bivirá sienpre en guerra,
muy bravo del coraçón
e muy señor de la su tierra.

1820   Escontra el sol poniente
en el tienpo deste león
reyna un león dormiente,
muy manso del coraçón.

1821   E el león coronado
que en este tienpo regnar
él será desafiado
del puerco de allén la mar.

1822   Salirse ha el puerco espín,
señor de la grand espada;
de tierras de Benamarin
ayuntará grand albergada.

1823   Con bestias bravas e perros marinos
las aguas fondas pasará,
cobrirá montes e caminos,
en la España aportará.

1824   Pasarán por ponte seca
grand poder a maravilla
del falso pueblo de Meca
e çercarán una villa

1825   que es puerto de la mar
en tierras de la frontera,
e este fecho ha de llegar
*a*l dragón de la grand *f*romera.» (...)

1835   Estas palabras apuestas
de los leones e puerco espín

así commo son conpuestas
profetizólas Merlín.

1836   Non las quiso más declarar
Merlín, el de gran saber;
yo las quiero apaladinar
cómmo las pueden entender:

1837   El león coronado
sobre que fundo razón
fué este rey bien aventurado
de Castiella e de León.

1838   E el otro león dormiente
aquel rey fué su natural,
que regnó en el poniente
que llaman de Portogal.

1839   E el bravo puerco espín,
señor de la grand espada,
fué el rey de Benamarin
que a Tarifa tovo çercada.

1840   Rey de Granada fué el dragón,
Granada la grand fromera;
este rey de grand coraçón
cuydó ganar la frontera.

1841   Las bestias bravas e perros marinos
que aportavan en la España
moros fueron viejos e niños
que í perderan grand conpaña

1842   que el buen rey fué matar
el día de la batalla;
la ponte seca del mar
las galeas fueron sin falla.

1843   La espada que dixo Merlín
que el puerco í perdería
la honra fué del rey de Benamarin
que se í perdió aquel día.

1844   La profeçía conté
e torné en dezer llano
yo, Rodrigo Yáñez la noté
en linguaje castellano.

4

Sem Tob, *Proverbios morales* (c. 1350). Madrid: Nacional, ms. 9216 (letra del s. xv), ed. de S. Shephard (Madrid: Castalia, 1986).

1   Señor, rey noble, alto:
   Oý este sermon
   Que vyene dezyr Santo,
   Judio de Carrion;

2   Comunalmente trobado
   De glosas moralmente
   De filosophia sacado,
   Segunt aqui va syguiente

3   Quando el rrey don Alfonso [18]
   Fyno, fynco la gente
   Commo quando el pulso
   Fallesçe al doliente;

4   Que luego non cuydauan
   Que tan grant mejoria
   A ellos fyncaua,
   Nin omne lo entendia.

5   Quando la rrosa seca
   E en su tienpo sale,
   El agua della fynca,
   Rosada, que mas vale.

6   Asi vos fyncastes dél
   Para muncho turar
   E fazer lo que el
   Cobdiçiaua librar (...)

63   Por nasçer en el espino,
   Non val la rrosa çierto
   Menos, nin el buen vyno
   Por salyr del sarmiento.

64   Non val el açor menos
   Por nasçer de mal nido,
   Nin los enxenplos buenos
   Por los dezyr judio. (...)

182   Que los exenplos buenos
   Non mentirian jamas,

---

[18] Se refiere a Alfonso XI, muerto de la peste durante el sitio de Gibraltar, el 26 de marzo de 1350.

Que quanto es lo de menos,
Tanto es lo de mas. (...)

[ASPECTOS DEL HOMBRE]

[¿] Non te miemra que eres
De vil cosa criado;
300 De vna gota suzya,
Podrida e dañada?
E tyeneste por luzya
Estrella, muy preçiada!

301 Pues dos vezes pasaste
Camino muy biltado,
Locura es preçiarte:
Daste por muy menguado.

302 E mas que vn mosquito
El tu cuerpo non vale
Desque aquel espryto
Que lo meçe dél sale. (...)

421 El omre que es omre
Syenpre bive cueytado:
Sy rryco o sy pobre,
Non le mengua cuydado.

422 El afan el fidalgo
Sufre en sus cudados,
E el vyllano, largo
Afan á en sus costados.

423 Omre pobre preçiado
Non es mas que el muerto;
El rryco guerreado
Es, non teniendo tuerto.

424 Del omre byvo dizen
Las gentes sus maldades,
E desque muere fazen
Cuenta de sus bondades.

425 Quando pro nol terrna,
Loanlo bien la gente;
De lo que nol verna
Bien, danle larga mente. (...)

492 El omre de metales
Dos es cofaçionado,
Metales desyguales,

Vn vyl e otro onrrado.

493 El vno terenal,
En el bestia semeja;
Otro çelestrial
Con angel le apareja.

494 En que come e beve
Semeja alymaña:
Asi muere e bive
Como bestia, syn falla.

495 En el entendimiento
Como el angel es:
Non á despartymiento,
Sy en cuerpo non es.

496 Quien peso de vn dinero
Á mas de entendimiento,
Por aquello señero
Val vn omre por çiento:

497 Ca de aquel cabo tyene
Todo su byen el omre,
De aquella parte le vyene
Toda buena costomre:

498 Mesura e franqueza,
E buen seso e saber,
Cordura e sympleza,
E las cosas caber.

499 Del otro cabo naçe
Toda la mala maña,
E por alli le creçe
La cobdiçia e saña. (...)

[SOBRE EL HABLAR]

566 Mal es mucho fablar,
Mas peor seer mudo,
Que non fue por callar
La lengua, segum cuydo.

567 Pero la mejoria
Del callar non podemos
Negar, mas toda via
Convien que la contemos.

568 Por que la myatad de
Quanto oyermos fablemos,

Vna lengua por ende
E dos orejas auemos.

569   Quien mucho quier fablar
       Syn gran sabiduria,
       Çierto en se callar
       Mejor baratarya. (...)

608   El fablar es clareza,
       El callar, escureza;
       El fablar es franqueza
       E el callar, escaseza;

609   El fablar, ligereza,
       E el callar, pereza.
       El fablar es rriqueza,
       E el callar, pobreza;

610   El callar, torpedat,
       E el fablar, saber;
       El callar, çeguedat,
       E el fablar, vista aver.

611   Cuerpo es el callar,
       E el fablar, su alma;
       Omne es el fablar,
       E el callar, su cama.

5

Pero López de Ayala (1332-1407), *Rimado de palacio* (c. 1400). Madrid: Nacional, ms. 4055 (letra de 1425-50), y Escorial: Monasterio, ms. h.III.19 (letra de 1440-60), ed. de G. Orduna (Pisa: Giardini, 1981).

[SOBRE LOS PECADOS]

18

Segunt dize un sabio, conosçer el pecado
es señal de salud al omne que es errado;
por ende de tu graçia estó yo esforçado,
que tal conosçimiento a mi sera otorgado. (...)

65

El primero es soberuia, en que el angel peco,
muy linpio e muy noble, qual Dios a el crio,
Lucifer en el çielo, e luego en si penso
de ser egual de Dios, e por ende cayo.

66

Por soberuia peco nuestro padre primero,
Adam en paraiso contra Dios verdadero;
pasando el mandamiento, el fue el delantero;
despues de nuestra madre, el fue el consejero. (...)

74

Auariçia es pecado, rraiz e fundamiento
de todos los males, este es muy grant çimiento;
esquiuar lo deue omne de buen entendimiento;
ca deste nasçe al alma muy grant destruimiento.

75

E a este pecado se cuenta la usuria,
e las fuerças e furtos e toda rroberia,
echar los grandes pechos, falsa mercaduria,
aqui son abogados en esta cofradia.

76

Por aqueste pecado fue vendido el Señor,
por los treinta dineros, por Judas, el traidor;
por esta fue de muerte [Acab] meresçedor
el que tomara su viña al pobre seruidor.

77

Esta trae las guerras, destruye lo poblado;
a la viuda e al pobre tiene deseredado;
e faze de buen pleito, muy malo el abogado;
el huerfano chiquillo, dexa mal consejado. (...)

86

Luxuria es pecado de la carne mortal,
que destruye el cuerpo e faze mucho mal
al alma e a la fama; a todos es egual
en darles perdimiento, por lo que çedo fal.

87

Es de muchas maneras este feo pecado;
en el es adulterio, que es de omne casado;
otro es el [estupro] de monja de sagrado,
del santo monesterio, que a Dios esta fundado.

88

Otro es [inçesto], quien peca con parienta;
pecado es que a Dios pesa, e dello mucho se sienta;
pone en grant verguença a omne e en afruenta,
e penalo grauemente si se non arrepienta.

89

A todos es comun nonbre fornicaçion;
qualquier' que asi peca en esta ocasión,
fornicador lo llaman, e es tribulaçion
si en ello perseuera, el mesquino varon. (...)

152

Non podria yo, Señor, atanto me acusar
que muchas mas non sean mis culpas de contar;
ca los çinco sentidos non deuo yo oluidar,
los que por muchas vezes, me fizieron pecar. (...)

155

Si non viera Dauid a Bersabe bañar,
non muriera Urias nin fuera el pecar.
Si non viera Amon a su hermana Tamar,
nunca la cobdiçiara, nin la fuera forçar. (...)

161

Oi muchas mentiras, con falsa opinion,
de fama de mi hermano; luego mi coraçon
creyolo e afirmolo, e busque ocasion
de le traer en daño, sin otra condiçion.

162

Si Judas non oyera, non cayera en error,
nin fiziera tal pleito por vender al Señor:
oyo al falso pueblo e luego el traidor
cunpliolo por la obra commo pudo peor.

163

Plogome otrosi oir muchas vegadas
libros de deuaneos, de mentiras prouadas,
Amadis e Lançalote, e burlas es[c]antadas,
en que perdi mi tienpo a muy malas jornadas.

164

Si fazian sermon, oir non lo queria
diziendo: «Non lo entiendo, que fabla teologia»,
e luego yo cataua alguna conpañia,
dó fablase en burlas por pasar aquel dia.

165

Señor mio, acorre, que non puedo contar
a Ti mas por menudo en lo que fui pecar;
oi e escuche, e fue por ello obrar
grant daño de mi alma, non lo puedo negar. (...)

[EN ALABANZA DE LA VIRGEN]

851

Quando enojado e flaco me siento,
tomo grant espaçio por tienpo pasar,
en fazer rrimos, si quier' fasta çiento;
ca tiran de mi enojo e pesar;
pues pasa mi vida asi commo viento,
oy si non cras, sin mas ý tardar
por me consolar; este es fundamiento:
non espender tienpo en oçio e vagar.

852

A mi Señora, la Virgen Maria,
salude sienpre con grant deboçion,
ca esta me vale, valio e valdr[i]a,
e si yo le fuese deuoto uaron,
que non me enboluiese en vida tan fria
commo fasta aqui, por mi ocasion,
beui en este mundo, dó mas peoria
por ende senti, con tribulaçion.

853

Della fize algunos cantares
de grueso estilo, quales tu veras
aqui luego, e si bien los cantares,
la mi deuoçion pequeña entenderas,
que son versetes conpuestos a pares,
materia rruda, non los tacharas,

si por tu graçia, de mi te acordar[e]s,
que biuio en montaña, segunt que sabras.

854

Señora, estrella luziente, que todo el mundo guia,
guia a este tu seruiente, que su alma en Ti fia.

855

A canela bien oliente eres, Señora, conparada;
a la mirra de Oriente, esa olor muy apartada;
a Ti faz' clamor la gente en sus cuitas toda via,
quien por pecador se siente, llamando «¡Santa Maria!».

856

Señora, estrella luziente, que todo el mundo guia,
guia a este tu seruiente, que su alma en Ti fia.

857

Al çedro en la altura, te conpara Salomon;
eguala tu fermosura al çipres del monte Sion;
palma fresca en verdura, fermosa e de grant valia;
oliua, la Escriptura te llama, Señora mia.

858

Señora, estrella luziente, que todo el mundo guia,
guia a este tu seruiente, que su alma en Ti fia.

859

De la mar eres estrella; del çielo, puerta lunbrosa;
despues del parto, donzella; de Dios, Madre, Fija, Esposa;
Tu amansaste la querella, que por Eua a nós venia,
e el mal que fizo ella por Ti ouo mejoria.

860

Señora, estrella luziente, que todo el mundo guia,
guia a este tu seruiente, que su alma en Ti fia.

6

Historia troyana en prosa y verso (traducción parcial [1270-primera mitad del s. xiv] de Benoît de Sainte-Maure, *Roman de Troie,* con su propia ampliación poética). Madrid: Nacional, ms. 10146 (letra de mediados del s. xiv), ed. de R. Menéndez Pidal con la cooperación de E. Varón Vallejo (Madrid: Centro de Estudios Históricos, 1934).

Commo Casandra profetizo la destroycion de Troya
e commo fue ençerrada en presion como a moger
sandia, e todas las cosas que dixo e profetizo

Mientre duraron las treguas e soterraron los griegos sus muertos, los troyanos otrosy buscaron los suyos por los campos e leuaron los mas onrrados para la cibdat e soterraronlos muy onrradamente; desy quemaron los todos otros. E quando el rrey Priamo sopo que Casabilante era muerto, e era un fiio que mucho amaua, ouo muy grand coyta en su coraçon e fizolo soterrar muy onrradament çerca de vn tenplo de Venus, en vn loziello de marmol cardeno que semejaua todo de azul, e fazian por el muy grand duelo su padre e todos sus hermanos e todos los caualleros e las dueñas de la villa. E Casandra, la fiia del rrey Priamo, que vio aqueste dapño tan grande e aquestos duelos tan syn guisa, començo de profetizar por spiritu santo del destroymiento de Troya e a castigar los troyanos e a dezirles que se partiesen de aquella guerra, maltrayendolos muy fuerte, ca ya estonçe era suelta de la presion en que la tenian guardada. E por ende dezia con grant coyta e con grand quexo del grand mal que veye que auia de acontecer:

II

«¡Gent perdida,
mal fadada,
cofondida,
desesperada,
5 gente syn entendemiento,
  gente dura,
  gente fuerte
  syn ventura,
  dada a muerte,
10 gente de confondimiento!
  ¡ay gentio
  mal apreso,
  de gran brio
  mas syn seso,
15 gentio de mala andança!

            ¡ay catiuos
            syn conseio,
            sodes biuos
            mas sobejo
     20   es graue vuestra esperança!
            ¡Mal fadados,
            ¿que fazedes?
            despertados!
            ¿non veedes
     25   quantos mueren cada día?
            ya el suelo
            non los coje;
            se quier duelo
            vos enoje
     30   por dexar esta porfia;
            Vuestros muertos
            son atantos
            que ya huertos
            e plados quantos
     35   ha en Troya non los caben.
            ¡Ay mesquinos!
            vós auedes
            adeuinos,
            bien tenedes
     40   entre vós muchos que saben
            el mal fado
            que uos presto,
            mal pecado,
            es por esto
     45   que uós a mi non creedes.
            Mal apresos,
            mal andantes,
            bien commo esos
            vós, enantes
     50   de mucho tiempo, morredes;
            vuestra joya
            e vuestro bien,
            todo Troya
            que uós tien
     55   asy ardera a fuego.
            Griegos ternan
            muy grand bando,
            a vós vernan
            sagudando,
     60   Ylion entraran luego. (...)

Gente mala,
mala gente
non vos sala
ya de mente
85 se quiera la vuestra vida;
grande pena
vos es presta
por Elena
sy aquesta
90 guerra non fuere partida.
Gente loca,
gente dura,
e que poca
es la cura
95 que de uós mesmos auedes
mas bien se yo
malfadados
bien lo veyo
por pecados
100 que todos por end morredes.
¡Ay astrosos,
non oydes!
pereçosos
¿non vos ydes
105 por non caer en aquesto?
¡Ay que grand mal
pasaredes!
¡ay que mortal!
¿non veedes
110 commo vos esta tan presto?
¡Ay coraçon
quebrantado!
¿por qual rrazon
mal fadado
115 no t' partes por mill logares,
si podieses,
que este dapño
non lo vieses,
pues tamaño
120 es e de tantos pesares?
¡Troya rrica
e nonbrada,
ay que chica
mal fadada
125 que sera la vuestra onrra!

Vós ardida,
despoblada
cofondida
e arada
130 seredes por grand desonrra.
¡Ay troyanos
caualleros,
muy loçanos
e guerreros!
135 ¡commo seredes lorados!
¡Mas ninguno
que uos lore!
ca solo vno
que aqui more
140 non fincara por pecados.»
Esto dežia
la infante
e mas queria
adelante
145 dezir, mas non la dexaron;
fue tomada
por sandia,
ençerrada
noche e dia;
150 commo a loca la guardaron. (58-63).

De las cosas que pasaron entre Troylo e Braçayda
estando echados en vna cama, e del llanto que
amos fazian

En este cuydado e en esta tristeza estudo Breyseda aquel dia desque sopo
las nueuas de su yda fasta la noche. E desde la noche fue Troylo ver a Breyseda por conortarla e por conortarse el con ella.

VII

Mas aquel ora ques vieron
el infante y la fermosa
sol fablar non se podieron
nin dezir ninguna cosa.
5   E echaronse abraçados
en vn lecho que ý estaua;
estando ý acostados,
cada vno asy lloraua

que sol dezir non podrie
10   la grand coyta e el cuydado
e el pesar que auie
de beuir desanparado. (...)
125   ¡Dios, que fuerte que pecaron
dios que grande mal fezieron
quantos les esto guisaron
e los en esto metieron!
¡Ay dios, nunca plazer vean,
130   mas viuan desanparados
non ayan lo que desean;
quanto dos henamorados
asy s' parten tan anbidos!
Mucho fueron ý villanos,
135   por end fueron ý destroydos
todos griegos e troyanos,
ca d'aquel ora adelante
por esta coyta tan maña
fue Troylo el infante
140   cogiendo tan braua saña
contra griegos e tan fuerte,
que el mesmo, por sus manos
vengandose, dio la muerte
mas d' a mill griegos loçanos.
145   E pues que uos mucho diga,
en aquel viçio lorando
estido con la su amiga
el infante muy cuytado
besando la noche toda.
150   Mas vieno claro el dia
que partio aquella boda,
partio aquella alegria. (135, 139-40).

HUELLAS DE LA ÉPICA: SIGLO XIV

7

Gesta de los Siete Infantes de Lara (c. ¿1000?; refundición, perdida, de c. 1320, reconstruida con la ayuda del texto en prosa de la *Crónica de 1344* y de la *Interpolación de la Tercera Crónica General*), ed. de R. Menéndez Pidal, *Reliquias de la poesía épica española*, 2.ª ed., con una introducción crítica de D. Catalán (Madrid: Gredos, 1980), págs. 199-236.

[*Se trata de la riña familiar entre los Infantes y sus tíos Doña Lambra y Ruy Velázquez. Mediante una carta de la muerte, éstos traicionan a los*

Infantes, que mueren a manos de los de Almanzor. El guerrero moro se apiada del padre de los muertos, ya su cautivo, enviándole su hermana para que le dé solaz. El producto de estos amores es Mudarra, que toma venganza contra los alevosos Ruy Velázquez y Doña Lambra.]

Bohordadores en las bodas de D.ª Lambra

1   Primero lançó su vara el conde Garci Fernández
    e despues *lançó otrosi el bueno de* Ruy Velázquez,
    e despues Muño Salido, el que bien cató las aves,
    e desi *adelant lançaron* otros muchos de otras partes.

Quejas de doña Lambra

5   —«Ruégovos, don Rodrigo, que vos pese de mi male
    pesevos de mi dolor, de vuestra desonra *grande*
    que vuestros sobrinos nos han fecho tan male»...
    —«Non curedes, doña Lambra, non tomedes mas pesare
    que si yo vivo e no muero, yo vos entiendo veng*are*
10 *e darvos he tal derecho* de que todo el mundo fable».
    ....

Malos agüeros

    un aguila cabdal ferrera que estava encima de un pino.
    Muchol peso de coraçón *a ese* Nuño Salido:
    «Estas aves nos lo muestran: tornemos nos, *mios* fijos»...
    «...dos dias ha que nos atiende nuestro tio *don Rodrigo*»...
15 e dexose caer en tierra muerta a pié del pino
    ....
    «Dios del cielo, el tu poder es mayor;
    señor, tu nos ayuda que traydos somos *oy.*
    Tio, ¿que señas son aquellas?: malas son para nós».
    ....

Nuño Salido acusa de traidor a R. Velázquez

    Dixo *Nuño Salido:* «¡ay traydor, falsa carne!:
20 traydo has a tus sobrinos, Dios te lo demande mal;
    fablarán de tu traición quantos en el mundo hay».
    E desque *esto ovo dicho fuese para* los infantes:
    «Fijos, Dios que vos fizo vos ponga esfuerço e vos guarde».

[MUERTE DE LOS INFANTES EN BATALLA CON LOS DE ALMANZOR]

[24]   Ya son muertos los infantes ¡Dios les aya las almas! (...)

Almanzor saca de la prisión a D. Gonzalo

40   e dixol [Almanzor]: «Gonçalo Gustios, *bien te quiero preguntar:*
lidiaron los mios poderes en el canpo de Almenar,
ganaron ocho cabeças, *todas* son de *gran* linaje;
e dizen mios adalides que de Lara son naturales,
si Dios te salve, que me digas la verdat».

45   Respondio Gonçalo Gustios: «*Presto os la entiendo declarar:*
si *ellas* son de Castiella conocer he *de que logar,*
otrosi si de alfoz de Lara, ca seran de mi linaje...»

Preséntale las ocho cabezas

Violas Gonçalo Gustioz bueltas en polvo e en sangre;
con la manta en que estavan començolas de alinpiar,
50   ta*n* bien las afemencio, conosciolas *por su mal.*

Lamento fúnebre de D. Gonzalo

Llorando *de los sus ojos* dixo entonces a Almançor:
«Bien conosco estas cabeças por mis pecados, señor;
conosco las siete, ca de los mios fijos son,
la otra es de Muño Salido, su amo que los crio.
55   ¡Non las quiso muy grant bien quien aqui las ayunto!:
captivo desconortado para siempre só»... (...)

Lamento por Suero

110   «Fijo Suero Gonçalez, cuerpo tan leale,
de las vuestras buenas mañas un rey se devia pagare,
de muy buen caçador no avie en el mundo vuestro par
en caçar muy bien con aves e a su tiempo las mudar.
¡Malas bodas vos guiso *el* hermano de vuestra madre,
115   metio a mi en cativo e a vós fizo descabeçar!:
los nasçidos e por nascer traidor por ende le diran».

Lamento por Fernando

Beso la cabeça llorando e en su lugar *la dexove,*
la de Fernant Gonçalez en braços la tomove.
«Fijo, cuerpo honrado, e nombre de buen señore,

120 del conde Fernant Gonçalez, ca el vos bateo
De las vuestras mañas, fijo, pagar se devia un enperador;
matador de oso e de puerco e de cavalleros señore,
quier de cavallo quier de pie que ningun otro mejor.
Nunca rafezes compañas, fijo, amastes vós,
125 e muy bien vos aveniades con las mas altas e mejores,
¡Vuestro tio don Rodrigo malas bodas vos guiso:
a vós fizo matar e a mi metio en prision!,
¡traidor le llamaran quantos por nascer son!»

Lamento por Rodrigo

Beso la *cabeça* llorando e en su lugar la *miso;*
130 la de Ruy Gonçalez en braços la priso.
«Fijo Ruy Gonçalez, cuerpo muy entendido,
de las vuestras buenas mañas un rey seria conplido,
muy leal a señor e verdadero amigo,
mejor cavallero de armas que nunca omne vido.
135 ¡Malas bodas vos guiso vuestro tio don Rodrigo:
a vós fizo descabeçar e a mi metio en cativo!
Hevos finados deste mundo mesquino,
el por sienpre avia perdido el paraiso».

Lamento por Gustios

Beso la cabeça llorando e en su lugar la *dexava;*
140 la de Gustios Gonçalez en braços la tomava,
del polvo e de la sangre muy bien la alinpiava,
faziendo fiero duelo por los ojos la besava.
«Fijo Gustios Gonçalez, aviades buena maña:
non dixerades una mentira por quant maña es España.
145 Cavallero de buena guisa, buen feridor d' espada:
ninguno feristes con ella que no perdiese el alma.
¡Malas nuevas iran, fijo, de vós al alfoz de Lara!»

Lamento por Gonzalo

Beso la cabeça con lagrimas e pusola en su lugar,
e la de Gonçalo Gonçalez su fijo el menor fue tomar,
150 mesando sus cabellos, faziendo duelo grande.
«Fijo Gonçalo Gonçalez, a vós amava mas vuestra madre.
Las vuestras buenas mañas ¿qui las podria contare?:
buen amigo para amigos e para señor leale;
conosçedor de derecho, amavades lo judgar;
155 en armas esforçado, a los vuestros franquear,
alançador de tablado nunca omne lo vido tale;

con dueñas e donzellas sabiades muy bien fablar
e davades las vuestras donas muy de voluntad
158b *donde* erades mas amado que otro cavallero *de prestar*
meester avia agudeza quien con vós razonase,
160 mucho seria agudo si la primera non levase.
Los que me temian por vós, enemigos me seran,
aunque yo torne a Lara, nunca valdre un pan;
non he pariente ni amigo que me pueda vengar:
¡mas me valdria la muerte que esta vida tal!
165 E en esto comediendo, amortesci*do* se *ha,*
la cabeça de las manos sobre las otras se le cae,
quando cayo en tierra de si no sabia parte.
Peso mucho a Almançore e començo de llorare;
con grant duelo que dél ovo dixo contra Alicante:
170 «Non mor*ra* aqui *don* Gonçalo por quanto Cordova vale,
ca yo vi quanta traicion a el fizo Ruy Velazquez».

....

Almançor encomienda el cautivo a su hermana

Almançor mando llamar una infante, su hermana...
e muy bien e muy apuestamente fablava:
«Hermana, si me vós amades, entrad en esa casa
175 dó yaz ese christiano que es ome de sangre alta...
vós, mi hermana, conortatlo con muy buenas palabras...»
—«Asi yoguiesen agora todos los christianos de España»...

....

—«Conortatlo en toda guisa si quisierdes mi amor,
sinon, set ende çierta non faredes vuestra pro».

....

La mora consuela al cautivo

180 —«¡Conortatvos, christiano, mucho vos veo cobarde!;
180b los moros e los christianos quando avedes lid canpal
180c passades los bivos sobre los muertos con grant coyta de lidiar.
E pues vós esto non podedes librar,
lo que yo, muger, sofri, cuedo sofreriades mal:
yo avia pocos años quando murio mi madre
e yo nunca ove marido nin amigo *en poridat*
185 e mi hermano Almançor a Sevilla me fue a casar
con un rey muy poderoso e de muy grant *rictat*...
Mi hermano envio por nós una fiesta de Sant Johan:
en el axaraf de Sevilla christianos *fuimos* topar,
mataron a mio marido, mis siete fijos *otro tal;*
190 yo escape *a vida,* metime en un axarafe,

lazre noches e dias e non me quis por *end* matar.
Veovos los cabellos blancos, *mas* el rostro fresco *asaz:*
por ventura aun faredes fijos que a los otros vengaran».
Ella dezia mentira por lo *haber de* conortar,
195   ca nunca fuera casada, nin fijos *fuera engendrar,*
mas era donzella e fermosa *asaz.*
Don Gonçalo paro en ella mientes e della fue trabar.
«Dueña, vós açomastes el sueño, Dios lo quiera soltar,
ca conbusco fare el fijo que a los otros vengará»...

....

Elogio de Mudarra

200   fue despues muy buen christiano e á serviçio de Dios,
e fue el mas onrado ome que en Castiella *moró*
afuera del conde don Garçi Fernandez que ende era señor...

Libertad de D. Gonzalo

Vinieron Almançor e Alicante a ver a Gonçalo Gustiós...
«Nós non ganamos nada, don Gonçalo, en la tu prisión
205   ca tu as perdida la fuerça, e el seso, e el valor»... (...)

Mudarra llega ante su padre

Salieronse de la eglesia, fueronse para don Gonçalo,
e todos los de Salas le vinieron besar las manos;
270   dixeron que lo servirian e farian su mandado.
Don Mudarra Gonçalez diçió a la puerta del palaçio

....

D. Gonzalo niega a su hijo

—«Yo só sobrino de Almançor, fijo de la su hermana,
vós me avedes engendrado, vuestro fijo só sin dubda*nça*».
Dixo Gonçalo Gustioz: «Desque case con doña Sancha,
275   nunca ove fazimiento con mora nin con christiana;
vós servi*do* seredes en quanto fuerdes en Salas;
e desto que vos digo non podedes saber mas *nada*».

D.ª Sancha reconoce a Mudarra

Respondio sañuda miente *ese* Mudarra *Gonçalez:*
«Si me non queredes por fijo, nin yo a vós por padre,
280   ca donde yo menos valgo asi es de vuestra parte.
Mas dexeme Dios vengar *mios* hermanos los infantes
e recebir cristiandat por mi anima salvar,

que por vuestro heredamiento non d*oy quanto un figo vale*».
Alli dixo doña Sancha: «¡si vos viesedes como *ante!:*
285 *si* viesedes *agora su* rostro e *su faz,*
diriades que este era vuestro fijo Gonçalo Gonçalez.
E vós con miedo de mi non neguedes lo *que* errastes,
ca quien yaze en captivo non puede ley *guardare,*
ca conviene pecar con lazeria, sed o fanbre.
290 E por vergüença de mi non neguedes vuestra sangre:
pecariedes mortal miente e *yo avria* enojo grande.
¡Tales pecados como este oviesedes siete o mas!
vós tomariedes penitencia e yo tomaria la meetad».
Estonce dixo don Gonçalo toda la verdat:
295 «si el es fijo de la infante, el me dara señal...»

Propósitos de venganza

«Agora que plugo a Dios que me diese padre honrado...
e levo a descabeçar a los siete infantes, mis hermanos»...
«... viene vuestra gente cansada, los caballos muy enojados»...
....
enbiaron luego su carta al alfoz de Lara
300 e fasta los Cameros, e a Piedra Lada
....
fazianle mucho serviçio de carneros e de vacas...
—«Del traidor de Ruy Velazquez, señor, datnos vengança»...
—«O poca sera mi vida o avre desto vengança».
.... (...)
[336] Aqui dixo el infante don Mudarra
a la gente de la tierra, que mucha consigo levava,
que el conde Garçi Fernandez *se la* avia da*d*a:
«Tornadvos de aqui, amigos, con toda la peonada,
340 perdedes vuestras faziendas, non ganades aqui nada,
que para el cuerpo traidor asaz imos de compaña,
e nunca lo alcançari*emos* asi aforrado como anda».
Todos gelo agradesçieron e por su vida oravan;
vanse para sus tierras, don Mudarra para Saldaña.

Ruy Velázquez huye de Saldaña

345 En otro dia el traidor de Saldaña partio,
agua de Carrion ayuso fuese para Monçon.
Don Mudarra sopo las nuevas, para allá adereço:
topo con su rastro a par del rio Carrion;
cuitose de andar *por* lo fallar en Monçon,
350 e quando *don* Mudarra *a* Monçon llego
el traidor era ya *ido* en la Torre de Mormojon,

e don Mudarra tras el por el rastro lo siguio
e quando don Mudarra a *la Torre* llego
el traidor de Ruy Velazquez a Dueñas se torno,
355 e quando don Mudarra en Dueñas *entro*
el traidor ya pas*ava* Pisuerga e Carrion;
fuese para Tariego, el castiello basteçio.
Mudarra salio de Dueñas, en el rastro le entro:
cuando Ruy Velazquez lo sopo fuese para Cabeçon,
360 e don Mudarra en pos el por Pisuerga a *fondon;*
non lo fallo í don Mudarra cuando llego a Cabeçon
ca donde el traidor comia non alvergaba í esa noche
....
e cantados los gallos *el traidor* madrug*ava,*
fue agua de Espeja acima quando fue mañana;

Ruy Velázquez caza en Val de Espeja

365 con su açor que traia la ribera cat*ava,*
e ante que llegase a Espeja fallo una gar*ç*a muy brava;
lançol el açor de lueñe, el açor non pudo alcançalla,
rodeola atan alto *que* entre las nubes *entrava.*
Muy sañudo Ruy Velazquez *en* buscar el açor *se afincava,*
370 con dozientos cavalleros qùe del avian soldada.

Se acerca Mudarra

Ellos buscando el açor, Mudarra asomava,
con mill cavalleros de Castilla e de Lara.
Ataleadores llegaron dó Ruy Velazquez estava,
los suyos desque los vieron *a don Rodrigo fablavan:*
375 «Señor, pensemos de foir, afe aqui don Mudarra,
con muy grandes cavallerias cubierta viene la xara».

«Val de Espera»

Dó estas nuevas le dixeron avia nonbre Val d' Espeja,
e alli dixo Ruy Velazquez: «Por aquel que vive e regna
aqui me fallara en aqueste val de espera».
380 De aquel dia en adelante siemprel llamaron Val d' Espera. (...)

Mudarra y Ruy Velázquez se avistan y se reconocen

Don Rodrigo con dozientos acabdillado estava en haze;
dixo contra los suyos: «amigos, quedos estad;
yo quiero ver aquel que se aparta qui es o que viene buscar».
415 Pusieronse en sendos cabeços, en medio un pequeño valle:
catavanse uno a otro, non se *querian* salu*ar.*

Dixo Ruy Velazquez a Mudarra *Gonzalez:*
«¿Qui *sodes vós,* cavallero, e que venides buscare?»
Respondiole don Mudarra: «Yo só vuestro enemigo mortal,
420   vengo vengar la muerte de mis hermanos *los infantes*
que vós como traidor levastes a descabeçar».
«Vós sodes el traidor», dixo Ruy Velazquez,
«ca desque que a Lara entrastes me fiziestes mucho mal:
matastes me mis vasallos e las mis villas quemastes;
425   agora me lo pagaredes que en tal tiempo estades».
Dixo don Mudarra: «Mientes, don falso traidor *desleal;*
de quantas traiciones pensaste oy derecho tu daras.

Conciertan lid singular

Castiguemos la cavalleria esten quedas nuestras azes,
lidiemos nos uno por otro si_ *esto a* vós plaze,
430   que las nuestras gentes, ¿por que se an de matare?:
entregar vos he mi cuerpo o vengare los infantes».
Dixo Ruy Velazquez: «*Todo esso* a mi plaze».
Respondiole don Mudarra: «pues los vuestros castigad,
castigare yo los mios que ninguno non *derranche,*
435   traidor sea como Judas quien í fiziere ál».
    Amos se desafiaron, uno de otro muy cerca estan:
e sus gentes castigadas, dixo Mudarra Gonçalez:
«¡Este es el dia que yo deseava *mas*!
Señor, tu cuida al que andava con verdad».

D. Gonzalo quiere lidiar por Mudarra

440   Alli le dixo Gonçalo Gustioz su padre:
«Fijo, por amor de mi non lidiedes con el *aparte;*
fuerte cavallero es el traidor, non ha en España su pare;
yo que lo conozco con el me dexad lidiare,
vengare mis fijos e lo que me fizo cativare».
445   Dixo don Mudarra: «Señor, non me mandades tale
omenaje le tengo fecho, no lo puedo quebrantare;
no falsaria mi palabra por quanto el mundo vale.
Veamonos con salud, si al nuestro Señor plaze».

Combate

    Espoloneo el cavallo e deçendio por el valle.
450   Muy agradoso el traidor a reçebirlo sale.
Alli espolonean los cavallos, a acometerse *van;*
abaxadas las lanças fieros golpes se dan,
quebrantaron los escudos que *ninguna* pro *les han,*

desmallavanse las lorigas como si fueran çendal.
455 El poder de Jesucristo siempre amo verdad:
el golpe que el traidor dio a Mudarra Gonçalez
non quiso Dios quel prendiese en la carne
pero non dexo la lança de salir de la otra parte.

Mudarra derriba a Ruy Velázquez

La lançada que don Mudarra dio al traidor de Ruy Velazquez
460 *firiol* por meytad de los pechos, *la loriga le fue a falsar;*
más de la media lança salio de la otra parte,
sacole de la silla en tierra lo *fue* derrib*ar:*
nunca otro cavallero d*iera*le golpe tal.
Don Mudarra tiro de la lança por otra ferida le dar,
465 desde encima del cavallo queriale golpear;
dixol *don* Rodrigo: «Amigo, ¿que ganas en me matar?,
ca el golpe que me diste me abonda asaz;
mas por la fe que a Dios deves tanto te quiero rogar:
mis vasallos non han culpa, non les quieras fazer mal».
470 Desque Gonçalo Gustioz vio al traidor en tierra esta*r,*
aguijo el cavallo, quanto pudo *fuese* para *alla:*
«Fijo, ese traidor non mates, lievalo a doña Sancha tu madre
que soltara el su sueño que soñava beb*er* de su sangre».
«Por Dios, señor», dixo Mudarra, «en Salas non entrara,
475 en Vilvestre, su casa, alli lo justiciaran».
Carganlo en una azemila, comiençanlo de levar;
tamaño gozo *han* los de Lara, comiençan a bofordar. (...)

D.ª Sancha acude a Vilviestre

Doña Sancha entro en Vilvestre, todos a reçebirla salen,
coberturas villutadas, bofordando van;
Mudarra a doña Sancha las manos le fue besare,
495 diziendo a altas bozes: «¡justicia el cielo *faze!*
Señor, deste traidor tu me *quieras* vengar».
Deçienden todos de las bestias, al palaçio van entrar.
Entonce dixo don Mudarra a doña Sancha *su madre:*
«Vedes aqui el traidor, agora lo mandat justiciar».
500 El traidor cerro los ojos e la non quiso mirar;
cat*avalo* doña Sancha *en el suelo* donde yaz,
echado en unas colchas vio correr d' el mucha sangre:

Ve cumplido su sueño

«¡Grado e gracias a ti, Señor rey celestial,
que veo el sueño que soñe que bevia de la su sangre!»

505   E finco los inojos para beber, d' el a par;
mas desque *asi* la vio *esse* Mudarra Gonçalez,
rebatola en los braços, ayudola a levantar:
«Non lo fagades, señora, non quiera Dios que tal pase,
que sangre de omne traidor entre en cuerpo atan leal;
510   afelo en vuestras manos, mandatlo justiciar».
Los unos dezian: «Señora, cada dia un mienbro le tajad»;
los otros dezian: «Señora, mandaldo desollar»;
otros le dezian: «Por Dios, vamoslo a quemar»;
los otros le dezian: «Señora, vamoslo a apedrear».
515   Alli *fablo* doña Sancha, *oiredes que dira:*

D.ª Sancha sentencia al traidor

«A todos lo agradezco que vos sentides de mi mal,
mas quiero esta justicia fazer a toda mi voluntad;
plaziendo a Dios e a don Mudarra yo quiero ser desto alcalde:
en Burgos fueron las bodas, al tablado alançare,
520   sobresto se levanto esta traición atan grande,
por cativar mi marido, mis fijos descabeçare;
alçaldo agora en dos vigas, pies e manos le atade,
de los que finaron en la batalla venguese agora su linaje:
escuderos e cavalleros, e los que pudieren alcançare,
525   con lanças e con bofordos todos vengan alançar,
que las carnes del traidor *hayan a despe*daçar,
e desque cayere en tierra apedreallo han».

Suplicio de Ruy Velázquez

Como doña Sancha mando, asi *a fazerlo van.*
Veriedes las carnes del traidor todas a tierra *caen,*
530   ca la compaña era mucha, aina *lo van* despedaçar;
ayuntaron los pedaços, piedras sobre el *van* lançar,
cubierto fue dellas, diez carradas sobre el ya*zen.*
Agora quantos por í pasan de Paternoster en lugar,
con sendas piedras al luziello van dare,
535   e dizen: «Mal sieglo aya la su alma. Amen».
Por esta guisa es maldito aquel que traicion faze;
non fallaredes en España qui su pariente se llame.

D.ª Lambra pide en vano merced al conde

La mala de doña Lambra para el conde *ha adelinado*
en sus vestidos grandes duelos, los rabos de las bestias tajados;
540   *llegado ha a Burgos,* entrado *ha* en el palacio,
echose a los pies *del conde* e besole las manos:

«¡Merçed, conde señor, fija só de vuestra prima!
Lo que don Rodrigo fizo yo culpa non avria,
e non me desanparedes ca pocos seran los mis dias».
545   El conde dixo: «¡Mentides, doña alevosa sabida!
ca todas estas traiciones vós avedes bastecid*as;*
vós de las mis fortaleças erades señora e reina.
Non vos atreguo el cuerpo de *oy en este dia;*
mandare a don Mudarra que vos faga quemar viva
550   e que canes espedaçen esas carnes *malditas,*
e, por lo que fezistes, el alma avredes perdida».
Asi finco doña Lambra pobre e muy mezquina.

Desamparo y fin de D.ª Lambra

Desque esta cuitada de dueña del conde fue desamparada,
fuyendo por la tierra dó sabia que era Mudarra,
555   con una manceba sola andava apeonada,
e non avia que comer sinon lo que por Dios les davan.
Murio en la sierra de *Neíla,* e en *Neíla* yaze soterrada
e *hoy en dia* quantos por í pasan
nunca dizen Paternoster, dizenle: «¡Mal sieglo haya!» Amen.

8

Mocedades de Rodrigo (finales del s. xiv). París: Nationale, ms. Esp. 12 (letra del s. xv),
ed. de J. J. Victorio (Madrid: Espasa-Calpe, 1982) [19].

[Guerra entre Vivar y Gormaz]

(...) Asosegada estava la tierra,   que non avié guerra de ningún cabo.
295   El conde don Gómez de Gormaz   a Diego Laynez fizo danno:
fferióles los pastores   et rrobóle el ganado.
A Bivar llegó Diego Laýnez,   al apellydo fue llegado:
él enbiólo rreçebir a sus hermanos   e cavalgan muy privado.
Ffueron correr a Gormaz   quando el sol era rrayado:
300   quemáronle el arraval   et comenzáronle el andamio,
et trae los vassallos   et quanto tienen en las manos,
et trae los ganados   quantos andant por el campo,
et tráele por dessonrra las lavanderas   que al agua están lavando.
Tras ellos salió el conde   con çient cavalleros fijosdalgo,
305   rrebtando a grandes bozes   a fijo de Laýn Calvo:

---

[19] Se trata de la relación ficticia de la juventud de El Cid (véase B.4).

«Dexat mis lavanderas, fijo del alcalde çibdadano,
ca a mí non me atenderedes atantos por tantos».
—esto amenaza don Gómez por quanto él está escalentado—.
Rredró Rruy Laýnez, sennor que era de Faro:
310 «Cyento por ciento vos seremos de buena miente e al plazo».
Otórganse los omenajes que fuessen ý al día de plazo,
tórnanle de las lavanderas e de los vassallos,
mas non le dieron nada del ganado,
ca se lo querién tener por lo que el conde avía levado.

RODRIGO MATA AL CONDE DON GÓMEZ

315 A los nueve días contados cavalgan muy privado
Rrodrigo, fijo de don Diego, et nieto de Laýn Calvo
et nieto del conde Nunno Alvarez de Amaya et visnieto del rey de León,
—doze annos avía por cuenta e aún los treze non son,
nunca se viera en lit, ya quebrávale el corazón—
320 Cuéntasse en los çien lidiadores, que quisso el padre o que non,
et los primeros golpes suyos e del conde don Gómez son.
Paradas están las hazes e comienzan a lidiar:
Rrodrigo mató al conde ca non lo pudo tardar. (...)

[QUERELLA DE JIMENA ANTE EL REY FERNANDO]

Ffabló Ximena Gómez, la menor en edat:
«Mesura, dixo, hermanos, por amor de caridat;
yrme he para Çamora, al rrey don Fernando querellar
et más fincaredes en salvo, et él derecho vos dará».
360 Allí cavalgó Ximena Gómez, tres doncellas con ella van,
et otros escuderos que la avían de guardar.
Llegava a Zamora, dó la corte del rrey está,
llorando de los ojos e pediéndol piedat:
«Rey, duenna só lazrada, et avetme piedat,
365 orphanilla finqué pequenna de la condessa mi madre;
ffijo de Diego Laýnez ffízome mucho mal:
príssome mis hermanos e matóme a mi padre;
a vós que sodes rrey véngome a querellar;
sennor, por merçed, derecho me mandat dar».
370 Mucho pessó al rey, et començó de fablar:
«En grant coyta son mis rreinos, Castilla alçar se me ha,
et sy se me alçan castellanos, ffazerme han mucho mal».
Quando lo oyó Ximena Gómez, las manos le fue bessar:
«Merçed, dixo, sennor, non lo tengades a mal:

375   mostrarvos he assosegar a Castilla,   e a los reynos otro tal:
      datme a Rrodrigo por marido,   aquel que mató a mi padre». (...)

EL REY FERNANDO Y RODRIGO ANTE EL PAPA,
EN PARÍS

      Allý se erzían los poderes de Rroma   al buen rrey don Fernando:
      non sabían quál era el rey   nin quál era el Castellano,
      synon quando descavalgó el rrey   e al papa bessó la mano.
      Et levantósse el emperador   et rreçebiólos muy de buen grado,
1105 et tómanse por las manos,   van possar al estrado.
      A los pies del rey se va possar   Rruy Díaz el Castellano.
      Allý fabló el papa,   comenzó a preguntarlo:
        «Dígasme, rey de Espanna,   sy a Dyos ayas pagado,
      sy quieres ser emperador de Espanna,   darte he la corona de grado».
1110 Allý fabló Rruy Díaz   ante que el rey don Fernando:
        «Dévos Dios malas graçias,   ¡ay, papa rromano!,
      que por lo por ganar venimos,   que non por lo ganado,
      ca los çinco rreynos de Espanna,   syn vós le bessan la mano:
      viene por conquerir el emperyo de Alemania,   que de derecho ha de heredarlo;
1115 assentósse en la silla,   ¡por ende sea Dios loado!;
      veré que le dan avantaja,   de la qual será ossado
      conde alemano quel dé   la corona et el blago».
      En tanto se levantó   el buen rrey don Fernando:
        «A treguas venimos,   que non por fazer danno.
1120 Vós adelinnat mi rreyno,   Rruy Díaz el Castellano».
      Estonçe Rruy Díaz   apriessa se fue levantado:
        «Oýtme, dixo, rrey de Françia   e emperador alemano,
      oytme, patriarcha   e papa romano:
      por aquestas vuestras cartas   enbiástesme pedir tributario:
1125 traérvoslo ha   el buen rrey don Fernando:
      cras vos entregará   en buena lid en campo
      los marcos quel pedistes,   non vos serán negados.
      Vós, rrey de Françia,   de mí seredes buscado:
      veré sy vos acorrerán los Doçe Pares   o algún françés loçano».
1130 Emplaçados fincan   para otro día en el campo.

PREPARATIVOS PARA OTRA BATALLA

      Alegre se va   el buen rrey don Ferrnando,
      a la su tienda lieva a Rruy Díaz   que non quiere dexarlo.
      Allý dixo el rey   a Rruy Díaz el Castellano:
        «Ffijo eres de Diego Laýnez   e nieto de Laýn Calvo;

1135   cabdiella bien los rreynos desque cantare el gallo».
      Essas oras dixo Rruy Díaz: «Que me plaze de grado:
      cabdillaré las azes ante del alvor quebrado,
      commo estén las azes paradas enante del sol rrayado».
      Apriessa dan çevada et piensan de cavalgar,
1140   las azes son acabdilladas quando el alvor quiere quebrar.
      Mandava Ruy Díaz a los castellanos al buen rey don Fernando guardar;
      va Rruy Díaz con los noveçientos, la delantera fue tomar.
      Armadas son las azes et el pregón apregonado,
      la una e las dos, a la tercera llegando.

La saboyana da a luz. Se hacen las paces

1145   La ynfanta de Saboya, fija del conde saboyano,
      yazía de parto en la tienda del buen rrey don Fernando.
      Allý parió un fijo varón, el papa fue tomarlo:
      ante que el rrey lo sopiesse, fue el ynfante christiano.
      Padrino fue el rey de Françia et el emperador alemano,
1150   padrino fue un patriarcha et un cardenal onrrado:
      en las manos del papa, el ynfante fue christiano.
      Allý llegó Rruy Díaz e el buen rey don Fernando,
      quando lo vio el papa, passó el ynfante a un estrado:
      començo de predicar muy grandes bozes dando:
1155   «Cata, diz, rey de Espanna, cómmo eres bien aventurado,
      con tan grand onrra, Dios qué fijo te ha dado;
      miraglo fue de Christus, el Sennor Apoderado,
      que non quisso que se perdiesse christianismo desde Rroma fasta Santiago;
      por amor d'este ynfante que Dios te ovo dado,
1160   dános tregua syquiera sea por un anno».
      Ally dixo Rruy Díaz: «Sol non sea pensado
      salvo si es entrega». —«Enpero más queremos aplazarlo,
      et tal plazo nos dedes que podamos entregarlo:
      o morrá este emperador ol daremos rreynado apartado».
1165   Dixo el rey don Fernando: «Dovos quatro annos de plazo».
      Dixo el rey de Françia et el emperador alemano:
      «Por amor deste ynfante que es nuestro afijado,
      otros quatro annos vos pedimos de plazo».
      Dixo el rey don Fernando: «Séavos otorgado:
1170   e por amor del patriarcha, dovos otros quatro annos,
      e por amor del cardenal ....

G

EL ROMANCERO Y LA POESÍA AMATORIA CANCIONERIL

(SIGLOS XIV-XV)

EL ROMANCERO

ROMANCES HISTÓRICOS Y FRONTERIZOS: RODRIGO, ÚLTIMO REY DE LOS GODOS

1

Romance de cómo se perdió España por causa del rey don Rodrigo (segunda mitad del s. xv), recogido en Juan de Timoneda, *Rosa española* (1573); ed. de F. J. Wolf y C. Hofmann, *Primavera y flor de romances* (Berlín: A. Ascher, 1856), segunda ed. corregida y adicionada por M. Menéndez y Pelayo en *Antología de poetas líricos castellanos*, VIII: *Romances viejos castellanos,* tomo I (Madrid: Librería de Hernando y Cía., 1899), núm. 5a, págs. 10-11.

> Los vientos eran contrarios, — la luna estaba crecida,
> los peces daban gemidos — por el mal tiempo que hacia,
> cuando el rey don Rodrigo — junto a la Cava dormia,
> dentro de una rica tienda — de oro bien guarnecida.
> [5] Trescientas cuerdas de plata — que la tienda sostenian,
> dentro habia doncellas — vestidas a maravilla;
> las cincuenta están tañendo — con muy extraña armonia;
> las cincuenta están cantando — con muy dulce melodia.
> Allí hablara una doncella — que Fortuna se decía:
> [10] —Si duermes, rey don Rodrigo, — despierta por cortesia,
> y verás tus malos hados, — tu peor postrimeria,
> y verás tus gentes muertas, — y tu batalla rompida,
> y tus villas y ciudades — destruidas en un dia.
> Tus castillos, fortalezas — otro señor los regia.

[15] Si me pides quién lo ha hecho, — yo muy bien te lo diria:
ese conde don Julian — por amores de su hija,
porque se la deshonraste — y más de ella no tenia.
Juramento viene echando — que te ha de costar la vida.—
Despertó muy congojado — con aquella voz que oia;
[20] con cara triste y penosa — de esta suerte respondia:
—Mercedes a ti, Fortuna, — de esta tu mensajeria.—
Estando en esto allegó — uno que nuevas traia:
cómo el conde don Julian — las tierras le destruia.
Apriesa pide el caballo, — y al encuentro le salia;
[25] los enemigos son tantos, — que esfuerzo no le valia;
que capitanes y gentes — huia el que mas podia. (...)

2

Romance de la penitencia del rey don Rodrigo (s. xv, procedencia de la *Crónica sarracina* de Pedro de Corral [c. 1440], también juglaresca), recogido en *Silva de romances* (1550), t. 1, fol. 47; ed. Wolf-Hofmann/Menéndez y Pelayo, *ibid.*, núm. 7, págs. 12-14.

Despues que el rey don Rodrigo — a España perdido habia
íbase desesperado — por donde mas le placia.
Métese por las montañas — las mas espesas que habia,
porque no le hallen los moros — que en su seguimiento iban.
[5] Topado ha con un pastor — que su ganado traia,
díjole: —¿Dime, buen hombre, — lo que preguntar queria,
si hay por aquí poblado — o alguna caseria
donde pueda descansar, — que gran fatiga traia?—
El pastor respondió luego — que en balde la buscaria,
[10] porque en todo aquel desierto — sola una ermita habia,
adonde estaba un ermitaño, — que hacia muy santa vida.
El rey fué alegre de esto, — por allí acabar su vida.
Pidió al hombre que le diese — de comer, si algo tenia:
el pastor sacó un zurron, — que siempre en él pan traia;
[15] dióle dél, y de un tasajo — que acaso allí echado habia.
El pan era muy moreno, — al rey muy mal le sabia;
las lágrimas se le salen, — detener no las podia
acordándose en su tiempo — los manjares que comia.
Despues que hubo descansado — por la ermita le pedia,
[20] el pastor le enseñó luego — por donde no erraria.
El rey le dió una cadena, — y un anillo que traia:
joyas son de gran valer — que el rey en mucho tenia.
Comenzando a caminar, — ya cerca el sol se ponia,
llegado es a la ermita — que el pastor dicho le habia.
[25] El dando gracias a Dios — luego a rezar se metia;

despues que hubo rezado — para el ermitaño se iba:
hombre es de autoridad, — que bien se le parecia.
Preguntóle el ermitaño — cómo allí fué su venida;
el rey, los ojos llorosos, — aquesto le respondia:

[30] —El desdichado Rodrigo — yo soy, que rey ser solia:
vengo a hacer penitencia — contigo en tu compañía;
no recibas pesadumbre — por Dios y Santa María.—
El ermitaño se espanta; — por consolallo decía:
—Vós cierto habeis elegido — camino cual convenia

[35] para vuestra salvación, — que Dios os perdonaria.—
El ermitaño ruega a Dios — por si le revelaria
la penitencia que diese — al rey que le convenia.
Fuéle luego revelado, — de parte de Dios, un dia,
que le meta en una tumba — con una culebra viva,

[40] y esto tome en penitencia — por el mal que hecho habia.
El ermitaño al rey — muy alegre se volvia:
contóselo todo al rey — cómo pasado lo habia.
El rey de esto muy gozoso, — luego en obra lo ponia.
Métese como Dios manda — para allí acabar su vida;

[45] el ermitaño, muy santo, — mírale el tercero dia.
Dice: —¿Cómo os va, buen rey? — ¿vaos bien con la compañia?
—Hasta ahora no me ha tocado — porque Dios no lo queria:
ruega por mí, el ermitaño, — porque acabe bien mi vida.—
El ermitaño lloraba, — gran compasión le tenia:

[50] comenzóle a consolar   y esforzar cuanto podia.
Despues vuelve el ermitaño — a ver si ya muerto habia:
halla que estaba rezando — y que gemia y plañia.
Preguntóle cómo estaba: — Dios es en la ayuda mia,
respondió el buen rey Rodrigo: — la culebra me comia;

[55] cómeme ya por la parte — que todo lo merecía,
por donde fué el principio — de la mi muy gran desdicha.—
El ermitaño lo esfuerza, — el buen rey allí moria;
aquí acabó el rey Rodrigo, — al cielo derecho se iba.

LOS SIETE INFANTES DE LARA

3

Romance de don Rodrigo de Lara, recogido en el *Cancionero de Romances «sin año»*
(c. 1548), fol. 165, ed. de Wolf-Hofmann/Menéndez y Pelayo, *ibid.,* núm. 26, págs. 52-53.

A cazar va don Rodrigo, — y aun don Rodrigo de Lara:
con la gran siesta que hace — arrimádose ha a una haya,

maldiciendo a Mudarrillo, — hijo de la renegada,
que si a las manos le hubiese, — que le sacaria el alma.
[5] El señor estando en esto — Mudarrillo que asomaba:
—Dios te salve, caballero, — debajo la verde haya.
—Así haga a ti, escudero, — buena sea tu llegada.
—Dígasme tú, el caballero, — ¿cómo era la tu gracia?
—A mí dicen don Rodrigo, — y aun don Rodrigo de Lara,
[10] cuñado de Gonzalo Gustos, — hermano de doña Sancha;
por sobrinos me los hube — los siete infantes de Salas.
Espero aquí a Mudarrillo, — hijo de la renegada;
si delante lo tuviese, — yo le sacaria el alma.
—Si a ti dicen don Rodrigo, — y aun don Rodrigo de Lara,
[15] A mí Mudarra Gonzales, — hijo de la renegada,
de Gonzalo Gustos hijo, — y alnado de doña Sancha:
por hermanos me los hube — los siete infantes de Salas;
tú los vendiste, traidor, — en el val de Arabiana;
mas si Dios a mí me ayuda, — aquí dejarás el alma.
[20] —Espéresme, don Gonzalo, — iré a tomar las mis armas.
—El espera que tú diste — a los infantes de Lara:
«aquí morirás, traidor, — enemigo de doña Sancha.»—

EL CID

4

Romance de Jimena Gómez (procede de las *Mocedades de Rodrigo,* de finales del s. XIV),
recogido en el *Cancionero de Romances* (1550), fol. 162, ed. de Wolf-Hofmann/Menéndez y
Pelayo, *ibid.*, núm. 30b, págs. 60-62.

Dia era de los Reyes, — dia era señalado,
cuando dueñas y doncellas — al rey piden aguinaldo,
sino es Jimena Gomez, — hija del conde Lozano,
que puesta delante el rey, — de esta manera ha hablado:
[5] —Con mancilla vivo, rey, — con ella vive mi madre;
cada día que amanece — veo quién mató a mi padre
caballero en un caballo — y en su mano un gavilan;
otra vez con un halcon — que trae para cazar,
por me hacer mas enojo — cébalo en mi palomar:
[10] con sangre de mis palomas — ensangrentó mi brial.
Enviéselo a decir, — envióme a amenazar
que me cortará mis haldas — por vergonzoso lugar,
me forzará mis doncellas — casadas y por casar;

matárame un pajecico — so haldas de mi brial.
[15] Rey que no hace justicia — no debia de reinar,
ni cabalgar en caballo, — ni espuela de oro calzar,
ni comer pan a manteles, — ni con la reina holgar,
ni oir misa en sagrado, — porque no merece más.—
El rey de que aquesto oyera — comenzara de hablar:
[20] —¡Oh válame Dios del cielo! — quiérame Dios consejar:
si yo prendo o mato al Cid, — mis Cortes se volverán;
y si no hago justicia, — mi alma lo pagará.
—Tente las tus Cortes, rey, — no te las revuelva nadie,
al Cid que mató a mi padre — dámelo tú por igual,
[25] que quien tanto mal me hizo — sé que algun bien me hará.—
Entónces dijera el rey, — bien oiréis lo que dirá:
—Siempre lo oí decir, — y agora veo que es verdad,
que el seso de las mujeres — que no era natural:
hasta aquí pidió justicia, — ya quiere con él casar.
[30] Yo lo haré de buen grado, — de muy buena voluntad;
mandarle quiero una carta, — mandarle quiero llamar.—
Las palabras no son dichas, — la carta camino va,
mensajero que la lleva — dado la habia a su padre.
—Malas mañas habeis, conde, — no vos las quiero quitar,
[35] que cartas que el rey vos manda — no me las quereis mostrar.
—No era nada, mi hijo, — sino que vades allá,
quedávos aquí, hijo, — yo iré en vuestro lugar.
—Nunca Dios atal quisiese — ni santa María lo mande,
sino que adonde vós fuéredes — que vaya yo adelante.—

5

Romance del rey don Sancho (procede del poema épico *Cerco de Zamora;* ya era bien conocido a finales del s. xv), recogido en el *Cancionero de Romances* «sin año» (c. 1548), fols. 158v-59r, ed. de Wolf-Hofmann/Menéndez y Pelayo, *ibid.*, núm. 45; págs. 82-83.

—¡Rey don Sancho, rey don Sancho, — no digas que no te aviso
que de dentro de Zamora — un alevoso ha salido:
llámase Vellido Dolfos, — hijo de Dolfos Vellido,
cuatro traiciones ha hecho, — y con esta serán cinco.
[5] Si gran traidor fué el padre, — mayor traidor es el hijo.—
Gritos dan en el real: — ¡A don Sancho han mal herido:
muerto le ha Vellido Dolfos, — gran traición ha cometido!—
Desque le tuviera muerto, — metióse por un postigo,
por las calles de Zamora — va dando voces y gritos:
[10] —Tiempo era, doña Urraca, — de complir lo prometido.

6

Romance del juramento que tomó el Cid al rey Alfonso (procede de una versión tardía [c. 1200] del *Cerco de Zamora,* basado en un incidente no histórico [véase J. Horrent, «La jura de Santa Gadea: Historia y poesía», *Studia Philologica: Homenaje ofrecido a Dámaso Alonso,* t. II (Madrid: Gredos, 1961), págs. 241-65]), recogido en el *Cancionero de Romances «sin año»* (c. 1548), fol. 153, ed. de Wolf-Hofmann/Menéndez y Pelayo, *ibid.,* núm. 52, págs. 95-97.

En sancta Gadea de Burgos, — dó juran los hijosdalgo,
allí le toma la jura — el Cid al rey castellano.
Las juras eran tan fuertes, — que al buen rey ponen espanto;
sobre un cerrojo de hierro — y una ballesta de palo:
[5]   —Villanos te maten, Alonso, — villanos, que no hidalgos,
de las Asturias de Oviedo, — que no sean castellanos;
mátente con aguijadas, — no con lanzas ni con dardos;
con cuchillos cachicuernos, — no con puñales dorados;
abarcas traigan calzadas, — que no zapatos con lazo;
[10]   capas traigan aguaderas, — no de contray, ni frisado;
con camisones de estopa, — no de holanda, ni labrados;
caballeros vengan en burras, — que no en mulas ni en caballos;
frenos traigan de cordel, — que no cueros fogueados.
Mátente por las aradas, — que no en villas ni en poblado,
[15]   sáquente el corazon — por el siniestro costado,
si no dijeres la verdad — de lo que te fuere preguntado,
si fuiste, ni consentiste — en la muerte de tu hermano.—
Jurado había el rey, — que en tal nunca se ha hallado;
pero allí hablara el rey — malamente y enojado:
[20]   —Muy mal me conjuras, Cid, — Cid, muy mal me has conjurado;
mas hoy me tomas la jura, — mañana me besarás la mano.
—Por besar mano de rey — no me tengo por honrado;
porque la besó mi padre — me tengo por afrentado.
—Vete de mis tierras, Cid, — mal caballero probado,
[25]   y no vengas mas a ellas — dende este dia en un año.—
—Pláceme, dijo el buen Cid, — pláceme, dijo, de grado,
por ser la primera cosa — que mandas en tu reinado.
Tú me destierras por uno, — yo me destierro por cuatro.—
Ya se parte el buen Cid, — sin al rey besar la mano,
[30]   con trescientos caballeros; — todos eran hijosdalgo;
todos son hombres mancebos, — ninguno no había cano.
Todos llevan lanza en puño — y el hierro acicalado,
y llevan sendas adargas, — con borlas de colorado;
mas no le faltó al buen Cid — adonde asentar su campo.

PEDRO I DE CASTILLA, LLAMADO «EL CRUEL»

7

Romance de don Fadrique, maestre de Santiago, y de cómo le mandó matar el rey don Pedro su hermano (¿segunda mitad del s. XIV?), recogido en el *Cancionero de Romances «sin año»* (c. 1548), fol. 166, ed. de Wolf-Hofmann/Menéndez y Pelayo, *ibid.*, núm. 65, págs. 124-26.

—Yo me estaba allá en Coimbra — que yo me la hube ganado,
cuando me vinieron cartas — del rey don Pedro mi hermano
que fuese a ver los torneos — que en Sevilla se han armado.
Yo Maestre sin ventura, — yo maestre desdichado,
[5]   tomara trece de mula, — veinte y cinco de caballo,
todos con cadenas de oro → y jubones de brocado:
jornada de quince dias — en ocho la habia andado.
A la pasada de un rio, — pasándole por el vado,
cayó mi mula conmigo, — perdí mi puñal dorado,
[10] ahogáraseme un paje — de los mios más privado,
criado era en mi sala, — y de mí muy regalado.
Con todas estas desdichas — a Sevilla hube llegado;
a la puerta Macarena — encontré con un ordenado,
ordenado de evangelio — que misa no habia cantado:
[15] —Manténgate Dios, Maestre, — Maestre, bien seais llegado.
Hoy te ha nacido hijo, — hoy cumples veinte y un años.
Si te pluguiese, Maestre, — volvamos a baptizallo,
que yo sería el padrino, — tú, Maestre, el ahijado.—
Allí hablara el Maestre, — bien oiréis lo que ha hablado:
[20] —No me lo mandeis, señor, — padre, no querais mandallo,
que voy a ver qué me quiere — el rey don Pedro mi hermano.—
Dí de espuelas a mi mula, — en Sevilla me hube entrado;
de que no vi tela puesta — ni vi caballero armado,
fuíme para los palacios — del rey don Pedro mi hermano.
[25] En entrando por las puertas, — las puertas me habian cerrado;
quitáronme la mi espada, — la que traia a mi lado;
quitáronme mi compañía, — la que me habia acompañado.
Los mios desque esto vieron — de traicion me han avisado,
que me saliese yo fuera — que ellos me pondrian en salvo.
[30] Yo, como estaba sin culpa, — de nada hube curado;
fuíme para el aposento — del rey don Pedro mi hermano:
—Manténgaos Dios, el rey, — y a todos de cabo a cabo.—
—Mal hora vengais, Maestre, — Maestre, mal seais llegado;
nunca nos venís a ver — sino una vez en el año,
[35] y esta que venís, Maestre, — es por fuerza o por mandado.

Vuestra cabeza, Maestre, — mandada está en aguinaldo.
—¿Por qué es aqueso, buen rey? — nunca os hice desaguisado,
ni os dejé yo en la lid, — ni con moros peleando.
—Venid acá, mis porteros, — hágase lo que he mandado.—
[40] Aun no lo hubo bien dicho, — la cabeza le han cortado;
a doña María de Padilla — en un plato la ha enviado;
así hablaba con él — como si estuviera sano.
Las palabras que le dice, — de esta suerte está hablando:
—Aquí pagaréis, traidor, — lo de antaño y lo de ogaño,
[45] el mal consejo que diste — al rey don Pedro tu hermano.—
Asióla por los cabellos, — echado se la ha a un alano;
el alano es del Maestre, — púsola sobre un estrado,
a los aullidos que daba — atronó todo el palacio.
Allí demandara el rey: — ¿Quién hace mal a ese alano?—
[50] Allí respondieron todos — a los cuales ha pesado:
—Con la cabeza lo ha, señor, — del Maestre vuestro hermano.—
Allí hablara una su tia — que tia era de entrambos:
—¡Cuán mal lo mirastes, rey! — rey, ¡qué mal lo habeis mirado!
por una mala mujer — habeis muerto un tal hermano.
[55] Aun no lo habia bien dicho, — cuando ya le habia pesado.
Fuése para doña María, — de esta suerte le ha hablado:
—Prendelda, mis caballeros, — ponédmela a buen recado,
que yo le daré tal castigo — que a todos sea sonado.—
En cárceles muy escuras — allí la habia aprisionado;
[60] él mismo le da a comer, — él mismo con la su mano:
no se fia de ninguno — sino de un paje que ha criado.

8

¡Abenámar, Abenámar! (procede del «diálogo» entre Juan II de Castilla y Abenámar [Yusuf ibn-Alahmar], pretendiente al trono de Granada, al contemplar aquél la ciudad el 27 de junio de 1431), recogido en Ginés Pérez de Hita, *Guerras civiles de Granada, IIª parte: Historia de los bandos de cegríes* (Alcalá de Henares, 1604); ed. de Wolf-Hofmann/Menéndez y Pelayo, *ibid.*, núm. 78a, pág. 154.

¡Abenámar, Abenámar, — moro de la morería,
el día que tú naciste — grandes señales había!
Estaba la mar en calma, — la luna estaba crecida:
moro que en tal signo nace, — no debe decir mentira.—
[5] Allí le responde el moro, — bien oiréis lo que decía:
—Yo te la diré, señor, — aunque me cueste la vida,
porque soy hijo de un moro — y una cristiana cautiva;
siendo yo niño y muchacho — mi madre me lo decía:
que mentira no dijese, — que era grande villanía:

[10]   por tanto pregunta, rey, — que la verdad te diría.
—Yo te agradezco, Abenámar, — aquesa tu cortesía.
¿Qué castillos son aquéllos? — ¡Altos son y relucían!
—El Alhambra era, señor, — y la otra la mezquita;
los otros los Alixares, — labrados a maravilla.
[15]   El moro que los labraba — cien doblas ganaba al día,
y el día que no los labra — otras tantas se perdía.
El otro es Generalife, — huerta que par no tenía;
el otro Torres Bermejas, — castillo de gran valía.
     Allí habló el rey don Juan, — bien oiréis lo que decía:
[20]   —Si tú quisieses, Granada, — contigo me casaría;
daréte en arras y dote — a Córdoba y a Sevilla.
—Casada soy, rey don Juan, — casada soy, que no viuda;
el moro que a mí me tiene, — muy grande bien me quería.

9

Romance antiguo y verdadero de Álora la bien cercada (procede de noticias sobre la muerte del adelantado Diego de Ribera durante el cerco de Álora [mayo de 1434]), recogido en un pliego suelto del s. XVI, ed. de Wolf-Hofmann/Menéndez y Pelayo, *ibid.*, núm. 79, págs. 155-56.

     Álora, la bien cercada, — tú que estás en par del río,
cercóte el adelantado — una mañana en domingo,
de peones y hombres de armas — el campo bien guarnecido,
con la gran artillería — hecho te había un portillo.
[5]   Viérades moros y moras — todos huir al castillo:
las moras llevaban ropa, — los moros harina y trigo,
y las moras de quince años — llevaban el oro fino,
y los moricos pequeños — llevaban la pasa y higo.
Por cima de la muralla — su pendón llevan tendido.
[10]   Entre almena y almena — quedado se había un morico
con una ballesta armada, — y en ella puesta un cuadrillo.
En altas voces decía, — que la gente lo había oído:
¡Treguas, treguas, adelantado, — por tuyo se da el castillo!
Alza la visera arriba, — por ver el que tal le dijo:
[15]   asestárale a la frente, — salido le ha al colodrillo.
Sacólo Pablo de rienda, — y de mano Jacobillo,
estos que había criado — en su casa desde chicos.
Lleváronle a los maestros — por ver si será guarido;
a las primeras palabras — el testamento les dijo.

ROMANCES LÍRICOS, CABALLERESCOS Y NOVELESCOS

10

Estáse la gentil dama (es el primer romance sobre el tema de *La dama y el pastor).* Procede de la pastorela francesa; Florencia: Nacional, Conventi Soppressi, cód. G-4/313, fol. 48 (manuscrito fechado en 1421 que perteneció al estudiante mallorquín Jaume de Olesa; *Gentil dama* es el primer romance documentado en la literatura hispánica). Ed. de D. Catalán, *Romancero tradicional X: La dama y el pastor* (Madrid: Gredos, 1977), I.1A-I.1B, págs. 23-25.

[VERSIÓN PALEOGRÁFICA DEL MS.
DE JAUME DE OLESA (1421)]

Gentil donã gentil dona
Dona de bell paraſſer
2   los pes tjngo en la verdura
Esperando eſte plaſer
Por hi paſſa lleſcudero
meſurado e cortes
4   les paraules que me dixo
todes eren demores
Thate eſcudero eſte coerpo
Eſte corpo atu plaſer
6   les titilles agudilles
Quel brjal queran fender
Alli dixo leſcudero
no es hora detender
8   la muller tjngo fermoſa
figes he de mantener
Al ganado en la cierra
Que ſe me ua aperder
10 els perros en les cadenes
Que no tienen que comer
Alla vages mal villano
Dieus te quera mal feſer
12 per hun poco de mal ganado
Dexes coerpo de plaſer
Leſcorraguda / es mal mj
quero meſtra gil / e faſelo
con dretxo / bien mj que
ſu muger / qujm etxa en
en ſon letxo

[Versión con grafías castellanas
de Diego Catalán]

Gentil dona, gentil dona, dona de bell pareçer,
2 los pies tingo en la verdura esperando este plazer.
Por ý passa ll'escudero mesurado e cortés.
4 Las paraulas que me dixo todas eran d'amorés.
—Thate, escudero, este cuerpo, este cuerpo a tu plazer,
6 las tetillas agudillas qu'el brial quieren fender.—
Allí dixo l'escudero: —No es hora de tender,
8 la muller tingo fermosa, fijas he de mantener,
el ganado en la sierra que se me ua a perder,
10 els perros en las cadenas que no tienen que comer.
—Allá vayas, mal villano, Dios te quiera mal fazer,
12 por un poco de mal ganado dexas cuerpo de plazer.—

L'escorraguda es:

Mal me quiere mestre Gil, e fazelo con drecho.
Bien me quie[re] su muger que'm echa en el son lecho.

11

La bella malmaridada (finales del s. xv), recogido en Sepúlveda, *Romances nuevamente saca-dos,* etc. (Amberes, 1551), fol. 258, ed. de Wolf-Hofmann/Menéndez y Pelayo, *Primavera/Antología,* núm. 142, pág. 258.

—La bella mal maridada, — de las lindas que yo vi,
véote tan triste enojada; — la verdad dila tú a mí.
Si has de tomar amores — por otro, no dejes a mí,
que a tu marido, señora, — con otras dueñas lo vi,
[5] besando y retozando: — mucho mal dice de ti;
juraba y perjuraba — que te había de ferir.—
Allí habló la señora, — allí habló, y dijo así:
—Sácame tú, el caballero, — tú sacásesme de aquí;
por las tierras donde fueres — bien te sabría yo servir:
[10] yo te haría bien la cama — en que hayamos de dormir,
yo te guisaré la cena — como a caballero gentil,
de gallinas y de capones — y otras cosas más de mil;
que a este mi marido — ya no le puedo sufrir,
que me da muy mala vida — cual vós bien podéis oír.—
[15] Ellos en aquesto estando — su marido hélo aquí:
—¿Qué hacéis, mala traidora? — ¡Hoy habedes de morir!

—¿Y por qué, señor? ¿por qué? — que nunca os lo merecí.
Nunca besé a hombre, — mas hombre besó a mí;
las penas que él merecía, — señor, daldas vos a mí:
[20] con riendas de tu caballo, — señor, azotes a mí;
con cordones de oro y sirgo — viva ahorques a mí.
En la huerta de los naranjos — viva entierres tú a mí,
en sepoltura de oro — y labrada de marfil;
y pongas encima un mote, — señor, que diga así:
[25] «Aquí está la flor de las flores, — por amores murió aquí;
cualquier que muere de amores — mándese enterrar aquí,
que así hice yo, mezquina, — que por amar me perdí.»

12

La Infantina (¿de procedencia francesa?, ¿compuesto por Rodrigo de Reinosa?), recogido en el *Cancionero de Romances «sin año»* (c. 1548), fol. 192, ed. de Wolf-Hofmann/Menéndez y Pelayo, *ibid.,* núm. 151, pág. 267.

A cazar va el caballero, — a cazar como solia;
los perros lleva cansados, — el falcon perdido habia,
arrimárase a un roble, — alto es a maravilla.
En una rama más alta, — viera estar una infantina;
[5] cabellos de su cabeza — todo el roble cobrian.
—No te espantes, caballero, — ni tengas tamaña grima.
Fija soy yo del buen rey — y de la reina de Castilla:
siete fadas me fadaron — en brazos de una ama mia,
que andase los siete años — sola en esta montiña.
[10] Hoy se cumplian los siete años, — o mañana en aquel dia:
por Dios te ruego, caballero, — llévesme en tu compañia,
si quisieres por mujer, — si no, sea por amiga.
—Esperéisme vos, señora, — fasta mañana, aquel dia,
iré yo tomar consejo — de una madre que tenia.—
[15] La niña le respondiera — y estas palabras decia:
—¡Oh mal haya el caballero — que sola deja la niña!
El se va a tomar consejo, — y ella queda en la montiña.
Aconsejóle su madre — que la tomase por amiga.
Cuando volvió el caballero — no la hallara en la montiña:
[20] vídola que la llevaban — con muy gran caballería.
El caballero desque la vido — en el suelo se caia:
desque en sí hubo tornado — estas palabras decia:
—Caballero que tal pierde, — muy gran pena merecia:
yo mesmo seré el alcalde, — yo me seré la justicia:
[25] que le corten piés y manos — y lo arrastren por la villa.

13

El conde Arnaldos (de aparente procedencia francesa; versión trunca de principios del
s. XVI), recogido en *Cancionero de Romances «sin año»* (c. 1548), fol. 192, ed. de Wolf-
Hofmann/Menéndez y Pelayo, *ibid.*, núm. 153, págs. 270-71.

¡Quién hubiese tal ventura — sobre las aguas de mar,
como hubo el conde Arnaldos — la mañana de San Juan!
Con un falcon en la mano — la caza iba cazar,
vió venir una galera — que a tierra quiere llegar.
[5] Las velas traia de seda, — la ejercia de un cendal,
marinero que la manda — diciendo viene un cantar
que la mar facia en calma, — los vientos hace amainar,
los peces que andan 'nel hondo — arriba los hace andar,
las aves que andan volando — en el mástel las face posar.
[10] Allí fabló el conde Arnaldos, — bien oiréis lo que dirá:
—Por Dios te ruego, marinero, — dígasme ora ese cantar.—
Respondióle el marinero, — tal respuesta le fué a dar:
—Yo no digo esta canción — sino a quien conmigo va.

14

Fontefrida (¿relacionado con los romances carolingios de Rocafrida?), recogido en el *Cancionero de Constantina*, fol. 58, ed. de Wolf-Hofmann/Menéndez y Pelayo, *ibid.*, núm. 116, pág. 231.

Fonte-frida, fonte-frida, — fonte-frida y con amor,
dó todas las avecicas — van tomar consolación,
sino es la tortolica — que está viuda y con dolor.
Por allí fuera a pasar — el traidor de ruiseñor;
[5] las palabras que le dice — llenas son de traición:
—Si tú quisieses, señora, — yo seria tu servidor.
—Véte d'ahí, enemigo, — malo, falso, engañador,
que ni poso en ramo verde, — ni en prado que tenga flor;
que si el agua hallo clara, — turbia la bebía yo;
[10] que no quiero haber marido, — porque hijos no haya, no:
no quiero placer con ellos, — ni menos consolación.
¡Déjame, triste enemigo, — malo, falso, mal traidor,
que no quiero ser tu amiga — ni casar contigo, no!

15

Gerineldo y la Infanta (procede de los legendarios amores de Eginardo, secretario y camarero de Carlomagno, con Emma, la hija del emperador), ed. de R. Menéndez Pidal, *Flor nueva de romances viejos*, 7.ª ed. (Madrid: Espasa-Calpe, 1985), págs. 56-59.

—Gerineldo, Gerineldo,
paje del rey más querido,
[2]   quién te tuviera esta noche
en mi jardín florecido.
Válgame Dios, Gerineldo,
cuerpo que tienes tan lindo.
[4]   —Como soy vuestro criado,
señora, burláis conmigo.
—No me burlo, Gerineldo,
que de veras te lo digo.
[6]   —¿Y cuándo, señora mía,
cumpliréis lo prometido?
—Entre las doce y la una,
que el rey estará dormido.
[8]   Media noche ya es pasada.
Gerineldo no ha venido.
«¡Oh, malhaya, Gerineldo,
quien amor puso contigo!»
[10]   —Abráisme, la mi señora,
abráisme, cuerpo garrido.
—¿Quién a mi estancia se atreve,
quién llama así a mi postigo?
[12]   —No os turbéis, señora mía,
que soy vuestro dulce amigo.
Tomáralo por la mano
y en el lecho lo ha metido:
[14]   entre juegos y deleites
la noche se les ha ido,
y allá hacia el amanecer
los dos se duermen vencidos.
[16]   Despertado había el rey
de un sueño despavorido.
«O me roban a la infanta
o traicionan el castillo.»
[18]   Aprisa llama a su paje
pidiéndole los vestidos:
«¡Gerineldo, Gerineldo,
el mi paje más querido!»

[20] Tres veces le había llamado,
ninguna le ha respondido.
Puso la espada en la cinta,
adonde la infanta ha ido;

[22] vio a su hija, vio a su paje
como mujer y marido.
«¿Mataré yo a Gerineldo,
a quien crié desde niño?

[24] Pues si matare a la infanta,
mi reino queda perdido.
Pondré mi espada por medio,
que me sirva de testigo.»

[26] Y salióse hacia el jardín
sin ser de nadie sentido.
Rebullíase la infanta
tres horas ya el sol salido;

[28] con el frior de la espada
la dama se ha estremecido.
—Levántate, Gerineldo,
levántate, dueño mío,

[30] la espada del rey mi padre
entre los dos ha dormido.
—¿Y adónde iré, mi señora,
que del rey no sea visto?

[32] —Vete por ese jardín
cogiendo rosas y lirios;
pesares que te vinieren
yo los partiré contigo.

[34] —¿Dónde vienes, Gerineldo,
tan mustio y descolorido?
—Vengo del jardín, buen rey,
por ver cómo ha florecido;

[36] la fragancia de una rosa
la color me ha devaído.
—De esa rosa que has cortado
mi espada será testigo.

[38] —Matadme, señor, matadme,
bien lo tengo merecido.
Ellos en estas razones,
la infanta a su padre vino:

[40] —Rey y señor, no le mates,
mas dámelo por marido.
O si lo quieres matar
la muerte será conmigo.

16

¡Oh Belerma! (procede de las *chansons de geste* francesas tardías; es la fuente de que bebió Cervantes para crear la aventura de Don Quijote en la Cueva de Montesinos [*DQ*, II, caps. 22-23]), recogido en el *Cancionero de Romances «sin año»* (c. 1548), fol. 254, ed. de F. J. Wolf y C. Hofmann, *Primavera y flor de romances* (Berlín: A. Ascher, 1856), segunda ed. corregida y adicionada por M. Menéndez y Pelayo, *Antología de poetas líricos castellanos,* IX: *Romances viejos castellanos,* t. II (Madrid: Librería de Hernando y Cía., 1899), núm. 181, págs. 104-105.

<blockquote>

¡Oh Belerma! ¡oh Belerma! — por mi mal fuiste engendrada,
que siete años te serví — sin de ti alcanzar nada;
agora que me querias — muero yo en esta batalla.
No me pesa de mi muerte — aunque temprano me llama;
[5]   mas pésame que de verte — y de servirte dejaba.
¡Oh mi primo Montesinos! — lo que agora yo os rogaba,
que cuando yo fuere muerto — y mi ánima arrancada,
vós lleveis mi corazon — adonde Belerma estaba,
y servilda de mi parte, — como de vós yo esperaba,
[10] y traelde a la memoria — dos veces cada semana;
y diréisle que se acuerde — cuán cara que me costaba;
y dalde todas mis tierras — las que yo señoreaba;
pues que yo a ella pierdo, — todo el bien con ella vaya.
¡Montesinos, Montesinos! — ¡mal me aqueja esta lanzada!
[15] el brazo traigo cansado, — y la mano del espada:
traigo grandes las heridas, — mucha sangre derramada,
los extremos tengo frios, — y el corazón me desmaya,
los ojos que nos vieron ir — nunca nos verán en Francia.
Abracéisme, Montesinos, — que ya se me sale el alma.
[20] De mis ojos ya no veo, — la lengua tengo turbada;
yo vos doy todos mis cargos, — en vós yo los traspasaba.
—El Señor en quien creeis — él oiga vuestra palabra.—
Muerto yace Durandarte — al pié de una alta montaña,
llorábalo Montesinos, — que a su muerte se hallara:
[25] quitándole está el almete, — desciñéndole el espada;
hácele la sepultura — con una pequeña daga;
sacábale el corazon, — como él se lo jurara,
para llevar a Belerma, — como él se lo mandara.
Las palabras que le dice — de allá le salen del alma:
[30] —¡Oh mi primo Durandarte! — ¡primo mio de mi alma!
¡espada nunca vencida! — ¡esfuerzo dó esfuerzo estaba!
¡quien a vós mató, mi primo, — no sé por qué me dejara!

</blockquote>

ROMANCE DE CALISTO Y MELIBEA (véase I.38)

17

Romance nuevamente hecho de Calisto y Melibea que trata de todos sus amores... y de la muerte de aquella desastrada muger Celestina, intercesora en sus amores (1510-13), recogido en un «pliego suelto gótico [¿del s. xvı?]» de la Biblioteca de Menéndez y Pelayo (Santander), ed. de M. Menéndez y Pelayo, *ibid.*, págs. 339-49.

Un caso muy señalado — quiero, señores, contar,
como se iba Calisto — para la caza cazar,
en huertas de Melibea — una garza vido estar,
echado le había el falcón — que la oviese de tomar,
[5] el falcón con gran codicia — no se cura de tornar:
saltó dentro el buen Calisto — para habello de buscar,
vido estar a Melibea — en medio de un rosal,
ella está cogiendo rosas — y su donzella arrayan.
Calisto desque la vido — empezole de hablar:
[10] —«Gran maravilla es aquesta — que Dios me quiso mostrar.
—¿En qué? dijo Melibea, — vós digades la verdad.
Allí respondió Calisto, — tal respuesta le fué a dar:
—Hazer en natura humana — tal hermosura y beldad
y hazer a mí inmérito — que la hobiese de mirar,
[15] y mi secreto dolor — haber de manifestar,
en este mundo tal gloria — no la espero yo alcanzar.»
Respondióle Melibea — prestamente sin tardar:
—«Por gran gloria tienes esta — que me hobieses de fablar?»
—«Yo lo tengo así por tanto — que no la puedo estimar.»
[20] —«Pues yo te lo cumpliría — si quieres perseverar.»
—«¡Oh orejas que tal oyen — que tal puedo alcanzar,
mucho bienaventuradas — se podrán ellas llamar.»
Allí habló Melibea — bien oyreis lo que dirá:
—«Mas muy malaventuradas — se podrán ellas llamar
[25] despues que hayan oido — lo que les he de fablar:
Vete delante mis ojos, — no me quieras enojar,
que ya no basta paciencia — para haberte de escuchar,
si nó las palabras dichas — yo te las haré pagar.»
Calisto de que esto oyera — comenzóse de apartar,
[30] demandando por Sempronio — con dolor e sospirar,
las palabras que le dize — eran para lastimar:
—«Cierra bien esas ventanas — que la luz no pueda entrar,
venga la tristeza al triste, — mis llantos, dalde lugar;
¡oh si viniesse la muerte — por mis males acabar,

[35]   si viniesse Galieno — físico muy singular,
       que supiese dar remedio — a pasion de tal penar!»
       Allí respondió Sempronio: — «¿Este mal qué puede estar?»
       —«Vete de ahí, no me hables — déxame desesperar,
       si nó antes de mi muerte — la tuya podrás causar,
[40]   dexarte quiero, cuytado — pues solo quieres quedar.»
       Sempronio como discreto — comenzara de pensar:
       «Qué mal pudo ser aqueste — que asi te pudo trocar?
       o estás endïablado — o quieres loco tornar:
       si entro a dalle consejo — nunca lo querrá tomar,
[45]   si lo dexo quedar solo — la muerte querrá tomar.»
       Estando todo turbado — Calisto le fué a llamar:
       —«Dame, Sempronio, el laud, — que quiero un poco sonar.»
       Luego se lo da Sempronio — y allí le fuera hablar:
       —«Destemplado está, señor, — que el son no puede acordar.»
[50]   —«¡Oh triste de mí cuytado — que en el mundo no hay mi par,
       pues mi sentido y memoria — solos me fueron dexar,
       mas tómalo tú, Sempronio, — y cantasses un cantar
       el mas triste de sonido — que se pudiese hablar» (?).
       Tomó Sempronio el laud — y empezara de cantar:
[55]   —«Mira Nero de Tarpeya — a Roma la gran cibdad,
       mírala cómo se ardía — sin ninguna piedad,
       él le manda echar el fuego — con su mucha crueldad.»
       Allí respondió Calisto, — y mira qué fué a fablar:
       —«Mayor es el triste fuego — y menor la piedad,
[60]   que me quema mis entrañas — que no me dexa reposar.»
       —«No digas eso, señor, — no quieras desesperar.
       Escucha un poco, Sempronio, — yo te lo quiero contar;
       fuego que cien años dura — mayor se puede llamar,
       que lo que un día passa — aunque queme una cibdad;
[65]   como de vivo a pintado — como de sombra a real,
       aquesta es la differencia — que entre ese y mí hay,
       porque el fuego del infierno — no puede tanto quemar.»
       —«Por cierto, dixo Sempronio, — no debías tal hablar,
       que aunque fuesses un moro — no debías creer tal.»
[70]   —«No soy moro ni cristiano — ni tal me quiero llamar,
       mas llámesme Melibeo — que assi me quiero nombrar;
       que yo en Melibea creo — y a ella quiero adorar.»
       Sempronio desque lo oyera — comenzóle de hablar:
       —«Ya conozco tus pasiones — las que te hazen penar:
[75]   pues yo te curaré dellas — y aun te entiendo de sanar.
       —Digas tú, hermano Sempronio — tú me digas la verdad,
       ¿cómo has pensado agora — de hazer esta piedad?»
       —«Yo vos lo diré, señor, — sed atento en escuchar:
       muchos dias son pasados — que aquí en esta cibdad

[80]   conozco una puta vieja — que en el mundo no hay su par,
las artes que ella sabe — ¿quién te las podrá contar?
Hechicera y alcahueta, — muy astuta en su fablar.
¿Qué te contaría della, — de lo que sabe ordenar,
hazer y deshazer virgos — en esta nuestra ciudad,
[85]   en las pasiones de amor — sabe mil remedios dar?»
Calisto desque esto oyera — empezara de hablar:
—«Ponga en mis males remedio, — yo la quiero bien pagar
y veme luego por ella — que la quiero yo hablar,
y tu trabajo, Sempronio, — mucho bien galardonar.»
[90]   —«Que me plaze, mi señor, — de illa luego a buscar,
y entre tanto que allá voy — piensa bien qué le has de dar.»
Ya se partía Sempronio — para habella de buscar.
En llegando a la su puerta — empezara de llamar;
Celestina que lo oyera — comenzó de preguntar:
[95]   —«¿Qué buena venida es esta? — Vós queráismela contar.»
—«Bien sabes, señora madre, — la nuestra grande amistad,
y tienes bien conoscida — la mi buena voluntad,
y de cualquiera ganancia — tu parte querríate dar.
Aquí está mi amo Calisto — que muere sin lo matar,
[100] de amores de Melibea — loco se quiere tornar,
de ti y tambien de mí — tiene gran necesidad:
pues toma luego tu manto — ven que te envía a llamar.»
Celestina que esto oyera — luego se fué a cobijar.
—«No me digas mas, mi fijo — no me quieras mas fablar,
[105] yo lo sanaré del cuerpo, — de la bolsa bien sangrar,
yo le alargaré la cura — porque pueda mas gastar.»
Estas palabras hablando — a la puerta van llegar.
Entrando está *(sic)* Calisto — para con él negociar.
Calisto desque la vido — comenzó la de mirar,
[110] las rodillas por el suelo — fuera tal su razonar:
—«¡Oh reverenda persona, — cosa digna de loar,
ya te habrá dicho Sempronio — la causa de mi penar
de amores de Melibea — loco me quiero tornar.»
Allí fabló Celestina, — tal respuesta le fué a dar:
[115] —«No te mates, caballero, — ni quieras tomar pesar,
no pierdas el esperanza — pues yo te he de remediar,
yo iré presto a Melibea — para tu mal le contar,
yo le ordiré una tela — la qual yo bien sé tramar:
por eso mientras que vó — a remedio te buscar,
[120] desta vieja pecadora — te quisieses acordar,
que su menester es grande — que no lo podrás pensar.»
Ya se parte Celestina — de Calisto a mas andar,
iba Sempronio con ella — para mas la acompañar,
iban los dos razonando — cómo a Calisto pelar.

[125]   A casa de Celestina — ambos fueron a llegar,
        a tomar sus aparejos — para Melibea engañar:
        el aceyte serpentino — con los que suele tomar
        las madexas del hilado — que es la causa para entrar.
        Vase a casa de Pleberio — con Melibea hablar,
[130]   a la entrada de la puerta — con Lucrecia fué a topar.
        Celestina luego entrando — la comenzó a saludar:
        —«¿Quién te trae acá, mi madre, — y qué andas a buscar?»
        —Amor grande y deseado — y por tu vista mirar,
        vender un poco de hilado — con muy gran necesidad,
[135]   pues mi señora la vieja — creo lo querrá comprar.»
        Allí fablara Alisa, — bien oireis lo que dirá:
        —«¿Con quién fablas tú, Lucrecia?, — ¿de qué es tu razonar?»
        —«Con aquella buena vieja — que moró en la vezindad.
        Que tiene la cuchillada, — yo te la quiero mostrar.»
[140]   Va la vieja Celestina — con Alisa a razonar:
        —«Mi venida fué, señora, — por mi hilado *(le)* mostrar,
        que es el mejor que yo ví — en todo nuestro lugar,
        por mis miserias complir (?) — tú me lo quieras comprar.»
        Dixo Alisa a Melibea: — «Hija, voy a visitar
[145]   a mi amiga hermana, — tú lo puedes bien comprar,
        trata bien a la vezina — y hazla luego pagar.»
        Celestina queda sola — con Melibea hablar,
        con lisonjas y mentiras — comienza su razonar:
        —«Oh señora e hija mía — no hay en el mundo tu par,
[150]   nadie con tu hermosura — no se piense de igualar.
        Mi venida a tu posada — yo te la quiero contar,
        si me das licencia agora — sin conmigo te enojar.»
        Respondióle Melibea: — «Si yo te puedo remediar,
        con mucha gana y placer — yo te entiendo escuchar.»
[155]   Celestina muy astuta — comenzóle de hablar:
        —«Un enfermo dexo malo — tú le puedes bien sanar.
        Con una palabra sola — que de tí pueda llevar,
        con la mucha fe que tiene — en tu lindeza sin par.»
        Respondióle Melibea, — bien oireis lo que dirá:
[160]   —«Háblame mas descubierto — tú lo quieres aclarar,
        de una parte me alteras, — de otra me haces penar.
        Díme quién es el enfermo — por Dios sin más dilatar.
        —«Bien conoces tú, señora, — en esta nuestra cibdad,
        un gentil hombre de sangre — que Calisto es su nombrar.
[165]   —«No digas mas, buena vieja, — ya entiendo tu hablar,
        ese es un loco aborrido — y tú lo quieres sanar,
        vete delante mis ojos, — no te haga aquí matar.»
        Esto que oyó Celestina — comenzó de se espantar,
        conjura sus valedores — que la vengan ayudar,

[170] otras he visto mas fuertes — y despues las ví amansar:
con desculpas y halagos — la hizo luego callar.
Ya consiente los loores, — ya la hace alegre estar,
luego torna Celestina — a su razón acabar,
y demándale un cordón — para Calisto sanar,

[175] las fuerzas de Melibea — todas son á su mandar,
en los lazos del amor — dentro la fuera a enlazar,
la sabia de Celestina — así la fuera dexar.
Con su cordón en la mano — a Calisto fué a buscar
con alegría muy grande — por las albricias ganar.

[180] En entrando en su posada — con él se fuera topar:
—«¿Qué traes, señora mía — para sanar mi gran mal?»
Ella encarece el trabajo — por hacerse bien pagar.
—«Cómo vuelvo viva y sana — quiéraste maravillar.»
Calisto estaba penando — hasta vella ya acabar:

[185] —«Acaba, señora mía, — no quieras más dilatar,
o abrevia tu razón, — o tú me quieras matar.»
—«No te mataré, señor, — que vida te quiero dar,
con que puedas muchas veces — de Melibea gozar.
Mira el cordón que te traygo — por traer la a tu mandar.»

[190] Calisto desque lo vido — comenzara lo de besar.
Las palabras que le dize — no hay quien las sepa contar:
y a la vieja Celestina — ya la comienza abrazar:
—«Oh mi madre tan bendita, — ¿con qué te puedo pagar?
Cuenta me de qué manera — la comenzaste a hablar;

[195] que me deleito en oyllo — y entiendo de sanar.»
—«Dixe que mal de quixares — nunca te quiere dexar,
que ella sabía una oracion — para tu mal aplacar.»
—«¡Oh maravillosa astucia — oh mujer muy singular,
vé, Parmeno, trae un sastre, — manto y saya le he de dar

[200] d'aquel contray que tú sabes — que saqué para frisar,
y entre tanto que se hace, — madre, no te has de enojar,
vé en buen hora a tu posada, — entiende en mi remediar.»
Ya se despide la vieja, — Parmeno con ella va,
desde allí a su posada — no hacen sino hablar,

[205] prometiéndole Areusa — de traer la a su mandar.
Estas palabras diciendo — a su casa van llegar,
con las razones que sabe — a los dos fizo ayuntar.
Desque los dexa ayuntados, — a su casa vá tornar,
el cordón de Melibea — comienza de enhechizar

[210] de tal suerte y tal manera — que luego la fué a trocar,
que de áspera y cruel — blanda la hizo tornar,
la yerba de ballestero — ya la prende y vá tomar:
las palabras que decía — es maldecir su negar.
—«Ven acá, hija Lucrecia, — la vieja me ve a llamar,

[215]   que de muy terrible fuego — toda me siento quemar.»
        Y vá Lucrecia muy presto — a Celestina buscar,
        ya la trae de la halda — por su señora curar:
        —«Oh bien vengas, vieja honrada — Dios te quiera guardar,
        a tus manos soy venida, — tú me has de remediar.»

[220]   —«¿Qué es esto, señora mía? — Yo estó presta a tu mandar.»
        Melibea muy penada — tal respuesta le fué a dar:
        —«Tú sabrás por mi ventura, — segun te quiero contar,
        que en aquella tal moneda — tú me tienes de pagar
        que te dí para Calisto, — que ya soy a tu mandar,

[225]   dá forma, señora madre, — cómo le pueda hablar.»
        —«Que me place, mi señora, — y luego sin dilatar
        esta noche a media noche — yo te la haré mirar,
        y d'allí dareis concierto — para más poder gozar:
        a Dios te queda, señora, — yo voy a lo concertar.»

[230]   Vase la vieja barbuda — para Calisto buscar,
        allá fué a la Madalena — donde suele en misa estar.
        Desque la vido Calisto — de placer quiere llorar,
        echa le brazos al cuello, — comienza le de rogar
        que dixese su embaxada — si vida le quería dar.»

[235]   Allí fablara la vieja — de priesa y no de vagar:
        —«Las albricias, mi señor — tú me las puedes bien dar,
        que Melibea es ya tuya — toda presta a tu mandar,
        esta noche a media noche — tú la podrás bien hablar.»
        Lo que dixera Calisto — ya lo podréis bien pensar:

[240]   —«¡Oh maravilla tan grande — qué tal cosa he de gozar!
        No puede pasar aquesto, — yo lo debo de soñar.
        Mas el concierto que traes — ya lo querría probar:
        mi paga puede ser poca — para tu obra pagar,
        toma esta chica cadena, — haz tú della a tu mandar.»

[245]   Entre Parmeno y Sempronio — comienzan a murmurar:
        —«Mira, hermano, qué le ha dado: — ¿a nosotros qué ha de dar?»
        Ya se parte Celestina — para su casa alegrar,
        vase Calisto a su cama — a dormir y reposar;
        desque fué la media noche — él se fuera levantar,

[250]   hace venir a los mozos — que le oviesen de armar.
        Iba se por su camino — por Melibea hablar,
        en llegando a la su puerta, — comienza luego a escuchar
        si sentiera a su señora — junto a la puerta estar.
        Comienza desta manera — Calisto de razonar:

[255]   —«¿Es mi señora y mi vida — la que siento pasear?»
        Melibea que esto oyera — quiso se certificar:
        —«¿Cómo es tu nombre, señor? — No me lo quieras negar,
        ¿quién te hizo aquí venir — aquesta puerta mirar?»
        —«La del gran merecimiento, — la que el mundo ha de mandar,

[260] la que no me hallo digno — de podella yo alcanzar;
no temas, señora mía — tu voluntad declarar
a este cativo tuyo — al que te viene adorar.»
Ahí fabló Melibea, — bien oireis lo que dirá:
—«Yo soy tuya, señor mío, — mucho siento tu penar,
[265] yo maldigo aquestas puertas — que no nos dexan mirar,
una hora me es un año — hasta mañana esperar:
ten paciencia, señor mío — pues está cerca el gozar,
que mañana aquestas horas — te podrás acá tornar,
por las paredes del huerto — te podrás, señor, entrar.»
[270] Ya se despide Calisto — con dolor y sospirar,
en llegando a su posada — va se a la cama acostar:
Parmeno tambien Sempronio — a la vieja van buscar,
porque su parte les diese — de la cadena o collar.
La vieja que aquesto oyera — tal respuesta les fue a dar:
[275] —«Mucho estó maravillada — de vosotros tal pensar,
que lo que yo he trabajado — vosotros quereis gozar,
quitáos del pensamiento — que nada hayais de llevar.»
Los mozos que aquesto oyeron — comienzan de renegar,
hacen fieros de rufianes — queriendo la mal tratar,
[280] ponen mano a las espadas, — van se para la matar,
dan le tantas cuchilladas — que la fueron acabar,
saltan por una ventana — para se poder salvar,
si la justicia viniese — para habellos de tomar:
como la ventana es alta — las piernas se van quebrar,
[285] de suerte que la justicia — allí los vino a fallar,
ponen los en sendos asnos, — llevan los a degollar.
Sosía que era en la plaza — todo lo vido pasar,
viene corriendo a su casa — las tristes nuevas llevar,
topóse con Tristanico, — comenzó le de contar:
[290] —«Oh desventura tan grande — oh deshonra y gran pesar,
cuenta me lo tú, Sosía — y dígasme la verdad.»
—«A Parmeno y a Sempronio — los llevan a degollar,
vamos muy presto a Calisto — sepa su deshonra y mal.»
Íbase para la cama — a Calisto recordar:
[295] —«No duermas, señor, ya tanto, — oye tu desonrra y mal,
que a los tus leales criados — ya los llevan a enterrar.»
—«Oh mis leales sirvientes — tú me lo quieras contar,
¿a quién mataron tan presto? — ¿Dó hizieron tanto mal?
Que aquesta noche pasada — comigo fueron a estar.»
[300] Allí fablara Sosía, — bien oyreis lo que dirá:
—«A la vieja Celestina — ellos la fueron matar.»
—«Pues mata me tú a mí — y te entiendo perdonar,
que más mal hay en su muerte — que tú no puedes pensar.»
Dice lástimas Calisto — que quiere desesperar:

[305]   tiénese por deshonrado — pues no los puede vengar,
        y tambien que sus amores — no se podrán acabar,
        ni por mucho mal y daño — él lo entiende de probar,
        el concierto concertado — ordena de lo tomar,
        con las revueltas pasadas — un poco se va a tardar,
[310]   la señora que lo espera — empezara de hablar:
        —«Ya se tarda el caballero — Lucrecia, ¿qué puede estar?»
        —«Esta tardanza que veo — me hace penada estar.»
        Ella en aquesto estando — Calisto fuera llegar:
        —«Escucha, hermana Lucrecia, — que pasos oigo sonar.»
[315]   Calisto que fué llegado — hizo la escala posar,
        entrara dentro del huerto — con Melibea folgar,
        Melibea que lo vido — va se lo luego abrazar,
        y van se mano por mano — para su placer tomar.
        La doncella Melibea — dueña la hizo quedar,
[320]   holgaron toda la noche — hasta la luz asomar,
        torna se luego Calisto — a su casa a reposar,
        otra noche y otras muchas — él la fuera a visitar.
        La fortuna que no dexa — el bien mucho reposar,
        causó que estos dos amantes — en mal fuesen acabar.
[325]   Como Calisto una noche — que salía de su holgar
        descendía por el escala — de priesa y no de vagar,
        desvarándole los piés — al suelo fuera parar;
        como la pared es alta — fuera se a despedazar
        la cabeza hecha quartos, — los sesos fueron saltar.
[330]   A los gritos de los mozos — Melibea oyó su mal,
        hace llantos muy secretos — por su mal no publicar,
        ordenó cómo matar se — por podello acompañar,
        sube a la torre más alta — de la casa a más andar,
        hace a su padre que mire — desde abaxo la escuchar,
[335]   cuenta le todo lo hecho — y lo que entiende obrar.
        Las lástimas que decía — ¿quién que las sepa contar?
        Acabadas de decir — dexa se desesperar,
        da consigo en tierra muerta — por sus males acabar.
        Tales fines da el amor — al que sigue su mandar.

POESÍA AMATORIA CANCIONERIL

18

Micer Francisco Imperial (m. antes de 1409), *Dezir por Diana de Sevilla,* recogido en el *Cancionero de Juan Alfonso de Baena* (c. 1445), París: Nationale, ms. Esp. 37 (letra de c. 1445-50), fols. 74v-75r, ed. de J. M.ª Azáceta (3 tomos; Madrid: CSIC, 1966) en el t. II, núm. 231, págs. 455-56.

ESTE DESIR FISO EL DICHO MIÇER FRANÇISCO INPERIAL POR AMOR E
LOORES DE VNA FERMOSA MUGER DE SEUILLA QUE LLAMO EL
ESTRELLA DIANA, E FISOLO VN DIA QUE VID E LA MIRO
A SSU GUYSA, ELLA YENDO POR LA PUENTE DE SSEUILLA
A LA YGLESIA DE SSANT'ANA FUERA DE LA ÇIBDAT

Non fue por çierto mi carrera vana,
passando la puente de Guadalquivir,
atan buen encuentro que yo vi venir
rribera del rio, en medio Triana,
5 a la muy fermosa Estrella Diana,
qual sale por mayo al alua del dia,
por los santos passos de la romeria:
muchos loores aya Santa Ana.

E por galardon demostrar me quiso
10 la muy delicada flor de jasmin,
rossa nouela de oliente jardin,
e de verde prado gentil flor de lyso,
el su graçioso e onesto rysso,
ssenblante amorosso e viso ssuaue,
15 propio me paresçe al que dixo: *Aue,*
quando enbiado fue del paraysso.

Callen poetas e callen abtores,
Omero, Oraçio, Vergilio e Dante,
e con ellos calle Ovidio *D'amante*
20 e quantos escripuieron loando señores,
que tal es aqueste entre las mejores,
commo el luçero entre las estrellas,
llama muy clara a par de çentellas,
e commo la rrosa entre las flores.

25 Non se desdeñe la muy delicada
Enfregymio griega, de las griegas flor,
nin de las troyanas la noble señor,
por ser aquesta atanto loada;
que en tierra llana e non muy labrada

30   nasçe a las veses muy oliente rrosa,
      assy es aquesta gentil e fermosa,
      que tan alto meresçe de ser conprada.

19

Macías (fl. c. 1360-70), *Cantiga contra el amor.* Recogido en el *Cancionero de Baena,* fols.
108v-109r, *ibid.,* núm. 308, págs. 675-76.

ESTA CANTYGA FISO MAÇIAS CONTRA EL AMOR; ENPERO ALGUNOS
TROBADORES DISEN QUE LA FISO CONTRA EL RREY DON PEDRO

      Amor cruel e bryoso,
      mal aya la tu altesa
      pues non fases ygualesa
      seyendo tal poderoso.
5   Abaxome mi ventura
      non por mi mereçimiento
      e por ende la ventura
      pusome en grant tormento.
      Amor, por tu fallimiento
10   e por la tu grant cruesa,
      mi coraçon con tristesa
      es puesto en pensamiento.

      Rey eres sobre los rreyes
      coronado enperador,
15   dó te plase van tus leyes,
      todos an de ty pauor;
      e pues eres tal sseñor
      non fases comunalesa,
      sy entyendes que es proesa
20   non soy ende judgador.
      So la tu cruel espada
      todo omme es en omildança,
      toda dueña mesurada
      en ty deue aver fiança;
25   con la tu briosa lança
      ensalças toda vilesa,
      e abaxas la noblesa
      de quien en ty obo fiança.

      Ves, Amor, por que lo digo,
30   se que eres cruel e forte,
      aduersaryo o nemigo,
      desamador de tu corte;
      al vyl echas en tal sorte

que por pres le das [altesa];
35 quien te sirue en gentylesa
por galardon le das morte.

20

Lope de Estúñiga y El Bachiller [¿Alfonso?] de la Torre (fl. ¿Nápoles? c. 1460), *El triste que más morir.* Recogido en el *Cancionero de Estúñiga* (c. 1465), Madrid: Nacional, ms. Vitrina 17-7 (letra de c. 1465), fol. 10rv, ed. paleográfica de Manuel y Elena Alvar (Zaragoza: Institución «Fernando el Católico», 1981), núm. 5, págs. 54-55.

El triſte que máſ morir
querría que la partida,
enoiado de biuir
se te embia deſpedir,
5   pero non que ſe deſpida;
ia dale liçencia, da,
maguer que graue te ſea
pero ¿quién la tomará?
Pueſ que creo que uerá
10 morir quando la poſſea.

La pluma tiene mi mano,
la otra tiene el cuchillo,
la carta iaſe en el plano,
no baſta poder humano
15 a lo que ſiento deçillo;
el dolor que me guerrea
da uictoria a la pluma,
porque tu diſcreción uea
miſ graueſ maleſ ý lea
20 algunos d'ellos en ſuma.

Sennora, por te amar
io me ui tanto penado
que penſé deſeſperar,
non entiendo algançar
25 que de ti lo fueſſe amado;
et deſpuéſ tu ſennoría
ſabe el gran bien que me diſte,
ſeiendo la dicha mía
que fueſſe alegre un día
30 et toda mi uida triſte.

¡O vida deſeſperada!,
meior me fuera la muerte
quando fueſſe reparada
parecer luego doblada

35   la mi pena tanto fuerte;
     maſ, la mi triſte uentura
     por maior pena me dar,
     ordenó d'eſta figura
     que ceſſaſſe mi triſtura
40   por luengo tiempo doblar. (...)

21

[¿Juan de?] Villalpando (fl. c. 1450), *Nunca mejorar mi pena*. Recogido en el *Cancionero de Estúñiga*, fol. 106r, *ibid.*, núm. 77, pág. 197.

     Nvnca meiorar mi pena
     faſta aquí,
     es una ſennal non buena
     para mí.

5   Días há que ſyempre biuo
     por amor,
     en ſus preſiones catiuo
     con dolor;
     mas en tan fuerte cadena
10   non me ui,
     qu'es una ſennal non buena
     para mí.

     E agora continuando
     de ſofrir,
15   vame ya deſamparando
     el biuir;
     e pues muerte me condena
     para ſy,
     es una ſennal non buena
20   para mí.

22-25

Carvajales (fl. c. 1450), *Canciones* («Si tan fermosa como vos» y «¡O qué poca cortesía!»), *Villancete* y *Visión muy triste de mi enamorada*; recogidos en el *Cancionero de Estúñiga*, fol. 127rv y fols. 130v-131r, *ibid.*, núms. 103-104 y 108-109, págs. 230 y 234-35.

22

     Si tan fermoſa como uós
     faſta oy fuera naſcida,
     non ſería⟨a⟩des tan querida.

Non feríades tanto amada,
5 nin io de tanto mal fufriente,
nin feríades uós efpada
para mi tan perfeguiente;
contemplad, quered por Dios,
en reparo de mi uida
10 qu'es en punto de perdida.

23

¡O qué poca cortefía
para fer tan lynda dama,
defamar a quien uos ama!

Doleduos de mí, que peno,
5 la uida trifte que biuo,
non fagáys de mi ageno
que nafcí uueftro catiuo;
rrenegad mala porfía,
¿non fentís que uos diffama
10 defamar a quien uos ama?

24

Saliendo de un oliuar
más fermofa que arreada
vi ferrana que tornar
me fifo de mi iornada.

5 Tornéme en fu compannía
por faldas de una montanna,
supplicando fil' plafía
de moftrarme fu cabanna;
dixo: «Non podéys librar,
10 sennor, aquefta uegada,
que fuperfluo es demandar
[a] quien non fuele dar nada».

Si lealtad non me acordara
de la más lynda figura,
15 del todo me enamorara:
tanta ui fu fermofura.
Dixe: «¿Qué queréys mandar
sennora, pues foys cafada
que uos non quiero enoiar
20 nin offender mi enamorada?».

Replicó: «Yd en buen hora,
non cures de amar uillana,
pues ſeruís a tal ſennora,
non troques ſeda por lana,
25 njn queráys de mí burlar,
pues ſabéys que ſó enaienada.
Vi ſerrana que tornar
me fiσo de mi iornada.

25

Más triſte que non María,
aflita con mucha pena
vi triſteσa en ſennoría,
que iniuſto amor condena;
5 más bella que Madalena:
cabellos, cara lloroſa,
moſtrándoſe, más fermoſa
la cara ſyempre ſerena.

ÍÑIGO LÓPEZ DE MENDOZA, MARQUÉS DE SANTILLANA (1398-1458)

26-27

Serranillas. Recogidas en Salamanca: Universitaria, ms. 2655 (letra del s. xv), fols. 247rv
y 250v-51v, ed. de Á. Gómez Moreno y M. P. A. M. Kerkhof en *Obras completas* (Barcelona:
Planeta, 1988), núms. 3 y 7, págs. 5-6 y 10-11.

26

[YLLANA, LA SERRANA DE LOÇOYUELA]

Después que naſçí,
non vi tal serrana
como esta mañana.
Allá a la vegüela
5 a Mata el Espino,
en esse camino
que va a Loçoyuela,
de guisa la vi
que me fizo gana
10 la fruta tenprana.

Garnacha traýa
de color presada
con broncha dorada
que bien reluzía.
15   A ella bolví
e dixe: «Serrana,
¿si sois vós Yllana?»
«Sí, soy, cavallero,
si por mí lo havedes,
20   dezid qué queredes,
fablad verdadero.»
Respondíle assí:
«Yo juro a Sant'Ana
que non soys villana.»

27

[LA VAQUERA DE LA FINOJOSA]

Moça tan fermosa
non vi en la frontera,
com' una vaquera
de la Finojosa.
5   Faziendo la vía
del Calatraveño
a Santa María,
vençido del sueño,
por tierra fraguosa
10   perdí la carrera,
dó vi la vaquera
de la Finojosa.
En un verde prado
de rosas e flores,
15   guardando ganado
con otros pastores,
la vi tan graçiosa
que apenas creyera
que fuesse vaquera
20   *de la Finojosa.*
Non creo las rosas
de la primavera
sean tan fermosas
nin de tal manera.
25   Fablando sin glosa,

si antes supiera
de aquella vaquera
de la Finojosa,
non tanto mirara
30 su mucha beldad,
porque me dexara
en mi libertad.
Mas dixe: «Donosa
(por saber quién era),
35 ¿dónde es la vaquera
de la Finojosa?»
Bien commo riendo,
dixo: «Bien vengades,
que ya bien entiendo
40 lo que demandades:
non es desseosa
de amar, nin lo espera,
aquessa vaquera
de la Finojosa.»

28-29

Canciones. Recogidas en el ms. 2655, fols. 241v y 244v, *ibid.,* núms. 3 y 8, págs. 19 y 23.

28

Desseando ver a vós,
gentil señora,
non he reposo, par Dios,
punto nin hora.
5   Desseando aquel buen día
que vos vea,
el contrario d'alegría
me guerrea.
Del todo muero por vós
10 e non mejora
mi mal, júrovos a Dios,
mas empeora.
Bien digo a mi coraçón
que non se quexe,
15 mas sirva toda sazón
e non se dexe
de amar e servir a vós,
a quien adora:

pues recuérdevos, por Dios,
20 piedad agora.

29

Si tú desseas a mí,
yo non lo sé,
pero yo desseo a ty
en buena fe,
5   e non a ninguna más,
assí lo ten:
nin es nin será jamás
otra mi bien.
En tan buen hora te vi
10   e te fablé
que del todo te me di
en buena fe.
  Yo soy tuyo, non lo dubdes,
syn fallir
15   e, non pienses ál nin cuydes,
syn mentir.
Después que te conosçí,
me cativé
e seso e saber perdí
20   *en buena fe.*
  A ti amo e amaré
toda sazón
e siempre te serviré
con grand razón,
25   pues la mejor escogí
de quantas sé
e non fingo nin fengí
en buena fe.

30-32

Sonetos «al ytálico modo». Recogidos en el ms. 2655, fols. 175r y 177r, *ibid.,* núms. I, VIII y IX, págs. 50-51 y 56-58.

30

Quando yo veo la gentil criatura
qu'el çielo, acorde con naturaleza

formaron, loo mi buena ventura,
el punto e hora que tanta belleza
5   me demostraron, e su fermosura,
ca sola de loor es la pureza;
mas luego torno con ygual tristura
e plango e quéxome de su crueza.

    Ca non fue tanta la del mal Thereo,
10 nin fizo la de Achila e de Potino,
falsos ministros de ti, Ptholomeo.

    Assí que lloro mi serviçio indigno
e la mi loca fiebre, pues que veo
e me fallo cansado e peregrino.

Rúbr.: En este primero soneto quiere mostrar el actor que quando los cuerpos superiores, que
son las estrellas, se acuerdan con la natura, que son las cosas baxas, fasen la cosa muy más linpia
e muy más neta [20].

31

    ¡O dulçe esguarde, vida e honor mía,
segunda Helena [de Troya], templo de beldad,
so cuya mano, mando e señoría
es el arbitrio mío e voluntad!
5   Yo soy tu prisionero, e sin porfía
fueste señora de mi libertad;
e non te pienses fuyga tu valía,
nin me desplega tal captividad.

    Verdad sea que Amor gasta e dirruye
10 las mis entrañas con fuego amoroso,
e la mi pena jamás diminuye;

    nin punto fuelgo nin soy en reposo,
mas bivo alegre con quien me destruye;
siento que muero e non soy quexoso.

Rúbr.: En este octavo soneto muestra el actor en commo, non enbargante su señora o amiga
lo oviese ferido e cativado, que a él non pesava de la tal presyón.

32

Non es el rayo del Febo luziente,
nin los filos de Arabia más fermosos

---

[20] Es posible que las rúbricas que acompañan los sonetos en el ms. no sean del Marqués de Santillana.
Ya que facilitan las lecturas, se han incluido aquí.

que los vuestros cabellos luminosos,
nin gemma de topaza tan fulgente.
5   Eran ligados de un verdor plaziente
e flores de jazmín que los ornava,
e su perfecta belleza mostrava
qual biva flamma o estrella d'Oriente.
    Loó mi lengua, maguer sea indigna,
10   aquel buen punto que primero vi
la vuestra ymagen e forma divina,
tal commo perla e claro rubí,
e vuestra vista társica e benigna,
a cuyo esguarde e merçed me di.

Rúbr.: En este noveno soneto el actor muestra commo en un día de grand fiesta vio a la señora suya en cabello; dise ser los cabellos suyos muy ruvios e de la color de la tupaça, que es una piedra que ha la color commo de oro. Allý dó dise «filos de Arabia» muestra asymismo que eran tales commo filos de oro, por quanto en Arabia nasçe el oro. Dise asymismo que los premía un verdor plasiente e flores de jazmines; quiso desir que la crespina suya era de seda verde e perlas.

JUAN DEL ENCINA (¿1468?-1529/30)

33

Poema de influjo trovadoresco-provenzal, *Juan del Enzina a una dama que le pidió una cartilla para aprender a leer,* recogido en el *Cancionero de 1496,* fol. 70r, ed. de A. M.ª Rambaldo en *Obras completas,* III (Madrid: Espasa-Calpe, 1978), núm. [LXV], págs. 8-11.

De vuestro querer cativo,
de passión apassionado,
tanto crece mi cuydado
que no sé cómo soy bivo;
5   bivo con vida que muere,
la vida gasto en sospiros,
desseo tanto serviros
quanto más yo más pudiere.
    Para aprender a leer
10   me pedís una cartilla;
élo a tanta maravilla
que no lo puedo creer.
Porque creo que burláys,
y es razón que no lo crea:
15   no ay cosa que buena sea
que vós ya no la sepáys.

Que burléys o no burléys,
por querer tanto quereros
quiero siempre obedeceros
20   a quantas cosas mandéys;
y pues os mandáys servir
desta carta por agora,
yo, vuestro siervo, señora,
la quiero luego escrevir.

25   Ha de ser el a, b, c,
de letras de mis passiones
y de vuestras perfeciones,
pues otras letras no sé;
ved cada qual como suena
30   y después, todas juntadas,
trocadas y trastrocadas,
haréys partes de mi pena.
Mas, porque más buenamente
sepáys cada qual por sí,
35   todas os las pongo aquí
por este modo siguiente:
a, b, c, d, e, f, g,
h, i, k, l, m,
n, o, p, q, r, s,
40   t, v, u, x, y, z.
Y si bien queréys mirar
estas letras que aquí van,
ellas mesmas os dirán
vuestra gracia y mi penar:
45   es la a por el amor,
por la b vuestra beldad,
por la c la crüeldad,
y la d de mi dolor.

Y la e por mi esperança,
50   y la f por mi fe,
por vuestra gracia la g,
pues nadie tal gracia alcança;
y es la h el sospirar
que siempre, siempre os embío,
55   la i vuestro nombre y mío,
indino de se ygualar.

Y la k, pues ay por qué,
es que os pido karidad,
y es la l lealtad
60   que con vos siempre terné;

y la m la mesura
que tiene vuestra lindeza,
y la n la nobleza
de vuestra gentil figura.

65 La o vuestra onestidad,
la p pena y padecer,
y la q por mi querer
que perdió su libertad;
la r por el remedio
70 de mi mal que no mejora;
la s que soys señora
de mi libertad sin medio.

La t, que tengo temor
no ternéys de mí memoria;
75 la v que soys la vitoria
vós, una sola en primor;
y es la x, si miráys,
diez mil xaques descubiertos,
que son mates más que muertos
80 que con la vista me days.

Y la y, que no se yguala
nadie a vuestra perfeción;
la z, zelo y afición
que tengo con vuestra gala.
85 Assí que, dama graciosa,
estas letras conocidas,
conocidas y sabidas,
sabréys leer qualquier cosa.

Fin

Y pues por ellas sabréys
90 quán cativo estoy de vós,
leamos ambos a dos
estas letras que aquí veys;
vós, porque sepáys doleros
de mis penas y sospiros,
95 yo, porque sepa serviros
tan bien como sé quereros.

34-36

Villancicos, recogidos en el *Cancionero de 1496,* fols. 94v, 95v y 101v, *ibid.,* núms. [CLXVIII], [CLXXI] y [CCXIX], págs. 238-39, 245 y 370-71.

34

¡No te tardes, que me muero,
carcelero!
¡No te tardes, que me muero!

Apressura tu venida,
5 porque no pierda la vida;
que la fe no está perdida,
carcelero.
¡No te tardes, que me muero!

Bien sabes que la tardança
10 trae gran desconfiança;
ven y cumple mi esperança,
carcelero.
¡No te tardes, que me muero!

Sácame desta cadena,
15 que recibo muy gran pena,
pues tu tardar me condena,
carcelero.
¡No te tardes, que me muero!

La primer vez que me viste,
20 sin te vencer me venciste;
suéltame, pues me prendiste,
carcelero.
¡No te tardes, que me muero!

La llave para soltarme,
25 ha de ser galardonarme
proponiendo no olvidarme,
carcelero.
¡No te tardes, que me muero!

Fin

Y siempre, quanto bivieres,
30 haré lo que tú quisieres,
si merced hazerme quieres,
carcelero.
¡No te tardes, que me muero!

35

Ojos garços ha la niña,
¿quién ge los namoraría?

Son tan bellos y tan bivos
que a todos tienen cativos;
5 mas muéstralos tan esquivos
que roban ellalegría.

Roban el plazer y gloria,
los sentidos y memoria;
de todos llevan vitoria
10 con su gentil galanía.

Con su gentil gentileza
ponen fe con más firmeza;
hazen bivir en tristeza
al que alegre ser solía.

Fin

15 No ay ninguno que los vea
que su cativo no sea;
todo el mundo los dessea
contemplar de noche y día.

36

Ya no quiero ser vaquero
ni pastor,
ni quiero tener amor.

Bien pensé yo que nuestrama
5 me acudiera con buen pago,
mas quanto yo más la halago
más ella se me encarama.
Pues me acossa de su cama
sin favor,
10 no quiero tener amor.

Entré con ella a soldada
porque me mostró cariño;
mas por más que yo le aliño
no me quiere pagar nada.

15 Pues es tan enterriada
sin sabor,
no quiero tener amor.

Hele guardado el ganado
con un tiempo muy fortuno
20 y aun ahotas que ninguno
lo tenga tan careado.
Y pues que me da mal grado,
por pastor,
no quiero tener amor.

25 Yo labrava su labrança
y de sol a sol arava;
yo sembrava, yo segava
¡soncas! por le dar holgança.
Mas, pues de mi tribulança
30 no ha dolor,
no quiero tener amor.

Juro a mí que yo me embaço
de persona tan crudía.
Pues es tal su compañía,
35 no quiero más embaraço,
ni quiero ser su collaço
ni pastor,
ni quiero tener amor.

Fin

Y aun ¡pese a diez verdadero!,
40 con quanto yo le he servido,
que ya estoy tan aborrido
que de cordojo me muero,
ni ya quiero ser vaquero
ni pastor,
45 ni quiero tener amor.

37

Ausiàs March (1397-1459), *Cant XXIII* (¿antes de 1427?). Madrid: Palacio, ms. 950 (=ms. F; letra del s. xv o de la primera mitad del xvi), ed. y trad. de R. Ferreres en *Obra poética completa*, t. I (Madrid: Fundación Juan March/Castalia, 1979), núm. XXIII, págs. 210-14.

I Llexant a part l'estil dels trobadors
qui, per escalf, trespassen veritat,

      e sostraent mon voler afectat
      perquè no·m torb, diré ·l que trob en vós.
5 Tot mon parlar als qui no·us hauran vista
      res no valrà, car fe no hy donaran,
      e los veents que dins vós no veuran,
      en creur· a mi, llur arma serà trista.

II L'ull del hom pech no ha tan fosca vista
10 que vostre cos no jutge per gentil;
      no·l coneix tal com lo qui és suptil:
      hoc la color, mas no sab de la llista.
      Quant és del cors, menys de participar
      ab l'esperit, coneix bé lo grosser:
15 vostra color y el tall pot bé saber,
      mas ga del gest no porà bé parlar.

III Tots som grossers en poder explicar
      ço que mereix un bell cors e honest;
      jóvens gentils, bons sabents, l'han request,
20 e, famejants, los cové endurar.
      Lo vostre seny fa ço c· altre no basta,
      que sab regir la molta subtilea;
      en fer tot bé s'adorm en vós Perea;
      verge no sou perquè Déu ne volch casta.

IV 25 Sol per a vós basta la bona pasta
      que Déu retench per fer singulars dones:
      fetes n'ha ·ssats molt sàvies e bones,
      mas compliment dona Teresa ·l tasta;
      havent en si tan gran coneximent
30 que res no·l fall que tota no·s conega:
      al hom devot sa bellesa encega;
      past d'entenents és son enteniment.

V Venecians no han lo regiment
      tan pascifich com vostre seny regeix
35 suptilitats, que·l entendre·us nodreix,
      e del cors bell sens colpa·l moviment.
      Tan gran delit tot hom entenent ha
      e ocupat se troba ·n vós entendre,
      que lo desig del cors no·s pot estendre
40 a lleig voler, ans com a mort està

VI Llir entre carts, lo meu poder no fa
      tant que pogués fer corona ·nvisible;
      meriu-la vós, car la qui és visible
      no·s deu posar lla on miracl· està.

* * *

I. Dejando aparte el estilo de los trovadores, los que, por pasión, exce-
den la verdad, y evitando mi conmovido querer para que no me turbe, diré
lo que encuentro en vós. Todo mi hablar para los que no os habrán visto
no valdrá nada, porque no darán fe, y los que os vean, que vuestro interior
no verán, al creerme su alma estará triste.

II. El ojo del hombre necio no tiene tan oscura vista que vuestro cuerpo
no tenga por gentil; no lo conoce igual como el que es sutil: sí el color pero
no sabe del lienzo. Cuanto es del cuerpo, sin participar con el espíritu, el
grosero lo conoce bien: vuestra color y el talle puede saber bien, mas ya de
la actitud no podrá hablar bien.

III. Todos somos groseros para poder explicar lo que merece un cuerpo
bello y honesto; jóvenes gentiles, buenos conocedores, lo han pretendido
y, hambrientos, les conviene ayunar. Vuestra cordura hace lo que otro no
abasta, pues sabe regir la mucha sutileza; en hacer todo bien en vós se ador-
mece Pereza; virgen no sois porque Dios quiso linaje [de vós].

IV. Sólo para vós basta la buena masa que Dios retuvo para hacer singu-
lares mujeres; bastantes ha hecho sabias y buenas, pero cumplidamente [la
perfección] doña Teresa la alcanza; teniendo en sí tan gran conocimiento
que nada le falta para que toda se conozca; su belleza ciega al hombre devoto;
pasto para entendidos es su entendimiento.

V. Los venecianos no tienen un gobierno tan pacífico como vuestro juicio cuando rige las sutilezas (pues el entender os nutre) y el movimiento, sin
culpa, del bello cuerpo. Tan gran deleite tiene todo hombre que entiende y
ocupado se encuentra en comprenderos que el deseo corporal no puede exten-
derse al grosero querer, por el contrario, está como muerto.

VI. Lirio entre cardos, mi poder no alcanza tanto que pudiese hacer una
corona invisible; la merecéis vós ya que la que es visible no se ha de poner
allá donde está el milagro.

H

POESÍA LÍRICO-DOCTRINAL Y DE LA REPRESENTACIÓN: DISPUTAS, DEBATES Y TEATRO

(SIGLOS XIV-XV)

1

Mosén Pere Torrellas, *Coplas contra (o Maldezir de) las mugeres* (c. 1450). Barcelona: Ateneu, ms. 1 (=*Cancionero catalán del Ateneu);* hay otros varios códices también. Ed. de P. Bach y Rita, *The Works of Pere Torroella, a Catalan Writer of the Fifteenth Century* (Nueva York: Instituto de las Españas en los Estados Unidos, 1930), págs. 192-215, reeditadas por R. Menéndez Pidal, R. Lapesa y M.ª Soledad de Andrés en *Crestomatía del español medieval,* t. II (2.ª ed.; Madrid: Seminario Menéndez Pidal y Gredos, 1976), núm. 203, págs. 659-63. Se sigue el texto de la *Crestomatía.*

> 55 [...] Son todas [las duenyas], naturalmente,
> malignas e sospechosas,
> mal secretas, mentirosas,
> e movibles certamente.
> Bolven como foja al viento,
> 60 ponen l'absente 'n olvido,
> quieren contentar a ciento,
> y es el qu'es mas contiento
> mas cerca d'aborrescido.
>   Si las quereis amendar,
> 65 las aveis por enemigas;
> e por muy grandes amigas,
> si las sabeis lisonjar.
> Por gana de ser loadas
> qualquier alabança cojen,

70   van a las cosas vedadas,
     desdenyan las sojusgadas
     y las peyores acojen.
       Sentiendo que son subjectas
     e sin ningun poderio,
75   a fin d'aver senyorio
     tenen enganyosas sectas.
     Entienden en afeytar,
     en gestos por atraher,
     saben mentir sin pensar,
80   reir sin causa, y llorar,
     y enbaydoras seher.
       No presumays con amor
     traerlas a bien ninguno.
     ¿Quereys que fagan alguno?
85   Primero vaya 'l temor.
     Mas del vicio embevecidos
     creen los hombres en ellas:
     ¡O cuytados, decebidos,
     que los mas andays vendidos
90   e pasays sin conce[l]las!
       Comete qualquier maldat
     muger encendida en ira;
     asi cuenta la mentira
     como si fuese verdat.
95   No conservan cosa 'n peso,
     al estremo an de corer,
     dan priesto a qualquier malleso
     y siempre tienen buen seso,
     sino quando es menester.
100   Deleyte e provecho son
     el fin de todas sus obras.
     En guarda de las sosobras
     suple[n] temor e ficcion.
     Si por temor detenida
105   la maldat d'ellas no fuesse,
     o por ficcion escondida,
     non seria hombre que vida
     con ellas faser podiesse.
       Muger es un animal
110   que se dize hombre imperfecto,
     procreado en el defecto
     del buen calor natural.
     Aqui s'encluyen sus males
     y la falta del bien suyo,

115 e, pues les son naturales,
quando se demuestran tales,
que son sin culpa concluyo.
Quando son de poca 'dat
e donzellas en el nombre,
120 ignoran conoser hombre
fingiendo de castidat.
E quando en el acte son
dó se concluya 'l amor,
por confirmar su razon
125 mustran sentir pasion
ý an parido sin dolor.
Esta es la condicion
de las mugeres comuna,
pero virtud las repuna,
130 que les cons⟨c⟩iente razon.
Assi la parte maior
muchas disponen seguir,
e tanto han mas lohor
quanto el deffecto maior
135 ellas meresçen venir.
Entre las otras sois vós,
dama d'aquesta mi vida,
del traste comun sallida,
una en el mundo de dos.
140 Vós soys la que desfazeys
lo que contienen mis versos;
vós soys la que mereçeys
renombre y lahor cobreys
entre las otras diversos.

FIN

145 Dando fin a la presente
escriptura non bien fecha,
mas de sobra razon drecha
fundada, qu'es muy prudente,
concluyo que de las damas
150 hay muchas de buenas famas,
e si algunas no lo son,
sera por vuestra occasion
que hurde las tales tramas.

2

Juan de Mena (1411-56), *Laberinto de Fortuna* (fechado el 22 de febrero de 1444, hoy existente en París: Nationale, ms. Esp. 227, fols. 135r-84r, letra del s. xv; 1.ª ed., Salamanca, 1481), ed. de L. Vasvari Fainberg (Madrid: Alhambra, 1976).

SUPRASCRIPÇIÓN

1   Al muy prepotente don Juan el segundo [21],
     aquél con quien Júpiter tovo tal zelo,
     que tanta de parte le fizo del mundo
     quanta a sí mesmo se fizo del çielo;
     al grand rey d'España, al Çésar novelo,
     al que con Fortuna es bien fortunado,
     aquél en quien caben virtud e reinado,
     a él, la rodilla fincada por suelo.

ARGUMENTA CONTRA LA FORTUNA

2   Tus casos fallaçes, Fortuna, cantamos,
     estados de gentes que giras e trocas;
     tus grandes discordias, tus firmezas pocas,
     y los qu'en tu rueda quexosos fallamos.
     Fasta que al tempo de agora vengamos
     de fechos passados cobdiçia mi pluma
     y de los presentes fazer breve suma,
     y dé fin Apolo, pues nós començamos.

INVOCAÇIÓN

3   Tú, Calïope, me sey favorable,
     dándome alas de don virtuoso,
     y por que discurra por donde non oso;
     conbida mi lengua con algo que fable,
     levante la Fama su boz inefable,
     por que los fechos que son al presente
     vayan de gente sabidos en gente,
     olvido non prive lo que es memorable.

---

[21] El Juan II histórico reinó entre 1406 y 1454.

Ennara

4   Como non creo que fuessen menores
que los d'Africanos los fechos del Çid,
nin que feroçes menos en la lid
entrasen los nuestros que los Agenores,
las grandes façañas de nuestros mayores,
la mucha constançia de quien los más ama,
yaze en teniebras, dormida su fama,
dañada d'olvido por falta de auctores.

Pone un exemplo

5   La gran Babilonia que uvo çercado
la madre de Nino de tierra cozida,
si ya por el suelo nos es destruida,
¡quánto más presto lo mal fabricado!
E si los muros que Febo á travado
argólica fuerça pudo subverter,
¿qué fábrica pueden mis manos fazer
que non faga curso segund lo passado? (...)

Prosigue y compara con ficción

18   Estando yo allí con aqueste deseo,
abaxa una nuve muy grande, oscura,
el aire foscando con mucha presura
me çiega e me çiñe que nada non veo;
e ya me temía, fallándome veo,
non me acontessciese como a Polifemo
que, desque çiego venido en estremo,
ovo lugar el engaño ulixeo.

19   Mas como tenga miseria liçençia
de dar más aguda la contemplaçión,
y más e más en aquellos que son
privados de toda visiva potençia,
començé ya quanto con más eloquençia
en esta mi cuita de dialogar
al pro e al contra, e a cada lugar
siempre divina clamando clemençia.

Prosigue cómo le aparesçió la Providençia

20   Luego resurgen tamaños clarores
que fieren la nuve, dexándola enxuta,
en partes pequeñas así resoluta
que toda la fazen bolar en vapores,
e resta en el medio cubierta de flores
una donzella tan mucho fermosa
que ante su gesto es loco quien osa
otras beldades loar de mayores.

Del remedio que le trahe

21   Luego del todo ya restituida
ovieron mis ojos su virtud primera,
ca por la venida de tal mensajera
se cobró la parte qu'estava perdida;
e puesto que fuesse así descogida,
más provocava a bueno e honesto
la gravedad de su claro gesto
que non por amores a ser requerida.

Proposición del actor, e cómo pregunta a la Providençia de Dios que le aparesçe

22   Desque sentida la su proporción
de humana forma non ser discrepante,
el miedo pospuesto, prosigo adelante
en humil stilo tal breve oración:
«O más que seráfica clara visión,
suplico me digas de cómo veniste
e quál es el arte que tú más seguiste,
e cómo se llama la tu discrición.»

Respuesta

23   Respuso: «Non vengo a la tu presencia
de nuevo, mas antes soy en todas partes.
Segundo, te digo que sigo tres artes
de donde depende mi grand exçelençia:
las cosas presentes ordeno en essençia,

e las por venir dispongo a mi guisa,
las fechas revelo; si esto te avisa,
Divina me puedes llamar Providencia.»

ADMIRACIÓN DEL AUCTOR

24   «O prinçipessa e disponedora
de gerarchías e todos estados,
de pazes e guerras, e suertes e fados,
sobre senyores muy grande señora,
así que tú eres la governadora
e la medianera de aqueste grand mundo,
¿y cómo bastó mi seso infacundo
fruir de coloquio tan alto a desora?

SUPLÍCALE EL ACTOR QUE LO GUÍE

25   Ya que tamaño plazer se le offresçe
a esta mi vida non mereçedora,
suplico tú seas la mi guiadora
en esta grand casa que aquí nos paresçe,
la cual toda creo que más obedesçe
a ti, cuyo santo nombre convoco,
que non a Fortuna, que tiene allí poco,
usando de nombre que no l'pertenesçe.»

RESPUESTA

26   Respuso: «Mançebo, por trámite recto
sigue mi vía, tú, ven e suçede;
mostrarte [he] yo algo de aquello que puede
ser apalpado de humano intellecto.
Sabrás a lo menos qual es el deffecto,
viçio y estado de qualquier persona,
e con lo que vieres contento perdona,
e más non demandes al más que perffecto.» (...)

DE LAS TRES RUEDAS QUE VIDO EN LA CASA DE LA FORTUNA

56   Bolviendo los ojos a dó me mandava,
vi más adentro muy grandes tres ruedas;

las dos eran firmes, inmotas e quedas
mas la de en medio boltar non çesava;
e vi que debajo de todas estava
caída por tierra gente infinita
que avia en la fruente cada qual escripta
el nombre e la suerte por donde passava;

PREGUNTA EL AUCTOR A LA PROVIDENÇIA

57 aunque la una que no se movía,
    la gente que en ella havía de ser
    e la que debaxo esperava caer
    con túrbido velo su mote cubría.
    Yo que de aquesto muy poco sentía
    fiz de mi dubda complida palabra,
    a mi guiadora rogando que abra
    esta figura que non entendía.

RESPUESTA

58 La qual me respuso: «Saber te conviene
    que de tres edades que quiero dezir:
    passadas, presentes e de por venir;
    ocupa su rueda cada qual e tiene:
    las dos que son quedas, la una contiene
    la gente passada e la otra futura;
    la que se vuelve en el medio procura
    la que en el siglo presente detiene.

PROSIGUE LA PROVIDENÇIA

59 Así que conosce tú que la terçera
    contiene las formas e las simulacras
    de muchas personas profanas e sacras,
    de gente que al mundo será venidera
    e por ende cubierta de tal velo era
    su faç, aunque formas tu viesses de hombres,
    por que sus vidas nin sus nombres
    saberse por seso mortal non podiera.

Razón de la Providencia porque los ombres no pueden saber lo por venir

60 »El umano seso se çiega e oprime
  en las baxas artes que le da Minerva;
  pues vee que faría en las que reserva
  aquel que los fuegos corruscos esgrime.
  Por eso ninguno non piense ni estime
  prestigiando poder ser sçiente
  de lo conçebido en la divina mente,
  por mucho que en ello trasçenda ni rime. (...)

[El pronóstico del cuerpo hablante sobre el futuro de España]

247 Con ronca garganta ya dize [la maga]: «Conjuro,
  Plutón, a ti, triste, e a ti, Proserpina,
  que me enbiedes entranbos aína
  un tal espíritu sotil e puro,
  que en este mal cuerpo me fable seguro,
  e de la pregunta que le fuere puesta
  me satisfaga de çierta respuesta,
  segund es el caso que tanto procuro.

248 »Dale salida, velloso Çervero,
  por la tu triste trifauce garganta,
  pues su tardança non ha de ser tanta,
  e dale pasada, tú, vil marinero;
  ¿pues ya qué fazedes? ¿A quándo vos espero?
  Guardad non me ensañe, sino otra vez
  faré desçendervos allá por jüez
  a aquél que vos truxo ligado primero.»

249 Tornándose contra el cuerpo mesquino,
  quando su forma vido seer inmota,
  con biva culuebra lo fiere y açota
  por que el espíritu traiga maligno;
  el qual quiçá teme d'entrar, aunque vino,
  en las entrañas eladas sin vida,
  o si viene el alma que d'él fue partida,
  quiçá se tarda más en el camino.

250 La maga, veyendo cresçer la tardança,
  por una abertura que fizo en la tierra
  «Ecate» dixo, «¿non te fazen guerra
  más las palabras que mi boca lança?

Si non obedesçes la mi ordenança,
la cara que muestras a los del infierno
faré que demuestres al çielo superno
tábida, lúrida, sin alabança.

251   »¿E sabes tú, triste Plutón, que faré?
Abriré las bocas por dó te goviernas,
e con mis palabras tus fondas cavernas
de lus subitánea te las feriré.
Obedeçedme, sinon llamaré
a Demogorgón, el qual invocado,
treme la tierra, ca tiene tal fado,
que a las Estigias non mantiene fe.»

252   Los miembros ya tiemblan del cuerpo muy fríos,
medrosos de oír el canto segundo;
ya forma sus bozes el pecho iracundo,
temiendo la maga e sus poderíos;
la qual se le llega con besos impíos,
e faze preguntas por modo callado
al cuerpo ya vivo, después de finado,
por que sus actos non salgan vazíos.

253   Con una manera de bozes estraña
el cuerpo comiença palabras atales:
«Irados e mucho son los infernales
contra los grandes del reino d'España,
porque les fazen injuria tamaña,
dando las treguas a los infieles,
ca mientra les fueron mortales crueles
nunca tovieron con ninguno saña.

254   »Animas muchas fazen que non ayan
en fazer pazes con aquella seta,
mas ellos ya buelven con arte secreta
otros lugares por donde les vayan;
e por que fizieron las pazes, asayan
sembrar tal discordia entre castellanos
que fe non se guarden hermanos a hermanos,
por donde los tristes fenescan e cayan.

255   »E quedarán d'ellos tales dignitades,
e sobre partir tales discordanças,
que por los puños romper muchas lanças
veréis, e rebuelta de muchas cibdades.
Por ende, vosotros, essos que mandades,
la ira, la ira bolved en los moros;
non se consuman ansí los thesoros
en causas non justas como las hedades. (...)

[EL POETA LE RUEGA A JUAN II QUE CUMPLA SU DESTINO
POR MEDIO DEL BUEN GOBIERNO, LOGRANDO TOTAL
VICTORIA SOBRE LOS MOROS ASIMISMO]

296   Pues si los dichos de grandes proffetas
    e lo que demuestran las veras señales
    e las entrañas de los animales,
    e todo misterio sotil de planetas,
    e vatiçinio de artes secretas
    nos profetizan triumfos de vós,
    fazed verdaderas, señor rey, por Dios,
    las proffeçías que non son perfetas.

297   Fazed verdadera la grand Providençia,
    mi guiadora en aqueste camino,
    la qual vos ministra por mando divino
    fuerça, coratge, valor e prudençia,
    por que la vuestra real excellençia
    aya de moros puxante victoria
    e de los vuestros ansí dulçe gloria,
    que todos vos fagan, señor, reverençia.

3

Jorge Manrique (¿1440?-1479), *Coplas por la muerte de su padre* (c. 1478). Recogidas en el *Cancionero de Ramón de Llavia* (Zaragoza: Juan Hurus, c. 1490), fols. 73r-76r, ed. de G. Caravaggi, *Jorge Manrique: Poesía* (Madrid: Taurus, 1984), núm. 49, págs. 116-32.

[I]

    Recuerde el alma dormida,
    abive el seso e despierte
    contemplando
    cómo se passa la vida,
5   cómo se viene la muerte
    tan callando,
        quán presto se va el plazer,
    cómo, después de acordado,
    da dolor;
10   cómo, a nuestro parescer,
    qualquiere tiempo passado
    fue mejor.

[II]

Pues si vemos lo presente
cómo en un punto s'es ido
15 e acabado,
si juzgamos sabiamente,
daremos lo non venido
por passado.
Non se engañe nadi, no,
20 pensando que ha de durar
lo que espera
más que duró lo que vió,
pues que todo ha de passar
por tal manera.

[III]

25 Nuestras vidas son los ríos
que van a dar en la mar,
qu'es el morir;
allí van los señoríos
derechos a se acabar
30 e consumir;
allí los ríos caudales,
allí los otros medianos
e más chicos,
allegados son yguales
35 los que viuen por sus manos
e los ricos.

INUOCACIÓN

[IV]

Dexo las inuocaciones
de los famosos poetas
y oradores;
40 non curo de sus fictiones,
que trahen yervas secretas
sus sabores;
Aquél sólo m'encomiendo,
Aquél sólo invoco yo
45 de verdad,

que en este mundo viviendo,
el mundo non conoció
su deydad.

[V]

Este mundo es el camino
50 para el otro, qu'es morada
sin pesar;
mas cumple tener buen tino
para andar esta jornada
sin errar;
55 partimos quando nascemos,
andamos mientras vivimos,
y llegamos
al tiempo que feneçemos;
assí que quando morimos
60 descansamos.

[VI]

Este mundo bueno fué
si bien usásemos dél
como devemos,
porque, segund nuestra fe,
65 es para ganar aquél
que atendemos.
Haun aquel fijo de Dios
para sobirnos al cielo
descendió
70 a nascer acá entre nós,
y a vivir en este suelo
dó murió.

[VII]

Si fuesse en nuestro poder
tornar la cara hermosa
75 corporal,
como podemos hazer
el alma tan gloriosa,
angelical,
¡qué diligencia tan viva

80   toviéramos toda hora,
     e tan presta,
     en componer la cativa,
     dexándonos la señora
     descompuesta!

[VIII]

85   Ved de quánd poco valor
     son las cosas tras que andamos
     y corremos,
     que, en este mundo traydor,
     haun primero que muramos
90   las perdemos.
     Dellas deshaze la edad,
     dellas casos desastrados
     que acaheçen,
     dellas, por su calidad,
95   en los más altos estados
     desfallescen.

[IX]

     Dezidme: La hermosura,
     la gentil frescura y tez
     de la cara,
100 la color e la blancura,
     quando viene la vejez,
     ¿cuál se pára?
     Las mañas e ligereza
     e la fuerça corporal
105 de juventud,
     todo se torna graveza
     cuando llega el arraval
     de senectud.

[X]

     Pues la sangre de los godos,
110 y el linaje e la nobleza
     tan cresçida,
     ¡por quántas vías e modos
     se sume su grand alteza
     en esta vida!

115   Unos, por poco valer,
      por quán baxos e abatidos
      que los tienen;
      otros que, por non tener,
      con officios non devidos
120   se mantienen.

[XI]

      Los estados e riqueza,
      que nos dexen a deshora
      ¿quién lo duda?,
      non les pidamos firmeza
125   pues que son d'una señora
      que se muda:
         que bienes son de Fortuna
      que rebuelve con su rueda
      presurosa,
130   la qual non puede ser una
      ni estar estable ni queda
      en una cosa.

[XII]

      Pero digo c'acompañen
      e lleguen fasta la fuessa
135   con su dueño:
      por esso non nos engañen,
      pues se va la vida apriessa
      como sueño:
         e los deleites d'acá
140   son, en que nos deleytamos,
      temporales,
      e los tormentos d'allá,
      que por ellos esperamos,
      eternales.

[XIII]

145   Los plazeres e dulçores
      desta vida trabajada
      que tenemos,
      non son sino corredores,

e la muerte, la çelada
150 en que caemos.
   Non mirando a nuestro daño,
corremos a rienda suelta
syn parar;
desque vemos el engaño
155 e queremos dar la buelta
no(n) ay lugar.

[XIV]

   Esos reyes poderosos
que vemos por escripturas
ya pasadas,
160 con casos tristes, llorosos,
fueron sus buenas venturas
trastornadas;
   así que non ay cosa fuerte,
que a papas y emperadores
165 e perlados,
así los trata la Muerte
como a los pobres pastores
de ganados.

[XV]

   Dexemos a los troyanos,
170 que sus males non los vimos,
ni sus glorias,
dexemos a los romanos,
haunque oymos e leymos
sus estorias,
175   non curemos de saber
lo d'aquel siglo passado
qué fué d'ello;
vengamos a lo d'ayer,
que tan bien es olvidado
180 como aquello.

[XVI]

   ¿Qué se hizo el rey don Joan?
Los Infantes d'Aragón

¿qué se hizieron?
¿Qué fué de tanto galán,
185 qué de tanta invinción
que truxeron?
Las justas y los torneos,
paramentos, bordaduras
e cimeras
190 ¿fueron sino devaneos,
qué fueron sino verduras
de las eras?

[XVII]

¿Qué se hyzieron las damas,
sus tocados e vestidos,
195 sus olores?
¿Qué se hizieron las llamas
de los fuegos encendidos
d'amadores?
¿Qué se hizo aquel trobar,
200 las músicas acordadas
que tañían?
¿Qué se hizo aquel dançar,
aquellas ropas chapadas
que traýan? (...)

[Sobre don Rodrigo Manrique] [22]

[XXV]

Aquél de buenos abrigo,
290 amado por virtuoso
de la gente,
el maestre don Rodrigo
Manrique, tanto famoso
e tan valiente;
295 sus hechos grandes e claros
non cumple que los alabe,
pues los vieron,
ni los quiero hazer caros,

---

[22] Rodrigo Manrique falleció en 1476.

pues qu'el mundo todo sabe
300   quáles fueron.

[XXVI]

Amigo de sus amigos,
¡qué señor para criados
e parientes!
¡Qué enemigo d'enemigos!
305   ¡Qué maestro d'esforçados
e valientes!
¡Qué seso para discretos!
¡Qué gracia para donosos!
¡Qué razón!
310   ¡Qué benino a los sugetos!
¡A los bravos e dañosos,
qué león! (...)

[XXXIII]

385   Después de puesta la vida
tantas vezes por su ley
al tablero;
después de bien seruida
la corona de su rey
390   verdadero;
después de tanta hazaña
a que non puede bastar
cuenta cierta,
en la su villa d'Ocaña
395   vino la Muerte a llamar
a su puerta

[XXXIV]

diziendo: «Buen cavallero,
dexad el mundo engañoso
e su halago;
400   vuestro corazón d'azero
muestre su esfuerço famoso
en este trago;
e pues de vida e salud
fezistes tan poca cuenta
405   por la fama,
esfuércese la virtud

para sofrir esta afruenta
que vos llama.» (...)

[RESPONDE EL MAESTRE:]

[XXXVIII]

445 «Non gastemos tiempo ya
en esta vida mesquina
por tal modo,
que mi voluntad está
conforme con la divina
450 para todo;
e consiento en mi morir
con voluntad plazentera,
clara e pura,
que querer hombre vivir
455 quando Dios quiere que muera,
es locura.»

[DEL MAESTRE A JESÚS:]

[XXXIX]

«Tú que, por nuestra maldad,
tomaste forma servil
460 e baxo nombre;
tú, que a tu divinidad
juntaste cosa tan vil
como es el hombre;
tú, que tan grandes tormentos
sofriste sin resistencia
465 en tu persona,
non por mis merescimientos,
más por tu sola clemencia
me perdona.»

FIN

[XL]

Assí, con tal entender,
470 todos sentidos humanos

conservados,
cercado de su mujer,
y de sus hijos e hermanos
e criados,
475   dió el alma a quien ge la dió
(el qual la ponga en el cielo
en su gloria),
que haunque la vida perdió,
dexónos harto consuelo
480 su memoria.

DISPUTAS Y DEBATES

4

Disputa del cuerpo e del ánima (s. XIV). París: Nationale, mss. Espagnols 313, fols. 179v-81v (para las estrofas I-XV; letra del s. XV), y 230, fols. 227v-28r (para las estrofas XVI-XVII; letra catalana del s. XV); ed. de E. v. Kraemer, *Dos versiones castellanas de la «Disputa del alma y el cuerpo» del siglo XIV* (Helsinki: Société Néophilologique, 1956), págs. 40-46.

I   Después de la primera hora pasada
     En el mes de enero la noche primera
     Quatroçientos e veynt, entrante la era,
4   Estando acostado en una posada,
     Non pude dormir essa trasnochada;
     Vínome un sueño alla al maytino:
     Direvos, señores, lo que me avino
8   Fasta que pasó toda el alvorada.

II   En un valle fondo, escuro, apartado,
     Espesso de xaras soñé que andava
     Buscando salida e non la fallava.
12   Topé con un cuerpo que estava finado;
     Olia muy mal, seýa finchado,
     Los ojos quebrados, la faz denegrida,
     La boca abierta, la barba cayda,
16   De muchos gusanos bien aconpañado.

III Mirando aquel cuerpo de chica valor,
     Oý una voz aguda muy fiera.
     Alçé los mis ojos por ver de quien era:
20   Vi venir un ave de blanca color,
     Deziendo contra el cuerpo: »Ereje traydor,
     Del mal que feziste si eras represo,

        Por tu vana gloria e muy poco seso
24 Jamas nel infierno viviré en dolor.»

IV Asentose queda a su cabeçera
        E anduvo el cuerpo todo enderredor
        Batiendo las alas con muy gran temor,
28 Faziendo llanto de estraña manera,
        Deziendo cuytada: »Commo soy señera,
        Non fallo lugar dó pueda guarir!
        Escuro fue el dia que ove a venir
32 A ser tu çercana e tu conpañera.

V En tanto que puedo agora aqui estar
        Quiero fablar un poco contigo.
        Bien sabes tu, el mi mal amigo,
36 Que por tus errores e tu mal usar
        Pecaste e feziste a muchos pecar,
        De lo qual repriso ser non quesiste,
        E aun penitençia jamas non oviste
40 Por que yo, mezquina, avré de lazdrar. (...)

RESPUESTA DEL CUERPO

IX El cuerpo essa hora fizo movemiento,
        Alçó la cabeça, pensó de fablar
        E dixo: »Señora, ¿por qué me culpar
68 Quieres agora sin meresçemiento?
        Ca si dixe o fize fue por tu talento;
        Si non, ves agora quanto es mi poder,
        Que aquestos gusanos non puedo toller
72 Que comen las carnes del mi criamiento.

X Tu mi señora e yo tu servidor:
        Mis pies e mis manos por ti se movieron;
        Adó tu mandaste, alla anduvieron.
76 Yo era la morada e tu el morador.
        Pues ¿por qué me cargas la culpa e error?
        Puesto que algo yo cobdiçié,
        Pues, poder entero, señora, en ti fué;
80 ¿Por qué me dexavas conplir mi sabor?

XI Agora non puedo contigo alongar,
        Ca non he lugar nin tengo sazon.
        Segun me paresçe, non as defension
84 Nin por tu sentençia non quiero pasar.
        Vete, por Dios, e dexame estar,
        Non me persiguas, que asaz padezco.

Si dizes que yo la culpa merezco
88 Non dexes, si puedes, de me la cargar.»

REPLICATO DEL ANIMA

XII »Cuerpo maldicto de gran trayçion,
Commo desvarias en tu departir!
Ca si tu quesieses la verdat dezir,
92 Bien sabes qual fue la mi entinçion.
Tres contrarios de mala perdiçion
Fezistes en mi muy gran dañamiento:
El diablo, el mundo e tu el çimiento
96 Trayades me puesta en vuestra prisión. (...)
XVI Estando mirando esta porfia,
Salió un diablo negro de una espessura,
Mortal espantoso de fuerte figura.
124 Tenezas de fierro en la mano traya.
E dixo contra el ave: »Vós sodes mia,
Conmigo yredes a ver my posada
Donde seredes por siempre heredada;
128 Alla fallades assaz grand companya.»

FIN

XVII El ave essa hora dió grand apelido
E dixo: »Dios myo, tu que me crieste,
Rey de piedat, librame deste,
132 Senyor, pues tenés el poder complido!»
Tomala el dyablo, con ella ha fuydo.
Con el grand pesar luego desparté:
Del suenno que vi pasmado finqué,
136 Ayna perdiera todo my sentido.

5

Íñigo López de Mendoza, Marqués de Santillana (1398-1458), *Bías contra Fortuna* (1448).
Salamanca: Universitaria, ms. 2655, fols. 201r-32r, ed. de M. P. A. M. Kerkhof (Madrid: RAE,
1982).

I

B(ías)   ¿Qué es lo que piensas, Fortuna?
¿Tú me cuydas molestar

o me piensas espantar,
bien com*m*o a niño de cuna?

F(ortuna) 5 ¡Cóm*m*o?... Y ¿piensas tú que non?...
Verlo has.

B. Ffaz lo que fazer podrás,
ca yo biuo por razón.

II

F. ¿Cóm*m*o entiendes en deffensa
10 o puédeslo presumir,
o me cuydas resistir?

B. Sí, ca non te fago offensa.

F. Subjudgados soys a mí
los humanos.

B. 15 Non son los varones magnos,
ni*n* curan punto de ty.

III

F. ¿Puedes tú ser eximido
de la mi juridiçión?

B. Sí, que no*n* he deuoçión
20 a ni*n*gu*n*d bien infingido.
Glo*r*ia ni*n* triu*m*pho mu*n*dano
no*n* lo atie*n*do;
en sola virtud entiendo,
la qual es bien soberano.

IV

F. 25 Tu çibdad faré robar
e será puesta so mano
de mal prínçipe tyrano.

B. Poco me puedes dañar:
mis bienes lleuo comigo;
30 no*n* me curo,
assí que yo voy seguro
sin temor del enemigo.

V

F. Tu casa será tomada,
non dubdes, de llano en llano,
35 e metida a sacomano.

B.   Tome*n*, que no*n* me da nada.
            Mas será de cobdiçioso
            q*ui*en tomare
            ropa dó non la fallare;
40   pobredad es gra*n*d reposo. (...)

XVII

B.   Essas hedificaçiones,
130   ricos te*m*plos, torres, muros,
            será*n* o fueron seguros
            de las tus p*er*secuçiones?
F.   Sy farán, y ¿quié*n* lo dubda?...
B.   Yo que veo
135   el co*n*trario, e no*n* lo creo,
            ni*n* es sabio q*ui*en al cuda.

XVIII

            ¿Qu'es de Níniue, Fortuna?
            ¿Qu'es de Thebas? ¿Qu'es de Athenas?
            ¿/Dó : De/ sus murallas e menas,
140   que non paresçe ninguna?
            ¿Qu'es de Tyro e de Sydón
            e Babilonia?
            ¿Qué fue de Laçedemonia?
            Ca si fueron, ya no*n* son. (...)

XC

B.   Bien quisiera me dexaras
            contrastar las tus escusas,
715   mas veo que lo /recusas : refusas/,
            e del effecto desparas
            co*n* menazas de prisiones
            que me fazes.
            Yo temo poco tus azes
720   e tus huestes e legiones. (...)

XCIII

            Que a mí non plaze*n* los premios
            nin otros gozos mundanos,
            sinon los [estoiçïanos],
740   en co*m*paña de academios,
            e los sus justos preçeptos

diuinales,
que son bienes inmortales
e por los dioses electos. (...)

CX

E la biblioteca mía
allí se desplegará;
875 allí me consolará
la moral maestra mía.
E muchos de mis amigos,
mal tu grado,
serán juntos al mi lado,
880 que fueron tus enemigos.

CXI

E assí seré yo atento
de todo en todo al estudio,
e fuera d'este tripudio
del vulgo, qu'es grand tormento.
885 Pues si tal captiuidad
contemplaçión
trae, non será prisión,
mas calma feliçidad. (...)

CXIV

905 Los bienes que te dezía
que yo leuaua comigo,
éstos son, verdad te digo. (...)

CXXVI

Yo fuy bien prinçipïado
en las liberales artes,
e sentí todas sus partes;
1005 e después de grado en grado
oý de philosophía
natural,
e la ética moral,
qu'es duquesa que nos guía. (...)

CLXXIX

1425 Este camino será
aquel /que yo faré : que faré yo/, Bías,

en mis postrimeros días,
sy te plaze o pesará,
a las bienauenturanças;
dó cantando
beuiré, siempre gozando,
dó çessan todas muda*n*ças.

CLXXX

Yo me cuydo co*n* razón,
mera justiçia e derecho,
hauerte pro satisfecho;
e assí fago conclusión,
e sin vergüen*ça* ni*n*guna
tornaré
al nuestro tema e diré:
¿Qu'es lo q*ue* piensas, Fortuna?

6

Rodrigo de Cota (m. después de 1504), *Diálogo entre el Amor y un viejo* (segunda mitad del s. xv). Recogido en Hernando del Castillo, *Cancionero general* (Valencia: Cristóbal Kofman, 1511), fols. 72v-75v, ed. de J. A. Balenchana, t. I (Madrid: [M. Ginesta], 1882), núm. 125, págs. 297b-320b.

[EL VIEJO]

Cerrada estaba mi puerta:
¿a qué vienes? ¿por dó entraste?
¿Di, ladrón, por qué saltaste
las paredes de mi huerta?
5   La edad y la razón
ya de ti m'han libertado;
¡dexa el pobre coraçón
retraído en su rincón
contemplar cuál l'has parado!
10   Cuanto más qu'este vergel
no produze locas flores,
ni los frutos y dulçores
que soliés hallar en él.
Sus verduras y hollajes
15   y delicados frutales,
hechos son todos salvajes,

convertidos en linajes
d'enatíos de eriales.
   La beldad d'este jardín
20 ya no temo que la halles,
ni las ordenadas calles,
ni los muros de jazmín,
ni los arroyos corrientes,
de vivas aguas notables,
25 ni las albercas ni fuentes,
ni las aves produzientes
los cantos tan consolables.
   Ya la casa se deshizo,
de sotil labor estraña,
30 y tornóse esta cabaña
de cañuelas de carrizo.
De los frutos hize truecos
por escaparme de ti,
por aquellos troncos secos,
35 carcomidos, todos huecos,
que parescen cerca mí.
   Sal de huerto miserable,
ve buscar dulce floresta,
que tú no puedes en ésta
40 hazer vida deleitable;
ni tú ni tus servidores
podés bien estar comigo,
que, aunqu'estén llenos de flores,
yo sé bien cuántos dolores
45 ellos traen siempre consigo.
   Tú traidor eres, Amor,
de los tuyos enemigo,
y los que viven contigo
son ministros de dolor.
50 Sábete que sé que son
afán, desdén y desseo,
sospiro, celos, passión,
osar, temer, afición,
guerra, saña, devaneo,
55   tormento y desesperança,
engaños con ceguedad,
lloros y cativdad,
congoxa, rabia, mudança,
tristeza, dubda, coraje,
60 lisonja, troque y espina,
y otros mil d'este linaje,

que con su falso visaje
su forma nos desatina.

[AMOR]

(...) Comúnmente todavía
200 han los viejos un vezino,
enconado, muy malino,
gobernado en sangre fría;
llámasse Malenconía,
¡amarga conversación!
205 Quien por tal estremo guía,
ciertamente se desvía
lexos de mi condición.
    Éste moraba contigo
en el tiempo que me viste,
210 y por esto te encendiste
en rigor tanto comigo.
Mas después que t'he sentido
que me quieres dar audiencia,
de mi miedo muy vencido,
215 culpado, despavorido,
se partió de tu presencia.
    Donde mora este maldito
no jamás hay alegría,
ni honor, ni cortesía,
220 ni ningún buen apetito.
Pero donde yo me llego,
todo mal y pena quito;
de los hielos saco fuego,
y a los viejos meto en juego
225 y a los muertos ressuscito.
    Al rudo hago discreto,
el grossero muy polido,
desenvuelto al encogido,
y al invirtuoso, neto;
230 al cobarde, esforçado,
al escaso, liberal,
bien regido, al destemplado,
muy cortés y mesurado
al que no suele ser tal.
235   Yo hallo el sumo deleite,
yo formo el fausto y arreo,
y también cubro lo feo
con la capa del afeite;

yo hago fiestas de sala
240   y mando vestirse rico;
yo también quiero que vala
el misterio de la gala
cuando está en lo pobrezico. (...)

EL VIEJO

Allégate un poco más:
tienes tan lindas razones,
que sofrirt'he que me encones
por la gloria que me das:
500   los tus dichos alcahuetes,
con verdad o con engaño,
en el alma me los metes
por lo dulce que prometes,
de esperar es todo'l año.

EL AMOR

505   Abracémonos entramos,
desnudos sin otro medio;
sentirás en ti remedio,
en tu huerta nuevos ramos.

EL VIEJO

¡Vente a mí, muy dulce Amor,
510   vente a mí, braços abiertos!
Ves aquí tu servidor,
hecho siervo de señor,
sin tener tus dones ciertos. (...)

CABO

Pues en ti tuve esperança,
tú perdona mi pecar;
gran linaje de vengança
625   es las culpas perdonar.
Si del precio del vencido
del que vence es el honor,
yo, de ti tan combatido,
no seré flaco, caído,
630   ni tú fuerte vencedor.

7

Dança general de la Muerte (1465-79). Escorial: Monasterio, ms. b.IV.21 (letra del s. xv), ed. de M. Morreale en «Para una antología de literatura castellana medieval: La *Danza de la Muerte*», *Annali del corso di lingue e letterature straniere presso l'Università di Bari,* 6 (1963), págs. 5-70.

Dize la muerte.

I   Io só la muerte cierta a todas criaturas
    Que son y serán en el mundo durante.
    Demando y digo: o omne, ¿por qué curas
    De vida tan breue, en punto pasante?
5   Pues non ay tan fuerte nin rrezio gigante
    Que deste mi arco se puede anparar,
    Conuiene que mueras quando lo tirar
    Con esta mi frecha cruel traspasante.

II ¿Qué locura es ésta tan magnifiesta
10 Que piensas tú, omne, que el otro morrá
    E tú quedarás, por ser bien conpuesta
    La tu conplisyón, e que durará?
    Non eres çierto sy en punto verná
    Sobre ty a dessora alguna corrupçión
15 De landre o carbonco, o tal ynplisyón
    Por que el tu vil cuerpo se dessatará.

III ¿O piensas por ser mançebo valiente
    O ninno de días, que aluenne estaré
    E fasta que liegues a viejo inpotente
20 La mi venida me detardaré?
    Avísate bien que yo llegaré
    A ty a desora; que non he cuydado
    Que tú seas mancebo o viejo cansado,
    Que qual te fallare, tal te leuaré.

IV La plática muestra seer pura verdad
26 Aquesto que digo, syn otra fallençia.
    La santa escriptura con çertenidad
    Da sobre todo su firme sentençia
    A todos diziendo: Fazed penitençia,
30 Que a morir avedes, non sabedes quándo. (...)

Primeramente llama a su dança
a dos donzellas.

IX A esta mi dança traxe de presente
66 Estas dos donzellas, que vedes fermosas.

Ellas vinieron de muy mala mente.
Oyr mis cançiones, que son dolorosas.
Mas non les valdrán flores e rrosas,
70   Nin las conposturas que poner solían.
De mí, sy pudiesen, partir se querrían;
Mas non puede ser, que son mis esposas.

X   A éstas e a todos por las aposturas
Daré fealdad, la vida partida,
75   E desnudedad per las vestituras,
Por syenpre jamás, muy triste aborrida;
E por los palaçios daré, por medida,
Sepulcros escuros de dentro fedientes,
E por los manjares, gusanos rroyentes,
80   Que coman de dentro su carne podrida. (...)

Dize el enperador.

XIV   ¿Qué cosa es ésta que atan syn pauor
106   Me lleua a su dança, a fuerça syn grado?
Creo que es la muerte que non ha dolor
De omne que sea, grande o cuytado.
¿Non ay ningund rrey nin duque esforçado
110   Que della me pueda agora defender?
¡Acorredme todos! Mas non puede ser,
Que ya tengo della todo el seso turbado.

Dize la muerte.

XV   Enperador muy grande, en el mundo potente,
Non vos cuytedes, ca non es tienpo tal
115   Que librar vos pueda inperio nin gente,
Oro nin plata, nin otro metal.
Aquí perderedes el vuestro cabdal,
Que athesorastes con grand tyranía,
Faziendo batallas de noche e de día.
120   Morid, non curedes. Venga el cardenal. (...)

Dize el duque.

XXII   ¡O qué malas nuevas son éstas syn falla,
170   Que agora ma trahen, que vaya a tal juego!
Yo tenía pensado de fazer batalla.
Espérame vn poco, muerte, yo te rruego.
Sy non te detienes, miedo he que luego
Me prendas o mates. Avré de dexar

175   Todos mis deleytes, ca non puedo estar
       Que mi alma escape de aquel duro fuego.

                         Dize la muerte.

XXIII   Duque poderoso, ardit e vallente.
         Non es ya tienpo de dar dilaçiones.
         Andad en la dança con buen continente.
180   Dexad a los otros vuestras guarniçiones.
         Jamás non podredes çebar los alcones,
         Hordenar las justas nin fazer torneos.
         Aquí avrán fyn los vuestros deseos.
         Venit, arçobispo, dexat los sermones. (...)

                         Dize el abad.

XXXII   ¿Maguer prouechoso a los rrelijosos?
250   De tal dança, amigos, yo non me contento.
         En mi çelda auía manjares sabrosos;
         De yr non curaua comer a conuento.
         Dar me hedes sygnado como non consyento
         De andar en ella, ca he grand rresçelo,
255   E sy tengo tienpo prouoco e apelo.
         Mas non puede ser, que ya desatiento.

                         Dize la muerte.

XXXIII   Don abad bendicto, folgado, viçioso,
          Que poco curastes de vestir çeliçio,
          Abraçadme agora; seredes mi esposo,
260   Pues que deseastes plazeres e viçio,
          Ca yo só bien presta a vuestro seruicio.
          Avedme por vuestra, quitad de vós sanna,
          Ca mucho me plaze con vuestra conpanna.
          E vós, escudero, venit al ofiçio.

                         Dize el escudero.

XXXIV   Duennas e donzellas, aved de mí duelo.
266   Fázenme por fuerça dexar los amores;
          Echóme la muerte su sotil anzuelo;
          Fázenme dançar dança de dolores.
          Non thrahen por çierto fyrmalles nin flores
270   Los que en ella dançan, mas grand fealdad.
          ¡Ay de mí, cuytado que en grand vanidad
          Andoue en el mundo siruiendo sennores!

Dize la muerte.

XXXV   Escudero polido, de amor siruiente,
        Dexad los amores de toda persona.
275   Venit, ved mi dança e cómo se adona,
        E a los que dançan aconpannaredes.
        Myrad su fygura: tal vos tornaredes
        Que vuestras amadas non vos querrán veer.
        Aved buen conorte, que asý ha de ser.
280   Venit vós, deán, non vós corroçedes. (...)

Dize el mercadero.

XXXVIII   ¿A quien dexaré todas mis rriquezas
        E mercadurías que traygo en la mar?
        Con muchos traspasos e más sotilezas
300   Gané lo que tengo en cada lugar.
        Agora la muerte vínome llamar.
        ¿Que será de mí? Non sé qué me faga.
        ¡O muerte, tu sierra a mí es grand plaga!
        Adiós, mercaderos, que voyme a fynar.

Dize la muerte.

XXXIX   De oy más non curedes de pasar en Flandes;
306   Estad aquí quedo e yredes a ver
        La tienda que traygo de buuas y landres,
        De gracia las do, non las quiero vender,
        Vna sola dellas vos fará caer
310   De palmas en tierra, dentro en mi botica;
        E en ella entraredes maguer sea chica. (...)

Dize el abogado.

XLII   ¿Qué fue ora, mesquino, de quanto aprendý,
330   De mi saber todo e mi libelar?
        Quando estar pensé, entonçe caý,
        Çegóme la muerte, non puedo estudiar;
        Rresçelo he grande de yr al lugar
        Dó non me valdrá libelo nin fuero,
335   Peores amigos, que syn lengua muero.
        Abarcóme la muerte, non puedo fablar.

Dize la muerte.

XLIII   Don falso abogado preualicador,
        Que de amas las partes leuastes salario,

Véngasevos miente cómo syn temor
340 Boluistes la foja por otro contrario.
El *Chino* e el *Bártolo* e el *Coletario*
Non vos librarán de mi poder mero.
Aquí pagaredes como buen rromero. (...)

Dize el vsurero.

LIV Non quiero tu dança nin tu canto negro,
426 Mas quiero prestando doblar mi moneda:
Con pocos dineros que me dió mi suegro,
Otras obras fago que non fizo [San] Beda [m. 735].
Cada anno los doblo; demás está queda
430 La prenda en mi caja, que está por el todo.
Allego rriquezas hyaziendo de cobdo.
Por ende tu dança a mi non es leda.

Dize la muerte.

LV Traydor vsurario de mala concençia,
Agora veredes lo que fazer suelo:
435 En fuego ynfernal syn más detenençia
Porné la vuestra alma cubierta de duelo.
Allá estaredes dó está vuestro ahuelo
Que quiso vsar segund vós vsastes.
Por poca ganançia mal syglo ganastes. (...)

Dize el hermitanno.

LX La muerte rreçelo maguer que só viejo.
Ssennor Ihesu Christo, a ty me encomiendo.
475 De los que te siruen tu eres espejo,
Pues yo te seruí, la tu gloria atiendo.
Ssabes que sufrí lazeria, biuiendo
En este disierto en contenplaçión,
De noche e de día faziendo oraçión,
480 Por más abstinençia las yeruas comiendo.

Dize la muerte.

LXI Fazes grand cordura. Llamarte ha el Sennor,
Que con diligençia pugnastes seruir.
Sy bien le seruistes, avredes honor
En su santo rreyno dó avés a venir.
485 Pero con todo esto avredes a yr
En esta mi dança con vuestra baruaça.
De matar a todos aquésta es mi caça. (...)

Lo que dize la muerte a los que non nonbró.

LXXVIII A todos los que aquí non he nonbrado
De qualquier ley e estado o condyçión,
Les mando que vengan muy toste priado
620 A entrar en mi dança syn escusaçión.
Non rresçibiré jamás exebçión
Nin otro libelo nin declinatoria;
Los que bien fizieron avrán syenpre gloria,
Los quel contrario avrán danpnaçión.

Dizen los que han de pasar por la muerte.

LXXIX Pues que asý es que a morir avemos
626 De nesçesidad, syn otro rremedio,
Con pura conçiençia todos trabajemos
En seruir a Dios ssyn otro comedio. (...)

TEATRO: SIGLO XV

8

Gómez Manrique (c. 1412-c. 1490), *Representaçion del naçimiento de Nuestro Señor* (c. 1475). Madrid: Palacio, ms. 1250, págs. 125-34, ed. de A. Paz y Meliá, *Cancionero de Gómez Manrique*, I (Madrid: A. Pérez Dubrull, 1885), núm. LXII, págs. 198-206.

Lo que dize Josepe, sospechando de nuestra Señora[23].

¡O uiejo desuenturado!
Negra dicha fue la mia
en casar me con Maria
por quien fuesse desonrrado.
Yo la veo bien preñada,
no se de quien, nin de quanto;
dizen que d' espiritu santo,
mas yo desto non se nada.

[10]   *La oración que faze la Gloriosa.*

¡Mi solo Dios verdadero,
cuyo ser es inmouible,

---

[23] Existía en el Medioevo la tradición de representar a José como una figura cómica —frecuentemente, como un marido cornudo.

a quien es todo posible,
façil e bien fazedero!
Tu que sabes la pureza
dela mi virginidad,
alumbra la çeguedad
de Josep, e su sinpleza.

El angel a Josepe.

[20]   ¡O uiejo de munchos dias,
enel seso de muy pocos,
el prinçipal delos locos,
¿tu no sabes que Ysayas
dixo: Virgen parira:
lo qual escriuio por esta
donzella gentil, onesta,
cuyo par nunca sera?

La que representa ala Gloriosa, quando le dieren
el niño.

[30]   Adorote rey del çielo,
verdadero Dios e onbre;
adoro tu santo nonbre,
mi saluaçion e consuelo;
adorote fijo e padre,
a quien sin dolor pari,
por que quesiste de mi
fazer de sierua tu madre.

Bien podre dezir aqui
aquel salmo glorioso
[40]   que dixe, fixo preçioso,
quando yo te conçebi:
que mi anima engrandeçe
a ti, mi solo señor,
y en ti, mi saluador,
mi spiritu floreçe.

Mas este mi gran plazer
en dolor sera tornado,
pues tu eres enbiado
para muerte padeçer
[50]   por saluar los pecadores,
enla qual yo pasare,
non menguandome la fe,
ynnumerables dolores.

Pero, mi preçioso prez,
fijo mio muy querido,
da me tu claro sentido
para tratar tu niñez
con deuida reuerençia,
e para que tu pasion
[60] mi femenil coraçon
sufra con mucha paçiençia.

La denunciacion del angel alos pastores.

Yo vos denunçio, pastores,
qu' en Bellen es oy naçido
el señor delos señores,
sin pecado conçebido;
e por que non lo dudedes,
yd al presebre del buey,
donde çierto fallaredes
[70] al prometido en la ley.

El vn pastor.

Dime tu, ermano, di,
si oyste alguna cosa,
o si viste lo que vi.

El segundo.

Vna gran boz me semeja
de vn angel reluziente
que sono en mi oreja.

El terçero.

[80]   Mis oydos an oydo
en Bellen ser esta noche
nuestro saluador naçido;
por ende dexar deuemos
nuestros ganados e yr
por ver si lo fallaremos.

Los pastores veyendo al glorioso niño.

Este es el niño eçelente
que nos tiene de saluar;
ermanos, muy omilmente
[90] le lleguemos adorar.

La adoracion del primero.

Dios te salue, glorioso
ynfante santificado,
por redemir enbiado
este mundo trabajoso:
damos te grandes loores
por te querer demostrar
a nós, miseros pastores.

Del segundo.

[100]   Salue te Dios, niño santo,
enbiado por Dios padre,
conçebido por tu madre
con amor e con espanto:
alabamos tu grandeza
qu' enel pueblo d' israel
escogio nuestra sinpleza.

Del tercero.

Dios te salue, saluador,
onbre que ser Dios creemos;
[110]   munchas graçias te fazemos
por que quisiste, señor,
la nuestra carne uestir,
enla qual muy cruda muerte
as por nós de reçebir.

Los angeles.

Gloria al Dios soberano
que reyna sobre los çielos,
e paz al linaje vmano.

San Gabriel.

[120]   Dios te salue, gloriosa
delos maytines estrella,
despues de madre donzella,
e antes que fija esposa:
yo soy uenido, señora,
tu leal enbaxador,
para ser tu seruidor
en aquesta santa ora.

San Miguel.

Yo Micael que vençi
[130] las huestes luçiferales,
con los coros çelestiales
que son en torno de mi,
por mandado de Dios padre
vengo tener conpania
a ti, beata Maria,
de tan santo niño madre.

San Rafael.

Yo, el angel Rafael,
capitan destas quadrillas,
[140] dexando las altas sillas,
vengo a ser tu donzel;
e por fazerte plazeres,
pues tan bien los mereçiste,
¡O Maria, mater criste,
bendicha entre las mugeres!

LOS MARTIRIOS QUE PRESENTAN AL NIÑO.

El caliz.

¡O santo niño naçido
para nuestra redençion!
[150] Este caliz dolorido
dela tu cruda pasion
es neçesario que beua
tu sagrada magestad,
por saluar la vmanidad
que fue perdida por Eua.

El astelo e la soga.

E sera en este astelo
tu cuerpo glorificado,
poderoso rey del çielo,
[160] con estas sogas atado.

Los açotes.

Con estos açotes crudos
romperan los tus costados

los sayones muy sañudos
por lauar nuestros pecados.

La corona.

E despues de tu persona
ferida con deçeplinas,
te pornan esta corona
[170] de dolorosas espinas.

La cruz.

En aquesta santa cruz
el tu cuerpo se porna;
ala ora no avra luz
y el tenplo caera.

Los clauos.

Con estos clauos, señor,
te clauaran pies e manos;
grande pasaras dolor
[180] por los miseros vmanos.

La lança.

Con esta lança tan cruda
foradaran tu costado,
e sera claro sin duda
lo que fue profetizado.

Cancion para callar al niño.

Callad, fijo mio chiquito.

Callad vos, señor,
nuestro redentor,
[190] que vuestro dolor
durara poquito.
Angeles del cielo,
venid dar consuelo
a este moçuelo
Jhesus tan bonito.
Este fue reparo,
avn qu' el costo caro,
d' aquel pueblo amaro
catiuo en Egito.

[200]   Este santo dino,
          niño tan benino,
          por redemir vino
          el linaje aflito.

          Cantemos gozosas,
          ermanas graciosas,
          pues somos esposas
          del Jesu bendito.

I

PROSA

(SIGLOS XIV-XV)

LEYENDAS HAGIOGRÁFICAS Y
CUASI-HAGIOGRÁFICAS

1

Barlaam e Josafat (s. XIII o XIV; procede de la tradición búdica en sánscrito por medio del maniqueo [s. III], árabe [s. VIII], griego [ss. X-XI] y del latín [ss. XI-XIII]). Estrasburgo: Universitaria, ms. 1829, fols. 132r-85r (ms. *S,* letra de fines del s. XIV o de principios del s. XV), y Salamanca: Universitaria, ms. 1877, fols. 94r-213r (ms. *P,* de 1469-70), ed. de J. E. Keller y R. W. Linker (†) (Madrid: CSIC, Instituto «Miguel de Cervantes», 1979).

[MS *S*]

La estoria del rey Anemur e de Josaphat e de Barlaam.
Capitulo primo. Del rey Anemur e del mandado
dél contra los cristianos.

En India ovo un rrey que avia nonbre Anemur, e erra ricco, e poderoso, e estraño e en batallas glorioso de todas las cosas del mundo, mas sengund la alma, afogado por muchos males e dado a la providunbre de los ydolos. E commo visquiese en muchos deleytes, avia un mal de mañereza, el qual menguava la su gloria e atormentava el su coraçon, ca non podia aver fijos. E muchas gentes de cristianos e de monges, pasantes en aquella tierra vida angilical, aprovechavan en la graçia de Dios e denostando la onrra del rrey e de todo en todo non temiendo las sus manazas. Por çierto muchos deseavan la muerte por Jesu Cristo, ca sabian la bienandança perdurable. Onde syn temor predicavan e non avia en la boca otra cosa sy non a Jesu Cristo. (...)

Capitulo III°. Del nasçimiento de Josafat e del
ençerramiento de el en el palaçio.

Entre estas cosas nasçe el fijo muy fermoso, en el nasçimento del qual el [ha] alegrado mucho. Pusele [sic] nombre Josafat. E el loco [del rey] fuese a sacrificar e a dar graçias a los tenplos de los ydolos por el, e fizo allegar de cada parte las muchedunbres de los pueblos a los nasçimientos del moço, trayendo consigo las cosas que eran ydoneas al sacrifiçio, segund que cada uno podia e convenia a la dinidat rreal.

E aun estonçe venieron al rrey çincuenta e çinco astrolagos, los quales llegados a el, rrogava el rrey a cada uno dellos, que dexiesen qual avia a seer aquel moço que era nasçido a el; e ellos escodrinando muchas cosas, dezian aquel ser avinidero grande en rriquezas e poderio, e que avia a traspasar todos los rreys los quales fueron rreys.

Mas uno de los astrolagos mas alto que los otros dixo: —O rrey, segund que puedo de aquellos que me enseñaron los cursos de las estrellas conosçer los provechos deste moço, el qual agora es nasçido a ti, non sera en el tu regno mas en otro mas mejor e syn conparaçion mas noble; mas asmo que á a tomar a aquel por el qual persigimos la rreligion de los cristianos; nin cuydo que sea privado de su esperança. Dixo estas cosas asy commo en otro tienpo Balaam, non deziendo la astrologia la verdat, mas Dios por los aversarios aquellas cosas que son de la verdat sinificadera, por que tirase toda escussaçion del cruel.

Oydas estas cosas, el rrey tomando muy gravemente esta denunçiaçion, la tristeza tajo a el la alegria, asy que en la çiudat fizo palaçio apartadamente muy fermoso e en el establesçio camaras muy rresplandesçientes por mucha arte e obra. E puso ý el moço para morar despues que acabo la hedad de la infançia, e mando que non llegase ninguno a el, e diole sirvientes e ministros mançebos por edad e muy fermosos por acatamiento, mandandoles que non le feziesen manifiesta ninguna cosa destas, las quales engendran tristeza en esta vida: non muerte, nin vejez, nin enfermedat, nin pobreza, nin otra cosa ninguna que lo entristase e pudiese menguar a el la alegria; mas que le pusiesen delante todas las cosas alegres e deletables, por la qual razon la su voluntad alegrada e delectada non podiese pensar de todo en todo ninguna cosa de las avinideras. E aun mando que non oyese palabra pequeña nin grande de Jesu Cristo e de las enseñanças dél. Ca esto queria el que le fuese ascondido mas que todas las cosas, temiendo lo que dixiera el astrolago.

E asi acaesçia que alguno de los servientes enfermase, luego lo echava dende e dava otro por el, sano e florido, por que non viesen cosa fediente nin fea los ojos de aquel moço. (365-68).

Capitulo VII°: Commo Josafat gano del padre
libertad de salir.

E un dia dixole el fijo: —O rrey señor, cobdiçio aprender de ti que cosa es que la tristeza afincada e el cuydado continuo rroe la mi alma. ¿Que es esto, que me pusiste encerrado de dentro de estos muros e puertas que non llegase ninguno a mi?

Estonçe dixo el padre: —Non quiero, mi fijo, que veas alguna cosa que pueda amargar el tu coraçon e tajar la tu alegria. Ca deseo que vivas por todo el sieglo en deleytes de cada dia e gozo perdurable.

Al qual dixo el fijo: —Bien sepas que en esta manera non vivo en gozo e en alegria, mas ante en mucha tristeza e tribulaçion, en tanto que el comer e el bever me sabe mal. Ca deseo ver todas las cosas que son fuera destas puertas. Pues asy es, sy quieres que non fallezca por dolores, mandame que salga dó quisiere, por que de todo coraçon me pueda deleytar por vista e contenplaçion de las cosas las quales non vy fasta aqui.

El rrey fue muy triste por las tales cosas, ca entendia que sy le negase lo que demandava, serle ýa fazedor de mayor tristeza e de mayor cuydado. Estonçe dixole: —Yo conplire el tu deseo.

Capitulo VIII°. Del gafo e del çiego e del viejo corvo, los quales vio en la carrera.

E fizole luego traer cavallos escogidos e mando que toda la onrra real fuese delante el, e dexolo yr adó quisiese, mandando deligentemente a los ministros que non dexasen venir ninguna cosa fediente delante el; mas que le demostrasen todo bien e alegria e fuesen delante el choros alegrantesse en cantos e en toda manera de musica, e le feziesen desvariadas maneras de delectaçion, por que la su voluntad pensase en estas cosas e se alegrase.

Pues asy es, usando asi el fijo del rrey estas proçesiones, vio un dia dos varones, de los quales el uno era gafo e el otro çiego. E commo los vio, entresteçiose en su coraçon e dixo a los que estavan con el: —¿Quien son estos, e qual es el acatamiento dellos fediente?

E ellos, queriendo encobrir que non los viese, dexieron: —Estas son las pasiones humanales, las quales de la materia corronpida e de la mala conplesion del cuerpo, suelen acaescer a los omnes.

Dixo el mançebo: —¿Suelen estas cosas acaesçer a todos los omnes?

Dizen ellos: —Non a todos, mas a los que se buelve la sanidat de abundançia de los malos humores.

E el moço pregunto de cabo: —Pues asy es, ¿conosçido son los que an estos males, o sin distençion e non cuydado vienen?

E ellos dexieron: —¿Qual omne puede ver las cosas avinideras? Ca esto pasa la natura humanal, e a los solos dioses non mortales es de eredat esto.

(...) E despues de muchos dias salio con de cabo e fallo un omne muy viejo, aviente la cara arugada por muchedunbre de dias, e soltados los braços, e encorvado ayuso, e cano en toda la cabeça, e carsçiente de dientes, e fablando tartamudamente. E maravillandose, tomolo e llegandolo asy, pregunto el miraglo de la vision.

E los presentes dexieron: —Este ha muchos años, e poco a poco, menguando la virtud a el e enfermado[s] los mienbros, vino a esta mesquindat que vees.

E dixoles: —¿Que fin es la deste?

E rrespondieron: —La muerte lo tomara.

E dixo el: —¿E viene a todos esto, o tan señeramente a algunos?

Rrespondieron: —Sy la muerte, veniendo ante non llieve al omne, non puede ser que veniendo los años non venga a prueva deste estado.

E dixo el: —Pues asy es, ¿en quantos años viene a alguno, e sy la muerte viene de todo en todo o non viene, ay arte de escaparla, o que non venga omne a esta mesquindat?

E dexieronle: —En LXXX o en cient años vienen los omnes a esta vejez, desende mueren, e non puede ser en otra manera.

El moço, del alto coraçon gemiendo, dixo: —¡Amarga es esta vida e llena de todo dolor e amargura! (372-74).

Del joven que prefería a los «diablos».

(...) Non ay cosa que vala tanto para engañar los pensamientos de los mançebos commo la cara de la moger. E oý un rrecontamiento dante testimonio a la mi palabra:

Un rrey non podia aver fijos maslos e estava muy triste, e teniase por esto por muy mal aventorado. E el qual, commo estoviese en [e]ste cuydado, nasçiole un fijo, e tomo muy gran gozo. E dexieronle los menges muy sabios que sy fasta diez años viese sol o fuego, que seria de todo privado de la lunbre, ca aquello synificavan los sus ojos. E es dicho, que commo el rrey lo oyese, fizo tajar una cueva en una piedra e ençerrolo y con sus amas, por que non viese claridat de luz fasta los diez años conplidos. E acabados los diez años, sacaron el moço de la cueva, non aviente conosçençia ninguna de las cosas mundanales por los ojos. Entonçe mando el rrey que le diesen e le mostrasen todas las cosas, cada una de su manera, e que le muestren en un logar varones e en otro mogeres, e aqui oro e plata, e alli margaritas e piedras preçiosas, e vestiduras muy fermosas, e afeytamientos, e carros anchos con cavallos rreales. E por que fable brevemente, mostraron al moço todas las cosas por orden, e preguntando el commo fuese llamada cada una de aquellas cosas, los ministros del rrey mostraronle commo llamavan a cada una cosa. E commo demandase que le dixiesen commo dezian a las mogeres, dezien que un adelantado del rrey, que le dixiera jugando, que eran demonios, los quales engañan a los omnes.

Mas el coraçon del moço sospirava mas por el deseo dellas que por las otras cosas. E despues que le mostraron todas las cosas, tornaronlo. Entonçe preguntole el rrey qual cosa amava mas de todas las que viera. E dixo el fijo: «¿Que, padre, synon aquellos demonios los quales engañan a los omnes? Ca ninguna de aquellas cosas que me son oy mostradas non ame tanto commo la amistad dellas».

E maravillose el rrey de la palabra del moço e vey[ó] qué cosa cruel es el amor de las mogeres! (426-27).

[MS *P*]

[*De la trompa de la muerte*]

[S]epas que fue un rrey muy poderoso e acaescio asy que, yendo un dia en un su carro muy onrradamientre commo convenia a tan alto rrey, e toda la su gente que lo guardavan yvan cerca dél, e encontro dos onbres muy pobremientre vestidos con vestiduras muy viles, e anbos eran muy magros e avian las caras amarillas. E el rrey era muy sabio de todo bien e conoscio que por la aspera vida que fazian segund este mundo eran tan magros e avyan asi amenguado las sus carnes; e descendio el rrey del carro, e tendido en tierra, estudo delante dellos e rrogoles que rrogasen por el a Dios. Despues levantose e dioles paz de todo coraçon; e los rricos omnes que yvan con el rrey non ge lo tovieron a bien e dezian que aquello non convenia fazer a rrey; pero non fueron osados de ge lo dezir nin de lo rreprender dello, mas dixieronlo a un su hermano del rrey que le dixiese aquella cosa que avya fecho escarnio de la coronal rreal. E el dixolo luego a su hermano, el rrey, que le non convenia fazer tal humillamiento commo aquel.

E el rrey rrespondiole mansamientre e dixole: «Non lo entendiste bien».

E aquel rrey avia por costunbre que quando el queria fazer justicia de alguno, mandava ante noche ante su puerta de aquel tañer una tronpa que era ya depuda [*sic*] para aquel oficio; e los que la oyan, luego la conoscian e entendian que avya de morir aquel a cuya puerta se tañaria. E quando vino la noche, mando llamar el rrey aquella tronpa e mandola tañer a la puerta de su hermano; e quando el oyo, fue muy espantado e desespero de la su vida. E ordeno luego todas sus cosas e quando vino en la mañana, vestiose de vestiduras negras e fuese con su mugier e con sus fijos para la puerta del palacio del rrey. Estudo ý llorando con grand tristeza, e quando lo sopo el rrey, mandolo entrar.

E quando lo vyo asi triste e lloroso dixole: «¡Loco sin seso, e si tu temes el pregonero de tu hermano a quien nunca erraste, ¿por que rreprehendes a mi porque salude humildosamientre los pregoneros del mi Dios que me muestran a mayores bozes la mi muerte cada dia, e me muestran la su venida muy espantosa? E he de dar cuenta de los mis males que yo fago de cada dia. E tu non temas, ca esto fiz por rreprender la tu nescedad, que paresçe que mas temes la justicia mundanal, que poco dura e ayna pasa, que non la de Dios que dura por sienpre. E yo se qu'esto non le levanto de tu cabeça; mas yo rreprendere a los que te lo consejaron; yo castigare la su locura». E por esta manera enbio el rrey castigado a su hermano. (53-56).

De commo el rrey mando fazer quatro archas de madera.
En las mas fermosas puso los huesos podridos, en las
mas feas las [piedras] presciadas.

Despues mando fazer el rrey quatro arcas de madera e mando que las dos fuesen lleñas de vuesos [*sic*] de muertos que fedian; e mando los cobrir de oro e de muchas piedras presciosas, e de specias, e de muchas buenas olores. E las otras dos mando meter dentro las coronas rreales e otras piedras presciosas; e de fuera mandolas cobrir de pez e de engrudo. E desque fue fecho todo esto, mando llamar sus rricos omnes que entendia que avyan aconsejado a su hermano que lo rreprendiese del bien que avya fecho; e quando fueron en el palacio, demandoles el rrey quales vallian mas de aquellas arcas. Ellos rrespondieron que de mayor prescio eran aquellas doradas, ca sin dubda para guardar nobles cosas fue fecha tal obra, e estas otras negras e pegadas cosa de poca vallor devia yazer dentro.

Dixo el rrey: «Tal es vuestro juyzio, ca bien sabia yo la vuestra sentencia, ca los ojos defuera las cosas defuera veen. Non conviene asy de fazer, mas conviene que con los ojos del anima ver las cosas abscondidas e spirituales, e veran los engaños de las cosas encobiertas».

Entonçe mando el rrey abrir las doradas defuera e cobiertas de piedras preciosas; e quando fueron abiertas, salio tan grand fedor que lo non podrian sofrir, e vieron cosa tan fea que la non podian sofrir.

Dixo el rrey: «Esta es la semejança de los que estan vestidos de nobles vestiduras e de dentro son lleños de fedor e de lixo e de peccados».

Despues desto mando el rrey abrir las otras dos arcas que eran cobiertas de pez e de engrudo; e quando fueron abiertas, [e vieron] las cosas nobles que dentro yazian, alegraron los coraçones de los que las vieron.

Dixoles el rrey: «Estas dos arcas son a semejança de aquellos dos omnes por que me vós fezistes rreprender que estavan vestidos de villes paños; e vós tovistelo por escarnio, judgando la vestidura que ellos trayan vestida; e veyades las cosas de fuera e non veyades ál. E yo, por la su santidat, echeme ante las sus caras, e yo con los ojos de dentro, acatando la santidad de las sus almas, tuveme por bien andante e por muy enxalçado porque me tanxieron tan solamiente; ca eran de mayor merescimiento ante Dios que todas las cosas presciadas deste mundo que vienen ayna a fallescer».

E asy castigados e confondidos de sus pensamientos vanos, enbio los rricos omnes el rrey de su palacio, e non erraron contra el rrey de ally adelantre, mas pensavan las cosas ante que las dixieren nin las judgasen. (56-58).

2

Vida de Santa Marta (primera mitad del s. xiv; procede del *Speculum historiale,* libro IX, caps. 94/99, de Vicente de Beauvais), Escorial: Monasterio, ms. h.I.13, fols. 3r-7r (letra de finales del s. xiv o de principios del s. xv), ed. de J. K. Walsh y B. Bussell Thompson, *The Myth of the Magdalen in Early Spanish Literature: With an Edition of the «Vida de Santa María Madalena» in MS. h.I.13 of the Escorial Library* (Nueva York: Lorenzo Clemente, 1986), págs. 28-41.

COMO JESU CRISTO ENCOMENDÓ A SANTA MARTA A SANT MAXIMIANO.

Assí como Nuestro Señor Jesu Cristo encomendó a su madre a Sant Johan Evangelista, así dio Él a Santa Marta e a Santa María Magdalena su hermana a Sant Maximiano en conpañía, que aquél que las bautizara las pudiese levar a los çielos. Ellos entraron en la mar con muchos otros, e ovieron buen viento, e aportaron en Marssella, e fuéronsse para Ays, e allí pedricaron, e tornaron el pueblo que bien non creýa a la fe de Jesu Cristo. E Nuestro Señor dio graçia a Santa Marta de guareçer todas enfermedades, e grant abondança de pregar. Ella era muy bien fecha en el cuerpo e muy fermosa en el rostro, e de muy buen donayre. E avía aguda la lengua, e era sesuda en fablar, assý que ante todas las grandes gentes loava ome su palabra. E ante todos los otros tornava ella el pueblo, asý que en pedricando ella e Sant Maximiano e Santa María Magdalena fue grant pueblo tornado a Jesu Cristo.

COMO SANTA MARTA ATÓ EL DRAGO.

En aquel tienpo entre Arles e Aviñón sobre una grand peña que estava sobre el río de Rodana, avía en una mata una animalia a que llamavan Dragón contra Oçidente, porque la meytad della era ave, e la otra meytad peçe; e comía los omes e las bestias que pasavan por aquel logar, e entornava las barcas en el río. E venían ý gentes armadas por lo matar, e echávanlo de la mata, e él ývasse afondar en el agua. E era más gruesso que un buey e más luengo que un cavallo, e avía la cabeça e la boca de león, e cabellos como de cavallo, e los dientes agudos e tajadores como espada, e piernas como cavallo, e el espinazo assí agudo como segur, e los cabellos del cuerpo assí agudos como espinas de erizo cachero, e pies de león e uñas de hueso, e rabo como de bívora, e sus palmas como de cavallo, e grañones de una parte e de otra, que doze omes e doze leones non lo poderían vençer.

Quando los labradores de la tierra vieron que lo non podían vençer, oyeron dezir que Santa Marta fazía muchos miraglos. E fueron a ella, e rogáronle que les tolliese aquel dragón de la tierra. El la buena huéspeda que se fiava en el su buen huésped fue allá, e levó agua bendita e una cruz, e fallólo,

que estava comiendo un ome, e mostróle la cruz, e echóle del agua bendita.
E el dragón assý como vençido estovo quedo e mansso, e ella lo ató con
su çinta. E aquel logar llamavan las gentes de la tierra Tesacar, e por aquello
lo llaman agora Terascón. (36-37).

3

Historia del virtuoso cavallero don Túngano, y de las grandes cosas y espantosas que vido
en el infierno y en el purgatorio y en el paraýso (¿segunda mitad del s. XIV?; procede de la
Visio Tnugdali [1149] compuesta por Marcus, un monje irlandés). Toledo: Catedral, ms. 99-37
(fecha: 1365-1400), y Toledo: Remón de Petras, 1526 (una edición temprana, muy abreviada
frente al latín original); editan ésta J. K. Walsh y B. Bussell Thompson en *Historia del virtuoso*
cavallero don Túngano: Toledo 1526 (Nueva York: Lorenzo Clemente, 1985), págs. 13-25.

Este es el libro del virtuoso cavallero don Túngano, de las cosas que vido
en el infierno y en el purgatorio y en el paraýso según que aquí veredes.
Era este don Túngano natural de una ciudad que era llamada Cierga.
Y era mancebo de edad de xxv años, y era muy apuesto e muy hermoso sobre
quantos hombres en el mundo en su tienpo havía. Y estava metido en el mundo, que nunca avía en mientes ni se menbrava de nuestro Señor Jesu Christo,
ni curava jamás de yr a la yglesia ni dar a los pobres por Dios, ni los podía
ver ante sí. E tanto era metido en el mundo que no tenía otro vicio salvo
con las mugeres, e traerse muy galán, e comer manjares de muchas maneras.
Y en todas estas cosas e otras muchas era su vicio. De manera que pensava
que no avía otro dios ni otra cosa salvo en el vicio que se dava. Y metido
en el mundo, en los deleytes e plazeres dél, e con las mugeres e buenos comeres, e no tenía cuydado de su alma ni se menbrava della ni si oviesse de morir.
Ca su mancebía e hermosura toda se tornava en vanidad del mundo. (...)
Este cavallero estovo por quatros días muerto, y fue llevada su ánima a
muchos lugares e traýda por muchas penas, las quales aquí oyréys e las vido,
e los malos que yazían en ellas, e vio la gloria donde estavan los buenos
y los que en ella se les dava. Esto duró desde el miércoles a ora de bísperas
hasta el sábado a la misma hora de bísperas. E yazía en tal guisa que todos
cuydavan que era muerto, e oviéranle enterrado, sino por un poco que le
hallavan caliente en el rostro siniestro. E allí estando otro día que era sábado
a hora de bísperas, començó de despertar, e abrió los ojos, e vido ende muchos clérigos y legos e mugeres que eran venidos, como a honbre que estava
muerto para lo enterrar. E quando le vieron abrir los ojos, començáronse
a maravillar y espantar, y començó a menearse. E hizo señales que le traxies-
sen el cuerpo de nuestro Señor Jesu Christo, e recibióle. Y después que lo
ovo recebido, començó a dar muchas gracias a nuestro Señor Dios e a dezir:
«Señor Jesu Christo, mayor es la tu misericordia que la mi maldad, maguer
que son muchas las mis maldades. Señor, quántas tribulaciones, trabajos e

males me mostraste, empero de todas me libraste por tu grande e infinita misericordia e poderío, e sacásteme de los abismos hondos de la tierra.» (...)

[A]l ánima deste cavallero después que fue salida del cuerpo: Començó de aver gran temor, ca se sentía mucho errada e no sabía qué hiziesse, e querría tornar al cuerpo e no podía entrar en él, e no sabía a quál lugar se fuesse. (...) E mientra ella assí estava tremiendo e llorando, vio venir un ángel como estrella muy clara, saludándola e diziéndole: «Dios te salve, ánima pecadora», y consolándola mucho. (...) Entonces començáronse a yr por una carrera muy fuerte e muy mala.

[La bestia infernal]

Esta bestia era muy desfigurada e muy dessemejada a todas las otras que antes avía visto. Esta bestia tiene dos pies muy grandes, e dos alas en el cuerpo muy grandes e muy largas, el rostro como fuego, e uñas muy agudas. E salíale por la boca de su cabeça muy grandes llamas. Esta bestia estava sobre un grande lago que era allí hallado, e tragava quantas bestias e almas hallava y podía aver. Y después que las avía tragado, sufrían en su vientre muchos tormentos. Después paríalas, y caýan en el lago que era allí hallado. E saliendo de aquel grande frío del lago, caýan en grande fuego. Todas aquellas almas que yazían en aquel lago se hazían preñadas. E quando avían de parir, tan grandes hazían los clamores e los llantos de los dolores que passavan, que no ay honbre que dezir lo pudiesse. E allí tanbién se empreñavan los honbres como las mugeres. E las mugeres non parían donde solían parir, mas parían por braços y por las piernas e por las coyunturas. E parían bestias e sierpes, e bestias malas que avían rostros agudos, con los quales mordían los cuerpos donde salían. Las colas avían agudas, retornadas como anzuelo, e no las dexavan salir del cuerpo donde nacían. E por esta razón tornavan las sierpes a las almas e comíanlas. Con este gran dolor, davan muy grandes bozes e alaridos, que no avían tan solamente una hora de descanso e piedad los diablos, ni conpassion con ellas. Mas continuo las atormentavan sin cessar. Entonces con gran dolor dixo el ánima de Túngano al ángel: «Ruégote, señor, que me digas qué pena es ésta, o qué merecieron estas almas porque sufren tan graves penas y tan grandes.» E respondió el ángel e dixo: «Estas penas merecieron aquéllos que devían ser mejores que los otros causo dello, e no lo son, porque tienen las lenguas en el maldezir, sufren lo[s] muessos de las serpientes que vees... [»] (...).

En aquella hora, començó de yr el ángel, e descender en el infierno. E allí vido el ánima tantas penas que sofrían los que allí estavan dentro, que maldito es el vientre de su madre del que allí fue llevado. Y el ángel y el alma veýan quantas estavan dentro, mas aquéllos no podían ver a ellos, tan grandes eran las tiniebras e la escuridad. E aquel Lucifer tan grande bestia parecía que sobrava a todas las otras bestias que nunca avía visto. La su hechura era tal qual otros: era negro como cuervo, tenía figura como honbre desde los pies hasta la cabeça, salvo que tenía muchas manos. Avía la cola grande —era ésta muy espantable— e tenía en ella mill manos; en cada una dellas avía cinco palmos. E las uñas de las manos y de los pies eran de hierro, y eran tan luengas como lanças. E toda aquella cola era llena de aguijones muy agudos para atormentar y meter las ánimas que yazían encendidas sobre un lecho de hierro que era hecho como parilla. E so aquel lecho estavan tantos fuegos encendidos, los quales sonavan muchos diablos, e cercávanlo de muchas ánimas, quántas no ay hombre que lo pudiesse pensar ni menos contar ni creer. (...)

Aquí son acabadas todas las penas malas de todos los malos, y el ángel lleva esta ánima a ver las glorias e los buenos adonde están. (13-19).

4

Estoria [o Vida] de Sancto Toribio de Astorga (s. xiv). Madrid: Nacional, ms. 780, fols. 258r-61v, y Escorial: Monasterio, ms. K.II.12, fol. 73r (letra del s. xv los dos mss.), ed. de J. K. Walsh y B. Bussell Thompson, *La leyenda medieval de Santo Toribio y su «arca santa» (con una edición del texto en el MS. 780 de la Biblioteca Nacional)* (Nueva York: Lorenzo Clemente, 1987), Apéndice 1, «La *Vida de Santo Toribio de Astorga* en el MS. 780 de la Biblioteca Nacional (Madrid)», págs. 17-23.

[CRIANZA DE TORIBIO]

El bienaventurado sancto Toribio fue de una tierra que dizían Armenia [24]. E fue fijo de rey e de reýna, e fue criado en una çibdad que dizían Tauro. E este rey estovo veynte e çinco años que non ovo fijo, e suplicava de cada día a Dios que le diesse fijo. E los de su reyno dezían que les venía por maldiçión al rey e a la reýna que non avían fijo. E el rey e la reýna fazían grandes ofrendas a las iglesias, e rogavan al Señor que les diesse fructo en este mundo. Assý que al cabo de los veynte e çinco años, fue la reýna ençinta de este glorioso sancto Toribio. E después que fue naçido, ovieron grand gozo e alegría con él. E diéronlo a criar a un onbre poderoso en una çibdad que dizían Tauro. E como sancto Toribio fuesse muy noble criatura de muy grand entendimiento, pusiéronlo a leer, e aprendía más en un año que otro en dos, de guisa que quando se conplieron los quatro años que avía leýdo, sabía todas las artes de las leys. E su padre, quando oyó dezir que era onbre muy entendido e de tan grand seso, enbió por él a aquella çibdad donde lo criavan por ver la su sabiduría. E quando vino, tan grande fue el plazer que ovieron con él, que acordó el rey con todos sus privados de le dar la corona en su vida,

[24] Santo Toribio, obispo de Astorga, murió el 16 de abril de 460; está enterrado en el monasterio de Santo Toribio de Liébana (Santander).

para que fuesse rey. E preguntó sancto Turibio a su padre que quánto le avrá de durar este reyno e esta corona. E díxole su padre que non sabía, ca todo era en poder de Dios. E respondió el noble fijo al rey, e díxole: «Padre, tres cosas he leýdo que non es onbre que las pueda escusar, nin rey, nin enperador, nin otro ninguno. La primera es la muerte; la segunda que todos avemos de ser resusçitados; la terçera que todos avemos de venir en el postrimero día al juyzio de nuestro Señor Jhesu Christo. E por ende, señor, yo non quiero vuestro reyno nin vuestra corona, que nin dure diez años o veynte. Ca más quiero ganar corona para syenpre en el reyno de Dios.»

E desde estonçe, dexó a su padre e madre, e dio quanto en el mundo avía por amor de Dios, e los paños ricos que vestía diólos por amor de Dios, e vestióse paños de çiliçio e viles por servir a Dios más devotamente. E fuésse para la casa sancta de Jherusalem, adó estovo çinco años e medio. E fue guarda e thesorero de todas quantas reliquias eran en Jherusalem. E en fin de los çinco años, vino el ángel del çielo, e díxole que tomasse âquellas reliquias e las levasse a España, por que aquella tierra avía de caer en poder de moros, e non podrían servir a Dios segund querrían. Estonçe, sancto Turibio e otros disçípulos de los suyos fizieron una arca de madera muy preçiosa, e metieron en ella quantas reliquias pudieron fallar en Jherusalem.

E sancto Toribio, començando a venir con esta arca de reliquias para España, rogó al Señor que le demonstrasse carrera e manera por donde podiesse passar. E acabada la oración, aparesçióle una nave que avía doze días que andava en el tormento del mar. E plogo al Señor que llegó la nave allý dó estava sancto Toribio. E quando lo vieron los marineros en logar tan yermo estar, vestido de aquellos paños de çiliçio, ovieron grand miedo que era el enemigo que les quería engañar. E díxoles sancto Toribio: «Non ayades miedo, ca yo só syervo de Dios, e querría passar a España. E llevo aquí en esta arca el mejor tesoro que nunca allá fue passado. E llevadme con vós, e rogaré a Dios por mí e por vós que nos guarde de tormento.»

[El peligroso viaje por mar con el arca]

E tomáronlo luego consigo en aquella nave, e luego ovieron buen viento, qual ellos quisieron. E los diablos ovieron grand pesar por ello, e acordaron entre sý que lo matassen, e le quebrantassen la nave, en manera que non viniessen a España él nin aquellas reliquias que traýa. E fazían la mar arder a semejança de llamas, e fazían tronidos e relánpagos sobre el mar e sobre la nave.

E dixeron los marineros entre sý: «Éste es el pecado que nos quiere atormentar. Ca mayor tormenta avemos agora que antes.» E dixeron a sancto Toribio: «Sy tú eres syervo de Dios, como dizes, ruega a Dios por nós, que nos guarde desta tormenta, e que nos lieve a puerto de salud. E sy non, echarte-hemos en el mar.»

Estonçe sancto Toribio fincó los finojos, llorando e rezando a Dios que enbiasse su graçia sobre él, que non pereçiesse, nin los que yvan con él. E acabada la oraçión, aparesçióle el ángel ençima del maste de la nave, e díxole: «Toribio, yo só aquel que tú llamas, e por ende non ayas miedo alguno. E yo te do poder sobre quántos a ty se encomendaren, por mar e por tierra, que sean guardados del poder del diablo. E todos los fructos e ganados que a ty fueren encomendados, que ayas poder de los defender de toda mala tenpestad.»

Estonçe fue luego çessada aquella tenpestad, e ovieron el viento que avían menester. E allý vieron los marineros que era omne sancto e syervo de Dios. E arribaron a un puerto que le dizían Yberio. E sancto Turibio tomó su arca con las reliquias, e fuésse de allý a Áffrica, e de África a Cartajena, e de Cartajena a Sevilla, e de Sevilla a Toledo. E esto fue en tienpo que la tierra se perdió por moros. E este sancto Turibio e otros obispos e arçobispos, quantos avía en España, fuéronse para unas montañas que se llamavan Asturias de Oviedo. E troxieron esta arca con sus reliquias e cuerpos sanctos por voluntad de nuestro Señor Jhesu Christo, e pusiéronla en una montaña que llaman Monte Sagro, e era la mayor altura que avía en todas aquellas montañas. E sancto Turibio començó a fazer una iglesia allí por su mano en que guardasse âquellas reliquias e cuerpos sanctos. E es agora llamada Sancta María del Monte Sagro. E estuvo allí algund tienpo. (17-19).

[Revelación del contenido del arca santa]

E los onbres de aquel tienpo, con grand temor e reverençia de Dios, abrieron esta arca, e fallaron en ella muchas arquetas pequeñas, las unas de oro e las otras de plata, e otras de marfil, e eran sobrescriptas de fuera las virtudes dellas. E fallaron ende una redoma de cristal en que estava la sangre de una ymajen de nuestro Señor Jhesu Christo, que firieron los judíos, en semejança de los açotes que le dieron a nuestro Señor Jhesu Christo, e manó ende esta sangre. E fallaron aý de la vera cruç, en que nuestro Redenptor sofrió passión, e una piedra pequeña del su sancto sepulcro, e una espina de las de su sancta corona, e uno de los treynta dineros por que Él fue vendido, e de la sávana en que lo metieron en el monumento, e de los pañizuelos en que fue enbuelto en el pesebre, e del pançón que fartó a los çinco mil onbres, e de la tierra donde tovo los pies quando resusçitó a Lázaro e del su sepulcro, e de la leche de nuestra Señora, e del manto que ella ofreçió a Sant Alifonso, e las manos de Sant Estevan, primero mártir, e la suela del çapato de Sant Pedro apóstol, e de la fuente de Sant Juan, e de los huessos e cabellos de los inoçentes, e de los huessos de los tres niños Ananías, Azarías, e Misael, e de los cabellos de la Magdalena con que linpió los pies a nuestro Señor, e de la piedra con que fue çerrado el Sancto Sepulcro, e de la oliva que tovo en la mano nuestro Señor en el día de ramos, e de la piedra sobre que estovo Moysés quando ayunó la quaresma, e de la verga con que partió el Mar Vermejo a los fijos de Israel, e parte del pez assado e del panar de mjel que nuestro Señor comió con sus disçípulos. E allende de todas estas reliquias que estavan sobrescriptas, fallaron aý huessos de muchos cuerpos sanctos, prophetas, mártires, e confessores, e vírgines, de los quales non podría alguno saber cuenta synon Dios.

E fuera de la archa yazýan los cuerpos de Sant Eulogio e de Santa Lucreçia, mártires, e el de Santa Olalla de Mérida, e el de Sant Vinçente mártir, e el de Sant Pelayo mártir, e el de Sant Serrano obispo, e el de San Julián romero, e el del rey casto que fundó la iglesia de Sant Salvador. E está ende una cruç que fizieron los ángeles, e una de las seys tinajas en que nuestro Señor mudó el agua en vino, e las navezillas de Sant Pedro e de Sant Andrés apóstoles, e una viga que acresçentó nuestro Señor quando fazían la iglesia. E quando el papa sopo que tantas reliquias avía en la iglesia de Sant Salvador de Oviedo, por la autoridad de Sant Pedro e Sant Pablo, e el obispo de la dicha iglesia, de su mandado, dieron perdón a qualquier persona que estas reliquias visitare de la terçia parte de sus pecados confessados. E sy fuere confrade, gana más mil e quatro años e seys quarentenas e media de perdón. (20-21).

PROSA DIDÁCTICA, TRATADÍSTICA Y CIENTÍFICA

DON JUAN MANUEL (1282-1348)

5

Prólogo general (c. 1342). Madrid: Nacional, ms. 6376 (letra del s. xv), fol. 1rv, ed. de J. M. Blecua, *Obras completas,* t. I (Madrid: Gredos, 1982), págs. 27-33.

Asi commo ha muy grant plazer el que faze alguna buena obra, sennalada mente si toma grant trabajo e[n] la faz[er], quando sabe que aquella su obra es muy loada et se pagan della mucho las gentes, bien asi ha muy grant pesar et grant enojo quando alguno, a·sabiendas o·avn por yerro, faze o·dize alguna cosa por que aquella obra non sea tan preciada o alabada commo deuia ser. Et por probar aquesto porne aqui vna cosa que acaeçio a vn cauallero en Perpinan en tienpo del primero rey don Jaymes de Mallorcas [25].

Asi acaeçio que aquel cauallero era muy grant trobador et fazie muy buenas cantigas a·marabilla, et fizo vna muy buena ademas et avia muy buen son; et atanto se pagauan las gentes de aquella cantiga que des[d]e grant tienpo non querian cantar otra cantiga si non aquella; et el cauallero que·la fiziera

---

[25] Se refiere a Jaume I, rey de Mallorca (reinó 1276-1311), hijo segundo de Jaume I de Aragón, *el Conquiridor* (reinó 1213-1276).

auia ende muy grant plazer. Et yendo por la calle vn dia oyo que vn çapatero estaua diziendo aquella cantiga, et dezia tan mal errada mente tan bien las palabras commo el son, que todo omne que la oyesse, si ante non la oyie, ternia que era muy mala cantiga et muy mal fecha. Quando el cauallero que·la fiziera oyo commo aquel çapatero confondia aquella tan buena obra commo [el fiziera], ovo ende muy grant pesar et grant enojo et descendio de la bestia et asentose cerca dél. Et el çapatero, que non se guardaua de aquello, non dexo su cantar, et quanto mas dezia, mas confondia la cantiga que el cauallero fiziera. Et desque el cauallero vio su buena obra tan mal confondida por la torpedat de aquel çapatero, tomo muy passo vnas tiseras et tajo quantos çapatos el çapatero tenia fechos; et esto fecho, caualgo et fuesse. Et el çapatero paro mientes en sus çapatos, et desque los vido asi tajados [et] entendio que avia perdido todo su trabajo, ovo grant pesar et fue dando vozes en pos aquel cauallero que aquello le fiziera. Et el cauallero dixole:

—Amigo, el rey nuestro sennor es aqui, et uós sabedes que es muy buen rey et muy justiçiero; et uayamos antel et librelo commo fallare por derecho.

Anbos se acordaron a·esto, et desque legaron antel rey, dixo el çapatero commo le tajara todos sus çapatos et le fiziera grant danno. El rey fue desto sannudo, et pregunto al cauallero si era aquello verdat; et el cauallero dixole que si, mas que quisiesse saber por que lo fi[zi]era. Et mando el rey que [lo] dixiesse; et el cauallero dixo que bien sabia el rey que el fiziera tal cantiga que era muy buena et abia buen son, et que aquel çapatero gela avia confondida, et que gela mandasse dezir. Et el rey mandogela dezir, et vio que era asi. Estonçe dixo el cauallero que pues el çapatero confondiera tan buena obra commo el fiziera, et en que avia tomado grant danpno et afan, que asi confondiera el la obra del çapatero. El rey et quantos lo oyeron tomaron desto grant plazer et rieron ende mucho; et el rey mando al çapatero que nunca dixiesse aquella cantiga nin confondiesse la buena obra del cauallero, et pecho el rey el danno al çapatero et mando al cauallero que non fiziesse mas enojo al çapatero.

Et recelando yo, don Iohan, que por razon que non se podra escusar, que·los libros que yo he fechos non se ayan de trasladar muchas vezes; et por que yo he visto que en·el transladar acaeçe muchas vezes, lo vno por desentendimiento del scriuano, o·por que las letras semejan vnas a otras, que en transladando el libro porna vna razon por otra, en guisa que muda toda la entençion et toda la sentençia et sera traydo el que·la fizo non aviendo ý culpa; et por guardar esto quanto yo pudiere, fizi fazer este uolumen (...) (31-33).

6

Libro del cauallero et del escudero (c. 1326). Ms. 6376, fols. 1v-24v, ed. de J. M. Blecua, *ibid.*, págs. 35-116.

CAPITULO XVII.°

Commo el cauallero responde al escudero qual es el mas onrado estado en este mundo.

—A lo que me preguntastes qual es el mas alto estado et mas onrado a·que los omnes pueden llegar en este mundo, çierta mente esta es pregunta asaz graue, ca los estados del mundo son tres: oradores, defensores, labradores. Cada vno destos son muy buenos, en que puede [omne] fazer muncho bien en·este mundo et saluar el alma, pero segun el mi flaco saber, tengo que el mas alto estado es el clerigo missa cantano, por que en·este puso Dios tamanno poder, que por virtud de·las palabras que el dize, torna la hostia, que es pan, en verdadero cuerpo de Ihesu Christo, et el vino, en su sangre verdadera. Et quanto el clerigo missa cantano a mayor dignitat, asi commo obispo o arçobispo o cardenal o papa, tanto es el estado mas alto, por que puede fazer obras de que aya mayor mereçimiento et aprouechar mas al pueblo en·lo spiritual et en·lo tenporal.

CAPITULO XVIII.°

Commo el cauallero ançiano responde al scudero qual es [el mayor et] mas onrado estado entre los legos.

—A lo que me preguntastes qual es [el mayor et] mas onrado estado entre los legos, sin dubda de·las preguntas que fasta aqui me feziestes, esta es la que mas ligera mente vos puedo responder. Et por ende uos digo que el mayor et mas onrado estado que es entre los legos es la caualleria; ca commo quier que entre los legos ay muchos estados, asi commo mercadores, menestrales et labradores et otras muchas gentes de muchos estados, la caualleria es mas noble et mas onrado estado que todos los otros. Ca los caualleros son para defender et defienden a·los otros, et los otros deuen pechar et mantener a ellos. Et otrosi por que desta orden et deste estado son los reys et los grandes sennores; et este estado non puede aver ninguno por si, sy otri non gelo da, et por esto es commo manera de sacramento. (...)

Otrosi, la caualleria á·mester que sea ý el sennor que da la caualleria et el cauallero que la reçibe et la spada con que se faze. Et asi es la caualleria conplida, ca todas las otras cosas que se ý fazen son por bendiçiones et por aposturas et onras. Et por [que] semeja mucho a los sacramentos, et por estas razones todas, es [el] mas onrado et mas a[lto] estado que entre los legos puede ser. (43-45).

CAPITULO XXXX.º

Commo el cauallero anciano responde al cauallero nouel
que cosa son las vestias.

(...) Et de·las [vestias] vos digo que tengo que non es muy ligera respuesta
de dar, por que·las vestias son de muchas maneras et de muchas naturas et
naçen en muchas tierras estrannas; et las que son en vna tierra non son en
otra. Ca dellas ha que caçan et toman a otras, asi commo la natura de los
leones et de·las onças, que llaman en algunas tierras pardos, et de·los leopardos, que son conpuestos de·los leones et de·las pardas, o de·los pardos et
de las·leonas, et de·los ossos et [de] los louos. Et otras bestias [ay] pequennas
que caçan caças pequennas, et de noche, a fuerça o con enganno, asy commo
xymios et adiues et raposos et maymones et fuynas et tessugos et furones
et gardunnas et turones, et otras bestias sus semejantes. Otras bestias ay que
son conpuestas de cauallos et de asnos; et a estas vestias llaman mulos a·los
maslos, et mulas a·las fembras; et son mejores los fijos de asno et de yegua
que non los que son fijos de cauallo et de asna. Et estas vestias que son
asi conpuestas non engendran; bien asi commo los leopardos que non engendran por que son conpuestos de leones et de pardas. Otras bestias ay que
son caçaderas et ellas non caçan, asi commo puercos jaualies et cieruos et
ganzellas et zarafas et vacas brauas et asnos brauos et carneros brauos et
cabras brauas et gamos et corços, et otros sus semejantes. Otrosi ay otras
bestias pequennas que se caçan, asi commo liebres et conejos et otras sus
semejantes. Otras bestias ay que an los omnes et biuen sienpre connellos, et
estas son las naturas de·los canes, asi commo alanos et sabuesos et galgos
et podencos et mastines, et todas las otras maneras de canes que son conpuestos destas naturas de canes dichas. Otras bestias ay que crian los omnes et
a·uezes biuen en·las casas et a·uezes en·los montes, asi commo la natura de·los
cauallos et de·los asnos. Otras bestias ay que non caçan, et por la su grandez
et la su fuerça non las caça otra bestia, asi commo los marfiles, a·que llaman
elefantes, et los vnicornios [et] camellos. Otras bestias ay que naçen en los
yermos et biuen siempre alla, pero guardan las los omnes et, quando quieren,
traenlas a·los poblados, asy commo las vacas et las ovejas et las cabras et
sus semejantes. Otras bestias ay que se crian a·las vezes en·el agua et a·las
vezes en·la tier[r]a, asi commo coquedrizes et los castores et sus semejantes.
Otras bestias ay que biuen en la tierra et a·las vezes entran en·el agua, asi
commo culebras et sapos et ranas et galapagos; et estas bestias son apoçonna-
das, et quando anda[n] en·la tierra mas seca son lo mas. Otras bestias ay
que son ponçonnadas et andan alongadas del agua, asi commo biboras. Otrosi
dizen que ay otra manera de bestias poçonnadas a que llaman basiliscos, mas
destos nunca bi yo ninguno nin bi omne que·lo biesse. (87-89).

7

Libro de las armas (o *Libro de las tres razones)* (c. 1337). Ms. 6376, fols. 25r-31v, ed. de J. M. Blecua, *ibid.,* págs. 117-40.

(PRÓLOGO)

Frey Iohan Alfonso, yo don Iohan pare mientes al ruego et afincamiento que me fiziestes que vos diesse por scripto tres cosas que me aviades oydo, por tal que se vos non oluidassen et las pudiesedes retraer quando cunpliese; et las tres cosas son: [por que fueron dadas] estas mis armas al infante don Manuel, mio padre, et son alas et leones; la otra, por que podemos fazer caualleros yo et mios fijos legitimos non seyendo nós caualleros, lo que non fazen ningunos fijos nin nietos de infantes; la otra, commo passo la fabla que fizo comigo el rey don Sancho en Madrit, ante que finase, seyendo ya çierto que non podria guaresçer de aquella enfermedat nin beuir luenga [mente] [26].

Et respondo vos que vos lo gradesco mucho por que queredes saber çierta mente este fecho, lo que non fizieron otros muchos a·qui yo lo conte asi commo a·vós. Mas por [que] las cosas son mas ligeras de dezir por palabra que de poner las por scripto, auer me [he] a·detener algun poco mas en·lo scriuir. Pero con la merçed de Dios fazer lo he; et cred que todo passo assi verdadera mente.

Pero deuedes entender que todas estas cosas non las alcançe yo, nin vos puedo dar testimonio que las yo bi. Ca·si quiera, bien podedes entender que non pude yo ver lo que acaesçio quando nascio mio padre; et asi non vos do yo testimonio que bi todas estas cosas, mas oýlas a·personas que eran de crer. Et non lo oý todo a vna persona, mas oý vnas cosas a vna persona, et otras, a otras; et ayuntando lo que oý a·los vnos et a·los otros, con razon ayunte estos dichos (et por mi entendimiento entendi que passara todo el fecho en esta manera que vos yo porne aqui por escripto) que fablan de·las cosas que passaran; et asi contesçe en los·que fablan [de] las Scripturas: [que] toman de lo que fallan en vn lugar et acuerdan en·lo que fallan en otros lugares, et de todo fazen vna razon; et asi fiz yo de·lo que oý a·muchas personas, que eran muy crederas, ayuntan[do] estas razones. Et vós, et los que este scripto leyeren, si lo quisieredes crer, plazernos [á]; et si fallaredes otra razon mejor que esta, a·mi me plazera mas que·la falledes et que·la creades. (121-22).

_____
[26] Sancho IV reinó entre 1284 y 1295. Juan Manuel habría tenido trece años al morirse el monarca (1295).

[Razón del rey Sancho]

La terçera razon que me preguntastes, [que] qual fuera la razon que el rey don Sancho me dixiera en Madrit ante de su muerte, entendiendo que non podia beuir luenga mente, vos respondo que el rey don Sancho era muy mal doliente grand tienpo avia, et seyendo en Quintanaduennas, cerca de Burgos, afincosele la dolençia mucho ademas, en guisa que cuydaron por todas tierras que era muerto. (...)

Et desque fuemos todos estos connel rey, et la otra gente sallieron todos de la camara, estando el rey muy maltrecho en su cama, tomome de·los braços et asentome cerca si, et començo su razon en esta guisa:

«Don Iohan, commo quiere que todos los mios tengo yo por vuestros et todos los vuestros tengo yo por mios, pero sennalada mente estos que agora estan aqui tengo que son mas apartada mente mios et vuestros que todos los otros...» Et entonçe dixo muchas cosas por que aquellos se estremaran al su seruiçio et mio, et otrosi, vienes sennalados que el et yo fizieramos contra ellos, por que estos tenia el mas apartada mente por suyos et mios de quantos avia en nuestras casas.

Et desque esto ovo dicho, torno a·su razon, et dixome: «Agora, don Iohan, yo vos he a·dezir tres razones: lo primero, rogar vos que uos mienbre[des] et vos dolades de·la mi alma; ca, malo mio pecado, en tal guisa passo la mi fazienda, que tengo que la mi alma esta en grand vergüença contra Dios. Lo segundo, vos ruego que vos dolades et vos pese de·la mi muerte; et deuedes lo fazer por muchas razones. La primera, por que perdedes en mi vn rey et vn sennor, vuestro primo cormano, que vos crio et que vos amaua muy verdadera mente, et que non vos finca otro primo cormano en·el mundo si non aquel pecador del infante don Iohan, que anda perdido en tierra de moros. La otra es que [me] vedes morir ante vós et non me podedes acorrer; et bien çierto só que commo quier que vós [sodes] muy moço, que tan leales fueron vuestro padre et vuestra madre et tan leal seredes vós, que si viesedes venir çient lanças por me ferir, que vos metredes entre mi et ellas por que feriessen ante a·vós que a·mi, et querriades morir ante que yo muriesse. Et agora vedes que estades vós viuo et sano, et que me matan ante vós, et non me podedes defender nin acorrer. Ca bien cred que esta muerte que yo muero non es muerte de dolençia, mas es muerte que me dan mios pecados, et sennalada mente por la maldiçion que me dieron mio[s] padre[s] por muchos mereçimientos que·les yo mereçi. La otra razon por que vos deue pesar de·la mi muerte, es por [que] yo fio por Dios que vós biuredes mucho et veredes muchos reys en Castiella, mas nunca ý rey avra que tanto vos ame et tanto vos reçele et tanto vos tema commo yo». Et diziendo esto, tomol vna tos tan fuerte, non podiendo echar aquello que arrancaua de·los pechos, que bien otras dos vezes lo tobiemos por muerto. Et lo vno por commo beyemos qual estaua, et lo ál, por palabras que me dizia, bien podedes entender el quebranto et el duelo que teniemos en los coraçones. «La terçera razon que vos he a·dezir et a·rogar es que sirvades et ayades en acomienda a·la reyna donna Maria [27], ca só çierto que lo avra muy grant mester, et que fallara muchos despues de mi muerte que seran contra ella. (...)

«Agora, don Iohan, pues esta fabla he fecho conbusco, et vós ydes luego para el reyno de Murçia en seruiçio de Dios et mio, quiero me espedir de uós et querer vos ya dar la mi bendiçion; mas, mal pecado, non la puedo dar a·vós nin a·ninguno, ca ninguno non puede dar lo que non á; et lo vno, por que a·vós non faze mengua por que se que la avedes; et lo ál, por que·la non puedo dar por que·la non he; por ende non vos faze mengua la mi bendicion. Et por que·lo sepades mejor, dezir vos he dos cosas: la primera, commo yo non he bendicion nin la puedo dar; la segunda, commo la avedes vós et non vos faze mengua la mia.

«Yo non vos puedo dar bendiçion [por] que la non he [de mios padres]; ante, por mios pecados et por mios malos mereçimientos que·les yo fiz, oue la su maldicion. Et dio me la su maldicion mio padre en·su vida muchas vezes, seyendo biuo et sano, et dio me la quando se moria; otrosi, mi madre, que es biua, dio me la muchas vegadas, et se que me·la da agora, et bien creo por çierto que eso mismo fara a·su muerte; et avn que me qui[si]eran dar su bendiçion, non pudieran, ca ninguno dellos non la heredo, nin la ovo de su padre nin de su madre. Ca el sancto rey don Fer[r]ando, mio abuelo, non dio su bendiçion al rey, mio padre [28], si non guardando el condiçiones çiertas que el dixo, et el non guardo ninguna dellas; et por esso non ovo la su bendiçion. Otrosi la reyna, mi madre, cuydo que non ovo la bendiçion de su padre, ca la desamaua mucho por la sospecha que ovo della de·la muerte de la infanta donna Constança, su hermana. Et asi mio padre nin mi madre non avian bendicion de·los suyos, nin la pueden dar a·mi, et yo fiz tales fechos por que mereçi et oue la su maldicion, et por ende lo que yo non he, non lo puedo dar a uós nin a ninguno.

«Et só bien çierto que la avedes vós conplida mente de vuestro padre et de·la vuestra madre, ca ellos heredaron la de·los suyos. (...)

«Et só muy bien çierto que·la el dio a vós, quando morio, muy de buen talante; ca vós fuestes a·el fijo muy deseado et muy amado, et por ende só çierto que vos dio la su bendicion la mas conplida mente que el pudo; et se çierto que la vuestra madre que ovo la bendicion de su padre et de su madre, et que amaua mucho a·vós et leuo conbusco et por vós mucha lazeria, et quando fino en Escalona, se por çierto que vos dio su bendicion la mas conplida mente que pudo; et asi vós heredastes et auedes la vendicion de vuestro padre et de vuestra madre, et dieron vos la ellos por que·la heredauan de sus padres. Et pues la avedes, commo dicho es, et yo non he bendiçion, mas he maldicion, commo dicho es, non vos puedo dar otra bendicion, nin

---

[27] Se refiere a María de Molina (m. el 17 de julio de 1321), reina de Sancho IV; muerto éste el 25 de abril de 1295, quedó María como regente durante la minoría de edad de su hijo mayor, Fernando IV.

[28] Fernando III *el Santo* reinó entre 1217 y 1252; su hijo, Alfonso X, entre 1252 y 1284.

vos faze mengua; mas por [que] los reys son fechura de Dios et por esto an auantaia de·los otros omnes, por que son fechura apartada de Dios, et si por esto yo vos la puedo dar alguna bendicion, pido por merçed a Dios que vos de la su bendicion et vos do la mia, quanta vos yo puedo dar. Agora, don Iohan, sennor, llegad vos a·mi et dar vos [la] he por despedir me de vós.»

Fizolo asi et en esta guisa me parti dél; et asi vos he contado commo passo et commo yo sope estas tres cosas que me preguntastes. Et por que las palabras son muchas [et] oýlas a·muchas personas, non podria ser que non oviese ý algunas palabras mas o menos, o mudadas en alguna manera; mas cred por çierto que la iustiçia et la sentencia et la entencion et la verdat asi passo commo es aqui scripto. (134-40).

8

Libro enfenido (c. 1336-37). Ms. 6376, fols. 31v-43r, ed. de J. M. Blecua, *ibid.,* págs. 141-89.

[CAPITULO V]

Fijo don Ferrando [29]: pues en·el capitulo ante deste vos fable en qual manera los tales commo vós deuen pasar con los reys, sus sennores, dezir vos he en·este en qual manera deuen fazer los tales commo vós con sus amigos que son de mayor grado. Et çierta mente, quanto al tienpo de agora, loado sea a·Dios, non á omne en Espanna de mayor grado que vós, si non es rey. Et por que·los reys son mas onrados que otros omnes, por el estado que Dios les dio, deuedes sienpre fazer les onra de palabra, et catar les aquella mejoria que Dios les dio de·los otros omnes por que son reys. Mas quanto en·las obras, deuedes pasar con·ellos commo con vuestros vezinos: que vuestro padre et vuestro abuelo, non abiendo tanto commo vós, sienpre pasaron con los reys asi commo con sus vezinos. Et si vós bueno fueredes, ellos ternan por razon que asi passedes con ellos. Et la prueua desto es que los tales commo vós que assi passaron, que siempre se fallaron ende bien, et el contrario.

[CAPITULO VI]

Fijo don Ferrando: pues en·el capitulo ante deste vos fable en qual manera los tales commo vos deuen pasar con sus amigos de mayor grado, dezir vos he en·este en qual manera deuedes pasar con los amigos que fueren vuestros eguales.

---

[29] Se refiere a Fernando Manuel (o de Villena), muerto en 1350, hijo de Juan Manuel y Blanca Núñez de la Cerda.

Bien vos digo que commo quier·que esto pongo general mente, por que es manera de fablar asi, pero desque vengo a·cuydar en·ello, digo vos que en·este capitulo non se commo vos fable en·ello quanto lo que tanne a vós, ca yo en Espanna non uos fallo amigo en egual grado. Ca si fuere el rey de Castiella o su fijo eredero, estos son vuestros sennores; mas otro infante, nin otro omne en·el sennorio de Castiella non es amigo en egual grado de·uós; ca, loado a Dios, de linage non deuedes nada a·ninguno. Et otrosi de·la vuestra heredat [podedes] mantener çerca de mill caualleros, sin bien fecho del rey, et podedes yr del reyno de Nauar[r]a fasta el reyno de Granada, que cada noche posedes en villa çercada o en castiellos de·llos que yo he. (161-62).

[Capitulo XIV]

Fijo don Ferrando: pues en·el capitulo ante deste vos he fablado lo que cunple de fazer en fecho de·los mandaderos, dezir vos he en·este que es mas aprouechoso en fecho de·los porteros.

Sabet que vno de los omnes que forçada mente mucho an de saber de [la] fazienda [et] de·los fechos de·los sennores et de sus cuerpos et de sus mugeres et de sus fijos et de sus priuanças et de sus poridades et de sus plazeres et deleytes, o de qual quier cosa que·los sennores fagan o a·los sennores acaesca, o que mucho pueden guisar que·las gentes que a las casas de·los sennores vengan sean pagados et bien reçebidos, o el contrario, son los porteros. Ca si quiera palabra antigua es que dixo vn trobador:

Por mandadero pierde omne su mandado,
et por mal portero es el sennor denostado.

Por ende cunple mucho et es mester que·los porteros de·los sennores sean de buen entendimiento et de buena palabra, et muy leales sin dubda ninguna, et que ayan tal debdo con el sennor, de naturaleza o de criança, o de buen fecho o de todo, por que deuan ser muy leales. Et la prueua desto es que·los que esto fizieron se fallaron ende bien, et el contrario. (172).

[Capitulo XXIV]

Fijo don Ferrando: pues en·el capitulo ante deste vos di a·entender commo se deue fazer en fecho de·las mercas, dar vos he agora a·entender en·este commo se deue vsar en fecho de·las preguntas.

Digo vos que vna de·las cosas que mucho cunple para los omnes para saber lo que non saben, et para ser çiertos de·las cosas dubdosas, es preguntar por ellas. Et asi el que quisiere saber o aprender o ser çierto de·lo que quisiere saber, cunple le mucho de preguntar por ello. Pero en·estas preguntas deue omne guardar muchas cosas: lo vno es que pregunte tales preguntas que sean aprouechosas, et que puede auer repuesta con razon; lo·ál es que·lo pregunte

a·tal omne quel sepa dar recabdo; et lo·ál es que·lo pregunte en tienpo quel
pueda responder a·ello; [et] lo·ál es que lo pregunte en manera que los que
lo oyeren, quel non tengan por·de mal recabdo, nin que faze preguntas sin
recabdo et que pregunta en deuaneo et cosas que non le cunplen. Ca si quiera
palabra et retrayre antigo es que dize que «Mas preguntaria un loco quel podrian responder çiento cuerdos». Por ende, asi commo es muy aprouechoso
preguntar por las cosas commo omne deue, asi enpesce preguntar por ellas
commo non deue. Et la prueua desto es que·los que·lo asi fizieron se fallaron
ende bien, et el contrario. (180).

9

Libro de los estados (posterior a 1330). Ms. 6376, fols. 43v-125v, ed. de J. M. Blecua, *ibid.*,
págs. 191-502.

[PRIMERA PARTE]

[Capitulo II]

*El ii° capitulo fabla en commo el sobre dicho don Iohan conpuso
este libro en manera de preguntas et de respuestas que
fazian entre si vn rey et vn infante, su fijo, et vn
cauallero que crio al infante et vn philosofo.*

Por ende, segu[n]d el doloroso et triste tienpo en que yo lo fiz, cuydando
commo podria acertar en·lo mejor et mas seguro, fiz este libro que vos envio.
Et por que los omnes non pueden tan bien [entender] las cosas por otra manera commo por algunas semejanças, conpus este libro en manera de preguntas
et repuestas que fazian entre si vn rey et vn infante, su fijo, et vn cauallero
que crio al infante et vn philosofo. Et pus nonbre al rey, Moraban, et al
infante, Johas, et al cauallero, Turin, et [al] philosofo, Julio.

Et por que entiendo que la saluacion de las almas á·de ser en ley et en
estado, por ende conuino, et non pude escusar, de fablar algu[n]a cosa en·las
leys et en·los estados. Et por que yo entiendo que segunt la mengua del mio
entendimiento et del mio saber, que es grant atreuimiento o mengua de seso
de en[t]remeter me yo a·fablar en tan altas cosas, por ende non me atreui
yo a·publicar este libro fasta que·lo vós viesedes. (208).

[Capitulo XXIV]

*El xxiiii° capitulo fabla en commo Turin dixo al infante que
nunca se acordauan los omnes fasta aqui que oviese omne
que mostrase ninguna ley çierta.*

—Sen[n]or —dixo Turin—, nunca fasta aqui se acuerdan los omnes que
en esta tierra oviese omne que mostrase ninguna ley çierta, et por ende non

beuimos en otra ley sinon en justicia; asi que al que faze mal o danno o auentura a otro, el rey et sus ofiçiales fazen le por el[l]o escarmiento, segund el yerro en que cayo; et al que sirue bien et anda et biue derecha mente, da[n]le galardon segunt su mereçimiento. Et guardando al rey su sennorio et sus derechos et sus mandamientos, et non faziendo tuerto ninguno a·ninguno, tenemos que non ha menester otra ley. Otrosi, esto que vos dize este omne bueno Julio que el pedrica a·las gentes, et que á conuertido grant pieça dellos a la su ley, dize vos verdat; ca nós non fazemos fuerça que tome cada vno qual ley quisiere; solamente [que] guarden al rey et a·los sennores et a·las otras gentes lo que deuen, commo dicho es.

Et [des]que el infante oyo estas razones que Turin dixo, pregunto a·Julio que por qual razon dizie el que tan bien el rey commo todos los otros que en aquella tier[r]a biuian, que non avien ley; que le paresçia a·el que pues guardauan lo que deuian a·los sennores et a·las otras gentes et non fazian tuerto nin mal a·ninguno, que asaz avian buena ley.

—Sennor infante —dixo Julio—, todas las leys del mundo son en dos maneras: la vna es ley de natura; la otra ley es dada por alguno. La ley de natura es non fazer tuerto nin mal a·ninguno. Et esta ley tan bien la an las animalias commo los omnes, et avn mejor: ca·las animalias nunca fazen mal las vnas a·las otras que son de su linage, nin a·otras, sinon con grant mester. Et por que·lo entendades mejor, mostrar vos lo he declarada mente. El leon es sennor de todas las animalias, [et] por fanbre nin por cuyta que aya, nunca matara nin comera otro leon, nin el oso a·otro oso, nin el lobo a otro lobo, et asi todas las otras animalias. Mas quando an fanbre et non lo puede[n] escusar, comen de·las otras bestias que non son de su linage sola mente aquello que an mester para su mantenimiento; et quando non lo an mester, et lo pueden escusar, non matan nin fazen mal a·ninguna otra animalia. Et los ma[r]files et los cauallos et los camellos et las otras animalias que non comen carne et se mantienen de·las yerbas, despues que an comido quanto les avonda, por buena yerba que fallen, non conbran mas nin bebran desque ovieren comido et beuido lo que·les cunple, nin se llegan los maslos a las fenbras, sinon en tienpo que an de e[n]gendrar segund su naturaleza; et eso mismo fazen las aves, tan bien las que caçan commo las otras.

[CAPITULO XXV]

El xxvº capitulo fabla en commo Julio dixo al infante que bien deuia el entender que por fazer los omnes lo que fazen las animalias, que non avian avantaja ninguna dellas.

—Et asi, sennor infante, bien deuedes vós entender que por fazer los omnes lo que fazen las animalias, que non avian avantaja [dellas]; que avn fallaredes vós que·las cosas naturales non lo guardan tan bien los omnes commo las animalias: ca las animalias, commo es dicho, nunca matan nin fazen mal ninguno a otro de su linage, et beemos que·lo non fazen asi [los omnes]; ca veemos que de cadal dia que vnos omnes matan et fazen mal a otros, que son omnes asi commo ellos, et avn a·los que son de su linage mismo. Otrosi, las animalias, quando comen a·otras que non son de su linage, non matan sinon lo que an mester; et eso mismo las que comen yeruas; mas los omnes non son asi, nin fazen asi; ca non tan sola mente [non] se tienen por pagados de·lo que an mester, ante toman et fazen mucho danno en cosas que podrian escusar muy bien si quisiesen. Et eso mismo en comer et en beuer et en·el de engendrar, [que] depues que an ende tomado quanto les cunple, non se tienen por pagados et guardanse muy peor que·las animalias de vsar dello quanto les era mester et non mas. Et asi, pues es çierto que de·la ley de natura muy mejor vsan dello las animalias que·los omnes, de·ualde ovieron los omnes entendimiento et razon, lo que non an las animalias. Demas, los omnes que an alma, que es cosa spiritual que nunca á·de fallesçer, et que aura galardon o pena desque se partiere del cuerpo, segund las obras que oviere fecho en quanto fueron en vno. Et esta alma non se puede saluar sinon guardando la ley quel fuere acomendada. (238-40).

[Capitulo LIX]

El Lviiii° capitulo fabla en commo Julio dixo al infante que a·lo
quel dizia quel dixiese commo pueden fazer sus obras los
enperadores para amar et temer a·Dios, por que ayan
la gracia de Dios et non cayan en [la] su yra, que
para esto avien mester muchas cosas.

—A lo que dezides que vos diga commo pueden fazer sus obras [los enperadores] commo deuen para amar et temer a·Dios, por que aya la su gracia et non caya en·la su yra, senor infante, para esto á mester muchas cosas, pero faziendo algunas que non son muy graues de fazer, puede lo muy bien guardar. Et la manera que yo entiendo para esto es esta:

Lo primero, que ordene commo pase bien el dia et la noche, et que·lo faga en esta guisa: que se leuante lo mas de mannana que pudiere, et luego que fuere despierto, que se acomiende a·Dios et le pida merçed quel guarde et le mantenga al su seruiçio. Et ante que se meta en otros fechos, que oya las oras et la missa et faga su oraçion al verdadero cuerpo de Ihesu Christo, que es su saluador. Et la missa et las oras acabadas, si oviere de andar camino, que·lo ande; et yendo por el, bien puede andar a·caça con razon et con mesura por tomar ý plazer et vsar ya quanto en ofiçio de caualleria. Et desque llegare a·la posada, comer con sus gentes, et non apartado. Et desque oviere comido et bebido lo quel cunpliere con tenplança et con mesura, a la mesa deue oyr, si quisiere, juglares quel canten et tangan estormentes ante el, diziendo buenos cantares et buenas razones de caualleria o de buenos fechos que mueban los talantes de·los que·los oyeren para fazer bien. Et el enperador deue fablar et departir con sus gentes, en tal manera que tomen plazer et gasajado con el et aprendan dél los buenos exenplos et buenos consejos. Et desque oviere estado con ellos vna buena pieça aguisada, deue entrar en su camara et dormir; et desque oviere dormido, deue oyr sus oras, et las oras oydas, deue estar en su consejo, [departiendo] sobre los grandes fechos del enperio. (304-305).

[Capitulo LXVI]

El Lxvi° capitulo fabla en commo Julio dixo al infante quel paresçia
que·la primera cosa que el enperador deuia fazer para guardar
lo que deue a·su muger, es que·la ame et la presçie mucho
et le faga mucha onra et le muestre muy buen talante.

—Sennor infante, segu[n]d a·mi paresçe, la primera cosa que el enperador á·de fazer para guardar lo que deue a su muger, es que·la ame et la presçie mucho et le faga mucha onra et le muestre muy buen talante, toda via guardando que non mengüe por ella ninguna cosa de su onra nin de·las cosas que deue fazer. Otrosi, deue guardar que non ponga mucho su voluntad en otra muger ninguna, en manera que se pueda ende seguir pecado. Otrosi, deue tener con·ella en·la su casa abastamiento de duennas et de donzellas, tales quales le pertenesçen. Et sennalada mente deue catar que·las sus camareras, que·la an de seruir et saber todas sus priuanças, sean buenas mugeres et cuerdas et de buena fama et de buenas obras et de buenos dichos et de buenos gestos et de buenas conçiençias, que teman a·Dios et amen la vida et la onra del enperador et de su muger et de toda su casa, [et] que non sean codiçiosas nin muy mançebas nin muy fermosas. Otrosi, que aya muy buenos ofiçiales et los [mas] onrados que pudieren ser, segund pertenesçe a·cada vfiçio. Et sennalada mente deue catar que el mayordomo et el chançeller et el confessor et el fisico et el despensero et los que siruen ante ella, por razon que estos son omnes que forçada mente an de auer mayor fazimiento con las sennoras, que sean cuerdos et leales et que se non presçien mucho de su loçania nin de su apostura, nin sea[n] muy ma[n]çebos. Otrosi, los porteros deuen ser catados que sean cuerdos et leales et non mançebos. Otrosi, los coçineros deue mucho catar que sean leales et sepan muy bien fazer su ofiçio. Et todos los otros ofiçiales et las otras gentes que ovieren de beuir en·la su casa, deue catar que sean los que mas cunplieren para ello. Ca muy mas enpesçe en casa de·las duennas vn omne que non sea tal qual deue que veynte que visquiesen en casa de·los sennores, por malos que fuesen.

Otrosi, deue guardar el enperador que su muger que aya rentas çiertas con que pueda mantener su casa muy onrada mente, et que sea muy abastada de pannos et de joyas et de capiellas et de todas las cosas que pertenesçen a·su estado. Et demas de lo que á·mester para lo que es dicho, conuiene que aya mas renda para lo poder dar por amor de Dios, et fazer otras cosas mu-

chas quel pertenesçen, que non se pueden nin deuen escusar. Otrosi, para
guardar la su fama et [la] de·la su casa, conuiene que el enperador sea muy
amado et muy preçiado et muy temido de su muger et de·las mugeres que
fueren en·la su casa (...)

Otrosi a·sus fijos, segund el mio e[n]tendimiento, deue lo fazer en esta
manera: bien en quanto fueren tan ninnos, que non [saben] fablar nin andar,
deuen les catar buenas amas, que sean de la mejor sangre et mas alta et mas
linda que pudieren aver. Ca çierto es que del padre o de·la madre en afuera,
que non ay ninguna cosa de que·los omnes tanto tomen nin a·qui tanto salgan
nin a·qui tanto semejen en sus voluntades et en sus obras commo a·las amas
cuya leche mamaran. (320-22).

[Capitulo LXXVII]

El Lxxvii° capitulo fabla en commo Julio dixo al infante que si
omne á·de cercar algun lugar de·los moros, que conuiene que
segund el lugar fuere de fuerte o de flaco, que asi [faga]
en·los conbatimientos.

—Si omne á·de çercar algun lugar de·los moros, conuiene que segund el
lugar fuere de fuerte o de flaco, que asi faga en·los conbatimientos et en·los
engennos et en·las otras cosas que son mester para tomar el lugar. Otrosi,
que ponga muy buen recabdo en guardar los que fueren por lenna o·por
paja o·por yerua, et las recuas que troxieren las viandas para la hueste; ca
sienpre los moros se trabajan de fazer danno en·las tales gentes. Ca en·la
hueste que esta asentada, nunca ellos se atreuen a entrar; nin otrosi, de noche
nunca gente de moros se atreuen a ferir en·la hueste de·los christianos. Et
esto fazen por que non andan armados nin los sus cauallos non andan enfre-
nados nin ensellados en guisa que se osen meter en ninguna priesa nin estrechura. Pero con todo esto, sienpre los christianos [deuen] posar la hueste cuerda mente et tener sus esculcas et sus atalayas. Otrosi, si los moros çercaren
algun lugar de·los christianos, los que estudieren en·el lugar çercado deuen
trabajar quanto pudieren por que el lugar aya carcaua et baruacana, et la
baruacana que sea bien foradada en·que aya muchas lançeras et muchas saete-
ras. Ca por razon que·los moros non andan armados, non ha cosa por que
tan bien se defienda el lugar nin con que tanto mal les puedan fazer commo
de la baruacana, aviendo ý buenos val[l]esteros, et por las lançeras. Otrosi,
que en·las torres del muro, que esten ý muchas piedras et grandes cantos para
dexar caer al pie; et en·el muro, entre torre et torre, que aya ý muy grandes
cantos, colgados en cuerdas, segund la manera que don Iohan, aquel mi amigo, fallo que es [la] mejor maestria del mundo para que ninguna cosa non
pueda llegar al pie del muro para cauar nin poner gata nin escalera nin cosa
que·les pueda enpeçer. Otrosi, los que estudieren de fuera, que punnen de
ferir en la hueste de noche o de dia, segun se·les guisare mejor; ca muy poca

gente de christianos pueden desbaratar muy grant gente de moros feriendo en·ellos de noche, et avn muy mas teniendo el acogida çerca. (350-51).

[Capitulo LXXXVI]

[De los otros altos omnes]

Sennor infante, entre los vasallos et los naturales a·este departimiento: los vasallos an de conosçer sennorio al sennor, et son sus vasallos por la tierra et por los dineros que el sennor lis da. Et la manera de commo son sus vasallos es que quando primera ment[e] se aviene en aquello quel ha de dar et quiere seer su vasallo, deuel vesar la mano et dezir estas palabras: «Sennor don Fulano, beso uos la mano et só vuestro basallo». Et desque esto aya fecho, es tenido del seruir leal ment[e] contra todos los omnes del mundo. Et si asi non faze, o en alguna cosa yerra, caye en muy grant pena, ca cosas puede fazer por que cayera en pena de traicion et por [otras] cosas en pena de aleue et por otras en pena de falsidat et por otras en pena de valer menos et por otras en pena de non seer par de fijo dalgo et por otras seer enfamado. (377).

10

Libro de la caza (entre 1337 y 1348). Ms. 6376, fols. 201r-222r, ed. de J. M. Blecua, *ibid.*, págs. 515-96.

[Capítulo I]

Ya es dicho desuso que·los falcones con que los omnes vsan a caçar son de çinco naturas. La primera et mas noble es los falcones girifaltes, et estos son mayores que todos los otros falcones et mas ligeros et caçan mas ligera mente et mas apuesta, et por ende son mas preçiados et es razon que sean puestos primera mente que otros falcones. Et en pos estos son los sacres, et estos son grandes falcones et matan grandes prisiones et muchas, et los buenos dellos son muy buenas aues de caça, et de grandeza son entre los girifaltes et los neblis. Et en pos los sacres son los neblis et estos son muy buenos falcones et ligeros et muy apuestos; et commo quier que matan muchas prisiones, lo que agora vsan de caçar con·ellos es caça de ribera, asi com[m]o garças et anades et otras aves de ribera. Et en pos esto son los baharis, [et] estos son otrosi muy buenos falcones et caçan con ellos todas las caças que caçan con los neblis, et vsan al tienpo de agora de matar con·ellos las gruas mas que con otros falcones, et otrosi caçan con ellos liebres et perdizes et las otras caças que se fallan por los canpos; et son muy plazenteros et duran mucho et pierden se muy pocas vezes, et por ser de muchas maneras non pierden su vondat; pero en todo esto non son tan presçiados commo los neblis, et esto es por que non son tan ligeros nin tan reçios nin montan tanto commo los neblis. Et en pos estos son los bornis, et son buenos falcones, pero [por] que non son muy ligeros vsan caçar agora con·ellos liebres et perdizes. (525).

[CAPÍTULO III]

(...) Los girifaltes de que se agora mas pagan [et] fallan que recuden mejores son los que an la cabeça grande et redonda, et los ojos grandes et regu[i]lados et ya quanto adormidos, et que an el pico grande et gordo et la voca grande et las quixadas muy abiertas et las ventanas muy anchas et el pescueço muy luengo et mas gordo que delgado, et la faz del papo muy grande que desçenda mucho por los pechos, et los pechos muy anchos, et los onbriellos de·las alas que se ascondan en los pechos; et que sean muy anchos entre las piernas et que ayan las yjadas muy pequennas, et las ancas muy duras et de poca carne, et [el] bispiello que sea muy llegado en·las ancas et entre las ancas, et el lugar dó estan las pennolas mayores de·la colla que aya muy poco que sea gordo et duro, et el bispete dó andan las pennolas que sea de poca carne, et las piernas desdel anca fasta la rodiella muy ancha et muy dura et corta, et desde la rodiella fasta el çanco, luenga et que sea la carne poca et dura et nerbiosa. Et el vesso de·la rodiella muy gordo, et el çanco que sea corto et gordo et muy duro et muy crespo, et los dedos luengos et delgados et leznes, et las vnnas duras et gordas, et las palmas blandas et enxutas et muy secas. Pero dize Sancho Martines, que es de·los mejores falcone[ro]s que don Iohan nunca vio et que mas sepa desta arte et que mejores falcones faze, que querria el que oviesse los dedos cortos et gruesos et crespos, et don Iohan dize que·lo querria el commo desuso es dicho et con estas façiones, et bien grande, segund fallan agora que estos son los mejores; pero los que son mas luengos et mas delgados, si son grandes, non dexan por esso de seer muy buenos.

Otrosi lo que agora fallan del su plumage es esto: los girifaltes son de dos colores: los vnos blancos del todo, et los otros pardos, et entre los vnos et los otros ay muchas maneras de plumage. Pero los que agora fallan por mejores son los blancos todos o quanto mas se llegan a·los blancos; ca otros ay que son muy blancos, mas an por las espaldas vnas pintas como manera de letras moriscas muy prietas et por los pechos algunas pintas pocas muy prietas. Et commo quiera que non los tienen por tan nobles commo los blancos del todo, esos et estos son los mejores et llaman los 'letrados'. De todas las otras maneras de plumage, la fin de·la razon es que quanto el color del plumage es mas blanco et las pintas de los pechos mas pocas et mas prietas et las espaldas mas cardenas, tanto es la color mejor. (528-29).

[Capítulo VIII]

(...) Et avn dize don Iohan que el oyo dezir que·la caça de·los falcones altaneros vino a Castiella despues que el sancto rey don Ferrando, que gano Alendelusia, caso con la reyna donna Beatriz, que en ante desto dizen que non matauan la garça con falcones, si non con açores. (...) Et dize don Iohan que tanto se paga el de·la caça et por tan aprouechosa la tiene para los grandes sennores et avn para todos los otros, si quieren vsar della commo deuen et pertenesçe a·sus estados, que [a]si commo fizo escriuir lo que el vio et oyo en esta arte de·la caça, que si alguna cosa viere daqui adelante que se mude o se faga mejor et mas estranna mente, que asi lo fare escriuir. (559-60).

11

El Conde Lucanor (1335). Ms. 6376, fols. 129v-96v, ed. de J. M. Blecua, *Obras completas*, t. II (Madrid: Gredos, 1983), págs. 7-504.

EXEMPLO QUINTO

De·lo que contesçio a·vn raposo con vn cueruo que tenie vn pedaço de queso en·el pico.

Otra vez fablaua el conde Lucanor con Patronio, su conseiero, et dixol assi:

—Patronio, vn omne que da a entender que es mi amigo me començo a·loar mucho, dando me a·entender que avia en mi muchos conplimientos de onrra et de poder et de muchas vondades. Et de que con estas razones me falago quanto pudo, movio me vn pleito, que en la primera vista, segund lo que yo puedo entender, que paresçe que es mi pro.

Et conto el conde a·Patronio qual era el pleito quel mouia; et commo quier que paresçia el pleito aprouechoso, Patronio entendio el enganno que yazia ascondido so las palabras fremosas. Et por ende dixo al conde:

—Sennor conde Lucanor, sabet que este omne vos quiere engannar, dando vos a·entender que el vuestro poder et el vuestro estado es mayor de quanto es la verdat. Et para que vos podades guardar deste enganno que vos quiere fazer, plazer me ýa que sopiesedes lo que contesçio a·vn cueruo con vn raposo.

Et el conde le pregunto commo fuera aquello.

—Sennor conde Lucanor —dixo Patronio—, el cueruo fallo vna vegada vn grant pedaço de queso et subio en vn arbol por que pudiese comer el queso mas a·su guisa et sin reçelo et sin enbargo de ninguno. Et en quanto el cueruo assi estaua, passo el raposo por el pie del arbol, et desque vio el queso que el cueruo tenia, començo a cuydar en qual manera lo podria leuar dél. Et por ende començo a·fablar con·el en esta guisa:

—Don Cueruo, muy gran tienpo ha que oý fablar de vós et de·la vuestra nobleza et de·la vuestra apostura. Et commo quiera que vos mucho busque, non fue la voluntat de Dios, nin la mi ventura, que vos pudiesse fallar fasta agora, et agora que vos veo entiendo que á mucho mas bien en vós de quanto me dizian. Et por que veades que non vos lo digo por lesonia, tan bien commo vos dire las aposturas que en vos entiendo, tan bien vos dire las cosas en que las gentes tienen que non sodes tan apuesto.

Todas las gentes tienen que·la color de·las vuestras pennolas et de·los oios et del pico et de·los pies et de las vnnas que todo es prieto, et por que·la cosa prieta non es tan apuesta commo la de otra color, et vós sodes todo prieto, tienen las gentes que es mengua de vuestra apostura, et non entienden commo yerran en ello mucho: ca commo quier que·las vuestras pennolas son prietas, tan prieta e tan luzia es aquella pretura, que torna en india, commo pennolas de pauon, que es la mas fremosa ave del mundo; et commo quier que los vuestros oios son prietos, quanto para oios, mucho son mas fremosos que otros oios ningunos, ca la propriedat del oio non es sinon ver, et por que toda cosa prieta conorta el viso, para los oios, los prietos son los mejores, et por ende son mas loados los oios de·la ganzela, que son mas prietos que de ninguna otra animalia. Otrosi, el vuestro pico et las vuestras manos et vnnas son fuertes mas que de ninguna aue tanmanna commo vós. Otrosi, en·el vuestro buelo avedes tan grant ligereza, que vos non enbarga el viento de yr contra el, por rezio que sea, lo que otra ave non puede fazer tan ligera mente commo vós. Et bien tengo que pues Dios todas las cosas faze con razon, que non consintria que pues en todo sodes tan conplido, que oviese en vós mengua de non cantar mejor que ninguna otra ave. Et pues Dios me fizo tanta merçet que vos veo, et se que ha en vós mas bien de quanto nunca de vós oý, si yo pudiesse oyr de vós el vuestro canto, para sienpre me ternia por de buena ventura.

Et, sennor conde Lucanor, parat mientes que maguer que la entençion del raposo era para engannar al cueruo, que sienpre las sus razones fueron con verdat. Et set çierto que los engannos et damnos mortales sienpre son los que se dizen con verdat engannosa.

Et desque el cueruo vio en quantas maneras el raposo le alabaua, et commo le dizia verdat en todas, creo que asil dizia verdat en todo lo ál, et touo que era su amigo, et non sospecho que·lo fazia por leuar dél el queso que tenia en·el pico; et por las muchas buenas razones quel avia oydo, et por los falagos et ruegos quel fiziera por que cantase, avrio el pico para cantar. Et desque el pico fue avierto para cantar, cayo el queso en tierra, et tomolo el raposo et fuese con·el; et asi finco engannado el cueruo del raposo, creyendo que avia en·si mas apostura et mas conplimiento de quanto era la verdat.

Et vós, sennor conde Lucanor, commo quier que Dios vos fizo assaz merçet en todo, pues beedes que aquel omne vos quiere fazer entender que avedes mayor poder et mayor onra o mas vondades de quanto vós sabedes que es la verdat, entendet que·lo faze por vos engannar, et guardat vos dél et faredes commo omne de buen recabdo.

Al conde plogo mucho de·lo que Patronio le dixo, et fizolo assi. Et con su consejo fue el guardado de yerro.

Et por que entendio don Johan que este exiemplo era muy bueno, fizo lo escriuir en este libro, et fizo estos viessos en que se entiende avreuiada mente la entençion de todo este exienplo. Et los viessos dizen asy:

Qui te alaba con lo que non es en ti,
sabe que quiere leuar lo que as de ti. (71-74).

ENXIENPLO VIII.º

De·lo que contesçio a vn omne que avian de alimpiar el figado.

Otra vez fablaua el conde Lucanor con Patronio, su consegero, et dixo le assi:

—Patronio, sabet que commo quier que Dios me fizo mucha merçed en muchas cosas, que estó agora mucho afincado de mengua de dineros. Et commo quiera que me es tan graue de·lo fazer commo la muerte, tengo que avie a·vender vna de·las heredades del mundo de que he mas duelo, o fazer otra cosa que me sera grand danno como esto. Et auer lo he de fazer por salir agora desta lazeria et desta cuyta en que estó. Et faziendo yo esto, que es tan grant mio danno, vienen a·mi muchos omnes, que se que·lo pueden muy bien escusar, et demandan me que·les de estos dineros que me cuestan tan caros. Et por el buen entendimiento que Dios en vós puso, ruego vos que me digades lo que vos paresçe que deuo fazer en esto.

—Sennor conde Lucanor —dixo Patronio—, paresçe a·mi que vos contesçe con estos omnes commo contesçio a·vn omne que era muy mal doliente.

Et el conde le rogo quel dixiesse commo fuera aquello.

—Sennor conde —dixo Patronio—, vn omne era muy mal doliente, assi quel dixieron los fisicos que en ninguna guisa non podia guaresçer si non le feziessen vna avertura por el costado, et quel sacassen el figado por el, et que·lo lauassen con vnas melezinas que avia mester, et quel alinpiassen de aquellas cosas por que el figado estaua maltrecho. Estando el sufriendo este dolor et teniendo el fisico el figado en·la mano, otro omne que estaua ý çerca dél començo de rogar le quel diesse de aquel figado para vn su gato.

Et vós, sennor conde Lucanor, si queredes fazer muy grand vuestro danno por auer dineros et dar los dó se deuen escusar, digo vos que lo podiedes fazer por vuestra voluntad, mas nunca lo faredes por el mi conseio.

Al conde plogo de aquello que Patronio dixo, et guardose ende dalli adelante, et fallosse ende bien.

Et por que entendio don Iohan que este exienplo era bueno, mando lo escriuir en este libro et fizo estos viessos que dizen assi:

Si non sabedes que deuedes dar,
a grand danno se vos podria tornar. (85-86).

EXENPLO X.º

De·lo que contesçio a·vn omne que por pobreza
et mengua de otra vianda comia atramuzes.

Otro dia fablaua el conde Lucanor con Patronio en esta manera:

—Patronio, bien conosco a·Dios que me á fecho muchas merçedes, mas quel yo podria seruir, et en todas las otras cosas entiendo que esta la mi fazienda asaz con bien et con onra; pero algunas vegadas me contesçe de estar tan afincado de pobreza que me paresçe que querria tanto la muerte commo la vida. Et ruego vos que algun conorte me dedes para esto.

—Sennor conde Lucanor —dixo Patronio—, para que vos conortedes quando tal cosa vos acaesçiere, seria muy bien que sopiesedes lo que acaesçio a·dos omnes que fueron muy ricos.

El conde le rogo quel dixiesse commo fuera aquello.

—Sennor conde Lucanor —dixo Patronio—, de estos dos omnes, el vno dellos llego a·tan grand pobreza que non finco en·el mundo cosa que pudiese comer. Et desque fizo mucho por buscar alguna cosa que comiesse, non pudo auer cosa del mundo sinon vna escudiella de atramizes. Et acordando se de quando rico era et solia ser, que agora con fambre et con mengua avia de comer los atramizes, que son tan amargos et de tan mal sabor, començo de llorar muy fiera mente, pero con·la grant fambre começo de comer de·los atramizes, et en comiendo los, estaua llorando et echaua las cortezas de·los atramizes en pos de si. Et el estando en este pesar et en esta coyta, sintio que estaua otro omne en pos dél et bolbio la cabeça et vio vn omne cabo dél que estaua comiendo las cortezas de·los atramizes que el echaua en pos de si, et era aquel de que vos fable desuso.

Et quando aquello vio el que comia los atramizes, pregunto a aquel que comia las cortezas que por que fazia aquello. Et el dixo que sopiese que fuera muy mas rico que el, et que agora avia llegado a·tan grand pobreza et en tan grand fanbre quel plazia mucho quando fallaua aquellas cortezas que el dexaua. Et quando esto vio el que comia los atramizes, conortose, pues entendio que otro avia mas pobre que el, et que avia menos razon por que·lo deuie seer. Et con este conorte, esforçosse et ayudol Dios, et cato manera en commo saliesse de aquella pobreza, et salio della et fue muy bien andante.

Et, sennor conde Lucanor, deuedes saber que el mundo es tal, et avn que nuestro sennor Dios lo tiene por bien, que ningun omne non aya conplida mente todas las cosas. Mas, pues en todo lo ál uos faze Dios merçed et estades con vien et con onra, si alguna vez vos menguare dineros o estudierdes en algun affincamiento, non desmayedes por ello, et cred por çierto que otros mas onrados et mas ricos que vós estaran tan afincados, que se ternien por pagados si pudiessen dar a·sus gentes et les diessen avn muy menos de quanto vós les dades a·las vuestras.

Al conde plogo mucho desto que Patronio dixo, et conortose, et ayudose el, et ayudol Dios, et salio muy bien de aquella quexa en que estaua.

Et entendiendo don Iohan que este exienplo era muy bueno, fizo lo poner en este libro et fizo estos viessos que dizen assi:

Por pobreza nunca desmayedes,
pues otros mas pobres que vós veredes. (94-95).

EXENPLO XI.º

De·lo que contesçio a·vn dean de Sanctiago con don Yllan, el grand maestro de Toledo.

Otro dia fablaua el conde Lucanor con Patronio, et contaual su fazienda en esta guisa:

—Patronio, vn omne vino a·me rogar quel ayudasse en vn fecho que avia mester mi ayuda, et prometiome que faria por mi todas las cosas que fuessen mi pro et mi onra. Et yo començel a ayudar quanto pude en aquel fecho. Et ante que el pleito fuesse acabado, teniendo el que ya el su pleito era librado, acaesçio vna cosa en que cunplia que·la fiziesse por mi, et roguel que·la fiziesse et el puso me escusa. Et despues acaesçio otra cosa que pudiera fazer por mi, et puso me escusa commo a·la otra; et esto me fizo en todo lo quel rogue quel fiziesse por mi. Et aquel fecho por que el me rogo non es avn librado, nin se librara si yo non quisiere. Et por la fiuza que yo he en vós et en·el vuestro entendimiento, ruego vos que me conseiedes lo que faga en esto.

—Sennor conde —dixo Patronio—, para que vós fagades en esto lo que vós deuedes, mucho querria que sopiesedes lo que contesçio a·vn dean de Sanctiago con don Yllan, el grand maestro que moraua en Toledo.

Et el conde le pregunto commo fuera aquello.

—Sennor conde —dixo Patronio—, en·Sanctiago avia vn dean que avia muy grant talante de saber el arte de la nigromançia, et oyo dezir que don Yllan de Toledo sabia ende mas que ninguno que fuesse en aquella sazon; et por ende vino se para Toledo para aprender de aquella sciençia. Et el dia que llego a Toledo, adereço luego a casa de don Yllan et fallolo que estaua lleyendo en vna camara muy apartada; et luego que lego a·el, reçibiolo muy bien et dixol que non queria quel dixiesse ninguna cosa de·lo por que venia fasta que oviese comido. Et penso muy bien dél et fizol dar muy buenas posadas, et todo lo que ovo mester, et diol a·entender quel plazia mucho con su venida.

Et despues que ovieron comido, apartosse con·el, et contol la razon por que alli viniera, et rogol muy affincada mente quel mostrasse aquella sciençia que el avia muy grant talante de la aprender. Et don Yllan dixol que el era dean et omne de grand guisa et que podia llegar a grand estado —et los omnes que grant estado tienen, de que todo lo suyo an librado a·su voluntad, olbidan mucho ayna lo que otrie á fecho por ellos— et el que se reçelaua que de que [cuando] el oviesse aprendido del aquello que el queria saber, que non le faria tanto bien commo el le prometia. Et el dean le prometio et le asseguro que de qual quier vien que el oviesse, que nunca faria sinon lo que el mandasse.

Et en estas fablas estudieron desque ovieron yantado fasta que fue ora de çena. De que su pleito fue bien assossegado entre ellos, dixo don Yllan al dean que aquella sçiençia non se podia aprender sinon en lugar mucho apartado et que luego essa noche le queria amostrar dó avian de estar fasta que oviesse aprendido aquello que el queria saber. Et tomol por la mano et leuol a·vna camara. Et en apartando se de·la otra gente, llamo a vna mançeba de su casa et dixol que touiesse perdizes para que çenassen essa noche, mas que non las pusiessen a assar fasta que el gelo mandasse.

Et desque esto ovo dicho, llamo al dean; et entraron entramos por vna escalera de piedra muy bien labrada et fueron descendiendo por ella muy grand pieça, en guisa que paresçia que estauan tan vaxos que passaba el rio de Tajo por çima dellos. Et desque fueron en cabo del escalera, fallaron vna possada muy buena, et vna camara mucho apuesta que ý avia, ó estauan los libros et el estudio en que avian de leer. De que se assentaron, estauan parando mientes en quales libros avian de començar. Et estando ellos en esto, entraron dos omnes por la puerta et dieron le vna carta quel enviaua el arçobispo su tio, en quel fazia saber que estaua muy mal doliente et quel enviaua rogar que sil queria veer viuo, que se fuesse luego para el. Al dean peso mucho con estas nuebas; lo vno, por la dolençia de su tio; et lo ál, por que reçelo que avia de dexar su estudio que avia començado. Pero puso en su coraçon de non dexar aquel estudio tan ayna, et fizo sus cartas de repuesta et enviolas al arçobispo, su tio.

Et dende a·tres o quatro dias llegaron otros omnes a·pie que trayan otras cartas al dean en quel fazian saber que el arçobispo era finado, et que estauan todos los de·la eglesia en su esleccion et que fiauan, por la merçed de Dios, que eslerian a·el, et por esta razon que non se quexasse de yr a·lla eglesia; ca mejor era para el en quel eslecyessen seyendo en otra parte que non estando en·la eglesia.

Et dende a·cabo de siete o de ocho dias, vinieron dos escuderos muy bien vestidos et muy bien aparejados, et quando llegaron a el, vesaron le la mano et mostraron le las cartas en commo le avian esleydo por arçobispo. Quando don Yllan esto oyo, fue al electo el dixol commo gradesçia mucho a·Dios por que estas buenas nuebas le llegaron a·su casa, et pues Dios tanto bien le fiziera, quel pedia por merçed que el deanadgo que fincaua vagado que·lo diesse a·vn su fijo. Et el electo dixol quel rogaua quel quisiesse consentir que aquel deanadgo que·lo oviesse vn su hermano; mas que el le faria bien, en guisa que el fuesse pagado, et quel rogaua que fuesse con·el para Sanctiago et que leuasse aquel su fijo. Don Yllan dixo que·lo faria.

Fueronse para Sanctiago. Quando ý llegaron, fueron muy bien reçibidos et mucho onrada mente. Et desque moraron ý vn tienpo, vn dia llegaron al arçobispo mandaderos del papa con sus cartas en comol daua el obispado de Tolosa, et quel fazia gracia que pudiesse dar el arçobispado a·qui quisiesse.

Quando don Yllan oyo esto, retrayendol mucho affincada mente lo que con·el avia passado, pidiol merçed quel diesse a·su fijo; et el arçobispo le rogo que consentiesse que·lo oviesse vn su tio, hermano de su padre. Et don Yllan dixo que bien entendie quel fazia gran tuerto, pero que esto que·lo consintia en·tal que fuesse seguro que gelo emendaría adelante. Et el obispo le prometio en toda guisa que lo faria assi, et rogol que fuesse con·el a Tolosa et que leuasse su fijo.

Et desque llegaron a Tolosa, fueron muy bien reçebidos de condes et de quantos omnes buenos avia en·la tierra. Et desque ovieron ý morado fasta dos annos, llegaron los mandaderos del papa con sus cartas en commo le fazia el papa cardenal et quel fazia gracia que diesse el obispado de Tolosa a qui quisiesse. Entonçe fue a·el don Yllan et dixol que, pues tantas vezes le avia fallesçido de·lo que con·el pusiera, que ya aqui non avia logar del poner escusa ninguna que non diesse alguna de aquellas dignidades a·su fijo. Et el cardenal rogol quel consentiese que oviesse aquel obispado vn su tio, hermano de su madre, que era omne bueno ançiano; mas que, pues el cardenal era, que se fuese con·el para la corte, que asaz avia en que le fazer bien. Et don Yllan quexosse ende mucho, pero consintio en·lo que el cardenal quiso, et fuesse con·el para la corte.

Et desque ý llegaron, fueron bien reçebidos de·los cardenales et de quantos en·la corte eran, et moraron ý muy grand tienpo. Et don Yllan affincando cada dia al cardenal quel fiziesse alguna gracia a·su fijo, et el ponial sus escusas.

Et estando assi en la corte, fino el papa; et todos los cardenales esleyeron aquel cardenal por papa. Estonçe fue a·el don Yllan et dixol que ya non podia poner escusa de non conplir lo quel avia prometido. El papa le dixo que non lo affincasse tanto, que siempre avria lugar en quel fiziesse merçed segund fuesse razon. Et don Yllan se començo a quexar mucho, retrayendol quantas cosas le prometiera et que nunca le avia complido ninguna, et diziendol que aquello reçelaua en·la primera vegada que con·el fablara, et pues aquel estado era llegado et nol cunplia lo quel prometiera, que ya non le fincaua logar en que atendiesse del bien ninguno. Deste aquexamiento se quexo mucho el papa et començol a·maltraer diziendol que si mas le affincasse, quel faria echar en vna carçel, que era ereje et encantador, que bien sabia que non avia otra vida nin otro offiçio en Toledo, dó el moraba, sinon biuir por aquella arte de nigromançia.

Desque don Yllan vio quanto mal le gualardonaua el papa lo que por el avia fecho, espediose dél, et solamente nol quiso dar el papa que comiese por el camino. Estonçe don Yllan dixo al papa que pues ál non tenia de comer, que se avria de tornar a·las perdizes que mandara assar aquella noche, et llamo a·la muger et dixol que assasse las perdizes.

Quando esto dixo don Yllan, fallosse el papa en Toledo dean de Sanctiago, commo lo era quando ý bino, et tan grand fue la vergüença que ovo, que non sopo quel dezir. Et don Yllan dixol que fuesse en buena ventura et que assaz avia prouado lo que tenia en·el, et que ternia por muy mal enpleado si comiesse su parte de·las perdizes.

Et vós, sennor conde Lucanor, pues veedes que tanto fazedes por aquel omne que vos demanda ayuda et non vos da ende meiores gracias, tengo que non avedes por que trabajar nin aventurar vos mucho por llegar lo a logar que vos de tal galardon commo el dean dio a·don Yllan.

El conde touo esto por buen consejo, et fizolo assi, et fallosse ende bien.

Et por que entendio don Iohan que era este muy buen exienplo, fizolo poner en este libro et fizo estos viessos que dizen assi:

Al que mucho ayudares et non te lo conosçiere,
menos ayuda abras dél desque en grand onra subiere. (98-102).

EXEMPLO XXIX.º

De·lo que contesçio a vn raposo que se echo en·la calle et se fizo muerto.

Otra ves fablaua el conde Lucanor con Patronio, su consegero, et dixole asi:

—Patronio, vn mio pariente biue en vna tierra dó non ha tanto poder que pueda estrannar quantas escatimas le fazen, et los que han poder en·la tierra querrian muy de grado que fiziesse el alguna cosa por que oviessen achaque para seer contra el. Et aquel mio pariente tiene quel es muy graue cosa de soffrir aquellas terrerias quel fazen, et querria aventurarlo todo ante que soffrir tanto pesar de cada dia. Et por que yo querria que el·acertasse en lo mejor, ruego vos que me digades en que manera lo conseje por que passe lo mejor que pudiere en aquella tierra.

—Sennor conde Lucanor —dixo Patronio—, para que vós le podades conseiar en esto, plazer me ýa que sopiessedes lo que contesçio vna vez a·vn raposo que se fezo muerto.

El conde le pregunto commo fuera aquello.

—Sennor conde —dixo Patronio—, vn raposo entro vna noche en vn corral dó avia gallinas; et andando en roydo con las gallinas, quando el cuydo que se podria yr, era ya de dia et las gentes andauan ya todos por las calles. Et desque el vio que non se podia asconder, salio escondida mente a·la calle, et tendiosse assi commo si fuesse muerto.

Quando las gentes lo vieron, cuydaron que era muerto, et non cato ninguno por el.

A·cabo de vna pieça passo por ý vn omne, et dixo que·los cabellos de·la fruente del raposo que eran buenos para poner en·la fruente de los moços pequennos por que non les aoien. Et trasquilo con vnas tiseras de los cabellos de·la fruente del raposo.

Despues vino otro, et dixo esso mismo de·los cabellos del lomo; et otro, de·las yiadas. Et tantos dixieron esto fasta que·lo trasquilaron todo. Et por todo esto, nunca se mouio el raposo, por que entendia que aquellos cabellos non le fazian danno en·los perder.

Despues vino otro et dixo que·la vnna del polgar del raposo que era buena para guaresçer de·los panarizos; et saco gela. Et el raposo non se mouio.

Et despues vino otro que dixo que el diente del raposo era bueno para el dolor de·los dientes; et saco gelo. Et el raposo non se mouio.

Et despues, a cabo de otra pieça, vino otro que dixo que el coraçon del raposo era bueno paral dolor del coraçon, et metio mano a·vn cochiello para sacar le el coraçon. Et el raposo vio quel querian sacar el coraçon et que si gelo sacassen, non era cosa que se pudiesse cobrar, et que·la vida era perdida, et touo que era meior de se aventurar a que quier quel pudiesse venir, que soffrir cosa por que se perdiesse todo. Et aventurose et punno en guaresçer et escapo muy bien.

Et vós, sennor conde, conseiad a aquel vuestro pariente que si Dios le echo en tierra dó non puede estrannar lo quel fazen commo el querria o commo le cunplia, que en quanto las cosas quel fizieren fueren atales que se puedan soffrir sin grand danno et sin grand mengua, que de a·entender que se non siente dello et que·les de passada; ca en quanto da omne a entender que se non tiene por maltrecho de·lo que contra el an fecho, non esta tan envergonçado; mas desque da a·entender que se tiene por maltrecho de·lo que ha reçebido, si dende adelante non faze todo lo que deue por non fincar menguado, non esta tan bien commo ante. Et por ende, a·las cosas passaderas, pues non se pueden estrannar commo deuen, es mejor de·les dar passada, mas si llegare el fecho a alguna cosa que sea grand danno o grand mengua, estonçe se aventure et non le sufra, ca mejor es la perdida o la muerte, defendiendo omne su derecho et su onra et su estado, que beuir passando en estas cosas mal et desonrada mente.

El conde touo este por buen conseio.

Et don Iohan fizo lo escriuir en este libro et fizo estos viessos que dizen assi:

Sufre las cosas en quanto diuieres,
estranna las otras en quanto pudieres. (252-53).

EXEMPLO XXXV.º

De·lo que contesçio a·vn mançebo que caso con vna
muger muy fuerte et muy braua.

Otra vez fablaua el conde Lucanor con Patronio, et dixole:

—Patronio, vn mio criado me dixo quel trayan cassamiento con vna muger muy rica et avn, que es mas onrada que el, et que es el casamiento muy bueno para el, sinon por vn enbargo que ý ha; et el enbargo es este: dixo me quel dixeran que aquella muger que era la mas fuerte et mas braua cosa del mundo. Et agora ruego vos que me conseiedes si le mandare que case con aquella muger, pues sabe de qual manera es, o·sil mandare que lo non faga.

—Sennor conde —dixo Patronio—, si el fuer tal commo fue vn fijo de vn omne bueno que era moro, conseialde que case con ella, mas si non fuere tal, non gelo conseiedes.

El conde le rogo quel dixiesse commo fuera aquello.

Patronio le dixo que en vna villa avia vn omne bueno que avia vn fijo, el meior mançebo que podia ser, mas non era tan rico que pudiesse conplir tantos fechos et tan grandes commo el su coraçon le daua a·entender que deuia conplir. Et por esto era el en grand cuydado, ca avia la buena voluntat et non avia el poder.

En aquella villa misma, avia otro omne muy mas onrado et mas rico que su padre, et avia vna fija non mas, et era muy contraria de aquel mançebo; ca quanto aquel mançebo avia de buenas maneras, tanto las avia aquella fija del omne bueno malas et reuesadas; et por ende, omne del mundo non queria casar con aquel diablo.

Aquel tan buen mançebo vino vn dia a·su padre et dixo le que bien sabia que el non era tan rico que pudiesse darle con que el pudiesse beuir a·su onra, et que pues le conuinia a·fazer vida menguada et lazdrada o yr se daquella tierra, que si el por bien tobiesse, quel paresçia meior seso de catar algun casamiento con que pudiesse aver alguna passada. Et el padre le dixo quel plazria ende mucho si pudiesse fallar para el casamiento quel cunpliesse.

Entonce le dixo el fijo que si el quisiesse, que podria guisar que aquel omne bueno que avia aquella fija que gela diesse para el. Quando el padre esto oyo, fue muy marauillado, et dixol que commo cuydaua en tal cosa: que non avia omne que·la conosçiesse que, por pobre que fuese, quisiese casar con ella. El fijo le dixo quel pidia por merçed quel guisasse aquel casamiento. Et tanto lo afinco que commo quier que el padre lo touo por estranno, que gelo otorgo.

Et el fuesse luego para aquel omne bueno, et amos eran mucho amigos, et dixol todo lo que passara con su fijo et rogol que pues su fijo se atreuia a casar con su fija, quel ploguiesse et que gela diesse para el. Quando el omne bueno esto oyo aquel su amigo, dixo le:

—Par Dios, amigo, si yo tal cosa fiziesse, seer vos ýa muy falso amigo, ca vós avedes muy buen fijo, et ternia que fazia muy grand maldat si yo consintiesse su mal nin su muerte; et só çierto que si con mi fija casase, que o seria muerto o le valdria mas la muerte que·la vida. Et non entendades que vos digo esto por non conplir vuestro talante, ca si la quisierdes, a·mi mucho me plaze de·la dar a·vuestro fijo, o a quien quier que me·la saque de casa.

El su amigo le dixo quel gradesçia mucho quanto le dizia, et que pues su fijo queria aquel casamiento, quel rogaua quel ploguiesse.

El casamiento se fizo, et leuaron la nouia a·casa de su marido. Et los moros an por costunbre que adouan de çena a·los nouios et ponenles la mesa et dexan los en su casa fasta otro dia. Et fizieron lo aquellos assi; pero estauan los padres et las madres et parientes del nouio et de·la nouia con grand reçelo, cuydando que otro dia fallarian el nouio muerto o muy maltrecho.

Luego que ellos fincaron solos en casa, assentaron se a·la mesa, et ante que ella vbiasse a·dezir cosa, cato el nouio en derredor de·la mesa, et vio vn perro et dixol ya quanto braua mente:

—¡Perro, da nos agua a·las manos!

El perro non lo fizo. Et el encomençosse a ensannar et dixol mas braua mente que·les diesse agua a·las manos. Et el perro non lo fizo. Et desque vio que·lo non fazia, leuantose muy sannudo de·la mesa et metio mano a·la espada et endereço al perro. Quando el perro lo vio venir contra si, começo a·foyr, et el en pos el, saltando amos por la ropa et por la mesa et por el fuego, et tanto andido en pos dél fasta que·lo alcanço, et cortol la cabeça et las piernas et los braços, et fizo lo todo pedaços et ensangrento toda la casa et toda la mesa et la ropa.

Et assi, muy sannudo et todo ensangrentado, tornose a·sentar a·la mesa et cato en derredor, et vio vn gato et dixol quel diesse agua a·manos; et por que non lo fizo, dixole:

—¡Commo, don falso traydor!, ¿et non vistes lo que fiz al perro por que non quiso fazer lo quel mande yo? Prometo a·Dios que si vn punto nin mas conmigo porfias, que esso mismo fare a·ti que al perro.

El gato non lo fizo, ca tan poco es su costunbre de dar agua a·manos, commo del perro. Et por que non lo fizo, leuantose et tomol por las piernas et dio con el a·la pared et fizo dél mas de çient pedaços, et mostrandol muy mayor sanna que contra el perro.

Et assi, brauo et sannudo et faziendo muy malos contenentes, tornose a·la mesa et cato a todas partes. La muger, quel vio esto fazer, touo que estaua loco o fuera de seso, et non dizia nada.

Et desque ovo catado a·cada parte, et vio vn su cauallo que estaua en casa, et el non avia mas de aquel, et dixol muy braua mente que·les diesse agua a·las manos; el cauallo non lo fizo. Desque vio que lo non fizo, dixol:

—¡Commo, don cauallo!, ¿cuydades que por que non he otro cauallo, que por esso vos dexare si non fizierdes lo que yo vos mandare? Dessa vos guardat, que si por vuestra mala ventura non fizierdes lo que yo vos mandare, yo juro a·Dios que tan mala muerte vos de commo a·los otros; et non ha cosa viua en·el mundo que non faga lo que yo mandare, que esso mismo non le faga.

El cauallo estudo quedo. Et desque vio que non fazia su mandado, fue a·el et cortol la cabeça con la mayor sanna que podia mostrar, et despedaçolo todo.

Quando la muger vio que mataua el cauallo non aviendo otro et que dizia que esto faria a qui quier que su mandado non cunpliesse, touo que esto ya non se fazia por juego, et ovo tan grand miedo, que non sabia si era muerta o biua.

Et el assi, vrauo et sannudo et ensangrentado, tornose a·la mesa, jurando que si mil cauallos et omnes et mugeres oviesse en casa quel saliessen de mandado, que todos serian muertos. Et assentosse et cato a·cada parte, teniendo la espada sangrienta en·el regaço; et desque cato a vna parte et a otra et non vio cosa viua, boluio los oios contra su muger muy braua mente et dixol con grand sanna, teniendo la espada en la mano:

—Leuantad vos et dat me agua a·las manos.

La muger, que non esperaua otra cosa sinon que·la despedaçaria toda, leuantose muy apriessa et diol agua a·las manos. Et dixole el:

—¡A!, ¡commo gradesco a·Dios por que fiziestes lo que vos mande, ca de otra guisa, por el pesar que estos locos me fizieron, esso oviera fecho a·vós que a ellos!

Despues mandol quel diesse de comer; et ella fizolo.

Et cada quel dizia alguna cosa, tan braua mente gelo dizia et en tal son, que ella ya cuydaua que·la cabeça era yda del poluo.

Assi passo el fecho entrellos aquella noche, que nunca ella fablo, mas fazia lo quel mandauan. Desque ovieron dormido vna pieça, dixol el:

—Con esta sanna que oue esta noche, non pude bien dormir. Catad que non me despierte cras ninguno, et tened me bien adobado de comer.

Quando fue grand mannana, los padres et las madres et parientes llegaron a·la puerta et por que non fablaua ninguno, cuydaron que el nouio estaua muerto o ferido. Et desque vieron por entre las puertas a·la nouia et non al nouio, cuydaron lo mas.

Quando ella los vio a·la puerta, llego muy passo et con grand miedo, et començoles a·dezir:

—¡Locos, traydores!, ¿que fazedes? ¿Commo osades llegar a·la puerta nin fablar? ¡Callad, si non todos, tan bien vós commo yo, todos somos muertos!

Quando todos esto oyeron, fueron marabillados; et desque sopieron commo pasaron en vno, presçiaron mucho el mancebo por que assi sopiera fazer lo quel cunplia et castigar tan bien su casa.

Et daquel dia adelante, fue aquella su muger muy bien mandada et obieron muy buena bida.

Et dende a·pocos dias, su suegro quiso fazer assi commo fiziera su yerno, et por aquella manera mato vn gallo, et dixole su muger:

—A·la fe, don fulan, tarde vos acordastes, ca ya non vos valdria nada si matassedes çient cauallos: que ante lo ovierades a·començar, ca ya bien nos conosçemos.

Et vós, sennor conde, si aquel vuestro criado quiere casar con tal muger, si fuere el tal commo aquel mançebo, conseialde que case segura mente, ca el sabra commo passa en su casa; mas si non fuere tal que entienda lo que deue fazer et lo quel cunple, dexad le passe su ventura. Et avn conseio a·vós que con todos los omnes que ovierdes a·fazer, que sienpre les dedes a·entender en qual manera an de pasar conbusco.

El conde obo este por buen conseio, et fizolo assi et fallose dello vien.

Et por que don Iohan lo touo por buen enxienplo, fizo lo escriuir en este libro, et fizo estos viessos que dizen assi:

Si al comienço non muestras qui eres,
nunca podras despues quando quisieres. (285-89).

EXEMPLO XLV.º

De·lo que contesçio a·vn omne que se fizo amigo
et vasallo del diablo.

Fablaua vna vez el conde Lucanor con Patronio, su conseiero, en este guisa:

—Patronio, vn omne me dize que sabe muchas maneras, tan bien de agüeros commo de otras cosas, en commo podre saber las cosas que son por venir et commo podre fazer muchas arterias con que podre aprouechar mucho mi fazienda; pero en aquellas cosas tengo que non se puede escusar de auer y pecado. Et por la fiança que de vós he, ruego vos que me conseiedes lo que faga en·esto.

—Sennor conde —dixo Patronio—, para que vós fagades en·esto lo que vos mas cumple, plazer me ýa que sepades lo que contesçio a·vn omne con el diablo.

El conde le pregunto commo fuera aquello.

—Sennor conde —dixo Patronio—, vn omne fuera muy rico et llego a tan grand pobreza, que non avia cosa de que se mantener. Et por que non á en·el mundo tan grand desventura commo seer muy mal andante el que suele seer bien andante, por ende, aquel omne que fuera muy bien andante era llegado a·tan grand mengua, que se sintia dello mucho. Et vn dia, yua en su cabo, solo, por vn monte, muy triste et cuydando muy fiera mente, et yendo assi tan coytado encontrosse con el diablo.

Et commo el diablo sabe todas las cosas passadas, et sabia el coydado en que vinia aquel omne, et preguntol por que vinia tan triste. Et el omne dixole que para que gelo diria, ca el non le podria dar conseio en·la tristeza que el avia.

Et el diablo dixole que si el quisiesse fazer lo que el le diria, que el le daria cobro paral cuydado que avia; et por que entendiesse que lo podia fazer, quel diria en·lo que vinia cuydando et la razon por que estaua tan triste. Estonçe le conto toda su fazienda et la razon de su tristeza, commo aquel que·la sabia muy bien. Et dixol que si quisiesse fazer lo que el le diria, que el le sacaria de toda lazeria et lo faria mas rico que nunca fuera el nin omne de su linage; ca el era el diablo, et avia poder de·lo fazer.

Quando el omne oyo dezir que era el diablo, tomo ende muy grande reçelo, pero por la grand cuyta et grand mengua en·que estaua, dixo al diablo que si el le diesse manera commo pudiesse seer rico, que faria quanto el quisiesse.

Et bien cred que el diablo sienpre cata tienpo para engannar a·los omnes. Quando vee que estan en alguna quexa, o de mengua, o·de miedo, o·de querer conplir su talante, estonçe libra el con ellos todo lo que quiere; et assi cato manera para engannar a aquel omne en·el tienpo que estaua en aquella coyta.

Entonçe fizieron sus posturas en vno et el omne fue su vasallo. Et desque las avenençias fueron fechas, dixo el diablo al omne que dalli adellante que fuesse a furtar, ca nunca fallaria puerta nin casa, por bien çerrada que fuesse, que el non gela abriesse luego, et si por aventura en alguna priesa se viesse o fuesse preso, que luego que·lo llamasse et le dixiesse: «Acorred me, don Martin», que luego fuesse con el et lo libraria de aquel periglo en que estudiesse.

Las posturas fechas entre ellos, partieron se.

Et el omne endereço a·casa de vn mercadero, de noche oscura: ca los que mal quieren fazer sienpre aborrecen la lunbre. Et luego que lego a·la puerta, el diablo avriogela, et esso mismo fizo a·las arcas, en guisa que luego ovo ende muy grant auer.

Otro dia fizo otro furto muy grande, et despues otro, fasta que fue tan rico que se non acordaua de·la pobreza que avia passado. Et el mal andante, non se teniendo por pagado de commo era fuera de lazeria, començo a·furtar avn mas; et tanto lo vso, fasta que fue preso.

Et luego que lo prendieron, llamo a·don Martin que lo acorriesse; et don Martin llego muy apriessa et librolo de la prision. Et desque el omne vio que don Martin le fuera tan verdadero, començo a·furtar commo de cabo, et fizo muchos furtos, en guisa que fue mas rico et fuera de lazeria.

Et vsando a furtar, fue otra vez preso, et llamo a·don Martin, mas don Martin non vino tan ayna commo el quisiera, et los alcaldes del lugar dó fuera el furto començaron a·fazer pesquisa sobre aquel furto. Et estando assi el pleyto, llego don Martin; et el omne dixol:

—¡A, don Martin! ¡Que grand miedo me pusiestes! ¿Por que tanto tardauades?

Et don Martin le dixo que estaua en otras grandes priessas et que por esso tardara; et saco lo luego de·la prision.

El omne se torno a furtar, et sobre muchos furtos fue preso, et fecha la pesquisa, dieron sentençia contra el. Et la sentençia dada, llego don Martin et saco lo.

Et el torno a furtar por que veya que sienpre le acorria don Martin. Et otra vez fue preso, et llamo a don Martin, et non vino, et tardo tanto fasta que fue jubgado a·muerte, et seyendo iubgado, llego don Martin et tomo alçada para casa del rey et librolo de·la prision, et fue quito.

Despues torno a furtar et fue preso, et llamo a·don Martin, et non vino fasta que jubgaron quel enforcassen. Et seyendo al pie de·la forca, llego don Martin; et el omne le dixo:

—¡A, don Martin, sabet que esto non era juego, que vien vos digo que grand miedo he passado!

Et don Martin le dixo que el le traya quinientos maravedis en vna limosnera et que·los diesse al alcalde et que luego seria libre. El alcalde avia mandado ya que·lo enforcassen, et non fallaban soga para lo enforcar. Et en quanto buscauan la soga, llamo el omne al alcalde et diole la limosnera con los dineros. Quando el alcalde cuydo quel daua los quinientos marevedis, dixo a·las gentes que ý estauan:

—Amigos, ¿quien vio nunca que menguasse soga para enforcar omne? Çierta mente este omne non es culpado, et Dios non quiere que muera et por esso nos mengua la soga; mas tengamos lo fasta cras, et veremos mas en este fecho; ca si culpado es, y se finca para conplir cras la iustiçia.

Et esto fazia el alcalde por lo librar por los quinientos maravedis que cuy-daua que le avia dado. Et oviendo esto assi acordado, apartosse el alcalde et avrio la limosnera, et cuydando fallar los quinientos maravedis, non fallo los dineros, mas fallo vna soga en·la limosnera. Et luego que esto vio, mandol enforcar.

Et puniendolo en·la forca, vino don Martin et el omne le dixo quel aco-rriesse. Et don Martin le dixo que sienpre el acorria a·todos sus amigos fasta que los llegaua a·tal lugar.

Et assi perdio aquel omne el cuerpo et el alma, creyendo al diablo et fian-do dél. Et çierto sed que nunca omne del creyo nin fio que non llegasse a auer mala postremeria; sinon, parad mientes a·todos los agoreros o·sorteros o adeuinos, o que fazen cercos o encantamientos et destas cosas quales quier, et veredes que sienpre ovieron malos acabamientos. Et si non me credes, acor-dat vos de Aluar Nunnez et de Garcy Lasso, que fueron los omnes del mundo que mas fiaron en agüeros et en estas tales cosas, et veredes qual acabamiento ovieron.

Et vós, sennor conde Lucanor, si bien queredes fazer vuestra fazienda pa-ral cuerpo et paral alma, fiat derecha mente en Dios et ponet en·el toda vues-tra esperança et vós ayudat vos quanto pudierdes, et Dios ayudar vos ha. Et non creades nin fiedes en agüeros, nin en otro deuaneo, ca çierto sed que de·los pecados del mundo, el que a·Dios mas pesa et en que omne mayor tuerto et mayor desconosçimiento faze a Dios, es en catar agüero et estas tales cosas.

El conde touo este por buen consejo, et fizo lo assy et fallosse muy bien dello.

Et por que don Iohan touo este por buen exienplo, fizolo escriuir en este libro, et fizo estos viessos que dizen assy:

El que en Dios non pone su esperança,
morra mala muerte, abra mala andança. (368-71).

EXEMPLO XLVII.º

De·lo que contesçio a·vn moro con vna su hermana que daua a
entender que era muy medrosa.

Vn dia fablaua el conde Lucanor con Patronio en esta guisa:

—Patronio, sabet que yo he vn hermano que es mayor que yo, et somos fijos de vn padre et de vna madre et por que es mayor que yo, tengo que·lo he de tener en logar de padre et seer le á·mandado. Et el ha fama que es muy buen christiano et muy cuerdo, pero guisolo Dios assi: que só yo mas rico et mas poderoso que el; et commo quier que el non lo da a·entender, só çierto que á ende envidia, et cada que yo he mester su ayuda et que faga por mi alguna cosa, da me a entender que·lo dexa de fazer por que seria peccado, et estranna me·lo tanto fasta que·lo parte por esta manera. Et algunas vezes que ha mester mi ayuda, da me a·entender que avn que todo el mundo se perdiesse, que non deuo dexar de auenturar el cuerpo et quanto he por que se faga lo que a·el cunple. Et por que yo passo con el en esta guisa, ruego vos que me consegedes lo que vieredes que deuo en esto fazer et lo que me mas cunple.

—Sennor conde —dixo Patronio—, a·mi paresçe que·la manera que este vuestro hermano trae conbusco semeja mucho a·lo que dixo vn moro a vna su hermana.

El conde le pregunto commo fuera aquello.

—Sennor conde —dixo Patronio—, vn moro avia vna hermana que era tan regalada, que de que quier que veye o la fazien, que de todo daua a·enten-der que tomaua reçelo et se espantaua. Et tanto avia esta manera, que quando beuia del agua en vnas tarrazuelas que la suelen beuer los moros, que suena el agua quando beuen, quando aquella mora oya aquel sueno que fazia el agua en aquella tarraçuella, daua a·entender que tan grant miedo avia daquel sueno que se queria amorteçer.

Et aquel su hermano era muy buen mançebo, mas era muy pobre, et por que·la grant pobreza faz a omne fazer lo que non querria, non podia escusar aquel mançebo de buscar la vida muy vergonçosa mente. Et fazia lo assi: que cada que moria algun omne, yua de·noche et tomauale la mortaja et lo que enterrauan con el; et desto mantenia a·ssi et a·su hermana et a·ssu com-panna. Et su hermana sabia esto.

Et acaesçio que murio vn omne muy rico, et enterraron con·el muy ricos pannos et otras cosas que valian mucho. Quando la hermana esto sopo, dixo a·su hermano que ella queria yr con el aquella noche para traer aquello con que aquel omne avian enterrado.

Desque la noche vino, fueron el mançebo et su hermana a·la fuessa del muerto, et avrieron la, et quando le cuydaron tirar aquellos pannos muy pre-çiados que tenia vestidos, non pudieron sinon ronpiendo los pannos o creban-do las ceruizes del muerto.

Quando la hermana vio que si non quebrantassen el pescueço del muerto, que avrian de romper los pannos et que perderian mucho de·lo que valian, fue tomar con las manos, muy sin duelo et sin piedat, de·la cabeça del muerto et descoiuntolo todo, et saco los pannos que tenia vestidos, et tomaron quanto ý estaua, et fueron se con ello.

Et luego, otro dia, quando se asentaron a comer, desque começaron a beuer, quando la tarrazuela começo a sonar, dio a entender que se queria amorteçer de miedo de aquel sueno que fazia la tarrazuela. Quando el herma-no aquello vio, et se acordo quanto sin miedo et sin duelo desconjuntara la cabeça del muerto, dixol en algarauia:

—Aha ya ohti, tafza min bocu, bocu, va liz tafza min fotuh encu.

Et esto quiere dezir: «Aha, hermana, despantades vos del sueno de la ta-rrazuela que faze boc, boc, et non vos espantauades del desconjuntamiento del pescueço.»

Et este proberbio es agora muy retraydo entre los moros.

Et vós, sennor conde Lucanor, si aquel vuestro hermano mayor veedes que en·lo que a vós cunple se escusa por la manera que avedes dicha, dando a·entender que tiene por grand pecado lo que vós querriades que fiziesse por vós, non seyendo tanto commo el dize et tiene que es guisado, et dize que fagades vós lo que a·el cunple, avn que sea mayor peccado et muy grand vuestro danno, entendet que es de·la manera de·la mora que se espantaua del sueno de·la tarrazuela et non se espantaua de desconiuntar la cabeça del muerto. Et pues el quiere que fagades vós por el lo que seria vuestro danno si lo fiziesedes, fazet vós a el lo que el faze a·vós: dezilde buenas palabras et mostrad le muy buen talante; et en lo que vós non enpeesçiere, facet por el todo lo que cunpliere, mas en lo que fuer vuestro danno, partit lo sienpre con la mas apuesta manera que pudieredes, et en cabo, por vna guisa o por otra, guardat vos de fazer vuestro danno.

El conde touo este por buen conseio et fizolo asi et fallosse ende muy bien.

Et teniendo don Johan este enxienplo por bueno, fizo lo escriuir en este libro, et fizo estos viessos que dizen assi:

> Por qui non quiere lo que te cunple fazer,
> tu non quieras lo tuyo por el perder. (389-91).

LA LITERATURA CINEGÉTICA: GUILLERMO EL HALCONERO Y ALFONSO XI

12

Guillermo el Halconero (fl. ¿Nápoles?, ¿Sicilia?, segunda mitad del s. xii), *Libro de los halcones*. Escorial: Monasterio, ms. V.II.19, fols. 161[156]r-162[157]r (traducido del latín, 1290-1310 [¿?]), ed. de J. M. Fradejas Rueda, *Tratados de cetrería I: Antiguos tratados de cetrería castellanos* (Madrid: Cairel, Colección Alcotán, II [parte 1], 1985), págs. 75-86.

10. [*De la fiebre*]

Ssi [el falcon] oviere ffiebres, toma el musgo con la grassa de la gallina et unta los pies, et sserá ssano.

11. [*De la piedra en la molleja*]

Si oviere piedra en la moliella, toma un pássaro et úntalo con miel, et sserá ssano luego que lo comiere.

12. [*De la piedra en el ano*]

Quando oviere piedra en el ffundamiento, toma la corneja et póngela a los pies por tres días, et sserá ssano. (...)

19. [*Para hacer ardido el halcón*]

Si quissieres ffazer el ffalcón ardit, non lo trayas en mano por villa nin por carrera mas tenlo en un logar ençerrado et a la tarde t[r]áelo en mano, et assí sserá ardit. Et quando ffueres a caçar, no lo des de mano sinon a grua o a grandes prissiones et d'estas prissiones le da ssienpre. Si l' quissieres dar dieta, dal' el vinagre en la carne que l' dieres a comer, et non gelo des cada 'l día ssinon ssi ffuere ssoberviosso, ca, ssi gelo dieres cada [día], ssecarl' á el pulmón et el ffígado. Et ésta es buena dieta.

20. [*De las especies de halcones*]

Et dezimos assí: que de todas las naturas de los ffalcones que avemos dicho dessusso, ssi algún maestro dixiere que algún ffalcón á que non caçe, non diz verdat, mas qui quissiere que su ffalcón caçe bien, dél' atal dieta commo dize dessusso, et prendrá bien et sserá bueno.

22. [*Del cebo*]

Quando quissieres criar bien to ffalcón, darl' as carne de paloma et de ffaissán. Et esta carne lo cría bien. (...)

30

Sabet que ninguno maestro non ssopo más de las naturas de los ffalcones, ónde ffueron et ónde dixieron, que maestre Guillém, ffijo de Rrossor apollitano. Et éste ssopo más de aves que ningún omne que ffues en mundo, et éste ssopo los primeros ffalcones que pareçieron en el mundo et dón vinieron.

31

Et dezimos assí: que los ffalcones negros primeros que vinieron en el mundo, vinieron en Babilonia, en el monte de Gelboe. Et después vinieron en Ssalvania et después vinieron en Palumdum, que es pertenençia de Policast. Et los ffalcones de Palumit et los gavilanes de Pradi et los açores de Scalvania, éstos sson los mejores de todo el mundo.

32

Dezimos assí: que los ffalcones alvos salieron de los negros, et el ffalcón maslo negro muriósse, et ffincó la ffenbra muy triste. Et quando ella ffue en çelo, apareçiól' delante una ave que l' dizen bogadas, et aqueste ffizo ffijos con el ffalcón, et ssalieron los ffijos que ov[ier]o[n] las pénnolas blancas. Et éstos sson mucho ffardidos, et sson ssienpre buenos, et ssi no ffuere por culpa de qui los criare. Et non deven ir a caçar con ellos mientre que sson bravos ffasta que entiendan que sson bien manssos. (81-83).

13

Alfonso XI (1312-50), *Libro de la montería* (c. 1345). Escorial: Monasterio, ms. Y.II.19, ed. de D. P. Seniff (Madison: HSMS, 1983).

[LIBRO I]

*Capitulo xxvij°, que fabla en que manera deuen fazer
los monteros quando fallaren osa con oscaños.*

Quando acaesciere que los monteros fallaren ossa con oscaños, deuen fazer asy: soltalle vnos quinze canes, o doze a lo menos. Et la rrazon por que dezimos quel den mas canes a la primera suelta que a otro osso es por que non se puede apartar con pocos canes, asy commo otro venado. Et de los muchos canes, aun que algunos tomassen con algun oscaño, sienpre fincarian los otros con la ossa.

Otrosy, los monteros que venieren a rrenouar deuen fazer asy. Llegar allj al rrastro, et sy vieren que algunos canes apartaron la ossa, o fallaren el rrastro della apartado, den le los canes que touieren; et tangan de rrastro, et deseñen que den canes a buen venado.

Et sy vieren que va la osa et los oscaños todo buelto et van con ellos assaz canes, tengan sus canes en las trayellas et vayan adelante por la yda fasta que veyan que se aparto la ossa con algunos canes, o sin canes. Entonçe den le los canes, et deseñen «aca va el buen venado.»

Et sy acaesçiere que algun montero, quier sea de cauallo, quier sea de pie, viere yr la osa con algun oscaño, et canes con el oscaño: mate el oscaño lo mas ayna que podiere, et pongalo en logar dó non puedan los canes comer d'el; et enderesçe los canes en pos de la ossa, et deseñen que den canes a buen venado. Et faziendo lo desta guisa sienpre cobraran el meior venado, pero que todo montero deue escusar de non correr osa con oscaños, saluo con grant mingua de osso apartado. (10).

*Capitulo xxxvij°, que fabla en que manera se an a desfazer
los malos monteros de pie contrafechos, que en vn año vsan
correr monte et saben tan poco commo el dia primero.*

Pues Uos auemos dicho todas las maneras que an de auer aquellos que quieren ser buenos monteros, queremos Uos dezir en que manera entendemos que se an a desfazer los malos monteros de pie contrafechos que en vn año vsan correr monte et en cabo del año saben tan poco commo el dia primero. Et paresce Nos quel deuen fazer asy: leuale al monte, et ponelle en vn rrastro de osso o de puerco que sea del dia de ante.

Et alli en el rrastro, poner le su azcona en la mano, et su trayella, et su bozjna al cuello. Et mandar a dos monteros quel lieuen buen rrato commo dicho es, quel tomen el azcona et la trayella, non muy mesurada mjente, et quel quiebren la bozjna en la cabeça. Et que de allj adelante non vse mas de la monteria, et los que lo conosçieren tengan le por omne astroso. Et aun sy de alli adelante se entremetiere a yr con los monteros a correr monte, que non gelo consientan. (21).

[LIBRO II, PARTE 2]

Capitulo xviij°, que fabla de commo les tiñen las colores.

Dezimos asy que quando les quisieren camiar [a los canes] las colores de blanca a prieta, tomen de la cal et del escoria de la plata, tanto de lo vno commo de lo ál, et muelan lo et amasen lo con de la miel; et vnten los con esto treynta dias, cada dia vna vez, et con esto se faran prietas. Et quando quisieren fazer a los blancos que les nascan pelos prietos, tomen del azeche, et del çumo del estiercol de los asnos, et del seuo de las cabras, tanto de lo vno commo de lo ál, et cuegan lo todo en vno.

Et depues, vnten con ello los logares dó quisiere[n] que nascan pelos prietos, et fagan les esto diez dias, ca nasçran los pelos segunt quisieren. O tomen pan cocho con vinagre e con agallas, et mezclen lo con del agua; et depues cuegan lo otra vegada, et vnten les con ello. Ca con esto se faran de los pelos blancos prietos.

Capitulo xix°, que fabla de commo faran a los canes
que sean mas luengos.

Sabet que quando esto quisieren fazer, conuiene que fagan foyos fondos et metan los dentro; et lo que les quisieren dar a comer, pongan gelo en cima de los foyos. Ca estendijandose para alcançar aquello que aya de comer, fazer se an mas luengos. (44).

Capitulo xxvij°, que fabla commo los deuen melezjnar
quando se les doblan las oreias.

Dezimos asi que quando se les doblan las oreias, conuiene que tomen del salnjtrio, et queme[n] lo, et muelan [lo], et cuegan lo con mjel et con vjnagre fasta que mingue la tercera parte de todo, et vnten les los logares doblados con ello. (45).

[LIBRO III, CAPITULO XIIIJ]

Cañamares es buen monte de osso en yuierno, et es la bozeria desd'el Puerto de Vençayde, por la cunbre, fasta en las cunbres por çima del alto de la Sierra de Priego, fasta en par de Sanct Migel, que nol dexen pasar a la Pinosa. Et son las armadas las que dicho auemos del Vado de Sancha Negra.

Et en este monte acaesçio a vna sabuesa que dezian Bustera, que era de Fernant Gomes, ladrar a un çieruo. Et estaua preñada, et tomol el tienpo de parir. Et desy, asy commo paria vn fijo, [t]omaua le en la boca et ponja le en vn logar, et tornaua a ladrar el çieruo. Et desta guisa pario vnos quatro o çinco. Et desque los ouo parido, torno a ladrar al çieruo; et esto vieron Fernant Gomes et otros monteros. Et desque fue muerto el çieruo, non la podieron tomar, et fuese al logar dó estauan los fijos. (92).

14

Enrique de Villena (1384-1434), *Arte cisoria* (1423). Escorial: Monasterio, ms. f.IV.1 (letra del s. xv), fols. 1r-84v, ed. de E. Díaz-Retg (Barcelona: Selecciones Bibliófilas, 1948).

CAPITULO TERCERO

DE LAS CONDIÇIONES E COSTUMBRES QUE PERTENESÇEN AL CORTADOR DE CUCHILLO, MAYOR MENTE ANTE REY

Rasonable cosa es bien acostumbrado sea el que tal ofiçio de cortar ha de servir ante qualquier señor, mayor mente ante Rey (...) Segundamente limpiesa, trayendo se bien guarnido, segun su condicion; su barua raida e los cabellos fechos e vñas mondadas amenudo e bien lauado rostro e manos, en guisa que alguna cosa inmunda en él non paresca; guardese de traer botas, mayor mente nueuas, aforradura que huele mal al adobo; la cortadura de las uñas sea mediana mente, non mucho a rays, limpiadas cada mañana; guarnidas sus manos de sortijas que tengan piedras o engastaduras, valientes contra poçoña e ayre infecto, asy como rubi e diamante e girgonça e esmeralda e coral olicornio e serpentina e besuhar e pirofiles: la que se fase del coraçon del ome muerto con ueneno e cocho, ssy quiere endureçido o lapidificada, en fuego reerueruante. Esta traya Alixandre sobre todas conssigo, segun Aristotil en su *Lapidario* cuenta. Avn deue tener las manos guardadas con luas limpias e de buen olor, sy non al tiempo que cortare o comiere. Tales luas, non sean enforradas de peña, por el pelo que se pega a la mano, e algunos pelos son mal sanos, ansi como de raposo e de gato; mas sean de cuero de gamo, ya traydas, e de paño de escarlata, fechas de aguja. Avn en su comer e beuer, porque non tenga mal gesto, segun fasen los beuedores e deshordenados comedores, e porque non reguelde o escupa o tosa o bostese o estornude o le huela mal el resollo, antes deue vsar salsas e lignaloe e almastiga, cortesas de çidras, fojas de limonar e flores de romero, que fasen buen resollo e sano: deue tener sus dientes mondados e fregados con las cosas que encarna las ensias e los tiene limpios, ansi como coral molido e almastiga e exebe calçinado, alum, clauos, canela, todo buelto con esponja, molido, condidos con miel espumada, e mondárselos de la costra, sy la ouiere, quitando cada dia, a cada comer, dellos la vianda alli retenida, con vña de oro que es mejor para esto, fasiendolo sin premia, con manera suave, que non faga lision a las ensias, nin saque dellas sangre; e despues fregallo con paño de escarlata. E terçera mente deue ser callantio, de guisa que quando cortare, non fable nin faga malos gestos o desdonados (deshordenados?) nin este mirando a otra persona, sy non al Rey vmilldosa mente e a lo que corta; nin se rasque en la cabeça o lugar otro, nin se suene; en manera quel Rey non vea en el cosa que mal paresca o de que tome asco o enojo. Quarta mente deue ser curoso con diligençia e prestedumbre conplida e la que a su ofiçio pertenesçe; la voluntad alli puesta, libre de otro pensar, porque falta non cometa con desacuerdo e pare mientes a la vianda, des que (esté) en la mesa, puesta ya en ssu poder, que ninguno non allegue a ella, o lançe cosa sospechosa sobrella; catando todavia que le manda cortar o quando lo dexe; e antes e despues del seruir laue sus manos estudiosamente, e atenta mente mire si en la uianda paresçen diuersos colores o color, que non pertenesca a tal manjar, o si ha olor malo o fuere desaborada; e de aquello non corte. Sobre esto guardarse deue de las cosas contrarias a las condiçiones e costumbres dichas; en espeçial, de comer ajos, çebollas, puerros, e culantro, escaluñas e el letuario de la foja del cañamo, a que diçen los moros alhaxixa; e tales cosas fasen mal resollo. Apartarse deue de fuegos grandes de chimeneas e de cosinas fumosas, de fornos, de bafo de calderas e logares dó funden metales, porque del fumo non se pegue mal olor a los bestidos; arrédrese de estar en establos e carneçerias e trestigas, tenerias, pellegerias, o dó fasen el bermellon e bedrio e xabon e raen pargaminos e tales logares, dó qual (quier) olor puede en él quedar, por infecçion e tañimiento de la ropa e leuarlo en los pies inmundiçia. Desviese de vsar mucho con mugeres, por que los cuerpos de los tales fieden, mayor mente fasiendolo luego des que han comido o estan vestidos, ca se corrompe la vianda e menistra fetido nutrimiento a los mienbros, e los vestidos toman el olor corrupto e retienenlo. (85, 86-89).

CAPITULO SEPTIMO
Dó fabla del tajo de las aves comestibles

(...) Pues exordiando del pauon, el qual asado comun mente comerlo es costumbre, e algunas veses por fiestas en conbites, con su cola, sin gela quitar, conseruandola e guardandola de socarrar en paños mojados enbuelta. Eso mesmo fasen del cuello e, mejor desto, sacada la cola e cortando el cuello; e quando es asado, pegan gelo con estacas de palo, que non den mal sabor a la carne dél; e la cola, puesta en rueda, con mantellina, al cuello, de paño de oro, o de terçenel en el que las armas del Rey son pintadas; e su cuerpo del pauon aborraçado con lañas anchaz, como la mano, de toçino antreverado, que le cubran todo, con filos de seda de grana, que da buen sabor e sano; e a mengua dello, con otro filo qual quiera. E sy desta manera viniere o fuere traydo, asi córte.

Quitados el cuello e la cola, al tajar se proceda; e si las non traen, por esa misma manera sse comiençe quitando la enboltura del enborraçamiento, cortados los filos. E maguer pocos comen dello, ponesele por que la gordura lo cale, e sea guardado del çumo suyo de fuera non corra, ca si lo fisiese quedaria muy seco e de menor sabor. Esto apartado, queda el pauon linpio e, ante de todo, quitele los pies el cortador con el quarto cuchillo, ya dicho, e quitarle los alonçillos e lançallos con los pies en el baçin dó dixe que ponga los huesos; e luego cortarle el vn alon e partirlo, que se diuida los huesos de la vna parte con el mesmo cuchillo, e faser tajos en la carne dél, poco apartados, que lleguen algunos, en guisa que al comer dél non cunpla mucho tirar; e tal ponerlo en vn platel pequeño, e de aquel, mudar lo al platel dó el Rey comiere. E mientra de aquel come, tajar la pierna désa mesma parte, apartandola entera del pauon, e partir la en dos partes por la juntura e quitar el cuero entero de la pata, poniendolo a parte; e teniendo la pala con la broca tridente, cortar con el cuchillo segundo tajadas gruesas de aquella carne, como bocados, fasta que en el hueso poca quede carne. (125-27).

Los tordos e sorsales e otras aues en quatro se parten todavia partes, con el cuchillo quarto; asy son ministradas por la pequeñes de sus cuerpos e ternes de sus carnes, como por que non se enfrien.

E por la regla de los tajos ya aqui puesto, e las aues nonbradas, por las rrasones a ello atribuidas, de toda ave el tajo que le conuiene, segun buena rrason e arte, puede ser conoscida; onde, por breuidad, la dotrina aqui puesta en el presente baste. (136).

EL AMOR, LA CIENCIA Y LA TEOLOGÍA: BERNARDO DE GORDONIO, EL TOSTADO Y ALFONSO MARTÍNEZ DE TOLEDO

15

Bernardo de Gordonio (fl. Montpellier, fines del s. xiii-principios del s. xiv), *Lilio de medicina* (traducido de su *Lilium medicinae* de c. 1300). Salamanca: Universitaria, ms. 1743 (fols. 63-230), publicado éste (¿?) por M. Ungut y E. Polono (Sevilla, 1495). Se edita el Libro II, cap. XX, fols. 57v-58v, de la edición sevillana en D. P. Seniff, «Bernardo de Gordonio's *Lilio de medicina*: A Possible Source of *Celestina?*», *Celestinesca*, 10 (1986), págs. 13-18, reproducido aquí.

CAPITULO .XX. DE AMOR QUE SE DIZE HEREOS

Amor que «hereos» se dize es solicitud melancolica por causa de amor de mugeres.

CAUSAS

Desta passion es corrompimiento determinado por la forma & la figura que fuerte mente esta aprehensionada: en tal manera que quando algund ena-

morado esta en amor de alguna muger: & assy concibe la forma & la figura
& el modo que cree & tiene opinion que aquella es la mejor & la mas fermosa
& la mas casta & la mas honrrada & la mas especiosa & la mejor enseñada
enlas cosas naturales & morales que alguna otra: & por esso muy ardiente
mente la cobdicia sin modo & sin medida: teniendo opinion que sy la pudiesse
alcançar que ella seria su felicidad & su bien auenturança. E tanto esta corrompido el iuyzio & la razon que continua mente piensa en ella: & dexa
todas sus obras: en tal manera que sy alguno fabla conel non lo entiende:
por que es en continuo pensamiento: esta «solicitud melanconica» se llama. (..)

SEÑALES

Son que pierden el sueño & el comer & el beuer & se enmagresce todo
su cuerpo: saluo los ojos: & tienen pensamientos escondidos & fondos con
sospiros llorosos. E sy oyen cantares de apartamiento de amores luego comiençan a llorar & se entristeçer & sy oyen de ayuntamiento de amores: luego
comiençan a reyr & a cantar. E el pulso dellos es diuerso & non ordenado:
pero es veloz & frequentido & alto sy la muger que ama viniere a el: o la
nombraren: o passare delante dél. E por aquesta manera conoscio Galieno [30]
la passion de vn mancebo doliente: que estaua echado en vna cama, muy
triste & enmagreçido: & el pulso era escondido & non ordenado: & no lo
queria dezir a Galieno. Entonçes acontesçio por fortuna que aquella muger
que amaua passo delante dél: & entonçes el pulso muy fuerte mente & subita
mente fue despertado. E commo la muger ouo passado: luego el pulso fue
tornado a su natura primera: E entonçes conoscio Galieno que estaua enamorado. E dixo al enfermo: «tu estas en tal passion que a tal muger amas»:
& el enfermo fue marauillado commo conoscio la passion & la persona. E
por esso sy alguno quisiere saber el nombre dela muger que ama, nombre
le muchas mugeres: & commo nombrare a aquella que ama luego el pulso
se despierta: pues aquella es, digale que se parta della. (...)

CURA

[D]espues faz le que ame a muchas mugeres porque oluide el amor dela
vna: commo dize Ouidio, «fermosa cosa es tener dos amigas: pero mas fuerte
es si pudiere tener muchas.» [...]

Verdadera mente esta pasion [de amor] es vna especie de melancolia. E
final mente si otro consejo no tuuieremos, fagamos el consejo delas viejas:
porque ellas la disfamen & la desonesten en quanto pudieren, que ellas tienen
arte sagaz para estas cosas mas que los ombres. E dize Auicena que algunos
son que se gozan en oyr las cosas fediondas & las que no son licitas. Por

---

[30] Variante de *Galeno,* famoso médico y filósofo romano (n. 131 en Pérgamo [Asia]-m. 201).

ende busque se vna vieja de muy feo acatamiento con grandes dientes & baruas & con fea & vil vestidura: & traya debaxo de si vn paño vntado conel menstruo de la muger. & venga al enamorado & comiençe a dezir mal de su enamorada: diziendo le que es tiñosa & borracha & que se mea enla cama & que es epilentica: & fiere de pie & de mano: & que es corrompida: & que en su cuerpo tiene torondos, especial mente en su natura: & que le fiede el fuelgo & es suzia: & diga otras muchas fealdades: las quales saben las viejas dezir: & son para ello mostradas. E si por aquestas fealdades non la quisiere dexar, saque el paño dela sangre de su costumbre de baxo de sy: & muestre gelo subita mente delante su cara: & de le grandes bozes diziendo: «mira que tal es tu amiga commo este paño.» E si con todo esso non la quisiere dexar, ya no es omne saluo diablo encarnado enloquecido: & dende adelante, pierdase con su locura.

CLARIFICACION

[...] El amor es locura dela voluntad porque el coraçon fuelga por las vanidades, mezclando algunas alegrias con grandes dolores y pocos gozos. (14-16).

16

Alfonso de Madrigal, el Tostado (¿1400?-55), *Tractado cómo al ome es nescesario amar* (c. 1450). Sevilla: Colombina, ms. sin número *(olim* AA-144-18), ed. de A. Paz y Melia, *Opúsculos literarios de los siglos XIV a XVI* (Madrid: Sociedad de Bibliófilos Españoles [M. Tello], 1892), págs. 219-44.

Hermano, reprehendiste me porque amor de muger me turbó, o poco menos desterró de los términos de la razon, de que te maravillas como de nueva cosa. Porque la quexa por amor causada era entonces mi prisionera, non ove libertad para te satisfacer con digna respuesta; mas agora que ha ya quanto me desamparó, non el amor, mas la pasion, quiero apartar de mí la culpa de que me acusas, contradiciendo tu reprehension, porque diste a olvido aquello de que eres estudioso. E porque creas que en amar fize cosa debida, e amando non erré en me turbar, pongo e fundaré dos conclusiones: primera, que es necesario al que propiamente ama que algunas veces se turbe. (221).

E ciertamente, para sustentacion del humanal linaje, este amor es nescesario por esto que diré. Cierto es que el mundo peresçería, si ayuntamiento entre el ome e la mujer non oviese; e pues este ayuntamiento non puede aver efecto sin amor de amos, síguese que nescesario es que amen. (226).

AUCTORIDAD DE SANSON

Sanson fué vencido e turbado por amor cuando a su muger reveló en qué era la virtud de su fuerça; aunque claro era de ver que dende se seguiría el inconviniente que despues le vino.

E porque el amor cegó la lumbre intelectiva de Sanson, no dejándole considerar lo que recrescer podría de dar a su muger poder sobre él, se siguió que le cegaron la lumbre corporal, quebrándole los ojos; e por esto dijo Salamon: —Non des poder a tu muger sobre ti, que te cohonderá. (228-29).

Píramo

¡Quánta premia puso amor en un mancebo de Babilonia llamado Píramo! El cual, como amase a una doncella que se llamaba Tisbe, de consentimiento de amos, Tisbe fué a esperar a Píramo cerca de una sepoltura del rey Nino, cabo una fuente, onde un leon vino a beber, de cuyo miedo Tisbe desamparó el manto de su cobertura, fuyendo, metióse en una cueva. Pues el leon que tornaba a la selva donde salió, vido el manto, e tomólo con la boca e con las uñas despedaçólo. Píramo, veyendo el manto despedaçado, temiendo que Tisbe sería muerta por alguna bestia salvage, sin haber deliberacion, matóse a sí mesmo. E la dicha Tisbe, veniendo al señalado lugar, donde vido a Píramo muerto, tan grande dolor hobo, que con el cuchillo sangriento de la llaga de su amado dió fin a su vida.

Contemplacion

Non pudieron éstos sostener el dolor que les apremió a se matar, que como dice Ovidio: «Amor e poder non pueden ser ayuntados en un ser». Quiere decir, que el que ama non puede el amor en los accidentes dél resistir. (236).

(...) ¿Piensas si es digno de creer, segund las cosas alegadas, que el amor puede vencer al ome e le turbar? Non te sea grave desamparar la dubda, ca esto naturalmente acaesce, e así lo determina el gran filósofo e médico Ypocras, onde dice: —Quando es muy fuerte el amor, crece el cuidado e el velar, e entonce se quema la sangre e se torna en malenconía, dañándose el pensamiento, e viene la torpedad, o mengua el seso, e sospecha lo que non puede ser, e cobdicia lo que non ha de cobdiciar, fasta que lo atrae al dañamiento. Ciertamente, así como el vino vence e derriba el beudo, puesto que sea muy sabidor, así face el amor al ennamorado; e en este grado lo eguala Salamon, segun paresce en aquella actoridad escripta en el Eclesiástico, onde dice: —El vino e el amor de las mugeres fazen renegar a los sabios e derribar a los seguros. (...)

E por cierto non me pesa porque amé, aunque dende non me vino bien, si non que me certifiqué de cosa que me era dubdosa, e acrecenté en saber por verdadera expirencia. E por esto me pena en mayor grado el amor, que es a mí nueva disciplina, como acaesce a los que son criados libres e delicadamente, e despues vienen a servidumbre. Por esto puedo decir aquello que Ovidio dice en una Epístola que fingió ser enviada por la Infante Fedra a Ypólito: —Quanto más tarde conoscí el amor, tanto me es más grave el tormento dél. (241-44).

17

Alfonso Martínez de Toledo (1398-después de 1482), *Arcipreste de Talavera o Corbacho* (1438). Escorial: Monasterio, ms. h.III.10 (fechado 10-VII-1466), ed. de J. González Muela [y M. Penna] (3.ª ed.; Madrid: Castalia, 1984).

[PRÓLOGO]

(...) Fuýd uso contynuo e conversación frequentada de onbre con muger, muger con onbre, fuyendo de oyr palabras ociosas, desonestas e feas de tal aucto yncitatyvas a mal obrar, quitada toda ociosydad, conversación de conpañía desonesta, luxuriosa e mal fablante, [e] humillamiento de los ojos, que non miren cada que quisyeren. Son cosas brevemente que quitan mucho mal fazer; e dar poco por vano amor, que el alma mata con el cuerpo, o el cuerpo mata e el ánima perpetua condepna.

Por ende, comienço a declarar lo primero: cómo sólo el amor a Dios verdadero es devido, e a ninguno otro non. (45-46).

[PRIMERA PARTE]

CAPÍTULO II

CÓMO AMANDO MUGER AGENA OFENDE A DIOS,
A SY MESMO, E A SU PRÓXIMO.

Muy más, por ende, te demostraré otra razón, que será por orden la segunda, por qué los amadores de mugeres o del mundo deven del amor tal fuyr, por quanto por tal desordenado amor non puede ser qu'el tu próximo ofendido no sea, queriendo por falso amor su muger, fija, hermana, sobrina, o prima, aver desonestamente. E esto faziendo tú, como a ty cierto es que lo non hamas, que lo que non querrías para ty non devrías para el tu próximo querer.

Donde tres males fazes: vienes primeramente contra el mandamiento de Dios; lo segundo, contra tu próximo cometes omezillo; lo tercero, pierdes e destruyes tu cuerpo e condepnas tu ánima; e aun lo quarto, fases perder la cuytada que tu loco amor cree, que pierde el cuerpo, sy sentydo l'es, que la mata su marido por justicia, o súbitamente a desora, o con ponçoñas; o el padre a la fija, o el hermano a la hermana, o el primo a la prima, segund de cada día enxienplo muestra; que sy donzella es, perdida la virginidad, quando deve casar, bía buscar locuras para faser lo que nunca pudo nin puede ser: de corrupta fazer virgin. Donde se fasen muchos males; e aun de aquí se siguen a las veses faser fechizos porque non pueda su marido aver cópula

carnal con ella. E sy por ventura se enpreña la tal donzella del tal loco amador, vía buscar con qué lance la criatura muerta.

¡O quántos males destos se syguen, asý en donzellas como en viudas, monjas, e aun casadas, quando los maridos son absentes: las casadas por miedo,
e las biudas e monjas por la desonor, las donzellas por gran dolor, pues que,
sabido, pierden casamiento e honor! (49).

CAPÍTULO XV

CÓMO EL AMOR QUEBRANTA LOS MATRIMONIOS.

Muchos más de males aún en amor pueden ser notados. El amor desones-
to quebranta los matrimonios e, como de alto dixe, a las veses el desordenado amor es causa del marido separarse de la muger e la muger del
marido. E los que Dios por su ley e mandado ayuntó, los quales ninguno
non puede apartar, sobreviniente disuluto amor por causa, a veses son apartados, e aunque señor Sant Paulo dixo: «Los que Dios ayuntare non los separe
onbre» [31].

Más aún te diré: el falso amor desordenado, ¿qué fase? Que muchas e
diversas [vezes] el marido o la muger piensa cómo el uno al otro desta presente vida privará, e lo veemos de cada día por esperiencia de fecho matar el
uno al otro con ponçoñas o por justicia, quando el tal caso lo demanda.
Porque en este mundo non deve onbre amar más otra cosa que su buena
muger, e la muger, que su buen marido, por quanto por la primera ley de
matrimonio son en uno ayuntados; que judgados son ser dos en personas,
mas una carne sola. E todas otras mugeres dexadas, Dios mandó quel onbre
se llegue a su muger, donde adelante dize: «Por esta tal dexará el onbre padre
e madre e llegará a su buena muger, e asý serán fechos dos una carne e una
voluntad».

Mas, bien sabes que con la propia muger, sy devidamente usares, non
puedes cometer fornicación. E los apetytos yncentyvos de luxuria en este caso
non son notados a mortal pecado, synón venial, la entynción del matrimonio
salva e guardada. Del qual matrimonio has legítymos fijos, que fruto de bendición son dichos, universales herederos de tus bienes; donde después desta
vida, tú partido, tu nonbre queda e memoria en la tierra.

E tus culpas, sy algunas cometyste, pueden por obras meritorias, por ty
faziendo, los tales fyjos relevar, lo que non fazen con tanto amor los fijos
avidos de fornicación e dañapdo cuyto, avortivos, e en derecho espurios llamados, e en romance bastardos, e en común bulgar de mal dezir, fijos de
mala puta. (69-70).

---

[31] No es San Pablo, sino *San Mateo*, XIX, 6, y *San Marcos*, X, 9.

[SEGUNDA PARTE]

Aquí comiença la segunda parte deste libro en que
dixe que se tractaría de los vicios, tachas e malas
condiciones de las malas e viciosas mugeres,
las buenas en sus virtudes aprovando

CAPÍTULO I

DE LOS VICIOS E TACHAS E MALAS CONDICIONES DE LAS PERVERSAS MUGERES, E PRIMERO DIGO DE LAS AVARICIOSAS.

(...) Yten, por un huevo dará bozes como loca e fenchirá a todos los de su casa de ponçoña. «¿Qué se fizo este huevo? ¿Quién lo tomó? ¿Quién lo levó? ¿Adóle este huevo? Aunque vedes que es blanco, quiçá negro será oy este huevo. ¡Puta, fija de puta! Dime, ¿quién tomó este huevo? ¡Quien comió este huevo comida sea de mala ravia! ¡Ay, huevo mío de dos yemas, que para echar vos guardava yo! ¡Ay, huevo! ¡Ay, qué gallo e qué gallina salieran de vós! Del gallo fiziera capón que me valiera veynte maravedís, e la gallina catorze. O quiçá la echara e me sacara tantos pollos e pollas con que pudiera tanto multiplicar que fuera causa de me sacar el pie del lodo. Agora estarme [he] como desaventurada, pobre como solía. ¡Ay, huevo mío de la meajuela redonda, de la cáscara tan gruesa! ¿Quién me vos comió? ¡Ay, puta Marica, rostros de golosa, que tú me as lançado por puertas! ¡Yo te juro que los rostros te queme, doña vil, suzia, golosa! ¡Ay, huevo mío! Y ¿qué será de mí? ¡Ay, triste, desconsolada! ¡Jesús, amiga, y cómo non me fino agora! ¡Ay, virgen María, cómo non rebyenta quien vee tal sobrevienta! ¡Non ser en mi casa, mesquina, señora de un huevo! ¡Maldita sea mi vida! ¡Y estó en punto de rascarme o de me mesar toda, ya, por Dios! ¡Guay de la que trae por la mañana el salvado, la lunbre, e sus rostros quiebra soplando por la encender, e, fuego fecho, pone su caldera y calienta su agua! Faze sus salvados por fazer gallynas ponedoras, ¡y que, puesto el huevo, luego sea arrebatado! ¡Ravia, Señor, y dolor de coraçón! Endúrolos yo, cuytada, e procuro como a Dyos plaze, e liévamelos el huerco. ¡Ya, Señor, e liévame deste mundo; que mi cuerpo non goste más pesares, nin mi ánima syenta tantas amarguras! ¡Ya, Señor, por el que eres, da espacio a mi coraçón con tantas angosturas como de cada dýa gusto! ¡Una muerte me valdríe más que tantas, ya, por Dios!». En esta manera dan bozes e gritos por una nada. (124-25).

CAPÍTULO X

DE CÓMO LA MUGER MIENTE JURANDO E PERJURANDO.

La muger mala ser mentirosa dubdar [en ello] sería pecado, por quanto non es muger que mentiras non tenga prestas e non disymule la verdad en un punto, e por una muy chiquita cosa e de poco valor mill vezes jurando non mienta, e por muy poca ganancia e provecho de cosa que vee, mentiras ynfinidas dezir non se dexe.

E por tanto, verás que las mugeres por la mayor parte todos sus fechos son cautelas e maneras e con mentiras las coloran e adornan, e a las vezes con sus enpaliadas mentiras llevan sobre otros e otras falso testimonio, e crimen sobre otras conponen. E non sé onbre, por muy acucioso e avisado que sea, que a la muger pueda fazer conoscer su mentira, nin por presto quél sea, que la muger non le faga de verdad mentira, jurando, perjurando, maldiziéndose que nunca fue nin es lo que él al ojo vido e ve.

Contarte [he] un enxienplo, e mill te contaría. Una muger tenía un onbre en su casa, e sobrevino su marido, e óvole de esconder tras la cortina. E quando el marido entró dixo: «¿Qué fazes, muger?» Respondió: «Marido, syéntome enojada». E asentóse el marido en el banco delante la cama e dixo: «Dame a cenar». E el otro que estava escondido non podía nin osava sallir. E fizo la muger que entrava tras la cortina a sacar los manteles, e dixo al onbre: «Quando yo los pechos pusyere a mi marido delante, sal, amigo, e vete». E asý lo fizo. Dixo: «Marido, non sabes cómo se á finchado mi teta, e ravio con la mucha leche». Dixo: «Muestra, veamos». Sacó la teta e diole un rayo de leche por los ojos que le cegó del todo, e en tanto el otro salió. E dixo: «¡O fija de puta, cómo me escuece la leche!» Respondió el otro que yva: «¿Qué deve fazer el cuerno?» E el marido, como que sintió ruydo al pasar e como non veýa, dixo: «¿Quién pasó agora por aquí? Parescióme que onbre sentí». Dixo ella: «El gato, cuytada, es que me lieva la carne». E dio a correr tras el otro que salía, faziendo ruydo que yva tras el gato, e cerró byen su puerta e corrió e falló su marido, que ya byen veýa, mas non el duelo que tenía.

Pues, asy acostunbran las mugeres sus mentiras esforçar con arte. (162-63).

CAPÍTULO XIII

CÓMO LAS MUGERES AMAN A LOS QUE QUIEREN, DE QUALQUIER HEDAD QUE SEAN.

La muger amar al onbre de voluntad pura e coraçón verdadero, non ay regla que lo diga, nin esperiencia que lo muestre, nin doctrina que lo ponga, nin ninguna que lo faga, por quanto tú demandas amar e ser amado, e esto, como ya de suso dixe, sería mudar una montaña junta en otra parte, contra natural curso.

Enpero, querer ser amadas ellas, esto sý, e sy veen que non son tan fermosas o loçanas, o de tales condiciones e graciosydad para que las byen quieran, que non solamente los onbres aman las fermosas, mas las graciosas, byen fablantes, donosas, honestas, linpias, corteses, e de buena criança e costunbres honestas en todos sus fechos, e vergonçosas. (...)

Mas lo peor aquí es, e de grand pecado: quando la muger vee que el onbre en amalla anda tibyo, o a las vezes verdaderamente la ama, las unas por aver amor de los que las tanto non aman, e las otras porque más amor les ayan de lo que les han, e non les paresca otra muger byen, e toda otra holvidar, e que a Dios e al mundo por ella aborrescan, comiençan a fazer byenquerencias —que ellas dizen—, fechizos, encantamentos e obras diabólicas más verdaderamente nonbrados, e ellas dízenles byenquerencias. (...)

Donde sepas que muchas vezes la muger disimula non amar, non querer, e non aver. Pyensa byen, amigo, que caldo de raposa es, que paresce frío e quema; que ella byen ama e quema de fuego de amor en sý de dentro, mas encúbrelo, porque, sy lo demostrase, luego pyensa que sería poco presciada; e por tanto quiere rogar e ser rogada en todas las cosas, dando a entender que forçada lo faze, que non ha voluntad, diziendo:

«¡Yuy! ¡Dexadme! ¡Non quiero! ¡Yuy! ¡Qué porfiado! ¡En buena fe yo me vaya! ¡Por Dios, pues yo dé bozes! ¡Estad en ora buena! ¡Dexadme agora estar! ¡Estad un poco quedo! ¡Ya, por Dios, non seades enojo! ¡Ay, paso, señor, que sodes descortés! ¡Aved ora vergüenza! ¿Estáys en vuestro seso? ¡Avad, ora, que vos miran! ¿Non vedés que vos veen? ¡Y estad, para synsabor! ¡En buena fee que me ensañe! ¡Pues, en verdad, non me río yo! ¡Estad en ora mala! Pues, ¿querés que vos lo diga? ¡En buena fe yo vos muerda las manos! ¡Líbreme Dios deste demoño! ¡Y andad allá sy querés! ¡O cómo soys pesado! ¡Mucho soys enojoso! ¡Ay de mí! ¡Guay de mí! ¡Avad, que me quebráys el dedo! ¡Avad, que me apretáys la mano! ¡El diablo lo troxo aquí! ¡O mesquina! ¡O desaventurada, que noramala nascí! ¡Mal punto vine aquí! ¡Dolores que vos maten, ravia que vos acabe, diablo, huerco, maldito! ¿y piensa que tengo su fuerça? ¡Todos los huesos me á quebrantado! ¡Todas las manos me á molidas! ¡Ravia, Señor! ¡A osadas allá yré nunca jamás! ¡Désta seré escarmentada! ¡Yuy! ¡Tomóme agora el diablo en venir acá! ¡Maldita sea mi vida agora! ¡Fuese yo muerta, o triste de mí! ¿Quién me engañó? ¡Maldita sea la que jamás en onbre se fía, amén!». (171-75).

TERCERA PARTE

CAPÍTULO VI

DE CÓMO LOS SYGNOS SEÑOREAN LAS PARTES DEL CUERPO.

Pues, agora as oýdo que son quatro conplysyones en los onbres —e lo que te digo en este caso en los onbres entiende de las mugeres—: onbre sanguino, onbre colórico, onbre flemático, onbre malencónico. E aunque cada cuerpo sea conpuesto destas quatro conplysyones e non syn alguna dellas, pero la que más al cuerpo señorea, de aquélla es llamado conplysyonado principalmente, e se dize reyna de la[s] otras conplisyones, en la sustancia donde abytan corpórea.

Tienen más: los quatro elementos que corresponden a estas calydades: el fuego al colórico, el agua al flamático, el ayre al sanguino, la tierra al malencónico.

Tienen más: que de doze sygnos que son, cada tres dellos son preduminantes a cada elemento e conplysyón: Aries, Leo, Sagitarius son de los colóricos, respondientes al elemento del fuego; Cáncer, Escorpius, Picis, al flemático, correspondientes al elemento [del agua; Géminis, Libra, Aquarius son del sanguíneo, correspondientes al elemento del ayre; Taurus, Virgo, Capricornus son del melancónico, correspondientes al elemento] de la tierra.

Veed aquí las conplisyones de los cuerpos humanos.

Yten, Aries es masculyno, e señorea la cabeça de la criatura; es su planeta Mercurio.

Taurus, femenino, señorea el cuerpo; es su planeta Venus.

Géminus, masculino, señorea los braços; es su planeta Mercurio.

Cáncer, femenino, señorea los pechos; es su planeta la Luna.

Leo es masculyno, señorea el coraçón; es su planeta el Sol.

Virgo es femenino, señorea el vientre e el estómago; es su planeta Mercurio.

Libra es masculino, señorea el onblygo; es su planeta Venus.

Escorpius es femenino, señorea las partes vergonçosas; es su planeta Martes.

Sagitarius es masculino, señorea los muslos e la espina del lomo; su planeta es Júpiter.

Capricornius es femenino, señorea las rodillas; la su planeta es Saturnus.

Picis es femenino, señorea los pies; la su planeta es Júpiter.

Agora tyenes qué son de los doze sygnos, los seys masculinos, los seys femeninos, segund ya de alto dixe. (184-85).

COLECCIONES DE FÁBULAS Y DE *EXEMPLA*

18

Libro de los gatos (s. xv; procede de las *Fabulae* o *Narrationes* anglo-latinas de Odo de Cheritón, s. xiii). Madrid: Nacional, ms. 1182 (letra de 1400-1510 [¿?]), fols. 161r-205v, ed. de B. Darbord (París: Séminaire d'Études Médiévales Hispaniques de l'Université de Paris-XIII [Librairie Klincksieck], 1984).

I

Aquí comiença el libro de los gatos e cuenta luego un e*x*ienplo de lo que acaesçio entre el galapago e el aguilla.

El galapago, seyendo en llos lugares del mar fondos, rrogo al aguilla que lo sobiesse al alto, ca deseava ver los campos e llas montanas. El aguilla otorgo quanto el galapago demandava e subiolo muy alto, e dixo-le: —«¿Vees agora lo que cobdiciaste ver, montes e valles?» E dixo el galapago: —«Pago-me que lo veo, mas querria estar en mi forado en la arçilla». E rrespondio el aguilla: —«Cunple aver visto lo que cobdiciaste». E dexolo caer en manera que fue todo quebrantado.

El galapago se entiende en algunos ombres que son pobres lazadros en este mundo, o por aventura que han asaz segun su estado mas non se tienen por contentos con ello, e desean sobir en lo alto, e bolan en alto en el ayre, e rruegan al diablo que llos suba en alto en qualquier manera; ansi que por derecho o por tuerto o con grandes falssedades, por fechizos o por trayciones, o por otras artes mallas, algunas veçes façellos sobir el diablo, e subellos muy alto, e despues, quando ellos entienden que su estado es muy peligrosso, cob-diçian estar en el estado de antes donde pidieron. Estonçe el diablo e dexalos caer en la muerte. E despues caen en el infierno dó todos son quebrantados si se non arrepienten de antes de la muerte, ansi que suben por escallera de pecados he caen en mal lugar mal de su grado. (55-56).

IX

ENXIENPLO DEL GATO CON EL MUR.

En un monesterio avia un gato que avia muerto todos los mures del mo-nesterio salvo uno que era muy grand, el qual non podia tomar. Pensso el gato en su coraçon en que manera lo podria enganar que lo podiese matar. E tanto pensso en ello que acordo entre si que se fiçiese façer la corona, e que se vistiese abito de monje, e que se asentase con los monjes a la messa, estonçe que avria derecho del mur. E fiçolo ansi commo lo avia pensado. El mur, desque vio el gato comer con los monjes, ovo mui gran plaçer, e cuido, pues el gato era entrado en rreligion, que dende adelante que le non faria enojo ninguno; en tal manera que se vino don mur a dó los monjes estavan comiendo, e començo a saltar aca, e alla, estonçe el gato bolvio los ojos commo aquel (que) non tenia ojo e vanidad nin locura ninguna, e para el rrostro muy acuerdo e mui omildoso. E el mur, desque vio aquella, fuese llegando poco a poco. E el gato, desque lo vio cabe si, echo las unas en el mui fuertemente, e començo-lo apertar mui fuerte mente la garganta. E dixo el mur: —«¿Por que me faces tan grand crueldad que me quieres matar, siendo monje?» Estonçe dixo el gato: —«Non prediques agora tanto por (que) yo te dexe; ca ermano, sepas que quando me pago só monje, e quando me pago soy calonje, e por esto fago asy esto».

Ansi son de muchos clerigos, e de muchos ordenados en este mundo que non pueden aver rriqueças nin dignidades nin aquello que cobdiçian aver. Es-tonce ayuna(n) e rreza(n), ca finense de buenos, e de santos. En sus coraçones son muy falsos, e muy cobdiçiosos, e muy amigos del diablo, e façense pares-çer al mundo tales commo angeles. E otros que se meten ser monjes por tal que les fagan priores, e obispos, e por esto façense corona, e visten-se abitos por que puedan tomar alguna dignidad, asi commo tomo el gato al mur. E maguera entiendan despues que lo han avido falsamente, por mucho que los otro(s) prediquen que lo dexen.

En esta manera el arana filla sus tellas, e ordida su tella, consumese toda por tomar una mosca. E despues que lla ha tomada, viene un viento, e lleva la tella, e la arana, e la mosca.

Asi es de muchos clerigos escolares que van a lla corte a vezes desnudos, e con grandes calenturas e frios, e nieves, por muchos montes, por valles, e trabajando mucho, quebrantando sus carnes e sus cuerpos por cobrar algun benefiçio. E despues viene la muerte, e lievalo todo. (66-67).

XVII
Enxienplo de los canes e los cuervos.

Otrosi quando los canes fallan alguna bestia muerta, comen los canes dela, e mientra ellos las comen, los cuervos e las cornejas andan ençima dela bollando por el ayre, atendiendo quando se yran los (canes). E desque los canes son fartos, e (s)on ydos, vienen los cuervos, e comen quanto falan en llos huessos.

Bien ansi acaesçe que los cardenales, los arçobispos, e los arçidianos gastan los capellanes e los clerigos pobres. E despues vienen sus ombres, e sus escuderos, e si falan alguna cosa en los huesos, gastanlo e destruyenlo todo.

Otrosi aviene a los rreys e a llos sennores que destruyen a sus vassallos, e tomanles lo que han, e non les abonda esto, e consienten a sus ombres que les tomen lo que han, e los tales commo estos son conparados a los canes que comen las carnes de las bestias, e vienen los cuervos, e comen lo que finca. Ca los rreys e llos sennores non façen cuenta de sus labradores si non commo bestias. (78-79).

XLI
Enxienplo del cuervo con la paloma.

Una vegada furto el cuervo un fijo a una paloma. E la paloma fuese al nido del cuervo, e rrogole que le quisiese dar su fijo. E dixo el cuervo a la paloma: —«¿Sabes cantar?» E rrespondio la paloma: —«Si, mas non bien». E dixo el cuervo: —«Pues canta». La paloma començo a cantar, e dixo el cuervo a la palloma: —«Canta mejor. Si no non te dare tu fijo». E dixo la paloma: —«Ve, en verdad non se mejor cantar». Estonçe, el cuervo e la cuerva comieron al fijo de la paloma.

El cuervo se entiende por los ombres onrrados, e poderosos, e merinos, e alcaldes, que toman los bienes o llas ovejas, o a las vegadas algunos heredamientos de algunos ombres simples, e pone(n)les que han fecho algun mal por dar rrazon a llo que ellos fazen, o por que los omes non gelo tengan a mal. Viene el ombre simple, e demandale el buey, o lla oveja, o lla tierra, e rruega-le que lo de, e que le dara por ello veynte maravedis o mas, segun su poder. Rresponde el sobervio: —«Da mas, que si mas non das, non lo llevaras el penno». E rrespondio el bueno: —«En verdad non lo tengo, ca soy pobre, e menguado, e non vos lo podria dar». Estonçe el otro, (o) tiene el penno, o lo faze mal andante por despecho que lo demanda. Ansi que estragan los rricos a llos pobre(s) mesquinos. (120-21).

LV

Enxienplo de los mures con el gato.

Los mures una vegada llegaron-se a consejo, e acordaron commo se podria guardar del gato. E dixo el uno que era mas cuerdo que los otros: —«Atemos una esquila al pescueço del gato e podernos hemos muy bien guardar del gato, que quando el passare de un cabo a otro, sienpre veremos la esquilla». E aqueste consejo plugo a todos. Mas dixo uno: «Verdad es, mas ¿quien atara la esquilla al pescueço del gato?» E rrespondio el uno: —«Yo non». Rrespondio el otro: —«Yo non, que por todo el mundo yo non querria llegar a el».

Ansi acaesçe muchas vegadas que los clerigos o monjes se llevantan contra sus perllados, o otros contra sus obispos, diziendo: —«Pluguiese a Dios que oviese tiradolo, e que oviessemos otro obispo, o otro abbad». Esto plaçeria a todos mas al cabo dize: —«Quien lo acusase perdera su dignidad, o fallarse a mal dende. E dize el uno: —«Yo non». Dizet el otro: —«Yo non». Ansi que los menores dexan vevir a los mayores mas por miedo que non por amor. (138).

LVI

Enxienplo del mur que cayo en la cuba.

El mur una vegada cayo en una cuba de vino. El gato pasava por ý, e oyo el mur dó façia grand rroydo en el vino, e non podia salir. E dixo el gato: —«¿Por que gritas tanto?» Rrespondio el mur: —«Por que non puedo salir». E dixo el gato: —«¿Que me daras si te saco?» Dixo el mur: —«Dar te he quanto tu me demandares». E dixo el gato: —«Si te yo saco quiero que des esto que vengas a mi quantas vegadas te llamare». E dixo el mur: «Esto vos prometo que fare». E dixo el gato: —«Quiero que me lo jures». El mur prometio gelo. El gato saco el mur del vino, e dexolo yr para su forado, e un dia el gato avia grand fanbre, e fue al forado del mur, e dixole que viniese. E dixo el mur: —«Non lo fare si Dios quisiere». E dixo el gato: —«¿Non lo juraste tu a mi que saldrias quando te llamasse?» E rrespondio el mur: —«Ermano, beodo era quando lo dixe». (139).

19

Clemente Sánchez de Vercial (m. ¿1434?), *Libro de los exenplos por a.b.c.* (entre 1400-21). Madrid: Nacional, ms. 1182, fols. 1r-170v, y París: Nationale, ms. Esp. 432, fols. 1r-150r (letra del s. xv los dos mss.), ed. de J. E. Keller y L. J. Zahn (Madrid: CSIC, 1961).

18

AMICUS VERUS EST QUI CUM SECULUM DEFECIT TUNC SUCURRIT

El amigo es de alabar
que al tiempo de la priessa quiere ayudar.

Un onbre de Arabia, estando a la muerte, llamo a su fijo e dixole: —¿Quantos amigos tienes?

E el fijo rrespondio e dixo: —Segund creo, tengo çiento.

E dixo el padre: —Cata que el philosofo dixo: «non alabes al amigo fasta que lo ayas provado.» E yo primero nasci que tu e apenas pude ganar la meytad de un amigo, e pues assi es, ¿commo tu ganaste çiento? Ve agora e pruevalos todos, porque conoscas sy alguno de todos ellos te hes acabado amigo.

E dixo el fijo: —¿Commo me consejas que lo faga?

Dixo el padre: —Toma un bezerro e matalo e fazelo pieças e metelo en un saco en manera que de fuera paresca sangre, e quando fueres a tu amigo, dile assy: «Amigo muy amado, trago aqui un ombre que mate. Rruegote que lo entierres ssecretamente en tu casa, que ninguno non avera sospecha de ty e assy me podras salvar.

El fijo lo fizo commo le mando el padre. El primero amigo a que fue dixole: —Lievate tu muerto a cuestas, e commo feziste el mal, parate a la pena. En mi casa non entraras.

E assy fue por todos los otros amigos e todos le dieron aquella misma rrespuesta. E tornosse para su padre e dixole lo que feziera.

E dixo el padre: —A ti acaescio segund dixo el philosofo: «Muchos sson llamados amigos e al tiempo de la necesidat e de la priessa son pocos.» E ve agora al mi medio amigo e veras lo que te dira.

E fue a el e dixole: —Entra aca en mi casa, por que los vezinos non entiendan este secreto.

E enbio luego a la mugier con toda su conpaña fuera de casa e cavo una sseputura. E quando el mançebo vio lo que avia fecho e la buena voluntad de aquel medio amigo de su padre, descobriole el negoçio commo era, dandole muchas gracias. E dende tornosse a su padre e contole lo que le feziera.

E dixole el padre: —Por tal amigo dize el philosofo: «aquel es verdadero amigo que te ayuda quando el mundo te fallesçe.[»] (38-39).

19

AMICUS VERUS MORTI SE EXPONIT PRO AMICO ET OMNIA
BONA SUA

El verdadero amigo a la muerte
se ofresce por salvar a su amigo.

Dixo el fijo a su padre: —¿Viste algund ombre que oviese amigo complido e entero?

Dixole el padre: —Non lo vi, mas oýlo.

E dixo el fijo: —Pues cuentamelo sy por aventura podria yo ganar un tal amigo.

E dixo el padre: —Fueme rrecontado de dos mercaderes, uno de Egipto otro de Baldac, que por sola la fama e la oyda se conoscieron e por menssajeros se escrivian para las cosas que avian menester. E acaesçio que el mercader de Baldac ovo de yr en mercaderia a Egipto, e quando lo sopo el egipçiano que venia, salio al camino a el a rrescebirlo e rrescebiolo en su casa con grand alegria e serviolo con todas las cossas, segund que es costunbre de los amigos. E estovo ansy ocho dias e mostrole todas las cosas que en su casa tenia, e a cabo de los ocho dias adolesçio, e el su amigo ovo grand dolor e llamo a todos los fisicos que lo viessen e curassen dél. E los fisicos temptaronle el pulsso una e dos e tres vezes e vieron la orina e non conoscieron en el enfermedat alguna. E por quanto non fallaron enfermedat corporal en el, entendieron que era de amor aquella enfermedat. E quando el su amigo lo sopo, vino a el e dixole que sy avia alguna mugier en su cassa que el amasse. E el enfermo dixole:

—Muestrame todas las mugieres de tu casa e ssy ende alguna fuere, yo te lo dire.

E luego mostrogelas todas las que bien cantavan e las moças que servian, e dixo que non le aplazia ninguna dellas. E mostrole las fijas e non le plogo dellas.

E est[e] mercader tenia una moça noble, la qual avia criado en su cassa luengo tiempo para la tomar por mugier, e mostrogela.

E el enfermo viendola, dixo:

—Por esta es mi muerte e por esta es mi vida.

E luego el su amigo diogela por mugier con todas las cossas que el avia de rresçebir con ella e con todas las otras cosas que el le avia de dar si con ella casara. E esto asi fecho e tomada su mugier con todas las cossas que con ella le dieron, e acabada su mercadoria, bolviosse a su tierra. E despues acaesçio que este egipçiano, que avia fecho todas estas cosas por el de Baldac, perdio quanto tenia, e venido a grand pobreza penso entre ssi de yr a Baldac a aquel su amigo para que le acorriesse e oviese conpassion dél. E con la mala rropa e con fanbre tomo su camino para Baldac e llego alla grand parte pasada de la noche. E por verguença non fue a la casa de su amigo, ca ovo verguença que si por ventura por non le conosçer que non le rresceberia en su cassa a tal tiempo. E entro en un templo para estar alli aquella noche. E estando ansi muy cuytado e pensando entre sy muchas cosas, acerca de aquel templo e la çibdat encontraronsse dos ombres e el uno mato al otro e fuyo. E muchos de la çibdat, oyendo el rroydo, venieron alli e fallaron aquel muerto e demandando quien avia fecho este omicidio, entraron en el templo pensando fallar a quien lo avia fecho e fallaron a aquel mercader egipçiano. E demandaronle que quien avia muerto aquel ombre. E el rrespondio: —Yo lo mate—, que cobdiçiava escapar de la pobreza por la muerte. E prendieronlo e levaronlo a la carcel. E otro dia trayeronlo ante los juezes e condepnaronlo a la muerte e levaronlo a la forca e muchos desta çibdat salieron a ver esta justiçia, entre los quales salio su amigo, por el qual veniera a aquella çibdat, e el acatando, cognoscio que era su amigo de Egipto e acordandose de los bienes que le feziera en su casa e que despues de su muerte non le podria dar galardon por ellos, propuso en su voluntad de rrescebir la muerte por el, e a grandes bozes dixo: —¿Porque condenays esta ynosçente o donde lo levays? que non meresce muerte, ca [a]quel ombre yo lo mate—. E luego tomaronle e levaronlo a la forca e asolvieron al otro de la muerte.

E [a]quel que lo avia muerto yva entre la gente e pensando entre si: «Yo mate este ombre, e este ynnoçente es condepnado a la muerte, e yo que lo fize, estó libre. ¿Que rrazon es desta injustiçia? E non se otra cosa salvo que sea sola paçiençia de Dios. Empero Dios es justo joez que non dexa ningund pecado syn pena; pues assy es, por que Dios non me [de] mas duras penas despues desta vida, quiero magnifestarme que yo fize este pecado e por la muerte pagare lo que fize.»

E dixo: —Yo lo fize. Dexat aqueste, que non ha culpa.

Los juezes maravillaronsse mucho e ataron aqueste e dexaron al otro, e dubdando del juyzio levaron aqueste e los otros dos que eran sueltos de la muerte ante el rrey e contaronle todas las cossas commo avian acaesçido. E el esso mesmo dubdo e de consejo de todos perdono a todos tres con condiçion que le dixiessen la rrazon deste delito. E luego cada uno declaro su rrazon. E ellos asy sueltos, el amigo, que se ofrescio a la muerte por su amigo que lo veniera a ver, levolo a su casa e fizole mucha honrra e dixole:

—Sy tu aqui quisieres estar, todas las mis cossas sean tuyas e mias, e ssy quisieres yr a tu tierra, tanto quanto yo tengo partamoslo por medio.

E assy rresçebio la meytad de lo que tenia su amigo, e luego tornosse a su tierra. E todas estas cossas assi rrecontadas, dixo el fijo al padre:

—Apenas o nunca podria ser fallado tal amigo. (39-41).

(386)

UXOR EST ELIGENDA CUIUS MATER FUIT PUDICA

Toma mi consejo e esto te abasta:
toma la muger que madre ovo casta.

Un mançebo, queriendose casar, demando de consejo a un philosofo que muger tomaria. E el rrespondio que aquella tomasse por muger que oviera madre e avuela castas, ca bien pensava que tal seria la fija commo fuera la madre. (336).

20

Esopo, *Fábulas* (o el *Ysopete ystoriado;* s. xv). Traducidas de la versión francesa de Julien Macho, su primera impresión es de Toulouse: Johann París y Etienne Clebat, 1488 (hoy conservada en la Bibl. John Rylands de Manchester, Inglaterra); mientras que la segunda es de Zaragoza: Juan Hurus, 1489 (hoy conservada como Escorial: Monasterio, 32-I-13), ed. facsímil de la Real Academia Española (Madrid: Tipografía de Archivos, 1929). La transcripción de la ed. RAE es de D. P. Seniff.

[DEL YSOPO]

Enlas partes de Frigia, donde es la muy antigua cibdad de Troya, avia vna villa pequeña llamada Amonja, enla qual nascio vn moço difforme & feo de cara & de cuerpo mas que njnguno que se fallase en aquel tiempo. Ca era de grand cabeça, de los ojos agudos de negro color, de maxillas luengas & cuello torto, & de pantorrillas gruessas, & de pies grandes; bocudo, giboso, & barrigudo, & tartamudo, & avia nombre Ysopo; & como cresciesse por sus tiempos, sobrepujaua a todos en saberes astuciosos. El qual, a pocos dias fue preso & catiuo, & traydo en tierras estrañas; & fue vendido a vn cibdadano rico de Athenas llamado Aristes. E como este señor lo extimasse por jnvtile & sin ningund prouecho para los seruicios de casa, deputo lo para labrar & cauar sus campos & heredades. (fol. IIIr).

[DEL YSOPO Y XANTUS, EL FILÓSOFO. HISTORIA DEL SESO Y ESTIÉRCOL DE UN SABIO]

(...) E despues que Xantus salio del baño lauado, llegando a su casa, limpiaua el vientre, estando presente Ysopo conel cantarillo de agua, esperando le para que se lauasse. E pregunto le Xanthus a Ysopo: «di me, ¿por que los ombres quando salen fuera & limpjan su vientre miran luego su estiercol?» Respondio Ysopo: «Antiguamente, como vn sabio en lugar secreto [estaua] asentado, limpiando su vientre [e], aviendo enello alegria largamente tardasse, echo el seso o meollo del celebro juntamente conlas hezes fuera; & desde aquel tiempo aca los ombres, por miedo de semejante caso quando salen afuera, siempre catan a su estiercol. Empero tu, [Xantus,] dexa te de aver miedo de aquello, ca lo que no tienes non puedes perder». (fol. XIIIIr).

[LIBRO PRIMERO]

La [FABULA] .XVIJ. [ES] DEL ASNO & DELA PERRILLA

«Que ninguno non deue dexar su officio propio por se entremeter en otros mejores», delo qual se cuenta tal fabula:

Un asno continuamente v[e]ya como su señor falagaua & preciaua a vna perrilla & se acompañaua della, lo qual viendo el asno dixo entre si: «Si aeste animal tan pequeño & tan inmundo mj senyor en tanto grado ama & estima & non menos toda la su compaña precia aesta, quanto mas me amara si yo le fago algund seruicio. Ca yo soy mejor que ella, & para mas cosas & officios mejor soy que la perrilla; & asi podre mejor viuir & alcançar mayor honrra». E pensando el asno en esto, vio que el señor venia & entraua en casa, & salio del establo & corrio para el, rebuznando & echando pernadas & coçes; & saltando sobre el, puso las manos & patas sobre los ombros del señor & conla lengua a manera dela perrilla, començo le de lamer; & allende fatigando le con su grand peso, le ensuzio las ropas de lodo & poluo.

El senyor, espantado de aquellos juegos & falagos del asno, llamo & demando socorro & ayuda. E su familia, oyendo las bozes & clamor, vinieron & dieron palos & açotes al asno; & quebrantando le las costillas & miembros, lo tornaron al establo & lo pusieron ende bien atado. Esta fabula significa que ninguno non se deue entremeter enlas cosas para que non es perteneciente, ca lo que la naturaleza non le da nin dispone, non puede alguno fazer ligeramente; & assi el necio, pensando que complaze, faze desplazer & deseruicio. (fols. XXXIIv-XXXIIIr).

[LAS COLLECTAS]

La [COLLECTA] .XIJ. [ES] DEL CIEGO & DEL ADOLESCENTE ADULTERO

Era vn ciego, el qual tenia muger muy fermosa; este guardaua con grand diligencia la castidad della, con grandes celos que hauia. Acaescio vn dia, estando entreambos en vna huerta, debaxo de vn peral a la sombra, que ella con su consentimiento subio suso enel peral a coger delas peras. Mas el ciego, como era muy sospochoso por que non subiesse otro alguno arriba, en tanto que la muger estaua suso, abraço se conel tronco del peral. Mas como el frutal era de muchas ramas, estaua ascondido vn mancebo que avia subido antes suso enel arbol, esperando la muger del ciego; donde se ayunto con ella con grande alegria, de manera que vinieron a jugar el juego de Venus.

Ellos enesto ocupando se, el ciego oyo el sonido & estruendo dello, & con grande dolor comiença llamar: «o muy maluada muger, aun que yo caresca de vista, ni por eso cesso de sentir & oyr, mas antes los otros sentidos son en mj mas intensos & forçosos, de manera que yo siento que tienes ende contigo algund adultero. Desto me querello al soberano dios Jupiter, el qual puede reparar con gozo los coraçones delos tristes & dar vista a los ciegos». Estas palabras assi dichas, fue luego restituyda la vista al ciego & dada luz natural. E mirando arriba, el ciego vio estar aquel mancebo adultero con su muger, por lo qual llamo subitamente: «o muger falsissima & muy engañosa, ¿por que me cometes estos engaños & fraudes? Como yo te tenga por casta & buena, ¡huay de mi!, porque de aqui adelante non espero hauer contigo algund dia bueno».

Mas ella, oyendo como la increpaua el marido, avn que primero se espantaua, con vna cara alegre —inuentando de presto vna malicia engañosa— respondio al marido con boz alta sonante: «gracias fago alos dioses todos que han oydo mis oraciones, & tornaron la vista a mi amado marido. Ca sepas, mi caro señor, que la vista que recibiste que te es dada por mis ruegos & obras. Por quanto como fasta agora yo aya espendi[d]o en valdio muchas cosas, assi con phisicos como en otras muchas maneras. Finalmente, yo me retorne a rogar & fazer infundir plegarias & oraciones por tu vista alos dioses, & el dios Mercurio, por mandado del soberano Jupiter, aparesciendo me entre sueños, me dixo que subiesse en vn arbol llamado peral, donde jugasse el juego de Venus con vn mancebo, & que assi seria restituyda a ti la luz de tus ojos. Lo qual yo he cumplido por tu bien & salud, porque deues dar gracias a los dioses, & en especial deues agradescer a mj, pues has por mi recobrado tu vista».

El ciego, dante fe & creencia alas palabras engañosas de su muger, la reconcilio & rescibio por buena, conosciendo que su reprehension fuera non deuida, por lo qual le dio muchas gracias & la remunero con grandes dones como por seruicio señalado. (fols. CXXIr-CXXIIr).

EL IMPULSO HUMANÍSTICO

21

Enrique de Villena (1384-1434), *Los doze trabajos de Hércules* (antes de 1417). Madrid: Rodríguez-Moñino, ms. V-6-64, fols. 62v-[102v] (fechado 1445), y Santander: Menéndez y Pelayo, ms. M/279, fols. 1r-[97r] (letra de 1450-1500), ed. de M. Morreale (Madrid: RAE, 1958).

CAPITULO PRIMERO: COMO LOS ÇENTAUROS FUERON ECHADOS DE LA TIERRA E POBLADA. (...)

Istoria nuda

Afirmase que fue un gigante a quien llaman Uxio el qual se enamoro de Juno deesa del aire, fija de Saturno e madrastra de Hercules. Aqueste gigante aviendo logar e vagar quiso con la dicha Juno carnalmente juntarse, mas non consintio ella nin por voluntad se inclino al loco deseo de Uxio. Non enbargante que se viese en poder de tal gigante en logar apartado guardo con todo eso su onestad defendiendose non por fuerça corporal mas por engenio e presto consejo de muger entendida, formando en el aire imajen fantastica de muger en la niebla espesa que era entre Uxio e ella a figura de si muy aina e casi sin tienpo por arte divinal. E aquesta imajen asi formada acatando Uxio cuido que fuese la verdadera Juno que el amava e asi se junto con aquella sonbra presumiendo usar carnalmente de Juno que tanto cobdiçiado avia. E por este juntamiento enpreñose aquella sonbra o mentirosa figura por misterio e voluntad de la deesa e non solamente conçibio, mas llegado el tienpo comun del parto pario de una vegada siquiera de un vientre animales çiento que dela çinta arriba avian figura umana e usavan de cavalleriles armas e de la çinta ayuso avian forma cavallar pelosa e la cola creçida, corriendo en dos pies con grant ligereza fasta se egualar con el curso de los arrebatados vientos en su correr. Aquestos animales llamo aquella hedat çentauros. Estos destruien e gastaban e corrien con su esquiva desmesura bestial disipando lo que ante si fallavan e cuanto podien. Del numero de los cuales fueron Quiron, maestro de Archiles; Neso, el que furto a Danaira; e otros de quien los poetas fazen grant mençion. Oyendo Ercules el daño que aquestos en la tierra fazian, movido por fervor de virtud e grandez de coraçon cavalleril, quiso enpachar la grant osadia de aquestos e refrenar el su viçioso atrevimiento. Zelando el bien de la patria comun e el sosiego della, non dubdo ponerse a peligro peleando personalmente con los dichos çentauros, informado que por el su padre Uxio fue tentado corromper la su madresta Juno, e por aquella cobdiçia en la figura mentirosa de la nuve engendro aquellos chimerinos o mesclados de diversas naturas animales que enbargavan la politica vida del cuerpo mistico de la cosa publica. Aqueste Ercules por la divinidat de su madrasta Juno ayudado en este caso, fue sobre los çentauros fuera echandolos e encogiendolos en las asperas silvas del Monte Pelias. E por el su miedo ascondidos en las oscuras cuevas del monte Osee non osando mas tornar entre los omnes a quien daño fazian, dieronse al uso del caçar las bestias fieras en las esquivas espesuras e desabitadas de rodope. Fue asi librada la tierra de la tal subgeçion e daño por aqueste virtuoso cavallero Ercules a remembrança del qual e gloria pusieron en las istorias los poetas aqueste trabajo e aun a enxenplo de los entonçes bivientes e de los que despues avian de venir. (...)

Declaraçion

Esta manera de fablar es fabulosa ca non es semejable de verdat nin conforme a las obras de natura comunes e usadas. Enpero la su significaçion segunt Fulgençio [32] ha declarado en la su *Metheologia* e los otros que descu-

---

[32] Se refiere o a Fabio Plauciades Fulgencio, escritor y gramático latino (500-550) quien escribió *Mythologicarum,* o tratado de las interpretaciones alegóricas de los mitos paganos; o a San Fulgencio de Écija (m. 658), que tiene su propio *De las mitologías o ficciones.*

brieron las figuras poetas por razon quel fruto de aquellas fuese entendido e cogido a benefiçio de la moral vida es tal: entiendese por la deesa Juno la vida activa que acata las tenporales cosas e se ocupa en ellas. E por eso es dicha deesa del aire a mostrar la poca firmeza de las tenporales cosas. Enpero es divinal por ser de las cosas que convienen a la conservaçion de la vida de los omnes. Es dicha madrastra de Ercules que es interpretado virtuoso; e por eso porque las ocupaçiones tenporales contrallan, tientan, turban e desvian al omne virtuoso enbolviendo e abaxando la sabieza umana en las terrenales cosas, faziendole bien paresçer lo que le enbarga venir a su devido fin. E por Uxio se entiende el omne cobdiçioso que non cura de virtud poniendo toda su esperança en los tenporales e fallleçedores bienes, enamorandose de la vida activa, queriendola del todo aver a su uso. E estos tales la alcançan menos por non aver consigo el çimiento de virtud e buena entinçion. (16-19).

22

Íñigo López de Mendoza, marqués de Santillana (1398-1458), *Prohemio e carta al Condestable D. Pedro de Portugal* (1446-49). Salamanca: Universitaria, ms. 2655 (letra del s. xv), fols. 5r-11v, ed. de A. Gómez Moreno, tesis de licenciatura (Univ. Complutense, 1982), que se reproduce en F. López Estrada, ed., *Las poéticas castellanas de la Edad Media* (Madrid: Taurus, 1984 [1985]), págs. 39-63.

[Salutación]

Al yllustre señor don Pedro [33], muy magnífico Condestable de Portogal, el Marqués de Santillana, Conde del Real, etc., salud, paz e deuida recomendación.

[Exordio]

[El Marqués envía un códice con sus poesías al Infante don Pedro]

En estos días passados, Aluar Gonçales de Alcántara, familiar e seruidor de la casa del señor Infante don Pedro, muy ínclito Duque de Coimbra, vuestro padre, de parte vuestra, señor, me rogó que los dezires e cançiones mías enbiase a la vuestra magnifiçençia. En uerdad, señor, en otros fechos de mayor importançia, aunque a mí más trabaiosos, quisiera yo conplazer a la vuestra nobleza; porque estas obras —o a lo menos las más dellas— no son de tales materias, ni asy bien formadas e artizadas, que de memorable registro dignas parescan. (51).

---

[33] Pedro de Portugal (1429-1466), hijo del infante de Portugal don Pedro y nieto del rey Juan I, fue más tarde rey de Aragón.

[*Ambos cultivan la poesía; ésta es signo de perfección*]

Mas commo quiera que de tanta insufiçiençia estas obretas mías, que uós, señor, demandades, sean, o por uentura más de quanto las yo estimo e reputo, uos quiero çertificar me plaze mucho que, todas cosas que entren o anden so esta regla de poetal canto, uos plegan; de lo qual me fazen çierto asy uuestras graçiosas demandas, commo algunas gentiles cosas de tales que yo he uisto conpuestas de la vuestra prudençia. Commo es çierto este sea un zelo çeleste, vna affecçion diuina, vn insaçiable çibo del ánimo; el qual, asy commo la materia busca la forma e lo inperfecto la perfecçión, nunca esta sçiençia de poesía e gaya sçiençia buscaron nin se fallaron synon en los ánimos gentiles, claros ingenios e eleuados spíritus.

[NARRACIÓN]

[*¿Qué es la poesía?*]

¿E qué cosa es la *poesía* —que en el nuestro uulgar gaya sçiençia llamamos— syno un fingimiento de cosas útyles, cubiertas o ueladas con muy fermosa cobertura, conpuestas, distinguidas e scandidas por çierto cuento, peso e medida? (52).

[*Grados de la poesía; su distribución en la poesía moderna; a) mención de poetas provenzales e italianos*]

Cómmo pues o por quál manera, señor muy virtuoso, estas sçiençias ayan primeramente uenido en mano de los romançistas o vulgares, creo sería difíçil inquisiçión e vna trabajosa pesquisa. Pero, dexadas agora las regiones, tierras e comarcas más longínicas e más separadas de nós, no es de dubdar que vniuersalmente en todas de sienpre estas sçiençias se ayan acostunbrado e acostunbran, e aun en muchas dellas en estos tres grados, e a saber: sublime, mediocre e ínfymo. Sublime se podría dezir por aquellos que las sus obras escriuieron en lengua griega e latyna, digo metrificando. Mediocre vsaron aquellos que en vulgar escriuieron, asy commo Guido Janunçello, boloñés, e Arnaldo Daniel, proençal. E commo quier que destos yo no he visto obra alguna, pero quieren algunos auer ellos sido los primeros que escriuieron terçio rimo e aun sonetos en romançe; e asy commo dize el philósofo, de los primeros primera es la especulaçión. Ínfimos son aquellos que syn ningund orden, regla nin cuento fazen estos romançes e cantares de que las gentes de baxa e seruil condiçión se alegran. Después de Guido e Arnaldo Daniel, Dante escriuió en terçio rimo elegantemente las sus tres comedias: *Infierno, Purgatorio e Paraýso;* miçer Françisco Petrarcha, sus *Triunphos;* Checo D'Ascholi, el libro *De proprietatibus rerum* e Iohán Bocaçio el libro que *Ninfal* se intitula, aunque ayuntó a él prosas de grande eloquençia a la manera del *Boeçio consolatorio.* Estos e muchos otros escriuieron en otra forma de metros en lengua ytálica que *sonetos* e *cançiones morales* se llaman.

Estendiéronse —creo— de aquellas tierras e comarcas de los lemosines estas artes a los gállicos e a esta postrimera e occidental parte, que es la nuestra
España, donde asaz prudente e fermosamente se han vsado. (56).

[Comparación entre italianos y franceses: la música y la poesía]

Los ytálicos prefiero yo —so emienda de quien más sabrá— a los françeses, solamente ca las sus obras se muestran de más altos ingenios e adórnanlas
e conpónenlas de fermosas e peregrinas ystorias; e a los françeses de los ytálicos en el guardar del arte: de lo qual los ytálicos, synon solamente en el peso
e consonar, no se fazen mención alguna. Ponen sones asy mismo a las sus
obras e cántanlas por dulçes e diuersas maneras; e tanto han familiar, açepta
e por manos la música que paresçe que entrellos ayan nasçido aquellos grandes philósofos Orfeo, Pitágoras e Enpédocles, los quales —asy commo algunos descriuen— non solamente las yras de los onbres, mas aun a las furias
infernales con las sonorosas melodías e dulçes modulaçiones de los sus cantos
aplacauan. E ¿quién dubda que, asy commo las verdes fojas en el tienpo de
la primauera guarnesçen e aconpañan los desnudos árboles, las dulçes bozes
e fermosos sones no apuesten e aconpañen todo rimo, todo metro, todo uerso,
sea de qualquier arte, peso e medida? (57).

[Poetas castellanos viejos]

Entre nosotros vsóse primeramente el metro en asaz formas; así commo
el *Libro de Alexandre, Los uotos del Pauón* e aun el *Libro del Arçipreste
de Hita;* e aun desta guisa escriuió Pero López de Ayala, el Uiejo, vn libro
que fizo de las *maneras del palaçio* e llamaron los *Rimos.*

E después fallaron esta arte que mayor se llama e el arte común —creo—
en los Reynos de Gallizia e de Portogal, donde no es de dubdar quel exerçiçio
destas sçiençias más que en ningunas otras regiones e prouinçias de la España
se acostunbró en tanto grado que non ha mucho tienpo qualesquier dezidores
e trobadores destas partes, agora fuessen castellanos, andaluzes o de la Estre-
madura, todas sus obras conponían en lengua gallega o portuguesa; e aun
destos es çierto resçebimos los nonbres del arte, asy commo: *maestría mayor
e menor, encadenados, lexaprén e manzobre.*

Acuérdome, señor muy magnífico, syendo yo en hedad no prouecta, mas
asaz pequeño moço, en poder de mi auuela doña Mençía de Çisneros, entre
otros libros, auer visto vn grand uolumen de cantigas, serranas e dezires portugueses e gallegos; de los quales, toda la mayor parte era del Rey don Donís
de Portugal —creo, señor, sea vuestro visahuelo—, cuyas obras, aquellos que
las leýan, loauan de inuençiones sotiles e de graçiosas e dulçes palabras. (...)

[Los poetas castellanos nuevos]

En este Reyno de Castilla dixo bien el Rey don Alfonso el Sabio, e yo
ui quien vio dezires suyos, e aun se dize que metrificaua altamente en lengua

latina. Vinieron después destos don Iohán de la Çerda e Pero Gonçales de Mendoça, mi abuelo; fizo buenas cançiones, e entre otras:

«Pero te siruo sin arte»,

e otra a las monias de la Çaydía, quando el Rey don Pedro tenía el sitio contra Ualençia; comiença:

«A las riberas de vn río».

Vsó vna manera de dezir cantares así commo çénicos plautinos e terençianos, tan bien en estrinbotes commo en serranas. Concurrió en estos tienpos vn iudío que se llamó Rabí Santó; escriuió muy buenas cosas, e entre las otras *Prouerbios morales,* en uerdat de asaz comendables sentençias. Púselo en cuento de tan nobles gentes por grand trobador, que asy commo él dize en uno de sus prouerbios:

«No uale el açor menos
por nasçer en uil nío,
ni los exemplos buenos
por los dezir iudío». (58-60).

Los que después dellos en estos nuestros tienpos han escripto o escriuen, çesso de los nonbrar, porque de todos me tengo por dicho que uós, muy noble señor, ayades notiçia e conosçimiento. E non uos marauilledes, señor, sy en este prohemio aya tan extensa e largamente enarrado estos tanto antiguos e después nuestros auctores e algunos dezires e cançiones dellos, commo paresca auer proçedido de vna manera de oççiosidat, lo qual de todo punto deniegan no menos ya la hedad mía que la turbaçión de los tienpos. Pero es asy que, commo en la nueua edad me pluguiesen, fallélos agora, quando me paresçió ser neçessarios. Ca asy commo Oraçio poeta dize:

«Quem noua concepit olla seruabit odorem».

Pero de todos estos, muy magnífico señor, asy ytálicos commo proençales, lemosís, catalanes, castellanos, portugueses e gallegos, e aun de qualesquier otras nasçiones, se adelantaron e antepusieron los gállicos, çesalpinos e de la prouinçia de Equitania en solepnizar e dar honor a estas artes. (62).

23

Antonio de Nebrija (o Lebrixa) (1444-1522), *Gramática sobre la lengua castellana. Editio princeps,* Salamanca: Impresor de la *Gramática* de Nebrija, 1492, fols. a.ii[r], a.iii[v], b.i[v]-b.iiii[v] y c.iiii[r], ed. de P. Galindo Romeo y L. Ortiz Muñoz, t. I (Madrid: Junta del Centenario, 1946).

[PRÓLOGO A LA REINA ISABEL]

Cuando bien comigo pienso, mui esclarecida Reina, i pongo delante los ojos el antiguedad de todas las cosas que para nuestra recordacion i memoria quedaron escriptas, una cosa hallo i saco por conclusion mui cierta: que siempre la lengua fue compañera del imperio, i de tal manera lo siguio que junta mente començaron, crecieron i florecieron, i despues junta fue la caida de entrambos. (5-6).

[C]omençando a declinar el imperio delos romanos, junta mente començo a caducar la lengua latina hasta que vino al estado en que la recebimos de nuestros padres, cierto tal que, cotejada conla de aquellos tiempos, poco mas tiene que hazer con ella que conla araviga. Lo que diximos dela lengua ebraica, griega i latina, podemos mui mas clara mente mostrar enla castellana que tuvo su niñez enel tiempo delos jueces i reies de Castilla i de Leon, i começo a mostrar sus fuerças en tiempo del mui esclarecido i digno de toda la eternidad el rei don Alonso el Sabio, por cuio mandado se escrivieron las *Siete Partidas* i la *General Istoria,* i fueron trasladados muchos libros de latin i aravigo en nuestra lengua castellana, la cual se estendio despues hasta Aragon i Navarra, i de alli a Italia, siguiendo la compañia delos infantes que embiamos a imperar en aquellos reinos. I assi crecio hasta la monarchia i paz de que gozamos, primera mente por la bondad i providencia divina, despues por la industria, trabajo i diligencia de Vuestra Real Majestad, enla fortuna i buena dicha dela cual los miembros i pedaços de España, que estavan por muchas partes derramados, se reduxeron i aiuntaron en un cuerpo i unidad de reino, la forma i travazon del cual assi esta ordenada que muchos siglos, injuria i tiempos no la podran romper ni desatar. Assi que, despues de repurgada la cristiana religion, por la cual somos amigos de Dios o reconciliados con El, despues delos enemigos de nuestra fe vencidos por guerra i fuerça de armas, dedonde los nuestros recebian tantos daños i temian mucho maiores, despues dela justicia i esecucion delas leies que nos aiuntan i hazen bivir igual mente enesta gran compañia que llamamos reino i republica de Castilla, no queda ia otra cosa sino que florezcan las artes dela paz. Entre las primeras es aquella que nos enseña la lengua, la cual nos aparta de todos los otros animales, i es propria del ombre, i en orden la primera despues dela contemplacion que es oficio proprio del entendimiento. Esta hasta nuestra edad anduvo suelta i fuera de regla; i a esta causa á recebido en pocos siglos muchas mudanças por que, si la queremos cotejar conla de oi a quinientos años, hallaremos tanta diferencia i diversidad cuanta puede ser maior entre dos lenguas. I, por que mi pensamiento i gana siempre fue engrandecer las cosas de nuestra nacion i dar alos ombres de mi lengua obras en que mejor puedan emplear su ocio, que agora lo gastan leiendo novelas o istorias embueltas en mil mentiras i errores, acorde ante todas las otras cosas reduzir en artificio este nuestro lenguaje castellano, para que lo que agora i de aqui adelante en el se escriviere pueda quedar en un tenor, i estenderse en toda la duracion delos tiempos que estan por venir, como vemos que se á hecho enla lengua griega i latina, las cuales, por aver estado debaxo de arte, aunque sobre ellas an passado muchos siglos, toda via quedan en una uniformidad. (8-9).

LIBRO PRIMERO EN QUE TRATA DELA ORTHOGRAPHIA

CAPITULO QUINTO. DE LAS LETRAS I PRONUNCIACIONES DELA LENGUA CASTELLANA.

[D]elas letras latinas podemos dezir en nuestra lengua: que, de veinte i tres figuras de letras que tenemos prestadas del latin para escrivir el castellano, sola mente nos sirven por si mesmas estas doze: *a b d e f m o p r s t z;* por si mesmas i por otras, estas seis: *c g i l n u;* por otras i no por si mesmas, estas cinco: *h q k x y.* Para maior declaracion delo cual avemos aqui de presuponer lo que todos los que escriven de orthographia presuponen: que assi tenemos de escrivir como pronunciamos i pronunciar como escrivimos por que en otra manera en vano fueron halladas las letras. Lo segundo: que no es otra cosa la letra sino figura por la cual se representa la boz i pronunciacion. Lo tercero: que la diversidad delas letras no esta enla diversidad dela figura, sino enla diversidad dela pronunciacion. (12, 21).

La *h* no sirve por si en nuestra lengua, mas usamos della para tal sonido cual pronunciamos enlas primeras letras destas diciones *hago hecho;* la cual letra, aunque enel latin no tenga fuerça de letra, es cierto que, como nos otros la pronunciamos hiriendo enla garganta, se puede contar enel numero delas letras, como los judios i moros, delos cuales nos otros la recebimos, cuanto io pienso, la tienen por letra. (22-23).

(...) La *l* tiene dos oficios: uno proprio cuando la ponemos senzilla, como enlas primeras letras destas diciones *lado, luna;* otro ageno, cuando la ponemos doblada i le damos tal pronunciacion cual suena enlas primeras letras destas diciones *llave, lleno;* la cual boz ni judios, ni moros, ni griegos, ni latinos conocen por suia. (23).

La *x* ia diximos que son tiene enel latin i que no es otra cosa sino breviatura de *cs.* Nos otros damosle tal pronunciacion cual suena enlas primeras letras destas diciones *xenabe xabon,* o enlas ultimas de aquestas *relox balax,* mucho contra su naturaleza, por que esta pronunciacion, como diximos, es propria dela lengua araviga, dedonde parece que vino a nuestro lenguaje. (24).

CAPÍTULO VI. DEL REMEDIO QUE SE PUEDE TENER PARA ESCRIVIR PURA MENTE EL CASTELLANO

(...) La *h* entre nos otros tiene tres oficios: uno proprio, que trae consigo enlas diciones latinas, mas no le damos su fuerça, como enestas *humano humilde,* donde la escrivimos sin causa, pues que de ninguna cosa sirve; otro, cuando se sigue *u* despues della, para demostrar que aquella *u* no es consonante sino vocal, como enestas diciones *huesped huerto huevo,* lo cual ia no es menester, si las dos fuerças que tiene la *u* distinguimos por estas dos figuras *u v;* el tercero oficio es cuando le damos fuerça de letra haziendola sonar como enlas primeras letras destas diciones *hago hijo,* i entonces ia no sirve por si, sino por otra letra, i llamarla emos 'he', como los judios i moros, delos cuales recebimos esta pronunciacion. La *x,* aunque enel griego i latin, dedonde recebimos esta figura, vale tanto como *cs,* por que en nuestra lengua de ninguna cosa nos puede servir, quedando en su figura con una tilde, damosle aquel son que arriba diximos nuestra lengua aver tomado del aravigo, llamandola del nombre de su fuerça.

Assi que sera nuestro abc destas veinte i seis letras *a b c ç ch d e f g h i j l ll m n ñ o p r s t v u x z,* por las cuales distinta mente podemos representar las veinte i seis pronunciaciones de que arriba avemos disputado. (24, 26).

LIBRO SEGUNDO EN Q̃ TRATA DELA PROSODIA I SILABA

CAPITULO IIII. EN QUE PONE REGLAS PARTICULARES DELAS OTRAS PARTES DELA ORACION.

[P]roprio es dela lengua castellana tener el acento agudo enla penultima silaba, o enla ultima, cuando las diciones son barbaras o cortadas del latin, i enla antepenultima mui pocas vezes, i aun comun mente enlas diciones que traen consigo en aquel lugar el acento del latin; mas, por que esta regla general dessea ser limitada por excepcion, pornemos aqui algunas reglas particulares.

La diciones de mas de una silaba que acaban en *a* tienen el acento agudo enla penultima como *tiérra cása.* Sacanse algunas diciones peregrinas que tienen el acento enla ultima como *alvalá Alcalá Alá cabalá;* i delas nuestras *quiçá acá allá acullá.* Muchas tienen el acento enla antepenultima como estas *pérdida uéspeda bóveda búsqueda Mérida Ágreda Úbeda Águeda pértiga almáciga alhóndiga luziérnaga Málaga Córcega águila cítola cédula brúxula carátula çávila Avila gárgola tórtola péñola o péndola oropéndola albórbola lágrima cáñama xáquima ánima sávana árguena almádana almojávana Cártama lámpara píldora cólera pólvora cántara úlcera cámara alcándara Alcántara víspera mandrágora apóstata cárcava Xátiva alféreza.* (36, 41).

AUTOBIOGRAFÍA Y BIOGRAFÍA

24

Leonor López de Córdoba (1362/63-1412), *Memorias* (c. 1410). Sevilla: Capitular y Colombina, ms. 63-9-73, fols. 195r-203r (con fecha de 1733), ed. de R. Ayerbe-Chaux, «Las *Memorias* de doña Leonor López de Córdoba», *JHP,* 2 (1977-78), págs. 11-33.

(...) Sepan quantos esta Esscriptura vieren, como yo Doña Leonor Lopez de Cordoba, fija de mi Señor el Maestre Don Martin Lopez de Cordoba, e Doña Sancha Carrillo, a quien dé Dios gloria y Parayso. Juro por esta significancia de † en que Yo adoro, como todo esto que aqui es escrito, es verdad que lo vi, y pasó por mi, y escribolo a honrra, y alabanza de mi Señor Jesu Christo, e dela Virgen Santa Maria su Madre que lo parió, por que todas las Criaturas que estubiéren en tribulacion sean ciertos, que yo espero ensu misericordia, que si se encomiendan de Corazon a la Virgen Santa Maria, que Ella las consolará, y acorrerá, como consoló a mi; y por que quien lo oyere sepan la relacion de todos mis echos e milagros que la Virgen Santa Maria, me mostró, y es mi intencion que quede por memoria, mandelo escrevir asi como vedes[.] (16).

[E]l Señor Rey [Enrique de Trastámara] mandó que le cortasen la cabeza a mi Padre en la Plaza de San Francisco de Sevilla, y que le fuesen confiscados sus vienes, y los de su yerno, Valedores, y Criados; y yendole a cortar la Cabeza encontró con Mosen Beltran de Clequin, Cavallero franzes, que fué el Cavallero que el Rey Don Pedro se havia fiado dél, que lo ponia en Salvo estando cercado en el Castillo de Montiel, y no cumpliendo lo que le prometió, antes le entregó al Rey Don Enrrique para que lo matase, y como encontró a el Maestre dijole: «Señor Maestre no os decia Yo que vuestras andanzas havian de parar en esto?» y El le respondió: «Mas vale morir como Leal, como Yo lo hé echo, que no vivir como vós vivis, haviendo sido Traydor»: Y estubimos los demas que quedamos presos nueve años hasta que el Señor Rey Don Henrrique falleció; y nuestros Maridos tenian sesenta libras de hierro cada vno en los pies, y mi hermano Don Lope Lopez tenia una Cadena encima delos hierros en que havia setenta eslabones; El era Niño de treze años, la mas hermosa Criatura que havia enel mundo, e a mi Marido en especial ponianlo en el Algive dela hambre, e tenianlo seis, o siete dias que nunca comia, ni vebia por que era Primo delas Señoras Ynfantas, hijas del Señor Rey Don Pedro: En esto vino una pestilencia, e murieron todos mis dos Hermanos e mis Cuñados, e treze Cavalleros dela Casa de mi Padre; e Sancho Miñez de Villendra, su Camarero mayor, decia a mi, y a mis hermanos: «Hijos de mi Señor: Rogad a Dios que os viba Yo, que si yo os, nunca morireis Pobres»; e plugó a Dios que murió el terzero dia sin hablar; e a todos los sacaban a desherrar al Desherreradero como Moros, despues de muertos a el triste de mi hermano Don Lope Lopez pidió al Alcayde que nos tenian, que dixesen a Gonzalo Ruiz Bolante que nos hacia mucha Charidad, e mucha honrra por amor de Dios: «Señor Alcayde sea agora vuestra merced que me tirase estos hierros en antes que salga mi anima, e que no me sacasen al desherradero»; a el (dijole) como a moro, si en mi fuese yo lo faria; y en esto salió su anima en mis manos; que havia El un año mas que Yo, e sacaronlo en una tabla al Desherradero como a Moro, e enterraronlo con mis hermanos, e con mis hermanas, e con mis Cuñados en San Francisco de Sevilla, e mis Cuñados trayan sendos Collares de Oro ala Garganta, que eran cinco hermanos, e se pusieron aquellos Collares en Santa Maria de Guadalupe, e prometieron de no quitarselos, hasta que todos cinco se los tirasen a Santa Maria, que por sus pecados el Vno murió en Sevilla, y el Otro en Lisbona, y el Otro en Ynglaterra, e asi murieron derramados, e se mandaron enterrar con sus Collares de Oro, e los frayles con la codicia despues de enterrado le quitaron el Collar. Y no quedaron enla Atarazana dela Casa de mi Señor el Maestre, sino mi Marido y Yo: y en esto murió el mui alto, y mui Esclarecido Señor Rey Don Enrrique de mui Santa y Esclarecida memoria, y mandó ensu testamento que nos sacasen dela prision, e nos tornasen todo lo nuestro e Yo quede en Casa de mi Señora tia Doña Maria Garcia Carrillo, e mi Marido fué a demandar sus Vienes, y los que lo tenian preciaronlo poco, por que no tenia estado, ni manera para los poder demandar, e los derechos yá sabeis como dependen a los Lugares que hán conque se demandar, e asi perdiose mi marido, e andubo siete años por el mundo, como Desbenturado, y nunca halló Pariente, ni Amigo que bien le hiziese, ni huviese piedad de El, e a cabo de siete años, estando Yo en Casa de mi Señora mi tia Doña Maria Garcia Carrillo, dijeron a mi Marido, que estaba en Badajoz con su tio Lope Fernandez de Padilla enla Guerra de Portugal; que yo estaba mui bien andante, que me havian echo mucho bien mis Parientes, Cavalgó encima de su mula, que valia mui pocos dineros, e lo que traia vestido no valia treinta maravedis; y entrose por la puerta de mi Señora mi tia, Yo como havia savido, que ni mi Marido andava perdido por el Mundo, traté con mi Señora mi tia hermana de mi Señora mi Madre, que le decian Doña Theresa Fernandez Carrillo (estaba enla Orden de Guadalaxara, que la hicieron mis Bisabuelos, e dotaron precio para quarenta Ricas Hembras de su Linaje que viniesen en aquella Orden) embiele a demandar le plugiese que yo fuese acogida en aquella Orden, pues por mis pecados mi Marido e Yo eramos perdidos, y Ella, y toda la Orden alcanzaronlo en dicha, por que mi Señora Madre se havia criado en aquellos monasterios, y de alli la sacó el Rey Don Pedro, e la dió a mi Padre que casase con Ella, por que Ella era hermana de Gonzalo Diaz Carrillo, e de Diego Carrillo fijos de Don Juan Fernandez Carrillo, e de Doña Sancha de Roxas, e por que estos mis tios havian temor del dicho Señor Don Pedro que havia muerto y desserrado muchos de este linaje, y a mi aguelo le havia derrivado las Casas, e dado quanto tenia a Otrie; Estos mis tios fueronse dende a servir al Rey Don Enrrique (quando era Conde) por este enojo [.] (18-20).

25

Fernán Pérez de Guzmán (c. 1378-¿1460?), *Generaciones y semblanzas* (c. 1450-55). Escorial: Monasterio, ms. Z.III.2, fols. 91r-120v (letra del s. xv), ed. de R. B. Tate (Londres: Tamesis, 1965).

Muchas vezes acaesçe que las corónicas e estorias que fablan de los poderosos reyes e notables prínçipes e grandes çibdades son avidas por sospechosas e inçiertas e les es dada poca fe e abtoridat, lo qual entre otras cabsas acaeçe e viene por dos: la primera, porque algunos que se entremeten de escrivir e notar las antigüedades son onbres de poca vergüeña e más les plaze relatar cosas estrañas e maravillosas que verdaderas e çiertas, creyendo que non será avida por notable la estoria que non contare cosas muy grandes e graves de crer, ansí que sean más dignas de maravilla que de fe, como en otros nuestros tienpos fizo un liviano e presuntooso onbre llamado Pedro de Coral en una que se llamó *Corónica Sarrazina* [c. 1430], otros la llamavan del Rey Rodrigo, que más propiamente se puede llamar trufa o mentira paladina. (...) El segundo defeto de las estorias es porque los que las corónicas escriven es por mandado de los reyes e prínçipes. Por los conplazer e lisonjar o por temor de los enojar, escriven más lo que les mandan o lo que creen que les agradará, que la verdat del fecho como pasó.

E a mi ver para las estorias se fazer bien e derechamente son neçesarias tres cosas: la primera, que el estoriador sea discreto e sabio e aya buena retórica para poner la estoria en fermoso e alto estilo, porque la buena forma onrra e guarneçe la materia. La segunda, que él sea presente a los prinçipales e notables abtos de guerra e de paz, e porque seríe inposible ser él en todos los fechos, a lo menos que él fuese así descreto que non reçibiese información sinon de presonas dignas de fe e que oviesen seído presentes a los fechos. E esto guardado sin error de vergüeña puede el coronista usar de información ajena. Ca nunca huvo nin averá actos de tanta manifiçençia e santidad como el nasçimiento, la vida, la pasión e resureçión del nuestro Salvador Jhesu Christo; pero de quatro estoriadores suyos, los dos non fueron presentes a ello, mas escrivieron por relación de otros. La terçera es que la estoria que non sea publicada biviendo el rey o prínçipe en cuyo tienpo e señorío se hordena, por quel estoriador sea libre para escrivir la verdad sin temor. (1-3).

DEL REY DON ENRRIQUE EL TERCERO DESTE NOMBRE E FIJO DEL REY DON JUAN

Este rey don Enrique el terçero [1390-1406] fue fijo del rey don Johan [I, 1379-1390] e de la reina doña Leonor, fija del rey don Pedro de Aragón, e desçendió de la noble e muy antigua e clara generación de los reyes godos e señaladamente del glorioso e católico prínçipe Recaredo, rey de los godos en España. E segunt por las estorias de Castilla paresçe, la sangre de los reyes de Castilla e su suçesión de un rey en otro se ha continuado fasta oy, que son más de ochoçientos años sin aver en ella mudamiento de otra liña nin generaçión. Lo qual creo que se fallará en pocas generaçiones de los reyes christianos que tan luengo tienpo durase, en la qual generaçión ovo muy buenos e notables reyes e prínçipes, e ovo çinco hermanos santos, que fueron sant Isidro e sant Leandre e sant Fulgreçio e santa Florentina monja, e la reina Theodosia, madre del rey Recaredo, que fue avida por santa muger e un su fijo mártir que llamaron Hermenegildo. E aun en los tienpos modernos es avido por santo el rey don Fernando que ganó a Sevilla e a Córdova e a toda la frontera.

E este rey don Enrique començó a reinar de poco más de onze años, e reinó diez e seis, assí que bivió más de veinte e siete años. Fue de mediana altura e asaz de buena dispusiçión. Fue blanco e rubio, la nariz un poco alta. Pero quando llegó a los diez e siete o diez e ocho años, ovo muchas e grandes enfermedades que le enflaqueçieron el cuerpo e le dañaron la conplisión e por consiguiente se le afeó e dañó el senblante, non quedando en el primer paresçer, e aun le fueron cabsa de grandes alteraçiones en la condiçión. Ca, con el trabajo e afliçión de la luenga enfermedad fízose muy triste e enojoso. Era muy grave de ver e de muy áspera conversaçión, assí que la mayor parte del tienpo estava solo e malenconioso, e al juizio de muchos, si lo cabsava la enfermedad o su natural condiçión, más declinava e liviandad que a graveza nin madureza. (4-5).

De la reina doña Catalina, muger del rey don Enrique, hija del duque de Alencastre e madre del rey don Juan

La reina doña Catalina, muger deste rey don Enrrique, fue fija de don Johan de Lencastre, fijo ligítimo del rey Aduarte de Inguelaterra, el qual duque casó con doña Costança, fija del rey don Pedro de Castilla e de doña María de Padilla.

Fue esta reina alta de cuerpo e muy gruesa, blanca e colorada e ruvia. En el talle e meneo del cuerpo tanto pareçía onbre como muger. Fue muy onesta e guardada en su presona e fama, liberal e manífica, pero muy sometida a privados e muy regida dellos, el qual por la mayor parte es viçio común de los reyes. No era bien regida en su presona.

Ovo una grande dolençia de perlesía, de la qual non quedó bien suelta de la lengua nin libre del cuerpo. Murió en Valladolid en edad de cinquenta años, año de mill e quatroçientos e diez e ocho años. (8-9).

De don Pero López de Ayala, notable cavallero, canciller mayor de Castilla

Don Pero López de Ayala, cançiller mayor de Castilla, fue un cavallero de grant linaje, ca de parte de su padre venía de los de Haro, de quien los de Ayala deçienden. De parte de su madre viene de Çavallos, que es un grant solar de cavalleros. Algunos del linaje de Ayala dizen que vienen de un infante de Aragón a quien el rey de Castilla dió el señorío de Ayala. E yo ansí lo fallé escrito por don Ferrant Pérez de Ayala, padre deste don Pero López de Ayala, pero non lo leí en estorias nin he dello otra çertidunbre.

Fue este don Pero López de Ayala alto de cuerpo e delgado e de buena presona, onbre de grant discriçión e abtoridad e de grant consejo ansí de paz como de guerra. Ovo grant lugar açerca de los reyes en cuyo tienpo fue, ca seyendo moço fue bien quisto del rey don Pedro e después del rey don Enrique el segundo. Fue de su consejo e muy amado dél. El rey don Johan e el rey don Enrrique su fijo fizieron dél grande mençión e grande fiança. Pasó por grandes fechos de guerra e de paz. Fue preso dos vezes, una en la batalla de Nájara e otra en Aljubarrota.

Fue de muy dulçe condiçión e de buena conversaçión e de grant conçiençia, e que temía mucho a Dios. Amó mucho la çiençia, dióse mucho a los libros e estorias, tanto que como quier que él fuese asaz cavallero e de grant discriçión en la plática del mundo, pero naturalmente fue muy inclinado a las çiençias, e con esto grant parte del tienpo ocupava en el ler e estudiar, non obras de derecho sinon filosofía e estorias. Por causa dél son conoçidos algunos libros en Castilla que antes non lo eran, ansí como el Titu Libio, que es la más notable estoria romana, los *Casos de los Prínçipes,* los *Morales* de sant Grigorio, Esidro *de Sumo Bono,* el Boeçio, la *Estoria de Troya.* El ordenó la estoria de Castilla desdel rey don Pedro fasta el rey don Enrrique el terçero. Fizo un buen libro de la caça, que él fue muy caçador, e otro libro, *Rimado del Palaçio.*

Amó mucho mugeres, más que a tan sabio cavallero como él se convenía. Murió en Calahorra en edad de setenta e çinco años, año de mill e quatroçientos e siete años. (15).

DE DON ENRIQUE DE VILLENA, QUE FUE FIJO DE DON PEDRO E MARQUÉS DE VILLENA

Don Enrrique de Villena [1384-1434] fue fijo de don Pedro, fijo de don Alonso, marqués de Villena que después fue duque de Gandía. Fue este don Alonso marqués el primero condestable de Castilla e fijo del infante don Pedro de Aragón. Este don Enrrique fue fijo de doña Juana, fija bastarda del rey don Enrrique el segundo que la ovo en una dueña de los de Vega.

Fue pequeño de cuerpo e grueso, el rostro blanco e colorado, e segunt lo que la espirençia en él mostró, naturalmente fue inclinado a las çiençias e artes más que a la cavallería e aun a los negoçios del mundo, çeviles nin curiales. Ca, no aviendo maestro para ello nin alguno lo costriñiendo a aprender, antes defendiéndogelo el marqués su avuelo que lo quisiera para cavallero, él en su niñez quando los niños suelen por fuerça ser llevados a las escuelas, él contra voluntad de todos se dispuso a aprender. Tan sotil e alto engenio avía que ligeramente aprendía qualquier çiençia e arte a que se dava, ansí que bien pareçía que lo avía a natura. Çiertamente natura ha grant poder e es muy difíçil e grave la resistençia a ella sin graçia espeçial de Dios.

E de otra parte ansí era este don Enrrique ageno e remoto, non solamente a la cavallería mas aun a los negoçios del mundo e al rigimiento de su casa e fazienda. Era tanto inábile e inabto que era grant maravilla. E porque entre las otras çiençias e artes se dió mucho a la estrología, algunos burlando dizían dél que sabía mucho en el çielo e poco en la tierra. E ansí con este amor de las escrituras, non se deteniendo en las çiençias notables e católicas, dexóse correr a algunas viles e rahezes artes de adevinar e intrepetrar sueños e estornudos e señales e otras cosas tales que nin a prínçipe real e menos a católico christiano convenían. E por esto fue avido en pequeña reputaçión de los reyes de su tienpo e en poca reverençia de los cavalleros. Todavía fue muy sotil en la poesía e grant estoriador e muy copioso e mezclado en diversas çiençias. Sabía fablar muchas lenguas. Comía mucho e era muy inclinado al amor de las mugeres.

Murió en Madrid en edad de çinquenta años. (32-33).

De Don Alvaro de Luna

Don Alvaro de Luna [1390-1453], maestre de Santiago e condestable de Castilla, fue fijo bastardo de Alvaro de Luna, un cavallero noble e bueno. Esta casa de Luna es de las mayores del reino de Aragón, e ovo en ella asaz notables presonas, así cavalleros como clérigos, entre los quales floreçió aquel venerable e discreto padre apostólico don Pedro de Luna, llamado Benedito, papa trezeno. E fueron todos los desta casa de Luna muy servidores del reino de Castilla. Quando su padre deste condestable murió, quedó el niño pequeño en asaz baxo e pobre estado e criólo un tienpo su tío don Pedro de Luna, que fue arçobispo de Toledo. E muerto él, quedó muy moço en la casa del dicho rey don Johan, el qual le ovo aquel exçesivo e maravilloso amor. (...)

Non se puede negar que en él non ovo asaz virtudes quanto al mundo, ca aplazíale mucho platicar sus fechos con onbres discretos e gradeçíales con obra los buenos consejos que le davan. Ayudó a muchos con el rey e por su mano ovieron merçedes del rey e grandes benefiçios, e si fizo daño a muchos, tanbién perdonó a muchos grandes yerros que le fizieron. Fue cobdiçioso en un grande estremo de vasallos e de tesoros, tanto que así como los idrópigos nunca pierden la sed, ansí él nunca perdía la gana de ganar e aver, nunca reçibiendo fartura su insaçiable cobdiçia. Ca en el día que el rey le dava o, mejor diría, él le tomava una grant villa o dignidad, aquel mismo día tomaría una lança del rey si vacase; así que deseando lo mucho non desdeñava lo poco. (...)

Ovo en su tienpo grandes e terribles daños, e non sólo en las faziendas nin sólo en las presonas, mas lo que más es de doler e de plañir, en el exerçiçio e uso de las virtudes e en la onestad de las presonas, con cobdiçia de alcançar e ganar. E de otra parte, con rencor e vengança unos de otros, prospuesta toda vergueña e onestad, se dexaron correr a grandes viçios. Ca de aquí naçieron engaños, maliçias, poca verdad, cabtelas, falsos sacramentos e contratos e otras muchas e diversas astuçias e malas artes, ansí que los mayores engaños e daños que se fazían eran por sacramento o por matrimonio, ca non fallavan otra más çierta vía para engañar.

No callaré aquí nin pasaré so silençio esta razón, que quanto quier que la prinçipal e la original cabsa de los daños de España fuese la remisa e negligente condiçión del rey e la cobdiçia e ambiçión exçesiva del condestable, pero en este casso non es de perdonar la cobdiçia de los grandes cavalleros que por creçer e avançar sus estados e rentas, prosponiendo la conçiençia e el amor de la patria por ganar, ellos dieron lugar a ello. E non dubdo que les plazía tener tal rey, por que en el tienpo turbado e desordenado, en el río buelto fuesen ellos ricos pescadores. E ansí algunos se movieron contra el condestable diziendo quél tenía al rey engañado e aun malifiçiado, como algunos quisieron dizir, pero la final entençión suya era aver e poser su lugar, non con zelo nin amor de la república. E de aquí quántos daños, insultos, movimientos, prisiones, destierros, confiscaçiones de bienes, muertes e general destruiçión de la tierra, usurpaçiones de dignidades, turbaçión de paz, injustiçias, robos, guerras de moros, se siguieron e vinieron ¿quién bastara a lo relatar nin escrivir[?] (44-45, 47).

26

Fernando del Pulgar (c. 1425-después de 1490), *Claros varones de Castilla. Editio princeps:* Toledo, 1486, ed. de R. B. Tate (Madrid: Taurus, 1985).

[ENRIQUE IV]

[E]l rey don Enrrique quarto [1454-1474], fijo del rey don Juan el segundo, fue ombre alto de cuerpo y fermoso de gesto y bien proporcionado en la conpostura de sus mienbros. E este rey, seyendo príncipe, dióle el rey su padre la ciudad de Segovia y púsole casa y oficiales, seyendo en hedad de catorze anos.

Estovo en aquella ciudad apartado del rey su padre los más días de su menor hedad, en los quales se dio a algunos deleites que la mocedad suele demandar y la onestedad deve negar. Fizo ábito dellos, porque ni la hedad flaca los sabía refrenar, ni la libertad que tenía los sofría castigar. No bevía vino ni quería vestir paños muy preciosos, ni curava de la cirimonia que es devida a persona real. Tenía algunos moços acebtos de los que con él se criavan. Amávalos con grand afeción y dávales grandes dádivas. Desobedesció algunas vezes al rey su padre, no porque de su voluntad procediese, mas por induzimiento de algunos que, siguiendo sus proprios intereses, le traían a ello.

Era ombre piadoso y no tenía ánimo de fazer mal, ni ver padescer a ninguno, y tan humano era que con dificultad mandava executar la justicia criminal. Y en la execución de la cevil y en las otras cosas necesarias a la governación de sus reinos algunas vezes era negligente, y con dificultad entendía en cosa agena de su deletación, porque el apetito le señoreava la razón. No se vido en él jamás punto de sobervia en dicho ni en fecho, no por cobdicia de aver grandes señoríos le vieron fazer cosa fea ni desonesta. E si algunas vezes avía ira durávale poco, y no le señoreava tanto que dañase a él ni a otro. Era grand montero y plazíale muchas vezes andar por los bosques apartado de las gentes. (82-83).

Era grand músico y tenía buena gracia en cantar y tañer y en fablar en cosas generales. Pero en la execución de las particulares y necesarias algunas vezes era flaco, porque ocupava su pensamiento en aquellos deleites de que estava acostunbrado, los quales impidíen el oficio de la prudencia a qualquier que dellos está ocupado. E ciertamente veemos algunos ombres fablar muy bien, loando generalmente las virtudes y vituperando los vicios. Pero quando se les ofresce caso particular que les toque, estonces vencidos del interese o del deleite, no an logar de permanecer en la virtud que loaron, ni resistir el vicio que vituperaron.

Usava asimismo de magnificencia en los recebimientos de grandes ombres, y de los enbaxadores de reyes que venían a él, faziéndoles grandes y suntuosas fiestas y dándoles grandes dones, otrosí en fazer grandes hedeficios en los alcáçares y casas reales y en iglesias y logares sagrados. (85).

Bivió este rey cinquenta años, de los quales reinó veinte. E murió en el alcáçar de la villa de Madrid de dolencia del ijada, de la qual en su vida muchas vezes fue gravamente apasionado. (88).

El marqués de Santillana

[D]on Iñigo Lópes de Mendoça [1398-1458], marqués de Santillana y conde del Real de Mançanares, señor de la casa de la Vega, fijo del almirante don Diego Hurtado de Mendoça, y nieto de Pero Gonçáles de Mendoça, señor de Alava, fue ombre de mediana estatura, bien proporcionado en la compostura de sus mienbros y fermoso en las faciones de su rostro, de linaje noble castellano y muy antiguo.

Era ombre agudo y discreto, y de tan grand coraçón que ni las grandes cosas le alteravan ni en las pequeñas le plazía entender. En la continencia de su persona y en el resonar de su fabla, mostrava ser ombre generoso y magnánimo. Fablava muy bien, y nunca le oían dezir palabra que no fuese de notar, quier para dotrina quier para plazer. Era cortés y honrrador de todos los que a él venían, especialmente de los ombres de ciencia.

Muertos el almirante su padre y doña Leonor de la Vega su madre, y quedando bien pequeño de hedad, le fueron ocupadas las Asturias de Santillana, y grand parte de los otros sus bienes. E como fue en hedad que conoció ser defraudado en su patrimonio, la necesidad que despierta el buen entendimiento y el coraçón grande que no dexa caer sus cosas le fizieron poner tal diligencia que, vezes por justicia, vezes por las armas, recobró todos sus bienes.

Fue muy templado en su comer y bever. E en esto tenía una singular continencia. Tovo en su vida dos notables exercicios, uno en la diciplina militar, otro en el estudio de la ciencia. E ni las armas le ocupavan el estudio, ni el estudio le impedía el tiempo para platicar con los cavalleros y escuderos de su casa; en la forma de las armas necesarias para defender, y quáles avían de ser para ofender y cómo se avía de ferir el enemigo, y en qué manera avían de ser ordenadas las batallas, y la disposición de los reales, y cómo se avían de conbatir y defender las fortalezas, y las otras cosas que requiere el exercicio de la cavallería. E en esta plática se deleitava por la grand abituación que en ella tovo en su mocedad. E por que los suyos sopiesen por esperiencia lo que le oían dezir por dotrina, mandava continuar en su casa justas y ordonava que se fiziesen otros exercicios de guer[r]a por que sus gentes estando abituados en el uso de las armas les fuesen menores los trabajos de la guerra.

Era cavallero esforçado y ante de la fazienda cuerdo y templado y puesto en ella era ardid y osado. E ni su osadía era sin tiento ni en su cordura se mescló jamás punto de covardía. Fue capitán principal en muchas batallas que ovo con christianos y con moros, donde fue vencedor y vencido. Especialmente ovo una batalla contra los aragoneses cerca de Araviana, otra batalla cerca del río de Torote, y estas dos batallas fueron muy heridas y sangrientas, porque peleando y no huyendo murieron de amas partes muchos ombres y cavallos, en las quales, porque este cavallero se falló en el campo con su gente aunque los suyos vido ser en número mucho menor que los contrarios, pero porque veyendo al enemigo delante reputava mayor mengua bolver las espaldas sin pelear que morir o dexar el campo peleando, cometióse a la fortuna de la batalla y peleó con tanto vigor y esfuerço que como quier que fue herido y vencido, pero su persona ganó honrra y reputación de valiente capitán. (96-97).

Este cavallero ordenó en metros los proverbios que comiençan: «Fijo mío, mucho amado &c», en los quales se contiene[n] casi todos los precebtos de la filosofía moral que son necesarios para virtuosamente bivir. Tenía grand copia de libros y dávase al estudio, especialmente de la filosofía moral y de cosas peregrinas y antiguas. Tenía siempre en su casa doctores y maestros con quien platicava en las ciencias y leturas que estudiava. Fizo asimismo otros tratados en metros y en prosa, muy dotrinables para provocar a virtudes y refrenar vicios. E en estas cosas pasó lo más del tiempo de su retraimiento. Tenía grand fama y claro renonbre en muchos reinos fuera de España, pero reputava mucho más la estimación entre los sabios que la fama entre los muchos. (...) Fenesció sus días en hedad de sesenta y cinco años [i. e., sesenta] con grand honrra y prosperidad. E si se puede dezir que los ombres alcançan alguna felicidad después de muertos, segund la opinión de algunos, creeremos sin dubda que este cavallero la ovo, porque dexó seis fijos varones, y el mayor que heredó su mayorasgo lo acrecentó y subió en dignidad de duque. E el segundo fijo fue conde de Tendilla e el tercero fue conde Curuña. E el quarto fue cardenal de España y arçobispo de Toledo y obispo de Cigüença, e uno de los mayores perlados que en sus días ovo en la iglesia de Dios. Y a estos quatro y a los otros dos que se llamaron don Juan y don Hurtado, dexó villas y logares y rentas de que fizo cinco casas de mayorasgos allende de su casa y mayorasgo principal. (100-102).

LIBROS DE VIAJES

27

Juan Fernández de Heredia (c. 1310-96), *Libro de las maravillas [de Marco Polo; versión aragonesa]* (entre 1376 y 1396; procede del original franco-italiano de 1298). Escorial: Monasterio, ms. Z.I.2, fols. 58r-104v (letra de 1376-96), ed. de J. J. Nitti, *Aragonese Version of the «Libro de Marco Polo»* (Madison: HSMS, 1980).

[I.] [AQUI COMIENÇA EL LIBRO DE MARCO POLO, CIUDADANO DE VENECIA] [34]

Primerament quando hombre caualga xxx iornadas del grant desierto qui se clama el desierto del Lobo, troba hombre vna grant çiudat que se clama la ciudat del Lobo; et aquel desierto dura de trauiesso xxx iornadas et de luengo vn anyo. Et conuiene que hombre lieue con si todo quanto le faze menester, car no se troba res de que pueda beuir. Et trobasse vna tal marauilla: que si alguno se atura vn poco de entre los otros, oyra bozes que lo clamaran por su nombre.

Et a la sallida de aquel desierto ya vna çiudat que se clama Sasion, et la prouincia ha nombre Cangut; los quales son del grant can, et son ydolatres et cristianos nesturinos. Et los ydolatres han lenguage por si, et es entre griego et leuant, qui viene del començamiento de la tierra. Et han muchas abadias de las ydolas que ellos han, et fazen grandes sacrifiçios; et lures ydolas son de diuerssas facçiones.

Et cada vno, quando le naçe vn infant, faze matar vn carnero a honor de la ydola en que aura mayor deuocçion; et quando viene la fiesta de la ydola, fazen cozer aquel carnero, et apres uan deuant aquella ydola et meten taulas et ponen de suso la carne, et cantan deziendo lures pregarias. Apres tornan se a lures casas con lur vianda et comen faziendo grant fiesta todos los parientes; et dizen que la ydola ha comido la substançia de aquella carne et que aquella les saluara lures fillos, et quando han comido, aplegan todos los huessos et meten los en bellos monumentes de piedras.

Et cada vno de aquestos ydolatres, quando es muerto, se faze cremar. Et quando lieuan el cuerpo a cremar, son aplegados todos los parientes et amigos; et fazen en pargaminos muchas et diuerssas bestias, assi como camels, cauallos et otras semblantes, et pintan hí hombres, et echan los en el fuego enssemble con el cuerpo, diziendo que todas aquellas cosas auran biuas en el otro mundo a su comandamiento. Et quando lieuan el cuerpo a cremar, van sonando deuant con muchos sturmentes.

---

[34] El viaje del famoso veneciano tuvo lugar entre 1271 y 1295.

Encara quando el cuerpo es muerto, fazen venir los encantadores et echan suertes si es ora que lo deuan leuar a cremar et de qual part del hostal deuen sacar el cuerpo; et segunt que aquellos dizen et ordenan, fazen, car a uegadas no los creman de vn mes apres que son muertos. Et mientres lo tienen en casa, meten lo en vna caxa de fusta bien grosa et implen el cuerpo de suffre et de otras conficçiones por que no puda, et cubren la caxa de vn bell drap de oro o de seda. Et cada dia fazen cozer carne et de otras viandas et meten las apres la caxa del muerto, et meten hí que beuer; et dexan lo vna buena pieça, diziendo que la anima come la substançia de aquellas viandas. Et apres toman aquella vianda et comen la con grant fiesta. Et aquesta es lur husança. (7-8).

[II.] DE LA PROUINCIA DE SANNILS

Sannils es vna prouinçia qui fue en tiempo passado regno; et hay çiudades, villas et castiellos assaz. Et el mayor senyor de aquella tierra se clama Canil. Et aquesta prouinçia es entre los desiertos de luengo et de trauiesso, ende ha vno que tura tres iornadas. Et todas las gentes que hí stan son ydolatres, et han lenguage cierto, biuen del fruyto de la tierra, quende han grant habundançia. Et son hombres de grant solaz, et no han cura sino de cantar et de sonar et de tomar plazer; los quales son bien acullientes a las gentes estranyas, reculliendo los en lures casas por la grant cortesia que en ellos es. Et de present que algun stranger es venido a vna casa, el senyor del hostal le faze mandamiento a la muller que faga todo lo que el estrangero querra. Et de present el senyor sende va et sta tanto fuera de la villa como el estrangero querra estar en su casa, faziendo le la mullier companya propriament como al marido, et honrra lo, et sirue lo en todo lo que puede. Et meten a la puerta o a la finiestra vn capel de sol, o su espada, o lo que la muller querra por senyal que strangero ya en lur hostal, car ellos lo reputan a grant honor. Et si el senyor viene et veye que ý es el senyal, torna sende et sta de fuera entro aquel strangero si es partido. Tal husança han por todas aquellas prouinçias. Et ay muchas bellas fembras.

Et son de la senyoria del gran can. Et hun grant can hí huuo que, como supo aquella husança de aquellas gentes, les enuio sus missageros pregando et mandando les que quisiessen dexar aquella husança por que era muy deshonesta. Et quando ellos supieron aquestas nueuas, fueron muyt despagados, et, auido lur conssello, enuiaron a lur senyor grandes donos, suplicandolo que no les crebantas lur husança ni les quisies fer tan grant ultrage, pues lo auien mantenido todos tiempos, et que por aquella buena costumbre lures dioses los amauan mucho et les auien dados muchos bienes et riquezas; et si la vsança se trincaua, que lur dios ende serie corroçado et les tirarie todos lures bienes. Et lur senyor dalli auant no les contrasta plus. (8-9).

[V.] De la çiudat de Campion

Campion es vna çiudat que es en la prouinçia de Tangut, la qual es muy grant et muyt noble. Et al capo desta grant prouinçia son ydolatres, et assi mismo hí ha cristianos et moros; et los cristianos son nesturins, et han tres bellas yglesias et abadias assaz en que ya muchas et diuerssas ydolas chicas et grandes.

Et los religiosos ydolatres biuen mas honestament que las otras gentes, guardando se mucho de luxuria; mas los otros ydolatres no entienden que sea pecado. Et han lur calendario de los meses, et en cascun mes han v dias et squiuan se mucho de matar bestia et comer carne alguna; et en cada vno de aquestos v dias fazen grandes abstinencias.

Et cada vno puede tomar tantas mulleres como se querra, mas la primera han por millor et es mas preçiada. Et dan axuuar de moneda et de bestias, cada vno segunt que puede. Et algunas vegadas canbian las mulleres vnos con otros; et prenden lures cosinas, que no se lo tienen a pecado. Et biuen en lur crehença como bestias.

En aquesta çiudat estuuieron miçer Nichola et miçer Marcho Polo vn anyo. (9-10).

[VII.] De como fizieron senyor a Cangiscan

Esdeuino se que aquellos tartres en el anyo de mil clxxxvii fizieron vn senyor et huuo nombre Cangiscan, el qual fue valient hombre et sauio. Et quando fue esleydo, todos los tartres eran escampados daqua et dalla por diuerssos lugares; et como lo supieron, vinieron a esti senyor et obedecieron lo. Et aquesti supo tan bien senyorear que todos se tenien por contentos dél et vinieron a su senyoria tantas de gentes que no auien nombre.

Et quando el fue coronado senyor de tantas innumerables gentes, mando que cada vno huuiesse archo et ballesta et las otras armas que la ora husauan. Et quando aquell mandamiento fue complido, si fizo aiustar grant huest et fue conquistando muchas prouinçias et çiudades, assi que en poco tiempo huuo aquestas viii prouincias. Et en lo que conquistaua no fazie mal a nenguno ni les tirauan lo lur, sino que les retomo a su senyoria todas las fortalezas et leuaua con si todos los hombres que armas podien leuar por que le ayudassen a conquistar las otras prouinçias, assi que su poder era sin fin.

Et quando Cangiscan se vido senyor de tantas prouinçias et gentes, enuio sus missageros a Preste Iohan [35] demandando lo su filla por muller, et aquesto fue en el anyo de Iesu Cristo de mil et dozientos. Et quando Presti Iohan huuo aquesta missageria, huuo ende grant desplazer et dixo a los missageros:

---

[35] Se trata del legendario prelado cristiano Preste Juan del Levante, a quien varios príncipes europeos intentaron localizar durante siglos para formar alianzas contra el enemigo oriental. —*Cangiscan:* Gengis (o Jenghiz) Khan, célebre conquistador mongol que nació en 1162 y murió el 18 de septiembre de 1227.

«¿Et como es tan ardido vuestro senyor que me demanda mi filla por muller, seyendo el mi sclao et mi hombre? Certas, yo me faria antes pieças que le enuias mi filla. Et anat uós ne et dezit le que iamas no men venga nenguno dauant, et si lo faze, yo le fare grant onta et desplazer.»

Et de continent los missageros se partieron et contaron le la respuesta que Preste Iohan les auie fecha. Et quando Cangiscan huuo oyda la respuesta, dixo que iamas no serie senyor entro a que huuies vengada aquesta villania, et sin falla que el lo metria muerto o murrien todos. Et de continent mando aplegar sus huestes et fizo el mas grant aiustament de gentes de armas que podo. Et enuio dezir a Preste Iohan que se aparellas de defender, que el le querie yr contra. Et quando Preste Iohan lo suppo, no lo precio res. Empero fizo aparellar sus huestes et gentes, et metiosse en coraçon de estruyr lo.

Et poco tiempo apres vino Canguiscan con todo su exerçitu et attendosse en vn bell plano dentro la tierra de Preste Iohan et aqui spera la batalla. Et stando aqui, huuo nueuas que Preste Iohan —qui era muyt grant bello— vinie contra el, de la qual cosa se mostro muyt alegre et toda ora lo spero en aquel plano. Et como Preste Iohan fue aparellado et supo que Cangiscan lo speraua en aquel plano de Tangut, vino con su innumerable exercitu çerca del xx millas et aqui se attendo et reposo su gent, et cascuna part se aparello lo millor que pudo. Cangiscan fizo venir todos sus encantadores et mando que echassen suertes, qual part aurie victoria de la batalla, et no huuo nenguno que ge lo supies der sino los cristianos que eran con el, los quales le dixieron que el deuie auer victoria. Et el quiso saber la verdat como ellos lo sabien et fizo los venir deuant si. Los quales prendieron vna canya et fendieron la por medio et en la vna meytat scriuieron el nombre de Cangiscan et en la otra el de Preste Iohan et leyeron vn nombre del salterio, et de continent el nombre de Cangiscan se leuanto et puyo sobre el de Preste Iohan. Et quando Canguiscan lo vido, fue muyt alegre et fizo fer grant fiesta por toda su huest. Et por aquesto son tenidos los cristianos entre ellos gent de grant verdat. (10-12).

[L.] De la Isla de Seylan, e troba se la Prouincia de Mahabar

Et sabet que las gentes de Mahabar van todos snudos et lieuan la natura vn poco cubierta de drap, et assi mismo va el rey, saluant que lieua en su cuello —por honor— vna trena plena de perlas et de piedras preçiosas et lieua otra trena colgada del cuello entro el hombligo, plena de perlas muyt grossas; et aquesto lieua en filos a manera de paternostres, los quales son ciiii entre perlas et piedras preciosas —vn filo de perlas et otro de piedras preçiosas— et ha los a dir todos dias dos vegadas, vna a la manyana et otra al vespre, a honor de lur ydola.

Et assi mismo lieua en cascun braço tres braçales de oro et de nobles piedras et de perlas grossas, et otros tantos en cascuna cama; assi que si lo que este rey lieua se vendie, vale vn grant trasoro. Et es vedado que de su regno no se osa sacar nenguna cosa, piedra ni perla, ante las han de leuar a su cort et da por ellas dos tanto que no les cuesta.

Aquesti rey ha bien v mil mulleres, car tantost como el sabe alguna bella fembra en su regno la toma por muller; et dó quiere que vaya esti rey lo acompanyan muchos varones et caualleros.

Et han tal husage: que quando él rey muere, toman el cuerpo et creman lo, et tantost como lo han echado al fuego, todos aquellos qui eran sus leales companyones se echan assi mismo en el fuego, por tal que sean companyones en el otro mundo.

Et sabet que no han ningun cauallo sino que mercaderos los hí lieuen ha vender.

Et quando algun hombre muere, assi mismo lo creman, et su mullier —si la auia— se echa assi mismo en el fuego con el.

Et quando van en batalla, van todos snudos con lanças et con scudos. Et assi mismo han por costumbre que no matarien ren que ellos coman, car dizen que grant pecado es, mas fazen lo matar a moros. Et han tal husança: que se lauan toda la perssona dos vegadas al dia et vna a la noche, et qui no lo faze es tenido por erege. Et assi mismo han por grant pecado beuer vino et yr sobre mar, et nenguno que aquesto faga no es recebido en testimonio; et assi mismo fazen grant iustiçia de aquel que mata a otro, car dizen que aquesti es el mayor pecado que hombre pueda fer, mas no han conçiençia de luxuria.

En aquestas tierras faze tan grant calor que hombre no hí pudie beuir si no que hí pluuie en iunyo, en iulio et en agosto, et aquesto refresca mucho la tierra.

Ellos dan a comer a lures cauallos carne cruda con arroz; et han muchas ydolas et encantadores et astrologianos.

Et sabet que en aquesta prouinçia es el cuerpo de Sant Tomas appostol, es a saber, en vna muyt chica ysla que es muyt çerca de aquesta; et van hí muchas gentes en peregrinage, assi moros como cristianos, et cascun aduze de la tierra de dó fue muerto; la qual tierra ha tal virtut que si alguna perssona es malauta de fiebre et beue de aquella tierra destemprada con agua, guareçe de continent.

Et dezir uos he de vn miraglo que Sant Tomas fizo en el anyo de mil cclxxiii. Vn baron de aquella encontrada huuo tanto de arroz que no sabie dó se lo meties; et por fuerça, contra volumtat de los monges qui sieruen el monesterio dó los peregrinos son recullidos, el lo metio que no sende quiso star por mucho que los monges lende pregaron; assi que fizieron oracion a Sant Tomas. Et la noche apres, Sant Tomas apareçio al baron, standon en su lecho, et le dixo: «Si tu no fazes sacar cras el arroz que has metido en las casas de los mis peregrinos, yo te fare dar muert.» Assi que el baron en la manyana sende vino a los monges, demandando les perdon, et fizo todo lo que ellos quisieron.

En aquestas tierras han tal husage: que cascun anyo, despues quel infant es nasçido, si lo vntan dolio de *susaman* et fazen lo star al sol, por tal que torne mas negro [...] es presçiado de belleza; et lures ydolas pintan negras et los diablos blancos.

Aquestas gentes han grant deuocçion en los buyes et en speçial en los saluages; assi que quando van en batalla, cascuno lieua con si vn troz de la piel, diziendo que leuando con si aquesta piel, no les puede mal venir. (49, 50-51).

28

Gutierre Díez de Games (¿1378?-después de 1448), *El Victorial o Crónica de don Pero Niño, conde de Buelna* (entre 1435 y 1448). Madrid: Nacional, ms. 17648 (letra de c. 1500), ed. de J. de Mata Carriazo (Madrid: Espasa-Calpe, 1940).

PROEMIO

Capítulo VIII

*Aquí dize qué es, qué tal deve ser el cavallero,
e por quién es llamado buen cavallero.*

(...) No son todos cavalleros quantos cavalgan cavallos; ni quantos arman cavalleros los reyes son todos cavalleros. Han el nonbre; mas no hazen el exerçizio de la guerra. Porque la noble cavallería es el más honrrado ofizio de todos; todos desean subir en aquella honrra: traen el ávito e el nonbre, mas non guardan la regla. No son caualleros, mas son apantasmas e opóstatas. Non faze el ávito al monxe, mas el monje al ávito. Muchos son llamados, e pocos los escogidos. (...)

Los cavalleros, en la guerra, comen el pan con dolor; los biçios della son dolores e sudores: vn buen día entre muchos malos. Pónense a todos los travaxos, tragan muchos miedos, pasan por muchos peligros, abenturan sus vidas a morir o vivir. Pan mohoso o vizcocho, biandas mal adovadas; a oras tienen, a oras non nada. Poco vino o no ninguno. Agua de charcos e de odres. Las cotas vestidas, cargados de fierro; los henemigos al ojo. Malas posadas, peores camas. La casa de trapos o de ojarascas; mala cama, mal sueño. (...)

E yo, Gutierre Díez de Games, criado de la casa del conde don Pero Niño, conde de Buelna, vi deste señor todas las más de las cavallerías e buenas fazañas que él hizo, e fuí presente a ellas; porque yo bibí en su merçed deste señor conde desde el tiempo que él hera de hedad de veynte e tres años, e yo de ál tantos, poco más o menos. E fuí vno de los que con él regidamente andauan, e ove con él mi parte de los trauajos, e pasé por los peligros dél, e abenturas de aquel tienpo; porque a mí hera encomendada la su bandera: tenía cargo della en los lugares donde hera menester. E fuí con él por los mares de Levante e de Poniente, e ví todas las cosas que aquí son escritas, e otras que serían luengas de contar, de cavallerías, e valentías, e fuerças.

(...) E fice dél este libro, que fabla de los sus fechos, e grandes aventuras a que él se puso, ansí en armas, como en amores: bien ansí como por armas fué honbre de grand bentura, ansí en amores fué muy baliente e bien notado. (42-45).

SEGUNDA PARTE

CAPÍTULO XXXVII

(...) En aquel tiempo, veniendo al rey muchas querellas de cosarios muy poderosos, naturales de Castilla, que andauan rovando por la mar de Lebante, ansí a los de Castilla como a los estraños, donde el rey auía grand pesar, el rey llamó a Pero Niño, e encomendóle este fecho, muy secretamente. Mandóle aparejar en Sevilla galeras, e que escogiese él qual él quisiese. (...)

Otro día fueron [Pero Niño e los suyos] ante Gibraltar e Algeçira; e vinieron allí moros a pie e a cauallo a ber las galeras. E vino allí vna çabra, en que venía vn cavallero moro, e rogaron al capitán que llegue las galeras ante Gibraltar, e que le darían el *adiafa,* que es presente; ca entonzes auían ellos treguas con Castilla. El capitán fué allá, e trajéronle bacas, e carneros, e gallinas, e pan coçido asaz, e *atayferes* llenos de *alcuzcuz,* e de otros manjares adovados; no porque el capitán comiese ninguna cosa de quantas los moros le presentaron. Fiçieron allí muchos solazes de vayles, e de añafiles e *xabebas* e otros estrumentos.

Partió de allí el capitán, e fué ante Almuñécar, e dende a Málaga. Esta es vna fermosa çivdad de mirar: está bien asentada, e es llana. De la vna parte llega la mar a ella, e está la mar açerca della, e está vn poco de *sabre* entre medias, en que abrá fasta veynte o treynta pasos de la mar a ella. Por el cavo de poniente es la taraçana; llega la mar a ella, e avn rodéala vn poco. E de la parte de aquilón, contra Castilla, es la çivdad, vn poco alta, como en vna pequeña ladera. Tiene dos alcázares o castillos, arredrados el vno del otro.

Conteçió allí vna maravilla, a los que tal non auían visto. Viniendo las galeras remando, costeando la tierra, la mar calma, podría aber fasta Málaga quanto dos millas; e, mediado el mes de .mayo, el çielo muy claro, el sol a sudueste, levantóse a desora vna niebla muy esqura, que benía de contra la çiudad, e vino sobre las galeras, en manera que los de la vna galera non beyan a los de la otra, avnque estauan bien çerca.

E algunos marineros, que abían visto tal ya otras vezes, dixeron que los moros heran hechiçeros de aquellas tales cosas, e quellos lo farían a fin, si pudiesen, hazer perder las galeras. E que desatasen los marineros, por si tocasen en alguna roca; mas que fiçiesen todos la señal de la cruz e dixesen oraçiones a Dios que los librase de aquella maldad. E que non duraría, e que ayna sería desfecho.

E ansí fué, que luego súpitamente fué deshecha e tornada en nada, e paresçió el tiempo claro, e cobraron remos. (99-102).

Capítulos LXXI-LXXII

[Cómo fueron la gente con la vandera del
capitán a rovar la ysla de Porlan]

(...) Aquella noche repararon en mar. Otro día vinieron sobre la tierra, a vna ysla que llaman Porlan. E[s] vna ysla pequeña, çerca de la tierra de Angliaterra; quando es vaxamar, pasan de la vna tierra a la otra, quando es plenamar pasan en navíos. Esta ysla es redonda, e de cada parte las peñas altas, que non tiene entrada ninguna, sinó aquella que tiene de parte de la tierra firme. Está dentro en ella vn lugar en que moran fasta doçientos vezinos. (...) Mandó el capitán Pero Niño algunos de los suyos con su bandera a rovar aquel lugar e traer los ganados de la ysla; e otrosí fizo mosén Charles. E quedaron ellos con la otra gente, esperando que quando menguase el agua que bernía gente de los yngleses. Los que fueron a la ysla pelearon vn rato con los que ende fallaron; e los de la ysla heran pocos, e mal armados: fuyeron todos.

Ellos tenían en las peñas, ribera de la mar, vnas quevas muchas e grandes, e las deçendidas dellas angostas; e andavan aquellas deçendidas dando bueltas, en manera que vn solo honbre defendía vna escalera de aquellas entradas a quantos benían. E ante al rodear de la ysla auían ellos vistas las galeras, e avíanse recogido a las cuevas con sus mugeres e sus hijos, tanto que non pudieron dellos auer si non pocos prisioneros. E volvieron a robar el lugar.

Estando la gente en la ysla, tanieron las tronpetas en las galeras, llamando la gente. Estonze los franzeses que heran en la conpañía comenzaron de poner fuego a las casas; e los castellanos non lo quisieron hazer poner, ante hizieron que non se pusiese más, porque la gente de la ysla hera pobre. E aýn conteçio miraglo allí. Que vn castellano puso fuego a vna casa de paxa techada, que nunca jamás la pudo fazer arder, ca non lo ponía de voluntad. Los franzeses, tantos que ponían el fuego hera luego la casa ardida. Esto fazía que los castellanos non avían voluntad de fazer más mal en aquel lugar, con piedad que avían de aquella gente. Bien sabían ellos que tal hera la voluntad de su capitán: fué blando a lo flaco, e fuerte contra lo fuerte.

Ansí volvieron la gente a las galeras; e quando llegaron, heran ya pasados aquende muchos yngleses, honbres darmas e frecheros, con la menguante del agua. El capitán e mosén Charles tenían ya trauada la pelea con los yngleses. Ellos punavan por pasar a defender la ysla, que veyan andar allá la gente de las galeras; ellos por tenerles la pasada.

La gente de los yngleses creçían más todauía; e avnque [e]l capitán non les bagaba pelear por defender la pasada, hera ancha: en tanto que peleauan con los vnos, pasauan los otros a la ysla. E los que benían con la bandera del capitán asomaron en lo alto de la ysla, e vieron cómo peleauan, e cómo venían otros a ellos; e hordenáronse bien, que auía buenos honbres en ellas, e vinieron muy ayna, e falláronse con los yngleses, e firieron muy de reçio en ellos. (203-204).

Capítulo LXXVII

[Carácter de los franceses]

(...) Los franzeses son noble naçión de gente; son savios e muy entendidos e discretos en todas las cosas que perteneçen a buena crianza, en cortesía e gentileza. Son muy gentiles en sus traeres, e guarnidos ricamente. Tráense mucho a lo propio. Son francos e dadivosos. Aman fazer plazer a todas las gentes; honrran mucho los estrangeros, saben loar e loan mucho los buenos fechos. Non son maliçiosos, dan pasada a los henoxos; non caloñan a honbre nin fecho, salvo si los va allí mucho de sus honrras. Son muy corteses e graçiosos en su fablar; son muy alegres, toman plazer de buena mente, e búscanlo. Ansí ellos como ellas son muy henamorados, e préçianse dello. (217-18).

Capítulo LXXXIX

[Tradiciones populares de Inglaterra]

(...) Otrosí, abía en aquella tierra sierpes e muy fuertes dragones, e muchas fieras animalías. E avn agora ay en Angliaterra vnas aves que llaman vacares, que nazen de los árvoles. (...)

Fallé vn anglés, vn honbre muy entendido, e preguntéle muy afincadamente desta razón. E dixo que hera berdad, que abía estas abes, mas que heran por esta manera. Dixo que en la costa de Cornualla abía en algunos lugares vnos árboles pequeños, que paresçen en la foja e en toda su fechura menbrillos. E que estaban e nasçían en las peñas, sobre la mar, en lugares que pocas vezes podría honbre llegar algunos dellos. E que en aquel tiempo quando las abes fazen sus nidos, e ponen sus huevos, que benían allí vnas abes que heran canos, como tordos, prietos, e el pico e los pies bermejos. E los beyan asentar en aquellos árboles e non en otros.

E que façían vnos nidos pequeños, e que ponían allí vnos huevos mucho menudos. E que luego se yban, que no los beyan allí más. E que se daba a entender que ellos heran de tal natura, que como aquellas abes se criavan allí después, sin otro mantenimiento, sinó solamente del árbol. (...)

Otrosí diz que es allí vna natura de vn pexe que llaman pexe rey, el qual nunca es fallado en ninguna otra parte sinó allí. E diz que á todas figuras como honbre, e que es de ese estado, e que es qubierto de vnas escamas muy fuertes, todas fechas a fación de arnés de brazos, e de piernas, e de pies e manos, a tantas e tales quantas á menester vn honbre darmas bien armado.

E avn que tienen algunos de aquella partida que de allí fueron sacadas las harmas. (...)

E por estas razones que dichas he, e otras muchas maravillas que en aquella tierra fueron e son, es llamada tierra de maravillas, Angliaterra. E después que Bruto la conquistó, cómo la llamó del su nonbre, e la llamó Brutania [¡!]. (280-81).

LIBROS DE AVENTURAS CABALLERESCAS

29

Lançarote (c. ¿1300?). Salamanca: Universitaria, ms. 1877, fols. 298v-300v (fecha: 1469-70), ed. de K. Pietsch, *Spanish Grail Fragments*, t. I (Chicago: Univ. of Chicago Press, 1924), págs. 83-89.

Esto dixo el rrey de Lançarote que lo non podia creer que era verdat que el yazia con la rreyna. Mas aquella ora que los sobrinos fueron preguntados ovo ende el pesar que es sobre todos los pesares; ca el amava la rreyna Ginebra a desmesura. Entonçe començo a pensar asy grand pieza que non sopo cosa dó estava. E Mordorec le dixo: Sennor, nós lo encobrimos mientra podimos. Agora dezitnosvoslo sin nuestro grado. Agora fazet ý lo que vos semejare, e que non venga mal ende a vuestra tierra nin a vuestros amigos. Commoquier, dixo el, que sea ende vengado asy que sienpre ende fablaran. E sy el mi bien queredes, rruegovos yo que me lo tomedes ý. E ellos gelo prometieron que lo farian asy. E el rrey les prometio que faria dél en tal guysa justicia que sienpre el e su linaje ende fablasen. Entonçe salieron de la camara e fueronse al palacio. Mas bien parescia en el rrey commo andava sanudo. E fuese el rrey a caça e non quiso que Lançarote fuese con el. E en commo dixo Lançarote a algunos de sus cavalleros: Veyes que senbrante me fizo el rrey? Ca non sabia Lançarote en commo era ya descobierto.

EN COMMO FALLARON A LANÇAROTE CON LA RREYNA.

Tanto que el rrey Artus fue a caça, enbio la rreyna dezir a Lançarote que veniese a ella onde ál non feziese. E el fue muy ledo e consejose con Boores: Por Dios, non vayades alla; ca bien sabedes que sy alla ydes, pesar vos ende verna. Ca he pavor de vós, e el mi coraçon me lo diz. E el dixo que lo non dexaria en ninguna guisa. Pues asy queredes, sennor, yd escondidamente e levat con vós vuestra espada. E fuese a la camara de la rreyna. Mas sabet que bien entendio el que Morderec e sus hermanos con muchos cavalleros le tenian la puerta de la camara. En tanto quanto el entro en la camara, echose con la rreyna. Mas non yogo ý mucho; que luego venieron a la puerta los que lo esperavan. E fallaronla cerrada e dixeron a Agravayn:

Que faremos? Quebrantaremos la puerta? Dixo el: Si. Desy ferieron a la puerta. E oyolos la rreyna e levantose toda tollida e dixo a Lançarote: Ay, amigo, muertos somos. Commo, dixo el, que es esto? E escucho e oyo a la puerta grand grita e grandes bozes de omnes dó querian quebrantar la puerta, mas non podian. Ay, dixo ella, amigo, agora sabra el rrey mi fazienda e la vuestra. Todo esto nos ordio Agravayn. Sy Dios me ayude, dixo el, yo ordire la su muerte. Entonçe se levanto del lecho. Ay, sennora, dixo el, ay aqui alguna loriga? Certas, dixo ella, non; ca plaze a Dios que muramos aqui amos. Pero sy ploguiese a Dios que vos escapasedes de aqui, se yo bien que non ý á tal que me ose matar, sabiendo que vos erades bivo. Mas cuydo que nuestros peccados nos confondran. Entonçe vino Lançarote a la puerta e dio vozes a los que fuera estavan. E dixo: Malos cavalleros e covardes, atendet un poco; ca çedo averedes ela puerta abierta, e yo vere qual sera el ardit que entrara primero. Entonce abrio la puerta e dixo: Agora entrat. E un cavallero que avya nonbre Canagoyz, que desamava mucho a Lançarote, entro primero. E Lançarote que tenia ya la espadá sacada, feriolo de toda su fuerça en guysa quel non presto arma, que lo non fendiese fasta en las espaldas, e dio con el muerto en tierra. E quando los otros vieron este golpe, non ovo ý tal que osase entrar. Ante se fezieron afuera en tal guysa que la entrada finco libre. E quando esto vyo Lançarote, dixo a la rreyna: Sennora, esta guerra es finida. Quando a vos ploguiere, yr me. E ella dixo: Si vos fuerdes en salvo, yo non avere pavor de mi. Entonce tiro Lançarote al cavallero que matara escontra si e cerro la puerta porquel non entrasen los otros. E desarmol e prise de aquellas armas las mejores quel pudo. E dixo a la rreyna: Sennora, agora puedo yo, si Dios quesiere, yrme en salvo; que de quantos que me aqui guardan, yo me librare bien commo yo cuydo. E dixo ella: Ydvos e pensat de mi; ca yo bien se que ayna avere menester la vuestra ayuda. O bien, dixo el, mas si a vós ploguyre, levarvos he comigo; ca non ha aqui omne por que vos yo dexe. Esto non quyero yo, dixo ella; ca luego asy sera llannamente la nuestra follia conoscida. Mas Dios lo guysara mejor. Entonçe abrio Lançarote la puerta e dixo que non queria mas yazer en presion. E ferio al primero de un grand golpe quel fizo en tierra caer estordido. E elos otros que esto vieron fezieronse afuera e dexaronle la carrera. E Lançarote fuese a su posada e fallo a Boores en una camara con pavor de non verlo venir a su voluntad; ca bien gelo dezia su coraçon ca los del linaje del rrey lo tomarian con la rreyna si podiesen. E en esto Lançarote con su linaje partiose de la villa cavalgando. E fueronse a la floresta e metieronse en la orilla della donde era mas espesa, e estodieron ý fasta la noche. E enbio luego Lançarote un donzel a saber nuevas. E traxieronle en commo el rrey lo enbiara prender a la posada, e non le fallaron. E luego el rrey mandara por su sentencia quemar a la rreyna, e guardaronla fasta otro dia.

De commo lievan a lla rreyna a quemar, e vyno Lançarote.

El rrey mando a Agravayn que tomase ochenta cavalleros armados para guardar el campo alli dó el fuego era que si Lançarote veniese, que la non podiese levar la rreyna. E el fizolo ansy commo el rrey le mandara. E levaronse la rreyna a quemar. E Lançarote en que supo las nuevas, cavallgo el e los suyos, e fallaronse treynta e dos cavalleros e fueronse escontra dó parescia el fuego. E quando la gente los vieron venir, dieron bozes a los que guardavan la rreyna: Fuyt; que aqui Lançarote onde viene por levar la rreyna. E Lançarote que venia delante todos dexose correr a Agravayn; ca bien lo conoscio por sus armas. E feriolo tan fieramente que le non valio arma ninguna e metio la lança por el que parescio el fierro de la otra parte. E cayo en tierra muerto. Ansy que Lançarote con los suyos derribaron ende muy grand pieça; ca fue una lit muy brava. E muy presto fueron vencidos. E quando Lançarote vio esto, fue a la rreyna e dixole: Sennora, que queredes que nós fagamos? E ella rrespondio: Amigo, yo querria que me levasedes adonde el rrey non me feziese mal. Sennora, dixo el, cavalgat, e vayamonos a aquella floresta e prenderemos ý consejo que sea bueno. E fezieronlo asy. E sopolo luego el rrey commo eran desbaratados todos los suyos, e Lançarote levara la rreyna. E mandara luego el rrey guardar todos los puertos. E Lançarote con los suyos levaron a la rreyna a un castillo muy fuerte, e de ally enbio por sus amigos que le veniesen a socorrer; ca le tenia el rrey Artus çercado. E en esto enbio Lançarote dozientos cavalleros secrectamente que se lançasen en la floresta e estodiesen ende en tanto que sopiesen del rrey si vernia en paz. Donde non, que dende saldrian a socorrer a los del castillo. E asy fue que pelearon despues muy bravamente. E murieron muchos de los del rrey, mayormente de los de la Tabla Rredonda. De ciento e cinquenta que eran morieron ende setenta e dos, e de los otros muchos.

E de commo enbiara Lançarote la donzella al rrey Artus.

Quando vyo Lançarote que el rrey Artus lo tenia cercado el que era el omne del mundo que el mas amara e que mas onrra le feziera, ovo ende grand pesar que non sopo que ý fazer. Enpero non por pavor, mas porque lo amara el rrey Artus mas que a otro onbre que non fuese ssu pariente. Entonce tomo una donzella e apartose con ella en una camara. E dixole: Donzella, vós yres al rrey Artus e dezilde de mi parte que me maravillo mucho porque començo esta guerra contra mi; ca non cuydo que le nunca tanto erre que lo asy deviese fazer. Si vós el dezier que lo faze por lo de la rreyna, e que le fiz tuerto asy commo le algunos dizen, dezilde que me porne contra los mejores tres cavalleros de la su corte que me la non aponen a derecho esta culpa. E en onrra dél e por el amor grande que perdi por mal aponimiento, dezilde que me porne ende en juyzio desta corte sy le ploguyer. E si el al diz que esta guerra començo por la muerte de sus sobrinos, dezilde que de aquella muerte non soy tan culpado porque el me deviese desamar tan mortalmente; ca ellos mesmos se fueron rrazon de la su muerte. E la donzela luego se partio e levo su mandado e contolo todo al rrey. E ante que el rrey rrespondiole Galvan que el rrey estava para vengar la su vengança. (85-89).

30

Libro del Caballero Zifar (c. 1300). Madrid: Nacional, ms. 11309, y París: Nationale, ms. Esp. 36 (letra del s. xv los dos mss.), ed. de J. González Muela (Madrid: Castalia, 1982).

Cuenta la estoria que este cavallero avía una dueña por muger que avía nonbre Grima, e fue muy buena dueña e de buena vida e muy mandada a su marido e mantenedora e guardadora de la su casa. Pero atan fuerte era la fortuna del marido, que non podía mucho adelantar en su casa así como ella avía mester. E ovieron dos fijuelos que se vieron en muy grandes peligros, así como oiredes adelante, tan bien como el padre e la madre. E el mayor avía nonbre Garfín e el menor Roboán. Pero Dios, por la su piedat, que es endereçador de las cosas, veyendo el buen propósito del cavallero e la esperança que en él había, nunca desesperando de la su merçed, e veyendo la mantenençia de la buena dueña e quán obediente era a su marido e quán buena criança fazía en sus fijuelos e quán buenos castigos les dava, mudóles la fortuna que avían en el mayor e mejor estado que un cavallero e una dueña podrían aver, pasando primeramente por muy grandes trabajos e grandes peligros. (...)

Dize el cuento que este cavallero Zifar fue buen cavallero de armas e de muy sano consejo a quien gelo demandava, e de grant justiçia quando le acomendavan alguna cosa dó la oviese de fazer, e de grant esfuerço, non se mudando nin orgullesçiendo por las buenas andanças, nin desesperando por las desaventuras fuertes quando le sobrevenían; e sienpre dezía verdat e non mentira quando alguna demanda le fazían. E esto fazía con buen seso natural que Dios posiera en él. E porque todas estas buenas condiçiones que en él avía, amávale el rey de aquella tierra cuyo vasallo era e de quien tenía grant soldada e bienfecho de cada día. Mas atan grant desaventura era la suya, que nunca le durava cavallo nin otra bestia ninguna de dies días arriba que se le non muriese, e aunque la dexase o la diese ante de los dies días. E por esta razón e esta desaventura era él sienpre e su buena dueña e sus fijos en grant pobreza. Pero que el rey, quando guerras avía en su tierra, guisávalo muy bien de cavallos e de armas e de todas las cosas que avía mester, e enviávalo en aquellos lugares dó entendía que mester era más fecho de cavallería. E así se tenía Dios con este cavallero en fecho de armas, que con su buen seso natural e con su buen esfuerço sienpre vençía e ganava onra e vitoria para su señor el rey e buen pres para sí mesmo. Mas de tan grant costa era este cavallero, el rey aviéndole de tener cavallos aparejados e las otras bestias que le eran mester a cabo de los dies días mientra durava la guerra, que semejava al rey que lo non podía sofrir nin conplir. (58-60).

[ZIFAR Y EL RIBALDO]

(...) «Amigo —dixo el cavallero—, vayámosnos en buen ora e punemos de fazer bien, e Dios ordene e faga de nós lo que la su merçed fuere.»

Andudieron ese día tanto fasta que llegaron a una villa pequeña que estava a media legua del real de la hueste. E el cavallero Zifar ante que entrasen en aquella villeta, vio una huerta a un valle muy fermoso e muy grande. E dixo el cavallero: «¡Ay, amigo, qué de grado conbría esta noche de aquellos nabos, si oviese quien me los sopiese adobar!» E llegó con el cavallero a una alberguería, e dexóle ý e fuese para aquella huerta con un saco; e falló la puerta çerrada e sobió sobre; las mejores metía en el saco; e arrancándolos, entró el señor de la huerta, e quando lo vio, fuese para él e díxole: «Çertas, ladrón malo, vós iredes comigo preso ante la justiçia e darvos han la pena que meresçedes porque entrastes por las paredes a furtar los nabos.» «¡Ay, señor! —dixo el ribaldo—, sí vos dé Dios buena andança, que lo non fagades, ca forçado entré aquí.» «¿E cómo forçado?» —dixo el señor de la huerta—. «Señor —dixo el ribaldo—, yo pasando por aquel camino, fizo un viento torbilliño atan fuerte, que me levantó por fuerça de tierra e me echó en esta huerta.» «¿Pues quién arrancó estos nabos?» —dixo el señor de la huerta—. «Señor —dixo el ribaldo—, el viento era tan rezio e tan fuerte, que me solivava de tierra, e con miedo que me echase en algunt mal lugar, travéme a los nabos e arrancávanse muchos.» «¿Pues quién metió los nabos en este saco?» —dixo el señor de la huerta—. «Çertas, señor —dixo el ribaldo— de eso me maravillo mucho.» «Pues tú te maravillas —dixo el señor de la huerta—, bien das a entender que non has en ello culpa. Perdónote esta vegada.» «¡Ay, señor! —dixo el ribaldo— ¿e qué mester has perdón al que es sin culpa? Çertas, mejor faríades en me dexar estos nabos por el lazerio que levé en los arrancar, pero que contra mi voluntad, faziéndome el grant viento.» «Plázeme —dixo el señor de la huerta—, pues atan bien te defendiste con mentiras apuestas.»

Fuese el ribaldo con los nabos muy alegre porque atan bien escapara. E adobólos muy bien con buena çeçina que falló a conprar, e dio a comer al cavallero. E desque ovo comido contóle el ribaldo lo que le contesçiera quando fue coger los nabos. «Çertas —dixo el cavallero—, e tú fueste de buena ventura en así escapar, ca esta tierra es de grant justiçia. E agora veo que es verdat lo que dixo el sabio: que a las vegadas aprovecha a ome mentir con fermosas palabras; pero amigo, guárdate de mentir, ca pocas vegadas açierta ome en esta ventura que tú açertaste; que escapaste por malas arterías.» (148-49).

[Exemplum del hijo criminal y la madre indulgente]

(...) Ca pecado mortal es de los malos e non los castigar quien los castigar puede e deve. Çertas, ante deve ome castigar los suyos que los estraños, e sañaladamente los fijos que ovierdes devédeslos castigar sin piedat; ca el padre muy piadoso, ¿bien criados fará sus fijos? Ante saldrán locos e atrevidos. E a las vegadas lazran los padres por el mal que fazen los fijos mal criados. E es derecho que, pues por su culpa de ellos, non los queriendo castigar, erraron; que los padres resçiben la pena por los yerros de los fijos. Así como contesçió a una dueña de Gresçia de esta guisa:

E dize el cuento que esta dueña fue muy bien casada con un cavallero muy bueno e muy rico, e finóse el cavallero; e dexó un fijo pequeño que ovo en esta dueña e non más. E la dueña atan grant bien quería este fijo, que porque non avía otro, que todo quanto de bien e de mal, todo gelo loava e dávalo a entender que le plazía. E desque cresçió el moço, non dexava al diablo obras que feziese, ca él se las quería todas fazer, robando los caminos e matando muchos omes sin razón, e forçando las mugeres doquier que las fallava, e de ellas se pagava. E si los que avían de mantener la justiçia lo prendía por alguna razón de éstas, luego la dueña su madre lo sacava de presión, pechando algo a aquellos que lo mandavan prender; e traíalo a su casa, non le deziendo ninguna palabra de castigo nin que mal feziera, ante fazía las mayores alegrías del mundo con él, e conbidava cavalleros e escude-ros que comiesen con él, así como si él oviese todos los bienes e todas las provezas que todo ome podría fazer.

Así que, después de todos estos enemigos que fizo, vino el enperador a la çibdat onde aquella dueña era. E luego venieron al enperador aquellos que las desonras e los males resçebieron del fijo de aquella dueña, e querelláronse-le. E el enperador fue mucho maravillado de estas cosas tan feas e tan malas que aquel escudero avía fecho, ca él conosçiera a su padre e fuera su vasallo grant tienpo e dezía de él mucho bien. E sobre estas querellas enbió por el escudero e preguntóle si avía fecho todos aquellos males que aquellos quere-llosos dezían de él e contárongelos. E él conosçió todo, pero toda vía escusán-dose que lo feziera con moçedat e poco entendimiento que en él avía. «Çertas, amigo —dixo el enperador—, por la menor de estas cosas devían murir mill omes que lo oviesen fecho, si manifiesto fuese e cayese en estos yerros, pues justiçia devo mantener e dar a cada uno lo que meresçe, yo lo mandaría matar por ello. E pues tan conosçido vienes que lo feziste, non ay mester a que otra pesquisa ninguna ý fagamos, ca lo que manifiesto es non ay proeva nin-guna mester.» E mandó a su alguazil que lo levase a matar. E en levándolo a matar, iva la dueña su madre en pos él, dando bozes e rascándose e faziendo el mayor duelo del mundo, de guisa que non avía ome en la çibdat que non oviese grant piedat de ella. E ivan los omes buenos pedir merçed al enperador que le perdonase, e algunos querellosos, doliéndose de la dueña; mas el enpe-rador, como aquel a quien sienpre plogo de fazer justiçia, non lo quería per-

donar, ante lo mandava matar de todo en todo. E en llegando a aquel lugar
dó lo avían a matar, pedió la madre por merçed al alguazil que gelo dexase
saludar e besar en la boca ante que lo matasen. E el alguazil mandó a los
monteros que le detoviesen e que lo non matasen fasta que su madre llegase
a él e lo saludase. Los monteros lo detovieron e le dixieron que su madre
lo quería saludar e besar en la boca ante que muriese, e al fijo plogo mucho:
«Bien venga la mi madre, ca ayudarme quiere a que la justiçia se cunpla
segunt deve, e bien creo que Dios non querrá ál sinon que sofriese la pena
quien la meresçe.» Todos fueron maravillados de aquellas palabras que aquel
escudero dezía, e atendieron por ver a lo que podría recudir. E desque llegó
la dueña a su fijo, abrió los braços como muger muy cuitada e fuese para
él. «Amigos —dixo el escudero—, non creades que me yo vaya; antes quiero
e me plaze que se cunpla la justiçia e me tengo por muy pecador en fazer
tanto mal como fis; e yo lo quiero començar en aquel que lo meresçe.» E
llegó a su madre como que la quería besar e abraçar, tomóla con amas a
dos las manos por las orejas a buelta de los cabellos e fue poner la su boca
con la suya e començóla a roer e la comer todos los labros, de guisa que
le non dexó ninguna cosa fasta en las narizes, nin del labro deyuso fasta
en la barbiella; e fincaron todos los dientes descobiertos, e ella fincó muy
fea e muy desfaçada.

Todos quantos ý estavan fueron muy espantados de esta grant crueldat
que aquel escudero faziera, e començáronlo e denostar e mal traer. E él dixo:
«Señores, non me denostedes nin me enbarguedes, ca justiçia fue de Dios
e él me mandó que lo feziese.» «¿E por qué en tu madre? —dixieron los
otros—, ¿por el mal que tú feziste ha de lazrar ella? Dínos que razón te movió
a lo fazer.» «Çertas —dixo el escudero—, non lo diré sinon al enperador.»
Muchos fueron al enperador a contar esta crueldat que aquel escudero feziera,
e dixiéronle de como non quería dezir a ninguno por qué lo feziera sinon
a él. E el enperador mandó que gelo traxiesen luego ante él, e non se quiso
asentar a comer fasta que sopiese de esta maravilla e de esta crueldat por
qué fuera fecho. E quando el escudero llegó ante él, e la dueña su madre,
muy fea e muy desfaziada, dixo el enperador al escudero: «Dí, falso traidor,
¿non te conplieron quantas maldedes feziste en este mundo, e a la tu madre
que te parió e te crió muy viçioso e perdió por ti quanto avía pechando por
los males e las enemigas que tú feziste, que tal fueste parar en manera que
non es para paresçer ante los omes, e non oviste piedat de la tu sangre en
la derramar e así tan abiltadamente, nin oviste miedo de Dios nin vergüença
de los omes, que te lo tienen a grant mal e a grant crueldat?»

«Señor —dixo el escudero—, lo que Dios tiene por bien que se cunpla,
ninguno non lo puede destorvar que se non faga; e Dios, que es justiçiero
sobre todos los justiçieros del mundo, quiso que la justiçia paresçiese en aquél
que fue ocasión de los males que yo fize.» «¿E cómo puede ser esto?» —dixo
el enperador—. «Çertas, señor, yo vos lo diré: esta dueña, mi madre, que
vós vedes, comoquier que sea de muy buena vida, fazedora de bien a los
que han mester, dando las sus alimosnas muy de grado, e oir ende sus oras

muy devotamente, tomó por guisado de me non castigar de palabra nin de fecho quando era pequeño nin después que fue criado; e mal pecado, más despendía en las malas obras que en buenas. E agora, quando me dixieron que me quería saludar e besar en la boca, semejóme que del çielo desçendió quien me puso· en coraçón que le comiese los labros con que me ella podiera castigar e non quiso. E yo fislo teniendo que era justiçia de Dios. E él sabe bien que la cosa de este mundo que más amo ella es; mas pues Dios lo quiso que así fuese, non pudo ál ser. E, señor, si mayor justiçia se á ý de conplir, mandatla fazer en mí, ca mucho la meresco por la mi desaventura.» E los querellosos estando delante, ovieron grant piedat del escudero e de la dueña su madre, que estava muy cuitada porque le mandava el enperador matar; e veyendo que el escudero conosçía los yerros en que cayera, pedieron por merçed al enperador que le perdonase, ca ellos le perdonavan. «Çertas —dixo el enperador—, mucha merçed me ha fecho Dios en esta razón, en querer él fazer la justiçia en aquél que él sabía por çierto que fuera ocasión de todos los males que este escudero fezierá. E pues Dios así lo quiso, yo lo do por quito e perdónole la mía justiçia que yo en él mandava fazer, non sabiendo la verdat del fecho, así como aquél que la fizo; e bendicho el su nonbre por ende.» E luego lo fizo cavallero e lo resçebió por su vasallo; e fue después muy buen ome e mucho onrado. (252-55).

31

Gran conquista de Ultramar (c. ¿1295?). Madrid: Nacional, ms. 1187 (letra del s. XIV; también hay otros códices del s. XV). El texto siguiente procede de la versión impresa de Salamanca, 1503; ed. de L. Cooper, t. I (Bogotá: Instituto «Caro y Cuervo», 1979).

LIBRO PRIMERO

CAPÍTULO LI

Cómo la infanta Isonberta parió VII fijos varones, cada uno con un collar de oro al cuello.

Después que el conde Eustacio fue ydo en ayuda de su señor, el rey Liconberte el Bravo, entretanto que estava allá, llegó el tiempo que la dueña [Isonberta] ovo de parir, e parió de aquel parto siete infantes, todos varones, las más fermosas criaturas que en el mundo podrían ser. E assí como cada uno nacía, venía un ángel del cielo e ponía a cada uno un collar de oro al cuello. E el cavallero en cuyo poder avía dexado el Conde su muger e toda su fazienda, desque esto vió, fue muy maravillado; e pesóle mucho, e fazíalo con razón, ca en esse tiempo, toda muger que de un parto pariesse más de una criatura era acusada de adulterio, e matávanla por ello. E por ende, pesava mucho al cavallero en cuya encomienda la dueña quedara; pero conortava él en sí por razón que él creýa que los infantes nascieran con los collares de oro, e semejavale que era cosa que venía de la mano de Dios, e por aventura que no devía morir, mas escapar de muerte por este miraglo.

E fizo sus cartas para el Conde su señor, e trabajó en fazerlas lo mejor notadas que él pudo, e en cómo pariera la Condessa; e contóle en ellas todo su fecho della e de lo que pariera, e embiólas al Conde con un su escudero. E el escudero fuésse luego con ellas, e yéndose, fízose el camino por aquel castillo a dó estava la madre del Conde; e fue assí que ovo de la ver aý. E la madre del Conde, quando vió aquel escudero, fue muy alegre e plúgole mucho con él. E sacólo luego aparte e començóle a preguntar, e la primera pregunta fue si pariera su nuera. E el escudero díxole que sí, e que pariera siete infantes, e cada uno dellos nasciera con un collar de oro al cuello; e que tales cartas e tal mandado levava al Conde. E la condessa Ginesa, quando esto oyó, tóvolo por maravilla, e pesóle mucho, porque entendió que era fecho de Dios; ca no havía plazer de ningún bien que oyesse dezir que a su nuera viniesse, e assí lo dió a entender, que la no quería bien, según adelante oyredes. (87-88).

Capítulo LVI

Cómo nuestro Señor Dios acorrió a aquellas criaturas,
e les embió una cierva, que los crió fasta que
los falló el hermitaño.

Las criaturas estando en el desierto, como es dicho, Dios, que nunca desampara a ninguna cosa de las que él faze, e quiere siempre levar sus cosas adelante, e que no quiere que los fechos suyos perescan por falsedad, embió allí a aquellos niños dó yazían, una cierva con leche, que les diesse las tetas e los governasse e los criasse. E ellos yaziendo allí, vino la cierva a ellos. E venía dos o tres [vezes] cada día, e fincava los ynojos cerca dellos e dávales a mamar, en manera que los crió assí un tiempo; e desque los tenía fartos, lamíalos e alimpiávalos.

E a cabo de días, acaescióse por aý un hermitaño, que avía nombre Gabriel; e era hombre de santa vida, e havía en aquel desierto su hermita en que morava. E andando en essa montaña e veniendo por allí, óvose de encontrar con aquellas criaturas. E quando las vió maravillóse mucho, como aquel que nunca otra tal cosa viera en aquel lugar ni aun en otro, e començóse a santiguar mucho, pensando que eran pecados que le querían engañar; pero todavía ývalos catando, e llegóse más a ellos. E desque se les llegó bien cerca, puso la mano en ellos uno a uno e entendió que eran cuerpos e cosa carnal, e paresçióle que era fecho de Dios. E entonce tomólos todos en su hábito e començólos a levar hazia aquella su hermita dó él morava. E en levándolos, començó la cierva a yr empós dél, e él maravillóse mucho; e desque vió que le seguía la cierva e no se quería partir de su rastro, pensó que aquella cierva avía criado aquellas criaturas fasta en aquel tiempo. E entonce puso los niños

muy quedo en el campo e arredróse dellos un poco; e la cierva, desque vió
que el hermitaño avía assí dexado las criaturas allí, e le vió ar[r]edrado dellos,
fuésse luego para ellos. E llegóse muy quedo, e fincó los ynojos, como solía,
e dióles a mamar, assí como fazía en el tiempo de fasta allí. E desque los
ovo dado a mamar, començóles a lamer e alimpiarlos muy bien; e desí arredróse dellos un poco. Viendo todo esto el hermitaño, entonce vino a ellos,
e tornólos a levar en su hábito e fuése con ellos para su hermita. La cierva,
otrosí, començó a yr en pos dél, e vió todo aquello el hermitaño; e desque
ovo andado un rato, entendió que las criaturas avrían gana de mamar. Púso-
las quedo en el campo, como la otra vez, e arredróse dellos; e llegóse la cierva
luego e dióles a mamar quanto quisieron. E assí fue yendo empós del hermitaño aquella cierva, governando aquellas criaturas, fasta que el hermitaño llegó
a su hermita. (93-94).

Capítulo LVIII

*Cómo la condessa Ginesa embió por el hermitaño; e de cómo
le tornó los seys niños, e de cómo los quería matar.*

(...) Los moços, desque se vieron sin el hermitaño, como avían fecho con
él su vida fasta allí, fízoles de mal, de que vieron que andavan entre gente
estraña e con quien nunca ovieran tratado; e por tanto, no se podían assosegar sin el hermitaño. Entonce la Condessa, veyendo los niños andar tristes
porque los dexava el hermitaño, començóles a fazer muchos plazeres por asso-
segarlos e que se fiziessen. E assí fueron con ella biviendo fasta un tiempo.
E desque vió ella que aquellos moços yvan cresciendo, semejávale que la
obra del mal que ella avía fecho contra ellos, que si los moços adelante bivies-
sen, quel fecho no podría ser encubierto, e que lo querían vengar ellos en
algún tiempo. E por esto, un día, estando ella en su cámara, mandó llamar
dos escuderos, que avían nombre el uno Dransot, e el otro Frongit. E vinieron
ante ella, e mandóles que traxi[e]ssen allí ante ella a aquellos moços; e ellos
fiziéronlo assí. E desque los moços fueron metidos en la cámara, mandó la
Condessa desembargar del palacio toda la gente, e que se fuessen todos para
sus posadas, tan bien los suyos como los estraños; e fue fecho assí luego,
en manera que no dexaron en toda la casa otro hombre si[no] aquellos dos
escuderos e un portero que guardava la puerta. Entonce dixo la Condessa
a Dransot e a Frongit que quitassen aquellos collares de oro a aquellos moços
e que los degollassen luego ante ella, e que se no detoviessen poco ni mucho;
e desque los oviessen degollado, que luego de noche, que los no viesse ninguno, e que los levassen a soterrar a un desierto que era cerca de aý quanto
una legua. E esto mandó la Condessa fazer ante sí tan cruelmente por miedo
que avía que si los embiasse a matar a otra parte, que escaparían de la muerte
por alguna manera, assí como escaparan de la otra vez, quando los mandara
matar por las cartas falsas, como avés oýdo.

Dransot e Frongit, aquellos dos escuderos, por cumplir el mandado de
su señora la Condessa (ca era muy fuerte dueña e muy brava, e avíanla gran
miedo), echaron mano a los niños e començaron luego muy apriessa a quitar-
les los collares, por degollarlos luego e cumplir lo que les era mandado. Mas
tan apriessa no ovieron tirado los collares, que ellos muy más apriessa non
fueron fechos cisnes, e saliéronseles por entre las manos; assí que tan solamente en uno dellos no uviaron travar, e volaron e fuéronse apriessa por una
finiestra que avía en la cámara de la Condessa, dó se parava ella a solazarse
quando avía gana, porque era aquella ventana de muy buena vista a todas
partes.

E quando esto vieron Dransot e Frongit, pesóles mucho, no por los moços
que assí escapavan de aquella muerte tan desaguisada, mas por razón que
no cumplieran ellos aquello que les fuera mandado, con miedo de la Condessa, que era muy brava, como es dicho, e les faría algún mal. (97, 98-99).

Capítulo LIX

*Cómo los niños, después que fueron cisnes, volaron e se fueron
para un lago que estava cerca del hermitaño dó se
avían criado.*

Cuenta la ystoria adelante, después que ha contado de las cosas que en
esta razón acaescieran de la copa que fue fecha del collar, según avedes oýdo.
Cuenta agora de los moços, después que fueron fechos cisnes, cómo volaron
para un lago e passaron aý su tiempo, como agora oyredes. Aquellos cisnes,
después que de la cámara de la Condessa fueron salidos, como es dicho, dieron consigo en aquel lago muy grande e muy fundo, que era a la orilla de
aquel desierto dó ellos fueran criados con el hermitaño quando eran niños.
E andando en aquel lago governándose del pescado que aý fallavan —aunque
tomavan gran enojo, ca no fueran ellos criados a tal vianda—, estando ellos
assí allí, acaesció quel hermitaño ovo a salir a andar por la tierra, como solía,
a ganar por los pueblos para pedir su limosna, de que biviesse en su hermita.
E aquella vez levava consigo a aquel otro moço, hermano de aquellos cisnes,
que avía quedado en casa que guardasse la hermita, quando dió los otros
a la Condessa. E a la tornada, quando se venía para la hermita, óvoseles
de fazer el camino por la ribera de aquel lago dó estavan aquellos cisnes;
e a la hora que emparejaron con el lago e passavan cerca dél por un sendero,
como los vieron los cisnes, conosciéronlos luego, e començaron todos a salir
del lago muy apriessa e yrse para ellos. E el hermitaño e el moço, así como
los vieron de aquella forma e venir a ellos, fueron muy maravillados. Mas
el moço, con el plazer grande que avía de los ver, fuése assentar cerca dellos;
e los cisnes, otrosí, con el plazer que avían del hermitaño, que conoscían,
fuéronse a sobir, dellos en el regaço e dellos en los ombros, e començaron
muy fuertemente a ferir de las alas e a fazer muy grandes alegrías. E el moço,

otrosí, desque vió aquellas alegrías e que tan seguramente se allegavan a él, metió mano a una talega en que traýa pan e carne que les avían dado por Dios en aquellos lugares por dó andavan, e començóles dar de comer. E los cisnes sabían comer de todas las viandas que les el moço dava, ca a tales como aquéllas fueran ellos criados. E desque les ovo dado assaz, dixo el hermitaño que se fuessen, ca tiempo era de se acoger para su hermita. E el hermitaño —como que lo no mostrava al moço— maravillávase mucho de aquellos cisnes, que assí venían a ellos tan seguros; e demás, que nunca en ningún tiempo tales aves viera en aquel lugar ni en aquella tierra. E pensava entre sí qué podría ser aquello de aquellos cisnes; mas nunca en ello pudo caer. (101-102).

Capítulo LXVIII

Cómo se tornaron los cinco cisnes niños con los collares, e cómo el otro quedó cisne.

Tornados aquellos cisnes en moços, e cobrados el Conde sus fijos, salvo uno, que fincava cisne por razón del collar que le fallesciera (de que el platero fiziera la copa), començó a dar grandes gritos, e tirarse de sus peñolas e messarse todo; e tan grandes eran las bozes e los gritos que dava, que todo el lago reteñie, que no avía hombre que cerca del lago estuviesse, que lo no atronasse e le no fiziesse doler la cabeça. Pero desque vió que se yvan sus hermanos, començóse a yr con ellos; e quando esto vió el Conde, plúgole mucho. E mandó fazer sobre una azémila una cama muy buena; e descendió él mesmo, e tomó el cisne muy passo e púsolo en la azémila sobre aquella cama. Quando esto vió el cisne, començó a ferir de las alas como en manera de alegría; e [el Conde] mandó al hermitaño que subiesse en el azémila con él. E desta guisa cobró el conde Eustacio todos sus siete fijos.

Entonces començaron a venir a essa ciudad todos los ricos hombres e todos los otros cavalleros de su tierra, tan bien vassallos como otros de fuera de su tierra, a ver aquellos moços e aquella maravilla, e aquel miraglo que sonava que Dios fiziera en ellos. E allí fazía él con todos ellos muy grandes alegrías e maravilla; e allí dió luego el Conde a cada uno de sus fijos tierras que toviessen, e cavalleros que los serviessen e los guardassen. E estos moços salieron todos muy buenos cavalleros de armas; e conquirió el Conde, su padre, con ellos muy gran tierra de moros, e acrescentó mucho en su condado. (118-19).

32

Noble cuento del enperador Carlos Maynes de Roma & de la buena enperatrís Sevilla su mugier (c. 1310). Escorial: Monasterio, ms. h.I.13, fols. 124r-52r (letra del s. xv), ed. de A. Benaim de Lasry, *Two Romances: A Study of Medieval Spanish Romances and an Edition of Two Representative Works [«Carlos Maynes» and «La enperatrís de Roma»]* (Newark, De.: Juan de la Cuesta, 1982), págs. 107-73.

Señores, agora ascuchat & oyredes un cuento maravilloso que deve ser oýdo asý commo fallamos en la estoria, para tomar ende omne fazaña de non creer tan aýna las cosas que oyer fasta que sepa ende la verdat, & para non dexar nunca alto omne nin alta dueña sin guarda. Un día aveno quel grant enperador Carlos Maynes fazía su grant fiesta en el monesterio real de Santo Donis de Françia, & dó seýa en su palaçio, & muchos altos omnes con él. E la enperatrís Sevilla su mugier seýa cabo él, que mucho era buena dueña, cortés & enseñada & de maravillosa beldat. Entonçe llegó un enano en un mulo mucho andador, & deçió, & entró por el palaçio, & fue antel rey. El enano era tal que de más laída ca[ta]dura non sabería omne fablar. Él era gordo, & negro, & beçudo, & avía la catadura muy mala, & los ojos pequeños & encovados, & la cabeça muy grande, & las narizes llanas, & las ventanas dellas muy anchas, & las orejas pequeñas & los cabellos erizados, & los brazos & las manos vellosas commo osso, & canos, las piernas tuertas, los pies galindos & resquebrados. Atal era el enano commo oýdes; & començó a dar grandes bozes en su lenguaje & a dezir: «¡Dios salve el rey Carlos & la reyna & todos sus privados!» «Amigo,» dixo el rey, «bien seades venido; mucho me plaze convusco & fazer-vos-hé mucho bien sy conmigo quisierdes fincar, ca me semejades muy estraño omne.» «Señor,» dixo él, «grandes merçedes, & yo servir-vos-hé a toda vuestra voluntad.» Entonçe se asentó antel rey; mas Dios lo confonda. Por él fueron después muchos cabellos mesados, & muchas palmas batidas, & muchos escudos quebrados, & muchos cavalleros muertos & tollidos, & la reyna fue judgada a muerte, & Françia destruída grant parte, así commo oiredes por aquel enano traidor que Dios confonda. (...)

Desque se el rey salió de la cámara, fincó la reyna en su lecho & adormeçióse, & dormía tan fieramente que semejava que en toda la noche cosa non dormiera. (...) E dó la reyna dormía asý sin guarda, ahé aquel enano que entró e non vio ninguno en la casa, e cató de una parte & de otra e non vio synón la reina que yazía dormiendo en su lecho que bien paresçía la más bella cosa del mundo. E el enano se llegó a ella & començó de la parar mientes e desque la cató grant pieça, dixo que en buena hora nasçiera quien della pudiese aver su plazer; e llegóse más al lecho, & penssó que aunque cuydase ser muerto o desmenbrado que la besaría. Entonçe se fue contra ella; mas aquella ora despertó la reyna que avía dormido assaz, & començó de alinpiar sus ojos, & cató aderredor de sý por la cama e non vio omne nin mugier synón al enano que vio junto al lecho & díxole: «Enano, ¿qué demandas tú, o quién te mandó aquí entrar? ¡Mucho eres osado!» «Señora,» dixo el enano,

«¡por Dios, aved merçet de mí! Ca si vuestro amor non he, muerto só &
préndavos de mí piadat & yo faré quanto vós quisierdes.» La reyna lo ascuchó
bien, pero que toda la sangre se le bolvió en el cuerpo, & cerró el puño,
& apretólo bien, & diole tal puñada en los dientes que le quebró ende tres,
asý que gelos fizo caer en la boca; desý púxolo & dio con él en tierra, &
saltóle sobre el vientre, asý que lo quebró todo. E el enano le començó a
pedir merçet, e quando le pudo escapar començó de yr fuyendo & fuése por
la puerta, su mano en su boca por los dientes que avía quebrados, jurando
& deziendo contra sý que en mal punto la reyna aquello feziera sy él pudiese,
ca ella lo conpraría caramente. (113-15).

(...) Mas agora ascuchat qué fue a pensar el traidor del enano que Dios
destruya, que nunca otra traiçión basteçió un solo omne, commo él basteçió
a la reyna. Tanto que la noche llegó, entró ascusamente en la cámara & fuése
meter tras la cortina, & ascondiéndose ý, & yogó quedo de guisa que nunca
ende ninguno sopo parte. Después que se el rey echó con su mugier, saliéron-
sse aquellas que la cámara avían de guardar, & çerraron bien las puertas,
& el rey adormeçió commo estava cansado de la caça; & quando tanieron
a los matines despertó, & pensó que yría oyr las oras a la eglesia de Santa
María, e fizo llamar diez cavalleros que fuesen con él. Agora ascuchat del
enano que Dios maldiga, lo que fizo. Después que él vio que el rey era ydo
a la eglesia, salió de tras la cortina muy paso & fuése derechamente al lecho
de la reyna, & pensó que ante querría prender muerte que la non escarneçiese;
& alçó el cobertor & metióse en el lecho. Mas aveno que la reyna yazía
tornada de la otra parte, pero non la osava tañer. E començó de pensar cómmo faría della su talante; e en este pensar duró mucho & dormióse fasta que
el rey tornó de la eglesia con sus cavalleros, & era ya el sol salido, e desque
entró en el palaçio fuése derechamente a la cámara solo, muy paso. & desque
fue antel lecho de la reyna que yva ver muy de buenamente, erguyó el cobertor de que yazía cobierta & vio el enano yazer cabo ella. Quando esto vio
el enperador, todo el corasçón le estremeçió & ovo tan grant pesar que non
podería mayor. Dezir podería omne con verdat que mucho estava de mal talante: «¡Ay, mesquino!» dixo él, «¿Cómmo me este corasçón non quiebra?
¡Señor Dios! ¡quién se enfiara jamás en mugier! e por el amor de la mía
jamás nunca otra creeré.» Entonçe se salió de la cámara, e llamó su conpaña
a grant priesa; ellos venieron muy corriendo. «Vasallos,» dixo el enperador,
«ved qué grant onta, ¿quién cuydara que nunca mi mugier esto pensaría que
amase tal figura, que nunca tan laída catadura naçió de madre? ¡Maldita sea
la ora en que ella naçió!» Entonçe se fue al lecho, & ceñió su espada que
ý tenía, & dixo a sus omnes que se llegasen, & desque fueron llegados díxoles
él: «Judgádmela desta grant onta que me fezo, cómmo aya ende su gualardón.» Entonçe estavan ý los traidores del linage de Galalón, Aloris & Fou-
cans, Goubaus de Piedralada & Sansón & Amaguins, & Macaire el traidor
de la dulce palabra & de los fechos amargos. Éstos andavan sienpre con el
rey, asechando cómmo bastirían encobiertamente su mal & su onta. E Macaire
el traidor adelantóse ante los otros & erguyó el cobertor, e quando aquello

vio, signóse de la maravilla que ende ovo, & començó a llorar muy fieramente, que entendiese el rey que le pesava mucho. E quando vio al rey tan bravo & con talante de fazer matar la reyna, dio muy grandes bozes al rey, & dixo que la reyna devía ser quemada, commo mugier que era provada en tal traiçión.

Desque los traidores judgaron que la reyna fuese luego quemada, el rey mandó fazer luego muy grant fuego en el canpo de París. E desque fue fecho de leña & de espinas & de cardos & de huessos, Macaire & aquellos a quien fue mandado tomaron la reyna & el enano & sacáronlos de la villa, & leváronlos allá. Mas la reyna yva con tal coita & con tal pesar qual podedes entender. Entonçe los traidores començaron de açender el fuego, & llegaron ý la enperatrís Sevilla, & desnudáronla de un brial de paño de oro, que fuera fecho en Ultramar. Ella ovo muy grant espanto del fuego que vio fuerte, & dó vio el rey, començóle a dar muy grandes bozes: «¡Señor, mercet! por aquel Dios que se dexó prender muerte en la vera cruz por su pueblo salvar; yo só preñada de vós; esto non puede ser negado. Por el amor de Dios, señor, fazetme guardar fasta que sea libre; después mandatme echar en un grant fuego, o desnenbrar toda. E así, commo Dios sabe que yo nunca fize este fecho que me vós fazedes retar, así me libre ende Él del peligro en que só.»

Después que esto ovo dicho, tornóse contra Oriente & dio muy grandes bozes & dixo: «¡Ay, rica çiudat de Constantinopla! En vós fuy criada a muy grant viçio. ¡Ay, mi padre & mi madre! ¡Non sabedes vós oy nada desta mi grant coita! Gloriosa Santa María, & ¿qué será desta mesquina que a tal tuerto ha de ser destroída & quemada? E commo quier que de mí sea, ¡aved merçet desta criatura que en mí trayo, que se non pierda!» Entonçe el rey mandó tender un tapete antel fuego & mandó levar ý la reyna, & que la asentasen ý & la desnudasen del todo synón de la camisa, & luego fue fecho. Agora la guarde aquel Señor que nació de la Virgen Santa María que non sea destruída nin dañada. & dó seýa así en el tapete la más bella rosa que podía ser, pero que seýa amarilla por el grant miedo que avía, ella cató la muy grant gente que vio aderredor de sý, de la otra parte el fuego fiero & muy espantoso, & dixo: «Señores, yo veo aquí mi muerte. Ruégovos por aquel Señor que todo el mundo tiene en poder, sy vos erré en alguna cosa de que mi alma sea en culpa, que me perdonedes, que nuestro Señor en el día del juiçio vos dé ende buen galardón.» Quando los ricos omnes & el pueblo oyeron así fablar la enperatrís, començaron a fazer por ella muy grant duelo, & tirar cabellos & batir palmas, & dar muy grandes bozes, & llorar muy fieramente dueñas & donzellas & toda la otra gente. Mas tanto dubdavan al rey que solamente non le osavan fablar, nin merçet pedir. E el rey dixo a las guardas: «Ora tomad esta dueña, ca tal coita he en el corasçón que aun non la puedo catar.» E ellos travaron della, & erguyéronla por los braços, & liáronle las manos tan toste, & pusiéronle un paño ante los ojos. E ella quando esto vio començó a llamar a muy grandes bozes: «Santa María, Virgen gloriosa & Madre que en ty troxiste tu fijo & tu padre quando veno el mundo salvar; Señora, ¡catadme de vuestros piadosos ojos & salvad mi alma, ca el cuerpo en grant peligro está!» A aquella ora llegó el duque Almeric & Guylle-

mer de Escocia, & Gaufer de Ultramar, Almerique de Narbona & el muy
buen don Aymes. & deçieron a pie, & echáronsse en inojos ante el enperador
& pediéronle merçet & dixieron: «Señor, derecho enperador, fazet agora así
commo vos consejaremos: fazetla echar de la tierra, ca ella es preñada de
vós, & çerca de su término. Ca si la criatura peresçiese, todo el oro del mundo
non nos guardaría que non dixiesen que nós diéramos falso juyzio.» «Çertas,»
dixo el enperador, «non sé qué ý faga; mas fazet venir el enano, & fablaré
con él ante vós, & saberedes la cosa, commo fue dicha & fecha.»

Entonçe fueron por el enano, & traxiéronlo una cuerda a la garganta &
las manos atadas. & los traidores se llegaron a él a la oreja, allá dó fueron
por él, e consejáronle que todavía feziese la reyna quemar, & que ellos lo
guardarían & lo farían rico de oro & de plata. E el enano les otorgó que
faría toda su voluntad. E quando llegó antel rey fue muy hardido & muy
esforçado: «Enano,» dixo el rey, «guárdate, que me non niegues nada; dime,
¿cómmo te osaste echar con la reyna?» «Señor,» dixo el enano, «por el cuerpo de Santo Denis, yo non vos mentiría por cuydar ser por ende desnenbrado.
Ella me fizo venir anoche & entrar en la cámara & yazer ý, & tanto que
vos fuestes a la eglesia, mandóme venir para sý, & çertas pesóme ende, mas
non osé ál fazer.» «¡Oid qué maravilla!» dixo el enperador, & de pesar non
lo pudo más oyr & mandó dar con él en el fuego, que la carne fuese quemada,
& la alma levasen los diablos. «Amigos,» dixo el rey a don Aymes & los
otros omnes buenos que por ella rogaran, «fazer quiero lo que me rogastes.
Yd desatar la reyna & vestidla de sus ricos paños, ca non querría que fuese
vergoñosamente.» Quando esto oyeron, todos ovieron grant plazer & grade-
çiérongelo mucho. (115-18).

33

Amadís de Gaula (compuesto antes de 1370 y refundido por Garci Rodríguez de Montalvo,
c. 1492). La primera impresión conservada es la de Zaragoza: Jorge Coci, 1508, el único ejemplar de la cual se halla hoy en Londres: British Library, sig. C20.6, ed. de E. B. Place
(4 tomos; Madrid: CSIC, Instituto «Miguel de Cervantes», 1959-69).

[TOMO I]

Aquí comiença el primero libro del esforçado y virtuoso cauallero Amadís,
hijo del rey Perión de Gaula y de la reyna Helisena, el qual fue corregido
y emendado por el honrrado y virtuoso cauallero Garci-Rodríguez de Montal-
uo, regidor de la noble villa de Medina del Campo. (11).

Capítulo primero

*Cómo la infanta Helisena y su donzella Darioleta fueron
a la cámara donde el rey Perión estaua.*

Como la gente fué sossegada, Darioleta se leuantó y tomó a Helisena assí
desnuda como en su lecho estaua, solamente la camisa y cubierta de vn man-

to, y salieron ambas a la huerta, y el lunar hazía muy claro. La donzella miró a su señora y abriéndole el manto católe el cuerpo y dixo ryendo:

—Señora, en buena hora nasció el cauallero que vos esta noche aurá, y bien dezían que ésta era la más hermosa donzella de rostro y de cuerpo que entonces se sabía.

Helisena se sonrrió y dixo:

—Assí lo podéys por mí dezir, que nascí en buena ventura en ser llegada a tal cauallero. (...)

El rey quedó solo con su amiga, que a la lumbre de tres hachas que en la cámara seýan la miraua paresciéndole que toda la fermosura del mundo en ella era junta, teniéndose por muy bien auenturado en que Dios a tal estado le traxera, assí abraçados se fueron a echar en el lecho. (18-19).

Pues assí fueron passando su tiempo fasta que preñada se sentió, perdiendo el comer, el dormir y la muy hermosa color. Allí fueron las cuytas y los dolores en mayor grado, y no sin causa, porque en aquella sazón era por ley establecido que qualquiera muger por de estado grande y señorío que fuesse, si en adulterio se fallaua, no le podía en ninguna guisa escusar la muerte [36]. Esta tan cruel costumbre y péssima duró hasta la venida del muy virtuoso rey Artús, que fue el mejor rey de los que allí reynaron, y la reuocó al tiempo que mató en batalla ante las puertas de París al Floyán. (...)

Pues no tardó mucho que a Elisena le vino el tiempo de parir, de que los dolores sintiendo como cosa tan nueua, tan estraña para ella, en grande amargura su coraçón era puesto; como aquella que le conuenía no poder gemir ni quexar, que su angustia con ello se doblaua, mas en cabo de vna pieça quiso el Señor poderoso que sin peligro suyo vn fijo pariesse, y tomándole la donzella en sus manos vido que era fermoso si ventura ouiesse, mas no tardó de poner en esecución lo que conuenía según de antes lo pensara, y emboluióle en muy ricos paños, y púsolo cerca de su madre, y traxo allí el arca que ya oýstes, y díxole Elisena:

—¿Qué queréys fazer?

—Ponerlo aquí y lançarlo en el río —dixo ella—, y por ventura guareçer podrá.

La madre lo tenía en sus braços llorando fieramente y diziendo:

—¡Mi hijo pequeño, quán graue es a mí la vuestra cuyta!

La donzella tomó tinta y pergamino, y fizo vna carta que dezía: «Este es Amadís Sin Tiempo, hijo de rey». Y sin tiempo dezía ella porque creýa que luego sería muerto, y este nombre era allí muy preciado porque así se llamaua vn santo a quien la donzella lo encomendó. Esta carta cubrió toda de cera, y puesta en vna cuerda ge la puso al cuello del niño. Elisena tenía el anillo que el rey Perión le diera quando della se partió, y metiólo en la misma cuerda de la cera, y ansí mesmo poniendo el niño dentro en el arca

---

[36] Para el mismo castigo de muerte so pena de la llamada *ley de Escocia*, véase también la *Cárcel de Amor* de Diego de San Pedro (I. 36) y *Grisel y Mirabella* de Juan de Flores (I. 37).

le pusieron la espada del rey Perión que la primera noche que ella con él durmiera la echó de la mano en el suelo, como ya oýstes, y por la doncella fué guardada, y ahunque el rey la falló menos, nunca osó por ella preguntar, porque el rey Garínter no ouiesse enojo con aquellos que en la cámara entrauan.

Esto así fecho, puso la tabla encima tan junta y bien calafeteada que agua ni otra cosa allí podría entrar, y tomándola en sus braços y abriendo la puerta la puso en el río y dexóla yr; y como el agua era grande y rezia, presto la passó a la mar, que más de media legua de allí no estaua. A esta sazón el alua parescía, y acaesció vna fermosa marauilla, de aquellas que el Señor muy alto quando a él plaze suele fazer: que en la mar yua vna barca en que un cauallero de Escocia yua con su muger, que de la pequeña Bretaña lleuaua parida de vn hijo que se llamaba Gandelín, y el cauallero hauía nombre Gandales, y yendo a más andar su vía contra Escocia, seyendo ya mañana clara vieron el arca que por el agua nadando yua, y llamando quatro marineros les mandó que presto echassen vn batel y aquello le traxessen, lo qual prestamente se fizo, como quiera que ya el arca muy lexos de la barca passado hauía. El cauallero tomó el arca y tiró la cobertura y vió el donzel que en sus braços tomó y dixo: éste de algún buen lugar es. Y esto dezía él por los ricos paños y el anillo y la espada, que muy fermosa le paresció, y començó a maldezir la muger que por miedo tal criatura tan cruelmente desamparado hauía, y guardando aquellas cosas rogó a su muger que lo fiziesse criar, la qual hizo darle la teta de aquella ama que a Gandalín su hijo criaba; y tomóla con gran gana de mamar, de que el cauallero y la dueña mucho alegres fueron. (21, 23-24).

Capítulo V

Cómo Vrganda la Desconocida traxo vna lança al Donzel del Mar.

Dejó el Donzel del mar su escudo y yelmo a Gandalín y fuese su vía, y no anduuo mucho que vio venir vna donzella en su palafrén y traýa vna lança con vna trena; y vio otra donzella que con ella se juntó, que por otro camino venía, y viniéronse ambas fablando contra él, y como llegaron, la donzella de la lança le dixo:

—Señor, tomad esta lança, y dígoos que ante de tercero día haréys con ella tales golpes, por que libraréys la casa onde primero salistes.

El fue marauillado de lo que dezía, y dixo:

—Donzella, la casa ¿cómo puede morir ni biuir?

—Assí será como lo yo digo —dixo ella—; y la lança os do por algunas mercedes que de vós espero. La primera será quando hizierdes vna honrra a vn vuestro amigo, por donde será puesto en la mayor afrenta y peligro que fue puesto cauallero passados ha diez años.

—Donzella —dixo él—, tal honrra no haré yo a mi amigo, si Dios quisiere.

—Yo sé bien —dixo ella— que así acaescerá como lo yo digo.

Y dando de las espuelas al palafrén se fue su vía; y sabed que ésta era
Vrganda la Desconocida. La otra donzella quedó con él y dixo:

—Señor cauallero, soy de tierra estraña y si quisierdes, aguardaros he fasta
tercero día, y dexaré de yr donde es mi señora.

—Y ¿dónde soys os? —dixo él.

—De Denamarcha —dixo la donzella.

Y él conosció que dezía verdad en su lenguaje, que algunas vezes oyera
hablar a su señora Oriana quando era más niña, y dixo:

—Donzella, bien me plaze si por afán no lo tuuierdes.

Y preguntóle si conoscía la donzella que la lança le dio. Ella dixo que
la nunca viera sino entonces. Mas que le dixera que la traýa para el mejor
cauallero del mundo; —y díxome que después que de vós se partiessen que
os hiziesse saber cómo era Vrganda la Desconoscida, y que mucho os
ama.

—¡Ay, Dios —dixo él—, cómo soy sin ventura en la no conoscer; y si
la dexo de buscar es porque ninguno la hallará sin su grado! (49-50).

Capítulo X

Cómo el Donzel del Mar fue conoscido por el rey Perión,
su padre, y por su madre Elisena.

(...) La reyna cayó a sus pies toda turbada y él hincó los ynojos ante
ella y dixo:

—¡Ay, Dios!, ¿qué es esto?

Ella dixo llorando:

—Hijo, ves aquí tu padre y madre.

Quando él esto oyó, dixo:

—¡Santa María!, ¿qué será esto que oyo?

La reyna, teniéndolo entre sus braços, tornó y dixo:

—Es, fijo, que quiso Dios por su merced que cobrássemos aquel yerro
que por gran miedo yo hize, y, mi hijo, yo como mala madre vos eché en
la mar, y veys aquí el rey que vos engendró.

Estonces hincó los ynojos y les besó las manos con muchas lágrimas de
plazer, dando gracias a Dios porque assí le hauía sacado de tantos peligros
para en la fin le dar tanta honrra y buena ventura con tal padre y madre.
La reyna le dixo:

—Fijo, ¿sabéys vós si auéys otro nombre sino éste?

—Señora, sí sé —dixo él—, que al partir de la batalla me dio aquella
donzella vna carta que lleué embuelta en cera quando en la mar fue echado,
en que dize llamarme Amadís.

Estonces, sacándola de su seno, ge la dio y vieron cómo era la mesma
que Darioleta por su mano escriuiera, y dixo:

—Mi amado hijo: q*u*ando esta carta se scriuió era yo en toda cuyta y dolor, y agora soy en toda holgança y alegría; ¡be*n*dito sea Dios!, y de aq*uí* adela*n*te por este no*m*bre vos llamad.

—Assí lo haré —dixo él.

Y fue llamado Amadís, y en otras muchas p*a*rtes Amadís de Gaula. (83, 85).

Capítulo XXXV

*Cómo Amadís y Galaor supiero*n *la trayción hecha, y se deliberaron de procurar, si pudiessen, la libertad del rey y de Oriana.*

(...) Después [Amadís] tornóse al castillo, y no tardó mucho q*u*e vio salir Arcaláus y sus q*u*atro có*m*pañeros, muy bie*n* armados. Y entre ellos la muy hermosa Oriana, y dixo:

—¡Ay, Dios!, agora y sie*m*pre me ayude y me guíe en su guarda.

En esto se llegó tanto Arcaláus q*u*e passó cabo do*n*de él estaua; y Oriana yua dizie*n*do:

—Amigo señor, ya nunca os veré, pues q*u*e ya se me llega la mi muerte.

A Amadís le viniero*n* las lágrimas a los ojos; y desce*n*die*n*do d*e*l otero lo más aýna qu*é*l pudo, entró co*n* ellos en vn gra*n* ca*m*po, y dixo:

—¡Ay, Arcaláus traydor, no te co*n*uiene leuar tan buena señora!

Oriana, q*u*e la boz d*e* su amigo conoció, estremescióse toda; mas Arcaláus y los otros se d*e*xaro*n* a él correr, y él a ellos, y firió Arcaláus, q*u*e dela*n*te venía, ta*n* durame*n*te q*u*e lo derribó en tierra por sobre las ancas del cauallo; y los otros le firiero*n*, y dellos fallesciero*n* de sus encue*n*tros; y Amadís passó por ellos, y tornando muy presto su cauallo, firió a Grumen, el señor del castillo, q*u*e era vno dellos, de tal guisa q*u*el fierro y el fuste de la lança le salió de la otra parte, y cayó luego muerto, y fue la lança q*u*ebrada. Después metió ma*n*o a la espada del rey y dexóse yr a los otros; y metióse entre ellos ta*n* brauo y co*n* ta*n*ta saña, q*u*e por marauilla era los golpes q*u*e les daua. Y assí le crescía la fuerça y el ardime*n*to en andar valie*n*te y ligero q*u*e le p*a*rescía, si el ca*m*po todo fuesse lleno de caualleros, q*u*e le no podía*n* durar y defender ante la su buena espada. Hazie*n*do él estas marauillas q*u*e oýdes, dixo la do*n*zella de Denamarcha co*n*tra Oriana:

—Señora, acorrida soys, pues aq*uí* es el cauall*e*ro bie*n* aue*n*turado, y mirad las marauillas q*u*e haze.

Oriana dixo entonces:

—¡Ay, amigo!, Dios vos ayude y guarde, q*u*e no ay otro en *e*l mu*n*do q*u*e nos acorra ni más vala. (...) Yo haré lo q*u*e queréys, y vós hazed como, avnq*u*e aq*uí* yerro y pecado parezca, no lo sea ante Dios.

Assí anduuieron tres leguas, hasta e*n*trar en vn bosq*u*e muy espesso de árboles q*u*e cabe vna villa qua*n*to vna legua estaua. A Oriana pre*n*dió gran sueño, como q*ui*en no hauía dormido ni*n*gu*n*a cosa la noche passada, y dixo:

—Amigo, ta*n* gra*n* sueño me viene q*u*e me no puedo sofrir.

—Señora —dixo él—, vayamos aquel valle y dormiréys.

Y desuiando de la carrera se fueron al valle, donde hallaron vn pequeño arroyo de agua y yerua verde muy fresca. Allí descendió Amadís a su señora, y dixo:

—Señora, la siesta entra muy caliente; aquí dormiréys hasta que venga la fría. Y en tanto embiaré a Gandalín aquella villa, y traernos ha con que refresquemos.

—Vaya —dixo Oriana—; ¿mas quién gelo dará?

Dixo Amadís:

—Dárgelo han sobre aquel cauallo, y venirse ha a pie.

—No será así —dixo Oriana—; mas lieue este mi anillo, que ya nunca nos tanto como agora valdrá.

Y sacándolo del dedo, lo dio a Gandalín. Y quando él se yua, dixo a passo contra Amadís:

—Señor, quien buen tiempo tiene y lo pierde, tarde lo cobra.

Y esto dicho, luego se fue; y Amadís entendió bien por qué lo él dezía.

Oriana se acostó en el manto de la donzella; en tanto que Amadís se desarmaua, que bien menester lo auía; y como desarmado fue, la donzella se entró a dormir en vnas matas espessas; y Amadís tornó a su señora; y quando assí la vio tan fermosa y en su poder, auiéndole ella otorgada su voluntad, fue tan turbado de plazer y de empacho que sólo catar no la osaua; assí que se puede bien dezir que en aquella verde yerua, encima de aquel manto, más por la gracia y comedimiento de Oriana que por la desemboltura ni osadía de Amadís, fue hecha dueña la más hermosa donzella del mundo. Y creyendo con ello las sus encendidas llamas resfriar, aumentándose en muy mayor quantidad, más ardientes y con más fuerça quedaron, assí como en los sanos y verdaderos amores acaescer suele. Assí estuieron de consuno con aquellos autos amorosos, quales pensar y sentir puede aquel y aquella que de semejante saeta sus coraçones feridos son, hasta que el empacho de la venida de Gandalín hizo Amadís leuantar; y llamando la donzella, dieron buena orden de guisar cómo comiessen, que bien les hazía menester, donde ahunque los muchos seruidores, las grandes vaxillas de oro y de plata que allí faltaron, no quitaron aquel dulce y gran plazer que en la comida sobre la yerua ouieron. Pues assí como oýdes estauan estos dos amantes en aquella floresta con tal vida qual nunca a plazer del vno y del otro dexada fuera, si la pudieran sin empacho y gran vergüença sostener.

Donde los dexaremos holgar y descansar, y contaremos qué le auino a don Galaor en la demanda del rey. (279, 282-83, 284-86).

Capítulo LXXIII

De cómo el noble cauallero de la Verde Spada, después de partido de
Grasinda para yr a Constantinopla, le forçó fortuna en el mar
de tal manera que le arribó en la ínsola del Diablo,
donde falló vna bestia fiera llamada Endriago,
y al fin huuo el vencimiento della.

[S]abed que desta ínsola a que aportados somos fue señor vn gigante Bandaguido llamado, el qual con su braueza grande y esquiueza fizo sus tributarios a todos los más gigantes que con él comarcauan. Este fue casado con vna giganta mansa de buena condición; y tanto quanto el marido con su maldad de enojo y crueza fazía a los christianos matándolos y destruyéndolos, ella con piadad los reparaua cada que podía. En esta dueña ouo Bandaguido vna fija que, después que en talle de donzella fue llegada, tanto la natura la ornó y acreçentó en hermosura que en gran parte del mundo otra mujer de su grandeza ni sangre que su ygual fuesse no se podía hallar. Mas como la gran hermosura sea luego junta con la vanagloria, y la vanagloria con el pecado, viéndose esta donzella tan graciosa y loçana, y tan apuesta y digna de ser amada de todos, y ninguno, por la braueza del padre, no la osara emprender, tomó por remedio postrimero amar de amor feo y muy desleal a su padre; assí que muchas vezes, syendo leuantada la madre de cabe su marido, la hija veniendo allí, mostrándole mucho amor, burlando riendo con él, lo abraçaua y besaua. El padre luego al comienço aquello tomaua con aquel amor que de padre a fija se deuía, pero la muy gran continuación y la gran fermosura demasiada suya, y la muy poca conçiencia y virtud del padre dieron causa que aquel malo y feo desseo della ouiesse effecto. (...) Que syendo este malauenturado padre en el amor de su hija encendido y ella assí mesmo en el suyo, porque más sin empacho el su mal desseo pudiessen gozar, pensaron de matar aquella noble dueña, su mujer dél y madre della. Seyendo el gigante auisado de sus falsos ýdolos, en quien él adoraua, que si con su fija casasse, sería engendrado vna tal cosa en ella la más braua y fuerte que en el mundo se podría fallar, y poniéndolo por obra, aquella malauenturada fija que su madre más que a sí mesma amaua, andando por vna huerta con ella hablando, fingiendo la fija ver en vn pozo vna cosa estraña y llamando a la madre que lo viesse, diole de las manos, y echándola a lo hondo, en poco spacio ahogada fue. Ella dio bozes, diziendo que su madre cayera en el pozo. Allí acudieron todos los hombres y el gigante, qu'el engaño sabía; y como vieron la señora, que muy amada de todos ellos era, muerta, hizieron grandes llantos. Mas el gigante les dixo: «No fagáys duelo, que esto los dioses lo han querido;   yo tomaré muger en quien será engendrado tal persona por donde todos seremos muy temidos y enseñoreados sobre aquellos que mal nos quieren.» Todos callaron con miedo del gigante, y no osaron fazer otra cosa. Y luego esse día públicamente ante todos tomó por mujer a su fija Bandaguida, en la qual aquella malauenturada noche fue engendrado vna animalia por ordenança de los diablos en quien ella y su padre y marido creýan, de la forma que aquí oyréys. Tenía el cuerpo y el rostro cubierto de pelo, y encima hauía conchas sobrepuestas vnas sobre otras, tan fuertes que ninguna arma las podía passar, y las piernas y pies eran muy gruessos y rezios. Y encima de los ombros hauía alas tan grandes que fasta los pies le cubrían, y no de péndolas, mas de vn cuero negro como la pez, luziente, velloso, tan fuerte que ninguna arma las podía empeçer, con las quales se cubría como lo fiziesse vn hombre con vn escudo. Y debaxo dellas le salían braços muy fuertes assí como de león, todos cubiertos de conchas más menudas que las del cuerpo; y las manos hauía de fechura de águila con cinco dedos, y las uñas tan fuertes y tan grandes que en el mundo podía ser cosa tan fuerte que entre ellas entrasse, que luego no fuesse desfecha. Dientes tenía dos en cada vna de las quixadas, tan fuertes y tan largos que de la boca vn codo le salían; y los ojos grandes y redondos, muy bermejos como brasas, assí que de muy lueñe, syendo de noche, eran vistos y todas las gentes huýan dél. Saltaua y corría tan ligero que no hauía venado que por pies se le pudiesse escapar; comía y beuía pocas vezes, y algunos tiempos ningunas, que no sentía en ello pena ninguna. Toda su holgança era matar hombres y las otras animalias biuas; y quando fallaua leones y ossos que algo se le defendían, tornaua muy sañudo, y echaua por sus narizes vn humo tan spantable que semejaua llamas de huego, y daua vnas bozes roncas espantosas de oýr; assí que todas las cosas biuas huýan ant'él como ante la muerte. Olía tan mal que no hauía cosa que no emponçoñasse; era tan espantoso quando sacudía las conchas vnas con otras y hazía cruxir los dientes y las alas, que no pareçía sino que la tierra fazía estremeçer. Tal es esta animalia Endriago llamado (...) (792-95).

[La lucha]

(...) —Da bozes, Gandalín, porque por ellas podrá ser que el Endriago a nosotros acudirá; y ruégote mucho que si aquí muriere, procures de lleuar a mi señora Oriana aquello que es suyo enteramente, que será mi coraçón. Y dile que ge lo embío por no dar cuenta ante Dios de cómo lo ageno leuaua comigo.

Quando Gandalín esto oyó, no solamente dio bozes, mas messando sus cabellos, llorando dio grandes gritos, deseando su muerte antes que ver la de aquel su señor que tanto amaua. Y no tardó mucho que vieron salir de entre las peñas el Endriago muy más brauo y fuerte que lo nunca fue, de lo qual fue causa que como los diablos viessen que este cauallero ponía más esperança en su amiga Oriana que en Dios, tuuieron lugar de entrar más fuertemente en él y le fazer más sañudo, diziendo ellos:

—Si déste le escapamos, no ay en el mundo otro que tan osado ni tan fuerte sea que tal cosa ose acometer.

El Endriago venía tan sañudo, echando por la boca humo mezclado con llamas de fuego, y firiendo los dientes vnos con otros, faziendo gran espuma y faziendo cruxir las conchas y las alas tan fuertemente que gran espanto era de lo ver. Àssí lo huuo el cauallero de la Verde Spada, specialmente oyendo los siluos y las spantosas bozes roncas que daua; y comoquiera que por palabra ge lo señalaran, en comparación de la vista era tanto como nada. Y quando el Endriago lo vido, començó a dar grandes saltos y bozes, como aquel que mucho tiempo passara sin que hombre ninguno viera, y luego vino contra ellos. (...)

Y el de la Verde Spada se metió por el humo adelante, y llegando cerca dél, le encontró con la lança por muy gran dicha en el vn ojo, assí que ge lo quebró. Y el Endriago echó las vñas en la lança y tomóla con la boca, y hízola pedaços, quedando el fierro con vn poco del asta metido por la lengua y por las agallas, que tan rezio vino que él mismo se metió por ella. Y dio vn salto por le tomar, mas con el desatiento del ojo quebrado no pudo, y porque el cauallero se guardó con gran esfuerço y biueza de coraçón, assí como aquel que se vía en la misma muerte. Y puso mano a la su muy buena spada y fue a él, que estaua como desatentado, assí del ojo como de la mucha sangre que de la boca le salía; y con los grandes resoplidos y resollos que daua, todo lo más della entraua por la garganta de manera que quasi el aliento le quitara, y no podía cerrar la boca ni morder con ella. Y llegó a él por el vn costado y diole tan gran golpe por cima de las conchas, que le no pareçió sino que diera en vna peña dura, y ninguna cosa le cortó. Como el Endriago le vio tan cerca de sí, pensó le tomar entre sus vñas, y no le alcançó sino en el escudo, y leuógelo tan rezio que le fizo dar de manos en tierra. (...)

Y con la gran fuerça que puso y la qu'el Endriago traýa, el espada caló, que le llegó a los sesos. Mas el Endriago, como le vido tan cerca, abraçóse con él, y con las sus muy fuertes y agudas vñas rompióle todas las armas de las spaldas, y la carne y los huesos fasta las entrañas; y como él estaua afogado de la mucha sangre que beuía, y con el golpe de la spada que a los sesos le passó, y sobre todo la sentencia que de Dios sobr'él era dada y no se podía reuocar, no se podiendo ya tener, abrió los braços y cayó a la vna parte como muerto sin ningún sentido. El cauallero, como assí lo vio, tiró por la spada y metiósela por la boca quanto más pudo tantas vezes que lo acabó de matar. Pero quiero que sepáys que antes qu'el alma le saliesse, salió por su boca el diablo, y fue por el ayre con muy gran tronido, assí que los que estauan en el castillo lo oyeron como si cabe ellos fuera; de lo qual ouieron gran espanto, y conoçieron como el cauallero estaua ya en la batalla. (800-802).

LIBROS DE AVENTURAS SENTIMENTALES

34

Juan Rodríguez del Padrón (o de la Cámara) (fl. primera mitad del s. xv), *Siervo libre de amor* (entre 1425 y 1450). Madrid: Nacional, ms. 6052, fols. 216v-73v (letra de 1470-1500), ed. de A. Prieto [y F. Serrano Puente] (Madrid: Castalia, 1976).

DE BIEN AMAR Y SER AMADO

(...) La fe prometida al ýntimo y claro amor, y la instancia de tus epísto-las, oy me haze escreuir lo que pavor y vergüença en ningúnd otorgaron reve-lar, no menos por saluar a mí de la muerte pauorosa, que por guardar la que por sóla beldat, discreçión, loor y alteza, amor me mandó seguir; por que syrviendo la excelençia del estado y grandeza del amor, mostrasen en mí las grandes fuerças del themor. (...) E mal quisto, no desaua de bien querer a la que por maldiçión no pude sofrir que no dixiese esta canción:

> Alegre del que vos viese
> vn día tan plazentera,
> aque dezir vos oyese:
> ¿Ay Alguno que me quiera?
> y ninguno vos quisiese.

> Mal quisto de vós y quanto
> paso la desierta vía,
> amadores con espanto
> fuyen de mi compañía.

> Tal querer vos requiriese
> demandar syn más espera
> d' amores que vos valiesse,
> e yo triste, como quiera,
> señora, que vos ouiese.

E de sý maltraýa el spíritu que en punto era a me dexar: culpava a mis çinco sentidos que andauan en torno de mí, dando los fuertes gemidos, y no proveýan a mi desconsuelo: agramente sospirava, menbrándome el acos-tumbrado viaje por las fablas de las altas moradas, palaçios e torres de mi linda señora, donde era en guarda de mí, fasta, trasponiendo, no pareçer: dexaua en espera, guardando la buelta, la pequeña infante, mensajera de la reuista: razonauame con la deuisada muerte, que por esta vía delante mí, di-ziendo con muchas lágrimas: ¡O regurosa y mal comedida muerte, deseosa de mí! E ya que en plazer te viene el trabajado fyn de mis días, que es oy,

por la más cruel señora que biue, sólo yerro de mí reçibió, por que asý no
te plase que yo deua moryr por la más leal señora que biue, según que te
plogo de otorgar, al digno de perpetua membrança Ardanliel, hijo del rey
Creos de Mondoya e de la reyna Senesta. (67, 82-83).

COMIENÇA LA ESTORIA DE DOS AMADORES

LOS QUALES EL DICHO JOAN RODRÍGUEZ REÇITA AL SU PROPÓSYTO

Este Ardanlier, syendo enamorado de la gentil Lies[s]a, hija del grand señor de Lira, que no menos ardía el amor de aquél, mas con pauor de su
madre, la sabia Julia, entrada en días, hedat contraria a los mançebos, no
osaua venir a cumplimiento de su voluntat. E por la semblante vía el rey
Creos muy odioso era a su hijo Ardanlier, con grand themor que dél avía.
E las fuerças del temor acrecentaua en los coraçones de aquellos las grandes
furias del amor de tal son, quel gentil infante, ardiendo en fuego venéreo,
que más no podía durar el desseo, por secreto y fiel tratado que al batyr
del ala del primer gallo, pregonero del día, fuesen ambos en punto adereçados
al partyr. Traspuesta la Vrsa menor, mensajera del alua, caualga su dama
de rrienda, bien acompañados de rricas y valyosas piedras, en grand largueza
del señor de los metales; e cuya reguarda venía el su fiel ayo Lamidoras,
y Bandyn, esclauo de aquélla. (...)

E después del común passage en las quatro partes del mundo, y grandes
passados peligros, que en loor de aquella que amaua más que a sý, con grand
afan andaua a la ventura, fue llegado a las partes de Yria, rryberas del mar
Oçéano, a las faldas de vna montaña desesperada, que llamavan los nauegan-
tes la alta Cristalyna, donde es la venera del aluo cristal, señoría del muy
alto príncipe, glorioso, exçelente y magnífico Rey d'[E]spaña; e en la mayor
soledat hyzo venir de la antyga çibdat Venera, que es en los fynes de la pequeña Françia, oy llamada Gallizia, del señor rey d['E]spaña, el quarto de sus
muy nobles reynos, e muy sotiles geométricos que por marauillosa arte rrom-
pieron vna esquiua rroca, e dentro de la qual obraron vn secreto palaçio,
rrico y fuerte, bien obrado; y a la entrada, vn verde, fresco jardýn de muy
olorosas yeruas, lyndos, frutíferos árbores, donde solitario biuía. E siguiendo
el arte plazible de los caçadores, andando por los tenebrosos valles en guarda
del peligroso passo que vedaua a los caualleros andantes, trasponiendo los
collados en pos de los saluajes, e muchas vezes con grand quexo apremiados,
entravan al soterrano palaçio, a morir delante su bien quista señora.

E cumpliendo los siete años que byuía en aquel solo desierto, dados a
la vida solitaria, su padre, rey Croes, rrey de Mondoya, desterrado de vn
solo hijo que tanto amava, no tardó embiar en su alçançe por estrangeras
partidas. El muy lastymado Rey no pudo durar que no fuese en la busca;
e después de los grandes affanes que no se suelen asconder a los viandantes,
pasados luengos días, meses, cuento de años, que andaua en su demanda,

quiso ventura que vyniendo de passo de la antiga çibdat de Venera, quanto
vna legua del secreto palaçio, vió venir los tres canes ladrando por la angosta
senda, las gargantas abiertas, llenas de sangre, encarnados de vn fiero dayne
que su hijo Ardanlier essas horas muerto avía, que sólo quedaua en el monte
adereçando por lo traer detras de sý en la ropa del brioso cauallo que dubdaua
de lo consentyr. Al trabajado Rey bien plogo de los seguir, dubdando la casta
de los perros que conoçer quería: e fueron por la estrecha via ferir a la secreta
casa que no avían por saber. Plansera fue Liessa, y también Lamidoras, por
el barrunto de la caça que mostrauan los ventores, vañados en la fresca sangre; e al son de los cauallos quel Rey traýa, con acuçiosos passos vanle a
rreçebyr, cuydando que allí venía el desseado Ardanlier; e visto el muy ayrado
rrey Creos, con grand espanto no tardaron caher a sus pies, demandándole
merçed. Respondió en aquestas palabras, con arrebatado furor:
—«¡Traydora Lyessa, aduersaria de mí! Demandas merçed al que embiu-
daste de vn solo hijo, que más no avia, enduzido por ty rrobar a mí, su
padre, e fuyr a las glotas e concauidades de los montes, por más acreçentarme
la pena! ¡E deviérasgelo estrañar, y no consentyr; desuiar, y no dar en consejo! ¡Demandas merçed! Rrey soy; no te la puedo negar; mas dize el verbo
antigo: «Merçed es al rey vengarse de su enemigo.» E en punto escrymió la
cruel espada contra la adfortunada Lyessa; la qual, agramente llorando, finca-
da la rodilla delante de[é]l gritando y diziendo tales temerosas palabras: «¡A[h]
señor, piadat de tu verdadero nieto que traygo en mis yjadas! ¡No seas carniçero de tu propia sangre! ¡No te duelas de mí, ynoçente, mas de tu lympia
y clara sangre! Condenas la triste madre; salua la ymagen suya, no por memoria de mí, mas de tu vnico hijo Ardanlier, al qual obedeçí!» Dando fyn a
las dolorosas palabras, el ynfamado de grand crueldat tendió la aguda espada,
y siguió vna falssa punta que le atrauesó las entrañas, atrauesando por medio
de la criatura; e tendida en el suelo, dio el trabajado espíritu. (87-85, 87-90).

FFABLA EL ACTOR

Declarada la dubdosa muerte, y fecha la prueva de la cruel espada, el
dessentido Ardanlyer añadió las afortunadas quexas al triste e amargoso llanto, maldiziendo la fadal presunçión e tan çercano debdo como naturaleza le
diera con su capital enemigo, rey Croes de Mondoya, desconoçido padre (...)
    En punto, affynada su voluntat postrimera, bolvió contra sy en derecho
del coraçón la sotil y muy delgada espada, la punta que sallía de la otra parte
del refriado cuerpo; e diziendo aquestas palabras en esquivo clamor: —«¡Reçibe
de oy más, Lyessa, el tu buen amigo Ardanlier a la desseada compañía!»
E lançóse por la media espada, e dio con grand gemido el aquexado espíritu.
(93-95).

EXEMPLO Y PERPETUA MEMBRANÇA, CON GRAND DOLOR,

SEA A VÓS, AMADORES, LA CRUEL MUERTE DE LOS MUY LEALES
ARDANLIER Y LYESS[S]A, FALLECIDOS POR BIEN AMAR

Entendidos los trágicos metros, e las tales figuras presentadas a la memoria en rrefrescor de lo passado, no pudieron sofrir de no essecutar el acallantado llanto que todos días en fyn de la contemplaçión avían por acostumbrado rreposo. (...)

[D]e las lyndas hacaneas, palafrenes de las falleçidas Lyes[s]a e Yrena y sus dueñas donzellas; que vynieron después en tanta esquividat y braueza, que ninguno, por muy esforçado, solo, syn armas, osava pasar a los altos bosques donde andavan. En testimonio de lo qual, oy día se fallan cauallos saluajes de aquella raça en los montes de Teayo, de Miranda y de Bujan, donde es la flor de los monteros, ventores, sahuesos de la pequeña Françia, los cuales affyrman venir de la casta de los treze que quedaron de Ardanlyer. Otros, por lo contrario, dizen que los treze canes, vyendo fallyr el su obedeçido señor, çercaron de todas partes las dos tumbas rricas, donde jamás no los pudieron partyr; e falleçidos del spíritu, los cuerpos no sensibles mudáronse en fynas piedras, cada vno tornándose en su cantidat, vista y color, e tan propia figura, que ynfynitos el día de la grand perdonança, veyéndolos en çerco de los altos sepulchros, verdaderamente los affyrman beuir. (102, 103).

35

F. A. D. C., *Triste deleytación* (1460). Barcelona: Catalunya, ms. 770 (letra de c. 1460), ed. de E. M. Gerli (Washington, D. C.: Georgetown Univ. Press, 1982).

[PRÓLOGO]

[A]partado de toda pasión de amor por la edat que la speriencia me negava, que caminar por sus deleytosas sendas no me dexava, mas ocupados mis sentimientos en cosas çiviles y baxas, pasava con tal plátiqua la mía inocente vida. Mas un día, cansado de tal exer[ci]çio, por alegrar los spíritos cavalgando acordé pasear. Ansí andando descuydado y fuera de toda fatigua que enogar me pudiese, alçé los ojos, no en fin de ser preso ni de amor tomar a ninguna, dó vi en una ventana una tan linda e fermosa donzella al grado y voluntat mýa tanto conforme, que sy Dios a otra más perfición dar le quisiera fuera forçado que vanaglorioso. (2-3).

[LLANTO DE LA Sª, HEROÍNA, AL RECIBIR NOTICIA DE LA
«MUERTE» DEL Eº, SU AMANTE]

¡Caso, fado, y Fortuna,
rigor, sanya, crueldat,
muerte y catividat,
feroçes todas en una,
en tanto que la verdat,
gentileza ni mesura
conoçen en criatura,
mas procuran sepoltura
dó been que ay bondat!
    Mi pensamiento figura
por ste fecho pesar,
fuelga con todo penar,
y por el gozo tristura;
venida qual nunca fuera,
por causa de malandança,
ya no tengo sperança,
pues mi querer no alcança
sino quien mata, que muera.
    Si mostró no ser contento
mi coraçón cada rato,
en el secreto ingrato
fue mi querer un momento;
se causa d'aquí un medio,
por ste desgradeçer,
que no puede conoçer
mi alma, ni menos ver,
cosa que l'dase remedio.
    Pues muestra el tu efeto
muerte, que no s'alexan
mis sentidos, nin s'aquexan,
mas que d'amigo direto;
que de tan grande misterio
la Razón así ordena
el mundo que sté en pena,
el bien y sol en cadena,
mi vida sin refrigerio.
    Pues del todo lazrados,
s'án de hoyr mis aýdos,
y de[c]larar aflegidos
mis ojos desconsolados;
y tienen toda vitoria

perdida y alegría,
qu'el deseo redemía
sus cuytas e impremýa
el cuerpo querer tu gloria.

¡Estubiere por fazer
el mundo, a Dios plugiere;
o quando se repintiere,
quien al honbre dio eser,
se mostraran los senyales
postreros de uno en uno;
mi caso fuera seguro,
pues que no fuera ninguno
al mundo por aver males!

¡Sientan por ste los bientos
y cielos grave dolor,
las aves con gran tristor
cayen sin defendimientos;
y que siempre opinyón
obedezca la natura,
sea piadat rencura,
la paz y razón scura,
la mar en rebellión!

¡Sean más los elementos
privados y las planetas,
pierdan las cosas sujetas,
crebantan los monumentos;
los muertos compasión,
desdényanse las movibles,
qu'entra de las invesibles,
y todas las insensibles,
sernan gran división!

¡Amor torne crueldat,
caridat st[é] en balança,
fe y verdat en dudança,
padezca la lealdat;
innore voluntat el grado,
humildat la paçiençia,
y firmeza continençia;
yra con gran violençia,
tengan el mundo danyado!

Senyor, si su boluntat,
forçada por bien amar,
al fin quiso más pensar
en mí qu'en tu majestat,
le da tu justa memoria

infierno lu[e]go, te diguo;
que tu reposo desdiguo;
qu'en él siendo comigo
sus penas me serán gloria.

Estando por la nueva de la muerte del E° muy aflegida la Sª, que infinitas
vezes dezía: «Asaz bive, ahunque sea poco, aquél qu'es absente de la cosa
que más ama para siempre,» sperando de ora en ora con poca humanidat
tornar a oyr la confirmación d'aquel[l]as palabras que tanto sus oýdos ofen-
dían, para con su muerte dar compañýa ad aquél que tanto le quiso. (32-34).

36

Diego de San Pedro (fl. finales del s. xv), *Cárcel de Amor* (1492). Primera impresión, Sevilla:
Cuatro Compañeros Alemanes, 1492; el único ejemplar de la cual se conserva hoy en Madrid:
Nacional, I-2134, ed. de K. Whinnon, *Obras completas*, t. II (3.ª ed.; Madrid: Castalia, 1985).

COMIENÇA LA OBRA

Después de hecha la guerra del año pasado, viniendo a tener el invierno
a mi pobre reposo, pasando una mañana, cuando ya el sol quería esclarecer
la tierra, por unos valles hondos y escuros que se hazen en la Sierra Morena,
vi salir a mi encuentro, por entre unos robredales dó mi camino se hazía,
un cavallero assí feroz de presencia como espantoso de vista, cubierto todo
de cabello a manera de salvaje; levava en la mano isquierda un escudo de
azero muy fuerte, y en la derecha una imagen femenil entallada en una piedra
muy clara, la cual era de tan estrema hermosura que me turbava la vista;
salían della diversos rayos de fuego que levava encendido el cuerpo de un
honbre quel cavallero forciblemente levava tra[s] sí. El cual con un lastimado
gemido de rato en rato dezía: «En mi fe, se sufre todo». Y como enparejó
comigo, díxome con mortal angustia: «Caminante, por Dios te pido que me
sigas y me ayudes en tan grand cuita». Yo, que en aquella sazón tenía más
causa para tem[e]r que razón para responder, puestos los ojos en la estraña
visión, estove quedo, trastornando en el coraçón diversas consideraciones; dexar el camino que levava parecíame desvarío; no hazer el ruego de aquel que
assí padecía figurávaseme inhumanidad; en siguille havía peligro y en dexalle
flaqueza; con la turbación no sabía escoger lo mejor. Pero ya quel espanto
dexó mi alteración en algund sosiego, vi cuánto era más obligado a la virtud
que a la vida; y enpachado de mí mesmo por la dubda en que estuve, seguí
la vía de aquel que quiso ayudarse de mí. Y como apresuré mi andar, sin
mucha tardança alcancé a él y al que la fuerça le hazía, y assí seguimos todos
tres por unas partes no menos trabajosas de andar que solas de plazer y de
gente; y como el ruego del forçado fue causa que lo siguiese, para cometer

al que lo levava faltávame aparejo y para rogalle merescimiento, de manera que me fallecía consejo; y después que rebolví el pensamiento en muchos acuerdos, tomé por el mejor ponerle en alguna plática, porque como él me respondiese, así yo determinase; y con este acuerdo supliquéle con la mayor cortesía que pude me quisiese dezir quién era; a lo cual assí me respondió: «Caminante, segund mi natural condición, ninguna respuesta quisiera darte, porque mi oficio más es para secutar mal que para responder bien; pero como sienpre me crié entre honbres de buena criança, usaré contigo de la gentileza que aprendí y no de la braveza de mi natural; tú sabrás, pues lo quieres saber, yo soy principal oficial en la casa de Amor; llámanme por nonbre Deseo; con la fortaleza deste escudo defiendo las esperanças y con la hermosura desta imagen causo las aficiones y con ellas quemo las vidas, como puedes ver en este preso que lievo a la Cárcel de Amor, donde con solo morir se espera librar». Cuando estas cosas el atormenta[d]or cavallero me i[v]a diziendo, sobíamos una sierra de tanta altura que a más andar mi fuerça desfallecía; y ya que con mucho trabajo llegamos a lo alto della, acabó su respuesta; y como vido que en más pláticas quería ponelle yo, que començava a dalle gracias por la merced recebida, súpitamente desapareció de mi presencia; y como esto pasó a tienpo que la noche venía, ningund tino pude tomar para saber dónde guió; y como la escuridad y la poca sabiduría de la tierra me fuesen contrarias, tomé por propio consejo no mudarme de aquel lugar. Allí comencé a maldezir mi ventura; allí desesperava de toda esperança; allí esperava mi perdimiento; allí en medio de mi tribulación nunca me pesó de lo hecho, porque es mejor perder haziendo virtud que ganar dexándola de hazer; y assí estuve toda la noche en tristes y trabajosas contenplaciones; y cuando ya la lunbre del día descubrió los canpos, vi cerca de mí, en lo más alto de la sierra, una torre de altura tan grande que me parecía llegar al cielo; era hecha por tal artificio, que de la estrañeza della comencé a maravillarme; y puesto al pie, aunque el tienpo se me ofrecía más para temer que para notar, miré la novedad de su lavor y de su edificio. El cimiento sobre que estava fundada era una piedra tan fuerte de su condición y tan clara de su natural cual nunca otra tal jamás havía visto, sobre la cual estavan firmados cuatro pilares de un mármol morado muy hermoso de mirar. Eran en tanta manera altos que me espantava cómo se podían sostener; estava encima dellos labrada una torre de tres esquinas, la más fuerte que se puede contenplar; tenía en cada esquina, en lo alto della, una imagen de nuestra humana hechura, de metal, pintada cada una de su color: la una de leonado y la otra de negro y la otra de pardillo; tenía cada una dellas una cadena en la mano asida con mucha fuerça; vi más encima de la torre un chapitel sobrel cual estava un águila que tenía el pico y las alas llenas de claridad de unos rayos de lunbre que por dentro de la torre salían a ella; oía dos velas que nunca un solo punto dexavan de velar. Yo, que de tales cosas justamente me maravillava, ni sabía dellas qué pensase ni de mí qué hiziese; y estando conmigo en grandes dubdas y confusión, vi travada con los mármoles dichos un escalera que llegava a la puerta de la torre, la cual tenía la entrada tan escura que parescía la sobida della a ningund honbre posible. Pero, ya deliberado, quise antes perderme por sobir que salvarme por estar; y forçada mi fortuna, comencé la sobida; y a tres passos del escalera hallé una puerta de hierro, de lo que me certificó más el tiento de las manos que la lunbre de la vista, segund las tinieblas dó estava. Allegado, pues, a la puerta, hallé en ella un portero al cual pedí licencia para la entrada; y respondióme que lo haría, pero que me convenía dexar las armas primero que entrase; y como le dava las que levava segund costunbre de caminantes, díxome:

«Amigo, bien paresce que de la usança desta casa sabes poco. Las armas que te pido y te conviene dexar son aquellas con que el coraçón se suele defender de tristeza, assí como Descanso y Esperança y Contentamiento, porque con tales condiciones ninguno pudo gozar de la demanda que pides.»

Pues, sabida su intención, sin detenerme en echar juizios sobre demanda tan nueva, respondíle que yo venía sin aquellas armas, y que dello le dava seguridad. Pues como dello fue cierto, abrió la puerta y con mucho trabajo y desatino lleg[u]é ya a lo alto de la torre, donde hallé otro guardador que me hizo las preguntas del primero; y después que supo de mí lo quel otro, diome lugar a que entrase; y llegado al aposentamiento de la casa, vi en medio della una silla de fuego, en la cual estava asentado aquel cuyo ruego de mi perdición fue causa. Pero como allí, con la turbación, descargava con los ojos la lengua, más entendía en mirar maravillas que en hazer preguntas; y como la vista no estava despacio, vi que las tres cadenas de las imágines que estavan en lo alto de la torre tenían atado aquel triste, que sienpre se quemava y nunca se acabava de quemar. Noté más, que dos dueñas lastimeras con rostros llorosos y tristes le servían y adornavan, poniéndole con crueza en la cabeça una corona de unas puntas de hierro sin ninguna piedad, que le traspasavan todo el celebro; y después desto miré que un negro vestido de color amarilla venía diversas vezes a echalle una visarma y vi que le recebía los golpes en un escudo que súpitamente le salía de la cabeça y le cobría hasta los pies. Vi más, que cuando le truxeron de comer le pusieron una mesa negra y tres servidores mucho diligentes, los cuales le davan con grave sentimiento de comer; y bueltos los ojos al un lado de la mesa, vi un viejo anciano sentado en una silla, echada la cabeça sobre una mano en manera de honbre cuidoso; y ninguna destas cosas pudiera ver segund la escuridad de la torre, si no fuera por un claro resplandor que le salía al preso del coraçón, que la esclarecía toda. El cual, como me vio atónito de ver cosas de tales misterios, viendo cómo estava en tienpo de poder pagarme con su habla lo poco que me devía, por darme algund descanso, mezclando las razones discretas con las lágrimas piadosas, començó en esta manera a dezirme:

EL PRESO AL AU[C]TOR

Alguna parte del coraçón quisiera tener libre de sentimiento, por dolerme de ti segund yo deviera y tú merecías. Pero ya tú vees en mi tribulación que

no tengo poder para sentir otro mal sino el mío. Pídote que tomes por satisfa-
ción, no lo que hago, mas lo que deseo. Tu venida aquí yo la causé. El que
viste traer preso yo soy, y con la tribulación que tienes no has podido conos-
cerme. Torna en ti tu reposo; sosiega tu juizio, porque estés atento a lo que
te quiero dezir. Tu venida fue por remediarme; mi habla será por darte consuelo, puesto que yo dél sepa poco. Quién yo soy quiero dezirte; de los misterios que vees quiero informarte; la causa de mi prisión quiero que sepas; que
me delibres quiero pedirte si por bien lo tovieres.

Tú sabrás que yo soy Leriano, hijo del duque Guersio, que Dios perdone,
y de la duquesa Coleria. Mi naturaleza es este reino dó estás, llamado Macedonia. Ordenó mi ventura que me enamorase de Laureola, hija del rey Gaulo,
que agora reina, pensamiento que yo deviera antes huir que buscar; pero como los primeros movimientos no se puedan en los honbres escusar, en lugar
de desviallos con la razón, confirmélos con la voluntad; y assí de Amor me
vencí, que me truxo a esta su casa, la cual se llama Cárcel de Amor; y como
nunca perdona, viendo desplegadas las velas de mi deseo, púsome en el estado
que vees; y porque puedas notar mejor su fundamiento y todo lo que has
visto, deves saber que aquella piedra sobre quien la prisión está fundada es
mi fe, que determinó de sofrir el dolor de su pena por [el] bien de su mal.
Los cuatro pilares que asientan sobre ella son mi entendimiento y mi razón
y mi memoria y mi voluntad; los cuales mandó Amor parescer en su presencia
antes que me sentenciase; y por hazer de mí justa justicia preguntó por sí
a cada uno si consentía que me prendiesen, porque si alguno no consentiese
me absolvería de la pena. A lo cual respondieron todos en esta manera:

Dixo el Entendimiento: «Yo consiento al mal de la pena por el bien de
la causa, de cuya razón es mi voto que se prenda».

Dixo la Razón: «Yo no solamente do consentimiento en la prisión, mas
ordeno que muera; que mejor le estará la dichosa muerte que la desesperada
vida, segund por quien se ha de sofrir».

Dixo la Memoria: «Pues el Entendimiento y la Razón consienten, porque
sin morir no pueda ser libre, yo prometo de nunca olvidar».

Dixo la Voluntad: «Pues que assí es, yo quiero ser llave de su prisión
y determino de sienpre querer».

Pues oyendo Amor que quien me havía de salvar me condenava, dio como
justo esta sentencia cruel contra mí. Las tres imágines que viste encima de
la torre, cubiertas cada una de su color, de leonado y negro y pardillo, la
una es Tristeza y la otra Congoxa y la otra Trabajo. Las cadenas que tenían
en las manos son sus fuerças, con las cuales tiene[n] atado el coraçón porque
ningund descanso pueda recebir. La claridad grande que tenía en el pico y
alas el águila que viste sobre el chapitel, es mi Pensamiento, del cual sale
tan clara luz por quien está en él, que basta para esclarecer las tinieblas dest[a]
triste cárcel, y es tanta su fuerça que para llegar al águila ningund inpedimien-
to le haze lo grueso del muro; assí que andan él y ella en una conpañía,
porque son las dos cosas que más alto suben, de cuya causa está mi prisión
en la mayor alteza de la tierra. Las dos velas que oyes velar con tal recaudo

son Desdicha y Desamor; traen tal aviso porque ninguna esperança me pueda entrar con remedio. El escalera obscura por dó sobiste es el Angustia con que sobí donde me vees. El primero portero que hallaste es el Deseo, el cual a todas tristezas abre la puerta, y por esso te dixo que dexases las armas de plazer si por caso las traías. El otro que acá en la torre hallaste es el Tormento que aquí me traxo, el cual sigue en el cargo que tiene la condición del primero, porqu'está de su mano. La silla de fuego en que asentado me vees es mi justa afición, cuyas llamas sienpre arden en mis entrañas. Las dos dueñas que me dan, como notas, corona de martirio, se llaman la una Ansia y la otra Passión, y satisfazen a mi fe con el galardón presente; el viejo que vees asentado, que tan cargado pensamiento representa, es el grave Cuidado, que junto con los otros males pone amenazas a la vida. El negro de vestiduras amarillas que se trabaja por quitarme la vida, se llama Desesperar; el escudo que me sale de la cabeça con que de sus golpes me defiendo, es mi Juizio, el cual, viendo que vó con desesperación a matarme, dízeme que no lo haga, porque visto lo que merece Laureola, antes devo desear larga vida por padecer que la muerte para acabar; la mesa negra que para comer me ponen es la Firmeza con que como y pienso y duermo, en la cual sienpre están los manjares tristes de mis contenplaciones; los tres solícitos servidores que me servían son llamados Mal y Pena y Dolor: el uno trae la cuita con que coma y el otro trae la desesperança en que viene el manjar y el otro trae la tribulación, y con ella, para que beva, trae el agua del coraçón a los ojos y de los ojos a la boca. Si te parece que soy bien servido, tú lo juzga; si remedio he menester, tú lo vees; ruégote mucho, pues en esta tierra eres venido, que tú me lo busques y te duelas de mí; no te pido otro bien sino que sepa de ti Laureola cuál me viste, y si por ventura te quisieres dello escusar porque me vees en tienpo que me falta sentido para que te lo agradezca, no te escuses, que mayor virtud es redimir los atribulados que sostener los prósperos; assí sean tus obras que ni tú te quexes de ti por lo que no heziste, ni yo por lo que pudieras hazer.

RESPUESTA DEL AUCTOR A LERIANO

En tus palabras, señor, has mostrado que pudo Amor prender tu libertad y no tu virtud, lo cual se prueva porque segund te veo, deves tener más gana de morir que de hablar, (...) [y]o haré de grado lo que mandas; plega a Dios que lieve tal la dicha como el deseo, porque tu deliberación sea testigo de mi diligencia; tanta afición te tengo y tanto me ha obligado amarte tu nobleza, que havría tu remedio por galardón de mis trabajos. Entretanto que vó, deves tenplar tu sentimiento con mi esperança porque cuando buelva, si algund bien te truxere, tengas alguna parte biva con que puedas sentillo.

El auctor

E como acabé de responder a Leriano en la manera que es escrita, inforrméme del camino de Suria, cibdad donde estava a la sazón el rey de Macedonia, que era media jornada de la prisión donde partí; y puesto en obra mi camino, llegué a la corte, y después que me aposenté, fui a palacio por ver el trato y estilo de la gente cortesana, y tanbién para mirar la forma del aposentamiento, por saber dónde me conplía ir o estar o aguardar para el negocio que quería aprender. Y hize esto ciertos días por aprender mejor lo que más me conviniese, y cuanto más estudiava en la forma que ternía, menos dispusición se me ofrecía para lo que deseava; y buscadas todas las maneras que me havían de aprovechar, hallé la más aparejada comunicarme con algunos mancebos cortesanos de los principales que allí veía, y como generalmente entre aquellos se suele hallar la buena criança, assí me trataron y dieron cabida, que en poco tienpo yo fui tan estimado entrellos como si fuera de su natural nación, de forma que vine a noticia de las damas; y assí de poco en poco hove de ser conocido de Laureola, y haviendo ya noticia de mí, por más participarme con ella contávale las cosas maravillosas d'España, cosa de que mucho holgava; pues viéndome tratado della como servidor, parecióme que le podría ya dezir lo que quisiese; y un día que la vi en una sala apartada de las damas, puesta la rodilla en el suelo, díxele lo siguiente:

El auctor a Laureola

(...) Tú, señora, sabrás que caminando un día por unas asperezas desiertas, vi que por mandado del Amor levavan preso a Leriano, hijo del duque Guersio, el cual me rogó que en su cuita le ayudase; de cuya razón dexé el camino de mi reposo por tomar el de su trabajo; y después que largamente con él caminé, vile meter en una prisión dulce para su voluntad y amarga para su vida, donde todos los males del mundo sostiene: dolor le atormenta, pasión le persigue, desesperança le destruye, muerte le amenaza, pena l[e] secuta, pensamiento l[e] desvela, deseo le atribula, tristeza le condena, fe no le salva; supe dél que de todo esto tú eres causa; juzgué, segund le vi, mayor dolor el que en el sentimiento callava que el que con lágrimas descobría; y vista tu presencia, hallo su tormento justo. Con sospiros que le sacavan las entrañas me rogó te hiziese sabidora de su mal; su ruego fue de lástima y mi obediencia de conpasión; en el sentimiento suyo te juzgué cruel y en tu acatamiento te veo piadosa, lo cual va por razón que de tu hermosura se cree lo uno y de tu condición se espera lo otro. Si la pena que le causas con el merecer le remedias con la piedad, serás entre las mugeres nacidas la más alabada de cuantas nacieron; contenpla y mira cuánto es mejor que te alaben porque redemiste, que no que te culpen porque mataste; mira en qué cargo eres a Leriano, que aun su passión te haze servicio, pues si la remedias te da causa que puedas hazer lo mismo que Dios; porque no es de menos estima el redemir quel criar, assí que harás tú tanto en quitalle la muerte como Dios en darle la vida; no sé qué escusa pongas para no remediallo, si no crees que matar es virtud; no te suplica que le hagas otro bien sino que te pese de su mal, que cosa grave para ti no creas que te la pidiría, que por mejor havrá el penar que serte a ti causa de pena. Si por lo dicho mi atrevimiento me condena, su dolor dél que me enbía me asuelve, el cual es tan grande que ningund mal me podrá venir que iguale con el que él me causa; suplícote sea tu respuesta conforme a la virtud que tienes, y no a la saña que muestras, porque tú seas alabada y yo buen mensajero y el cativo Leriano libre.

Respuesta de Laureola

Así como fueron tus razones temerosas de dezir, assí son graves de perdonar. Si como eres d'España fueras de Macedonia, tu razonamiento y tu vida acabaran a un tienpo; assí que por ser estraño, no recebirás la pena que merecías, y no menos por la piedad que de mí juzgaste, comoquiera que en casos semejantes tan devida es la justicia como la clemencia, la cual en ti secutada pudiera causar dos bienes: el uno, que otros escarmentaran, y el otro que las altas mugeres fueran estimadas y tenidas segund merecen. Pero si tu osadía pide el castigo, mi mansedunbre consiente que te perdone, lo que va fuera de todo derecho, porque no solamente por el atrevimiento devías morir, mas por la ofensa que a mi bondad heziste, en la cual posiste dubda; porque si a noticia de algunos lo que me dexiste veniese, más creerían que fue por el aparejo que en mí hallaste que por la pena que en Leriano viste, lo que con razón assí deve pensarse, viendo ser tan justo que mi grandeza te posiese miedo, como su mal osadía. Si más entiendes en procurar su libertad, buscando remedio para él hallarás peligro para ti; y avísote, aunque seas estraño en la nación, que serás natural en la sepultura; y porque en detenerme en plática tan fea ofendo mi lengua, no digo más, que para que sepas lo que te cunple lo dicho basta; y si alguna esperança te queda porque te hablé, en tal caso sea de poco bevir si más de la enbaxada pensares usar.

El auctor

Cuando acabó Laureola su habla, vi, aunque fue corta en razón, que fue larga en enojo, el cual le enpedía la lengua; y despedido della comencé a pensar diversas cosas que gravemente me atormentavan; pensava cuán alongado estava d'España; acordávaseme de la tardança que hazía; traía a la memoria el dolor de Leriano; desconfiava de su salud, y visto que no podía cunplir lo que me dispuse a hazer sin mi peligro o su libertad, determiné de seguir mi propósito hasta acabar la vida o levar a Leriano esperança. Y con este acuerdo bolví otro día a palacio para ver qué rostro hallaría en Laureola, la cual como me vido tratóme de la primera manera, sin que ninguna mudança hiziese: de cuya seguridad tomé grandes sospechas. (81-97).

El auctor

Cuando Laureola huvo escrito [su carta de rechazo a Leriano], díxome con propósito determinado que aquella fuese la postrimera vez que pareciese en su presencia, porque ya de mis pláticas andava mucha sospecha y porque en mis idas havía más peligro para ella que esperança para mi despacho; pues vista su determinada voluntad, pareciéndome que de mi trabajo sacava pena para mí y no remedio para Leriano, despedíme della con más lágrimas que palabras, y después de besalle las manos salíme de palacio con un nudo en la garganta, que pensé ahogarme por encobrir la pasión que sacava; y salido de la cibdad, como me vi solo, tan fuertemente comencé a llorar que de dar bozes no me podía contener; por cierto yo tuviera por mejor quedar muerto en Macedonia que venir bivo a Castilla; lo que deseava con razón, pues la mala ventura se acaba con la muerte y se acrecienta con la vida. Nunca por todo el camino sospiros y gemidos me fallecieron; y cuando llegué a Leriano dile la carta, y como acabó de leella díxele que ni se esforçase, ni se alegrase, ni recibiese consuelo, pues tanta razón havía para que deviese morir; el cual me respondió que más que hasta allí me tenía por suyo, porque le aconsejava lo propio; y con boz y color mortal comencó a condolerse. Ni culpava su flaqueza, ni avergonçava su desfallecimiento; todo lo que podié acabar su vida alabava; mostrávase amigo de los dolores; recreava con los tormentos; amava las tristezas; aquellos llamava sus bienes por ser mensajeros de Laureola; y porque fuesen tratados segund de cuya parte venían, aposentólos en el coraçón, festejólos con el sentimiento, conbidólos con la memoria, rogávales que acabasen presto lo que venían a hazer porque Laureola fuese servida; y desconfiado ya de ningún bien ni esperança, aquexado de mortales males, no podiendo sustenerse ni sofrirse, huvo de venir a la cama, donde ni quiso comer ni bever ni ayudarse de cosa de las que sustentan la vida, llamándose sienpre bienaventurado porque era venido a sazón de hazer servicio a Laureola quitándola de enojos. (154-55).

Llanto de su madre de Leriano

¡O alegre descanso de mi vegez, o dulce hartura de mi voluntad! Hoy dexas [de] dezir[te] hijo y yo de más llamarme madre, de lo cual tenía temerosa sospecha por las nuevas señales que en mí vi de pocos días a esta parte; acaescíame muchas vezes, cuando más la fuerça del sueño me vencía, recordar con un tenblor súpito que hasta la mañana me durava; otras vezes, cuando en mi oratorio me hallava rezando por tu salud, desfallecido el coraçón, me cobría de un sudor frío en manera que dende a gran pieça tornava en acuerdo;

hasta los animales me certificavan tu mal; saliendo un día de mi cámara vínose un can para mí y dio tan grandes aullidos que assí me corté, el cuerpo y la habla, que de aquel lugar no podía moverme; y con estas cosas dava más crédito a mi sospecha que a tus mensajeros, y por satisfazerme acordé de venir a veerte, donde hallo cierta la fe que di a los agüeros. ¡O lunbre de mi vista, o ceguedad della misma, que te veo morir y no veo la razón de tu muerte; tú en edad para bevir; tú temeroso de Dios; tú amador de la virtud; tú enemigo del vicio; tú amigo de amigos; tú amado de los tuyos! Por cierto hoy quita la fuerça de tu fortuna los derechos a la razón, pues mueres sin tienpo y sin dolencia; bienaventurados los baxos de condición y rudos de engenio, que no pueden sentir las cosas sino en el grado que las entienden; y malaventurados los que con sotil juizio las trascenden, los cuales con el entendimiento agudo tienen el sentimiento delgado; pluguiera a Dios que fueras tú de los torpes en el sentir, que mejor me estuviera ser llamada con tu vida madre del rudo que no a ti por tu fin hijo que fue de la sola. ¡O muerte, cruel enemiga, que ni perdonas los culpados ni asuelves los inocentes! Tan traidora eres, que nadie para contigo tiene defensa; amenazas para la vejez y lievas en la mocedad; a unos matas por malicia y a otros por enbidia; aunque tardas, nunca olvidas; sin ley y sin orden te riges. Más razón havía para que conservases los veinte años del hijo moço que para que dexases los sesenta de la vieja madre. ¿Por qué bolviste el derecho al revés? Yo estava harta de ser biva y él en edad de bevir. Perdóname porque assí te trato, que no eres mala del todo, porque si con tus obras causas los dolores, con ellas mismas los consuelas levando a quien dexas con quien levas; lo que si comigo hazes, mucho te seré obligada; en la muerte de Leriano no hay esperança, y mi tormento con la mía recebirá consuelo. ¡O hijo mío! ¿qué será de mi vejez contenplando en el fin de tu joventud? Si yo bivo mucho, será porque podrán más mis pecados que la razón que tengo para no bivir. ¿Con qué puedo recebir pena más cruel que con larga vida? Tan poderoso fue tu mal que no tuviste para con él ningund remedio; ni te valió la fuerça del cuerpo, ni la virtud del coraçón, ni el esfuerço del ánimo; todas las cosas de que te podías valer te fallecieron; si por precio de amor tu vida se pudiera conprar, más poder tuviera mi deseo que fuerça la muerte; mas para librarte della, ni tu fortuna quiso, ni yo, triste, pude; con dolor será mi bevir y mi comer y mi pensar y mi dormir, hasta que su fuerça y mi deseo me lieven a tu sepoltura.

El auctor

El lloro que hazía su madre de Leriano crecía la pena a todos los que en ella participavan, y como él sienpre se acordase de Laureola, de lo que allí pasava tenía poca memoria, y viendo que le quedava poco espacio para gozar de ver las dos cartas que della tenía, no sabía qué forma se diese con ellas. Cuando pensava rasgallas, parecíale que ofendería a Laureola en dexar perder razones de tanto precio; cuando pensava ponerlas en poder de algún suyo, temía que serían vistas, de donde para quien las enbió se esperava peligro. Pues tomando de sus dudas lo más seguro, hizo traer una copa de agua, y hechas las cartas pedaços echólas en ella, y acabado esto, mandó que le sentasen en la cama, y sentado, bevióselas en el agua y assí quedó contenta su voluntad; y llegada ya la hora de su fin, puestos en mí los ojos, dixo: «Acabados son mis males», y assí quedó su muerte en testimonio de su fe.

Lo que yo sentí y hize, ligero está de juzgar; los lloros que por él se hizieron son de tanta lástima que me parece crueldad escrivillos; sus honrras fueron conformes a su merecimiento, las cuales acabadas, acordé de partirme. Por cierto con mejor voluntad caminara para la otra vida que para esta tierra (...) (172-76).

37

Juan de Flores (c. 1465-¿?), *Grisel y Mirabella* (c. 1495). La primera impresión conservada es de ¿Lérida?: ¿Henrique Botel?, ¿1495? Se conservan dos ejemplares, Madrid: Nacional, I-805, y San Marino (California): Huntington, s. f.; ed. de B. Matulka, *The Novels of Juan de Flores and Their European Diffusion: A Study in Comparative Literature* (Nueva York: Institute of French Studies, 1931; reimpr. Ginebra: Slatkine, 1974), págs. 331-71.

Comiença el tractado

En el regno de Scoçia huuo vn excellente Rey de todas virtudes amigo. y principalmente en ser iusticiero. y era tanto iusto: como la misma iusticia. y este en su postremera edat huuo vna hija que despues de sus dias succedia en el reyno. y esta llamaron Mirabella. y fue de tanta perfection de gracias acabada: que ninguno tanto lohar la pudo: que el cabo de su mereçer contar podiesse. y como ella fuesse heredera dela senyoria del padre: non hauia ningun emperador ni poderoso principe que en casamiento no la demandasse. y ahun que ella fuera de pequenyo stado: solo por sus beldades y valer la fizieran delas senyoras mas grande. Y el Rey su padre por non tener hijos: y por el grande merecimiento que ella tenia: era dell tanto amada: que a ninguno delos ya dichos la queria dar. y asi mismo en su tierra non hauia tan grande senyor a quien la diesse: saluo a grande mengua suya. de manera que el grande amor suyo era aella mucho enemigo. y como ya muchas vezes acaheçe quando hay dilacion en el casamiento delas mujeres: ser causa de caher en verguenças y yerros: assí a esta despues acahecio. Pues en aquestos comedios assi como su edat crecia: crecian y dublauan las gracias de su beldat en tanto grado: que qualquiere hombre dispuesto a amar: asi como la mirasse le era forçado de ser preso de su amor. y tan en stremo la amauan: que por su causa venian a perder las vidas. tanto que la flor dela caualleria de casa del Rey su padre fenecio sus dias en esta tal guerra. De manera que sopido por el Rey: la hizo meter en vn lugar muy secreto: que ningun baron ver la pudiesse: por ser su vista muy peligrosa. porque el desastre con buenas guardas se resiste. (334).

[Encuentro entre Grisel y Mirabella]

Aquell cauallero vencedor llamauan Grisel. el qual prosiguiendo sus amores: Mirabella en pena de quantos por su causa eran muertos: vyendo la grande requesta deste: de su amor fue presa. y ahun que en grande ençerramiento la touiesse el Rey su padre: ella por si sola sin terçero busco manera ala mas plaziente que peligrosa batalla: donde los desseos de Grisel y suyos vinieron a efecto. y despues que algunos dias muy ocultos en grandes plazeres conseruaron sus amores: ella no pudo encobrir lo a vna grande y antiga sierua suya. porque en su camara mas communicaua. y esta camarera suya amaua mucho ahun maestrasala del Rey y como supo el secreto de su senyora: no pudo su lealdad tanto soffrir: que no lo descobriesse al su amante lo que Mirabella y Grisel passauan. y ell vyendo tan grande error: doliendo se mucho dela honra de su senyor: o poruentura de inuidia mouido: no pudo callar lo que al Rey no publicasse la maldad que en su casa Grisel cometia. el qual como oyo tan feo caso: con grande discrecion busco manera como amos los tomassen en vno. y vna noche stando Grisel en la cama con Mirabella: el Rey mando sercar la casa. y ahun que grande rato se defendio: pero ala fin tomados en strechos carçeres por fuerça fueron puestos. (337).

(...) Mas como las leyes de su tierra antigamente ordenaron: el que mas causa o principio fuesse al otro de hauer amado mereciesse muerte: y el que menos destierro [37]. pero que en este caso de su hija no conocian differencia saluo vna: que examinasse si los hombres o las mujeres o ellas o ellos qual destos era mas occasion del yerro al otro. que si las mujeres fuessen mayor causa de amar los hombres: que moriesse Mirabella. y si los hombres a ellas: que padeciesse Grisel. Y aquellos letrados o oydores del conseio real determinadamente concluyeron diziendo: que no auia otra mayor razon para saber la verdad. Entonçes dixo el Rey que lo determinassen ellos en su conseio. alo qual ellos respondieron: que como fuessen personas mas dadas al studio delas leyes que delos amores: que no sabian en aquella causa determinar la verdad. pero que se buscassen por todo el mundo huna dama y hun cauallero: los quales mas pudiessen saber en amores: y mas sperimentados fuessen en tales casos. y que ella tomasse la voz delas mujeres: y ell delos varones. y quien meior causa y razon mostrasse en defension de su drecho: que aquell venciesse aqueste pleyto començado. y puesque iamas el tal caso nunqua era acahecido: que dende en adelante fuesse determinado y scripto por ley. Y a este conseio vino el Rey: y luego mando que se buscassen personas que fuessen de tal qualidat: qual en aquell caso se conuenian. Y en aquell tiempo hauia vna dama delas mas prudentes del mundo en saber y en desemboltura y en las otras cosas a graciosidat conformes. la qual por su grande merecer. se hauia visto en muchas batallas de amor y casos dignos de grande memoria que le hauian acahecido con grandes personas que la amauan y pensauan ven-

---

[37] Según dictaba la susodicha *ley de Escocia* (véase I. 33).

çer. pero no menos le ayudaua discrecion: que saber. y esta senyora hauia por nombre Braçayda. E ansi mesmo fue buscado en los regnos d'Espanya hun cauallero que para tal pleyto pertenecia. al qual llamauan Torrellas. hun special hombre en el conocimiento delas mugeres. y muy ozado en los tratos de amor. y mucho gracioso como por sus obras bien se prueuaua. este fue elegido por defension y parte delos hombres. pero en este caso Torrellas y Braçayda fueron a ruego del Rey a examinar la dicha question. los quales fueron mas caros de hauer: delo que aquí se encareçe. pero despues que en el regno de Scocia llegaron: fueron magnificamente recebidos. principalmente la Reyna madre de Mirabella fizo tan grandes fiestas a Braçayda: que ellas por si fueron dignas de scripturas memoradas. y esto fazia la Reyna por la tener mas contenta. y porque mas en cargo tuuiesse la offiença de su fija. la qual ansi con ruegos: como con lagrimas affectuosamente la encargaua que trebaiasse como Mirabella non padeciesse. faziendo al Rey tan sin clemencia en lo que tocaua a iusticia. alo qual Braçayda respondio: que ninguna necessidad l'era encargar gelo ni mandar gelo: que ella mucho en cargo lo tenia. y ahun que la compassion y peligro de Mirabella no la mouiesse a piadad: la moueria el general amor delas mugeres todas. y solo aquell desseo de saluar las de quantas malicias los hombres contra ellas dezian. (342-43).

EL AUCTOR

Grandes altercaciones passaron entre Torrellas y Braçayda: mas delas que ninguno podria scriuir. y vistas por los iuezes las razones de amas partes: tomaron determinacion para dar la sentencia. los quales ya despues de complidos: vinieron cubiertos de luto. y vnas spadas manzilladas de sangre. en sus diestras manos. con otras muchas serimonias. segund en aquella tierra se acostumbra. Y eran dotze iuezes: los quales dieron sentencia: que Mirabella muriesse. y fundaron por muchas razones ser ella en mayor culpa que Grisel. Y como en presencia dela Reyna delante sus damas fuesse condemnada a muerte: las vozes que scomençaron a dar: ponian tal tristeza en los animos: que parecia el sol scurecer se. y el cielo querer dello tomar sentimiento. y ansi como Braçayda vyo baxo su partido: mouida de piadad por la muerte de Mirabella: en tal manera appellando ante la maiestat de Dios: como suberano iuez delos hombres clama y quexa. (355).

EL AUCTOR

Luego por mandado del Rey fue por fuerça quitada Mirabella delos braços de su madre. la qual en vna riqua camisa spoiaron para recebir la muerte. vyendo arder ante si las encendidas llamas del fuego que la sperauan. pero ante que en ell fuesse lançada: llamo asu amigo muy amado Grisel. y con ell stando: oluidando el temor: desecho la verguença. y tales palabras mescladas con lagrimas le dixo.

MIRABELLA A GRISEL

O vida de mi vida la fatigua y soledad en que te dexo: creçe tanto mi
mal: que por tu pena mas que por la mia amargosas lagrimas sparzo. y non
se quales palabras te diga que atu grande desconsuelo puedan alegrar ni consolar. mas solo este lohor te queda: que vees morir aquella: por quien tantos
de amor morieron. (...)

RESPONDE GRISEL A MIRABELLA

(...) Mas pues no vale verdad ni iusticia: yo de mi fare iusticia. y segund
el grande dolor que me da el perderos: es despoio dela vida. y pues en mi
ningun tormento ygual a tan graue mal no es: asaz remedio es el que me
days con tan pequenya pena como la muerte. O bienauenturada muerte que
tales angustias y passiones me sana. ella es verdadera amiga delos coraçones
tristes. con la qual pues el cuerpo non puede el alma vos seguira.

EL AUCTOR

Como Grisel dio fin asus palabras: procuro de dar fin asu vida. y en el
fuego de biuas llamas se lanço sin ningun temor. tanto que ahun que remediar
lo quiziessen non fue cosa possible. y Mirabella lo quizo seguir. mas Braçayda. y las otras damas y donzellas que con ella stauan: delas llamas del fuego
afuerça la quitaron. y luego la Reyna con otros caualleros llegaron a supplicar
al Rey perdonar la quiziesse. y pues que del cielo vino por marauilloso milagro dar muerte a quien la merecia: que contra la voluntad de Dios no diesse
pena a quien no la mereçe. Alo qual el Rey no atorgaua ni contradezia. saluo
lo remetio alos de su conseio. con los quales ligero fue de alcançar no diessen
la muerte a Mirabella. si ella despues no la buscara. la qual como vio sacar
muerto del fuego asu amado Grisel: no se como scriua las llastimas que ella
dixo. (...)

EL AUCTOR

Estando asi Mirabella en pena no conocida fue lleuada al palacio dela
Reyna su madre donde muy consolada la presumia hazer. pero ella iamas
quizo cosa ninguna saluo continuar sus querellas. Y vna noche la postremera
de sus dias non podiendo el amor y muerte de Grisel soffrir: por dar fin
a sus congoxas: la dio a su vida. la qual spero tiempo que los que la guardauan dormiessen. y como ella vyo el tiempo dispuesto y en su libertad fuesse
en camisa a vna ventana que miraua sobre vn corral donde el Rey tenia vnos
leones y entre ellos se dexo caher. los quales non vsaron con ella de aquella

obediencia: que ala sangre real deuian: segun en tal caso los suelen loar, mas antes miraron a su fambre: que ala realeza de Mirabella. a quien ninguna mesura cataron. y muy presto fue dellos spedaçada. y delas delicadas carnes cada uno contento el apetito. (360-63).

EL AUCTOR

Estando Braçayda en tal razonamiento: vino la Reyna con todas sus damas que en asechança estauan de Torrellas. Y aquell despues de arrebatado hataron lo de pies y de manos: que ninguna defiença de valer se touo. y fue luego despoiado de sus vestidos y ataparon le la boca porque quexar non se pudiesse. y desnudo fue ahun pilar bien atado. y alli cada una trahia nueua inuencion para le dar tormentos. y tales houo que con tenazas ardiendo: y otras con vnyas y dientes rauiosamente le despedeçaron. estando assi medio muerto por creçer mas pena en su pena non le quisieron de vna vez matar porque las crudas y fieras llagas se le refriassen: y otras de nueuo viniessen y depues que fueron ansi cansadas de tormentar le: de grande reposo la Reyna y sus damas a çenar se fueron alli çerca dell porque las viesse (...)

[Y] despues que fueron alçadas todas las mesas fueron iuntas a dar amarga cena a Torrellas. y tanto fue de todas seruido con potages y aues y maestre sala: que non se como scriuir las differencias delas iniurias y offienças que le hazian. y esto duro hasta quel dia esclarecio. y despues que no dexaron ninguna carne en los huessos: fueron quemados. y de su seniza guardando cadaqual vna buxeta por reliquias de su enemigo. y algunas houo que por cultre en el cuello la trahian. porque trayendo mas a memoria su vengança mayor plazer houiessen. Ansi que la grande malicia de Torrellas dio alas damas victoria: y a ell pago de su merecido. (369-70).

NOVELA DIALOGADA

38

Rodrigo Cota (o Ruy Sánchez Cota) [¿?] (m. después de 1504) y Fernando de Rojas (m. 1541), *Celestina: Tragicomedia de Calisto y Melibea*. Nueva York: Hispanic Society of America (el ejemplar único de la *editio princeps* de Burgos: Fadrique de Basilea, 1499 [¿?] o 1501 [¿?] *a quo)*, y Madrid: Nacional R4870 (ejemplar único de la primera edición [aumentada] de Valencia: Juan Joffré, 1514); hay otras numerosas ediciones y reimpresiones. Ed. de D. S. Severin según Valencia 1514 (y 1518) (11.ª ed.; Madrid: Alianza, 1986).

ARGUMENTO [GENERAL]

Calisto fue de noble linaje, de claro ingenio, de gentil disposición, de linda crianza, dotado de muchas gracias, de estado mediano. Fue preso en el amor de Melibea, mujer moza, muy generosa, de alta y serenísima sangre, sublimada en próspero estado, una sola heredera a su padre Pleberio, y de su madre Alisa muy amada. Por solicitud del pungido Calisto, vencido el casto propósito de ella, entreviniendo Celestina, mala y astuta mujer, con dos sirvientes del vencido Calisto, engañados y por ésta tornados desleales, presa su fidelidad con anzuelo de codicia y de deleite, vinieron los amantes y los que les ministraron, en amargo y desastrado fin. Para comienzo de lo cual dispuso *el* adversa fortuna lugar oportuno, donde a la presencia de Calisto se presentó la deseada Melibea.

ARGUMENTO DEL PRIMER AUTO DE ESTA COMEDIA

Entrando Calisto en una huerta en pos de un halcón suyo, halló ahí a Melibea, de cuyo amor preso, comenzóle de hablar; de la cual rigorosamente despedido, fue para su casa muy sangustiado. Habló con un criado suyo llamado Sempronio, el cual, después de muchas razones, le enderezó a una vieja llamada Celestina, en cuya casa tenía el mismo criado una enamorada llamada Elicia. La cual, viniendo Sempronio a casa de Celestina con el negocio de su amo, tenía a otro consigo, llamado Crito, al cual escondieron. Entretanto que Sempronio está negociando con Celestina, Calisto está razonando con otro criado suyo, por nombre Pármeno, el cual razonamiento dura hasta que llega Sempronio y Celestina a casa de Calisto. Pármeno fue conocido de Celestina, la cual mucho le dice de los hechos y conocimiento de su madre, induciéndole a amor y concordia de Sempronio.

PÁRMENO, CALISTO, MELIBEA, SEMPRONIO, CELESTINA, ELICIA, CRITO

CALISTO. — En esto veo, Melibea, la grandeza de Dios.

MELIBEA. — ¿En qué, Calisto?

CAL. — En dar poder a natura que de tan perfecta hermosura te dotase y hacer a mí inmérito tanta merced que verte alcanzase y en tan conveniente lugar, que mi secreto dolor manifestarte pudiese. Sin duda incomparablemente es mayor tal galardón que el servicio, sacrificio, devoción y obras pías que por este lugar alcanzar yo tengo a Dios ofrecido, [ni otro poder mi voluntad humana puede cumplir]. ¿Quién vido en esta vida cuerpo glorificado de ningún hombre, como agora el mío? Por cierto los gloriosos santos, que se deleitan en la visión divina, no gozan más que yo agora en el acatamiento tuyo. Mas ¡oh triste! que en esto diferimos: que ellos puramente se glorifican sin temor de caer de tal bienaventuranza, y yo, mixto, me alegro con recelo del esquivo tormento, que tu ausencia me ha de causar.

MELIB. — ¿Por gran premio tienes éste, Calisto?

CAL. — Téngolo por tanto en verdad que, si Dios me diese en el cielo la silla sobre sus santos, no lo ternía por tanta felicidad.

MELIB. — Pues aun más igual galardón te daré yo, si perseveras.

CAL. — ¡Oh bienaventuradas orejas mías, que indignamente tan gran palabra habéis oído!

MELIB. — Más desaventuradas de que me acabes de oír, porque la paga será tan fiera, cual [la] merece tu loco atrevimiento; y el intento de tus palabras, [Calisto,] ha sido *como* [38] de ingenio de tal hombre como tú, haber de salir para se perder en la virtud de tal mujer como yo. ¡Vete, vete de ahí, torpe, que no puede mi paciencia tolerar que haya subido en corazón humano conmigo el ilícito amor comunicar su deleite! [39].

CAL. — Iré como aquél contra quien solamente la adversa fortuna pone su estudio con odio cruel.

CAL. — ¡Sempronio, Sempronio, Sempronio! ¿Dónde está este maldito?

SEMPRONIO. — Aquí estoy, señor, curando de estos caballos.

CAL. — Pues, ¿cómo sales de la sala?

SEMP. — Abatióse el gerifalte y vínele a enderezar en el alcándara.

CAL. — ¡Así los diablos te ganen! Así por infortunio arrebatado perezcas o perpetuo intolerable tormento consigas, el cual en grado incomparable*mente* a la penosa y desastrada muerte que espero traspasa. ¡Anda, anda, malvado, abre la cámara y endereza la cama!

SEMP. — Señor, luego hecho es.

CAL. — Cierra la ventana y deja la tiniebla acompañar al triste y al desdichado la ceguedad. Mis pensamientos tristes no son dignos de luz. ¡Oh bienaventurada muerte aquella que deseada a los afligidos viene! ¡Oh! si viniésedes agora, *Crato y Galieno*, médicos, sentiríades mi mal. ¡Oh piedad de *Celeuco* [40], inspira en el Plebérico corazón por que sin esperanza de salud no envíe el espíritu perdido con el desastrado Píramo y de la desdichada Tisbe!

SEMP. — ¿Qué cosa es?

CAL. — ¡Vete de ahí! No me hables; si no, quizá ante del tiempo de mi rabiosa muerte, mis manos causarán tu arrebatado fin.

SEMP. — Iré, pues solo quieres padecer tu mal.

CAL. — ¡Ve con el diablo!

SEMP. — No creo, según pienso, ir conmigo el que contigo queda. ¡Oh desventura, oh súbito mal! ¿Cuál fue tan contrario acontecimiento, que así tan presto robó el alegría de este hombre, y lo que peor es, junto con ella el seso? ¿Dejarle he solo o entraré allá? Si le dejo, matarse ha; si entro allá, matarme ha. Quédese; no me curo; más vale que muera aquél, a quien es enojosa la vida, que no yo, que huelgo con ella. Aunque por ál no desease

---

[38] El texto en cursiva aquí y en adelante es lo que se ha añadido o cambiado en las varias ediciones de la *Tragicomedia*.

[39] El lector debe reparar en el paralelo entre la «cólera» expresada por Melibea en este primer diálogo con Calisto y aquélla emitida por El Viejo en su invectiva contra El Amor en el *Diálogo entre el Amor y un viejo, supra,* H. 6, de Rodrigo de Cota: Melibea le regaña a Calisto por haber entrado en su huerta, mientras que El Viejo le pregunta a El Amor «¿...por qué saltaste / las paredes de mi huerta?» (vv. 3-4). ¿Es posible que el *Diálogo* sea un prototipo alegórico para el primer *auto* de *La Celestina,* también atribuido a Cota por muchos críticos?

[40] Seleuco I Nicator, rey de Siria, primero (306-289 a. C.) de la dinastía Seléucida, y cuyo médico fue Erasístrato («Crato» es errata por «-strato»).

vivir, sino por ver [a] mi Elicia, me debría guardar de peligros. Pero, si se mata sin otro testigo, yo quedo obligado a dar cuenta de su vida; quiero entrar. Mas, puesto que entre, no quiere consolación ni consejo; asaz es señal mortal no querer sanar. Con todo, quiérole dejar un poco desbrave, madure; que oído he decir que es peligro abrir o apremiar las postemas duras, porque más se enconan. Esté un poco; dejemos llorar al que dolor tiene, que las lágrimas y sospiros mucho desenconan el corazón dolorido. Y aún, si delante me tiene, más conmigo se encenderá, que el sol más arde donde puede reverberar. La vista a quien objeto no se antepone, cansa; y cuando aquél es cerca, agúzase. Por eso quiérome sufrir un poco; si entretanto se matare, muera; quizá con algo me quedaré que otro no [lo] sabe, con que mude el pelo malo, aunque malo es esperar salud en muerte ajena. Y quizá me engaña el diablo, y si muere matarme han e irán allá la soga y el calderón. Por otra parte dicen los sabios que es grande descanso a los afligidos tener con quien puedan sus cuitas llorar y que la llaga interior más empece. Pues en estos extremos, en que estoy perplejo, lo más sano es entrar y sufrirle y consolarle, porque si posible es sanar sin arte ni aparejo, más ligero es guarecer por arte y por cura.

CAL. — ¡Sempronio!

SEMP. — ¿Señor?

CAL. — Dame acá el laúd.

SEMP. — Señor, vesle aquí.

CAL. — ¿Cuál dolor puede ser tal
que se iguale con mi mal?

SEMP. — Destemplado está ese laúd.

CAL. — ¿Cómo templará el destemplado? ¿Cómo sentirá el armonía aquel que consigo está tan discorde; aquel *en* quien la voluntad a la razón no obedece; quien tiene dentro del pecho aguijones, paz, guerra, tregua, amor, enemistad, injurias, pecados, sospechas, todo a una causa? Pero tañe y canta la más triste canción, que sepas.

SEMP. — Mira Nero de Tarpeia
a Roma cómo se ardía:
gritos dan niños y viejos
y él de nada se dolía.

CAL. — Mayor es mi fuego y menor la piedad de quien yo agora digo.

SEMP. — (No me engaño yo, que loco está este mi amo.)

CAL. — ¿Qué estás murmurando, Sempronio?

SEMP. — No digo nada.

CAL. — Di lo que dices, no temas.

SEMP. — Digo que ¿cómo puede ser mayor el fuego que atormenta un vivo que el que quemó tal ciudad y tanta multitud de gente?

CAL. — ¿Cómo? Yo te lo diré. Mayor es la llama que dura ochenta años que la que en un día pasa, y mayor la que mata un ánima que la que quemó cien mil cuerpos. Como de la apariencia a la existencia, como de lo vivo a lo pintado, como de la sombra a lo real, tanta diferencia hay del fuego que dices al que me quema. Por cierto, si el de purgatorio es tal, más querría que mi espíritu fuese con los de los brutos animales, que por medio de aquél ir a la gloria de los santos.

Semp. — (Algo es lo que digo; a más ha de ir este hecho; no basta loco, sino hereje.)

Cal. — ¿No te digo que hables alto cuando hablares? ¿Qué dices?

Semp. — Digo que nunca Dios quiera tal; que es especie de herejía lo que agora dijiste.

Cal. — ¿Por qué?

Semp. — Porque lo que dices contradice la cristiana religión.

Cal. — ¿Qué a mí?

Semp. — ¿Tú no eres cristiano?

Cal. — ¿Yo? Melibeo soy y a Melibea adoro y en Melibea creo y a Melibea amo.

Semp. — Tú te lo dirás. Como Melibea es grande, no cabe en el corazón de mi amo, que por la boca le sale a borbollones. No es más menester; bien sé de qué pie coxqueas; yo te sanaré.

Cal. — Increíble cosa prometes.

Semp. — Antes fácil. Que el comienzo de la salud es conocer hombre la dolencia del enfermo.

Cal. — ¿Cuál consejo puede regir lo que en sí no tiene orden ni consejo?

Semp. — (¡Ha, ha, ha! ¿Este es el fuego de Calisto; éstas son sus congojas? ¡Como si solamente el amor contra él asestara sus tiros! ¡Oh soberano Dios, cuán altos son tus misterios; cuánta premia pusiste en el amor, que es necesaria turbación en el amante! Su límite pusiste por maravilla. Parece al amante que atrás queda; todos pasan, todos rompen, pungidos y esgarrochados como ligeros toros; sin freno saltan por las barreras. Mandaste al hombre por la mujer dejar el padre y la madre; agora no sólo aquello, mas a ti y a tu ley desamparan, como agora Calisto. Del cuál no me maravillo, pues los sabios, los santos, los profetas por él te olvidaron.)

Cal. — ¡Sempronio!

Semp. — ¿Señor?

Cal. — No me dejes.

Semp. — (De otro temple está esta gaita.)

Cal. — ¿Qué te parece de mi mal?

Semp. — Que amas a Melibea.

Cal. — ¿Y no otra cosa?

Semp. — Harto mal es tener la voluntad en un solo lugar cativa.

Cal. — Poco sabes de firmeza.

Semp. — La perseverancia en el mal no es constancia; más dureza o pertinacia la llaman en mi tierra. Vosotros los filósofos de Cupido llamalda como quisiéredes.

Cal. — Torpe cosa es mentir el que enseña a otro, pues que tú te precias de loar a tu amiga Elicia.

Semp. — Haz tú lo que bien digo y no lo que mal hago.

Cal. — ¿Qué me repruebas?

SEMP. — Que sometes la dignidad del hombre a la imperfección de la flaca mujer.

CAL. — ¿Mujer? ¡Oh grosero! ¡Dios, dios!

SEMP. — ¿Y así lo crees? ¿O burlas?

CAL. — ¿Que burlo? Por dios la creo, por dios la confieso y no creo que hay otro soberano en el cielo; aunque entre nosotros mora.

SEMP. — (¡Ha, ha, ha! ¿Oístes qué blasfemia? ¿Vistes qué ceguedad?)

CAL. — ¿De qué te ríes?

SEMP. — Ríome, que no pensaba que había peor invención de pecado que en Sodoma.

CAL. — ¿Cómo?

SEMP. — Porque aquéllos procuraron abominable uso con los ángeles no conocidos y tú con el que confiesas ser dios.

CAL. — ¡Maldito seas! Que hecho me has reír, lo que no pensé ogaño.

SEMP. — Pues ¿qué? ¿Toda tu vida habías de llorar?

CAL. — Sí.

SEMP. — ¿Por qué?

CAL. — Porque amo a aquella ante quien tan indigno me hallo, que no la espero alcanzar.

SEMP. — (¡Oh pusilánimo, oh hideputa! ¡Qué Nembrot; qué magno Alejandre; los cuales no sólo del señorío del mundo, mas del cielo se juzgaron ser dignos!)

CAL. — No te oí bien eso que dijiste. Torna, dilo, no procedas.

SEMP. — Dije que tú, que tienes más corazón que Nembrot ni Alejandre, desesperas de alcanzar una mujer, muchas de las cuales en grandes estados constituidas se sometieron a los pechos y resollos de viles acemileros y otras a brutos animales. ¿No has leído de Pasife con el toro, de Minerva con el can?

CAL. — No lo creo; hablillas son.

SEMP. — Lo de tu abuela con el ximio, ¿hablilla fue? Testigo es el cuchillo de tu abuelo.

CAL. — ¡Maldito sea este necio; y qué porradas dice! (45-52).

SEMP. — (¡Qué mentiras y qué locuras dirá agora este cativo de mi amo!)

CAL. — ¿Cómo es eso?

SEMP. — Dije que digas, que muy gran placer habré de lo oír. (¡Así te medre Dios, como me será agradable ese sermón!)

CAL. — ¿Qué?

SEMP. — Que así me medre Dios, como me será gracioso de oír.

CAL. — Pues porque hayas placer, yo lo figuraré por partes mucho por extenso.

SEMP. — (¡Duelos tenemos! Esto es tras lo que yo andaba. De pasarse habrá ya esta oportunidad.)

CAL. — Comienzo por los cabellos. ¿Ves tú las madejas del oro delgado, que hilan en Arabia? Más lindos son y no resplandecen menos; su longura hasta el postrero asiento de sus pies; después crinados y atados con la delgada cuerda, como ella se los pone, no ha más menester para convertir los hombres en piedras.

SEMP. — (¡Más en asnos!)

CAL. — ¿Qué dices?

SEMP. — Dije que esos tales no serían cerdas de asno.

CAL. — ¡Ved qué torpe y qué comparación!

SEMP. — (¿Tú cuerdo?)

CAL. — Los ojos verdes, rasgados; las pestañas luengas; las cejas delgadas y alzadas; la nariz mediana; la boca pequeña; los dientes menudos y blancos; los labrios colorados y grosezuelos; el torno del rostro poco más luengo que redondo; el pecho alto; la redondeza y forma de las pequeñas tetas, ¿quién te la podría figurar? Que se despereza el hombre cuando las mira. La tez lisa, lustrosa; el cuero suyo escurece la nieve; la color mezclada, cual ella la escogió para sí.

SEMP. — (¡En sus trece está este necio!)

CAL. — Las manos pequeñas en mediana manera de dulce carne acompañadas; los dedos luengos; las uñas en ellos largas y coloradas, que parecen rubíes entre perlas. Aquella proporción que ver yo no pude, no sin duda por el bulto de fuera juzgo incomparablemente ser mejor que la que Paris juzgó entre las tres Deesas [41].

SEMP. — ¿Has dicho?

CAL. — Cuan brevemente pude.

SEMP. — Puesto que sea todo eso verdad, por ser tú hombre eres más digno.

CAL. — ¿En qué?

SEMP. — En que ella es imperfecta, por el cual defecto desea y apetece a ti y a otro menor que tú. ¿No has leído el filósofo, dó dice: «Así como la materia apetece a la forma, así la mujer al varón»?

CAL. — Oh triste, ¿y cuándo veré yo eso entre mí y Melibea?

SEMP. — Posible es; y aún que la aborrezcas, cuanto agora la amas; podrá ser, alcanzándola y viéndola con otros ojos, libres del engaño en que agora estás.

CAL. — ¿Con qué ojos?

SEMP. — Con ojos claros.

CAL. — Y agora, ¿con qué la veo?

SEMP. — Con ojos de alinde, con que lo poco parece mucho y lo pequeño grande. Y porque no te desesperes, yo quiero tomar esta empresa de cumplir tu deseo.

CAL. — ¡Oh, Dios te dé lo que deseas! ¡Qué glorioso me es oírte, aunque no espero que lo has de hacer!

SEMP. — Antes lo haré cierto.

CAL. — Dios te consuele; el jubón de brocado, que ayer vestí, Sempronio, vístetelo tú.

---

[41] Se refiere al famoso juicio de Paris a favor de Venus como la más bella de las diosas. El odio resultante de Juno y Minerva, sus contrincantes, ayudó a la destrucción de Troya.

SEMP. — Prospérete Dios por éste (y por muchos más, que me darás. De la burla yo me llevo lo mejor. Con todo, si de estos aguijones me da, traérgela he hasta la cama. ¡Bueno ando! Hácelo esto que me dio mi amo; que, sin merced, imposible es obrarse bien ninguna cosa.)

CAL. — No seas agora negligente.

SEMP. — No lo seas tú, que imposible es hacer siervo diligente el amo perezoso.

CAL. — ¿Cómo has pensado de hacer esta piedad?

SEMP. — Yo te lo diré. Días ha grandes que conozco en fin de esta vecindad una vieja barbuda, que se dice Celestina, hechicera, astuta, sagaz en cuantas maldades hay; entiendo que pasan de cinco mil virgos los que se han hecho y deshecho por su autoridad en esta ciudad. A las duras peñas promoverá y provocará a lujuria, si quiere [42].

CAL. — ¿Podríala yo hablar?

SEMP. — Yo te la traeré hasta acá; por eso, aparéjate, séle gracioso, séle franco; estudia, mientras voy yo, a le decir tu pena tan bien como ella te dará el remedio.

CAL. — ¿Y tardas?

SEMP. — Ya voy; quede Dios contigo.

CAL. — Y contigo vaya. ¡Oh todopoderoso, perdurable Dios! Tú, que guías los perdidos, y los reyes orientales por el estrella precedente a Belén trujiste, y en su patria los redujiste, húmilmente te ruego que guíes a mi Sempronio, en manera que convierta mi pena y tristeza en gozo y yo indigno merezca venir en el deseado fin.

[En casa de Celestina]

CELESTINA. — ¡Albricias, albricias, Elicia! ¡Sempronio, Sempronio!

ELICIA. — (¡Ce, ce, ce!

CEL. — ¿Por qué?

ELIC. — Porque está aquí Crito.

CEL. — ¡Mételo en la camarilla de las escobas, presto; dile que viene tu primo y mi familiar!

ELIC. — Crito, ¡retráete ahí, mi primo viene; perdida soy!

CRITO. — Pláceme. No te congojes.)

SEMP. — Madre bendita; ¡qué deseo traigo! Gracias a Dios, que te me dejó ver.

CEL. — ¡Hijo mío, rey mío, turbado me has! No te puedo hablar; torna y dame otro abrazo. ¿Y tres días pudiste estar sin vernos? ¡Elicia, Elicia; cátale aquí!

ELIC. — ¿A quién, madre?

CEL. — A Sempronio.

---

[42] Compárese esta descripción con la de la «vieja de muy feo acatamiento» en el *Lilio de medicina* de Bernardo de Gordonio, *supra* (I. 15, «Cura»).

ELIC. — ¡Ay triste, qué saltos me da el corazón! ¿Y qué es de él?

CEL. — Vesle aquí, vesle; yo me le abrazaré; que no tú.

ELIC. — ¡Ay, maldito seas, traidor! Postema y landre te mate y a manos de tus enemigos mueras y por crímenes dignos de cruel muerte en poder de rigurosa justicia te veas; ¡ay, ay!

SEMP. — ¡Hi, hi, hi! ¿Qué has, mi Elicia? ¿De qué te congojas?

ELIC. — Tres días ha que no me ves. ¡Nunca Dios te vea, nunca Dios te consuele ni visite! ¡Guay de la triste, que en ti tiene su esperanza y el fin de todo su bien!

SEMP. — Calla, señora mía; ¿tú piensas que la distancia del lugar es poderosa de apartar el entrañable amor, el fuego, que está en mi corazón? Dó yo voy, conmigo vas, conmigo estás; no te aflijas ni me atormentes más de lo que yo he padecido. Mas di, ¿qué pasos suenan arriba?

ELIC. — ¿Quién? Un mi enamorado.

SEMP. — Pues créolo.

ELIC. — ¡Alahé, verdad es! Sube allá y verlo has.

SEMP. — Voy.

CEL. — ¡Anda acá! Deja esa loca, que [ella] es liviana y turbada de tu ausencia, sácasla agora de seso; dirá mil locuras. Ven y hablemos; no dejemos pasar el tiempo en balde.

SEMP. — Pues, ¿quién está arriba?

CEL. — ¿Quiéreslo saber?

SEMP. — Quiero.

CEL. — Una moza, que me encomendó un fraile.

SEMP. — ¿Qué fraile?

CEL. — No lo procures.

SEMP. — Por mi vida, madre, ¿qué fraile?

CEL. — ¿Porfías? El ministro, el gordo.

SEMP. — ¡Oh desaventurada y qué carga espera!

CEL. — Todo lo llevamos. Pocas mataduras has tú visto en la barriga.

SEMP. — Mataduras no; mas petreras sí.

CEL. — ¡Ay burlador!

SEMP. — Deja, si soy burlador; [y] muéstramela.

ELIC. — ¡Ha, don malvado! ¿Verla quieres? ¡Los ojos se te salten, que no basta a ti una ni otra! ¡Anda, vela y deja a mí para siempre!

SEMP. — Calla, Dios mío; ¿y enójaste? Que ni la quiero ver a ella ni a mujer nacida. A mi madre quiero hablar y quédate a Dios.

ELIC. — ¡Anda, anda; vete, desconocido y está otros tres años que no me vuelvas a ver!

SEMP. — Madre mía, bien ternás confianza y creerás que no te burlo. Toma el manto y vamos, que por el camino sabrás lo que, si aquí me tardase en decir[te], impediría tu provecho y el mío.

CEL. — Vamos. Elicia, quédate a Dios; cierra la puerta. ¡Adiós, paredes!

SEMP. — ¡Oh madre mía! Todas cosas dejadas aparte, solamente sé atenta e imagina en lo que te dijere y no derrames tu pensamiento en muchas partes, que quien junto en diversos lugares le pone, en ninguno lo tiene, sino por caso determina lo cierto. [Y] quiero que sepas de mí lo que no has oído y es que jamás pude, después que mi fe contigo puse, desear bien de que no te cupiese parte.

CEL. — Parta Dios, hijo, de lo suyo contigo, que no sin causa lo hará, siquiera porque has piedad de esta pecadora de vieja. Pero di, no te detengas, que la amistad que entre ti y mí se afirma, no ha menester preámbulos ni correlarios ni aparejos para ganar voluntad. Abrevia y ven al hecho, que vanamente se dice por muchas palabras lo que por pocas se puede entender.

SEMP. — Así es. Calisto arde en amores de Melibea. De ti y de mí tiene necesidad. Pues juntos nos ha menester, juntos nos aprovechemos; que conocer el tiempo y usar el hombre de la oportunidad hace los hombres prósperos.

CEL. — Bien has dicho, al cabo estoy; basta para mí mecer el ojo. Digo que me alegro de estas nuevas, como los cirujanos de los descalabrados. Y como aquellos dañan en los principios las llagas y encarecen el prometimiento de la salud, así entiendo yo hacer a Calisto. Alargarle he la certenidad del remedio, porque como dicen, el esperanza luenga aflige el corazón y cuanto él la perdiere, tanto gela promete. ¡Bien me entiendes!

[*En casa de Calisto*]

SEMP. — Callemos, que a la puerta estamos y como dicen, las paredes han oídos.

CEL. — Llama.

SEMP. — Tha, tha, tha.

CAL. — ¡Pármeno!

PÁRMENO. — ¿Señor?

CAL. — ¿No oyes, maldito sordo?

PÁRM. — ¿Qué es, señor?

CAL. — A la puerta llaman; corre.

PÁRM. — ¿Quién es?

SEMP. — Abre a mí y a esta dueña.

PÁRM. — Señor, Sempronio y una puta vieja alcoholada daban aquellas porradas.

CAL. — Calla, calla, malvado, que es mi tía; corre, corre, abre. Siempre lo vi, que por huir hombre de un peligro, cae en otro mayor. Por encubrir yo este hecho de Pármeno, a quien amor o fidelidad o temor pusieran freno, caí en indignación de ésta, que no tiene menor poderío en mi vida que Dios.

PÁRM. — ¿Por qué, señor, te matas? ¿Por qué, señor, te congojas? ¿Y tú piensas que es vituperio en las orejas de ésta el nombre que la llamé? No lo creas; que así se glorifica en le oír, como tú, cuando dicen: «Diestro caballero es Calisto». Y de más, de esto es nombrada y por tal título conocida. Si entre cient mujeres va y alguno dice: «¡Puta vieja!», sin ningún empacho luego vuelve la cabeza y responde con alegre cara. En los convites, en las fiestas, en las bodas, en las cofadrías, en los mortuorios, en todos los ayuntamientos de gentes, con ella pasan tiempo. Si pasa por los perros, aquello suena su ladrido; si está cerca las aves, otra cosa no cantan; si cerca los ganados, balando lo pregonan; si cerca las bestias, rebuznando dicen: «¡Puta vieja!»; las ranas de los charcos otra cosa no suelen mentar. Si va entre los herreros, aquello dicen sus martillos; carpinteros y armeros, herradores, caldereros, arcadores, todo oficio de instrumento forma en el aire su nombre. Cántala los carpinteros, péinanla los peinadores, tejedores; labradores en las huertas, en las aradas, en las viñas, en las segadas con ella pasan el afán cotidiano. Al perder en los tableros, luego suenan sus loores. Todas cosas que son hacen, a dó quiera que ella está, el tal nombre representan. ¡Oh, qué comedor de huevos asados era su marido! [43]. ¿Qué quieres más? Sino que, si una piedra topa con otra, luego suena: «¡Puta vieja!»

CAL. — Y tú, ¿cómo lo sabes y la conoces?

PÁRM. — Saberlo has. Días grandes son pasados que mi madre, mujer pobre, moraba en su vecindad, la cual rogada por esta Celestina, me dio a ella por sirviente; aunque ella no me conoce, por lo poco que la serví y por la mudanza que la edad ha hecho.

CAL. — ¿De qué la servías?

PÁRM. — Señor, iba a la plaza y traíale de comer y acompañábala; suplía en aquellos menesteres que mi tierna fuerza bastaba. Pero de aquel poco tiempo que la serví, recogía la nueva memoria lo que la *vieja* no ha podido quitar. Tiene esta buena dueña al cabo de la ciudad, allá cerca de las tenerías, en la cuesta del río, una casa apartada, medio caída, poco compuesta y menos abastada. Ella tenía seis oficios, conviene [a] saber: labrandera, perfumera, maestra de hacer afeites y de hacer virgos, alcahueta y un poquito hechicera. Era el primer oficio cobertura de los otros, so color del cual muchas mozas de estas sirvientes entraban en su casa a labrarse y a labrar camisas y gorgueras y otras muchas cosas; ninguna venía sin torrezno, trigo, harina o jarro de vino y de las otras provisiones que podían a sus amas hurtar; y aún otros hurtillos de más cualidad allí se encubrían. Asaz era amiga de estudiantes y despenseros y mozos de abades [.] (54-60).

[Calisto le da cien monedas de oro a Celestina]

CAL. — Duda traigo, madre, según mis infortunios, de hallarte viva. Pero más es maravilla, según el deseo, de cómo llego vivo. Recibe la dádiva pobre de aquel que con ella la vida te ofrece.

CEL. — Como en el oro muy fino labrado por la mano del sotil artífice la obra sobrepuja a la materia, así se aventaja a tu magnífico dar la gracia y forma de tu dulce liberalidad. Y sin duda la presta dádiva su efecto ha doblado, porque la que tarda, el prometimiento muestra negar y arrepentirse del don prometido.

PÁRM. — (¿Qué le dio, Sempronio?

---

[43] Se refiere a una costumbre funeraria hebraica.

SEMP. — Cient monedas *en* oro.

PÁRM. — ¡Hi, hi, hi!

SEMP. — ¿Habló contigo la madre?

PÁRM. — Calla, que sí.

SEMP. — ¿Pues cómo estamos?

PÁRM. — Como quisieres; aunque estoy espantado.

SEMP. — Pues calla, que yo te haré espantar dos tanto.

PÁRM. — ¡Oh Dios! No hay pestilencia más eficaz, que el enemigo de casa para empecer.)

CAL. — Ve agora, madre, y consuela tu casa, y después ven y consuela la mía, y luego.

CEL. — Quede Dios contigo.

CAL. — Y él te me guarde.

AUTO III

[*Conjuración del diablo por Celestina*]

CEL. — Conjúrote, triste Plutón [44], señor de la profundidad infernal, emperador de la corte dañada, capitán soberbio de los condenados ángeles, señor de los sulfúreos fuegos que los hirvientes étnicos montes manan, gobernador y veedor de los tormentos y atormentadores de las pecadoras ánimas, *regidor de las tres furias, Tesífone, Megera, y Aleto, administrador de todas las cosas negras del reino de Estigie y Dite, con todas sus lagunas y sombras infernales y litigioso caos, mantenedor de las volantes arpías, con toda la otra compañía de espantables y pavorosas hidras.* Yo, Celestina, tu más conocida cliéntula, te conjuro por la virtud y fuerza de estas bermejas letras, por la sangre de aquella nocturna ave con que están escritas, por la gravedad de aquestos nombres y signos que en este papel se contienen, por la áspera ponzoña de las víboras de que este aceite fue hecho, con el cual unto este hilado; vengas sin tardanza a obedecer mi voluntad y en ello te envuelvas y con ello estés sin un momento te partir, hasta que Melibea con aparejada oportunidad que haya lo compre y con ello de tal manera quede enredada, que cuanto más lo mirare, tanto más su corazón se ablande a conceder mi petición, y se le abras y lastimes del crudo y fuerte amor de Calisto; tanto que, despedida toda honestidad, se descubra a mí y me galardone mis pasos y mensaje; y esto hecho, pide y demanda de mí a tu voluntad. Si no lo haces con presto movimiento, ternásme por capital enemiga; heriré con luz tus cárceles tristes y escuras; acusaré cruelmente tus continuas mentiras; apremiaré con mis ásperas palabras tu horrible nombre. Y otra y otra vez te conjuro; [y] así confiando en mi mucho poder, me parto para allá con mi hilado, donde creo te llevo ya envuelto. (85-86).

---

[44] Compárese este texto con la conjuración de «triste Plutón» descrita en el *Laberinto de Fortuna* de Juan de Mena, *supra* (H. 2, estr. 247 y sgts.) —¿una posible fuente de *Celestina?*

AUTO X

*[Celestina «entrevista» a Melibea en casa de ésta,
quien revela su amor por Calisto]*

MELIB. — ¡Oh mi Calisto y mi señor! ¡Mi dulce y suave alegría! Si tu corazón siente lo que agora el mío, maravillada estoy cómo la ausencia te consiente vivir. ¡Oh mi madre y mi señora, haz de manera como luego le pueda ver, si mi vida quieres!

CEL. — Ver y hablar.

MELIB. — ¿Hablar? Es imposible.

CEL. — Ninguna cosa a los hombres, que quieren hacerla, es imposible.

MELIB. — Dime cómo.

CEL. — Yo lo tengo pensado, yo te lo diré; por entre las puertas de tu casa.

MELIB. — ¿Cuándo?

CEL. — Esta noche.

MELIB. — Gloriosa me serás, si lo ordenas. Di a qué hora.

CEL. — A las doce.

MELIB. — Pues ve, mi señora, mi leal amiga, y habla con aquel señor y que venga muy paso y de allí se dará concierto, según su voluntad, a la hora que has ordenado.

CEL. — Adiós, que viene hacia acá tu madre. (...)

ALI. — ¿En qué andas acá, vecina, cada día?

CEL. — Señora, faltó ayer un poco de hilado al peso y vínelo a cumplir, porque di mi palabra y, traído, voyme. Quede Dios contigo.

ALI. — Y contigo vaya.

Hija Melibea, ¿qué quería la vieja?

MELIB. — [Señora], venderme un poquito de solimán.

ALI. — Eso creo yo más que lo que la vieja ruin dijo. Pensó que recibiría yo pena de ello y mintióme. Guárdate hija, de ella, que es gran traidora. Que el sotil ladrón siempre rodea las ricas moradas. Sabe ésta con sus traiciones, con sus falsas mercadurías, mudar los propósitos castos. Daña la fama. A tres veces que entra en una casa, engendra sospecha.

LUCR. — (Tarde acuerda nuestra ama.)

ALI. — Por amor mío, hija, que si acá tornare sin verla yo, que no hayas por bien su venida ni la recibas con placer. Halle en ti honestidad en tu respuesta y jamás volverá. Que la verdadera virtud más se teme que espada.

MELIB. — ¿De ésas es? ¡Nunca más! Bien huelgo, señora, de ser avisada, por saber de quién me tengo de guardar. (160-62).

ARGUMENTO DEL DOCENO AUTO

Llegando la media noche, Calisto, Sempronio, y Pármeno, armados van para casa de Melibea. Lucrecia y Melibea están cabe la puerta, aguardando a Calisto. Viene Calisto. Háblale primero Lucrecia. Llama a Melibea. Apártase Lucrecia. Háblanse por entre las puertas Melibea y Calisto. Pármeno y Sempronio *en* su cabo departen. Oyen gentes por la calle. Apercíbense para huir. Despídese Calisto de Melibea, dejando concertada la tornada para la noche siguiente. Pleberio, al son del ruido que había en la calle, despierta, llama a su mujer, Alisa. Preguntan a Melibea quién da patadas en su cámara. Responde Melibea a su padre [Pleberio] fingiendo que tenía sed. Calisto con sus criados va para su casa hablando. Échase a dormir. Pármeno y Sempronio van a casa de Celestina. Demandan su parte de la ganancia. Disimula Celestina. Vienen a reñir. Échanle mano a Celestina; mátanla. Da voces Elicia. Viene la justicia y préndelos *a* ambos.

CALISTO, LUCRECIA, MELIBEA, SEMPRONIO, PÁRMENO, PLEBERIO,
ALISA, CELESTINA, ELICIA

CAL. — ¿Mozos, qué hora da el reloj?

SEMP. — Las diez. (...)

CAL. — Pues andemos por esta calle, aunque se rodee alguna cosa, porque más encubiertos vamos. Las doce da ya; buena hora es.

PÁRM. — Cerca estamos.

CAL. — A buen tiempo llegamos. Párate tú, Pármeno, a ver si es venida aquella señora por entre las puertas.

PÁRM. — ¿Yo, señor? Nunca Dios mande que sea en dañar lo que no concerté; mejor será que tu presencia sea su primer encuentro, porque viéndome a mí no se turbe de ver que de tantos es sabido lo que tan ocultamente querría hacer y con tanto temor hace, o porque quizá pensará que la burlaste.

CAL. — ¡Oh, qué bien has dicho! La vida me has dado con tu sotil aviso, pues no era más menester para me llevar muerto a casa, que volverse ella por mi mala providencia. Yo me llego allá; quedaos vosotros en ese lugar. (...)

[A las puertas de la casa de Melibea]

CAL. — Este bullicio, más de una persona lo hace. Quiero hablar, sea quien fuere. ¡Ce, señora mía!

LUCR. — La voz de Calisto es ésta. Quiero llegar. ¿Quién habla? ¿Quién está fuera?

CAL. — Aquel que viene a cumplir tu mandado.

LUCR. — ¿Por qué no llegas, señora? Llega sin temor acá, que aquel caballero está aquí.

MELIB. — ¡Loca, habla paso! Mira bien si es él.

LUCR. — Allégate, señora, que sí es, que yo le conozco en la voz.

CAL. — Cierto soy burlado; no era Melibea la que me habló. ¡Bullicio oigo; perdido soy! Pues viva o muera, que no he de ir de aquí.

MELIB. — Vete, Lucrecia, acostar un poco. ¡Ce señor! ¿Cómo es tu nombre? ¿Quién es el que te mandó ahí venir?

CAL. — Es la que tiene merecimiento de mandar a todo el mundo, la que dignamente servir yo no merezco. No tema tu merced de se descubrir a este cativo de tu gentileza; que el dulce sonido de tu habla, que jamás de mis oídos se cae, me certifica ser tú mi señora Melibea. Yo soy tu siervo Calisto. (...)

MELIB. — Señor Calisto, tu mucho merecer, tus extremadas gracias, tu alto nacimiento han obrado que, después que de ti hobe entera noticia, ningún momento de mi corazón te partieses. Y aunque muchos días he pugnado por lo disimular, no he podido tanto que, en tornándome aquella mujer tu dulce nombre a la memoria, no descubriese mi deseo y viniese a este lugar y tiempo, donde te suplico ordenes y dispongas de mi persona según querrás. Las puertas impiden nuestro gozo, las cuales yo maldigo y sus fuertes cerrojos y mis flacas fuerzas, que ni tú estarías quejoso ni yo descontenta.

CAL. — ¿Cómo, señora mía, y mandas que consienta a un palo impedir nuestro gozo? Nunca yo pensé que, demás de tu voluntad, lo pudiera cosa estorbar. ¡Oh molestas y enojosas puertas! Ruego a Dios que tal fuego os abrase, como a mí da guerra; que con la tercia parte seríades en un punto quemadas. Pues, por Dios, señora mía, permite que llame a mis criados para que las quiebren.

PÁRM. — (¿No oyes, no oyes, Sempronio? A buscarnos quiere venir para que nos den mal año. No me agrada cosa esta venida. ¡En mal punto creo que se empezaron estos amores! Yo no espero más aquí.

SEMP. — Calla, calla, escucha, que ella no consiente que vamos allá.)

MELIB. — ¿Quieres, amor mío, perderme a mí y dañar mi fama? No sueltes las riendas a la voluntad. La esperanza es cierta, el tiempo breve. Cuanto tú ordenares. Y pues tú sientes tu pena sencilla e yo la de entrambos, tú solo dolor, yo el tuyo y el mío, conténtate con venir mañana a esta hora por las paredes de mi huerto. Que si agora quebrases las crueles puertas, aunque al presente no fuésemos sentidos, amanecería en casa de mi padre terrible sospecha de mi yerro. Y pues sabes que tanto mayor es el yerro cuanto mayor es el que yerra, en un punto será por la ciudad publicado. (168-74).

[Calisto y los criados se retiran a casa;
él regresará la noche siguiente]

CAL. — Cerrad esa puerta, hijos. Y tú, Pármeno, sube una vela arriba.

SEMP. — Debes, señor, reposar y dormir es[t]o que queda de aquí al día.

CAL. — Pláceme, que bien lo he menester. ¿Qué te parece, Pármeno, de la vieja, que tú me desalababas? ¿Qué obra ha salido de sus manos? ¿Qué fuera hecho sin ella?

PÁRM. — Ni yo sentía tu gran pena ni conocía la gentileza y merecimiento de Melibea; y así no tengo culpa. Conocía a Celestina y sus mañas. Avisábate como a señor; pero ya me parece que es otra. Todas las ha mudado.

CAL. — ¿Y cómo mudado?

PÁRM. — Tanto que, si no lo hobiese visto, no lo creería; mas así vivas tú como es verdad.

CAL. — ¿Pues habéis oído lo que con aquella mi señora he pasado? ¿Qué hacíades? ¿Teníades temor?

SEMP. — ¿Temor, señor, o qué? Por cierto, todo el mundo no nos le hiciera tener. ¡Hallado habías los temerosos! Allí estuvimos esperándote muy aparejados y nuestras armas muy a mano.

CAL. — ¿Habéis dormido algún rato?

SEMP. — ¿Dormir, señor? ¡Dormilones son los mozos! Nunca me asenté ni aun junté por Dios los pies, mirando a todas partes para, en sintiendo, *poder* saltar presto y hacer todo lo que mis fuerzas me ayudaran. Pues Pármeno, aunque [te] parecía que no te servía hasta aquí de buena gana, así se holgó, cuando vido los de las hachas, como lobo cuando siente polvo de ganado, pensando poder quitár*se*las, hasta que vido que eran muchos.

CAL. — No te maravilles, que procede de su natural ser osado y, aunque no fuese por mí, hacíalo porque no pueden los tales venir contra su uso, que aunque muda el pelo la raposa, su natural no despoja. Por cierto yo dije a mi señora Melibea lo que en vosotros hay y cuán seguras tenía mis espaldas con vuestra ayuda y guarda. Hijos, en mucho cargo os soy. Rogad a Dios por salud, que yo os galardonaré más cumplidamente vuestro buen servicio. Id con Dios a reposar.

PÁRM. — ¿Adónde iremos, Sempronio? ¿A la cama a dormir o a la cocina a almorzar?

SEMP. — Ve tú donde quisieres; que, antes que venga el día, quiero yo ir a Celestina a cobrar mi parte de la cadena. Que es una puta vieja; no le quiero dar tiempo en que fabrique alguna ruindad con que nos excluya.

PÁRM. — Bien dices; olvidado lo había. Vamos entrambos y, si en eso se pone, espantémosla de manera que le pese. Que sobre dinero no hay amistad.

SEMP. — ¡Ce, ce, calla, que duerme cab*e* esta ventanilla! Tha, tha; señora Celestina, ábrenos.

CEL. — ¿Quién llama?

SEMP. — Abre, que son tus hijos.

CEL. — No tengo yo hijos que anden a tal hora.

SEMP. — Ábrenos a Pármeno y *a* Sempronio, que nós venimos acá almorzar contigo.

CEL. — ¡Oh locos traviesos; entrad, entrad! ¿Cómo venís a tal hora, que ya amanece? ¿Qué habéis hecho? ¿Qué os ha pasado? ¿Despidióse la esperanza de Calisto o vive todavía con ella, y cómo queda?

SEMP. — ¿Cómo, madre? Si por nosotros no fuera, ya anduviera su alma buscando posada para siempre. Que, si estimarse pudiese a lo que de allí nos queda obligado, no sería su hacienda bastante a cumplir la deuda, si verdad es lo que dicen, que la vida y persona es más digna y de más valor que otra cosa ninguna.

CEL. — ¡Jesú! ¿Que en tanta afrenta os habéis visto? Cuéntamelo, por Dios.

SEMP. — Mira qué tanta, que por mi vida la sangre me hierve en el cuerpo en tornarlo a pensar.

CEL. — Reposa, por Dios, y dímelo.

PÁRM. — Cosa larga le pides, según venimos alterados y cansados del enojo que habemos habido. Harías mejor aparejarnos a él y a mí de almorzar; quizá nos amansaría algo la alteración que traemos. Que cierto te digo que no querría ya topar hombre que paz quisiese. Mi gloria sería agora hallar en quien vengar la ira que no pude en los que nos la causaron, por su mucho huir.

CEL. — ¡Landre me mate, si no me espanto en verte tan fiero! Creo que burlas. Dímelo agora, Sempronio, tú, por mi vida; ¿qué os ha pasado?

SEMP. — Por Dios, sin seso vengo, desesperado; aunque para contigo por demás es no templar la ira y todo enojo y mostrar otro semblante que con los hombres. Jamás me mostré poder mucho con los que poco pueden. Traigo, señora, todas las armas despedazadas, el broquel sin aro, la espada como sierra, el caxquete abollado en la capilla. Que no tengo con que salir un paso con mi amo, cuando ménester me haya. Que quedó concertado de ir esta noche que viene a verse por el huerto. ¿Pues comprarlo de nuevo? No mando un maravedí *aunque caiga* muerto.

CEL. — Pídelo, hijo, a tu amo, pues en su servicio se gastó y quebró. Pues sabes que es persona que luego lo cumplirá. Que no es de los que dicen: «Vive conmigo y busca quien te mantenga». El es tan franco, que te dará para eso y para más.

SEMP. — ¡Ha! Trae también Pármeno perdidas las suyas. A este cuento, en armas se le irá su hacienda. ¿Cómo quieres que le sea tan importuno en pedirle más de lo que él de su propio grado hace, pues es harto? No digan por mí que dándome un palmo pido cuatro. Dionos las cient monedas, dionos después la cadena. A tres tales aguijones no terná cera en el oído. Caro le costaría este negocio. Contentémonos con lo razonable, no lo perdamos todo por querer más de la razón, que quien mucho abarca, poco suele apretar.

CEL. — ¡Gracioso es el asno! Por mi vejez que, si sobre comer fuera, que dijera que habíamos todos cargado demasiado. ¿Estás en tu seso, Sempronio? ¿Qué tiene que hacer tu galardón con mi salario, tu soldada con mis mercedes? ¿Soy yo obligada a soldar vuestras armas, a cumplir vuestras faltas? A osadas, que me maten, si no te has asido a una palabrilla que te dije el otro día viniendo por la calle, que cuanto yo tenía era tuyo y que, en cuanto pudiese con mis pocas fuerzas, jamás te faltaría, y que, si Dios me diese buena manderecha con tu amo, que tú no perderías nada. Pues ya sabes, Sempronio, que estos ofrecimientos, estas palabras de buen amor no obligan. No ha de ser oro cuanto reluce; si no, más barato valdría. Dime, ¿estoy en tu corazón, Sempronio? (177-81).

SEMP. — (...) Déjate conmigo de razones. A perro viejo no cuz cuz. Dános las dos partes por cuenta de cuanto de Calisto has recibido, no quieras que se descubra quién tú eres. A los otros, a los otros, con esos halagos, vieja.

CEL. — ¿Quién soy yo, Sempronio? ¿Quitásteme de la putería? Calla tu lengua, no amengües mis canas, que soy una vieja cual Dios me hizo, no peor que todas. Vivo de mi oficio, como cada cual oficial del suyo, muy limpiamente. A quien no me quiere no le busco. De mi casa me vienen a sacar, en mi casa me ruegan. Si bien o mal vivo, Dios es el testigo de mi corazón. Y no pienses con tu ira maltratarme, que justicia hay para todos, a todos es igual. También seré oída, aunque mujer, como vosotros muy peinados. Déjame en mi casa con mi fortuna. Y tú, Pármeno, *no* pienses que soy tu cativa por saber mis secretos y mi vida pasada y los casos que nos acaecieron a mí y a la desdichada de tu madre. [Y] aun así me trataba ella, cuando Dios quería.

PÁRM. — No me hinches las narices con esas memorias; si no, enviarte he con nuevas a ella, donde mejor te puedas quejar.

CEL. — ¡Elicia, Elicia! Levántate de esa cama, dacá mi manto presto, que por los santos de Dios para aquella justicia me vaya bramando como una loca. ¿Qué es esto, qué quieren decir tales amenazas en mi casa? ¿Con una oveja mansa tenéis vosotros manos y braveza? ¿Con una gallina atada? ¿Con una vieja de sesenta años? ¡Allá, allá, con los hombres como vosotros; contra los que ciñen espada, mostra*d* vuestras iras; no contra mi flaca rueca! *Señal es de gran cobardía acometer a los menores y a los que poco pueden. Las sucias moscas nunca pican sino los bueyes magros y flacos; los guzques ladradores a los pobres peregrinos aquejan con mayor ímpetu. Si aquélla, que allí está en aquella cama, me hobiese a mí creído, jamás quedaría esta casa de noche sin varón ni dormiríamos a lumbre de pajas; pero por aguardarte, por serte fiel, padecemos esta soledad. Y como nos veis mujeres, habláis y pedís demasías. Lo cual, si hombre sintiésedes en la posada, no haríades. Que como dicen: el duro adversario entibia las iras y sañas.*

SEMP. — ¡Oh vieja avarienta, [garganta] muerta de sed por dinero! ¿No serás contenta con la tercia parte de lo ganado?

CEL. — ¿Qué tercia parte? Vete con Dios de mi casa tú. Y esotro no dé voces, no allegue la vecindad. No me hagáis salir de seso. No queráis que salgan a plaza las cosas de Calisto y vuestras.

SEMP. — Da voces o gritos, que tú cumplirás lo que prometiste o *cumplirás* hoy tus días.

ELIC. — Mete, por Dios, el espada. Tenle, Pármeno, tenle, no la mate ese desvariado.

CEL. — ¡Justicia, justicia, señores vecinos; justicia, que me matan en mi casa estos rufianes!

SEMP. — ¡Rufianes o qué! Esperad, doña hechicera, que yo te haré ir al infierno con cartas.

CEL. — ¡Ay, que me ha muerto, ay, ay! ¡Confesión, confesión!

PÁRM. — ¡Dale, dale, acábale, pues comenzaste! ¡Que nos sentirán! ¡Muera, muera; de los enemigos los menos!

CEL. — ¡Confesión!

ELIC. — ¡Oh crueles enemigos, en mal poder os veáis! ¡Y para quién tuvistes manos! ¡Muerta es mi madre y mi bien todo!

SEMP. — ¡Huye, huye, Pármeno, que carga mucha gente! ¡Guarte, guarte, que viene el alguacil!

PÁRM. — ¡Oh pecador de mí, que no hay por dó nos vamos, que está tomada la puerta!

SEMP. — Saltemos de estas ventanas. No muramos en poder de justicia.

PÁRM. — Salta, que *yo* tras ti voy. (182-84).

ARGUMENTO DEL TRECENO AUTO

Despertado Calisto de dormir, está hablando consigo mismo. Dende a un poco está llamando a Tristán y [a] otros sus criados. Torna a dormir Calisto. Pónese Tristán a la puerta. Viene Sosia llorando. Preguntado de Tristán, Sosia cuéntale la muerte de Sempronio y Pármeno. Van a decir las nuevas a Calisto, el cual sabiendo la verdad hace gran lamentación.

TRIST. — Quiero bajarme a la puerta, porque duerma (...) mi amo sin que ninguno le impida y a cuantos le buscaren se le negaré. ¡Oh, qué grita suena en el mercado! ¿Qué es esto? Alguna justicia se hace o madrugaron a correr toros. No sé qué me diga de tan grandes voces como se dan. De allá viene Sosia, el mozo de espuelas. Él me dirá qué es esto. Desgreñado viene el bellaco. En alguna taberna se debe haber revolcado, y si mi amo le cae en el rastro, mandarle ha dar dos mil palos. Que, aunque es algo loco, la pena le hará cuerdo. Parece que viene llorando. ¿Qué es esto, Sosia? ¿Por qué lloras? ¿De dó vienes?

SOSIA. — ¡Oh, malaventurado yo, y qué pérdida tan grande! ¡Oh deshonra de la casa de mi amo! ¡Oh, qué mal día amaneció éste! ¡Oh desdichados mancebos!

TRIST. — *¿Qué es? ¿Qué has?* [¿Qué quejas?] *¿Por qué te matas? ¿Qué mal es éste?*

Sos. — Sempronio y Pármeno...

TRIST. — ¿Qué dices, Sempronio y Pármeno? ¿Qué es esto, loco? Aclárate más, que me turbas.

Sos. — Nuestros compañeros, nuestros hermanos...

TRIST. — O tú estás borracho o has perdido el seso o traes alguna mala nueva. ¿No me *dices* qué es esto? ¿Qué dices de es[t]os mozos?

Sos. — Que quedan degollados en la plaza.

TRIST. — ¡Oh, mala fortuna la nuestra, si es verdad! *¿Vístelos cierto o habláronte?*

Sos. — *Ya sin sentido iban; pero el uno con harta dificultad, como me sintió que con lloro le miraba, hincó los ojos en mí, alzando las manos al cielo, casi dando gracias a Dios y como preguntándome ⟨si me⟩ sentía de su morir. Y en señal de triste despedida abajó su cabeza con lágrimas en los ojos, dando bien a entender que no me había de ver más hasta el día del gran juicio.*

TRIST. — *No sentiste bien; que sería preguntarte si estaba presente Calisto. Y pues tan claras señas traes de este cruel dolor,* vamos presto con las tristes nuevas a nuestro amo.

Sos. — ¡Señor, señor!

CAL. — ¿Qué es eso, locos? ¿No os mandé que no me recordásedes?

Sos. — Recuerda y levanta, que si tú no vuelves por los tuyos, de caída vamos. Sempronio y Pármeno quedan descabezados en la plaza, como públicos malhechores, con pregones que manifestaban su delito.

CAL. — ¡Oh, válasme Dios! ¿Y qué es esto que me dices? No sé si te crea tan acelerada y triste nueva. ¿Vístelos tú?

Sos. — Yo los vi.

CAL. — Cata, mira qué dices, que esta noche han estado conmigo.

Sos. — Pues madrugaron a morir. (184, 185-87).

ARGUMENTOS DE LOS CATORCENO Y DÉCIMONONO AUTOS

Está Melibea muy afligida hablando con Lucrecia sobre la tardanza de Calisto, el cual le había hecho voto de venir en aquella noche a visitalla, lo cual cumplió, y con él vinieron Sosia y Tristán. Y después que cumplió su voluntad, volvieron todos a la posada. Y Calisto se retrae en ⟨a⟩ *su palacio y quéjase por haber estado tan poca cuantidad de tiempo con Melibea, y ruega a Febo que cierre sus rayos, para haber de restaurar su deseo.* [*Ocurre la muerte de Calisto un mes después.*]

MELIBEA, LUCRECIA, SOSIA, TRISTÁN, CALISTO

MELIB. — Mucho se tarda aquel caballero que esperamos. ¿Qué crees tú o sospechas de su estada, Lucrecia?

LUCR. — Señora, que tiene justo impedimento y que no es en su mano venir más presto.

MELIB. — Los ángeles sean en su guarda, su persona esté sin peligro, que su tardanza no me *da* pena. Mas, cuitada, pienso muchas cosas que desde su casa acá le podrían acaecer. (...)

Sos. — Arrima esa escala, Tristán, que éste es el mejor lugar, aunque alto.

TRIST. — Sube, señor. Yo iré contigo, porque no sabemos quién está dentro. Hablando están.

CAL. — Quedaos, locos, que yo entraré solo, que a mi señora oigo.

MELIB. — Es tu sierva, es tu cativa, es la que más tu vida que la suya estima. ¡Oh mi señor, no saltes de tan alto, que me moriré en verlo; baja, baja poco a poco por el escala; no vengas con tanta presura!

CAL. — ¡Oh angélica imagen; oh preciosa perla ante quien el mundo es feo; oh mi señora y mi gloria! En mis brazos te tengo y no lo creo. Mora en mi persona tanta turbación de placer, que me hace no sentir todo el gozo que poseo.

MELIB. — Señor mío, pues me fié en tus manos, pues quise cumplir tu voluntad, no sea de peor condición, por ser piadosa, que si fuera esquiva y sin misericordia; no quieras perderme por tan breve deleite y en tan poco espacio. Que las malhechas cosas, después de cometidas, más presto se pueden reprehender que enmendar. Goza de los que yo gozo, que es ver y llegar a tu persona; no pidas ni tomes aquello que, tomado, no será en tu mano volver. Guarte, señor, de dañar lo que con todos los tesoros del mundo no se restaura.

CAL. — Señora, pues por conseguir esta merced toda mi vida he gastado, ¿qué sería, cuando me la diesen, desechalla? Ni tú, señora, me lo mandarás ni yo podría acabarlo conmigo. No me pidas tal cobardía. No es hacer tal cosa de ninguno que hombre sea, mayormente amando como yo. Nadando por este fuego de tu deseo toda mi vida, ¿no quieres que me arrime al dulce puerto a descansar de mis pasados trabajos?

MELIB. — Por mi vida, que aunque hable tu lengua cuanto quisiere, no obren las manos cuanto pueden. Está quedo, señor mío. *Bástete, pues ya soy tuya, gozar de lo exterior, de esto que es propio fruto de amadores; no me quieras robar el mayor don que la natura me ha dado. Cata que del buen pastor es propio tresquilar sus ovejas y ganado; pero no destruirlo y estragarlo.*

CAL. — ¿Para qué, señora? ¿Para que no esté queda mi pasión? ¿Para penar de nuevo? ¿Para tornar el juego de comienzo? Perdona, señora, a mis desvergonzadas manos, que jamás pensaron de tocar tu ropa con su indignidad y poco merecer; agora gozan de llegar a tu gentil cuerpo y lindas y delicadas carnes.

MELIB. — Apártate allá, Lucrecia.

CAL. — ¿Por qué, mi señora? Bien me huelgo que estén semejantes testigos de mi gloria.

MELIB. — Yo no los quiero de mi yerro. Si pensara que tan desmesuradamente te habías de haber conmigo, no fiara mi persona de tu cruel conversación.

SOS. — Tristán, bien oyes lo que pasa. ¡En qué términos anda el negocio!

TRIST. — Oigo tanto, que juzgo a mi amo por el más bienaventurado hombre que nació. Y por mi vida que, aunque soy mochacho, que diese tan buena cuenta como mi amo.

SOS. — Para con tal joya quienquiera se ternía manos; pero con su pan se la coma, que bien caro le cuesta; dos mozos entraron en la salsa de estos amores.

TRIST. — Ya los tiene olvidados. ¡Dejaos morir sirviendo a ruines, haced locuras en confianza de su defensión! Viviendo con el conde, que no matase *al* hombre, me daba mi madre por consejo. Veslos a ellos alegres y abrazados, y sus servidores con harta mengua degollados.

[*Melibea pierde su virginidad*]

MELIB. — ¡Oh mi vida y mi señor! ¿Cómo has quesido que pierda el nombre y corona de virgen por tan breve deleite? ¡Oh pecadora de ti, mi madre, si de tal cosa fueses sabidora, cómo tomarías de grado tu muerte y me la darías a mí por fuerza! ¡Cómo serías cruel verdugo de tu propia sangre! ¡Cómo sería yo fin quejosa de tus días! ¡Oh mi padre honrado, cómo he dañado tu fama y dado causa y lugar a quebrantar tu casa! ¡Oh traidora de mí, cómo no miré primero el gran yerro que se seguía de tu entrada, el gran peligro que esperaba!

Sos. — (¡Ante quisiera yo oírte esos miraglos! Todas sabéis esa oración después que no puede dejar de ser hecho. ¡Y el bobo de Calisto, que se lo escucha!)

Cal. — Ya quiere amanecer. ¿Qué es esto? No [me] parece que ha una hora que estamos aquí, y da el reloj las tres.

Melib. — Señor, por Dios, pues ya todo queda por ti, pues ya soy tu dueña, pues ya no puedes negar mi amor, no me niegues tu vista [de día, pasando por mi puerta; de noche donde tú ordenares]. *Y más, las noches que ordenares, sea tu venida por este secreto lugar a la misma hora, porque siempre te espere apercibida del gozo con que quedo, esperando las venideras noches.* Y por el presente te ve con Dios, que no serás visto, que hace *muy* escuro, ni yo en casa sentida, que aun no amanece.

[*La muerte de Calisto un mes después (según la versión de 1514)*]

Cal. — Mozos, pone*d* el escala.

Sos. — Señor, vesla aquí. Baja.

Melib. — Lucrecia, vente acá, que estoy sola. Aquel señor mío es ido. Conmigo deja su corazón, consigo lleva el mío. ¿Hasnos oído?

Lucr. — No, señora, *que* durmiendo he estado. (...)

Cal. — ¡Oh, válame Santa María! ¡Muerto soy! ¡Confesión!

Trist. — Llégate presto, Sosia, que el triste de nuestro amo es caído del escala y no habla ni se bulle.

Sos. — ¡Señor, señor! ¡A esotra puerta! ¡Tan muerto es como mi abuelo! ¡Oh gran desventura!

Lucr. — ¡Escucha, escucha, gran mal es éste!

Melib. — ¿Qué es esto que oigo, amarga de mí?

Trist. — ¡Oh mi señor y mi bien muerto! ¡Oh mi señor [y nuestra honra], despeñado! ¡Oh triste muerte [y] sin confesión! Coge, Sosia, esos sesos de esos cantos, júntalos con la cabeza del desdichado amo nuestro. ¡Oh día de aciago! ¡Oh arrebatado fin!

Melib. — ¡Oh desconsolada de mí! ¿Qué es esto? ¿Qué puede ser tan áspero *a*contecimiento como oigo? Ayúdame a subir, Lucrecia, por estas paredes, veré mi dolor; si no, hundiré con alaridos la casa de mi padre. ¡Mi bien y placer, todo es ido en humo! ¡Mi alegría es perdida! ¡Consumióse mi gloria! (189, 190-92, 224).

ARGUMENTO DEL VEINTENO AUTO

Lucrecia llama a la puerta de la cámara de Pleberio. Pregúntale Pleberio lo que quiere. Lucrecia le da priesa que vaya a ver a su hija Melibea. Levantado Pleberio, va a la cámara de Melibea. Consuélala, preguntándo*le* qué mal tiene. Finge Melibea dolor del corazón. Envía Melibea a su padre por algunos instrumentos músicos. Sube ella y Lucrecia en una torre. Envía de sí a Lucrecia. Cierra tras ella la puerta. Llégase su padre al pie de la torre. Descubrióle Melibea todo el negocio que había pasado. En fin, déjase caer de la torre abajo.

PLEB. — (...) Hija mía Melibea, ¿qué haces sola? ¿Qué es tu voluntad decirme? ¿Quieres que suba allá?

MELIB. — Padre mío, no pugnes ni trabajes por venir adonde yo estoy, que estorbarás la presente habla que te quiero hacer. Lastimado serás brevemente con la muerte de tu única hija. Mi fin es llegado, llegado es mi descanso y tu pasión, llegado es mi alivio y tu pena, llegada es mi acompañada hora y tu tiempo de soledad. No habrás, honrado padre, menester instrumentos para aplacar mi dolor, sino campanas para sepultar mi cuerpo. Si me escuchas sin lágrimas, oirás la causa desesperada de mi forzada y alegre partida. No la interrumpas con lloro ni palabras; si no, quedarás más quejoso en no saber por qué me mato, que doloroso por verme muerta. Ninguna cosa me preguntes ni respondas, más de lo que de mi grado decirte quisiere. Porque, cuando el corazón está embargado de pasión, están cerrados los oídos al consejo y en tal tiempo las fructuosas palabras, en lugar de amansar, acrecientan la saña. Oye, padre viejo, mis últimas palabras y, si como yo espero, las recibes, no culparás mi yerro. Bien ves y oyes este triste y doloroso sentimiento que toda la ciudad hace. Bien *oyes* este clamor de campanas, este alarido de gentes, este aullido de canes, este [grande] estrépito de armas. De todo esto fui yo [la] causa. Yo cubrí de luto y jergas en este día casi la mayor parte de la ciudadana caballería, yo dejé [hoy] muchos sirvientes descubiertos de señor, yo quité muchas raciones y limosnas a pobres y envergonzantes, yo fui ocasión que los muertos tuviesen compañía del más acabado hombre que en gracias nació, yo quité a los vivos el dechado de gentileza, de invenciones galanas, de atavíos y bordaduras, de habla, de andar, de cortesía, de virtud; yo fui causa que la tierra goce sin tiempo el más noble cuerpo y más fresca juventud, que al mundo era en nuestra edad criada. Y porque estarás espantado con el son de mis no acostumbrados delitos, te quiero más aclarar el hecho. Muchos días son pasados, padre mío, que penaba por mi amor un caballero, que se llamaba Calisto, el cual tú bien conociste. Conociste asimismo sus padres y claro linaje; sus virtudes y bondad a todos eran manifiestas. Era tanta su pena de amor y tan poco el lugar para hablarme, que descubrió su pasión a una astuta y sagaz mujer, que llamaban Celestina. La cual, de su parte venida a mí, sacó mi secreto amor de mi pecho. Descubrí[a] a ella lo que a mi querida madre encubría. Tuvo manera como ganó mi querer, ordenó cómo su deseo y el mío hobiesen efecto. Si él mucho me amaba, no vivía engañado. Concertó el triste concierto de la dulce y desdichada ejecución de su voluntad. Vencida de su amor, dile entrada en tu casa. Quebrantó con escalas las paredes de tu huerto, quebrantó mi propósito. Perdí mi virginidad. *Del cual deleitoso yerro de amor gozamos casi un mes. Y como esta pasada noche viniese, según era acostumbrado,* a la vuelta de su venida, como de la fortuna mudable estuviese dispuesto y ordenado, según su desordenada costumbre, como las paredes eran altas, la noche escura, la escala delgada, los sirvientes que traía no diestros en aquel género de servicio *y él bajaba presuroso a ver un ruido que con sus criados sonaba en la calle, con el gran ímpetu que llevaba,* no vido bien los pasos, puso el pié en vacío y cayó. De la triste caída sus más escondidos sesos quedaron repartidos por las piedras y paredes. Cortaron las hadas sus hilos, cortáronle sin confesión su vida, cortaron mi esperanza, cortaron mi gloria, cortaron mi compañía. Pues, ¿qué crueldad sería, padre mío, muriendo él despeñado, que viviese yo penada? Su muerte convida a la mía, convídame y fuerza que sea presto, sin dilación; muéstrame que ha de ser despeñada por seguille en todo. No digan por mí: «a muertos y a idos»... Y así contentarle he en la muerte, pues no tuve tiempo en la vida. ¡Oh mi amor y señor Calisto! Espérame, ya voy; detente, si me esperas; no me incuses la tardanza que hago, dando esta última cuenta a mi viejo padre, pues le debo mucho más. ¡Oh padre mío muy amado! Ruégote, si amor en esta pasada y penosa vida me has tenido, que sean juntas nuestras sepulturas; juntas nos hagan nuestras obsequias. Algunas consolatorias palabras te diría antes de mi agradable fin, colegidas y sacadas de aquellos antiguos libros que [tú], por más aclarar mi ingenio, me mandabas leer; sino que ya la dañada memoria con la gran turbación me las ha perdido y aun porque veo tus lágrimas mal sufridas *descender* por tu arrugada faz. Salúdame a mi cara y amada madre; sepa de ti largamente la triste razón porque muero. ¡Gran placer llevo de no la ver presente! Toma, padre viejo, los dones de tu vejez, que en largos días largas se sufren tristezas. Recibe las arras de tu senectud antigua, recibe allá tu amada hija. Gran dolor llevo de mí, mayor de ti, muy mayor de mi vieja madre. Dios quede contigo y con ella. A él ofrezco mi alma. Pon tú en cobro este cuerpo que allá baja.

ARGUMENTO DEL VEINTE Y UN AUTO

Pleberio, tornado a su cámara con grandísimo llanto, pregúntale Alisa, su mujer, la causa de tan súpito mal. Cuéntale la muerte de su hija Melibea, mostrándole el cuerpo de ella todo hecho pedazos; y haciendo su planto concluye.

PLEBERIO, ALISA

ALI. — ¿Qué es esto, señor Pleberio? ¿Por qué son tus fuertes alaridos? Sin seso estaba adormida del pesar que hobe cuando oí decir que sentía dolor nuestra hija; agora oyendo tus gemidos, tus voces tan altas, tus quejas no acostumbradas, tu llanto y congoja de tanto sentimiento, en tal manera penetraron mis entrañas, en tal manera traspasaron mi corazón, así avivaron mis turbados sentidos, que el ya recibido pesar alancé de mí. Un dolor sacó otro, un sentimiento otro. Dime la causa de tus quejas. ¿Por qué maldices tu honrada vejez? ¿Por qué pides la muerte? ¿Por qué arrancas tus blancos cabellos? ¿Por qué hieres tu honrada cara? ¿Es algún mal de Melibea? Por Dios, que me lo digas, porque si ella pena, no quiero yo vivir.

PLEB. — ¡Ay, ay, noble mujer [45]! Nuestro gozo en el pozo. Nuestro bien todo es perdido. ¡No queramos más vivir! Y porque el incogitado dolor te dé más pena, todo junto sin pensarlo, porque más presto vayas al sepulcro, porque no llore yo solo la pérdida dolorida de entrambos, ves allí a la que tú pariste y yo engendré, hecha pedazos. La causa supe de ella; más la he sabido por extenso de esta su triste sirvienta. Ayúdame a llorar nuestra llagada postrimería. ¡Oh gentes que venís a mi dolor! ¡Oh amigos y señores, ayudadme a sentir mi pena! ¡Oh mi hija y mi bien todo!, crueldad sería que viva yo sobre ti. Más dignos eran mis sesenta años de la sepultura, que tus veinte. Turbóse la orden del morir con la tristeza que te aquejaba. ¡Oh mis canas, salidas para haber pesar! Mejor gozara de vosotras la tierra que de aquellos rubios cabellos que presentes veo. Fuertes días me sobran para vivir; quejarme he de la muerte, incusarle he su dilación, cuanto tiempo me dejare solo después de ti. Fálteme la vida, pues me faltó su agradable compañía. ¡Oh mujer mía! Levántate de sobre ella y, si alguna vida te queda, gástala conmigo en tristes gemidos, en quebrantamiento y sospirar. Y si por caso tu espíritu reposa con el suyo, si ya has dejado esta vida de dolor, ¿por qué quisiste que lo pase yo todo? En esto tenéis ventaja las hembras a los varones, que puede un gran dolor sacaros del mundo sin lo sentir o a lo menos perdéis el sentido, que es parte de descanso. Oh duro corazón de padre, ¿cómo no te quiebras de dolor, que ya quedas sin tu amada heredera? ¿Para quién edifiqué torres; para quién adquirí honras; para quién planté árboles; para quién fabriqué navíos? ¡Oh tierra dura!, ¿cómo me sostienes? ¿Adónde hallará abrigo mi desconsolada vejez? Oh fortuna variable, ministra y mayordoma de los temporales bienes, ¿por qué no ejecutaste tu cruel ira, tus mudables ondas, en aquello que a ti es sujeto? ¿Por qué no destruiste mi patrimonio; por qué no quemaste mi morada; por qué no asolaste mis grandes heredamientos? Dejárasme aquella florida planta, en quien tú poder no tenías; diérasme, fortuna flutuosa triste la mocedad con vejez alegre; no pervertieras la orden. Mejor sufriera persecuciones de tus engaños en la recia y robusta edad, que no en la flaca postrimería. ¡Oh vida de congojas llena, de miserias acompañada; oh mundo, mundo! (...) Del mundo me quejo, porque en sí me crió, porque no me dando vida, no engendrara en él a Melibea; no nacida, no amara; no amando, cesara mi quejosa y desconsolada postrimería. ¡Oh mi compañera buena, *y* [oh] mi hija despedazada! ¿Por qué no quisiste que estorbase tu muerte? ¿Por qué no hobiste lástima de tu querida y amada madre? ¿Por qué te mostraste tan cruel con tu viejo padre? [¿Por qué me dejaste, cuando yo te había de dejar?] ¿Por qué me dejaste penado? ¿Por qué me dejaste triste y solo in hac lachrymarum valle? (226, 229-33, 236).

---

[45] Compárese esta postrimería de Pleberio con el «llanto de [la] madre de Leriano» al final de la *Cárcel de Amor, supra* (I. 36), ¿otra posible fuente de *La Celestina?*

LIBRO CATALÁN DE AVENTURAS CABALLERESCAS

39

Joanot Martorell (c. 1414-68) y Martí Joan de Galba, refundidor (m. 1490), *Tirant lo Blanc* *(editio princeps,* Valencia: Nicolau Spindeler, 1490). El texto catalán siguiente procede del t. II de la ed. de M. de Riquer y M.ª J. Gallofré (2.ª ed., Barcelona: Edicions 62, 1985); el castellano, del *Tirante el Blanco* procedente de la versión impresa de Valladolid, 1511, t. III de la ed. de M. de Riquer (Madrid: Espasa-Calpe, 1974).

CCXXXI [=CCXXXIII] Com Plaerdemavida posà a Tirant en lo llit de la Princesa

(...) Plaerdemavida lo hi portà e féu-lo gitar al costat de la Princesa. E les posts del llit no aplegaven a la paret envers lo cap del llit. Com Tirant se fon gitat, dix la donzella que estigués segur e no es mogués fins a tant que ella lo hi digués. E ella se posà al cap del llit estant de peus, e lo seu cap posà entre Tirant e la Princesa, e ella tenia la cara devers la Princesa; e per ço que les mànegues de la camisa l'empedien, despullà-les, e pres la mà de Tirant e posà-la sobre los pits de la Princesa, e aquell tocà-li les mamelles, lo ventre e d'allí avall. La Princesa despertà's e dix:

—Val-me Déu, i com est feixuga! Mirau si em pot deixar dormir.

Dix Plaerdemavida tenint lo cap sobre lo coixí:

—Oh, com sou donzella de mal comport! Eixiu ara del bany e teniu les carns llises e gentils: prenc gran delit en tocar-les.

—Toca on te vulles —dix la Princesa—, e no poses la mà tan avall com fas.

—Dormiu e fareu bé, e deixau-me tocar aquest cos que meu és —dix Plaerdemavida—, que jo só ací en lloc de Tirant. Oh traïdor de Tirant, e on est tu? Que si tenies la mà lla on jo la tinc, e com series content!

E Tirant tenia la mà sobre lo ventre de la Princesa, e Plaerdemavida tenia la sua mà sobre lo cap de Tirant, e com ella coneixia que la Princesa s'adormia, fluixava la mà e llavors Tirant tocava a son plaer; e com ella despertar-se volia, estrenyia lo cap a Tirant i ell estava segur. En aquest deport estigueren per més espai d'una hora, i ell tostemps tocant-la.

Com Plaerdemavida conegué que ella molt bé dormia, afluixà del tot la mà a Tirant, i ell volgué temptar de paciència de voler dar fi a son desig, e la Princesa se començà a despertar, e mig adormida dix:

—Què, mala ventura, fas? No em pots lleixar dormir? ¿Est tornada folla, que vols temptar lo que és contra ta natura?

E no hagué molt estat, que ella conegué que era més que dona, e no ho volgué consentir e començà a donar grans crits. E Plaerdemavida tancava-li la boca, e dix-li a l'orella perquè neguna de les altres donzelles no ho oïssen:

—Callau, senyora, e no vullau difamar la vostra persona: he gran dubte que no ho senta la senyora Emperadriu; callau, que aquest és lo vostre cavaller, qui per vós se deixarà morir.

—Oh!, maleita sies tu —dix la Princesa—, ¡e no has haguda temor de mi ni vergonya del món! ¡Sens jo saber res, m'has posada en tan gran treball e difamació!

—Ja, senyora, lo mal fet és —dix Plaerdemavida—; dau remei a vós e a mi: e par-me que lo callar és lo més segur e lo que més pot valer en aquests afers.

E Tirant ab baixa veu la suplicava tant com millor podia. Ella, veent-se en tant estret pas, de l'una part la vencia amor, e de l'altra tenia temor, mas la temor excel·lia l'amor e deliberà de callar e no dir res.

Com la Princesa cridà lo primer crit, ho sentí la Viuda Reposada, e hagué plena notícia que la causa del cridar havia fet Plaerdemavida, e que Tirant devia ésser ab ella; pensà que si Tirant passava a la Princesa, que ella no poria complir son desig ab ell. E ja tothom callava, e la Princesa no deia res, sinó que es defenia ab paraules gracioses que la plasent batalla no vingués a fi. La Viuda s'assigué al llit e donà un gran crit e dix:

—I què és lo que teniu, filla?

Despertà totes les donzelles ab grans crits e remor, e venc a notícia de l'Emperadriu. Totes se llevaren cuitadament, qui totes nues, qui en camisa, e ab cuitats passos anaren a la porta de la cambra, la qual trobaren molt bé tancada, e a grans crits demanaren llum. E en aquest instant que tocaven a la porta e cercaven llum, Plaerdemavida pres a Tirant per los cabells e apartà'l de lla on volguera finar sa vida e posà'l en lo retret e féu-lo saltar en un terrat que hi havia e donà-li una corda de cànem perquè s'acalàs dins l'hort, e d'allí podia obrir la porta, car ella hi havia ben proveït perquè quan vingués, ans del dia, se'n fos pogut anar eixint per una altra porta. Mas tan gran fon l'avalot e los grans crits que daven les donzelles e la Viuda que no el pogué traure per lo lloc on ella havia pensat, e fon forçat que el tragués per lo terrat, e donà-li la corda llarga, i ella prestament se'n tornà, e tancà la finestra del retret e anà on era sa senyora.

E Tirant donà volta e lligà fort la corda, e ab la pressa que tenia per no ésser vist ni conegut no pensà la corda si bastava en terra; deixà's anar per la corda avall e fallia-se'n més de dotze alnes que no plegava en terra; fon-li forçat de lleixar-se caure, perquè los braços no li podien sostenir lo cos, e donà tan gran colp en terra que es rompé la cama.

Deixem a Tirant, que està de llarg, gitat en terra, que no es pot moure.

Com Plaerdemavida se'n fon tornada, portaren la llum e totes entraren ab l'Emperadriu, i ella prestament li demanà quin avalot era estat aquell, per quina causa havia cridat.

—Senyora —dix la Princesa—, una gran rata saltà sobre lo meu llit e pujà'm sobre la cara, e espantà'm tan fort que haguí de cridar tan grans crits que fora estava de tot record; e ab l'ungla ha'm arrapada la cara, que si m'hagués encertat en l'ull, quant mal m'haguera fet!

E aquell arrap li havia fet Plaerdemavida com li tancava la boca perquè no cridàs.

L'Emperador se fon llevat, e ab l'espasa en la mà entrà per la cambra de la Princesa, e, sabuda la veritat de la rata, cercà totes les cambres. Emperò la donzella fon discreta: aprés que l'Emperadriu fon entrada e parlava ab sa filla, ella saltà en lo terrat e prestament llevà la corda e sentí plànyer a Tirant. Prestament presumí que era caigut, e no dix res e tornà-se'n dins la cambra. E havia tan gran remor per tot lo palau, d'aquells de la guàrdia e dels oficials de la casa, que açò era cosa de gran espant de veure ni de sentir, que si los turcs fossen entrats dins la ciutat no s'hi fera major fet. L'Emperador, qui era home molt sabut, pensà que açò no fos més que rata: fins dins los còfrens cercà, e totes les finestres féu obrir; e si la donzella un poc se fos tardada en llevar la corda, l'Emperador l'haguera trobada.

Lo Duc e la Duquessa, qui sabien en aquest fet, com sentiren la remor tan gran, pensaren que Tirant era estat sentit. Pensau lo cor del Duc quin devia estar, que ves a Tirant en tan gran congoixa ésser posat, car pensava que l'haguessen mort o apresonat; armà's prestament, que allí tenia les sues armes per ajudar a Tirant, e dient entre si:

—Hui perdré tota ma senyoria, puix Tirant és en tal punt.

—¿Què faré jo —dix la Duquessa—, que les mies mans no tenen força per vestir-me la camisa?

Com lo Duc fon armat, ixqué de la sua cambra per veure açò què era e per saber on era Tirant; e anant trobà l'Emperador que se'n tornava a la sua cambra, e lo Duc li demanà:

—Què és açò, senyor? ¿Quina novitat tan gran és estada aquesta?

Respòs l'Emperador:

—Les folles de donzelles, qui de no res temoregen. Una rata, segons m'han recitat, és passada sobre la cara de ma filla e, segons ella diu, ha-li fet senyal en la galta. Tornau-vos-ne a dormir, que no us hi cal anar. (49-52).

* * *

CAPÍTULO CXV [...233]

Cómo Plazer de mi Vida metió a Tirante en la cama con la Princesa

Plazer de mi Vida tomó a Tirante por la mano y llevóle a la cámara de la Princesa, e hízole acostar a su costado. Y las tablas de la cama, hazia la cabecera, no llegavan a la pared; y Plazer de mi Vida se metió allí y dixo a Tirante que estoviesse quedo hasta que ella ge lo dixesse. Y Plazer de mi Vida puso su cabeça sobre el almohada, entre Tirante y la Princesa, y tenía la cara buelta azia ella; y tomó la mano de Tirante y púsosela sobre los pechos de la Princesa, el qual le palpó los pechos y el vientre y de allí abaxo. La Princesa despertó y dixo:

—¡O, válame Dios, cómo eres enojosa! ¿No me puedes dexar dormir?

Dixo Plazer de mi Vida:

—¡O cómo soys donzella de mal sofrimiento! Salís agora del baño y tenéys las carnes lisas y gentiles, y deléytome en tocarlas.

—Toca dó quisieres —dixo la Princesa—, y no pongas la mano tan abaxo.

—Dormid y haréys bien, y dexadme tocar este cuerpo, pues es mío, que yo estoy aquí en lugar de Tirante. ¡O traydor de Tirante! ¿Y dónde estás agora? Que si tuviesses la mano donde yo la tengo, estaríes alegre y contento.

Y él teníe la mano sobre el vientre de la Princesa, y Plazer de mi Vida tenía la suya sobre la cabeça de Tirante. Y como ella conocía que la Princesa se dormía, afloxava la mano, y entonces Tirante tocava a su plazer; y desta manera se deportó cerca de una ora. Y como Plazer de mi Vida conoció que ella dormía bien, afloxó del todo la mano. E Tirante quiso tentar de paciencia y dar fin a su desseo. Y la Princesa despertó, y dixo:

—¿Qué malaventura hazes que no me quieres dexar dormir esta noche? ¿Eres tornada loca que quieres tentar lo que es contra tu natura?

Y a poco rato ella conoció que era más que muger, y no quiso consentir, antes començó a dar gritos. Y Plazer de mi Vida le atapava la boca con sus manos; y díxole a la oreja porque las otras no lo sintiessen:

—Callad, señora, y no queráys disfamar vuestra persona, que temo que no lo sienta la Emperatriz; catad que es vuestro cavallero Tirante, quien por vós se dexará morir.

—¡O, maldita seas tú! —dixo la Princesa—. ¿Y no as avido temor de mí ni vergüença del mundo, que sin yo saber nada me has puesto en tanto trabajo y disfamación?

—Ya, señora —dixo Plazer de mi Vida—, pues el mal es hecho, dad en ello remedio; que me parece que el callar es el mejor remedio y más seguro.

Y Tirante con baxa boz la suplicava lo mejor que podía. Y viéndose ella en tan estrecho paso, que de la una parte la combatía amor y de otra temor, y al fin deliberó de callar.

Como la Princesa dio la primera boz, lo sintió la Viuda Reposada, y conoció verdaderamente que la causa de su gritar avíe sido Plazer de mi Vida, y que Tirante devía estar con ella; y que si él passava a la Princesa, que ella no podríe complir su desseo con él. E ya todos callavan, y la Princesa no dezía nada, sino que se defendía con palabras graciosas porque la aplazible batalla no llegase al fin. La Viuda se asentó en la cama y dio un gran grito, y dixo:

—¿Qué avéys, señora?

Y ansí despertó a todas las donzellas con gritos y mucho roýdo, de manera que vino a noticia de la Emperatriz; y todas se levantaron prestamente, algunas en camisa y otras del todo desnudas, y con apresurados passos fueron a la puerta de la cámara, la qual hallaron bien cerrada, y a bozes demandaron lumbre. Y en este tiempo que tocavan a la puerta y buscavan lumbre, Plazer de mi Vida tomó a Tirante y sacóle [de] donde él quisiera fenecer sus días, y púsole en el retrete, y de allí le hizo saltar en un terrado que estava allí, y diole un cordel de cáñamo para que baxase en el huerto, y por allí podía abrir la puerta e yrse, que ella lo tenía bien proveýdo para quando saliesse antes del día, que se pudiera salir por otra puerta. Mas tan grande fue el alboroto y los gritos que davan las donzellas y la Viuda, que no le pudo sacar por el lugar que ella tenía pensado; y dada la cuerda, ella se tornó y cerró la ventana que salía al terrado y la puerta del retrete, y tornóse donde estava la Princesa.

Y Tirante ató bien la cuerda, y por no ser visto ni conocido, no pensó en si la cuerda bastava hasta baxo o si no, y dexóse yr por ella abaxo y faltóle más de doze varas de cuerda para llegar a tierra; y por fuerça se ovo de dexar caer, que los braços no le pudieron más sostener, y dio tan gran golpe en tierra que se quebró la pierna.

Dexemos estar a Tirante, que está echado en tierra sin poderse mover, y veamos qué hazen arriba.

Como Plazer de mi Vida fue tornada, truxeron lumbre y entraron todas con la Emperatriz, la qual prestamente demandó qué avíe sido aquello, o por qué causa avíe dado bozes.

—Señora —dixo la Princesa—, una gran rata saltó sobre mi cama y subíame sobre la cara, y espantóme tan fuerte que uve de dar tan grandes gritos que estava fuera de mi seso; y con la uña me ha señalada la cara, y me ha hecho Dios merced que no me tocó en los ojos.

Y aquel rescaño le avíe hecho Plazer de mi Vida como la atapava la boca porque no diesse bozes.

El Emperador se levantó, y con el espada en la mano entró por la cámara de la Princesa; y sabida la verdad de la rata, buscó todas las cámaras. Empero la donzella, en tanto que la Emperatriz hablava con su hija, saltó en el terrado y quitó el cordel, y sintió quexar a Tirante y presumió que era caýdo, pero no dixo nada y tornóse a la cámara. Y avía tanto ruydo por el palacio de la gente de la guarda y de los oficiales de la casa, que era cosa de gran terror, que no parecía sino que los turcos oviessen entrado en la cibdad o otra semejante cosa. El Emperador, como era discreto, pensó que esto devía ser más que rata, e buscó todas las arcas e hizo mirar todas las ventanas; e si la donzella se oviera tardado un poco de quitar la cuerda, él la oviera hallado.

El Duque y la Duquesa, que sabían el hecho de Tirante, como sintieron el roýdo tan grande, pensaron que Tirante avíe sido sentido. Podéys bien pensar qué tal estaría el coraçón del Duque creyendo que Tirante estava puesto en congoxa, que pensava que le oviessen muerto o preso; prestamente fue armado para ayudar a Tirante, diziendo entre sí:

—Oy perderé toda mi señoría, pues Tirante está en tal punto.

—¡O triste de mí —dixo la Duquesa—, que mis manos no tienen fuerça para vestirme la camisa!

Como el Duque fue armado, salió de su cámara para ver qué era y saber de Tirante; e yendo topó con el Emperador que se tornava a su cámara, y el Duque le demandó:

—¿Qué es esto, señor? ¿Qué ruydo tan grande ha sido éste?

Respondió el Emperador:

—Las locas de las donzellas, que de nonada temen. Una rata, según me han recitado, ha passado sobre la cara de mi hija, y, según ella dize, ála señalada en la cara. Tornaos a dormir, que no os cale yr adelante. (187-91).

GLOSARIO SELECTO

El presente glosario contiene un vocabulario mínimo para la comprensión de los diversos textos de la *Antología de la literatura hispánica medieval* precedente; no tiene pretensión alguna de exhaustividad, sino la de ser una breve guía a la riqueza léxica del Medievo peninsular. Me he limitado a concisas definiciones para aclarar las voces anticuadas y lecturas difíciles de dichos textos, siempre documentando entre paréntesis la primera ocurrencia de ellas y, cuando es factible, otros ejemplos ilustrativos. Con respecto a los verbos, incluyo el infinitivo junto con las formas más notables (o difíciles) de su paradigma, otra vez con la documentación apropiada en la mayoría de los casos (una excepción importante es *aver,* cuya gran extensión imposibilita esto para cada conjugación y variante).

Tal como indiqué al principio, al describir las normas editoriales para esta antología, he restringido mi intervención en la redacción de los textos —productos de otros editores casi todos— a la regularización parcial de su acentuación para evitar confusión semántica (p. ej., *estó* 'estoy', *só* 'soy', etc.). Por lo tanto, las entradas léxicas y sus variantes reflejan fielmente las transcripciones de las diferentes lecturas originales: respeto la ortografía, fusión gráfica, etc., de cada fuente que he empleado. La documentación que cito se remite a la referencia alfanumérica y la división interna que corresponden a un determinado texto, o sea libro, capítulo, estrofa, verso, etc.: v. gr., «*abés* apenas, difícilmente (B.4.582)» se encuentra en el *Poema (Cantar) de mio Cid,* B.4, verso 582; mientras que «*aviltadamente* con vileza, deshonradamente (E.15b.VII.xxiv.2)» aparece en las *Siete Partidas,* E15b, *Partida VII, título xxiv, ley 2.* Siguiendo las abreviaturas que aparecen abajo, he señalado las numerosas voces no castellanas que se encuentran a lo largo de la antología: gallego-portuguesas, aragonesas, catalanas, etc. Hay traducciones castellanas que acompañan las *cantigas de amigo* portuguesas de A.4-7; lo mismo pasa con las lecturas valenciano-catalanas de CH.1, G.37 e I.39. Por lo tanto, sólo incluyo en el glosario los términos de estas secciones que requieran comentario adicional.

Quisiera reconocer de nuevo mi deuda a Diane M. Wright por su ayuda en la elaboración de este glosario, y a los editores de los varios textos por sus aportaciones léxicas, de valor inestimable. Asimismo, me resultan indispensables las fuentes siguientes: Martín Alonso, *Enciclopedia del idioma* (3 vols.; Madrid, 1958); Manuel Alvar, *Poesía española medieval* (Barcelona, 1969); Joan Corominas y J. A. Pascual, *Diccionario crítico etimológico castellano e hispánico* (6 vols.; Madrid, 1980-1991); y la Real Academia Española, *Diccionario de la lengua española* (2 vols.; 20.ª ed.; Madrid, 1984).

ABREVIATURAS

1...6 *personas del discurso*
adj. *adjetivo*
arag. *aragonés*
Cant. *Cantigas de Santa Maria*
cast. *castellano*
cat. *catalán*
cond. *condicional*
fem. *femenino*
fol(s). *folio(s)*
fut. *futuro*
gal. *galicismo*
ger. *gerundio*
g.-port. *gallego-portugués*
imperf. *imperfecto*
indic. *indicativo*
inf. *infinitivo*
interj. *interjección*
leon. *leonés*
masc. *masculino*
nav. *navarro*
occit. *occitano*
p. ej. *por ejemplo*

pág(s). *página(s)*
partic. *participio*
pas. *pasado*
perf. *perfecto*
pl. *plural*
pluscuamperf. *pluscuamperfecto*
pres. *presente*
pret. *pretérito*
pról. *prólogo*
Pról. *Prólogo a las* Cantigas de Santa Maria
Pról. *Prosa Prólogo en prosa al* Libro de buen
    amor [la prosa se cita por volumen y pá-
    gina, la poesía por verso]
prov. *provenzal*
reflex. *reflexivo*
rioj. *riojano*
rúbr. *rúbrica*
s(s). *siglo(s)*
subj. *subjuntivo*
tít. *título*
v. aux. *verbo auxiliar*

A

a prep. frecuentemente aglutinada al sustanti-
vo siguiente (p. ej. *atal,* B.1.53)
á (ha) (hay) véase *aver* (B.4.114)
abarcar asir: *abarcó(me)* 3 pret. indic. (H.7.
xlii.336)
aballar derribar, abatir (F.2.1010d)
a(l)barquid ¿piedra de azufre? (E.19. pág. 41)
abe ave (I.28.II.lxxxix)
abenencia (avenencia) acuerdo entre las partes
en un proceso legal (E.17b.cv; I.11.xlv)
abenir suceder: *aviene* 3 pres. indic. (E.15b.II.
v.3), *abino* 3 pret. indic. (B.4.2973); ponerse de acuerdo: *(nos) abendremos* 4 fut.
indic. (B.4.3166)
abés apenas, difícilmente (B.4.582)
abezar acostumbrar, enseñar: *abezó* 3 pret. indic. (D.9.2497b)

abiltar envilecer: *abiltaredes* 5 fut. indic.
(B.4.2732)
abituación afán, uso (I.26.pág.97)
ableza infamia, pecado (F.1.1d)
abondadamente enriquecidamente, abundosa-
mente (E.15b.II.v. 20)
ǀ *abondar (avondar)* bastar: *abónde(nos)* 3 pres.
subj. (D.7.143c)
abondo abundancia, cantidad (D.7.4a)
aborraçado dícese de las aves preparadas con
pasta antes de ponerlas en el asador
(I.14.vii)
aborrido aborrecido (H.7.x.76)
aborrir (aburrir) aborrecer: *aburra* 3 pres. subj.
(F.2.114b)
abra[1] véase *abrir*
abra[2], *abredes* véase *aver*
abrigo (abrygo) refugio (B.2.181a)
ábrigo viento de África (E.4.140)

abrir (avrir): avrio 3 pret. indic. (I.11.v); descifrar: *abra*[1] 3 pres. subj. (H.2.57g)

abtarda avutarda, ave zancuda (D.2.87)

abuelta junto con, alrededor (B.4.589)

aburra véase *aborrir*

acabada la an 'la tienen acabada' (B.4.366)

acabar alcanzar, gozar (D.3.160)

acabdillado puesto en fila, ordenado (F.7.381)

acarrear echar: *acarrey[ó]* 3 pret. indic. (D.3.1408)

acatamiento apariencia (I.1.viii)

acatar véase *catar*

acebto preferido, agradable (I.26.pág.83)

acetrero halconero (E.13.fol.2a)

aciago desgracia (I.38.XIX.pág.224)

acicalado bruñido (G.6.32)

acoger(se) acudir: *acojio se* 3 pret. indic. (B.2.226a)

acordar despertarse: *acuerda* 3 pres. indic. (I.38.X.pág.162)

acordado mesurado (D.10.411d)

acorro socorro, auxilio (D.5.38)

actor (abtor) autor (E.4.141; G.18.17)

acullient (arag.) hospitalario, acogedor (I.27.ii)

acuzia diligencia, solicitud (F.1.48d)

achar (g.-port.) encontrar, hallar: *acha* 3 pres. indic. (D.12.1), *achei* 1 pret. indic. (D.11.Cant.7.10), *achou* 3 pret. indic. (D.11.Cant.7.49)

adalid lugarteniente (F.7.43)

adeliñar dirigirse: *adeliñó* 3 pret. indic. (B.4.31), *adelinnat* 5 imperativo (F.8.1120); aderezar: *(ha) adeli[ñ]ado* (F.7.538)

adereço 'se dirigió' (I.11.xi)

adesora de repente (E.17a.VII.xxxvii)

adiafa propina para los marineros al fin de un viaje (I.28.II.xxxvii)

adïano excelente, extremado (D.7.155b)

adiue chacal (I.6.xxxx)

adobar construir, preparar: *adobé* 1 pret. indic. (B.1.75); cocinar (I.30.pág.148); *grant cozínal' adobavan* 'le preparaban un banquete' (B.4.1017)

adonado gentil, lleno o colmado de dones (D.10.418c); discreto (D.10.425a)

adonarse adquirir don o gracia: *se adona* 3 pres. indic. (H.7.xxxv.275)

adorraia grévol *[Tetraotes bonasia]* (E.13.I.xi)

adtor azor (B.4.5)

aducho, aduga(la), adurá, adusiesse, adussieron, aduxieran, etc. véase *aduzir*

aduzir traer, llevar (B.4.144): *aduz (aduze)* 3 pres. indic. (D.4.222), *adurá* 3 fut. indic. (D.2.66), *aduxo* 3 pret. indic. (D.3.1383), *adussieron* 6 pret. indic. (D.7.577a), *aduxieran* 6 pluscuamperf. indic. (E.17b.ccxl), *adusiesse* 3 pret. subj. (E.2.I.i.1), *aduxiessen* 6 pret. subj. (E.16.8), *aduga(la)* 3 imperativo (pero optativo) (E.3.fol.53r), *aducho* partic. pas. (B.4.147)

afar quehacer (F.1.389b)

afarto harto, sobrado, sobradamente (B.4.1643)

afazerse acostumbrarse: *afazer se yen* 6 cond. (E.9.II.pág.36)

afé(voslo) (afé) (afélo) (interj.) 'he aquí', 'ved' (B.4.152)

afemencer cuidar, limpiar: *afemencio* 3 pret. indic. (F.7.50)

afincado (affincado) apremiado, resoluto, tenaz (E.16.558)

afincança cerca (D.5.31)

afincar (affincar) insistir: *(se) afincava* 3 imperf. indic. (F.7.369)

afogarse ahogarse: *se afogo* 3 pret. indic. (E.11.pág.17)

afontar deshonrar, difamar: *afontado* partic. pas. (B.4.2569)

aforrarse libertarse, escaparse: *se afforrasen* 6 pres. subj. (F.2.1125b), *aforrado* partic. pas. (F.7.342)

agalla excrecencia que se forma en el roble; *valient una a.* quiere decir que «los esfuerzos de los ángeles valieron poco» (D.7.87c)

agora ahora (B.1.77)

agrados a escalones (E.17a.VII.xxxvii)

agraz uva sin madurar (D.8.53d)

aguelo abuelo (I.24.pág.20)

aguijar (aguiiar) cabalgar (de prisa) (B.2.228a)

aguila: a. cabdal ferrera águila real (F.7.11)

aguisado razonable, apropiado (B.4.132)

aguisar preparar, disponer: *aguisa* 3 pres. indic. (D.6.9d)

aguzar estimular, incitar: *aguzaren* 6 fut. subj. (E.13.I.xi)

ahotas ciertamente (G.36.20)

ahuelo abuelo (H.7.lv.437)

aí allí (E.12.pág.110)

ailla allá (E.5.i)

aina (aína) (ayna) (aýna) pronto, aprisa, rápidamente (D.6.9d; D.2.129; I.32.pág.113)

airar (ayrarse) retraer el favor real, desterrar: *airado* partic. pas. (B.4.114)

aiunta reunión, audiencia (B.4.3718)

aiuntar(se) trabar batalla con (B.4.1171); reunirse: *(se) aiuntaron* 6 pret. indic. (B.4. 1015)

aiustar (arag.) reunir (I.27.vii)

ajam (de origen probablemente cat.-occit.) 'tengamos' (F.2.482b)

ál(e) lo otro, lo demás, otra cosa (B.1.83)

alançador lanceador (E.17b.cv)

alançar lanzar: *alançasse* 3 pret. subj. (E.17b. cv)

alaraue árabe (E.16.513)

-alaúd! (árabe, interj.) -con amor! (F.2.965e)

albergada ejército (F.3.1822d)

albricia(s) interj. de júbilo (B.4.14)

alcanço (alçance) búsqueda (E.16.755; I.34. pág.88)

alcándara percha para sostener las aves de cetrería (B.4.4)

alcuzcuz guiso de sémola con manteca, verduras y carne (I.28.II.xxxvii)

aleue alevosía (I.9.I.lxxvii)

aleuoso (alevoso) traidor (B.4.3362)

alfaya (alfaia) alhaja (D.1.122)

alfayate sastre (F.2.66)

alfferza reina (del ajedrez) (E.21)

alfoz distrito, arrabal, demarcación territorial (F.7.47)

algarauia lengua árabe (I.11.xlvii)

alguandre alguna vez (C.1.34)

(non no) alhaonedes (vocablo oscuro) 'no os turbéis' (F.2.876c)

alhorre ¿especie de halcón? (F.2.1007c)

alinde: dalhinde (de alinde) de aumento, amplificador (E.19.pág.22; I.38.I.pág.55)

aliño voz incierta: ¿'sirvo'?, ¿'persigo'? (G.36. 13)

aljama sinagoga (D.8.166b)

almofar capucho de la loriga para proteger la cabeza y el cuello (B.4.3653)

almohalla ejército (F.2.1076a)

alon (aloncillo) ala entera de cualquier ave, quitadas las plumas (I.14.vii)

altanero halcón de vuelo alto (I.10.viii)

aluen lejos (E.5.ii)

aluoroçar alborozar: *aluoroço* 3 pret. indic. (E.16.151)

alymaña animal, bestia (F.4.494b)

allent (allen) (allende) (alliende) al otro lado, más allá (B.4.1620; D.3.1352; etc.)

amainar aflojar (el viento) (G.13.7)

amaro áspero, desabrido (H.8)

amatar matar, anular, apagar (F.1.473c)

ambisa sabiduría (D.6.9a)

amidos (anbidos) de mala gana (B.4.84)

amodorrido adormecido (D.7.528c)

amos ambos (B.2.641d)

amunchiguado aumentado (E.6.li)

anar (arag.) andar: *anat* 5 imperativo (I.27.vii)

anbidos véase *amidos*

andada búsqueda, misión, viaje (B.2.232d)

andamio adarve de la muralla (F.8.300)

andar: andidieron (andudieron) 6 pret. indic. (B.4.1197; E.17a.VII.xxxvii)

angosto estéril, escaso (B.4.838)

angostura aprieto, aflicción (E.17b.cccxxxi); estrechura o paso estrecho (D.6.112c)

anguias (g.-port.) ánguilas (D.12.13)

ansí así (B.3.39)

antreverado mezcla de carne magra y carne grasa (I.14.vii)

antuuiado precipitado (E.16.557)

antuviar(se) precipitar(se), adelantar(se): *(te) antuvias* 2 pres. indic. (E.11.pág.17)

anyal (añal) anual (D.3.277); de un año (F.2. 1013a)

añejo ahorrado (F.2.119b)

ao(s) (g.-port.) al, a los (D.11.*Pról.*43)

aoiar aojar, hacer mal de ojo: *aoien* 6 pres. subj. (I.11.xxix)

aontar afrentar (D.1.173)

aorar adorar: *aora(lo) e* 1 fut. indic. (C.1.17)

apaladinar interpretar, explicar (F.3.1836c)

apantasma fantasma, presuntuoso (I.28.Proemio.viii)

aparellar (arag.) preparar, disponer (I.27.vii), *aparellas* 3 pret. subj. (I.27.vii), *aparellado* partic. pas. (D.3.368)

apartadamente singularmente (I.7.pág.136)

apasionado dolido (I.26.pág.88)

apelar (apellar) llamar, gritar: *apelo* 1 pres. indic. (H.7.xxxii.255)

apellido (apelido) (apellydo) grito (B.2.241d); llamamiento para ir a la guerra (F.8.297) *apeonado* a pie (F.7.555)

apero instrumento, cornamenta (F.2.480b)

apesgar cansar, pesar: *apesgando* ger. (D.6.10c)

apeyorar (nav.) empeorar: *apeyoras* 3 pret. subj. (E.2.I.i.1)

aplegar (arag.) reunir, juntar: *aplegan* 6 pres. indic. (I.27.i)

apoçonnado venenoso (I.6.xxxx)

aponer acusar: *aponen* 6 pres. indic. (I.29. pág.88)

aponimiento acusación (I.29.pág.88)

aponnar (g.-port.) apremiar: *(ll')aponna* 3 pres. indic. (D.11.*Cant*.7.59)

após después, en pos (F.2.62c)

apostado adornado, apuesto (F.2.15d)

apostura hermosura, gentileza (D.8.134a); añadidura (I.6.xviii)

apres (arag.) después (I.27.i); *a de* (rioj.) junto a (D.7.114d)

apres'ei (g.-port.) 'he sabido' (D.11.*Cant*.7.13)

apreso enseñado, entendido (F.6.II.12)

apriessa aprisa, urgentemente (B.1.72)

aquedado entrado, llegado (B.2.652c)

aquilón viento norte (I.28.II.xxxvii)

ar (g.-port.) también (D.11.*Pról*.23)

arador parásito que produce la sarna (E.23. lxii)

arambre cobre, bronce (E.16.558)

arcador el que tiene por oficio ahuecar la lana (I.38.I.pág.59)

ardid (ardit) audaz, valiente (F.2.52a; H.7. xxiii.177)

ardido (ardudo) valiente, osado (B.4.79; D.1. 200); ingenioso, agudo (F.2.64a)

areyto (nav.) enhiesto (E.2.I.i.1)

argent vivo mercurio (E.16.558)

argólico de los griegos (que destruyeron los muros de Troya) (H.2.5f)

arlota ribalda, bribona (F.2.439d)

armada fila de monteros que esperaba la caza mayor perseguida por la *bozería* de otros cazadores, sus criados, etc. (I.13.III.xiiij)

armyaspidi ¿familia de cíclopes? (E.4.17)

arrabador raptor (E.3.fol.49v)

arrancada derrota (B.4.588)

arras dote hecha por el marido a su nueva esposa (B.4.2570)

arrebatado apresurado (I.17.I.xv)

arredr(r)ado apartado (B.2.233b)

arremessa ataque (E.16.558)

arrendado atado por las riendas (B.2.652a)

arriaz gavilán de la espada (B.4.3178)

arribar llegar (a la ribera) (D.3.267)

art (arte) ardid, engaño (B.4.575; D.4.125)

asayar (assayar) intentar: *asayan* 6 pres. indic. (H.2.254e)

ascoroso asqueroso (D.4.173)

ascusamente a escondidas (I.32.pág.115)

asmar estimar, pensar: *asmas* 2 pres. indic. (D.2.16)

asoras repentinamente (E.12.pág.111)

assacar inventar, tramar: *assacauan* 6 imperf. indic. (E.17a.III.xv)

assaz (assaç) bastante (B.2.179c)

assechar seguir: *assechan* 6 pres. indic. (D.8. 181c)

assentar (asentar) sentar(se), fundar: *assentaron (se)* 6 pret. indic. (E.5.ii), *assentasse* 3 pret. subj. (E.16.6)

asessegar (assessegar) (assossegar) sosegar: *asessegado* partic. pas. (E.9.II.pág.39)

assíl' 'así le' (B.4.163)

assoora a su vez (E.13.I.xi)

astragar destruir (E.4.372)

astroso vil, despreciable (D.1.189)

ata hasta (B.1.69)

atal véase *a*

ataleador observador (F.7.373)

atalvina gachas que se hacen con leche de almendras (F.2.709b)

atamor tambor (E.16.755)

atan tan (B.2.179d)

atayfer (ataifor) plato hondo para servir viandas (I.28.II.xxxvii)

atreuudo atrevido (E.16.558)

atrouosse 'atrevióse' (E.17b.cccxxx)

aturar durar: *aturas* 2 pres. indic. (E.5.ii); quedarse, tardarse: *se atura* 3 pres. indic. (I.27.i)

auant (arag.) adelante (I.27.ii)

auantaia ventaja (I.7.pág.140)

auedes, auido, auie, auje, etc., véase *aver*

auiltança afrenta, humillación (E.17b.ccxl)

auol (avol) vil (D.2.140)

(a) autes bello, agradable (E. 17b.cccxxix)

auye, ave, aven, aved, avedes véase *aver*

avejuela habichuela (E.4.372)

avenidor intercesor (D.8.77b)

avenir (auenir) ponerse de acuerdo: *avenido* partic. pas. (D.9.1865d); suceder, ocurrir: *avenieron* 6 pret. indic. (B.2.572a)

aveniment (auenimiento) (avenimiento) suceso (E.17b.cccxxix); *por a.* por casualidad (D.7.1c)

aver¹(auer) (aber) (hauer) tener o haber. Se usa también impersonalmente *(á* ['hace' C.1.4], *ave* [forma única F.1.14a], *ha, hay, auia* [B.2.569b], *avié, auje,* etc.); como auxiliar (B.2.241a); y como parte del futuro analítico (p. ej., *dezir uos he* [B.2.176b]: *e² (he)* 1 pres. indic., *aves* 2 (o 5) pres. indic., *á (ha)* 3 pres. indic., *avemos (auemos) (habemos)* 4 pres. indic., *avedes (auedes) (hedes)* 5 pres. indic., *an (han) (aven)* 6 pres. indic., *aya (haya) (aia)* 1 y 3 pres. subj., *ayas* 2 pres. subj., *ayades* 5 pres. subj., *ayan* 6 pres. subj., *abré (abre) (auré) (aure) (avere) (avré) (hauré)* 1 fut. indic., *auras* 2 fut. indic., *abrá (abra) (avrá) (aura) (auerá)* 3 fut. indic., *avredes (abredes)* 5 fut. indic., *ovier (hobier) (oviere) (ouiere)* 1 y 3 fut. subj., *ouieres* 2 fut. subj., *hobiéredes* 5 (y 2) fut. subj., *ovieren* 6 fut. subj., *avrié (aurie) (aurja) (havrie)* 1 y 3 cond., *avrién (aurien)* 6 cond., *oui (ouve) (ove) (hobe) (hove)* 1 pret. indic., *ovist (oviste)* 2 pret. indic., *ovo (ouo) (houo) (hobo* [obo]) *(uvo) (huuo) (vuo)* 3 pret. indic., *oviemos* 4 pret. indic., *oviestes* 5 pret. indic., *ovieron (ouieron) (hobieron)* 6 pret. indic., *ovieran* 6 pluscuamperf. indic., *ovisse (oviesse) (ouiesse) (oujese) (ouyese) (hobiese) (hobiesse) (huuiesse [huuies])* 1 y 3 pret. subj., *oviésedes (hobiésedes)* 5 pret. subj., *aviá(e) (auia) (auie) (avié) (avya) (auje) (auye) (eua* [arag.]) *(abia) (habie)* 1 y 3 imperf. indic., *auien (avién) (aujen)* 6 imperf. indic., *aved* 5 (y 2) imperativo, *auido (avido)* partic. pas.; *a. a y a. de* más inf. haber de, tener que *(e aura con sus gentes/el a nos cometer* [B.2.554d], *aver vos ha el conde/los pannos de guardar* [B.2.646b]); poseer sexualmente (E.17b.cccxxx); *a. solaz* tener relaciones sexuales (E.17b.cv)

aver(es)² (auer[es]) bienes, riqueza (B.2.572c)

aviá(e) véase *aver*

aviente 'teniendo' (I.1.viii)

avieso torcido (F.2.1524c)

aviltadamente con vileza, deshonradamente (E.15b.VII. xxiv.2)

avinidero futuro (I.1.iii)

avondar véase *abondar*

avredes véase *aver*

avrio véase *abrir*

avytamiento casa (B.2.244d)

axaraf terreno alto y extenso (F.7.188)

axenuz (ajenuz) arañuela, planta ranunculácea (F.2.17a)

axuuar (axuvar) dote, ajuar (B.4.2571)

aý allí (F.2.875d)

aya, ayades, etc., véase *aver*

aydo aullido (I.35)

ayna véase *aina*

ayrar(se) véase *airar*

ayuso (ayusu) abajo (B.4.577; E.13.I.xi)

az véase *faz*

azcona arma arrojadiza, como dardo o venablo (I.13.I.xxxvij)

azul lapislázuli (E.16.558)

B

babieco tonto (D.6.116d)

babous (g.-port.) baboso (D.12.13)

bafo (baffo) vapor, vaho (E.9.pág.66)

bagaba véase *vagar*

baharí variedad de halcón (I.10.i)

baile oficial que cogía a los malhechores (F.2.1466d)

baldón: a gran b. gratis, injuria, insulto (F.2.1106b)

baldonar prodigar: *(sse) baldonaua* 3 imperf. indic. (D.3.96)

baraija disputa, contienda (E.9.pág.65)

barallar (¿voz navarra?) barajar, reñir: *barallavan* 6 imperf. indic. (E.2.pról.)

barata engaño, fraude (B.2.640c); tráfico vil (D.10.402b)

baratatar tener relaciones sexuales (E.3.fol.33r)

baron (arag.) noble (I.27.1)

Bártolo comentario de Bártolo de Sassoferrato (H.7.xliii.341)

baruaça barba larga (H.7.lxi.486)

barragán mozo valiente (A.9.8)

barruntar ver con anticipación: *(t')barrunta* 3 pres. indic. (F.2.960c)

bastir (bastecir) preparar (B.4.85): *basteçio* 3 pret. indic. (F.7.357)

batear bautizar (E.15b.IV.xxi.8)

bausano persona boba, muñeco (F.2.431d)

bavoquía estupidez, necedad (F.2.53c)

beedes, been véase *veer*

begada vez (D.3.188)

belmez: de b. sin remiso o perdón (F.2.1521a)

ber véase *veer*

bernía véase *venir*

beruo véase *verbo*

besonna (g.-port.; ¿italianismo?) necesidad (D.11.*Cant*.7.20)

besuhar bezoar, antídoto al veneno (I.14.iii)

betumne betún (D.9.2308a)

beuer (bever) (veuer) beber (D.1.22; I.1.vii; E.23.[...]): *beuio* 3 pret. indic. (E.16.764), *beuiera* 1 pluscuamperf. indic. (pero cond. perf.) (D.1.31), *beverié* 3 cond. (F.2.1013d), *beuye* 3 imperf. indic. (E.20.vii), *bierua* 3 imperativo (D.1.184), etc.

beuir (beujr) (bevir) (bibir) (bivir) véase *vevir*

beuye, beverié véase *beuer*

beyan, beyemos véase *veer*

bía/vía buscar 'buscaría' (I.17.I.ii)

bibda viuda (E.16.559)

bibi véase *vevir*

bien se catido 'lo notó' (D.7.507d)

bienandança ventura (E.16.755)

bierua véase *beuer*

biltado vil, bajo (F.4.301b)

bine bien (C.1.10)

bispete rabadilla (I.10.ii)

bispiello arranque de la cola (I.10.ii)

biuo[1], *biuredes, bivir* véase *vevir*

bivo (biuo[2]*)* vivo (B.1.17)

blago báculo (F.8.1117)

blasmo bálsamo (F.2.1612c)

bõa (g.-port.) buena (D.11.*Cant*.10.tít.)

bocedo grito, llanto (D.8.195d)

bocines bocinados, gritos (D.8.49d)

bofordar bohordar, arrojar lanzas o bohordos contra tablados en torneos (F.7.477)

bohordador lanzador de bohordos (F.7.1. [glosa])

boltar voltear, girar (H.2.56d)

boltura calumnias, palabras de calumniadores (F.2.1576c)

bolver mover, agitar: *bolvié* 3 imperf. indic. (B.4.1059)

borní clase de halcón (I.10.i)

boruca véase *trauar*

botro brote de fruto (uvas) (E.17c.vij)

bozebrero ruidoso, jactancioso (E.9.pág.65)

bozeria vocería de cazadores, su séquito, et al. (I.13.III.xiiij)

braçale abrazadera del escudo (B.1.12)

braçero combativo, esforzado (F.3.277c)

bragas especie de calzón (E.2.IV.i.3)

brasmar (g.-port.) fustigar (D.11.*Cant*.7.55)

brial especie de túnica de gran valor; túnica de seda (B.4.2291); *(de) buen amor* de buena voluntad (D.9.1883b)

buhona buhonera (F.2.699a)

bulra burla (F.2.65a)

burlas es(c)antadas cuentos de hadas (F.5.163c)

burzess burgués (D.3.155)

butor alcaraván (D.2.87)

buua (buba) tumor blando (H.7.xxxix.307)

byuen, byuía véase *vevir*

C, Ç

ca (qua) (qa) porque, pues (B.2.234c; D.3.37; D.8.135b)

cabadelant hacia adelante (B.4.858)

cabdal (capdal) grande, principal (D.7.48b); legítimo (D.10.2c)

cabeço colina (F.7.415)

cabdellar llevar: *cabdiella* 3 pres. indic. (F.8. 1135)

cabdiello caudillo (E.17b.cccxxvi)

cabelprieto de cabello negro (F.2.1485d)

cabez colgado cabizbajo (D.9.2314c)

(con de) cabo de cerca (I.1.viii)

caboso cabal, perfecto (B.1.88)

çabra buque de dos palos, de cruz (I.28.II. xxxvii)

cabsa cosa, causa (I.25.pág.1)

cabsar causar: *cabsava* 3 imperf. indic. (I.25. pág.5)

cabtela conjuración, engaño (I.25.pág.47)

caça término venatorio que se restringe a la cetrería hasta principios del s. xv; en adelante es genérico por cualquier presa (I.10.i)

caçur(r)a véase *troba*

cadié, cadió, cadran véase *cayer*

caeçí 'fui a parar' (D.7.2b)

çaga retaguardia (B.1.47)

çaguero posterior, último (E.23.lxii)

caher véase *cayer*

cal calle (D.3.150)

calanno semejante, igual (D.7.159b)

calçada carretera (B.2.652d)

calçado puesto (B.4.2722)

calez (g.-port.) cáliz (D.11.*Cant*.4.32)

calonge (calonje) canónigo (D.7.67a)

calonna pena pecuniaria impuesta por ciertos delitos (E.3.fol.50r)

camear cambiar, sustituir (B.4.3183)

can perro (B.2.645d); (Gengis) Khan, conquistador mongol (I.27.i [arag.])

çanca pierna del hombre o de cualquier animal, sobre todo cuando es larga y delgada (F.2.1016d); *çanco* zanca, pierna de ave (I.10.iii)

çancajada zancada: *pararli ç.* echarle la zancadilla (D.6.118c)

carcellario secretario (D.7.107a)

çanco véase *çanca*

canto esquina (D.7.3c); piedra (D.8.180c); canción (I.11.v)

cañados candados, cerraduras (B.4.3)

capel (arag.) sombrero, capullo del gusano de seda (I.27.ii)

capiello prenda con que las mujeres se cubrían la cabeza (D.1.118)

capilla capucha sujeta al cuello de las capas (I.38.XII.pág.180)

car (arag.) porque (E.5.i)

çarapico zarapito, ave de laguna con pico largo y encorvado (F.2.1013c)

carcaua foso (I.9.I.lxxvii)

carçer cárcel (I.37.pág.337)

caronal carnal (D.10.25c)

caros de auer ¿'difíciles de localizar'? (I.37. pág.342)

carpia (g.-port.) 'lamentaba' (D.11.*Cant*.4.80)

cascun(o) (arag.) cada, cada uno (I.27.v)

castigar enseñar, exhortar (B.4.383)

castigo enseñanza, consejo (E.7.pág.1)

catadura gesto, semblante (D.3.220)

catar (acatar) examinar, mirar con atención, considerar (B.4.371): *acatando* ger. (I.1.pág. 58), *catou* 3 pret. indic. ([g.-port.]; D.11. *Cant*.7.51), *cata* 2 imperativo (A.11.3)

(se) caudeyllassen (nav.) '(se) dejasen regir (por un rey)' (E.2.pról.)

cavalgada despojo o presa que se hacía sobre tierras de enemigo (E.2.pról.)

cavallar de caballo (I.21.1.pág.17)

cavalleril caballeresco (I.21.1.pág.17)

cayer (caher) (cader) caer: *caya* 3 pres. subj. (D.4.149), *cadran* 6 fut. indic. (E.16.59), *cadié* 3 imperf. indic. (D.7.80b), *cadió* 3 pret. indic. (D.7.81d)

caxquete pieza de armadura que cubría el casco de la cabeza (I.38.XII.pág.180)

cayudo caído (E.17b.cccxxi)

çedo pronto (F.5.86d)

cedra cítara (D.8.176d)

celada (çelada) trampa, emboscada (D.9.2313b)

çeliçio cilicio, vestidura áspera (H.7.xxxiii.258)

çenicos, plautinos, y terençianos dramaturgos latinos humanísticos: Séneca, Plauto y Terencio (I.22.pág.60)

çeñiglo planta nombrada probablemente por el aspecto ceniciento de sus hojas (F.2.1008d)

ceñir: cinxiestes 5 pret. indic. (B.4.41), *cinnieron* 6 pret. indic. (E.19.pág. 22), *cínga(se)* 3 pres. subj. (E.2.I.i.1)

cervera flecha envenenada que se tiraba a los ciervos (D.9.1867b)

çibo alimento (H.5.736)

çiclatón vestido o brocado de seda (B.4.2574)

ciella dormitorio (D.10.400c)

ciencia: gaya c. ciencia de poesía (I.22.pág.52)

çierço cierzo, viento del norte (E.4.140)

cíngase, cinnieron, cinxiestes véase *ceñir*

cítola instrumento de música derivado de la cítara griega y romana (F.2.1019d)

clamar(se) (arag.) gritar: *clamó* 3 pret. indic. (B.1.7); llamarse: *se clama* 3 pres. indic. (I.27.i)

cobdiciaduero deseable (D.7.2d)

cobdo codo (H.7.liv.431)

cobertura especie de jaez para los torneos y fiestas (D.10.546c)

cobro seguridad, amparo (E.8.pág.104)

cocer: cuegan 6 pres. subj. (I.13.II:2.xviij), cocho partic. pas. (D.8.59d)

cocho véase cocer

codrado còlorado (D.7.515c)

coger (coier): coian 6 pres. subj. (I.13.fol.64r); irse: coio(s') 3 pret. indic. (B.4.577); desmontar: cogida han 6 pret. indic. (B.4.2706)

cognoscio 'reconoció' (I.19.19)

cohonder confundir: cohonderá 3 fut. indic. (I.16.pág.229)

coidado (cuydado) (cuidado) preocupación, consternación (B.2.239a; F.2.44b)

coidar (cuedar) (cuydar) (cuidar) pensar: cudo (cuydo) 1 pres. indic. (C.1.45), cuda (cueda) 3 pres. indic. (E. 16.557), coidares 2 fut. subj. (F.2.69a), cuydaua (cuedaua) 1 y 3 imperf. indic. (B.2.554c), coydavan (cuydauan) 6 imperf. indic. (B.2.242d); preocuparse: cuydaua 3 imperf. indic. (D.3.166)

coiós' véase coger

coita (coyta) (cuita) (cueta) (cueita) (cueyta), etc., pena, aflicción (B.1.26); vicisitud, peligro (B.4.1178)

Coletario obra canónica atribuida a San Isidoro (H.7.xliii.341)

colodrillo parte posterior de la cabeza (G.9.15)

colora cólera, uno de los cuatro humores galénicos (E.23.[...])

colórico colérico (I.17.III.vi)

collación enconada comida o bebida envenenada (D.9.2332d)

collaço compañero (G.36.36)

combrién véase comer

comedio intervalo, intermedio (D.10.5c)

comedir meditar, pensar, maquinar: comidieron 6 pret. indic. (B.4.2713); desaprobar, desechar (F.2.45c)

comer: conbredes 5 fut. indic. (E.9.pág.67), conbría 1 cond. (I.30.pág.148), combrién 6 cond. (D.8.53d)

como para que (I.37.pág.343)

comoqiere (qe) aunque (D.7.102a)

compeçamento comienzo (E.18.pág.5a)

compeçar (conpeçar) (copençar) de o a empezar a: copiença 3 pres. indic. (D.1.162), conpeçós' (de) 3 pret. indic. (B.4.1083), compeçaron 6 pret. indic. (B.4.856)

comporrién 'compondrían' (D.8.171a)

compriso preso (D.3.369)

conbid desafío (F.2.52b)

conbidar: c. le ien 'le convidarían' (B.4.21)

conbredes, conbría véase comer

conbusco véase convusco

concejo público (D.10.5d)

conce(l)las consejo (H.1.90)

concepto concebido (F.1.13c)

condesar guardar (D.9.62b)

condido sazonado (I.14.iii)

condonar conceder: condones 2 pres. subj. (D.8.79d); conseguir: condonado partic. pas. (D.10.422b)

conducho provisión de comida para un viaje (B.4.68)

confondimiento perdición (F.6.II.10)

confuerto consuelo, alivio, ánimo (B.2.242c)

connusco con nosotros (B.4.388-89)

conort (conorte) consuelo (D.2.292)

conortar(se), confortar(se), consolar(se) (E.11. pág.4): (me) conuerto 1 pres. indic. (B.1. 91), conortat(lo) 2 imperativo (F.7.178)

conpeçós' véase compeçar

conpostura adorno, afeite (H.7.ix.70)

conprada ¿'comparada'? (G.18.32)

conpus 'compuse' (I.1.ii)

conquerir (arag.) conquistar: conquis 1 pret. indic. (B.1.72), conquirio 3 pret. indic. (E.4.141), conquyriera 3 pluscuamperf. indic. (E.4.141)

conseyllar (nav.) aconsejar (E.2.pról.)

conseio (conseyo) (conseyllo) (conssello) (nav./ arag.) consejo (D.3.461; E.2.I.i.1)

cons(c)iente 'permite' (H.1.130)

consiment consentimiento, benevolencia (D.7. 1b)

consistorio asamblea (D.7.552a)

contado renombrado, famoso (B.4.142)

contenencia conducta (D.7.99b)

contenente división, grupo (E.13.I.xi); de c. semblante de, como (E.17a.IV.xxvi); ademán (I.11.xxxv)

contesçer acontecer: contesçien 6 imperf. indic. (E.16.151)

continent(e): de c. (arag.) rápidamente, de pronto (I.27.vii)

contir véase cuntir

contra hacia (B.2.552a); ante c. su magestat 'ante su imagen' (D.7.144d) *contrallan* 'contrarian' (I.21.1.pág.19)

contrastar (arag.) impedir, oponer: *constrasta* 3 pres. indic. (I.27.ii)

contray especie de paño fino que se labraba en Courtrai, ciudad de Flandes (G.6.10)

contrayuso hacia abajo (E.16.6)

controbar (contrubar) improvisar canciones, trovar (D.2.298): *controbat(li)* 5 imperativo (D.8.172d)

controvadura canción improvisada (D.8.177a)

conuerto véase *confuerto*

convenienza pacto (E.2.II.i.7)

convento (conviento) reunión, conjunto (B.2.244a)

convusco (conbusco) contigo, con vosotros (D.3.351; D.3.35)

conyurar pactar: *conyuro* 3 pret. indic. (E.17b.cccxxi)

copia cantidad (I.26.pág.101)

copiença véase *compeçar*

coquedriz cocodrilo (I.6.xxxx)

coraioso: c. con su incha 'rabioso con su odio', 'colérico' (E.16.557)

coraminos pueblos turcos, llamados también kharisminos y corasines, que empujados por los mongoles, entraron en Asia Menor y en 1244 irrumpieron en Jerusalén (D.5.28)

cordar armonizar (E.17a.VII.xxxvii)

cordojo ira, cólera (F.2.61d); tristeza (G.36.42)

corona tonsura (I.18.ix)

coronado clérigo (B.2.645a)

correlario corolario (I.38.I.pág.58)

correndero suelto (D.9.1868d)

correntero apresurado (D.4.154)

correr atacar: *corrié* 3 imperf. indic. (B.4.958)

corroçar (arag.) enojarse: *(non vos) corroçedes* 5 (y 2) imperativo (H.7.xxxv.280)

corrusco resplandeciente (H.2.60d)

cosera moza de burdel (D.10.396d)

cosiment(e) favor (B.4.1436); *sin c.* ¿entumecido? (B.4.2743)

cosina (arag.) prima (I.27.v)

costanera flanco, cada una de las alas del ejército (E.17a.IV.xxv)

costumero ¿pausado? (F.2.437b)

cota parque, cotarro (F.2.439b); vestidura de malla de hierro (I.28.Proemio.viii)

cotayfesa concubina de soldado de baja clase (D.2.278)

coto multa, sanción (E.14.xv)

couigera moza de cámara (E.16.764)

coxqueas 'cojeas' (I.38.I.pág.50)

cozina comida (B.4.1017)

cras mañana (B.4.1808)

crebantar quebrantar: *crebantado* partic. pas. (B.1.12)

crebanto aflicción (E.17b.ccxl)

crebar(e) quebrar (B.1.63)

creendero criado personal (B.4.1012)

cremar (arag.) quemar (I.27.i)

crer creer (I.25.pág.1)

crespo de piel rugosa (I.10.iii)

crez 'crece' (B.2.550d)

criamento cuerpo (H.4.ix.72)

criazón (cryazón) crianza, casa, séquito (B.2.176b; B.4.2707)

criya (g.-port.) creía (D.11.*Cant*.4.98)

cruesa crueldad (G.19.tít.)

cr(r)uzado se refiere a la insignia de la cruz que empleaban los soldados durante las guerras contra los moros (B.2.464a)

cuadrillo especie de saeta (G.9.11)

cucaña lo que se consigue con poco trabajo o a costa ajena (F.2.122a)

cuda, cudo véase *coidar*

çueco zueco (E.14.x)

cuedar véase *coidar*

cuegan véase *cocer*

cuemo como (E.15a)

cueta, cueyta véase *coita*

cueytado afligido (F.4.421b)

cuidar véase *coidar*

cuio cuyo (I.23.pról.)

cultre joyel (I.37.pág.370)

cunplir incumbir: *cunple* 3 pres. indic. (I.11.xlvii)

cuntir (contir [arag.]) acontecer: *cuntió* 3 pret. indic. (B.4.2281), *cuntiera* 3 pluscuamperf. indic. (D.7.104b)

cura cuidado, preocupación (D.2.45)

curar cuidar, preocupar(se) (D.7.73d): *(se) cura* 3 pres. indic. (G.17.5)

curiar cuidar, proteger: *curie* 3 pres. subj. (B.4.364); recelarse: *(nos) curiava* 3 imperf. indic. (B.4.2569)

curja cuidado, esmero (D.3.88)

curoso atento (I.14.iii)

cuydar véase *coidar*

CH

chamar-(a) (g.-port.) llamar(la) (D.11.*Cant*.7.
31)

chançoneta cantarcillo de tono probablemente ligero y burlesco (F.2.1021c)

chapado adornado (H.3.xvii.203)

chegou (g.-port.) 'llegó' (D.11.*Cant*.7.31)

Chino los comentarios de Cino de Pistoia, ju-
rista boloñés (H.7.xliii.341)

choros coro (I.1.viii)

choya (g.-port.) 'cerraba' (D.11.*Cant*.4.66)

D

dalhinde véase *alinde*

dallend del otro lado, de más allá (E.17a.
VII.xxxvii)

danaira Deianira, mujer de Hércules (I.21.1.
pág.18)

d'aquent desde aquí (B.4.2137)

dar do[1] 1 pres. indic. (B.4.2577), *dedes* 5
(y 2) pres. subj. (B.3.26), *dieredes* 5 (y 2)
fut. subj. (E.9.II.pág.38), *diéstes (me)* 5 (pero 2) pret. indic. (B.1.20), *dioron* 6 pret.
indic. (E.17a.III.xv), *dieran* 6 pluscuamperf.
indic. (B.4.163), *dies* 3 pret. subj. (B.2.
644b), *dat (daldas)* 5 (y 2) imperativo
(B.4.106 y 2136), *dante* partic. pres. (I.20.
fol.cxxiir)

darvas ¿cualidades? (F.2.1015c)

dayne (gal.) gamo (I.34.pág.89)

deballada coda cadencial en el tañido de la
vihuela (D.10.179a)

debdo deber (I.8.xiv)

deçeplina azote (H.8.168)

decevido (decebido) engañado (D.6.111a;
H.1.88)

deçir descender (D.9.2503d): *dició* 3 pret. indic. (F.7.271)

declinatoria disputa que pone en duda la com-
petencia de un juez (H.7.lxxviii.622)

dechado ejemplar (I.38.XX.pág.229)

deesa diosa (E.16.151)

delantera vanguardia de una fuerza armada
(E.17a.IV.xxvi)

deliçio (deliço) delicia, deleite (B.4.850;
D.2.250); *a d.* con cuidado, con esmero
(B.4.3282)

delivre libre (D.7.539a)

demanda pregunta, cuestión (E.23.lxii)

demandar buscar (B.1.65)

demientre entretanto, mientras (D.9.2499c)

demo (g.-port.) diablo (D.11.*Cant*.10.22)

(d')enatío planta silvestre, desapacible (H.6.18)

dende (dend) (dent) desde, de allí (él, ello, etc.)
(B.4.585; B.4.1063)

dennar (¿rioj.?) dignarse de: *dennest* 5 imperativo (D.6.119b), *dennó* 3 pret. indic.
(D.7.75c)

denodar mostrarse feroz (D.9.1886d); tentar:
denodado partic. pas. (D.9.960c)

denunciación anuncio (H.8.62)

departido dividido (E.4.[pról.])

departidor compilador o comentarista (E.17b.
cccxxvi)

departimiento división (E.16.151)

departir explicar: *departe* 2 imperativo (B.2.
240c); censurar: *departirán* 6 fut. indic.
(B.4.2729)

depda deuda (D.10.25c)

deprender aprender: *deprendí* 1 pret. indic.
(E.8.pág.109)

depuda ¿error por *dispuesta*? (I.1.pág.55)

depuerto deporte, juego, diversión (D.3.266)

der (arag.) decir (I.27.vii)

derecho reparación (F.7.10)

derranchar salir de filas: *derranche* 3 pres. subj.
(F.7.434)

derrezio violentamente (E.19.pág.50)

derrundiado derrumbado (E.12.pág.112)

des (g.-port.) desde (D.11.*Pról*.24)

desaquí desde ahora (D.10.40d)

des(s)arrado acongojado, atemorizado (D.7.
95a)

desatirizir deshelarse, perder la rigidez de los
miembros: *desatiriziendo* ger. (F.2.970b)

desbaldir derrochar (D.3.93)

desbaratar vencer, destruir (I.9.lxxviii): *desba-
ratado* partic. pas. (E.16.557)

desbolver desnudar: *desbuélvete* 2 imperativo
(F.2.971d)

(d')escanto encanto (D.8.180a)

descoger elegir, escoger: *descoig* 2 imperativo
(D.4.111)

desechalla 'renunciarla' (I.38.XIV.pág.190)

desend (desende) (desdende) desde allí (D.7.
575d; E.4.[pról.] y 7)

desent entonces (D.9.2313d)

deserrado (desserrado) afligido (D.3.402; I.24.
pág.20)

desesperado ¿maravilloso? (I.34.pág.87)

desfaçado desfigurado (I.30.pág.254)

desfazer(se) deshacer(se) (E.16.755): *desfizies*
3 pret. subj. (E.2.I.i.1)

desfiuzado desconfiado (B.2.555b)

desguisado insolente (B.2.644a); violencia
(D.10.409d)

desí (desi) (desy) después (B.3.64)

desmemoriado desmayado (E.17b.cccxxix)

(a) desora véase *adesora*

despagar (arag.) desplacer: *despagado* partic.
pas. (I.27.ii)

despender gastar: *despende* 3 pres. indic.
(D.1.5)

despensa esfuerzo, gasto (E.16.59)

despojar desnudarse (B.2.646a)

despugado castigado (D.4.171)

desque desde que, después (B.3.46)

dessar (rioj.) dejar (D.6.114b): *dessest* 2 pret.
indic. (D.6.116a)

dessent (rioj.) de allí (D.7.94d)

destajado interrumpido (D.6.117d); precavido,
¿escrito? (D.9.2310d)

destemprar disolver, mezclar en un líquido: *destemprando* ger. (E.16.764)

destetar cortar los pechos (D.5.97)

(d')estonz (de) entonces (D.8.53c)

destroymiento (destruimiento) destrucción
(E.16.554; F.5.74d)

desuso (dessuso) arriba (I.10.i)

desuentado inmóvil (E.17a.VII.xxxvii)

desvarar resbalar: *desvarándo(le)* ger. (G.17.
327)

deuant (arag.) antes, delante de (I.27.i)

deuer (dever) (deber) deber (v. aux.): *debiere*
1 y 3 fut. subj. (B.3.77), *deurien* 6 cond.
(E.17a.VII.xxxv), *deujas* 2 imperf. indic.
(D.2.280); ¿tratarse de?: *deue de* 3 pres.
indic. (D.9.1c)

deuisado anticipado, esperado (I.34.pág.83)

deu-lle (g.-port.) 'diole' (D.11.*Cant*.4.49)

dexar dejar: *dexara* 3 pluscuamperf. indic.
(E.16.8)

dexove...tomove 'dejó...tomó' (F.7.117-18)

deyuso debajo (I.30.pág.254)

dezer llano lenguaje inteligible (F.3.1844b)

dezir[1] *(dizir)* decir (B.1.81): *diz (di[e]ze) (ditz)*
3 pres. indic. (B.2.229c [pero pretérito];
D.3.310; D.10.21c), *diráde* 3 fut. indic.
(B.1.87a), *dizremos* 4 fut. indic. (C.1.90),
dissiero 1 fut. subj. (D.7.108c), *dexier' (dezier)* 3 fut. subj. (F.2.444a; I.29.pág.88),
dizir me ias 2 cond. (B.1.81), *dizrie* 3 cond.
(E.17b.ccxxxi), *dix* 1 pret. indic. (D.1.106),
dixo (dyxo) (disso) 3 pret. indic. (B.2.233a;
D.6.113a), *dixoron* 6 pret. indic. (E.17a.
III.xv), *dixiera* 3 pluscuamperf. indic.
(I.1.iii), *dixies (dexies')* 3 pret. subj.
(D.3.360; F.2.72a), *dizía (dizié)* 3 imperf.
indic. (D.4.114; E.7.pág. 45), *dizien (dezien)* 6 imperf. indic. (B.2.173d; B.3.23),
*digádes(me) (dizí[melo]; dezid nos; dezil-
des; dezit;* etc.) 5 (pero a menudo 2) imperativo (B.1.18; B.1.22; B.4.129; B.4.389b;
D.1.106; etc.)

dezir[2] forma poética (I.22.pág.51)

dezmero el que paga el diezmo a la iglesia
(D.7.104d)

d'í 'de allí' (D.1.140)

dieran, dieredes véase *dar*

(las) diestras 'manos derechas' (D.9.1880c)

diestro hábil: *caballos pora en d.* corceles
(B.4.2573)

di[e]ze, diráde, dissiero, ditz véase *dezir*

dinarada cantidad que se compra con un maravedí de plata (B.4.64)

dioron véase *dar*

dir[1] de ir (E.16.8)

dir[2] (arag.) decir (I.27.1)

dirruye 'destruye' (G.31.9)

disputado analizado (I.23.I.vi)

ditado llamado, que contiene (F.1.2c)

diversorio la parte de un monasterio no dedi-
cada al oficio divino; todo menos la iglesia y las capillas (D.7.552b)

divieso enfermedad de la fiebre (F.2.1090c)

dix, dizir, dizremos véase *dezir*

do[1] véase *dar*

dó[2] ¿dónde? (B.1.19)

do[3] *(dos)* (g.-port.) del, de los (D.11.*Pról*.14)

dobro (dobla) tipo de moneda (D.3.314;
E.8.pág.133)

doce (g.-port.) *(duçe)* dulce (D.11.*Cant*.4.50; E.4.386)

dolar labrar madera: *dolo(las)* 3 pret. indic. (E.17b.cccxxxi)

doler: dolades 5 (pero 2) pres. subj. (I.7.pág.136), *doldrien* 6 cond. (E.17b.cv), *doled(uos)* 5 (pero 2) imperativo (G.23.4)

dolio (arag.) de aceite (I.27.1)

dón[1] *(don) (dónt)* donde, ¿dónde? (B.1.24); de lo cual (B.4.1034)

don[2] destino (F.2.124d)

dona prenda de amor, regalo, gracia (D.1.117)

donos dueños (B.2.641b)

donzel mozo (I.29.pág.87)

doñeador cortejador (F.2.1489c)

doñeo halago propio del que doñea, corteja (F.2.1614d)

doñeguil propio de dueñas, elegante, amable (F.2.65c)

doo (g.-port.) duelo (D.11.*Cant*.4.77)

door (g.-port.) dolor (D.11.*Cant*.10.7)

dos' alçasse 'donde se alzase' (B.4.2286b)

(para) dotrina oficialmente (I.26.pág.96)

drap (arag.) tela, paño (I.27.i)

drechurero honesto (E.5.i)

dreyto (arag.) recto (D.1.62)

drumón nave antigua de un solo orden de remos (D.3.297)

duas (g.-port.) dos (D.11.*Pról*.9)

dubdar temer: *dubdamos* 4 pres. indic. (D.7.70d), *dubdan* 6 pres. indic. (D.5.48)

dubdoso temeroso (I.34.pág.93)

duecho acostumbrado (D.7.149a)

dun(a) de un(a) (B.2.227a; E.2.II.i.7)

duz guía/dulce (nótese el juego de palabras) (F.2.117d y 118d)

E

e[1] y (B.1.3)

é[2] véase *aver*

é[3] véase *seer*

Ecate Hécate (H.2.250c)

echar(se) sitiar (B.4.1203); acostarse: *echose* 3 pret. indic. (I.29.pág.86)

echo hecho (I.24.pág.16)

eguado adulto, crecido (F.2.480a)

eguar igualar (D.7.67c); volver a crecer: *eguado* partic. pas. (B.4.3290)

ejercía cuerda que sujeta el mástil (G.13.5)

elam 'ella me' (D.1.136)

éla (élo) 'la (lo) tengo' (B.4.1635; G.33.11)

els (¿cat.?) ¿y los? (G.10.10a)

elli él (D.6.6d)

embargada embarazada (D.7.507d)

embellinado drogado, envenenado (D.8.195c)

ementar hablar: *ementando* ger. (D.1.135)

emienda recompensa (E.15b.VII.cciv.2)

emiente en miente, al recuerdo, memoria (D.10.415d)

emparar embargar una cosa como consecuencia de un juicio: *empare* 3 pres. subj. (E.2.IV.iii.3)

empecer véase *enpe(e)sçer*

empos (enpos) después (de) (E.9.II.pág.39)

empozoñar envenenar: *emponçonasse* 3 pret. subj. (I.33.pág.795)

enante(s) antes (B.2.176a)

enartar engañar: *enartado* partic. pas. (C.1.138)

enbolujos 'se envolvió' (D.3.1332)

enborraçamiento acción de poner albardilla al ave para asarla (I.14.vii)

encaesçer parir, dar a luz: *encaesçió* 3 pret. indic. (E.11.pág.5)

encara aún, también (E.2.pról.)

encarnado se refiere al perro alimentado de las entrañas de presa recién muerta para estimularle más en la caza (I.34.pág.89)

encovado hundido (I.32.pág.113)

enchir llenar (D.7.112c): *inchámos(las)* 4 pres. subj. (B.4.86), *inchié* 3 imperf. indic. (D.7.112c), *finchíense* 6 imperf. indic. (D.10.427c)

ende (end) (ent) (en) de allí, de (en) ello, etc. (B.2.467a); *por e.* por lo tanto (B.2.645c); *sen*[2] *partió* 'se partió de allí' (D.3.1414)

endereçar aderezar, preparar: *enderesçe* 3 pres. subj. (E.22.vii); dirigirse: *endereço* 3 pret. indic. (I.11.xxxv)

enduçir inducir: *enduxo* 3 pret. indic. (F.2.1490a)

enfamarse difamarse: *enfamedes* 5 imperativo (D.10.10b)

enfiesto enhiesto, erguido (F.2.1486b)

enforma 'instruye' (F.2.13b)

Enfregymio Ifigenia (G.18.26)

engenio ingenioso (I.21.1.pág.17)

engeño (engenno) mente, ingenio (E.11.pág.9); aparato (E.17a.VII.xxxvii); máquina bélica, ¿catapulta? (I.9.lxxvii)

englut engaño, asechanza (D.10.19c)

engorrarse detenerse: *(no) te engorres* 2 imperativo (F.2.1465d)

engramear menear (la cabeza): *engrameó* 3 pret. indic. (B.4.13)

enhoto brío (F.2.968b)

enna(s) en la(s) (D.6.120d)

enogar enojar (I.35.pról.)

enojo daño, agravio, ofensa (I.18.ix)

enojos véase *inoios*

enpachar impedir (I.21.1.pág.18)

enpelecido arrugado (D.3.730)

enpe(e)sçer (empecer) impedir: *enpeesçiere* 3 fut. subj. (I.11.xlvii)

ensenbl(ó) 'reunió' (D.9.245c)

enssemble (arag.) junto, juntamente (I.27.i)

entablamiento alineamiento; varia disposición de los juegos de damas, ajedrez, etc. (E.21)

enteco desagradable (F.2.1017c)

entendedor (entende[de]dora) amante (B.2.629c)

entender saber, oír (B.2.177c); amar(la) (E.8.pág.117)

entendido enseñado, educado (F.3.275)

entizar atizar, excitar: *entiza* 3 pres. indic. (F.2.75d)

entornava 'hundía' (I.2)

entorpado deshonesto (D.7.79d)

entregar liquidar o satisfacer una deuda o promesa (F.8.1163)

entrepezar tropezar: *entrepieça* 3 pres. indic. (E.10.xii)

entrepyeço impedimento (E.18.pág.120b)

enuergonçado respetado (E.20.xi)

enxeco molestia (E.20.vii)

enxuto seco (H.2.20b)

erades 'erais' (F.7.547)

erecho erecto, vertical (E.18.pág.6a)

erguyó 'levantó' (I.32.pág.116)

erías ero; *en todas es.* 'en todas partes' (F.2.1489d)

erzer levantar: *erzían* 6 imperf. indic. (F.8.1101)

erridar excitar, despertar la sensualidad: *(non) errides* 2 imperativo (F.2.485b)

es' (és) (es) ese (B.2.228c; B.4.1211; D.6.115d; E.2.I.i.1)

escalabrado rascado, herido, ¿ciego? (D.8.195b)

escampado (arag.) dispersado, esparcido (I.27.vii)

escanto encanto (F.2.709b)

escatima afrenta, insulto (I.11.xxix)

escol' (g.-port.) escuela (D.11.*Cant*.4.13)

escontr(r)a contra, hacia (B.2.236a)

escoria ¿cosa vil o desechada? ¿error por *estoria* 'miniatura'? (F.2.1571c)

(l')escorraguda (cat.) parte final de la composición o salida (G.10.13)

escorrecho sano, fornido (E.9.pág.67)

escueso sapo (D.2.105)

esculca espía (I.9.I.lxxvii)

escurrir escoltar, acompañar para despedir: *escurren* 6 pres. indic. (B.4.2590)

escusero tipo de arma que se echa, ¿lanza? (D.9.1864d)

escussaçion acusación (I.1.iii)

esdeuenir (arag.) ocurrir, suceder: *esdeuino* 3 pret. indic. (I.27.vii)

esforçado dedicado, animado (I.26.pág.97)

esgarrochado punzado con largas banderillas (I.38.I.pág.50)

esguarde amparo (G.31.1)

esleer (esleyer) elegir: *esleyeron* 6 pret. indic. (E.2.pról.), *eslecyessen* 6 pret. subj. (I.11.xi)

esmortecido desmayado (B.1.82)

esora (essora) entonces, en aquel momento (B.4.2735 y 3161)

espacio consuelo, solaz (B.4.2972)

espandir (nav./cast.) derramar, esparcir: *espanda* 3 pres. subj. (E.2.I.i.1)

espender gastar: *espienden* 6 pres. indic. (F.2.125b)

espeso gastado (B.4.81)

essir, essit véase *exir*

est' (est) este (D.1.119; E.1)

estada tardanza (I.38.XIV.pág.189)

estanca: mala e. pecado, falta (F.2.141a)

estar: estó 1 pres. indic. (B.1.77), *estudierdes* 5 fut. subj. (I.11.lx), *estido (estudo)* 3 pret.

indic. (E.16.961; E.4.131), *estodieron* 6
pret. indic. (I.29.pág.87), *estidiera (estudiera)* 3 pluscuamperf. indic. (E.16.553);
e. en razon ¿estar dispuesta?, ¿cuando la
mujer tiene la regla? (E.8.pág.117)
estorcer (estorçer) salvarse (D.10.70d); cambiar
(E.7.pág.46)
estordido aturdido, fuera de sí (I.29.pág.87)
estormento (estormente) instrumento (E.8.
pág.109; I.9.I.lix)
estrannar (estrañar) evitar (I.11.xxix)
estremarse llegar, ingresarse: *se estremaran*
6 pluscuamperf. indic. (I.7.pág.136)
estrinbote forma poética con la rima *a-a*
(I.22.pág.60)
estrumento aparato (E.17a.VII.xxxvii)
estudiera, estodieron, estudo, etc., véase *estar*
estuence entonces (E.13.fol.64r)
estupaza topacio (G.32.4)
estupro ¿seducción? (F.5.87c)
et y (B.3.6)
étnico: és. montes el monte Etna de Sicilia
(I.38.III.pág.85)
eu (g.-port.) yo (D.11.*Pról.*9)
eua véase *aver*
exco véase *exir*
exebción (término legal) excepción (H.7.lxxviii.
621)
exebe jebe, alumbre (I.14.iii)
exida salida, partida (B.4.11)
exido terreno no sembrado (E.17b.cccxxix)
exir (essir [rioj.]) salir: *exco* 1 pres. indic.
(B.4.156), *iscades* 5 pres. subj. (D.8.186c),
issió(li) 3 pret. indic. (D.7.72b), *yxia (issié) (ixié)* 3 imperf. indic. (D.1.40; D.7.
79c, etc.), *exién* 6 imperf. indic. (B.4.16b),
essit 5 imperativo (D.7.551a)
extraño extraordinario (B.4.581; I.1.primo;
I.10.viii)
eygreja (g.-port.) iglesia (D.11.*Cant.*4.28)

F

fabla historia (E.4.141)
fablar(e) (ffablar) (faublá [arag.]) hablar
(B.1.444; D.1.248): *fabreste* 2 pret. indic.
(D.1.13), *faulo* 3 pret. indic. (D.1.164)

façida faz (E.23.[...])
facié véase *fazer*
facinda acontecimiento (C.1.33)
facionia fisonomía (E.9.pág.62)
fadar adivinar el destino de uno: *fadaron*
6 pret. indic. (F.2.135c)
fademaja (adj. masc.) desgraciado, miserable
(F.2.959e)
*fal*¹ véase *falir*
*fal*² véase *fallir*
falar hallar: *falado* partic. pas. (C.1.34)
faldrjdo valiente, intrépido (D.3.183)
fal(l)esçer (falleçer) fallar, abandonar, morir:
falesca (le la vyda) 3 pres. subj. (B.2.634b)
falir (g.-port.) faltar: *fal*¹ 3 pres. indic. (D.11.
*Pról.*29), *faliu* 3 pret. indic. (D.11.*Pról.*36)
falsar romper: *falsó(l)* 3 pret. indic. (F.2.
1103d)
fallença (fallençia) falta (D.10.22c; H.7.iv.26)
fallir dejar de cumplir: *falliere* 3 fut. subj.
(B.2.634a); abandonar, condenar: *fallido*
partic. pas. (B.2.594d, 634a); morir: *fal*²
3 pres. indic. (F.5.86d)
fantastica fantasía (E.23.[...])
far, faráde, farie, farién, farya véase *fazer*
fascas (hascas) casi (E.17a.III.xv)
fata hasta (B.4.2872)
faublá, faulo véase *fablar(e)*
fay/faile de la frase proverbial *a quien te fay,
faile* 'a quien te la hace, hazla' (F.2.1466c)
faya haya, nombre de árbol (F.2.1126c)
*f(f)az*¹ véase *fazer*
*faz*² *([h]az) (haze)* una de las líneas de combate: la *delantera* (vanguardia), *çaga* (retaguardia) y *costanera* (flanco) (B.2.552a);
f. de papo superficie anterior del papo del
halcón (I.10.iii)
fazanna (fazaña) (fazania) hecho, hazaña
(B.2.175b)
fazendera asunto, trabajo del vecindario para
la utilidad común (D.9.1868b)
fazer (facer) (far) (ffer, fer[se]) hacer: *faze
(f[f]az*¹) 3 pres. indic. (B.1.30), *fazedes*
5 pres. indic. (B.2.632a), *f(f)are* 1 fut. indic. (B.2.247a), *farà(de)* 3 fut. indic.
(B.1.42), *faredes* 5 fut. indic. (B.2.631b),
fiziere 3 fut. subj. (D.10.413d), *fizierdes*
5 fut. subj. (I.11.xxv), *farya (farie)* 3 cond.
(D.1.212; E.17b.cccxxxi), *farién* 6 cond.

(D.8.171a), *fiz (fizi) (fize) (fis)* 1 pret. indic. (B.1.20; I.5; B.3.53; I.30.pág.254), *fecist* 2 pret. indic. (D.7.61c), *fizo (fezo) (feço) (fiço) (fiso)*, etc., 3 pret. indic. (B.1.25; D.8.2d; D.8.133d; I.18.ix; G.18.tít.), *fezistes* 5 (y 2) pret. indic. (B.3.59), *ficieron (fizieron) (fyzieron)* 6 pret. indic. (B.2.470c y 556b; etc.), *fiziera* 3 pluscuamperf. indic. (D.1.125), *fiziese (ficies) (ficiese) (feciese) (feziese)* 3 pret. subj. (B.3.62; E.15b. IV.xvii.8; etc.), *fiziessen* 6 pret. subj. (E.17b.cv), *fazia (facie)* 3 imperf. indic. (B.2.177c), *fet (fey* [¿gal.?]) *fazet(me)* 5 imperativo (D.4.152; F.2.482d; I.32.pág.116)

fazienda empresa (D.10.430b); batalla (E.16. 755); conducta (I.29.pág.86)

fazimiento tratamiento (F.7.275)

feble débil (D.1.169)

fecist, feço véase *fazer*

fediente hediondo (H.7.x.76); feo (I.1.viii)

feit' (g.-port.) hecho (D.11.*Cant*.7.20)

fellón ruin (D.4.108)

femencia vehemencia, esfuerzo (D.7.50c)

fenchir véase *enchir*

feneçer (fenecer) acabar, morir: *fenescan* 6 pres. subj. (H.2.254h)

fer, ffer véase *fazer*

ferida (feryda) herida (B.2.466a); golpe: *una feridal' dava* 'le daba un golpe' (B.4.38)

ferir golpear, herir: *ferido* (adj.) (A.15), *fiere* 3 pret. indic. (E.4.3), *firgades* 5 pret. subj. (B.4.3690), *firiestes* 5 pret. indic. (B.4. 3265), *firid(los)* 5 imperativo (B.4.597); [*manos*] *diestras...f.* dar la mano (D.9.1880c); *ferit palmas* 'aplaudir' (D.10. 546b); ¿llegar?, ¿llamar? (I.34.pág.89)

fes pl. de *fe* (B.4.120)

festino rápidamente (D.1.160)

fet, fey véase *fazer*

feyto (arag.) hecho (D.1.63)

feziese, fezistes, fezo véase *fazer*

ffigura apariencia (D.3.720)

fflumen río (D.3.1351)

ffolgado, ffuelgan véase *folgar*

ffundamiento ano del ave (I.12)

fi hijo (B.1.98)

ficies, ficiese, fiço véase *fazer*

fierbe hierue (F.2.437d)

fiere véase *ferir*

figa (fygo): non balién tres fs. expresión de menosprecio (D.8.176c)

fiio hijo (F.6.II.prosa)

fijo de mugier nada 'nadie en absoluto' (B.4.3285)

fillar[1] (g.-port.) tomar (D.11.*Cant*.4.45), *fillou* 3 pret. indic. (D.11.*Cant*.4.52)

fillar[2] tejer: *filla* 3 pres. indic. (I.18.ix)

fillo (arag.) hijo (D.1.197)

fin amor amor fino o refinado (concepto provenzal) (D.1.55)

finar(e) morir (B.1.29): *fyno* 3 pret. indic. (F.4.3b), *finase* 3 pret. subj. (B.1.80)

fincar (fyncar) quedar (B.2.555b): *fyncaria* 3 cond. (B.2.233d), *fito* partic. pas. (B.4. 576); apoyar: *fincó (fynco)* 3 pret. indic. (B.4.2296); pegar: *fincó* 3 pret. indic. (B.4.2299); *f. la boz:* terminar una petición (B.4.3167); *f. sobre* inclinarse sobre (B.4.2285)

finchíense véase *enchir*

finense 'se fingen' (I.18.ix)

finiestra ventana (B.4.17)

finojos véase *inoios*

firid(los), firiestes véase *ferir*

fis véase *fazer*

fito véase *fincar*

fiuza confianza (I.11.xi)

fiz, fize, fizi, etc., véase *fazer*

flamma llama (G.32.8)

floxo débil, ¿cerrado? (D.3.1363)

fo, fo[l] véase *seer*

fodedor fornicador (E.3.fol.50r)

foder fornicar: *fod'* (g.-port.) 3 pres. indic. (D.12.7), *fodió* 3 pret. indic. (E.2.IV.iii.3)

fogado ahogado (D.10.11d)

foguenna de fuego (E.4.377)

foi véase *ir*

foir (foyr) (fuir) (fuyr) huir: *fuyga* 3 pres. subj. (G.31.7), *huigamos* 4 pres. subj. (I.38. XII.pág.175), *fuxo (fusso* [rioj.]) 3 pret. indic. (B.2.226d; D.6.121b), *fuxieron* 6 pret. indic. (E.17b.civ), *fuyd (fuyt)* 5 imperativo (I.17.[pról.]; I.29.pág.87)

foles necios (D.7.580d)

folgar (ffolgar) descansar, tener ayuntamiento carnal: *ffuelgan* 6 pres. indic. (E.20.xvi), *folgaron* 6 pret. indic. (B.2.464a), *ffolgado* (partic. pas.) dotado (E.16.558) *folia (follía)* locura (D.2.12; I.29.pág.87)

follar pisotear, hollar: *follaron* 6 pret. indic. (E.17b.ccxl)

fonda honda, tira de cuero para tirar piedras (F.2.963e)

fondir hundir (D.9.2308d)

(al) fondón de debajo de (B.4.1003); *(a) f.* abajo (F.7.360)

fonsado ejército (D.2.229)

fonta (onta) afrenta (B.4.959)

fontano bautismal (D.7.575b)

foradado perforado (D.6.118d)

foradar horadar, perforar: *foradó(se)* 3 pret. indic. (F.2.137c)

foscando ofuscando (H.2.18c)

fose (fosse) véase *seer*

franco catalán (B.4.1002)

franquear dar con generosidad (F.7.155)

fregar restregar sexualmente: *fregó* 3 pret. indic. (E.2.IV.iii.3)

freiría monasterio (D.7.81d)

fromera ¿dragonera?, ¿cubil? (F.3.1825d)

fruir gozar (H.2.24h)

frydo (arag.) frío (D.1.29)

frydor (arag.) frío, frescura (D.1.40)

fu, fuere, fues, etc., véase *seer*

fuent (fuente) río (B.1.70)

fuera (fueras) excepto (D.7.580d; E.15b.II.xxxi.4)

fuesa (fuessa) huesa, sepultura (D.3.1400)

fundo hondo (I.31.I.lix)

funte (arag.) fuente (D.1.150)

fure véase *seer*

fusso véase *foir*

fuste (fusta [arag.]) madera (I.33.pág.279; I.27.i)

fústed' 'te fuiste de' (B.4.3365)

fuxieron, fuxo, fuyd, fuyga, fuyr, fuyt véase *foir*

fuyna especie de garduña (I.6.xxxx)

fygo higo (B.2.181d)

fynco véase *fincar*

fyrmal firmal, joya en forma de broche (H.7.xxxiv.269)

G

gabar bromear: *gabando* ger. (D.10.432c)

gabla jaula (E.11.pág.16)

Gaga el río Ganges (E.19.pág.16)

gaho deforme (F.2.961b)

gahurra mofa (D.8.177d)

galindo torcido (I.32.pág.115)

gallarín cuenta que se hace doblando siempre el número en progresión geométrica (B.2.572d)

ganzella (ganzela) gacela (I.6.xxxx)

garço de ojos azules (E.8.pág.117)

garnacha vestidura talar con mangas y un sobrecuello grande, que cae desde los hombros a las espaldas (F.2.966b)

garpio alarido, grito (E.11.pág.12)

gasaiado (gasajado) descanso (E.20.vii); deleite (I.9.I.lix)

gata máquina de guerra (I.9.I.lxxvii)

gaya véase *ciencia*

ge, gelo(s) se, se lo(s) (B.2.469a)

genta gentil (D.10.4b)

giga pequeña viola de arco con tres cuerdas (D.8.176d)

girconça circón o jacinto, piedra fina (F.2.1610a)

gladio espada (D.10.40c)

glera arenal (B.4.59)

glosa afectación, exageración (G.27.25)

glota gruta (I.34.pág.89)

gorgueros (de la golliella) cuello, gola (D.7.155d)

grado agradecimiento (B.4.8); *sin g.* de mala voluntad (B.3.14)

granado maduro, excelente (D.3.218); grande (D.8.55d)

grañones ¿tumores? (I.2)

grifo bestia fabulosa (D.9.2497a)

grinyon mandíbula (D.3.734)

grous grulla (D.12.12)

gruyto grito (B.2.465c)

guada(l)meçí cuero repujado (B.4.87)

guarecer (guarescer) (guaresçer) curar, recobrar la salud (I.2)

guarir guarecer, proteger: *guarido (guarydo)* partic. pas. (B.2.628c); salvar (D.11.*Cant.* 4.83); refugiarse (H.4.iv.30)

guarnido armado, protegido (F.2.1081c)

guisa manera (B.2.469a); *syn g.* interminable(s) (F.6.II.prosa); *de gran g.* de noble linaje (I.11.xi)

guisado justo, razonable (B.4.118)

guisar preparar, disponer (B.2.635b)

gulpeija zorra (E.9.pág.49)

guzque perro pequeño (I.38.XII.pág.183)

H

habello 'haberlo' (G.17.6)

haber precio, cantidad de dinero (B.3.8)

hadeduro desgraciado, infeliz (F.2.967e)

hamas 'amas' (I.17.I.ii)

hascas véase *fascas*

hato vestido, ropa (F.2.971d); rebaño (F.2.1011c)

haz, haze véase *faz*²

he: a la he a la fe, en verdad (F.2.961c)

hedo feo (F.2.961b)

hedes véase *aver*

helar: yela 3 pres. indic. (F.2.1006b)

hera véase *seer*

heys sufijo del fut. indic., véase p. ej. *leuar: leuarme heys* (E.8.pág.106)

hí (hy) véase *y*

hiá, hías, etc., véase *iá*

hie sufijo de cond., véase p. ej. *veyerlo hie* (D.10.405d)

hiebre fiebre (F.2.1090b)

hir, hirja, hiuan véase *ir*

ho o (D.3.32)

hobe, hobiéredes véase *aver*

hoí véase *oír*

home (ome) (omre) véase *omne*

hostal (ostal [arag.]) hostería, habitación; casa (D.2.60; I.27.1)

hoyeron, hoyr véase *oír*

huã (g.-port.) una (D.11.*Cant*.7.11)

huebos necesidad: *ser h.* ser necesario (B.4.82b)

huerco infierno (I.17.II.i)

huigamos véase *foir*

hurde 'urde' (H.1.153)

husage (arag.) costumbre, usanza (I.27.1)

husança (arag.) costumbre, práctica (I.27.i)

huuiasse véase *uviar*

huuiesse véase *aver*

husgo juicio, ¿miedo? (E.22.vii)

huviar véase *uviar*

hy véase *y*

hyziendo 'yaciendo' (H.7.liv.431)

I

i y (C.1.14; I.23.pról.)

í (i g.-port.) véase *y*

ia ya (C.1.89)

iá (ias) (iya) (hiá) (hías), etc., sufijo de condicional: véase p. ej. *dezir: dizir me ias* (B.1.81)

iace, iacer véase *yazer*

iantar véase *yantar*

ie se (D.1.75)

ien sufijo de cond., véase p. ej. *conbidar le ien* (B.4.21)

illa ella (G.17.90)

imos véase *ir*

implir (arag.) llenar: *implen* 6 pres. indic. (I.27.i)

inchié véase *enchir*

india índigo, añil (I.11.v)

indino indigno (G.33.56)

in(n)orar ignorar: *innore* 3 pres. subj. (I.35)

inoios (inojos) (finojos) (ynojos) (enojos) rodillas (B.4.53; etc.); *los fs. fincados* arrodillados (B.2.550b)

io yo (C.1.11; I.23.I.v)

iogar véase *jogar*

ir (hir) (yr): uó¹ (vó) 1 pres. indic. (C.1.62; F.2.970g), *imos* 4 pres. indic. (C.1.77), *(non vos) ydes (vades)* 5 pres. indic. (F.6.II.104; G.4.36), *(foi* [g.-port.]) 3 pret. indic. (D.11.*Cant*.4.27), *(sse) hirja (irié)* 3 cond. (D.3.292; D.10.399c); *hir (sse)* inf. reflex. (D.3.134), *ire (hire)* 1 fut. indic. (C.1.17; D.3.351), *yredes (yres)* 5 (y 2) fut. indic. (H.4.xvi.126; I.29.pág.88), *yrán* 6 fut. indic. (E.6.lii), *fueres* 2 fut. subj. (D.2.213), *fuerdes* 5 (pero 2) fut. subj. (F.7.276), *yva (yua)* 3 imperf. indic. (B.2.138a), *hiuan* 6 imperf. indic. (D.3.175), *yt (jd) (yd vos)* 5 (y 2) imperativo (D.1.138; D.3.1412; E.8.pág.106)

irado enojado (D.6.118b)

irarse enojarse: *se iraría* 3 cond. (D.4.116)

iscades, issié, issió(li) véase *exir*

(mia) iuda: (mi) ayuda (D.1.201)

iudgaban, iudgo, iugara véase *judgar*

iudicio (iudizio) juicio, sentencia (E.18.pról.)

iuntar juntar (B.4.365): *mayuntasse* 'me juntase' (E.16.59) *iunyo* (arag.) junio (I.27.1)

iura juramento (E.2.IV.iii.3)

iurar jurar (E.2.I.i.1): *iure* 3 pres. subj. (E.2. IV.iii.3), *iuras* 3 pret. subj. (E.2.I.i.1)

iuyzio juicio (I.15.xx.pág.14)

ixié véase *exir*

iya véase *iá*

J

jabla jaula (E.11.pág.15)

jantar véase *yantar*

jaz, jazer, jazia véase *yazer*

jd véase *ir*

jogar (iogar) jugar, apostar (D.2.131); tener relaciones sexuales (D.3.390)

jogó véase *yazer*

jogreria (jogleria) juglaría (D.2.294); *de j.* cosa de poca importancia (E.23.lxii)

judgar (iuzgar) juzgar: *julga* 3 pres. indic. (D.2.288), *iugara* 3 fut. indic. (C.1.43), *iudgo* 3 pret. indic. (E.17b.cccxxvi), *iudgauan* 6 imperf. indic. (E.18.pág.6a)

julga véase *judgar*

junnir (arag.) juntar: *junniemos* 4 pret. indic. (D.1.104)

juuenta juventud (D.3.90)

juuizio juicio (B.4.3259b)

L

labo ¿error por lobo? (D.6.6c)

labros (labrios) labios (D.1.66)

ladino se refiere o al latín o al romance antiguo (E.16.553)

laído feo, triste (I.32.pág.113)

lançallos 'lanzar los' (I.14.vii)

landre tumor, buba (H.7.ii.15)

laña utensilio de cocina cuyos dos extremos se clavan para unir dos partes de un ave, etc. (I.14.vii)

lapidado apedreado (D.10.559d)

lazerar véase *lazrar*

lazerio esfuerzo, pena (E.4.[pról.])

lazrado maltratado (B.2.227c); necesitado (B.4. 1045)

lazrar (lazdrar) (lazerar) sufrir, padecer (B.2. 174b)

ledanía letanía, narración monótona (D.8.162c)

lediça alegría (D.11.*Cant*.7.24)

ledo alegre (H.7.liv.432)

leedor (g.-port.) lector, estudiante (D.11.*Cant*. 4.22)

legar llegar: *legas* 2 pres. indic. (D.1.168)

lege leche (D.7.75d)

leito (g.-port.) lecho (D.12.9)

leixar (g.-port.) dejar (D.11.*Pról*.24)

lençuelo sábana (D.3.1364)

leno ¿león? (D.3.269)

leonado color del pelo del león (I.36.pág.84)

ler leer (I.25.pág.15)

lescorraguda véase *(l')escorraguda*

lesonia lisonja (I.11.v)

letuario preparación farmacéutica, electuario (I.14.iii)

leuar (levar) llevar, levantar(se) (D.1.203): *lieua (lieva)* 3 pres. indic. (B.4.582), *levémos(le)* 4 pres. subj. (B.1.9), *leuarme heys* 5 (y 2) fut. indic. (E.8.pág.106), *leuem'* 1 pret. indic. (D.1.103), *lieva* 2 imperativo (D.4. 86), *levaldas* 5 imperativo (B.4.167)

leuem' véase *leuar*

leunga lengua (E.23.[...])

lexaprén especie de composición poética (forma métrica: dejarse y prenderse) (I.22. pág.59)

lexar dejar: *lexaron* 6 pret. indic. (D.10.419c)

leyer leer (D.1.113): *liesen* 6 pret. subj. (D.2. 259)

lezne liso, suave (I.10.iii)

li (lle) (lli) (ly) (ll') (lhe) (lhi) (lles) le, les (D.6.2d; D.11.*Cant*.4.26 [g.-port.]; etc.)

liáronle 'le ligaron' (I.32.pág.117)

libelar hacer pedimentos escritos que se presentan ante un juez (H.7.xlii.330)

libelo pedimento (H.7.lxxviii.622)

librar juzgar, decidir: *libre(lo)* 3 imperativo (pero optativo) (I.5)

liesen véase *leyer*

lieua, lieva véase *leuar*

lignaloe aloe (I.14.iii)

limo lodo (E.23.lxii)

linax (linatge) linaje (B.2.177c); nobleza (D.10. 412b)

liña línea, linaje (I.25.pág.5)

lixo inmundicia, suciedad (I.1.pág.57)

liya (g.-port.) 'leía' (D.11.*Cant*.4.12)

logro pago, ganancia (D.3.313)

loguer ganancia (D.10.429b)

lohor (lahor) (lohar) loor (H.1.133 y 143; I.37.pág.334)

loquela habladuría, relato (D.10.558d)

lorado (¿leon.?) llorado (F.6.II.135)

loriga coraza (B.4.578)

loziello (luziello) urna de piedra en la que se sepulta a personas distinguidas (F.6.II. prosa)

lua (luua) guante (D.1.74)

lucha acto sexual (F.2.969g)

luengamient(r)e largamente (D.7.581b)

luengo largo (D.3.229)

luenne (lueñe) apartado, a gran distancia (D.7.110a; F.7.367)

lur(es) (nav.-arag.) su(s), suyo(s) (E.2.pról.)

lúrido pálido, sombrío (H.2.250h)

luzillo (luziello) sepultura (E.16.pág.59, 557)

lyso lis, lirio (G.18.12)

LL

llano cintarazo (B.4.3661)

llantar plantar: *llanta* 3 pres. indic. (E.15a)

(ll')aponna véase *aponnar*

llo lo (B.4.3367)

M

maçada: dar m. caer en grave enfermedad (F.2.699d)

maçana pomo de la espada (B.4.3178)

macar (g.-port.) aunque (D.11.*Pról.*9)

madre matriz, útero (E.8.pág.118)

maes mas, más (B.1.21)

magadaña espantapájaros (F.2.122d)

magestat imagen religiosa de Cristo o de la Virgen: *contra su m.* ante su imagen (D.7.144d)

maguer (maguera) aunque (B.4.171)

maiar golpear: *maiado* partic. pas. (B.4.2732)

mais: doy m. desde luego (F.2.53d)

malapreso desdichado, desventurado (F.2. 1470c)

malato (malauto [arag.]) enfermo, mal (E.9. pág.73; I.27.1)

malcalçado desharrapado, ruin (B.4.1023)

malfaçaron 'atacaron', 'desfiguraron' (B.2. 558a)

malgranar huerto de granados (D.1.152)

maliuar injuriar (D.1.163)

(de) malpagar descontento (F.2.55d)

malsabido artero (F.2.484b)

maltraer denostar, injuriar: *maltroxieron* 6 pret. indic. (E.17b.ccxl), *maltraya* 3 imperf. indic. (I.34.pág.82)

mallo malo (I.18.i)

malleso maleza, maldad (H.1.97)

man 'me han' (C.1.125)

man a mano en seguida (D.1.124)

manaza amenaza (I.1.primo)

mandadero enviado (I.8.xiv)

mandado noticia, mensaje (B.4.2718)

manderecha acierto (I.38.XII.pág.180)

manero representante (B.4.2133)

manoclí familia de cíclopes (E.4.17)

mañereza esterilidad (I.1.primo)

maño magno, grande (F.7.144)

mão (g.-port.) mano (D.11.*Cant.*4.48)

manzobre especie de composición poética, forma métrica (I.22.pág.59)

maravedí moneda de oro o plata de extensa circulación durante la Edad Media y Siglo de Oro (I.28.pág.20)

marfil elefante (I.6.xxxx)

marfuz engañador, astuto (F.2.119d)

marín los benamarines, fuerza mora nazarita (ss. XIII-XIV) (F.3.1810b)

marrjdo acongojado (D.3.1382)

mascoriento engañoso (D.10.14d)

masiella mama, pecho (D.7.508b)

maslo (masclo) macho (D.9.1866b)

mayça (g.-port.) malicia (D.11.*Cant.*7.27)

maymon especie de mono (I.6.xxxx)

mays mas, más (D.2.20)

mayuntasse véase *iuntar*

meaja (meajuela) moneda de vellón que corrió antiguamente en Castilla y valía la sexta parte de un dinero, o medio maravedí burgalés; galladura (D.6.2d; I.17.II.1)

meçer mover, encogerse: *meçió* 3 pret. indic. (B.4.13)

meester véase *mester*

meiorar (meiurar [arag.]) mejorar: *meioras*

3 pret. subj. (E.2.I.i.1), *meiuraran* 6 fut. indic. (E.18.pág.123a); adjudicar, reparar: *meiorare* 1 fut. indic. (B.4.3259b)

mel (g.-port.) miel (D.11.*Cant*.4.50)

melecina (melezina) medicina, remedio (D.3.636)

melezjnar medicinar (I.13.II:2.xxvij)

membrar (menbrar) recordar, acordarse (D.10.541a): *mjembra* 3 pres. indic. (D.3.170), *membraua (menbrava)* 3 imperf. indic. (D.3.94)

men (arag.) 'me ende (de ello)' (I.27.vii)

mena almena (D.10.16b)

menbrado prudente, discreto (B.4.102)

mencojo pestaña (D.3.729)

meneo compostura, movimiento (I.25.pág.9)

menestryl juglar, músico (E.11.pág.9)

menge (cat. o prov.) médico (I.1.pág.426)

menguado humillado, necesitado (B.4.134)

menguar faltar (D.9.247d): *mingua²* 3 pres. indic. (E.9.II.pág.39)

menyõ (g.-port.) niño (D.11.*Cant*.4.6)

mercado trato, negocio (B.2.572a)

merino, juez, delegado del rey (D.7.581d)

mero grande (H.7.xliii.342)

mesnada conjunto de vasallos (B.2.233b)

mester (meester) necesidad (E.16.764); oficio (B.2.177a); oficio poético basado en el empleo de estrofas de «cuaderna vía», la versificación predilecta de la clerecía (D.9.1b)

mesturar revelar: *mestura* 3 pres. indic. (D.7.49d); impedir, denunciar: *mesturado* partic. pas. (B.2.636d)

mesturero calumniador (F.2.1020d)

mesura conveniencia, voluntad (B.2.179a)

mesurar reconocer, considerar: *mesuraron* 6 pret. indic. (E.17a.III.xv)

meter poner, enviar, destinar: *metudo, miso* partic. pas. (B.4.844; D.4.239); *m. mientes* reparar (D.10.68c)

metím 'me metí' (B.1.69)

meu (g.-port.) mi (D.1.120)

meyos (pl.) la mitad (E.2.IV.iii)

meytad (meytat [arag.]) mitad (I.2; I.27.vii)

miçer (arag.) señor (I.27.v)

migero milla (E.19.pág.50)

miior (meior) mejor (B.4.3720; G.20.32)

millor mejor (E.2.IV.iii.3)

mingua¹ falta, carencia (B.4.1178)

mingua² véase *menguar*

miramomelin emir (E.2.pról.)

miro egipcio (D.5.29)

miso véase *meter*

missión gasto, dádiva (D.10.558c)

mixto mezclado de carne y espíritu (I.38.I.pág.46)

mjembra véase *membrar*

moger mujer (D.2.210)

molaziello monaguillo (D.2.109)

molher (g.-port.) mujer (D.12.11)

mollera cabeza (F.2.1104d)

monaguesa mujer del monaguillo (D.2.220)

monclura lazada de un yelmo (B.4.3652)

moneda clase, especie (D.7.4c)

monomachia combate singular (E.3.fol.52r)

morabetino pequeña moneda de plata o vellón, maravedí (E.14.x)

morir (murir): morredes 5 (y 2) fut. indic. (B.2.632a), *morra* 3 fut. indic. (E.18.120b), *morrié* 3 cond. (D.9.2310d)

mortaldade (mortaldat [nav.]) matanza (B.1.8; E.2.pról.)

mos mis (C.1.22)

mosen (arag.-cat.) señor o monseñor (I.24.pág.18)

motejar componer motes o canciones (E.8.pág.109)

moxmordo adj. oscuro que se refiere a los dientes: ¿grotesco?, ¿de idiota? (F.2.1014b)

mudar cambiar un ave el plumaje: *mudado* partic. pas. (B.2.575a)

muebda motivo, impulso (D.10.26c)

muesso mordida (I.3)

muio (arag.) mucho (D.1.112)

muit (muyt) (nav./arag.) muy (B.1.94; E.2.pról.)

mur ratón (E.9.pág.49)

murir véase *morir*

musgo almizcle (I.12)

muyller (muller) (mullier) (nav./arag.) mujer (E.2.IV.i.3; I.27.ii)

muzo escotilla, tronera (D.9.2306c)

N

nascer nacer: *nado* partic. pas. (B.2.239c)

natura vagina (I.15.xx.pág.16); órgano sexual (I.27.1)

ne (arag.) por tanto, por eso, de allí (I.27.vii)

neblí ave de rapiña (E.14.xxvi)

nema ¿cierre o sello de una carta? (E.9.pág.49)

nemiga blasfemia, mala acción (D.8.176b)

nerbioso fibroso (I.10.iii)

nieu nieve (D.1.148)

nigromançia arte de adivinar el futuro (I.11.xi)

nigromanciano mago, adivinador (E.19.pág.41)

nimbla 'ni me la' (B.4.3286)

nocir dañar, ofender (D.7.156a)

nodrecer alimentar: *nodrece* 3 pres. indic. (F.1.48c)

noite (g.-port.) noche (D.12.18)

nol' 'no le' (B.4.25)

nol sembla 'no la conoce' (D.3.406)

nom 'no me' (C.1.81)

non vos sala / ya de mente 'no os volváis locos' (F.6.II.83-84)

nós nosotros (B.4.146)

nouelo (nouel) (novelo) fresco (G.18.11); nuevo (H.2.1e)

nozible dañino (E.23.pág.3)

nuef nueve (B.4.40)

nul(lo) ningun(o) (D.2.257)

numqua (nunqua) (nunqa) nunca (C.1.34; D.7.71d)

nuue nube (E.16.151)

nuyll (nav.) ninguno; (pleonasmo) algún, todo o todos (E.2.IV.iii.3)

O

ó¹ donde (B.1.11)

o² (g.-port.) el, lo (A.4; D.11.*Pról*.7)

obraçión ofrenda (D.2.204)

obrjr abrir (D.3.1384)

ocajon (g.-port.) daño grave (D.11.*Pról*.30)

ochauo octavo (E.20.xxvi)

odir (udir) oír: *odí* 1 pret. indic. (D.7.7b), *udieron* 6 pret. indic. (D.7.7c), *odredes* 5 fut. indic. (B.4.70)

oi (oy) (oï) hoy (B.1.43; B.2.550d; D.8.59d)

oír (hoyr) (I.35): *oyer* 3 fut. subj. (I.32. pág.113), *hoí (oý)* 1 pret. indic. (D.3.80; F.4.1b), *hoyeron* 6 pret. indic. (D.3.359), *oyie* 3 imperf. indic. (I.5), *oit* 5 (y 2) imperativo (B.1.30)

olicornio ¿unicornio? (I.14.iii)

omen (ome) (onbre), etc., véase *omne*

omenaje promesa, juramento (B.1.20)

omezillo odio, homicidio (I.17.I.ii)

omiçero matador (B.2.173c)

omillado ¿llegado?, ¿inclinado? (B.2.652b)

omne (ome[n]) (home) (omre) (onbre) uno, hombre (B.1.88, etc.); *o. del mundo* nadie (E.17b.cccxxxi)

on donde (D.3.266)

onbriello (del ala) abultamiento de la articulación del ala (I.10.iii)

onbro hombro (D.1.126)

onde (ond) (ont) de (a, en) donde (D.11.*Pról*. 12 [g.-port.]); puesto (o por lo) que (B.2. 630b)

onta véase *fonta*

ontr'os (g.-port.) entre los (D.11.*Cant*.4.12)

opóstata apóstata, traidor (I.28.Proemio.viii)

oral velo para el rostro (D.1.119)

oram' 'ahora me' (D.1.136)

oratge tiempo (D.3.274)

ordio¹ cebada (B.2.234c)

ordio² véase *ordir*

ordir maquinar, traicionar: *ordio²* 3 pret. indic. (I.29.pág.86)

organar sanar, ¿cantar? (D.1.249)

órgano voz, canción (D.7.7c)

oriella viento (E.20.i)

orifant elefante (E.23.lxii)

ortado fino, extremado (D.10.179c)

osee ¿error por Ossa, montaña mitológica griega? (I.21.1.pág.18)

osmo(la) véase *usmar*

ostal véase *hostal*

osulución solución (D.10.20d)

otrie ¿'otros'? (I.24.pág.20)

otrossi (otro si [otrosi]) (otrosy) (otro syn) (otroquesi) también (B.2.569c; C.1.59 y 63; E.3.fol.50; etc.)

oui, ouiesse, ouo (ovo), oviera, ovisse, ovist, etc., véase *aver*

ovos'= ovose 'se hubo' (B.2.228b)

oý, oyer, oyie véase *oír*

P

padir padecer (D.7.511d)

pagar(se) satisfacer(se), estar contento:

pagós' 3 pret. indic. (B.4.69); contentar: *será pagado* 3 fut. perf. (B.4.129); *con voluntad pagada:* gustosamente (B.2.464b)

palaciano cortés (D.9.1881a)

palma: de la pata del aγe (I.10.iii)

panarizo panadizo o inflamación de los dedos (I.11.xxix)

pançon pan bíblico milagroso que «fartó a los cinco mil onbres» (I.4)

pandero instrumento musical: (eufemismo) órgano sexual (F.2.705d)

pannos menores ropa interior (E.17a.IV.xxvi)

papagayo vulva (E.8.pág.117)

para[ ]des mientes 'paráis mientes' (D.2.65)

parage linaje, alcurnia (D.2.270)

paramento (paramiento) convenio, ordenanza (B.2.573b)

parar preparar, disponer: *parado:* partic. pas. (B.4.33); colocar: *paravan* 6 imperf. indic. (B.4.1019); dejar: *páran(las)* 6 pres. indic. (B.4.2721); *p. mientes:* reflexionar, fijarse (D.2.65; E.11.pág.24)

partiós' 'se partió' (B.2.225b)

paraula palabra (D.10.398a)

parcir perdonar: *parcid* 5 imperativo (D.7.566c)

pardo onza (I.6.xxxx)

pareia mujer legítima (B.4.3277)

paresciente hermoso (F.2.433b)

paria tributo (B.4.109)

partida parte, región (I.34.pág.88)

partido separado (B.1.21); terminado (F.6.II.90)

passada medio de vivir (B.2.179c; I.11.xxxv)

passado muerto (D.7.95c)

passaro gorrión (I.12)

passión (pasion) sufrimiento (D.6.119b; H.1.125)

pastraña cuento de viejos, refrán popular (F.2.64a)

paviota alcahueta, engañadora (F.2.439a)

pecado carboniento el diablo (F.2.873b)

pechar pagar tributo, multa u otra obligación (E.15b.II.xxxi.2): *pecharé* 1 fut. indic. (D.4.127)

pedrero parte de la honda donde se coloca la piedra (F.2.963e)

pedrica, pedricaron véase *predicar*

pella pelota (E.4.[pról.]); *com a p.* como si fuera una pelota (D.7.86a)

pennedo peñasco, aislado (E.17a.VII.xxxvii)

pensar (de) comenzar: *piensan de* 6 pres. indic. (B.4.10), *pensat* 5 (pero 2) imperativo (B.2.646a)

peña piel para forro o guarnición (I.14.iii)

penás 'penase' (D.3.1357)

peñavera piel de armiño o de marta cebellina (¿?) (F.2.17b)

pepïon moneda de poquísimo valor difundida sobre todo en Castilla (F.2.1454d)

periglo peligro (B.1.6)

petrera llaga hecha en la barriga por el petral, la faja que ciñe la silla de montar (I.38.I.pág.57)

petrina pecho (D.3.221)

peyndrar tomar prendas, empeñar (E.15b.II.xxxi.2)

pieça (pyeça) rato (B.2.594c); porción, parte (E.17a.VII.xxxvii)

piedes pies (D.1.210)

piértega vara larga (D.9.2500a)

pigaça urraca (E.9.pág.49)

pinta mancha (I.10.iii)

pirofiles 'hoja de fuego', mineral elaborado en la joyería (I.14.iii)

pisar... yerva fuert enconada perder la virginidad, tener relaciones sexuales (D.7.507c)

plaça espacio (B.4.595)

plaçer véase *plazer*

plado prado (F.6.34)

plaga herida (H.7.xxxviii.303)

plagado herido (D.3.191)

plango véase *plañir*

plansera placentera, ¿alegre? (I.34.pág.89)

plañir lamentar, llorar (D.5.6): *plango* 1 pres. indic. (G.30.8); *plañia* 3 imperf. indic. (G.2.52)

plazer[1] (plaçer) complacer, alegrar: *plogo(l')* *(plugo)* 3 pret. indic. (B.2.640d), *ploguiere (pluguiere) (ploguyer)* 3 fut. subj. (B.4.3212; E.11.pág.5; I.29.pág.89), *ploguies (ploguiesse)* 3 pret. subj. (B.1.79; B.4.2741), *plazia (plazie)* 3 imperf. indic. (B.2.567b)

plazer[2] placer, favor (B.2.177d)

plazo (plaço) tiempo señalado para un procedimiento jurídico, etc. (B.4.2970); acuerdo (E.16.6)

plectear actuar, gestionar: *plecteó* 3 pret. indic. (D.8.135c) *plegadiço* allegadizo (D.8.183a)

plegar (arag.) llegar, acercarse: *plegem* 'me acerqué' 1 pret. indic. (D.1.37)

pleno (arag.) lleno (D.3.87)

pletesía (pleytesía) demanda (D.7.88d); convenio, pacto (E.17b.cv)

pleyte pleito, negocio (D.6.111d)

plogo, ploguiere (ploguyer), etc., véase *plazer*[1]

plomaço colchón (D.4.130)

plorar (arag.) llorar: *ploro* 1 pres. indic. (D.1.203)

plouer (arag.) llover: *pluuie* 3 pres. indic. (I.27.1)

plugo, pluguiere véase *plazer*[1]

plus más (D.6.113d)

pluuie véase *plouer*

poblecer engrandecer (D.9.1869d)

poçoña veneno (I.14.iii)

poder: pudet 3 pres. indic. (C.1.13), *podades* 5 pres. subj. (D.9.247b), *podiere* 3 fut. subj. (E.2.IV.iii.3), *pudieredes* 5 fut. subj. (I.11.lxvii), *pud* 1 pret. indic. (E.11.pág. 16), *podiestes* 5 (pero 2) pret. indic. (B.1. 62), *podies (pudies)* 3 pret. subj. (E.2.I.i.1; E.17b.cccxxx), *pudie* 3 imperf. indic. (E.17a.IV.xxvi)

podestad véase *potestad*

poi-la (g.-port.) 'después que la' (D.11.*Cant.* 4.52)

poi-lo (g.-port.) 'pues lo' (D.11.*Pról.*29)

(del) polvo por el suelo (I.11.xxxv)

poner (poer [g.-port.]): *ponelle* 'ponerle' (I.13. I.xxvij), *poni(me) (pus)* 1 pret. indic. (A.21.3; I.9.I.ii), *posiese* 3 pret. subj. (I.36.pág.96), *porne* 1 fut. indic. (I.5), *pusto* partic. pas. (C.1.110); prometer (g.-port.): *pôs* 3 pret. indic. (A.5.8)

poquellejo poquito (B.2.568b)

pora(')l 'para el'; 'por donde le' (D.7.515b; E.23.[...])

porcalzo (catalanismo) percance (D.7.142c)

porfazado (porfaçado) acusado, difamado (D.7.513d)

porfazo acusación (D.7.532a)

poridad (porydat) (poridat) secreto (B.2.568d)

porne véase *poner*

poró por donde (E.17b.cccxix)

pórpora originalmente, se trataba de una tela de lana color purpúreo, signo de la digni-

dad real; posteriormente, de tela de seda que podría ser de varios colores (E.2.I.i.1)

porregia (g.-port.) 'ofrecía' (D.11.*Cant.*4.48)

portar traer: *portaré* 1 fut. indic. (F.2.475b)

pôs, posiese véase *poner*

postema absceso (I.38.I.pág.57)

poss' (g.-port.) 'puedo' (D.11.*Cant.*4.48)

potestad (podestad) ¿potentado menor? (E.18. pág.6a); autoridad religiosa (F.2.494b)

potestas poder (D.4.244)

poyal poyo (D.10.427d)

pran (g.-port.): *a p.* o *de p.* claramente, de plano (D.11.*Pról.*34)

prancha medallón (F.2.966d)

preç véase *prez*

preciar (presçiar) estimar, apreciar: *preciamos* 4 pres. indic. (B.4.3279), *presçie* 3 pres. subj. (I.9.xxiv)

precio honra, prez (B.1.55)

precioso excelente, honroso (D.6.119a)

predicar (pedricar): pedrica 3 pres. indic. (I.9.xxiv), *pedricaron* 6 pret. indic. (I.2), *pedricando* partic. pres. (I.2)

pregar predicar (I.2)

pregaria (arag.) oración (I.27.i)

premer bajar: *premió* 3 pret. indic. (B.4.2299)

premia opresión, aprieto (B.2.565d)

prender tomar (B.2.554c): *prindo* 1 pres. indic. (D.10.182c), *pris (prys)* 1 pret. indic. (B.4.3288), *priso* 3 pret. indic. (B.1.4), *prisiestes* 5 pret. indic. (B.1.47), *prisieron* 6 pret. indic. (D.3.360), *prent* 2 imperativo (D.3.1374), *prended (prendet)* 5 imperativo (B.4.119), *prendudo (preso)* partic. pas. (B.4.586); cogerse: *prisos'* 3 pret. indic. (B.4.3280)

prent véase *prender*

presçie véase *preciar*

presentaia presente, don (B.4.1813)

presión (presón) (prisión) (presyon) prisión (B.4.1009); *esta mala p.* cárcel espiritual simbólica del pecado (F.2.1d); apremio (G.31.rubr.); rapiña, presa (I.10.i)

preso véase *prender*

prestar: de p. de valor (D.7.500a); *caballero de p.* caballero de pro (F.7.155b)

preste preparado, diligente (F.2.13d)

presto prestado (F.6.II.87)

pretura negrura (I.11.v)

preuacidor traidor (H.7.xliii.337)

prez (preç) (pres) fama (B.4.3197b); súplica (D.8.54c)

priado (pryado) pronto, rápido (B.2.564b)

priesa tropel, conflicto (B.1.23)

prima halcón hembra (E.13.I.ii)

primas por primera vez (C.1.3)

principiado educado (H.5.cxxvi.1002)

prindo, pris, priso, prisiestes, etc., véase *prender*

prisión véase *presión*

¿pristar? (leon.) convenir, ser útil: *prista* 3 pres. indic. (D.2.224)

privado (priuado) de prisa (B.4.148)

pro provecho, beneficio (B.4.861)

prohi(j)ar adoptar opiniones ajenas: *prohio* 1 pres. indic. (C.1.12)

providunbre influjo, poder (I.1.primo)

próximo vecino (I.17.I.12)

pryado véase *priado*

prys véase *prender*

pud, pudet, pudies véase *poder*

puerco jabalí (B.2.225c)

puentes alzar construir puentes, penitencia u obligación de la clerecía según las *Siete Partidas* (D.7.142b)

pues después (E.1)

puiar (pujar) (puyar) subir, aumentar: *puian* 6 pres. indic. (B.4.2698), *puyó* 3 pret. indic. (D.10.397c)

pujamiento crecimiento (E.23.[...])

pulon (pulianon) pulmón (E.23.lxii)

punnar (punar) (puñar) tratar, procurar (E.7. pág.1): *punna* 3 pres. indic. (D.11.*Cant.* 10.15), *puné* 1 pret. indic. (E.12.pág.245); esforzarse, combatir: *punnaua* 3 imperf. indic. (E.17a.IV.xxxvi)

puntar tocar un instrumento de cuerdas o (metafóricamente) interpretar: *puntares* 2 fut. subj. (F.2.70b)

puro ¿casto? (E.22.xxi)

pusto véase *poner*

puyó véase *puiar*

Q

qe que (D.6.111a)

qua véase *ca*

quadradura cuadrante, cada una de las cuatro partes de los círculos asignados por los astrólogos antiguos para describir la forma del sol y los planetas (E.18.pág.5b)

quadriello arma arrojadiza de madera con punta de hierro (D.9.1867c)

qual por qué (I.1.viii)

quam como, que (E.17c.vij)

quan cuando (D.1.21)

quebrantar: quebrantós 3 pret. subj. (B.4.34)

quende (arag.) de que (I.27.ii)

querer: quiro 1 pres. indic. (C.1.53), *quera* 3 fut. indic. (C.1.69), *quis* 1 pret. indic. (B.1.55)

quessa (rioj.) *(quexa)* queja (D.7.531b); petición (D.9.1884d)

qui quien, que (B.4.2133)

quinnon (g.-port.) parte, porción (D.11.*Cant.* 4.45)

quintana plaza (D.7.113d)

Quiron Chiron (centauro) reconocido por su conocimiento de la medicina (I.21.1. pág.17)

quis véase *querer*

quisto querido (F.2.1011d)

quisq(u)e cada uno (D.7.82c)

quito libre (B.3.87)

quoal(es) (nav.) cuando (E.2.pról.)

quoano (quoando) (nav.) cuando (E.2. pról.)

quoanto cuanto (E.2.pról.)

R

ración beneficio eclesiástico (F.2.492b)

raçonó(se) véase *razonar*

rafez (refeç) (refez) vil, bajo (D.8.170d)

rastro (rrastr[r]o) camino (B.2.639d)

razón (raçón) (rrazon) asunto, opinión (B.2. 176a; B.4.19)

razonado enseñado (E.17a.VII.xxxv)

razonar (raçonar) hablar: *raçonó(se)* 3 pret. indic. (B.1.1); expresarse: *(se) razonar* (E.17a.VII.xxxv)

re cosa (D.3.443)

real campamento donde está la tienda del rey (G.5.6)

r(r)ebata peligro (B.2.640b)

rebatar tomar: *rebato(la)* 3 pret. indic. (F.7.507)

reboltor revoltoso (D.9.2307d)

rebtar véase *reptar*

recabdar (rrecabdar) (recapdar) cumplir, lograr, llevar a cabo: *recabdado* partic. pas. (D.7.111a); *r. un mandado:* emprender o cumplir una misión oficial (D.9.1888c; D.10.37d)

recabdo precaución, cuidado, juicio (B.4.24; D.1.176); *dar r.* dar respuesta sensata (I.8.xxiv); *buen r.* buen juicio (I.11.v)

reçelar guardar: *reçele* 3 pres. subj. (I.7.pág.137); temer: *(se) recelaua* 3 imperf. indic. (I.11.xi)

recordar despertar: *recordo* 3 pret. indic. (E.16.961), *recuerde* 3 imperativo (H.3.I.1), *recordado* partic. pas. (D.7.537a)

recudimiento respuesta (D.10.542b)

recudir (rrecudir) responder, contestar: *rrecudades* 5 (pero 2) pres. subj. (B.4.3213), *r(r)ecudio* 3 pret. indic. (B.2.234a)

recullir (arag.) hospedar: *reculliendo* ger. (I.27.II)

redor alrededor (D.8.194d)

redrar (rredrar) apartar (E.15b.II.v.20); contestar, replicar: *rredro* 3 pret. indic. (F.8.309)

refeç (refez) véase *rafez*

referir rechazar: *referi(é)* 3 imperf. indic. (D.6.6c)

refertar desechar, reprobar: *refiertas* 2 pres. indic. (F.2.68d)

reguarda servicio, séquito (I.34.pág.85)

reguardar mirar con cuidado: *reguardava* 3 imperf. indic. (F.2.121d)

regu(i)lado reguilado, agudo (I.10.iii)

reguncerio relato (D.7.110c)

remanecer permanecer, quedar: *romaneció* 3 pret. indic. (D.10.406b)

ren (rren) cosa, nada (D.2.116)

rencura tristeza, odio (B.1.63)

renda renta (I.9.lxvi)

render (rendir) entregar: *rendamos* 4 pres. subj. (D.7.582a)

repaire descanso, refugio (D.7.19b)

repantajas: a r. ¿arrepentimiento? (F.2.705c)

repindencia arrepentimiento (D.7.99d)

repoyado despachado, desestimado (D.9.1882d)

reprendedero imperfecto (D.10.4d)

represo (repriso) reprendido, corregido (H.4.22)

reptar (rebtar) desafiar: *riepto*[1] 1 pres. indic. (B.3.68); reprender: *riebtas* 2 pres. indic. (E.12.pág.195); culpar, echar en cara: *rebtedes* 5 (pero 2) imperativo (F.2.878c)

repunna 'repugna' (H.1.129)

requesta ahinco, insistencia (I.37.pág.337)

requexo piedra, rincón (D.3.455)

res nada (D.4.94)

resollo respiración, olor (I.14.iii)

respendo rebuzno (D.8.50b)

retraer (rretraer) reprochar, echar en cara: *rretrayan* 6 pres. subj. (B.4.2548); recordar (D.9.2305a)

retraydo citado (I.11.xlvii)

retrayre refrán (I.8.xxiv)

reuesado difícil, contrario (I.11.xxxv)

reuezes: a r. a su vez, alternativamente (E.5.i)

reuista reencuentro (I.34.pág.83)

revatado levantado (F.2.134c)

revivir: revisco 3 pret. indic. (D.10.539a)

revol (rebol) ¿tipo de afeite? (F.1.395d)

revolver mala ceja calumniar (D.7.505c)

reysmo reino (E.1)

rezar decir en voz alta, cantar (D.10.428c)

(a) riba de la ribera (D.3.354)

riberos voz oscura: ¿infieles?, ¿excomulgados?, ¿orillas? (D.7.104c)

rictad riqueza (D.7.158d)

ridiente alegre, reidor (D.1.64)

riebtas véase *reptar*

riedro: a r. hacia atrás (D.3.451)

riepto[1] véase *reptar*

riepto[2] reto (B.3.68); desgracia (D.9.1d)

rioducha pecio, echazón (D.8.183c)

rodope voz incierta: ¿error por *gente* o *reporte*? (I.21.1.pág.18)

roin ruin (F.2.961b)

romaneció véase *remanecer*

rota especie de arpa pequeña (D.8.176d)

roydo alboroto, lucha (I.11.xxix)

rua (g.-port.) calle (D.11.*Cant*.4.75)

ruujo rubio (D.3.724)

rysso risa (G.18.13)

RR

rraer: rráxol' 3 pret. indic. (B.4.3655)

rrayado amanecido (F.8.299)

rrefecho enriquecido (B.4.173)

rremanir quedar: *rremanga* 3 pres. subj. (B.4.1807)

rrenouar emprender o renovar la caza del venado, oso, etc. (I.13.I.xxvij)

rrevolver (rreuoluer) espantar, enturbiar (B.2. 470d)

rriberar (leon.) cazar aves de ribera: *rriberando* ger. (D.2.85)

rroberia robos (F.5.75b)

rroyente roedor (H.7.x.79)

rrybera ribera (I.34.pág.88)

S

sabiença dicho sabio (F.2.123b)

sabor deseo (B.2.569d); gusto, placer (B.4.592); *al s. del solaz* bajo la protección (D.7.533a)

saborgar saborear: *saborguen* 6 pres. subj. (E.13.I.xi)

sabre arena, arenal (I.28.I.xxxvii)

sacar: s. el pie del lodo enriquecerse (I.17.II.i)

sacomano saqueo (H.5.35)

saçon véase *sazon*

sacre (sagre) ave de rapiña, parecida al halcón gerifalte (E.13.I.iii)

sagudar perseguir: *sagudando* ger. (F.6.II.59)

saillir, sailli, sallir véase *sayllir*

salnjtrio nitro, salitre (I.13.II:2.xxvij)

salto: dar un s. salir (B.4.591)

salva saludo (D.9.1880d)

salvar saludar: *salvo(l')* 3 pret. indic. (B.2.232d)

Sancti Yaguo Santiago de Compostela (B.4. 2977)

sandio loco (E.16.557)

sayllir (saillir) (sallir) salir (E.2.pról.): *sailli* 1 pret. indic., *saillido* partic. pas. (E.5.i y ii)

sayu (g.-port.) salió (D.11.*Cant*.4.63)

sazon (saçon) tiempo, ocasión (B.2.176d); *de s.* excelente (B.4.2572)

scandir escandir, medir el verso: *scandido* partic. pas. (I.22.pág.52)

sclao (arag.) esclavo (I.27.vii)

seclo, seglo véase *sieglo*

secutar ejecutar (I.36.pág.82)

seda cerda (E.4.18)

sedia, sedié, sedién véase *seer*

sedieylla (nav.) sede (E.2.I.i.1)

seeia sede (E.16.513)

seer (seder) (seher) (seyer) ser, estar, sentar(se): *só¹ (ssó)* 1 pres. indic. (B.3.77), *é³* (g.-port.) 3 pres. indic. (D.11.*Pról.*3), *sodes* 5 (y 2) pres. indic. (B.4.103), *seya* 3 pres. subj. (D.4.109), *fuere (fure)* 3 fut. subj. (F.6. II.90; C.1.17 y 69), *fuéremos* 4 fut. subj. (B.4.2732), *fuerdes* 5 (pero 2) fut. subj. (I.29.pág.86), *serié (sserye) (ser [le] ya)* 3 cond. (B.4.82b; D.1.200; I.1.vii), *seríades* 5 (pero 2) cond. (G.22.4), *serién* 6 cond. (B.4.116), *fu (fo) (fo(se)* [rioj.]) *(fo[l]* 'fuéle') *(foi* [g.-port.]) 3 pret. indic. (C.1.34; D.8.132c; D.6.10d; D.7.508a; D.11.*Cant.* 4.50), *sovist (fuestes)* 2 pret. indic. (D.6. 115c; I.7.pág.139), *sovo* 3 pret. indic. (D.7.150d), *souieron* 6 pret. indic. (E.5.ii), *fuérades* 5 (pero 2) pluscuamperf. indic. (B.1.89), *fues (fuesse) (fosse) (fose)* 3 pret. subj. (B.2.467a; B.4.2136; D.6.10d; etc.), *fuésedes* 5 pret. subj. (pero cond. B.1.21), *soviesse* 3 pret. subj. (D.9.2308d), *seí (sedia) (sedié) (siia* [g.-port.]) *(seya) (sseye) (hera)* 3 imperf. indic. (B.4.2278; D.2.195; B.4.1053; D.11.*Cant.*4.39; H.4.ii.13; D.3. 403; I.28.Proemio.viii), *seyén(se) (sedién)* 6 imperf. indic. (B.4.122 y 1001), *sed (seet [set]) (seed) (seyt)* 5 (y 2) imperativo (B.2.630c; D.7.96b; D.7.100d [pero optativo éste]; D.1.140), *seyendo (seendo) (seiendo)* ger. (B.3.51; E.18.pág.121a; G.20.28)

seglo: el s. ua a çaga 'el mundo está trastornado' (C.1.113)

segudar perseguir: *seguda* 3 pres. indic. (B.2. 231b)

seí, seiendo véase *seer*

semblant véase *senblante*

semblar conocer: *sembla* 3 pres. indic. (D.3.406)

sen¹ inteligencia, entendimiento (D.2.279)

sen² véase *ende... (en)*

senblante (semblant) (senbrante) gesto, signo (B.2.466a; D.3.1392; etc.)

sençido (rioj.) cencido, intacto (D.7.2c)

sende (arag.) ¿rápido? (I.27.ii)

senes sin (D.10.543b)

senin si no (D.2.67)

senna (seyna [nav.]) estandarte, bandera (E.16.553; E.2.I.i.1)

sennero (señero) solo, solitario (D.7.517a)

sennos sendos (E.17b.cccxxvi)

sentencia significado, intención (F.2.*Pról.Prosa*.I.pág.13; I.5)

seõ (g.-port.) seno, pecho (D.11.*Cant*.7.53)

sepádes(me) declarar 'explíqueme' (F.3.1813d)

ser(r)anil sierra (herramienta) (D.7.155b)

sermón discurso o conversación (D.10.558d)

sernan 'serán' (I.35)

seror monja, sor, hermana de religión (D.7. 557b)

seta secta (H.2.254b)

seya, seyendo, seyt, etc., véase *seer*

seyna véase *senna*

sieglo (seglo) (seclo) mundo (D.3.1341; C.1.43 y 85)

sieyllo (nav.) sello (E.2.I.i.1)

siia véase *seer*

sil (syl') 'si le' (B.2.644b; C.1.63)

sinar signar, santiguar: *sinava* 3 imperf. indic. (B.4.411)

sines (syn[es]) sin (B.2.238d; D.4.191)

sirgo seda (E.16.558)

siso (g.-port.) seso (D.11.*Cant*.4.63)

snudo (arag.) desnudo (I.27.1)

só[1] *(ssó)* véase *seer*

só[2] *(sso)* bajo, debajo de (B.3.50)

só[3] *(son)* su (B.4.133; G.10.refrán)

sobejano (sobeiano) excesivo, numeroso (B.4. 110); *s. de mala [la tierra]* excesivamente dura (B.4.838)

sobejo (sovejo) grande, excelente (B.2.568a); mucho (D.7.3a)

sobernal superior, superno (D.8.192c)

sobo, sobydo véase *sobir*

sobir subir: *sobydo* partic. pas. (B.2.628b), *sobo* 3 pret. indic. (D.10.418b), *s. de pies* pisar (E.17b.ccxl)

socavado arqueado por debajo (F.2.445c)

sodes véase *seer*

sofreriades 'sufriríais' (F.7.182)

sofrido permitido (D.7.71c)

sol sólo (F.6.vii.3)

solaz entretenimiento, ¿canción? (F.2.14a); amor (F.2.482b)

soldada pago (B.2.644d)

soldadera prostituta (D.10.396a)

solimán extirpa las manchas de la piel, afeite (I.38.X.pág.162)

soliviar levantar por debajo: *soliviava* 3 imperf. indic. (I.30.pág.149)

soltero alegre (D.10.421d)

soluer resolver: *sueluas* 2 pres. subj. (E.23. lxii)

sollo soplo, viento (E.17a.VII.xxxvii)

somo cima, lo más alto de una cosa: *en s. (de)* (B.4.171)

sorsal tordo, zorzal (I.14.vii)

sorrendar aflojar las riendas: *sorrendo* 3 pret. indic. (B.2.228b)

(los) sos (lo so) suyos, lo suyo (B.4.849; B.4.3205)

sosacamiento ardid (D.10.14c)

sosacar (sossacar) ingeniar, capturar (D.10.14c), *sossacado* partic. pas. (D.9.2313c)

sosañar desdeñar: *sosanava* 3 imperf. indic. (B.4.1020)

sotener sostener: *sotove* 1 pret. indic. (F.2. 1468d), *soterne* 1 fut. indic. (F.2.1468c)

soube (g.-port.) 'supo' (D.11.*Pról*.37)

souieron véase *seer*

sovado grande (D.9.2498a)

sovejo véase *sobejo*

soviesse, sovist, sovo véase *seer*

sparzo esparzo (I.37.pág.360)

spoiaron 'vistieron' (I.37.pág.360)

squiuar (arag.) huir, evitar, evadir: *squiuan* 6 pres. indic. (I.27.v)

sserye, sseye véase *seer*

ssobollir enterrar (D.3.1385)

ssoberviosso feroz, referido a las aves (I.12)

ssuffumar sahumar: *ssuffumáuan(la)* 6 imperf. indic. (E.20.xxvi)

star ser (F.1.17d)

stranger (strangero) (arag.) extranjero, desconocido (I.27.ii)

sturmente (arag.) instrumento (I.27.i)

sucede ¿'sigue'?, ¿'observa'? (H.2.26b)

sueldo moneda antigua (E.3.fol.50r)

sufre azufre (E.19.pág.41)

suor sudor (E.19.pág.22)

suso (susso) (ssuso) encima, arriba, sobre (B.2.551a)

sygnado razón, justificación (H.7.xxxii.253)

syl' véase *sil*

syno signo (E.4.385)

synón salvo, solamente (E.32.pág.115)

T

tabardo especie de gabán de paño tosco, casacón ancho y largo con mangas bobas que traen los labradores (F.12.18d)

tábido podrido (H.2.250h)

tablado castillejo de tablas contra el que los caballeros arrojaban sus lanzas (D.10.546d)

taforma águila culebrera (E.13.I.ii)

taiava, tajad véase *tajar*

tajar (taiar) cortar: *tajad* 5 imperativo (F.7.511); talar, devastar: *taiava(les)* 3 imperf. indic. (B.4.1172), *taiado* partic. pas. (D.3.227)

talant(e) (taliento) deseo, gusto (D.3.300 y 302; D.10.14b)

tamanno (tamaño) (tanmanno) tan grande (E.16.151; D.4.166; I.11.v)

tanger[1] tocar (E.8.pág.109)

tanger[2] melodía, canción (E.8.pág.109)

tantost (arag.) pronto (I.27.1)

taraçana atarazana, arsenal (I.28.I.xxxvii)

tarraçuella (tarrazuela) jarro morisco de barro para beber agua (I.11.xlvii)

társico penetrante (G.32.13)

tasajo pedazo de carne seca y salada (G.2.15)

taula (arag.) mesa (I.27.i)

taxo(n) tejón (E.8.pág.130)

tener: tjngo 1 pres. indic. (G.10.2), *tine* 3 pres. indic. (C.1.20), *ternedes (terrédes[lo]) (ternéys)* 5 fut. indic. (B.3.20; D.7.1d; G.33.74), *ternan* 6 fut. indic. (F.6.II.56), *touiere* 3 fut. subj. (E.9.pág.73), *tuuierdes* 5 (pero 2) fut. subj. (I.33.pág.50), *toue* 1 pret. indic. (E.9.pág.62), *tovo* 3 pret. indic. (B.2.176d), *toviess* 3 pret. subj. (E.2.I.i.1); creer: *terne* 1 fut. indic. (C.1.19), *tovo (que)* 3 pret. indic. (D.4.114), *touieron (que)* 6 pret. indic. (E.17a.III.xv); considerar, estimar: *tenje* 3 imperf. indic. (D.3.145); *terrá (terna) (terrna)* 3 fut. indic. (D.6.117b;

E.17c.vij; F.4.425a); defender: *ternie* 3 cond. (E.16.513); recibir: *ternia* 1 cond. (B.2.595c)

tenje véase *tener*

tenudo obligado (E.12.pág.245)

terçeñal ¿terciopelo? (I.14.vii)

ternéys, terna, terne, ternedes, ternia, ternie, terrédes(lo) véase *tener*

terniellas tetas (D.7.508a)

terrería amenaza terrorífica (I.11.xxix)

tessugo tejón (I.6.xxxx)

tiesta cabeza (B.4.13)

tiestherido cabeza rota, loco (D.7.101a)

tine véase *tener*

tino luz (I.36.pág.83)

tirar retirar, recobrar (D.7.87c)

tiseras tijeras (I.5)

tjngo véase *tener*

(lo) to tuyo (B.4.409)

tobiemos 'teníamos' (I.7.pág.137)

todavía siempre (D.7.81b)

toldras, tolios' véase *toller(se)*

toller(se) quitar, cortar, privar de: *tuelle* 3 pres. indic. (B.2.629b), *tollió (tolio[s'])* 3 pret. indic. (B.4.1173; D.1.126), *toldras* 2 fut. indic. (B.2.237b), *tuélle(telo) (tuelte)* 2 imperativo (D.8.82d; F.2.962c)

torçuelo halcón macho, terzuelo (E.13.I.ii)

tornar volver: *tornado* partic. pas. (B.1.14); devolver (B.4.36); trocarse: *(se) tornarán* 6 fut. indic. (B.4.381); ir aconsejando: *tornan de* castigar 6 pres. indic. (B.4.383)

torondo verruga (I.15.xx.pág.16)

tost (toste) pronto, rápidamente (E.4.369)

trabar véase *trauar*

traer[1] *(traher): trayo* 1 pres. indic. (B.4.82), *trax* 1 pret. indic. (F.2.962d), *truxo (trasco* [rioj.]) 3 pret. indic. (H.2.248h; D.7.49c), *troxiera* 3 pluscuamperf. indic. (E.16.8), *traxiese* 3 pret. subj. (D.4.102), *trasquiessen* 6 pret. subj. (D.7.576c), *trai(le) (trete)* 2 imperativo (F.2.1466b; F.2.966f), *tred* 5 imperativo (B.4.142); discutir: *trayendo* partic. pres. (B.4.3163)

traer[2] arreo personal (I.28.II.lxxvii)

trai(le), trasco véase *traer*[1]

trasladar traducir (E.4.[pról.])

trasnochada noche (H.4.i.5)

traspaso transgresión (H.7.xxxviii.299)

trasoro (arag.) tesoro (I.27.1)

trauar (trabar) (travar) con o *de:* agarrar, prender (B.2.648c), *trauo (...de)* 3 pret. indic. (E.16.961); rogar, suplicar: *trauo (con)* (E.17b.cccxxxi); *t. a la boruca* voz oscura: ¿dar golpes con la cabeza en la de otra persona? (B.2.649c)

traves(s)era capa cruzada para dejar una parte del pecho libre (D.9.1867a)

(de) travieso (traviésso[l']) de través (B.4.3650): *estar de t.* se refiere al movimiento de la luna de un lado a otro del sol (E.4.371)

traydo traicionado (F.7.17)

trax, trayo véase *traer*

trebaiasse 'se esforzase' (I.37.pág.343)

trechar abrir y salar (pescado): *trechado* partic. pas. (F.2.1105b)

tred véase *traer*

trefudo robusto, musculoso (F.2.1008d)

trestiga cloaca de las poblaciones (E.14.iii)

trete véase *traer*[1]

trever atreverse a: *(se) treven* 6 pres. indic. (B.4.567)

trifauce epíteto del fabuloso Cancerbero: de tres fauces o gargantas (H.2.248b)

troba verso o canción (F.2.Pról.Prosa.I.pág. 14); *t. caçur(r)a* canción callejera propia de los juglares «cazurros»: escandalosa, burlesca, etc. (F.2.114a)

trobar (trovar) hallar: *trova (troba* [arag.]) 3 pres. indic. (D.7.19b; I.27.i), *trobé* 1 pret. indic. (D.7.6a), *trubado* partic. pas. (C.1.35); componer versos y canciones (D.1.112)

trocar: troco 1 pres. indic. (F.2.1607b)

tronido trueno (I.33.pág.802)

trotalla ¿marcha?, ¿canción para animar a la gente en marcha? (F.2.1021c)

troxiera véase *traer*

troya vieja ruin y viciosa (F.2.699c)

trubada véase *trobar*

trufería bufonada, mentira (D.8.191a)

truxo véase *traer*

tuelte, tuelle véase *toller*

tuerto daño, agravio (B.2.242a; D.3.399); culpa (D.10.73a)

tunbal véase *tuval*

turar durar mucho (F.4.6b)

turon mamífero parecido al hurón (I.6.xxxx)

turquesa especie de bodoque o pelota de barro que se lanzaba con la ballesta (D.9. 1867b)

tuval (tunbal) son grave y resonante, semejante al de una trompeta (tuba) (D.8.192d; F.2. 1487a)

tyeneste 'te tienes' (F.4.300c)

U

ú (g.-port.) cuando (D.11.*Cant.*4.28)

ualas me 'que me valgas' (B.2.178c)

(de) ualde aunque (I.9.I.xxv)

uço puerta (B.4.3); *la merca de tu u.* 'lo que se ofrece a tu puerta' (F.2.1490c)

udieron véase *odir*

ueç vez (E.18.pág.5b)

ueer véase *veer*

uegada véase *vegada*

ueido véase *veer*

uençudo vencido (E.16.558)

ueno vino (D.1.184)

(por) uer en verdad (C.1.28)

uere, uerie véase *veer*

uernie véase *venir*

(de) uero verdad (C.1.28)

ueyen, ueyes, ueyer véase *veer*

uido véase *veer*

uieia vieja (E.17b.cccxxxi)

uiniere, uiniese véase *venir*

uiron véase *veer*

uiso vista, mirada (E.19.pág.22)

uisquiessen véase *vevir*

uita vida (C.1.76)

uó[1] véase *ir*

uo[2] vos (C.1.136)

uoca boca (C.1.147)

uolar volar: *uolo* 3 pret. indic. (E.16.513)

usmar husmear: *osmo(la)* 3 pret. indic. (E.17b. cccxxi)

uviar (huviar) ayudar, socorrer (B.4.1208); suceder, llegar: *uviado* partic. pas. (D.7.95b); poder: *huuiasse (vbiasse)* 3 pret. subj. (E.16.961; I.11.xxxv)

V

vacar animal fabuloso (I.28.II.lxxxix)

vades véase *ir*

vagar (bagar) descanso, reposo (B.4.2862); ¿dar tiempo libre?, ¿estar ocioso?: *bagaba* 3 imperf. indic. (I.28.II.lxxii); *de v.* lentamente (G.17.235)

valer (ualer): vale (ual) 3 pres. indic. (B.1.51; C.1.33), *vala* 3 pres. subj. (B.4.48), *v. menos* incurrir en deshonra: *menos valedes vós* 5 pres. indic. (B.4.3268)

vara lanza (F.7.1)

váratro infierno (D.7.85d)

varragana concubina (B.4.3276)

vasca ansia (E.6.iii)

vaxamar baja mar (I.28.II.lxxi)

vayle baile (I.28.II.xxxvii)

vayllia bailía o territorio sometido a la jurisdicción del baile; *en v.* referencia colectiva a los ministros superiores del rey de Navarra (E.2.I.i.1)

vbiasse véase *uviar*

vebia 'bebía' (I.24.pág.18)

vedar prohibir: *viéda(les)* 3 pres. indic. (B.4.1205), *vedádal' an* 'le han vedado' (B.4.62), *vedó-ge-lo* 'se lo vedó' (E.7. pág.45)

veden, vedía, vedie, vediendo véase *veer*

veer (ber) (uer) (ueer) (ueyer) (veder) (veyer) ver: *ueyes* 2 pres. indic. (D.1.210), *veye* 3 pres. indic. (E.11.pág.4), *vedes (beedes)* 5 (y 2) pres. indic. (B.4.137; I.11.v), *veden (been)* 6 pres. indic. (D.7.32d; I.35), *veyan* 6 pres. subj. (I.13.I.xxvij), *uere* 1 fut. indic. (C.1.27), *viere* 3 fut. subj. (I.13.I. xxvij), *viéredes* 5 (y 2) fut. subj. (B.4.388), *uieren* 6 fut. subj. (E.13.fol.64r), *veyerlo hie* 'lo vería' *(uerie)* 3 cond. (D.10.405d; E.17b.cccxxx), *veriedes* 5 (y 2) cond. (B.4.170), *bi* 1 pret. indic. (I.6.xxxx), *vido (uio) ([se] vido) (vyo)* 3 pret. indic. (B.1.11; E.16.553; I.27.vii; B.2.239c), *uiestes (viestes) (vidiestes)* 5 pret. indic. (D.1.63; D.3.212; D.7.94b), *vidieron (uiron)* 6 pret. indic. (B.1.99; E.16.513), *uiran* 6 pluscuamperf. indic. (E.16.553), *uies (vies)* 3 pret. subj. (D.1.38; F.2.63b), *viesedes* 5 (pero 2) pret. subj. (F.7.285), *vedie (vedía)* 3 imperf. indic. (D.3.181; D.8.49a), *beyemos* 4 imperf. indic. (I.7.pág.137), *ueyen (veyen) (beyan)* 6 imperf. indic. (E.16.755; B.2. 553a; I.28.II.lxxxix), *vediendo (veyendo)*

ger. (D.8.48a; E.17b.cccxxi), *ueido* partic. pas. (C.1.3)

vegada (uegada) vez (D.2.121)

vegüela vega (G.26.4)

velada esposa, mujer casada (B.4.3277)

velar boda (B.4.2138)

velido (g.-port.) *(vellido* [cast.]) bello, hermoso (A.7; B.4.1612)

venado hasta c. 1400, se refiere a cualquier res de caza mayor; después, sólo al ciervo (I.13.I.xxvij)

venera concha de los peregrinos; *cibdat de v.* se refiere o a Santiago de Compostela o a Pontevedra (I.34.pág.88)

venir (uenir) (D.1.56): *uiene (vien') (uinet)* 3 pres. indic. (D.1.76; D.2.85; C.1.19), *venieren* 6 fut. subj. (I.13.xxvij), *verná (verna)* 3 fut. indic. (D.2.65; F.4.425c), *vernan* 6 fut. indic. (F.6.II.58), *uernie (bernía)* 3 cond. (E.16.151; I.28.II.lxxii), *vin* 1 pret. indic. (D.9.1884b), *venist* 2 pret. indic. (D.6.114a), *víno(lis)* 'les vino' 3 pret. indic. (D.8.193a), *veniera* 3 pluscuamperf. indic. (B.2.469a), *venie* 3 imperf. indic. (B.2.465d), *vinién* 6 imperf. indic. (D.9. 1867a), *venies[s]e (uiniese)* 3 pret. subj. (B.2.468b; D.1.21), *viniessen (vinjessen)* 6 pret. subj. (B.4.1208; D.3.156), *venid* 5 (pero 2) imperativo (A.10.1)

venta casa (F.2.968b)

ventana orificio nasal de los halcones (I.10.iii)

ventar descubrir, hallar: *ventado* partic. pas. (B.4.116); olfatear: *viento* 1 pres. indic. (F.2.873d)

ventor perro de caza (I.34.pág.96)

verbo (vierbo) (veruo) (beruo) palabra (D.7. 60d); *de beruo a veruo* 'desde el principio hasta el final' (E.4.386); refrán (I.34. pág.89)

verdel especie de molusco, parecido al berberecho (F.2.1104b)

vergel claro (de bosque) (B.4.2700)

verna (verná) véase *venir*

(en) vero en serio (B.4.3258b)

vesso (vueso) hueso (I.1.pág.56; I.10.iii)

veste hueste (B.2.466d)

veuer beber (E.23.[...])

vevir (uevyr) (uivir) (beuir) (beujr) (bevir) (bivir) (bibir) vivir (B.2.180b): *biuo*[1] 1 pres.

indic. (D.2.250), *beuides* 5 pres. indic.
(D.2.207), *byuen* 6 pres. indic. (E.4.16),
vysquieredes (biuredes) 5 fut. subj. (B.2.
635c; I.7.pág.137), *beui (bibi)* 1 pret. indic. (F.5.852g; I.28.Proemio.viii), *visco*
3 pret. indic. (D.3.775), *visquiese* 3 pret.
subj. (I.1.primo), *visquiessen (uisquiessen)*
6 pret. subj. (B.4.173), *uiuia (byuía)* 3 imperf. indic. (B.2.232c; I.34.pág.88), *veuian*
6 imperf. indic. (B.2.227c)
vezar avezar, acostumbrarse: *(se) vezan* 6 pres.
indic. (E.23.lxii), *vezós'* 3 pret. indic.
(B.4.3272)
viba yo 'viva yo' (I.24.pág.18)
viçio abundancia, deleite, placer (D.2.249)
viçioso a gusto (D.7.6c); abundante (E.16.558);
cebado (D.9.2497c)
vido véase *veer*
vienes sennalados 'cosas notables' (I.7.pág.
136)
viento véase *ventar*
vierbo véase *verbo*
vieso (viesso) verso (D.2.298; I.11.v)
viia (g.-port.) 'veía' (D.11.*Cant*.4.28)
villutado de velludo (F.7.493)
viola vihuela (D.10.426c)
visaje máscara, antifaz (H.6.62)
visco véase *vevir*
viso rostro (G.18.14)
visquiese, visquiessen véase *vevir*
vivda viuda (F.1.393b)
volo 'quiero' (F.2.475b)
(de) volonter libremente, de buena gana (B.2.
177b)
vollaz 'queréis' (F.2.482d)
vós Vd., vosotros (B.4.47)
vosso (g.-port.) vuestro (D.11.*Cant*.7.37)
vozealla 'reclamarla' (D.7.87a)
vrauo bravo (I.11.xxxv)
vueytrre buitre (B.2.173d)
vỹ' (g.-port.) vino (D.11.*Cant*.4.32)
vyo véase *veer*

X

xabeba aljabeba, flauta mora (I.28.II.xxxvii)
xamet (xamit) tejido de seda (D.1.71)
xaque jaque (E.21)

xara monte, montaña (F.7.376)
xe (g.-port.) se (D.11.*Cant*.4.55)
ximio (xymio) simio, mono (E.8.pág.130)

Y

ý (hí) (hy) (í) (i [g.-port.]) allí (B.2.227c;
B.4.120; etc.); *í á* hay, hace (c.1.96)
ya: -ía, sufijo de condicional que procede del
tiempo imperfecto; véase, p. ej., *seer: ser(le)
ya* (I.1.vii)
yal' 'ya le' (B.4.570)
yaciente (yacente) horizontal (E.18.pág.6a)
yantar (iantar) (jantar) comer (D.3.167): *janta* 3 pres. indic. (D.2.27), *iantado* partic.
pas. (B.4.1039); *la iantar* comida (del mediodía) (B.4.304; D.1.11)
ya quanto ¿pronto?, ¿algo? (B.2.648a)
yaga, yara véase *yazer*
yazer (iacer) (iazer) (jazer) yacer, dormir, tener relaciones sexuales (B.1.85; E.2.IV.i.3):
yaze (jaz) (iaz[e]) (yaz) (iase) 3 pres. indic.
(B.1.11; D.2.27; B.4.1209; D.6.3c;
G.20.13), *iazen* 6 pres. indic. (B.4.2702),
yaga 3 pres. subj. (E.14.xxi), *yara* 3 fut.
indic. (E.14.xv), *yoguiere* 3 fut. subj.
(E.19.pág.23), *yogo (jogó)* 3 pret. indic.
(B.4.573; E.2.pról.; I.29.pág.86), *yoguieses* 2 pret. subj. (E.12.pág.195), *yoguiese*
3 pret. subj. (F.1.28a), *yaziá (yaziés') (jazie) (jazia) (iacia)* 3 imperf. indic. (B.1.95;
B.4.2280; D.3.1362; E.11.pág.4; E.2.pról.),
yazien 6 imperf. indic. (B.2.640a); permanecer: *yogo* 3 pret. indic. (B.4.573); *y. en
vanno* acostarse en el baño (D.7.152b)
yd, ydes véase *ir*
yeguariza parecida a una yegua (F.2.1008d)
yela véase *helar*
yen: -ían, sufijo de condicional que procede
del tiempo imperfecto, véase p. ej. *afazerse: afazer se yen* (E.9.II.pág.36)
yente gente (B.4.29)
yerua hierba (D.1.43); veneno puesto en las
flechas (E.14.xxxi)
yjada (yiada) costado (I.10.iii)
ynnocencia lo desconocido (E.8.pág.109)

ynojos véase *inoios*

ynplisyón hinchazón (H.7.ii.15)

yogo, yoguiere, yoguiesen, yoguiesse véase *yazer*

yr, yrán, yredes, yt véase *ir*

ytar (itar) (nav.) echar, arrojar, desterrar: *ytelo* 3 imperativo (pero optativo) (E.2.IV.iii.3)

yua véase *ir*

yujerno invierno (D.3.144)

yurar jurar: *yuro* 3 pret. indic. (E.16.513)

yuso (yusso) abajo (B.4.1002); *de y.* (de) debajo (de) (E.4.381)

yxia véase *exir*

Z

zarafa jirafa (I.6.xxxx)

zelar celar, vigilar, proteger: *zelando* ger. (I.21.1.pág.18)

zo esto (E.2.I.i.1)

ÍNDICE GENERAL